中华传世藏书

續資治通鑑

[清] 畢 沅◎著

線裝書局

续资治通鉴卷第一百八十四

【原文】

元纪二　起著雍摄提格【戊寅】五月,尽屠维单阏【己卯】十二月,凡一年有奇。

世祖圣德神功文武皇帝

至元十五年　宋祥兴元年【戊寅,1278】　五月,癸未朔,诏翰林学士和尔果斯:"今后进用宰执及主兵重臣,其与儒臣老者同议。"

宋改元祥兴。时硇洲粮少,乃遣人征粮于琼州,海道滩水浅急,艰于转运,别取道杏磊浦以进,雷州总管蒙古特以兵邀击之。

宋升硇洲为翔龙县。

宋遣张应科、王用将兵取雷州,应科三战不利,用遂降。

乙未,以乌蒙路隶云南行省。

己亥,江东道按察使阿巴齐,求宣慰使吕文焕金银器皿及宅舍、子女,不获,诬其私匿兵仗。诏行台大夫姜卫诘之。事白,免阿巴齐官。

宋驸马杨镇从子玠节,家富于资,守藏吏姚溶窃其银,惧事觉,诬玠节阴与(唐)〔广〕、益二王通,有司搒笞,诬服。狱成,总管府推官申屠致远谳之,得其情,溶服辜。玠节以赂为谢,致远怒,绝之。

杭人金渊者,欲冒籍为儒,儒学教授彭宏不从。渊诬宏作诗有异志,揭书于市,逻者以上。致远察其情,执渊穷诘,罪之。属县械反者十七人,讯之,盖因寇作以兵自卫,实非反者,皆得释。

六月,丁巳,宋张应科收兵复战,败死。张世杰悉众围城,城中绝粮,士食草,史格漕钦、廉、高、化诸州粮以给之。世杰引还。

己未,宋主迁驻新会之厓山。时诸军泊雷、化犬牙处,而厓山在新会县南八十里大海中,与石山对立如两扉,故有镇戍。张世杰以为天险可守,乃遣人入山伐木,造行宫三十间,军屋三千间。正殿曰慈元,杨太妃居之。升广州为翔龙府。时官、民兵尚二十馀万,多居于舟,资粮取办于广右诸郡、海外四州;复刷人匠,造舟楫,制器械,至十月始罢。

己巳,有大星殒于广南,声如雷,数刻乃已。

乙亥,敕省、院、台、诸司应闻奏事,必由起居注。

己卯,参知政事蒙古岱请颁诏招宋广王及张世杰;不从。

江东宣慰使张弘范入觐,请于帝曰:"张世杰立广王于海上,闽、广响应,宜进取之。"帝以弘范为蒙古、汉军都元帅。陛辞,奏曰:"国制,无汉人典蒙古军者。臣汉人,恐乖节度,猝难成功。愿得亲信蒙古大臣与俱。"帝曰:"尔忆而父与察罕之事乎?其破安丰也,汝父留兵守之,察罕不肯,师既南而城复为宋有,进退几失据,汝父至不胜其悔恨也,由委任不专。今岂可使汝复有汝父之悔乎!"赐锦衣、玉带。弘范辞曰:"奉命远征,无所事于衣带也。苟以剑甲为赐,则臣得仗国威灵,率不听者,臣得其职矣。"帝壮之,出上方剑以赐,曰:"剑,汝副也,有不用命者,以此处之。"及行,弘范荐李恒自副。至扬州,发水陆之师二万,分道南下。帝复命达春留后,供军食。

秋,七月,宋湖南制置司张烈良及提刑刘应龙,起兵以应厓山,雷、琼、全、永与潭属县之民周隆、贺十二等咸应之,大者众数万,小者不下数千。帝命阿尔哈雅往讨,获周隆、贺十二,斩之。烈良等举宗及馀兵奔思州乌罗洞,为官军所袭,皆战死。

阿尔哈雅略地海外,唯琼州安抚赵与珞及冉安国、黄之杰等率兵拒于白沙口,相约固守,以死自誓。日望援兵不至,其南宁、万安、吉阳诸州县及八番、罗甸诸蛮皆附。

阿哈玛特奏立江西榷茶运司及诸路转运(监)〔盐〕使司、宣课提举司,宣课司官吏多至五百馀人。

先是湖南行省左丞崔斌入觐,从帝至察罕诺尔,帝问:"江南各省抚治如何?"斌对以治安之道在得人,今所用多非其人。因言:"江南官冗,杭州地大民众,阿哈玛特溺于私爱,以任其不肖子巴苏呼。且阿哈玛特先自陈,乞免其子弟之任,今乃身为平章,而子若侄或为参政,或为尚书,或领将作监、会同馆,一门悉处要津,有亏公道。"帝命罢黜之,然终不以为阿哈玛特罪。

既而淮西宣慰使昂吉尔入朝,亦以官冗为言,于是诏:"江西省并入福建,罢榷茶营田司归本道宣慰司,罢漕运司归行省。"

帝尝谓昂吉尔曰:"宰相明天道,察地理,尽人事,能兼三者,乃为称职。尔纵有功,宰相非可觊者。回回人中,阿哈玛特才任宰相,阿尔年少亦精敏,南人如吕文焕、范文虎率众来归,或可以相位处之。"

丙戌,以江南事繁,行省官未有知书者,恐于吏治未便,分命崔斌至扬州行省,张守智至潭州行省。阿哈玛特恶崔斌,不欲其在内,故因事出之。

丙申,以达春、吕师夔、贾居贞行中书事于赣州,福建、江西、广东皆隶焉。

辛亥,改京兆府为安西府。

诏江南、浙西等处,毋里理征民。时诸将市功,且利俘获,往往滥及无辜,或强籍新民以为奴隶。令出,得还为民者数千人。

建汉祖天师正一祠于大都,令张留孙居之。

八月,壬子朔,追毁宋故官所受告身。

庚申,有星堕广州南。初陨,色红,大如箕,中爆裂为五,既堕地,声如鼓,一时顷止。

己巳,宋加文天祥少保,封信国公,张世杰封越国公。天祥闻宋主即位,上表自劾兵败江西之罪,请入朝。优诏不许,更加官爵。天祥移书陆秀夫曰:"天子幼冲,宰相遁荒,诏令皆出诸公之口,岂得以游词相拒!"会军中大疫,士卒多死,天祥母亦病没,诏起复之。天祥长子复亡,家属皆尽。

辛未,复给漳州安抚使沈世隆家资。世隆前守建宁府,有郭赞者,受宋张世杰檄招世隆,世隆执赞,斩之。蒙古岱以世隆擅杀,籍其家,帝曰:"世隆何罪! 其还之。"仍授本路管民总管。

壬申,宋以姚良臣为右丞相,夏士林参知政事,王德同知枢密院事。

辛巳,以中书左丞董文炳签书枢密院事,参知政事索多、蒲寿庚为中书左丞。因命索多等招徕东南诸蕃国,许以互市。

九月,壬午朔,宋葬前主于永福陵。

庚寅,以中书左丞、行江东道宣慰使吕文焕为中书右丞。

冬,十月,己未,享于太庙。

丁卯,弛山场樵采之禁。

十一月,丁亥,以辰、沅、靖、镇远等郡与蛮、獠接壤,民不安业,命达春、程鹏飞并为荆湖北道宣慰使。

张弘范以弟弘正为先锋,戒之曰:"汝以骁勇见选,非私汝也。军法重,我不敢以私挠公,汝慎之!"进攻三江寨,寨据隘乘高,不可近,乃连兵环之。寨中惧,人持满以待。弘范令下马治朝食,若将持久者,持满者疑不敢动。它寨俱不设备,弘范忽麾军连拔数寨,回捣三江,拔之。

壬辰,中书左丞、行江东道宣慰使囊嘉特言:"江南既平,兵民宜各置官属,蒙古军宜分屯大河南北,以徐丁编立部伍,绝其掳掠之患。分拣官僚,本以革阿哈玛特滥设之弊,其将校立功者,例行沙汰,何以劝后! 新附军士,宜令行省赐之衣粮,毋使阙乏。"帝嘉纳之。

征宋故相马廷鸾、章鉴赴阙,不至。

张弘范以舟师由海道袭漳、潮、惠三州,李恒以步骑由梅岭袭广州。阿尔哈雅遣人招安抚使赵与珞及冉安国、黄之杰等于琼州,不从,率兵御之。癸巳,琼州民作乱,执与珞等降,与珞及安国、之杰皆死之。

甲午,弛酒禁。

初,阿哈玛特子呼逊、阿萨尔等,以崔斌论列免官,至是,以张惠请,诏复之。惠又请复其子巴苏呼及侄巴图噜鼎等职,帝不从。

丁未,诏谕沿海官司,通日本国人市舶。

安西王之北征也,六盘守者构乱,王相赵炳自京兆率兵往捕,诛其首恶。既而六盘复乱,炳又讨平之。王还自北,嘉叹战功,赍赐有加。是月,王薨。

闰月,庚戌朔,罗氏鬼国主阿榨、西南蕃主韦昌盛并来内附。

李恒兵至清远,宋王道夫迎战,大败。恒遂击凌震,震又败。道夫、震并弃广州遁,恒入广州,以待张弘范。

十二月,己卯朔,签书四川行枢密院昝顺招都掌蛮内附。

壬午,宋王道夫、凌震攻广州,与李恒复战,兵败,震走厓山,与翟国秀军合。

文天祥屯潮阳,邹㵑、刘子俊皆集师会之,遂讨剧盗陈懿、刘兴于潮。兴死,懿遁,以海舟导张弘范兵济潮阳。天祥帅麾下走海丰,先锋将张弘正追之。天祥方饭五坡岭,弘正兵突至,众不及战,天祥遂被执。吞脑子,不死,邹沨自刭。刘子俊自诡为天祥,冀天祥可间走也;别队执天祥至,相遇于途,各争真伪,得实,遂烹子俊。天祥至潮阳,见弘范,左右命之拜,天祥不屈。弘范曰:"忠义人也。"释其缚,以客礼之。天祥固请死,弘范不许,处之舟中,族属被俘者悉还之。子俊,庐陵人也。

丙午,禁玉泉山樵采、渔弋。

戊申,封伯夷为昭义清惠公,叔齐为崇让仁惠公。

导肥河入于鄽,淤陂皆为良田。

会诸王于大都,以临安所俘宝玉器币分赐之。

江南释教总统嘉木扬喇勒智,怙恩横肆,穷骄极淫,以是月帅徒役顿萧山,发宋宁宗、理宗、度宗、杨后四陵。宋陵使中官罗铣,守陵不去,与之力争,凶徒痛棰铣,胁之以刃,铣恸哭而去。乃大肆发掘,得宝玉极多。截理宗顶以为饮器,弃骨草莽间。是夕,闻四山皆有哭声。山阴唐珏闻之,痛愤,亟货家具,执券行贷得金,具酒醴,市羊豕,邀里中少年狎坐轰饮。酒酣,少年起请曰:"君儒者,若是,将何为焉?"珏惨然具以告,愿收遗骸共瘗之。众谢曰:"诺。"中一少年曰:"总浮屠眈眈虎视,事露奈何?"珏曰:"余固筹之矣。今四郊多暴骨,窜取以易,谁复知之!"乃造数木函,刻纪年一字为号,分委而散遣之。众如珏指,夜,往拾遗骸,诘朝来集,出白金羡馀酬之。既而嘉木扬喇勒智复发徽、高、孝、光四陵及诸后陵,徽宗枢中止有朽木一段,邢后枢惟铁灯檠一枚而已。宋太学生东嘉林景熙,故与珏善,乃托为丐者,背竹箩,手持竹夹,遇物即拾,以投箩中,铸银作小牌,系于腰间,取赂西僧,曰:"余不敢望,得高宗、孝宗足矣。"西僧左右之,果得两朝骨,为两函贮之,托言佛经,遂与珏所得之骨并瘗兰亭山南,移常朝殿冬青树植其上以识。

未几,嘉木扬喇勒智下令,衰诸陵骨,杂置牛马枯骼中,建白塔于故宫。欲取宋高宗所书《九经》石刻以筑基,杭州总管府推官申屠致远力拒之,乃止。塔成,名曰镇南,以厌胜之。杭人悲感,不忍仰视。盖珏等事甚秘,杭人未有知者。

方珏等之始谋拾骨也,宋将作监簿山阴王英孙持其议,东阳郑宗仁襄其役,长溪谢翱为之筹画。翱,故文天祥之客也。遇寒食,则相与密祭之。久之,事渐泄,人多指目珏、景熙,谓旦夕祸且不测。珏、景熙亦自承,不以为惧。事幸不发,人皆称曰唐、林二义士。

是岁,云南行省奏招降诸蛮城砦一百二十馀所,安西王相府奏西蜀俱平。

至元十六年　宋祥兴二年【己卯,1279】　春,正月,甲寅,禁无籍军侵掠平民。时诸王质弼特穆尔所部,为暴尤甚,命捕为首者置之法。

辛酉,宋合州安抚使王立以城降。

先是东川行院耻功不成,乃辞西川而自以兵围合州。立与东川有深怨,惧降而受戮,乃遣间使纳款于西川。安西王相李德辉,单舸至城下,呼立出降,安集其民而罢置其吏,合人德之。东川行院与德辉争功,因奏立久抗王师,尝指斥宪宗,宜杀之。降臣李谅亦讼立前杀其妻子,有其财物,遂诏杀立,籍其家资偿谅。既而安西王具立降附本末来上,具言东川院臣愤德辉受降之故,诬奏诛立。枢密院亦以前奏为非,帝怒曰:"卿视人命若戏耶? 前遣使,计杀立久矣,今追悔何及?"会安西王使再至,言未杀立。乃诏立入觐,命为潼川路安抚使、知合州事。

张弘范由潮阳港乘舟入海，至甲子门，获斥候将刘青、顾凯，知宋主所在。壬戌，弘范兵至厓山。

或谓张世杰曰："北兵以舟师塞海口，则我不能进退，盍先据之！幸而胜，国之福也；不胜，犹可西走。"世杰恐久在海中，士卒离心，动则必散，乃曰："频年航海，何时已乎？今须与决胜负。"遂焚行朝草市，结大舶千馀，作一字陈，碇海中，中舻外舳，贯以大索，四周起楼栅如城堞，奉宋主居其间为死计，人皆危之。

厓山北水浅，舟胶不可进。弘范由山东转而南，入大洋，与世杰之师相遇，薄之，且出奇兵断宋军汲路，世杰舟坚不能动。弘范乃舟载茅茨，沃以膏脂，乘风纵火焚之。世杰战舰皆涂泥，缚长木以拒火，舟不燕，弘范无如之何。时世杰有韩氏甥，在弘范军中，弘范署为万户府经历，三遣谕祸福。世杰不从，曰："吾知降，生且富贵。但为主死，不移也！"因历数古忠臣以答之。弘范乃强文天祥为书招世杰，天祥曰："吾不能捍父母，乃教人叛父母，可乎？"固强之，天祥遂书所过《零丁洋诗》与之，其末有云："人生自古谁无死，留取丹心照汗青！"弘范笑而止。复遣人语厓山士民曰："汝陈丞相已去，文丞相已执，汝复欲何为？"士民亦无叛者。

弘范又以舟师据海口，世杰兵士茹干粮，饮海水，水咸，即呕泄，皆大困。世杰帅苏刘义、方兴等旦夕大战。庚午，李恒兵自广州来会，与弘范合守厓山北，诸将请以炮攻之，弘范曰："炮攻，敌必浮海散去。吾分追非所利，不如以计聚留而与战也。且上戒吾必窜灭此，今使之遁，何以复！"恒亦曰："我军虽围敌，而敌船正当海港，日逐潮水上下，宜急攻之。不然，彼薪水既绝，自知力困，恐乘风潮之势遁去，徒费军力，不能成功也。"遂定议，与宋舟相直对攻。

丙子，以中书左丞拜奇尔默色同知枢密院事。

赐廉希宪钞万贯，诏复入中书。希宪称疾笃，皇太子遣侍臣问疾，因问治道，希宪曰："君天下在用人，用君子则治，用小人则乱。臣病虽剧，委之于天。所甚忧者，大奸专政，群小阿附，误国害民，病之大者。殿下宜开圣意，急为屏除，不然，日就沈痼，不可药矣。"

二月，戊寅朔，祭先农于籍田。

宋张世杰部将陈宝来降。己卯，宋都统张达乘夜来袭，败还。癸未，平旦，张弘范分诸将为四军，李恒当其北及西北角楼，诸将分居其南及西，弘范将其一，相去里许，令曰："敌东附山，潮退必南遁，南军急攻勿失之。西北军闻吾乐作，乃战。"又令曰："敌有西南舰，闻其将左大守之，必骁勇也，吾其自当之。"顷之，有黑气出山西，弘范曰："吉兆也！"潮退，水南泻，恒从北面顺流冲击，世杰以淮兵殊死战，矢石蔽空。日中，潮长，南面军复乘流进攻，世杰腹背受敌，战益力，恒不能胜。弘范所乘舰以布障四面，将士负盾而伏，乐作，世杰以为且宴，少懈。弘范回舰尾抵左大栅，左大射矢集布障、桅索如蝟。弘范度其矢尽，命撤障，伏盾兵矢石俱发，夺左大舰，又与夏御史战，夺七艘，诸将合势乘之，自巳至申，呼声震天。俄血宋军有一舟樯旗仆，诸舟之樯旗皆仆，世杰知事去，乃抽精兵入中军，诸军大溃，翟国秀、凌震等皆解甲降。

会日暮，风雨昏雾四塞，咫尺不相辨，世杰遣小舟至宋主所，欲奉宋主至其舟，谋遁去，陆秀夫恐为人所卖，或被俘辱，执不肯赴。宋主舟大，且诸舟环结，秀夫度不得脱，乃先驱其妻、子入海，谓宋主曰："国事至此，陛下当为国死。德祐皇帝辱已甚，陛下不可再辱！"即负宋主同溺，后宫诸臣从死者甚众。宋主时年九岁。世杰乃与苏刘义断维夺港，乘昏雾溃去，馀舟尚八百,尽为弘范所得。越七日,尸浮海上者十馀万人。军卒求物尸间,遇一尸,小而皙,衣黄衣,负诏书之宝,卒取宝以献。弘范亟往求之,已不获矣。遂以广王溺死报。

杨太妃闻之,抚膺大恸曰:"我忍死间关至此者,止为赵氏一块肉耳。今无望矣!"遂赴海死。世杰葬之海滨。

世杰将趣占城,土豪强之还广东,乃回舟舣南恩之海陵山,散溃稍集。飓风忽大作,将士劝世杰登岸,世杰曰:"无以为也。"登柂楼,露香祝曰:"我为赵氏,亦已至矣,一君亡,复立一君,今又亡。我未死者,庶几敌兵退,别立赵氏以存祀耳。今若此,岂天意耶!"风涛愈甚,世杰堕水溺死。

甲申,以征日本,敕扬州、湖南、赣州、泉州造战船六百艘。

乙未,诏湖南行省:"于戍军还途,每四五十里立安乐堂,疾者医之,饥者廪之,死者官给其需,藁葬之。"

禁诸鄂啰及汉人持弓矢,其出征所持兵仗,还即输之官库。

甲辰,中书省请以真定路达噜噶齐蒙古岱为保定路达噜噶齐。帝曰:"此正人也,朕将别以大事付之。"

先是郭守敬言:"历之本在于测验,而测验之器莫先仪表。今司天浑仪,宋皇祐中汴京所造,不与此处天度相符,比量南北二极,约差四度。"表石年深,亦复欹侧,守敬乃尽考其失而移置之。既又别图高爽地,以木为重棚,创作简仪高表,用相比覆。又以天枢附极而动,昔人尝展管望之,未得其的,作候极仪;极辰既位,天体斯正,作浑天象;象虽形似,莫适所用,作玲珑仪;以表之矩方,测天之正圆,莫若以圆求圆,作仰仪;石有经纬,结而不动,守敬易之,作立运仪;日有中道,月有九行,守敬一之,作证理仪;表高景虚,罔象非真,作景符;月虽有明,察景则难,作窥几;历法之验,在于交会,作日月食仪;天有赤道,轮以当之,两仪低昂,标以指之,作星晷定时仪。又作正方案圭表,悬正仪座,正仪为四方行测者所用。又作《仰规覆矩图》《异方浑盖图》《日出入永矩图》,与上诸仪互相参考。至是,以王恂为太史令,守敬同知太史院事,始进仪表式。

守敬尝上前指陈理致,至于日晏,帝不为倦。守敬因奏:"唐一行,开元间令南宫说天下测景,书中见者凡十三处。今疆宇比唐尤大,若不远方测验,日月交食,分数时刻不同,昼夜长短不同,日月星辰去天高下不同,即目测验,人少可先南北立表,取直测景。"帝可其奏,遂设监候官一十四员,分道而出,东至高丽,西极滇池,南逾朱崖,北尽铁勒,四海测验,凡二十七所。

三月,壬子,襄嘉特括两淮造回回炮新附军匠六百,及蒙古、回回、汉人新附能造炮者,俱至京师。

丙寅,敕中书省:"凡掾史文移,稽缓一日、二日者杖,三日者死。"

潭州行省招下西南诸蕃。甲戌,以龙方零等为小龙蕃等处安抚使,仍以兵三千戍之。

诏太常寺讲究州县社稷制度。礼官折衷前代,定祭祀仪式及坛墠祭器制度,图写成书,名曰《至元州县社稷通礼》。

4448 夏,四月,大都等十六路蝗。

帝师帕克斯巴卒,策琳沁嗣为帝师。赐帕克斯巴号"皇天之下一人之上宣文辅治大圣至德普(彗)〔觉〕真智祐国如意大宝法王西天佛子大元帝师"。以后累朝皆有帝师,相承不绝。

同签书枢密院事赵良弼言:"宋亡,江南士人多废学,宜设经史科以育人材,定律令以戢奸吏。"帝常从容问曰:"高丽,小国也,匠工弈技,皆胜汉人;至于儒人,皆通经书,学孔、孟。汉人惟务课赋吟诗,将何用焉?"良弼对曰:"此非学者之病,在国家所尚何如耳。尚诗赋则必从之,尚经学则人亦从之矣。"

五月,辛亥,以泉州经张世杰兵,减今年租赋之半。

丙辰,以五台僧多匿逃奴及逋赋之民,敕西京宣慰司、按察司搜索之。

丙寅,敕江南僧司文移毋辄入递。

丙子,命宗师张留孙即行宫作醮事,奏赤章于天,凡五昼夜。

先是兵下江西,南安守臣迎降,独南安县不下。县人李梓发、黄贤,共推县尉叶茂为主,缮治守具,达春引众万馀攻之。邑犹弹丸,城墙甫及肩,梓发率众死守,昼则随机应变,夜则鸣金鼓劫砦。达春等相顾曰:"城如碟子大,人心乃尔硬耶!"遂亲至城下谕降,城上裸噪大骂。俄炮发,几中达春,乃徙砦水南。自冬徂春,力攻三十五日,死者数千,不能克。久之,茂出降,元军乃退。梓发、贤坚守如故。及厓山破,参政贾居贞又往谕降,城上仍诟骂不已。时众稍稍徙去,心力颇懈,居贞命方文等进攻,凡十五日,城破,屠之。梓发举家自焚,县人多杀家属,巷战,杀敌犹过当。

甲申,敕造战船征日本,以高丽材用所出,即其地制之,令高丽王议其便以闻。

云南都元帅爱噜尼雅斯拉鼎,将兵抵金齿、蒲骠、缅国界内,招下三百寨,籍户十一万。诏定赋租,立站递,设卫送军。军还,献驯象十二。

辛丑,以通州水路浅,舟运甚艰,命枢密院发兵五千,仍令食禄诸官雇役千人开浚,以五十日讫工。

臣僚有请赋北京、西京车牛以运军粮,帝曰:"民之艰苦,汝等不问,但知役民。使今年尽取之,来岁禾稼何由得种!其止之。"

癸卯,以临洮、巩昌、通安等十驿岁饥,供役繁重,有质卖子女以供役者,命选官抚治之。旋以襄阳屯田户七百代军当驿役。

甲辰,以阿哈玛特子呼逊为潭州行省左丞,呼实哈雅等并复旧职。

是夏,四川宣慰使杨文安入觐,以所得城邑绘图以献。帝劳之曰:"汝攻城之功何若是多也!"擢四川南道宣慰使。

秋,七月,乙卯,定江南上、中路置达噜噶齐二员,下路一员。

丁巳,交趾国贡驯象。

己未,以蒙古军二千,诸路军一千,新附军一千,合万,令李庭将之。

壬戌,罢潭州行省造征日本及交趾战船。

癸酉,西南八番、罗氏等国内附,洞砦凡千六百二十六。

命崔彧至江南,访求艺术之人。

八月,丁丑,帝归自上都。

戊子,范文虎言:"臣奉诏征日本,比遣周福、栾忠与日本僧赟诏往谕其国,期以来年四月还报,待其从否,始宜进兵。"从之。

庚寅，帝以每岁圣诞节及元辰日，礼仪费用皆敛之民，诏天下罢之。

丁酉，以江南所获玉爵及玷凡四十九事，纳于太庙。

先是捕海贼金通精，不获。通精死，获其从子温，有司请论如法。帝曰："通精已死，温何预焉！"特赦其罪。

甲辰，诏："汉军出征，逃者罪死，且没其家。"

九月，乙巳朔，范文虎荐可为守令者三十人。诏令"后所荐朕自择之。凡有官守，不勤于职，勿问汉人、回回，皆论诛、籍没。"

庚戌，诏行省左丞呼逊兼领杭州等路诸色人匠，以杭州税课所入，岁造缯段十万以进。

阿哈玛特言王相府官赵炳云："陕西课程，岁（辨）〔办〕万九千锭，所司若果尽心措办，可得四万锭。"即命炳总之。

同知扬州总管府事董仲威坐赃罪，行台方按其事，仲威反诬行台官以他事。诏免仲威官，仍没其产十之二。

戊午，议罢汉人之为达噜噶齐者。

己巳，枢密院言："有唐古岱者，冒禁，引军千馀人，于辰溪、沅州等处劫掠新附人千馀口及牛马、金银、币帛，而麻阳县达噜噶齐呼巴布哈为之向导。"敕斩唐古岱、呼巴布哈，馀减死论，以所掠者还其民。

冬，十月，己卯，享于太庙。

戊子，千户托讷、总把呼岱擅引军入婺州永康县界，杀掠吏民。事觉，自陈扈从先帝出征有功，乞贷死。敕没其家赀之半，杖遣之。

辛卯，赈和州贫民钞。

乙未，纳碧玉爵于太庙。

辛丑，以月直元辰，命五祖真人李居寿作醮事，奏赤章，凡五昼夜。事毕，居寿请间言："皇太子春秋鼎盛，宜预国政。"帝喜曰："寻将及之。"明日，下诏："皇太子燕王参决朝政，凡中书省、枢密院、御史台及百司之事，皆先启后闻。"

是月，叙州、夔府至江陵界置水驿。

蜀地既平，以张庭瑞为诸蛮夷部宣慰使，甚得蛮夷心。

碉门羌与妇人老幼入市，争价，持刃入碉门，鱼通司系其人，羌酋怒，断绳桥，谋入劫之。鱼通司来告急，左丞汪惟正问计，庭瑞曰："羌俗暴悍，以斗杀为勇。今如蜂毒一人，而即以门墙之寇待之，不可。宜遣使往谕祸福，彼悟，当自回矣。"惟正曰："使者无过于君。"遂从数骑抵羌界，羌陈兵以待，庭瑞进前语之曰："杀人偿死，羌与中国之法同。有司系诸人，欲以为见证耳，而汝即肆无礼。如行省闻于朝，召近郡兵，空汝巢穴矣。"其酋长弃枪弩拜曰："我近者生裂羊胛卜之，视肉之文理何如则吉，其兆曰：'有白马将军来，可不劳兵而罢。'今公马果白，敢不从命！"乃论杀人者，馀尽纵遣之。遂与约，自今交市者以碉门为界，无相出入。

官买蜀茶，增价鬻于羌人，人以为患。庭瑞更变引法，每引纳二缗，而付文券与民，听其自市于羌，羌、蜀便之。

先时运粮由扬州溯江，往往覆陷，庭瑞始立屯田，人得免患。

都掌蛮叛，蛮善飞枪，联松枝为牌自蔽。行省命庭瑞讨之，庭瑞所射矢出其牌半干，蛮惊曰:"何物弓矢,如此之力!"即请服。遂斩其酋,而招复其馀民。

庭瑞旋授叙州等处蛮夷部宣(慰)〔抚〕使。

宋文天祥之被执也,数求死不得,太学生庐陵王炎午作《生祭文》劝其速死,置于衢路,天祥未之见也。行至南安,不食八日,犹生。是月至燕,馆人供帐甚盛,天祥不寝处,坐达旦,遂移兵马司,设卒守之。天祥南面坐,未尝面北,留梦炎说之则骂。王积翁欲合降臣谢昌元等十人请释天祥为道士,梦炎不可,曰:"天祥出,复号召江南,置吾十人于何地!"事遂已。

已而丞相博啰等召见于枢密院,天祥入,长揖。欲使跪,天祥曰:"南之揖,北之跪。予南人,行南礼。"博啰叱左右曳之地,天祥不屈。问有何言,天祥曰:"自古有兴有废,帝王、将相、灭亡诛戮,何代无之!我尽忠于宋以至此,愿求早死。"博啰曰:"汝谓有兴有废,且问盘古至今日,几帝几王?"天祥曰:"一部十七史从何处说起!我今日非应博学宏词科,何暇泛论!"博啰曰:"汝不肯说废兴事,且道古来有以宗社与人而复逃者乎?"天祥曰:"奉国与人,是卖国之臣也。卖国者必不去,去者必非卖国者也。予前除宰相不拜,奉使军前,寻被拘执。不幸有贼臣献国,国亡当死,所以不死者,为度宗二子在浙东,老母在广故耳。"博啰曰:"弃德祐嗣君而立二王,忠乎?"天祥曰:"当此之时,社稷为重,君为轻。吾别立君,为宗庙社稷计也。从怀、愍而北者非忠,从元帝为忠;从徽、钦而北者非忠,从高宗为忠。"博啰不能诘。有问:"晋元帝、宋高宗有所受命,二王立不以正,是篡也?"天祥曰:"景炎乃度宗长子,德祐亲兄,不可谓不正,即位于德祐去国之后,不可谓篡;陈丞相以太后命奉二王出宫,不可谓无所受命。"博啰等皆无词,但以无所受命为解。天祥曰:"天与之,人归之,虽无传受之命,推戴拥立,亦何不可!"博啰怒曰:"汝立二王,竟成何功?"天祥曰:"立君以存宗社,存一日则尽臣子一日之责,何功之有!"博啰曰:"既知其不可,何必为?"天祥曰:"父母有疾,虽不可为,无不下药之理。尽吾心焉,不可救,则天命也。天祥今日至此,唯有一死,不在多言。"博啰欲杀之,帝及诸大臣不可。张弘范病中亦表奏天祥忠于所事,愿释勿杀,乃复囚之。

十一月,壬子,遣礼部尚书柴椿偕安南国使杜中,赍诏往谕安南国世子陈日烜,责其来朝。

乙卯,罢太原、平阳、西京、延安路新签军还籍。罢招讨使刘万努所管无籍军愿从大军征讨者。

戊辰,命湖北道宣慰使刘深教练鄂州汉阳新附水军。

十二月,戊寅,发粟钞赈盐司灶户之贫者。

丙申,敕枢密、翰林院官就中书省与索多,议招收海外诸番事。

丁酉,敕:"自明年正月朔,建醮于长春宫,凡七日,岁以为例。"

增置宿卫。

初,宿卫皆领十四集赛,以太祖功臣博勒呼、博尔济、穆呼哩、齐拉衮四族世领集赛之长。集赛者,犹言分番宿卫也。年老既久,即擢为一品,或以才能任使,贵盛虽极,一日归至内庭,则执事如故。其后集赛增至四千八百,而累朝鄂尔多集赛尤多,为国大费。

建圣寿万安寺于京城。

帝师策琳沁卒,敕诸国教师禅师百有八人,即万安寺设斋圆戒,赐衣。

是岁,云南行省平章政事赛音谔德齐卒,百姓巷哭。交趾国王遣使者十二人衰绖致祭,使者号泣震野。

【译文】

元纪二 起戊寅年（公元1278年）五月，止己卯年（公元1279年）十二月，共一年有余。

至元十五年 宋祥兴元年（公元1278年）

五月，癸未朔（初一），降旨翰林学士和尔果斯："今后选拔任用宰相及掌握兵权的重臣，一定与年高德劭有学问的大臣一同商议。"

宋改年号为祥兴。当时硇洲粮少，于是派人到琼州征粮，海中航道滩浅水急，转运困难，另外改道经由杏磊浦运进，雷州总管蒙古特带兵截击。

宋把硇洲升为翔龙县。

宋派张应科、王用领兵攻取雷州，张应科三次作战不能取胜，王用于是投降。

乙未（十三日），把乌蒙路划归云南行省。

己亥（十七日），江东道按察使阿巴齐，向宣慰使吕文焕索要金银器皿及宅舍、子女，没能得到，就诬陷吕文焕私藏兵器。降旨行台御史大夫姜卫追问这件事。事情真相大白，罢免了阿巴齐的官职。

宋驸马杨镇的侄子杨玠节，家庭富有，保管财物的吏员姚溶偷了他家的钱，害怕事情被察觉，就诬告杨玠节暗中与南宋广王、益王来往，有司拷打玠节，玠节无辜而服罪。罪案成立以后，总管府推官申屠致远审理这桩案子，了解了案件的真情，姚溶服罪。杨玠节赠送财物以表示感谢，申屠致远很生气，同他断绝来往。

杭州人金渊，想假冒学籍充当儒学生员，儒学教授彭宏没同意。于是金渊诬陷彭宏作的诗有叛逆意图，在集镇上写出公布，巡逻兵见到之后把它交给上司。申屠致远调查了这件事的实情，捉拿金渊追问到底，最后以诬陷罪处罚了金渊。属县拘禁十七名谋反者，经过审讯，原来是因为出现了强盗，他们用武器自卫，实际不是谋反，于是都被释放。

六月，丁巳（初五），宋张应科招收士兵再次作战，战败而死。张世杰带领全体将士包围雷州城，城中粮绝，士兵以草充饥，史格从水路把钦、廉、高、化各州的粮食运来供给雷州。张世杰带领将士撤回。

己未（初七），宋国主迁驻新会的厓山。当时各路军队都停息在雷州、化州地势交错之处，而厓山在新会县南八十里的大海中，与石山相对而立如同两扇大门，所以具有戍守的条件。张世杰认为天险可以固守，于是派人进山伐木，建造行宫三十间，军队住房三千间。行宫正殿名叫慈元殿，供杨太妃居住。把广州升为翔龙府。当时官员、百姓、士兵还有二十多万人，大多数住在船上，物资粮食等都由广右各郡、海外四州置办；又搜寻工匠造船只，制器械，到十月才完工。

己巳（十七日），有一颗大星在广南陨落，发出的声音象雷鸣，持续很长时间才停止。

乙亥（二十三日），敕令中书省、枢密院、御史台、各司上奏事情必须经过起居注。

己卯（二十七日），参知政事蒙古岱奏请颁布诏书招降南宋广王赵昺及张世杰；未得到同意。

江东宣慰使张弘范入朝谒见，向元世祖奏请说："张世杰在海上立广王赵昺为国主，闽、广响应,应该进军攻取那些地方。"元世祖任命张弘范为蒙古、汉军都元帅。张弘范辞别元世祖,上奏说:"本朝的制度,没有汉人掌管蒙古军队的。臣是汉人,恐怕背离规矩,匆忙难以成功。希望能和亲近信任的蒙古大臣一起出征。"元世祖说:"你记得你父亲与察罕的事吗?那是攻克安丰的时候,你父亲决定留下部队守卫,察罕不同意,军队南进以后安丰城又被宋军占有了,我军进退几乎失去依托,你父亲悔恨得不得了,原因就是委任不专一。今天难道能让你再有你父亲那样的悔恨吗!"于是赐给他锦衣、玉带。张弘范推辞说:"奉命远征,锦衣玉带没有使用的地方。如果赐给我宝剑铠甲,那么臣就能倚仗国家显赫的声威使不听从指挥者顺服,臣能够尽职了。"元世祖赞许他,拿出尚方宝剑赐给他,说:"尚方宝剑就是你的副手,有不服从命令的,就用这把剑处治。"到出发的时候,张弘范举荐李恒做自己的副帅。到扬州,派出水陆军队二万人,分别由水路和陆路南下。元世祖又命达春为留后,负责供应军队给养。

秋季,七月,宋湖南制置司张烈良及提刑刘应龙起兵响应厓山,雷州、琼州、全州、永州与潭州属县的人氏周隆、贺十二等也都响应,势大的有几万人,势小的也不下几千人。元世祖命令阿尔哈雅前往征讨,俘获周隆、贺十二,把他们斩首。张烈良等领全族的人和剩下的士兵奔赴思州乌罗洞,被官军袭击,全部战死。

阿尔哈雅在海外占领土地,只有琼州安抚赵与珞及冉安国、黄之杰等率领部队在白沙口抵抗,互相约定坚决固守,以死表示决心。他们天天盼望援兵却盼不到。南宁、万安、吉阳各州县及八蕃、罗甸的各少数部族全降附了。

阿哈玛特奏请设立江西榷茶运司及诸路转运盐使司、宣课提举司,宣课司官吏多至五百余人。

先前湖南行省左丞崔斌入朝觐见,跟随元世祖到察罕诺尔,元世祖问:"江南各省安抚治理得如何?"崔斌回答认为治国安民之道在于选用德才兼备的人,而现在所用的大多不是那样的人。于是说:"江南官员多而无用,杭州地方大,百姓多,阿哈玛特过分宠爱自己偏爱的人,任用他的不肖之子巴苏呼。况且阿哈玛特当初自己曾表示过,请求免去他子弟的职务,现在才身为平章,他的儿子和侄儿就有的做参政,有的当尚书,有的充任军事、监察、外交官员。一家人都占据重要职位,实在不公道。"元世祖下令罢免了这些人,但始终不认为阿哈玛特有过失。

不久淮西宣慰使昂吉尔入朝谒见,也说官员多而无用。于是降旨:"江西省并入福建,撤销榷茶营田司归本道宣慰司,撤销漕运司归行省。"

元世祖曾对昂吉尔说:"宰相要通晓天道,明了地理,尽力完成人力所能为之事,能同时具备这三个条件,才算得上是称职。你即使有功,宰相的职位也不是你可以觊觎的。回回人中,阿哈玛特的才能可以担任宰相,阿尔年少也精明聪敏,江南人中象吕文焕、范文虎这样率众归顺的,或许可以安排担任宰相。"

丙戌(初五),因为江南政事繁多,行省官员中没有管文书的。恐怕对官吏的作风和为政的成绩都不利,于是分别派崔斌到扬州行省,派张守智到潭州行省。阿哈玛特憎恶崔斌,不想让他在朝中任职,所以借故安排他出外任。

丙申(十五日),任命达春、吕师夔、贾居贞到赣州行中书事,福建、江西、广东全隶属赣州。

辛亥(三十日),把京兆府改为安西府。

降旨江南、浙西等处,不准无理征调民夫。当时众将为了邀功,并且把俘获多看作有利可图,常常无限制地牵连到无辜的百姓,有的强迫新归附的百姓登记作为奴隶。诏令发出后,得以恢复平民身份的有几千人。

在大都修建汉祖天师正一祠,让张留孙居住。

八月,壬子朔(初一),追缴销毁先前南宋官员所受的委任文书。

庚申(初九),有一颗星星坠落在广州南边。刚坠落的时候,颜色是红的,像簸箕那样大小,中途爆裂成五部分,坠地后,声音如擂鼓,一会儿就停止了。

己巳(十八日),宋加授文天祥少保官衔,封为信国公,封张世杰为越国公。文天祥听说宋国主即位,上表自己揭发兵败江西的罪过,请求谒见君主接受处罚。没允许他的请求而颁布嘉奖他的诏书,又给他加封了官爵。文天祥致信陆秀夫说:"天子年龄幼小,宰相隐居荒野,诏令全都出自诸位之口,怎么能用浮夸的言辞拒绝我的请求!"正赶上军中大肆流行传染病,士卒病死很多,文天祥的母亲也病故了,文天祥为母亲守丧没有期满,又起用他的诏书就送来了。文天祥的长子又死去,他的家属全死尽了。

辛未(二十日),还给漳州安抚使沈世隆家产。沈世隆从前曾掌管建宁府,有一个叫郭赞的人,接受宋张世杰的檄文去招降沈世隆,沈世隆捉住郭赞,把他斩了。蒙古岱认为沈世隆随便杀人,就没收他的家产归公。元世祖说:"沈世隆有什么罪! 把他的家产还给他!"仍授予沈世隆本路管民总管之职。

壬申(二十一日),宋任命姚良臣为右丞相,夏士林为参知政事,王德为同知枢密院事。

辛巳(三十日),任命中书左丞董文炳为签书枢密院事,参知政事索多、蒲寿庚为中书左丞。于是命令索多等招徕东南各蕃国,允许往来贸易。

九月,壬午朔(初一),宋把端宗安葬于永福陵。

庚寅(初九),任命中书左丞、行江东道宣慰使吕文焕为中书右丞。

冬季,十月,己未(初九),在太庙举行合祭活动。

丁卯(十七日),解除不准在山地打柴的禁令。

十一月,丁亥(初八),因为辰、沅、靖、镇远等郡与西南少数民族接壤,百姓不能安居乐业,任命达春、程鹏飞一同担任荆湖北道宣慰使。

张弘范任用弟弟张弘正为先锋官,告诫他说:"你是凭着骁勇被选上的,不是我偏爱你。军法重如山,我不敢用私情阻挠公法。你要谨慎从事。"进攻三江寨,三江寨居高守险,不能接近,于是联合部队把山寨包围起来。寨中害怕,人人拉满弓严阵以待。张弘范命令将士下马备办早饭,好像要持久围困下去的样子,拉满弓的寨人感到疑惑而不敢轻举妄动。其他的山寨都没有设防,张弘范忽然指挥军队接连攻下几座山寨,返回来再攻打三江寨,一举攻克。

壬辰(十三日),中书左丞、行江东道宣慰使囊嘉特进言说:"江南已经平定,对军队和百姓应该各设管属的官吏,蒙古军应该分驻黄河南北,把其余的兵丁编立部曲行伍,杜绝他们进行掳掠的祸患。区分官吏,本来是要革除阿哈玛特胡乱安置官员的弊病,那些立有战功的将校也照例被淘汰,用什么来激励后进呢! 新归附的军士,应该命令行省发给他们衣服粮食,不要让他们缺穿少吃。"元世祖十分赞许并采纳了他的建议。

征召先前宋的宰相马廷鸾、章鉴到京城,这二人没来。

张弘范用水军由海路袭击漳、潮、惠三州,李恒用步兵和骑兵由梅岭袭击广州。阿尔哈雅派人到琼州让安抚使赵与珞及冉安国、黄之杰等归顺,赵与珞等人不接受,领兵抵抗。癸巳(十四日),琼州百姓叛乱,捉住赵与珞等人来投降,赵与珞及冉安国、黄之杰全被杀死。

甲午(十五日),解除酒禁。

当初,阿哈玛特之子呼逊、阿萨尔等,因崔斌的上奏弹劾而被免官,到这时,由于张惠的奏请,降旨恢复他们的官职。张惠又请求恢复阿哈玛特的儿子巴苏呼及侄子巴图噜鼎等的职位,元世祖没有答应。

丁未(二十八日),下诏指示沿海官司,开放与日本国人的海外贸易。

安西王北征,六盘守兵叛乱,王相赵炳自京兆领兵前往捉拿,杀死叛乱的罪魁。不久六盘又发生叛乱,赵炳又前往平定。安西王从北方回来,赞叹他的战功,给予重赏。这个月,安西王去世。

闰十一月,庚戌朔(初一),罗氏鬼国主阿榨、西南蕃主韦昌盛一起归附。

李恒的军队到清远,宋王道夫迎战,大败。李恒于是攻打凌震,凌震又败。王道夫、凌震一起丢弃广州逃走,李恒进入广州,等待张弘范到来。

十二月,己卯朔(初一),签书四川行枢密院昝顺招抚都掌蛮归附。

壬午(初四),宋王道夫、凌震攻打广州,再次与李恒交战,战败,凌震逃往厓山,与翟国秀的部队会合。

文天祥屯驻潮阳,邹㳟、刘子俊都集结部队与文天祥会合,于是在潮阳讨伐大盗陈懿、刘兴。刘兴死,陈懿逃走,用海船把张弘范的部队运送到潮阳。文天祥指挥部下奔往海丰,先锋将张弘正追赶他们。文天祥正在五坡岭吃饭,张弘正的部队突然到来,部众来不及迎战,文天祥于是被捉住。文天祥吞下龙脑香自杀,没死,邹㳟自刎而死。刘子俊被捉后诈称自己是文天祥,希望文天祥能悄悄逃走;另一队士兵押着文天祥走来,两队人在途中相遇,二人各自争说自己是真文天祥,弄清实情后,竟然把刘子俊煮死。

文天祥被押解到潮阳,见张弘范,侍从叫他跪拜张弘范,文天祥不屈服。张弘范说:"好一个忠义的人!"张弘范为文天祥松绑,用对待宾客的礼节对待他。文天祥坚决请求一死,张弘范不允许,把他安置在船上,他的被俘的同族亲属都被放回去。刘子俊是庐陵人。

丙午(二十八日),禁止在玉泉山打柴、捕鱼猎禽。

戊申(三十日),封伯夷为昭义清惠公,叔齐为崇让仁惠公。

引肥河流入鄭,淤积的池塘都成为良田。

在大都会见诸王,把从临安获取的珠宝玉石器物钱币分赐给他们。

江南释教总统嘉木扬喇勒智,倚仗皇恩专横放肆,穷骄极淫,在这个月率领门徒止宿萧山,盗掘宋宁宗、理宗、度宗、杨后的四座陵墓。宋陵使宦官罗铣,守护陵墓不肯离开,与他们力争,凶暴的徒众痛击罗铣,用刀威胁他,罗铣恸哭着离开了。于是这伙暴徒大肆盗掘,盗得很多宝玉,截下理宗的头盖骨作为饮用的器皿,把尸骨丢弃到草丛里。这天晚上,听到四周山中都有哭声。山阴人唐珏听说这件事,异常悲痛愤恨,急忙卖掉家具,手持契据借债,得到现金,备好酒,买来猪羊,邀请本地青年亲热地坐在一起痛饮。酒喝得很尽兴,有一个青年起身请问:"您是有学问的人,这样请我们来饮酒,想要做什么呢?"唐珏很悲伤地把皇陵被盗的事情全都告诉他们,希望收集遗骸一同埋葬。众人告诉他说:"行。"其中一位青年说:"那个头领和尚虎视眈眈,事情要是暴露了怎么办?"唐珏说:"我本来已经谋划好了。现在四郊有很多暴露的尸骨,偷偷拿来一换,谁又能知道呢!"于是就做了几个木匣子,刻上纪年作为记号,分别托付他们,然后让他们散去。众人依照唐珏的指点,夜晚去拾遗骸,清晨来集合,唐珏拿出剩余的银子酬谢他们。

不久嘉木扬喇勒智又盗掘徽宗、高宗、孝宗、光宗的四座陵墓及各皇后的陵墓,徽宗的棺材中只有一段朽木,邢皇后的棺材中只有一个铁灯架罢了。南宋太学生东嘉人林景熙,过去与唐珏交好,于是装作乞丐,身背竹箩,手持竹夹,遇到东西就拾起来,把它扔进箩中,用银子铸成小牌,系在腰间,拿来买通西域僧人,说:"其他的不敢奢望,能得到高宗、孝宗的遗骨就满足了。"西域僧人帮助他,果然得到两朝皇帝的遗骨,做了两个匣子存放起来,假托说是佛经,于是与唐珏得到的遗骨一起埋葬在兰亭山南,把常朝殿的冬青树移种在那上面作为标志。

不久,嘉木扬喇勒智下令,聚集各陵尸骨,混杂在牛马的枯骨之中,在故宫修建一座白塔。想拿宋高宗书写的《九经》石刻来筑塔基,杭州总管府推官申屠致远极力抵制,才作罢。塔建成了,取名镇南,表示用诅咒来制胜南宋。杭州人悲痛伤感,不忍心仰视。原来唐珏等人做的事很隐秘,杭州人没有知道的。

正当唐珏等人开始谋划拾取遗骨的时候,南宋将作监簿山阴人王英孙也提出这样的主张,东阳人郑宗仁帮助做这件事,长溪人谢翱为这件事筹划。谢翱过去是文天祥的门客。每到寒食节,他们就一起秘密地祭奠。时间长了,事情渐渐泄露出去,人们大多注意唐珏、林景熙,说他俩早晚将有不测的灾祸。唐珏、林景熙自己也承认,并不为此而惧怕。幸亏事情没被发现,人们都称颂唐、林二人是义士。

这一年,云南行省上奏招降当地各少数族城寨一百二十多座,安西王相府上奏西蜀地区全都平定。

至元十六年　宋祥兴二年（公元 1279 年）

春季,正月,甲寅(初六),禁止无赖兵卒侵犯掠夺平民。当时诸王质弼特穆尔部下的士卒,欺凌损害百姓特别严重,命令逮捕首恶分子依法惩治。

辛酉(十三日),宋合州安抚使王立献城投降。

在这之前,东川行枢密院因为没有立功而感到耻辱,于是拒绝西川行枢密院的帮助独自用兵围攻合州。王立与东川行枢密院有深仇,害怕投降之后被杀,于是派密使向西川行枢密院投降。安西王相李德辉单独驾一只小船到合州城下,喊王立出城投降,使全城百姓安定和睦并赦免那些官吏,合州人都感激他。东川行枢密院与李德辉争功,上奏说王立长期对抗天子的军队,并且曾经指斥宪宗,应该杀掉。降臣李谅也控诉王立先前杀了他的妻儿,占有他的财物,于是降旨杀王立,没收他的家产归还李谅。不久安西王把王立降附的全部经过上奏,详细说明东川行枢密院臣怨恨李德辉受降的原因,所以诬告奏请诛杀王立。枢密院也认为先前东川行枢密院的奏章是错误的,元世祖大怒说:"你们看待人命像儿戏吗?先前派使臣去审核杀王立已经很久了,现在追悔怎么来得及!"恰巧安西王的使臣第二次到京城,说未杀王立。于是降旨命王立入朝进见,任命他为潼川路安抚使、知合州事。

张弘范由潮阳港乘船入海,到甲子门,俘获宋侦察官刘青、顾凯,得知宋国主所在地。壬戌(十四日),张弘范的部队到达厓山。

有人对张世杰说:"元军派水兵堵住海口,那我们就进退两难了,何不先占据海口!如果侥幸胜利,是国家的福气;不能胜利,还可以向西撤退。"张世杰怕长期在海中,士卒离心,一有变化必定离散,于是说:"多年航海,什么时候是尽头呢!现在必须与敌人决一胜负。"于是焚毁了宋国主临时住所和乡村集市,集结大船一千多条,摆成一字阵,停泊在海中。船头朝里船尾朝外,用粗大的绳索连起来,四周竖起高高的栅栏,好像城墙一样,奉请南宋国主坐在当中做一决死战的打算,人人都感到危险。

厓山北面水浅,船只搁浅不能前进。张弘范由厓山东面转而向南,进入大洋,与张世杰的军队相遇,逼近宋军,并且派出奇兵切断宋军引水的渠道,张世杰的船队死死地停在那里不能动弹。张弘范于是用船载着茅草,上面浇上油,乘风纵火焚烧宋军船只。张世杰的战舰全涂上泥,绷上长木杆来抵御火船,他们的船没被点燃,张弘范对他们毫无办法。当时张世杰有个姓韩的外甥,在张弘范的部队中,张弘范任用他做代理万户府经历,三次派他去向张世杰说明祸福利害。张世杰不听从,说:"我知道投降可以活命并且能享富贵,只是为国主而死的信念坚定不移!"于是历数古代忠臣的事例来回答他。张弘范于是才强迫文天祥写信招降张世杰,文天祥说:"我不能护卫父母,竟教人背叛父母,行吗?"张弘范一定强迫他写,文天祥于是写了《过零丁洋》诗给他,那首诗的末尾说:"人生自古谁无死,留取丹心照汗青!"张弘范笑了笑没让把这诗送去。又派人告诉厓山的士兵百姓说:"你们的陈丞相已经逃走,文丞相已经被俘,你们还想做什么呢?"士兵百姓也没有叛变的。

张弘范又派水军占据海口,张世杰的兵士就吃干粮,饮海水,水咸苦,喝了即吐泄,都很困苦。张世杰的将领苏刘义、方兴等日夜大战。庚午(二十二日),李恒的部队从广州来会师,与张弘范一起守卫在厓山北,众将领请求用炮攻打张世杰,张弘范说:"炮攻,敌船一定在海上漂浮散开。我们分兵去追击并非有利,不如用计策让他们集中留在这里而和他们作战。况且皇上告诫我们一定要消灭此敌,假如让他们逃跑了,怎么交代呢!"李恒也说:"我军虽然围困了敌人,可是敌船正处在海港,每天随着潮水的涨落而上下漂移,应该抓紧时间攻打他们。不这样的话,他们的生活用品断绝以后,自知力竭,恐怕会乘风潮之势逃跑,我们白白耗费兵力,不能成功。"于是商议决定,与宋军船只面对面直接攻打。

丙子(二十八日),任命中书左丞拜奇尔默色为同知枢密院事。

赏赐廉希宪万贯钱钞,降旨让他又回到中书省。廉希宪自称病重,皇太子派侍臣前去探望,趁机询问治国之道,廉希宪说:"统治天下关键在于用人,任用君子天下就治,任用小人天下就乱。臣病得虽然很厉害,也只有听天由命。但我最忧虑的是大奸臣专权,一群小人阿谀逢迎,误国害民,这才是最大的病患。殿下应该启导圣意,急速摒除时弊,不然,一天天趋向重病,就不可救药了。"

二月,戊寅朔(初一),在皇帝亲耕的田里祭祀先农。

宋张世杰的部将陈宝来投降。乙卯(初二),宋都统张达乘夜晚前来袭击,战败而回。癸未(初六),清晨,张弘范把众将分为四路军队,李恒处在宋军北面及西北角楼,众将分别在宋军的南面及西面,张弘范率领其中的一路军队,距宋军一里左右,下令说:"敌人东面依附大山,潮水一退必定向南逃跑,南面的军队赶紧攻击不要失掉战机。西北面的军队听到我的军乐奏响就开战。"又命令说:"敌军有支西南舰队,听说是由他们的将领左大守卫,一定骁勇,我要亲自抵挡他。"不一会儿,有一股黑气从山的西边冒出,张弘范说:"这是吉兆!"潮退,海水向南流去,李恒从北面顺流冲击,张世杰率领淮兵殊死作战,箭矢和炮石遮蔽了天空。中午,潮涨,南面的元军又乘潮水流势发动进攻,张世杰腹背受敌,作战更加尽力,李恒不能取胜。张弘范乘坐的兵舰四面都用布障挡起来,将士带着盾埋伏在里面,乐声响起,张世杰以为将要开宴,稍微松懈一些。张弘范掉转舰只用舰尾顶住左大的船栅栏,左大发射箭矢密集地射到布障和桅杆上的绳索上像刺猬似的。张弘范估计左大的箭已经射光了,命令撤下布障,埋伏的持盾士兵把箭矢、石块一起射出去,夺下左大的战舰,又与夏御史交战,夺下七艘战船。众将协力进攻,从巳时到申时,喊杀声震天。不一会儿,宋军中有一只军舰桅杆上的旗帜倒了,接着各条军舰桅杆上的旗帜全都倒了。张世杰知道大势已去,于是抽调精兵进入中军,宋各军大败,翟国秀、凌震等都放下武器投降。

正赶上天黑,到处充塞风雨昏雾,咫尺之间都互相看不清,张世杰派小船到宋国主那里,想请南宋国主到他的船上,谋划逃走,陆秀夫怕被人出卖,或被俘虏受辱,执意不肯到那船上。宋国主的船大,并且许多条船联结在一起,陆秀夫估计已经不能脱身,于是就先逼迫他的妻儿投海,然后对宋国主说:"国家大事已经到了这地步,陛下应当为国而死。德祐皇帝受辱已经受尽,陛下不能再受辱了!"随即背负宋国主一同投海淹死,妃嫔和大臣跟随而死的很多。宋国主赵昺当时年仅九岁。张世杰于是与苏刘义砍断联结船只的大绳,争夺港湾,乘着昏雾逃走,剩下的船还有八百只,全被张弘范缴获。过了七天,漂浮海上的尸体有十万多具。元军士兵在浮尸中间捞取物品,遇到一具尸首,体形小而皮肤白皙,穿黄色衣服,抱着签发诏书的玉玺,士卒取玉玺献上。张弘范急忙前往找那具小尸,已经找不到了。于是就把广王赵昺溺死的消息上报朝廷。

杨太妃听说这事以后,捶胸大哭说:"我忍死偷生挣扎辗转来到这里,只是为了赵家的一块骨肉,现在没有希望了!"于是投海而死。张世杰把她埋葬在海滨。

张世杰将要奔赴占城,当地土豪强迫他返回广东,于是掉转船头到南恩的海陵山靠岸,逃散的将士渐渐聚集起来。忽然飓风大作,将士劝张世杰登岸,张世杰说:"没有什么可做的了。"他登上舵楼,露天燃香祈祷说:"我为赵氏,也已尽了最大的努力,一位君主死了,又拥立一位,如今又死了。我没有死的原因是希望敌兵退了,另立赵氏以保存宋代。现在这样,难道是天意吗!"风涛愈加汹涌澎湃,张世杰坠入水中溺死。

甲申(初七),因为征讨日本,下令扬州、湖南、赣州、泉州造战船六百艘。

乙未(十八日),降旨湖南行省:"在守边部队返回的路上,每四五十里设立一座安乐堂,为患病的将士提供医疗,为饥饿的将士供应食粮,对死亡的将士由官府供给所需物品,简单埋葬。"

禁止各鄂啰及汉人持有弓箭,他们出征时所持的武器,返回后要立即缴回官库。

甲辰(二十七日),中书省奏请任命真定路达噜噶齐蒙古岱为保定路达噜噶齐。元世祖说:"这是一个正直的人,朕将要另外把重要的政事交给他。"

在这之前,郭守敬说:"制定历法的根本在于测量检验,而测量检验使用的器具没有比仪表更为重要的了。现在用的观测天体位置的浑天仪,是宋皇祐年间汴京制造的,与此处周天的度数不相符合,比量南北二极,约差四度。"由于年深日久,表石也歪斜了。郭守敬于是就尽量考订它的偏差,纠正过来安放好。不久又另外找了一个地势高而开阔的地方,用木料搭建了一个双层的棚子,创制了木质的观测日影的高大表柱,用它来和从前的表石比较查核观测的结果。他又认为天枢星依从北极星运行,从前的人曾用管子观望,未能发现它的运行规则,他制作了候极仪;北极星定位以后,天体才正,他制作了浑天象;浑天象与天体虽然形似,但不适用,他又制作了玲珑仪;用方形的表来测圆形的天,不如用圆形的仪器探求圆形的天体,于是他制作了仰仪;表石上的经纬线是固定不动的,郭守敬加以改变,制作了立运仪;日有黄道,月有九行,郭守敬把它们统一起来,制作了证理仪;表柱高日影虚无不真实,就制作了影符;月虽然有光亮,观察月影却困难,于是制作了窥几;历法的验证,在于黄道与白道相交,制作了日月食仪;天有赤道,用轮子做成它,天地有高低,用符号指明它,制作了星晷定时仪。又制作了正位辨方、定时考闰的圭表,悬正仪座。正仪是供四方观测者使用的。又制作了《仰规覆矩图》《异方浑盖图》《日出入永短图》,与上述各种仪器互相参考。到这时,任命王恂为太史令,郭守敬为同知太史院事,才进呈仪表的式样。

郭守敬曾在皇上面前陈述自己的情趣,直到天色很晚,元世祖仍毫无倦意。郭守敬于是奏称:"唐朝一行高僧,开元年间派太史监南宫说到各地观测日影,书中见到有记载的一共十三处。现在的疆土比唐朝更大了,如果不到远方测量检验,日月亏食,程度时辰不同,昼夜长短不同,日月星辰离天高低不同。目前测量检验人手少,可以先南北竖立表柱,取直线测量日影。"元世祖赞同他的奏陈,于是设监侯官十四名,分道从京城出发,东到高丽,西极滇池,南逾朱崖,北至铁勒,四海之内观测检验,一共有二十七处。

三月,壬子(初五),囊嘉特搜求新近归附的两淮军中造回回炮的工匠六百人及新近归附能造炮的蒙古、回回、汉人,一起来到京师。

丙寅(十九日),降旨中书省:"凡是掾史的公文送递,迟延一天、两天的要受杖责,迟延三天的要处以死刑。"

潭州行省招抚西南各少数民族。甲戌(二十七日),任命龙方零等人为小龙蕃等处的安抚使,仍用三千名士兵戍守那些地方。

降旨太常寺研究州县社稷制度。礼官参考前代的制度加以调节,制定祭祀仪式及坛壝祭器制度,图写成书,题名为《至元州县社稷通礼》。

夏季,四月,大都等十六路发生蝗灾。

帝师帕克斯巴(八思巴)逝世,策琳沁继任帝师。赐帕克斯巴名号为"皇天之下一人之上开教宣文辅治大圣至德普觉真智祐国如意大宝法王西天佛子大元帝师"。以后历代都有帝师,相承不绝。

同签书枢密院事赵良弼进言说:"宋朝灭亡以后,江南士人大多荒废学业,应该设经史科来选育人材,制定律令来约束奸吏。"元世祖曾经从容地发问说:"高丽是小国,匠工和弈技都胜过汉人;至于读书人,都精通经书,学孔、孟之道。汉人只致力于诵读写作辞赋诗歌,将有

4459

什么用呢?"赵良弼回答说:"这不是读书人的缺点,而在于国家崇尚的是什么。国家崇尚诗赋,那么人们一定跟着去崇尚诗赋;国家崇尚经学,那么人们也跟着去崇尚经学了。"

五月,辛亥(初五),因为泉州经历了张世杰的兵灾,今年的租赋减征一半。

丙辰(初十),因为五台山僧人中多藏匿着逃跑的奴隶和拖欠赋税的百姓,敕令西京宣慰司、按察司前往搜索。

丙寅(二十日),敕令江南僧司公文不得擅自入递。

丙子(三十日),命令宗师张留孙到行宫设坛祭祀,向上天奏赤章,总共进行了五昼夜。

在这之前,元兵攻占江西,南安守臣迎接并投降元军,唯独南安县不投降。南安县人李梓发、黄贤,共同推举县尉叶茂为主,整修守卫用的战具。达春率领一万多士兵攻打该县。县城小如弹丸,城墙刚刚到肩膀高,李梓发率领众人死守,白天随机应变,夜晚就鸣锣击鼓偷袭敌方营垒。达春等人面面相觑说:"城如碟子大,人心竟这样硬啊!"于是达春亲自到城下叫他们投降,城上的人赤身高声大骂。不一会儿城里发炮,几乎击中达春,这才把营垒移到河的南边。从冬季到春季,极力攻打三十五天,死亡几千人,仍不能攻克。过了很久,叶茂出城投降,元军才撤退。李梓发、黄贤仍旧坚守。到了厓山被攻破的时候,参政贾居贞又到南安县叫他们投降,城上的人仍漫骂不止。当时众人逐渐转移离开,心力很疲困,贾居贞命令方文等进攻,一共打了十五天,县城终被攻破,城中将士百姓尽被屠杀。李梓发全家自焚,南安县很多人杀死家属后与敌人展开巷战,杀敌还超过己方的伤亡数。

六月,甲申(初八),敕令造战船征伐日本。因为采用高丽出的木材,所以即在当地制造,并令高丽王选择于他们有利的办法呈报上来。

云南都元帅爱噜尼雅斯拉鼎带兵抵达金齿、蒲骠、缅国境内,招抚村寨三百个,登记户口十一万。降旨在那些地区制定赋租标准,建立驿站传递,设置卫送军。军队返回时,当地献驯象十二头。

辛丑(二十五日),因通州水路河道浅,船只运输很困难,命令枢密院派出五千名士兵,又命令享受俸禄的各官员出钱雇佣千人开挖疏通河道,用五十天完工。

大臣中有人奏请征调北京、西京百姓的车牛来运输军粮,元世祖说:"百姓生活艰苦,你们不闻不问,只知道役使百姓。假如今年把百姓的车牛都征调上来,明年的庄稼靠什么去耕种!一定要制止这种做法。"

癸卯(二十七日),因临洮、巩昌、通安等十驿发生饥荒,役差又很繁重,有人只好卖儿卖女来服役,派吏部官员前往安抚治理。不久用襄阳屯田户七百户替换军户充当驿役。

甲辰(二十八日),任命阿哈玛特之子呼逊为潭州行省左丞,呼实哈雅等都恢复旧职。

这一年夏季,四川宣慰使杨文安入朝进见,把他所得的城邑绘成图献上。元世祖慰劳他说:"你攻城的功劳怎么这样多啊!"便提升他为四川南道宣慰使。

秋季,七月,乙卯(初十),决定江南上、中路各设达噜噶齐两名,下路设一名。

丁巳(十二日),交趾国进贡驯象。

己未(十四日),把蒙古军二千人,各路军一千人,新近归附的军队一千人,合计万人,令李庭率领。

壬戌(十七日),停止潭州行省制造征伐日本及交趾的战船。

癸酉(二十八日),西南八番、罗氏等国归附,峒寨共一千六百二十六座。

命令崔彧到江南,访求具有各种技艺技能的人才。

八月,丁丑(初二),元世祖从上都返回大都。

戊子(十三日),范文虎进言说:"臣奉诏征伐日本,先派周福、栾忠与日本僧人带着诏书前往告知日本国,预定明年四月返回报告,看他们是否听从,才适宜决定是否发兵。"元世祖听从了他的意见。

庚寅(十五日),元世祖因为每年皇帝生日及元旦日,礼仪费用都从百姓那里敛取,命令全国停止这些活动。

丁酉(二十二日),把从江南获取的玉制酒杯等玉器一共四十九件,收藏在太庙里。

原先要捕捉海盗金通精,没有捉到。金通精死后,捉住他的侄子金温,官吏奏请依法给他定罪,元世祖说:"金通精已经死了,金温有什么相干呢!"特赦免了他的罪行。

甲辰(二十九日),降旨:"汉军出征,逃跑的判处死罪,并且没收他的家产。"

九月,乙巳朔(初一),范文虎举荐可以当守令的三十人。诏令"今后推荐的朕亲自挑选。凡有官吏,不勤于职守,不管是汉人还是回回,一律定罪惩罚,没收财产入官。"

庚戌(初六),诏令行省左丞呼逊兼领杭州等路各种工匠,用杭州的赋税收入,每年织造缯缎十万匹上交朝廷。

阿哈玛特进言:"王相府官赵炳说,陕西的赋税,每年收上一万九千锭,主管官吏如果尽心筹集,可以收得四万锭。"当即命令赵炳统管这件事。

同知扬州总管府事董仲威犯贪赃罪,行御史台正在审查这件事,董仲威反而用别的事诬告行御史台官员。降旨免去董仲威的官职,并没收他十分之二的财产。

戊午(十四日),议决罢免担任达噜噶齐的汉人。

己巳(二十五日),枢密院报告说:"有个叫唐古岱的,冒犯禁令,带领一千多士兵在辰溪、沅州等地劫掠新近归附的一千多口人及牛马、金银、币帛等财物,而麻阳县达噜噶齐呼巴布哈却给他带路。"敕令斩唐古岱、呼巴布哈,其余的人免死定罪,把劫掠来的财物归还给那些百姓。

冬季,十月,己卯(初五),在太庙举行祭祀活动。

戊子(十四日),千户讬讷、总把呼岱擅自带领部队进入婺州永康县境内,杀掠官吏百姓。事情被发觉后,他们二人自己陈述侍从先帝出征有功,乞求宽免一死。敕令没收他们全部家产的一半,施以杖刑后发配了他们。

辛卯(十七日),救济和州贫民钱钞。

乙未(二十一日),把碧玉酒杯收藏在太庙里。

辛丑(二十七日),因这月正逢吉利的日子,命五祖真人李居寿设坛祭祀,向上天奏赤章,共进行了五昼夜。祭祀完毕,李居寿请求与皇帝私下谈话,说:"皇太子正当年,应该参与国家的政事。"元世祖高兴地说:"不久将让他参与。"第二天,下诏书:"皇太子燕王参与决策朝廷政事,凡中书省、枢密院、御史台及百司之事,全都先向太子陈述,而后再上奏朕知。"

这个月,由叙州、夔府到江陵地界设置水上驿站。

蜀地已经平定,任命张庭瑞为各少数族的宣抚使,深得当地人心。

碉门羌人与妇女老幼一起进入买卖，因为争议价钱，持刀闯入碉门，鱼通司拘囚了那些人，羌人首领大怒，砍断绳索桥，企图来抢夺被拘囚的人。鱼通司前来告急，左丞汪惟正向张庭瑞征求办法，张庭瑞说："羌人的习俗崇尚凶暴强悍，把斗杀看成是勇敢。现在如果损害了一个人，就把他们当成家门口的盗匪对待，这不可以。应该派遣使者前往讲明祸福利害，他们醒悟了，必定自动撤回。"汪惟正说："担任使者没有比您更合适的了。"张庭瑞于是带领几名骑兵到达羌人地界，羌人陈兵以待，张庭瑞走上前去告诉他们说："杀人要抵命，羌地与中原地区的法律相同。官员拘囚那些人，是想要把他们作为见证人，而你就这样放肆无礼。如果行省把这事报告朝廷，朝廷召集附近各郡的军队，就会捣空你们的老窝了。"他们的首领丢下枪弩跪拜说："我最近活活扯开一只羊的肩胛骨占卜，看肉的纹理怎么样就吉利，那征兆说：'有白马将军到来，可以不劳一兵一卒就把事情解决。'现在您的马果然是白色，我哪里敢不服从命令！"才把杀人者定罪，其余的人全都释放。于是同他们约定，从今以后做买卖的人以碉门为界，不得互相进出。

官府购买蜀茶，加价后卖给羌人，人们把这看成是祸患。张庭瑞改变凭运销执照运销的制度，每运销一引茶纳税两贯钱，就把文契交给百姓，听任他自己卖给羌人，羌蜀两地都认为这种办法很方便。

从前运粮是由扬州沿长江逆水而上，船只常常倾覆沉没，张庭瑞开始建立屯田，百姓得以免除灾祸。

都掌蛮叛变，少数族善用飞枪，把松枝联结在一起当作盾牌来遮蔽自己。行省命令张庭瑞讨伐他们，张庭瑞所射的箭有一半箭身穿透他们的盾牌，他们惊叫："这是什么东西做成的弓箭，有这样大的力量！"立即请求降服。于是杀了他们的首领，而招还其余的民众。

张庭瑞不久被授予叙州等处蛮夷部宣抚使。

宋文天祥被捉住以后，多次求死不得，太学生庐陵人王炎午作《生祭文》劝他快死，把那篇祭文放在岔路口，文天祥没有看见。走到南安，八天不进饮食，还活着。这个月到达燕京，掌管馆舍的人为他准备了华美的帷帐、用具和丰盛的饮食，文天祥却不睡，一直坐到天亮，于是把他转移到兵马司，派士兵看守他。文天祥始终面朝南坐着，不曾朝北，留梦炎前来劝说，文天祥就痛骂他。王积翁想联合降臣谢昌元等十人请求释放文天祥让他当道士，留梦炎认为不可，说："文天祥出去以后，又号召江南人联合起来，把我们十人放在什么地方！"这事于是作罢。

不久，丞相博啰等人在枢密院召见文天祥，文天祥进去，作长揖。博啰要他跪拜，文天祥说："南方行作揖礼，北方行跪拜礼。我是南方人，所以行南方的礼节。"博啰大声命令身边的侍从把他拖倒在地，文天祥不屈服。问他有什么话要说，文天祥说："自古有兴有废，帝王、将相因国家灭亡而被杀戮，哪个朝代没有！我对宋朝尽忠到这地步，甘愿求得早死。"博啰说："你说有兴有废，且问从盘古到今天，可有几帝几王？"文天祥说："一部十七史从何处说起！我今天不是参加博学弘词科的考试，哪有闲功夫来泛泛论述！"博啰说："你不肯说废兴的事，试问自古以来有把宗庙社稷给了别人而又逃离的吗？"文天祥说："把国家给别人的是卖国之臣。卖国的一定不会离开，离开的一定不是卖国的。我先前被任命为宰相没有接受，奉命到军队中效力，不久被拘捕。不幸有贼臣献出了国家，国亡了我本该死，而我之所以没去死，是因为度宗皇帝的两个儿子还在浙东,我的老母还在广州的缘故。"博啰说:"抛弃继位的国君德祐皇帝而另立二王,这是忠吗?"文天祥说:"在这时候,社稷为重,君为轻。我们另立国君,是为宗庙社稷考虑。跟随晋怀帝、晋愍帝前往北方的不是忠臣,跟随晋元帝的才是忠臣;跟随宋徽宗、宋钦宗前往北方的人不是忠臣,跟随宋高宗的才是忠臣。"博啰不能再责问。有人问:"晋元帝、宋高宗是有所受命的,二王即位不是按照正当规矩,这不是篡位吗?"文天祥说:"景炎皇帝是度宗的长子,德祐皇帝的亲兄,不能说不正当;即位在德祐皇帝离开国家之后,不能说是篡位;陈丞相凭着太后的命令侍奉二王出宫,不能说没有受命。"博啰等人都无言以对,只是以没有受命为理由进行辩解。文天祥说:"上天授给他,人心归附他,虽然没有传授之命,推举拥戴皇帝即位,又有什么不可!"博啰发怒说:"你立了二王,究竟算什么功劳?"文天祥说:"拥立国君,目的在于保存宗庙社稷,宗庙社稷存在一天,就要尽臣子一天的责任,这有什么功劳可言呢!"博啰说:"既然知道不可能成功,为什么一定要做呢?"文天祥说:"父母有重病,虽然知道治不好了,但是没有不用药的道理。尽到了我的心,不能挽救,则是天命了。我文天祥今天到了这地步,只有一死,不在乎好说闲话。"博啰想杀文天祥,元世祖及众大臣不赞同。张弘范在病中也上表奏述文天祥忠于职守,希望释放不要杀掉,于是就又把文天祥囚禁起来。

十一月,壬子(初八),派礼部尚书柴椿同安南国使臣杜中一起带着诏书前往晓谕安南国世子陈日烜,责令他前来朝拜。

乙卯(十一日),遣散太原、平阳、西京、延安路新征调来当兵的汉人丁壮回原籍。遣散招讨使刘万努管辖的愿意跟随正规部队征讨的无赖汉部队。

戊辰(二十四日),命令湖北道宣慰使刘深训练鄂州汉阳新近归附的水军。

十二月,戊寅(初五),发放粮食钱钞救济盐司所管的以煮盐为业的人户中的贫困户。

丙申(二十三日),敕令枢密院、翰林院官员到中书省与索多商议招募接收海外诸番国事宜。

丁酉(二十四日),敕令:"自明年正月初一起,在长春宫设坛祈祷,共七天,今后每年把这作为惯例。"

增置宿卫。

当初,宿卫全由四集赛管领,由太祖的功臣博勒呼、博尔济、穆呼哩、齐拉衮四族世代兼任集赛的长官。所谓集赛,即如所说的轮流宿卫。年岁大、任职时间又长的,就被提拔为一品官,有的因为有才能而被委用,尊贵显赫虽然到了极点,一旦回到内庭,就要重新担任原来的职务。后来集赛增加到四千八百人,而历代当中鄂尔多集赛尤其多,国家要花一笔大费用。

在京城建造圣寿万安寺。

帝师策琳沁逝世,敕令各国教禅师一百零八人,到万安寺设斋圆戒,赏赐衣服。

这一年,云南行省平章政事赛音谔德齐逝世,百姓都聚在街头巷尾痛哭。交趾国王派遣十二名使者穿着丧服来致祭,使者号啕大哭声震四野。

续资治通鉴卷第一百八十五

【原文】

元纪三　起上章执徐【庚辰】正月,尽玄黓敦牂【壬午】六月,凡二年有奇。

世祖圣德神功文武皇帝

至元十七年　【庚辰,1280】　春,正月,丙辰,立迁转官员法:凡无过者授见阙,物故及过犯者选人补之,满代者令还家以俟。又定诸路差税课程,增益者即上报,隐漏者罪之。

诏括江、淮铜及铜钱、铜器。

辛酉,以海贼贺文达所掠良妇百三十馀人还其家。

广西廉州海贼霍公明、郑仲龙等伏诛。

甲子,敕泉州行省:"山寨未即归附者率兵拔之,已拔复叛者屠之。"

录收宋二王功,以总管张瑄为沿海招讨使,千户罗璧为管军总管。

先是阿尔哈雅、呼图特穆尔等下荆南、江西、广西、海南之地,凡得州五十八,峒夷山獠不可胜计,所俘三万二千馀人,悉役为奴,自置吏治之,责其租赋。行台御史以为言,戊辰,敕御史大夫姜卫检核之,并放为民。

置行中书省于福州。

蒙古汉军都元帅张弘范卒。

弘范自厓山入朝,赐宴内殿,慰劳甚厚。未几,瘴疠疾作,帝命尚医诊视,遣近臣临议用药,卫士监门止杂人无扰其病。病甚,沐浴易衣冠,扶掖至中庭,面阙再拜,退坐,命酒作乐,与亲故言别,出所赐剑甲付子珪曰:"汝父以是立功,汝佩服勿忘也。"端坐而卒,年四十三。

弘范好读书,过目通大义,善应对。初从巴延下建康,军中会诸将颁赏,弘范后至,巴延曰:"军中会集,后至者罪,虽勋旧不贷,汝何敢尔!"弘范曰:"出战不敢后,受赏耻居先。"巴延无以难。居常曰:"律己廉则公明自生,赏罚信则人皆效力,不怀报怨之心则怨亦自释。"闻者韪之。后追封淮阳郡王,谥献武。

二月,乙亥,张易言高和尚有秘术,能役鬼为兵,遥制敌人。命和尔果斯将兵与高和尚同赴北边。

丁丑,达尔布罕以云南行省军攻定昌路,擒总管谷纳,杀之。诏达尔布罕还,以阿达代之。

云南行省右丞尼雅斯拉鼎等上言:"缅国舆地形势,皆已在臣目中。臣先奉旨,若重庆诸郡平,然后有事缅国。今四川已底宁,请益兵征之。"帝以问丞相托里图哈,托里图哈曰:"陛下初命发士卒六万人征缅,今尼雅斯拉鼎止欲得万人。"帝曰:"足矣。"遂诏尼雅斯拉鼎将精兵万人征之。

尼雅斯拉鼎又建言三事:其一谓:"云南省规措所造金簿,贸易病民,宜罢。"一谓:"云南有省,有宣慰司,又有都元帅府。近宣慰司已奏罢,而元帅府尚存。臣谓行省既兼领军民,则元帅府亦在所当罢。"一谓:"云南官员子弟入质,臣谓达官子弟当遣,馀宜罢。"奏可。尼雅斯拉鼎,赛音谔德齐之长子也。

已丑,命梅国宝袭其父应春泸州安抚使职。初,泸州尝降宋,应春为前重庆制置使张珏所杀。国宝诣阙诉冤,诏以珏畀国宝,使复其父仇,时珏在京兆,解弓弦自缢死。国宝请赎还泸州军民之为俘者,从之。

日本杀国使杜世忠等,征东元帅实都、洪俊奇请自率兵往讨;廷议姑少缓之。

庚子,发侍卫军三千浚通州运粮河。

江淮行省左丞夏贵请老,从之,仍官其子孙。

辛丑,以广中民不聊生,召右丞达春、左丞吕师夔,廷诘坏民之由,命页迪密实、贾居贞行宣慰司往抚之。师夔至,廷辩无验,复命还省治事。

三月,癸卯,命王积翁入领省事;中书省臣以为不可,改户部尚书。

甲辰,帝幸上都。时上都留守阙,宰相进拟十数人,皆不称旨。帝顾贺仁杰曰:"无以易卿者。"遂授之。仁杰善于其职,每岁春秋行幸,供亿未尝阙。

乙卯,立都功德使司,掌帝师所统僧人并吐番军民等事。

初,安西王既薨,召其相赵炳入见,因言陕西运使郭琮、郎中郭叔云不法事,帝怒,遣使偕炳往按其罪。至则琮等矫世子阿南达旨,收炳及妻子囚之平凉北崆峒山。炳子仁荣上诉,诏遣使驰往脱炳,且械琮党偕来。琮等留使者,醉以酒,先遣人毒炳于狱中。帝闻之,大怒,琮至,亲鞫之,伏辜,命仁荣手刃琮及叔云于市,籍其家畀之。仁荣曰:"不共戴天之人所有,何忍受之!"帝称善,别赐钞二万缗,为治丧具。寻赠炳中书左丞,谥忠愍。

赵炳之死也,与王府相商挺无预;会王府女奚有预郭琮之谋者,临刑,望以求生,语连挺及其子瓛。帝怒,召挺,拘炳家,瓛下狱,命诸儒谳其罪。吏部尚书青阳梦炎曰:"臣宋人,不知挺向来之功可补今之过否?"帝不悦曰:"是同类相助之词也。"符宝郎董文忠曰:"梦炎不知挺何如人,臣以曩时推戴之功语之矣。"帝良久曰:"其事果如何?"文忠曰:"臣目未睹,耳固闻之,杀人之谋,挺不与也!"帝默然,久之,始得释。

先是,索多军士扰民,故南剑等路民复叛,及蒙古岱往招徕之,民始获安。夏,四月,壬申朔,诏以蒙古岱仍行省福州。

癸酉,南康杜可用叛,命史弼讨擒之。

乙酉,以太常乐付太常寺。

丁亥,立杭州路金玉总管府。

五月,甲辰,作行宫于察罕诺尔。

(丙午)〔癸丑〕,诏云南行省发四川军万人,命铎喇哈领之,与前所遣将同征缅国。

移福建行省于泉州。

高丽国王晴,以民饥乞贷粮万石,许之。

甲寅,汀、漳叛贼廖得胜伏诛。

六月,丁丑,索多部下聚党于海道劫夺商货,范文虎招降之,复议置于法。

阿塔哈等请罢江南所立税课提举司,阿哈玛特力争,诏御史台选官检核,具实以闻,遂遣布噜哈达等检核江淮行省钱谷。

壬辰,召范文虎,议征日本。

命江淮等处颁行钞法,废宋铜钱。

秋,七月,己酉,立行省于京兆,以前安西王相李德辉为参知政事,兼领钱谷事。

徙泉州行省于隆兴。

戊午,以参知政事郝祯、耿仁并为中书左丞。

阿哈玛特在位日久,益肆贪横,援引二人骤升同列,阴谋交通,专事蒙蔽,逋赋不蠲,众庶流移,京兆等路岁办课至五万四千锭,犹以为未实。民有附郭美田,辄取为己有。内通货贿,外示威刑,廷中相视,无敢论列。有宿卫士洛阳秦长卿者,上书发其奸,事下中书,中贵人力为救解,议遂寝。阿哈玛特大恨长卿,以铁冶事诬逮下吏,籍其家,使狱吏杀之。其后阿哈玛特虽诛,而长卿之冤终不白。

用姚演言,开胶东河,及收集逃民屯田涟、海。

初,中书以领大农事张立道熟于云南,奏授大理等处巡行劝农使。

其地有昆明池,介碧鸡、金马间,环五百馀里,夏潦暴至,必冒城郭。立道求泉源所自出,役丁夫二千人治之,泄其水,得壤地万馀顷,皆为良田。爨、僰之人,虽知蚕桑而未得其法,立道始教之饲养,收利十倍于旧,云南由是益富。庶罗诸山蛮慕之,相率来降,收其地,悉为郡县。除立道忠庆路总管。

时云南未知尊孔子,祀王羲之为先师。立道首建孔子庙,置学舍,劝土人子弟以学,择蜀士之贤者迎以为师,岁时率诸生行释菜礼,人习礼让,风俗稍变。

至是入朝,力请于帝,以云南王子额森特穆尔袭王爵,帝从之。遂命立道为临安、广西道宣抚使兼管军招讨使。立道,大名人也。

乙丑,罢江南财赋总管府。

割建康民二万户种秔,岁输酿米三万石,官为运至京师。

己巳,遣中使历江南名山,访求高士。且命持香币诣信州龙虎山、临江阁皂山、建康三茅山,皆设醮。

八月,庚午朔,萧简等十人历河南五路,擅招阑遗户,事觉,谪其为首者从军自效,馀皆杖之。

乙亥,改蒙古侍卫总管为蒙古侍卫亲军都指挥使司。

戊寅,占城、马八儿国皆遣使奉表称臣,贡宝物犀象。占城近琼州,顺风舟行一日可抵。海外诸蕃国唯马八儿与俱蓝为之纲领。上年冬,遣兵部侍郎嘉珲迪等与索多使占城,谕其王入朝,及是乃遣使内附。

丁亥,集贤院大学士兼国子祭酒许衡致仕,皇太子请以其子师可为怀孟路总管,以便侍养,且遣使谕之曰:"公毋以道不行为忧也,公安,则道行有时矣。"

翰林学士承旨姚枢卒,谥文献。枢含弘仁恕,未尝疑人欺己;有负其德,亦不留怨;忧患之临,不见言色;有来即谋者,必反复告之。

戊戌,高丽王王晫来朝,且言将益兵三万征日本。于是以范文虎、实都、洪俊奇为中书右丞,李庭、张巴图为参知政事,并行中书省事。水军万户都元帅张禧请行,即日拜行省平章政事,与文虎、庭等率舟师泛海东征。至日本,禧即舍舟,筑垒平湖岛,约束战舰,各相去五十步止泊,以避风涛触击。已而飓风大作,文虎、庭战舰悉坏,禧所部独完。

漳州陈吊眼,聚党数万,劫掠汀、漳。是月,加鄂勒哲图镇国上将军、福建等处征蛮都元帅,率兵五千往讨,赐翎根甲,面谕遣之,且曰:"贼苟就擒,听汝施行。"

时黄华聚党三万人扰建宁,号"头陀军"。鄂勒哲图先引兵鼓行压其境,军声大震,贼惊惧纳款。鄂勒哲图许以为副元帅,凡征蛮之事一以问之,且虑其奸诈莫测,因大猎以耀武。适有一雕翔空,鄂勒哲图仰射之,应弦而落,遂大猎,所获山积,华大悦服。鄂勒哲图乃闻于朝,请与之俱讨贼,朝廷从之,授华征蛮副元帅,与鄂勒哲图同署。华遂为前驱,破其五寨。

九月,壬子,帝至自上都。自是夏往避暑,秋还京师,岁以为常。

冬,十月,壬午,诏立陕西、四川等处行中书省,以布哈为右丞,李德辉、汪惟正并左丞。

初,罗施鬼国既降复叛,诏云南、湖广、四川合兵三万人讨之。兵且压境,适李德辉在播州,乃遣安珪驰驿止三道兵勿进,复遣张孝思谕鬼国趣降。其酋阿察,熟德辉名,曰:"是活合州李公耶!其言明信可恃。"即身至播纳款。德辉以其事上闻,乃改鬼国为顺元路,以阿察为宣抚使。

时有以受鬼国马千数谮德辉于朝者,帝曰:"是人朕所素知,虽一羊不妄受,宁有是耶!"及左丞之命下,而德辉已卒。蛮夷哭之,哀如私亲,为位而祭者动辄千百人。合州安抚使王立,衰经率吏民拜哭,声震山谷,为发百人护丧。兴元、播州安抚使何彦清率其民立庙祀之。

甲申,诏龙虎山天师张宗演赴阙。

己丑,命达实为招讨使,佩金虎符,往求河源。达实受命而行,四阅月始抵其地。还,图其形势来上,言:"河出吐蕃朵甘思西鄙,有泉百馀泓,沮洳散涣,弗可逼视,方可七八十里,履高山下瞰,灿若列星,以故名鄂端诺尔,鄂端,译言星宿也。群流奔凑,近五七里,汇为二巨泽,名鄂博诺尔。自西而东,连属吞噬,行一日,迤逦东骛成川,号齐必勒河。又二三日,水西南来,名伊尔齐,与齐必勒河合。又三四日,水南来,名呼兰。又水东南来,名伊拉齐,合流入齐必勒。其流浸大,始名黄河,然水犹清,人可涉。又一二日,岐为八九股,名也孙斡伦,译言九渡,通广五七里,可度马。又四五日,水浑浊,土人抱革囊骑过之。自是两山峡束,广可一里、二里或半里,其深叵测。朵甘思东北有大雪山,名伊尔玛布谟喇,其山最高,译言腾格尔哈达,即昆仑也。自八九股水至昆仑,行二十日。昆仑以西,山皆不穹峻。其东,山益高,地益渐下,岸狭隘,有狐可一跃而越之处。行五六日,有水西南来,名纳邻哈喇,译言细黄河也。又两日,水南来,名奇尔穆苏。二水合流入河,河水北行,转西,流过昆仑北,向东北流,约行半月,至〔贵〕德州,地名笔齐里,始有州治、官府。又四五日,至积石,即《禹贡》之积石也。自发源至汉地,南北涧溪,细流傍贯,莫知纪极。山皆草石,至积石方林木畅茂。世言河九折,盖彼地有二折焉。"

丙申,始制象轿。吏部尚书刘好礼言"象力甚巨,上往还两都,乘舆驾象,万一有变,从者虽多,何力能及!"未几,象惊,几伤从者。好礼,祥符人也。

十一月,乙巳,置泉府司,掌领御位下及皇太子、皇太后、诸王出纳金银事。

戊申,中书省议流通钞法,凡赏赐宜多给币帛,课程宜多收钞,制可之。

丁巳,北京行省平章政事廉希宪薨,年五十。

希宪尝戒其子曰:"丈夫见义勇为,祸福无预于己。谓皋、夔、稷、契、伊、傅、周、召为不可及,是自弃也。天下事苟无牵制,三代可复也。"又曰:"汝读《狄梁公传》乎?梁公有大节,为不肖子所堕,汝辈宜慎之。"后追封魏国公,谥文正,又追封恒阳王。

壬戌,诏江淮行中书省括巧匠;未几,赐将作院工匠银钞、币帛;旋敕逃役之民窜名匠户者,复为民。

甲子,诏颁《授时历》。

初,帝命王恂、许衡、杨恭懿及同知太史院事郭守敬遍考历书,昼夜测验,创立新法,参以古制推算,极为精密,至是历成。守敬与恂等同奏言:"自汉以后,历经七十改,创法者十有三家。今所考正凡七事:一曰冬至,二曰岁馀,三曰日躔,四曰月离,五曰入交,六曰二十八宿距度,七曰日出入昼夜刻。所创法凡五事:一曰太阳盈缩,二曰月行迟疾,三曰黄赤道差,四曰黄赤道内外度,五曰白道交周。其馀正讹补阙,盖非一事。"奏上,赐名《授时历》,颁之天下。自是八十年间,司天之官遵而用之,靡有差忒。凡日月薄食,五纬陵犯,彗孛飞流,晕珥虹霓,精祲云气,诸系占(侯)〔候〕者,俱在简册。

丁卯,遣宣慰使嘉珲〔迪〕、孟庆元等持诏谕占城国主,令其子弟或大臣入朝。

昭文馆大学士窦默卒。默每论国家大计,面折廷诤,人谓可方汲黯。帝尝曰:"朕求贤三十年,得一窦汉卿及李俊民。"又曰:"如窦汉卿之心,姚公茂之才,合而为一,可谓全人矣。"公茂,枢字也。默后累赠太师,追封魏国公,谥文正。俊民,泽州人,精于邵雍皇极数。时知数者无如刘秉忠,亦自以为弗及。帝在潜邸,尝问以祯祥,及即位,其言皆验,而俊民已卒,赐谥庄静先生。

十二月,庚午,杀江淮行省平章政事阿里布、右丞雅克特穆尔、左丞崔斌。斌既发阿哈玛特奸蠹,海内称快。未几,斌迁江淮行省左丞,阿哈玛特虑其害己,乃奏遣布拉噶达尔、刘思愈检核江南行省钱谷,诬构斌与阿里布等盗官粮四十七万石,因奏罢宣课提举司及擅易命官八百馀员,自分左右司官,铸银铜印。命都事刘正等往案;狱弗具,复遣参政张澍等杂治之,竟置三人于死。斌有文学,达政术,副阿尔哈雅取荆湖、广海,屡建大功,多所全活。太子闻杀斌,方食,投箸恻然,遣使止之不及。天下闻而冤之。

辛未,高丽国王王暗,领兵万人,水手万五千人,战船九百艘,粮十万石,出征日本,给右丞洪俊奇等战具,高丽国铠甲战袄。谕诸道:"征日本兵取道高丽,毋扰其民。"

癸酉,以高丽国王王晴为中书右丞相。

乙酉,淮西宣慰使昂吉尔请以军士屯田,阿达哈等以发民兵非便,宜募民愿耕者耕之,且免其租三年,从之。

鄂勒哲图既破陈吊眼,复与副帅高兴讨陈桂龙等,直抵其壁。贼乘高瞰下,人莫敢进,兴命人挟束薪蔽身,进至山半,弃薪而退。如是六日,诱其矢石殆尽,乃爇薪焚栅,斩首二万级。桂龙遁走畲洞。

甲午，大都重建太庙成，自旧庙奉迁神主于祐室，遂行大享之礼。

丙申，敕镂板印造帝师帕克斯巴新译《戒本》五百部，颁降诸路僧人。

敕："擅据江南逃亡民田者，罪之。"

是岁，改建宁、雷州、廉州、化州、高州为路，以肇庆路隶广南西道。

赈巩昌、常德路饥民，仍免其徭役。

至元十八年【辛巳，1281】　春，正月，辛丑，召阿喇罕、范文虎、囊嘉特赴阙受训，谕以巴图、张珪、李庭留后，命实都、洪俊奇军陆行抵日本，兵甲则舟运之，所过州县给其粮食。用范文虎言，益以汉军万人。文虎又请马二千及回回炮匠，帝曰："战船安用此！"皆不从。

癸卯，发钞及金银付博啰，以给贫民。

丁未，敕："江南州郡兼用蒙古、回回人，凡诸王位下合设达噜噶齐，并赴阙。"

丙辰，帝幸潭州。

癸亥，邵武民高日新据龙楼寨为乱，擒之。

二月，辛未，帝幸柳林。

乙亥，立上都留守司。

升叙州为路，隶安西省。

移潭州省治鄂州，徙湖南宣慰司于潭州，从湖广平章政事阿尔哈雅请也。

阿尔哈雅所定荆南、淮西、江西、海南、广西之地，凡得州五十八，峒夷山獠不可胜计，大率以口舌降之，未尝专事杀戮。又其取民，悉定从轻赋，民所在立祠祀之。

乙酉，改辉和尔断事官为北庭都护府。

丙戌，征日本军启行，诸将陛辞，帝曰："有一事朕忧之，恐卿辈不和耳。范文虎，新降者也，汝等必轻之。"

先是翰林学士王磐，闻师行有期，入谏曰："日本小夷，海道险远，胜之不武，不胜则损威，臣以为勿伐便。"帝震怒，谓非所宜言，且曰："此在吾国法，言者不赦，汝岂有他心而然耶？"磐对曰："臣赤心为国，故敢以言，苟有他心，何为从叛乱之地冒万死而来归乎！今臣年已八十，且无子嗣，他心欲何为耶？"明日，帝遣侍臣以温言慰抚，使无忧惧。后阅内府珍玩，有碧玉宝枕，因出赐之。

浙东饥，发粟赈之。

己丑，发肃州军民凿渠溉田。

福建省左丞蒲寿庚言："诏造海船二百艘，今成者五十，民实艰苦。"诏止之。

乙未，皇后鸿吉哩氏崩。后性明敏，达于事机，国家初政，左右匡正，与有力焉。四集赛奏割京城外近地牧马，帝许之。后将谏，先阳责刘秉忠曰："汝何不谏？若初定都时，以其地牧马则可，今军民分业已定，夺之，可乎？"事遂止。

后尝于太府监支缯帛表里各一，帝谓后曰："此军国所需，非私家物，后何可得支！"后自是率宫人亲执女工，拘诸旧弓弦练之，缉为绸以制衣。宣徽院羊臑皮置不用，后取之，合缝为地毯。其勤俭有节而无弃物类如此。

宋亡，幼主入朝，后不乐。帝曰："江南平，自此不用兵甲，人皆喜之，尔何独不乐？"后曰："自古无千岁之国，毋使吾子孙及此则幸矣！"帝以宋府库物置殿庭，召后视之，后一视而反。

帝遣宦者追问后何欲，后曰："宋人贮蓄以贻子孙，子孙不能守而归于我，我又何忍取之！"

宋太后全氏至京，不习风土，后奏请令回江南，帝不允。至三奏，帝乃答曰："尔妇人，无远虑，若使之南还，或浮言一动，即废其家，非所以爱之也。即爱之，但时加存恤可矣。"后退，益厚待之。

丙（辰）〔申〕，帝还宫。以中书右丞、行江东道宣慰使阿喇罕为中书左丞相，行中书省事；江西道宣慰使兼招讨使页特密实参知政事，行中书省事。

以辽阳、懿、盖、北京、大定诸州旱，免今年租税之半。

遣皇太子行边，复以巴延佐之。帝谕太子曰："巴延才兼将相，忠于所事，故俾从汝，毋以常人遇之也。"

三月，戊戌，国子祭酒致仕许衡病革。会家人祀先，衡曰："吾一日未死，宁可不有事于祖考！"起，奠献如仪，既彻而卒，年七十三。衡善教，其言煦煦，虽与童子言，如恐伤之，故所至无贵贱、贤不肖皆乐之。服其教者，如金科玉条，终身不敢忘。或未尝及门，传其绪馀而折节力行者，往往有之。后赠司徒，追封魏国公，谥文正。

辛酉，立登闻鼓院，许有冤者挝鼓以闻。

夏，四月，癸酉，复颁中外官吏俸。

辛巳，通、泰二州饥，发粟二万馀石赈之。

五月，甲辰，遣使赈瓜、沙州饥。己酉，禁瓜、沙州为酒。

庚申，严鬻人之禁，乏食者量加赈贷。

六月，丙寅，敕："谦州织工贫甚，以粟给之，其所鬻妻子，官与赎还。"

己卯，以顺庆路隶四川东道宣慰使。

日本行省臣遣使言："大军驻巨济岛至对马岛，获岛人，言太宰府西六十里旧有戍军，已捣其虚。"诏曰："军事卿等当自权衡之。"

庚寅，以阿喇罕有疾，诏阿达哈统率军马征日本。

壬辰，以中书左丞呼图特穆尔为中书右丞，行中书省事；御史中丞、行御史台事呼喇出为中书左丞行尚书省事。

秋，七月，己亥，阿喇罕卒于军。

庚戌，以松州知州布萨图格前后射虎万计，赐号"万虎将军"。

辛酉，索多征占城，赐驼篷以避瘴毒。

八月，甲子朔，招讨使方文言择守令、崇祀典、戢奸吏、禁盗贼、治军旅、奖忠义六事，诏廷臣及诸老议举行之。

庚午，蒙古岱为中书右丞，行中书省事。

壬辰，诏："征日本军回，所在官为给粮。"

先是，命阿达哈代阿喇罕分戍三海口，就招海中馀寇。未至而实都、洪俊奇、范文虎、李庭、金方庆等已航海至平壶岛，遇飓风，败舟，诸将各择坚舰乘之，弃士卒十馀万于五龙山下。众推张百户者为帅，方伐木作舟为归计，日本觇知之，尽杀蒙古、高丽、汉人，谓新附军为唐人，不杀而奴之，十万之众，得逃还者三人而已。文虎部将楚鼎，别率千馀人渡海，亦遭风坏舟。鼎挟破船板，漂流三昼夜，至一山，会文虎船，因得达高丽之金州合浦，屯驻散兵，漂泛渐集,遂率之以归。

闰月,癸巳朔,阿达哈请以戍三海口军击福建贼陈吊眼,诏以重劳,不从。

丙午,帝至自上都。

丁巳,括江南户口税课。

壬戌,两淮转运使阿喇卜丹,坐盗官钞及和买马匹,格朝廷宣命,又以官员所佩符擅与家奴往来贸易,伏诛。

京兆等路岁办课额,自一万九千锭增至五万四千锭。九月,癸未,阿哈玛特尚以为未实,欲发使覆之。帝曰:"阿哈玛特何知!"事遂止。

签江南、浙西道提刑按察司事高源,劾常州达噜噶齐马恕夺民田及他不法事,恕惧,赂阿哈玛特,以他事诬源。既系狱,一日忽释之,莫知所出。先是,源所居邻里素知源事母至孝,闻源坐非辜,悉诣阿哈玛特曰:"源孝子也,非但我知之,天必知之。况媒孽之罪非实,若安杀人,悖天不祥。"阿哈玛特亦感悟,源得不死。

少府为诸王昌图建宅于太庙南,太常丞田忠良,往仆其柱。少府奏之,帝问忠良,对曰:"太庙前岂诸王建宅所耶?"帝曰:"卿言是也。"又奏曰:"太庙前无驰道,非礼也。"即敕中书辟道。国制,十月上吉,有事于太庙,或请牲不用牛,忠良奏曰:"梁武帝用面为牺牲,后如何耶?"从之。忠良,中山人也。

冬,十月,乙未,享于太庙,贞懿圣顺昭天睿文光〔应〕皇后祔。

丙申,募民屯田淮西。

己亥,降诏谕安南国,立日烜之叔遗爱为安南国王,仍发新附军千人卫送入安南。

帝方信桑门之教,诏枢密副使张易等参校道书。易等言《道德经》为老子所著,馀皆后人伪撰。己酉,诏悉焚之。

立行中书省于占城,以索多为右丞,刘深为左丞。

兵部侍郎额密实参知政事。

庚戌,敕以海船百艘、新旧军及水手合万人,期以明年正月征海外诸番,仍谕占城郡王给军食。

壬子,用和尔果斯言,于扬州、隆兴、鄂州、泉州四省置蒙古提举学校官各二员。

癸丑,皇太子至自北边。左谕德李谦尝为太子陈十事:曰正心,曰睦亲,曰崇俭,曰几谏,曰戢兵,曰亲贤,曰尚文,曰定律,曰正名,曰革弊。

漳州盗陈吊眼,聚众十万,连五十馀寨,扼险自固。高兴攻破十五寨,吊眼走保千璧岭,兴上至山半,诱与语,接其手,掣下,擒斩之,漳境悉平。甲子,敕诛吊眼馀党,并收其兵仗,系送京师。

〔己巳〕,高丽国金州等处,置镇边万户府以控制日本。

高丽国王请完滨海城,防日本,不允。

十二月,甲午,以昂吉尔岱为中书右丞相。

(乙)〔己〕亥,罢日本行中书省。

丁未,议选侍卫军万人,练习以备扈从。

癸(未)〔丑〕,免益都、淄、莱、宁海开河夫今年租赋,仍给其佣直。

是岁,改漳州为路。

保定路清苑县水,平阳路松山县旱,高唐、夏津、武城等县蝗害稼,并免今年租,计三万六千馀石。

蜀初定,帝闵其地久受兵,百姓伤残,择近臣抚安之,以东宫典文书伊彻尔辉为嘉定路达噜噶齐。时方以辟田、均赋、弭盗、息讼诸事课守令,伊彻尔辉奉诏甚谨,民安之,使者交荐其能。

会盗起云南,号数十万,声言欲寇成都,伊彻尔辉驰入告急,言辞恳切,继以涕泣。大臣疑其不然,帝曰:"云南朕所经理,未可忽也。"乃推食以劳之。又语伊彻尔辉曰:"南人生长乱离,岂不厌兵畏祸耶! 御之乖方,保之不以其道,故为乱耳。其以朕意告诸将,叛则讨之,服则舍之,毋多杀以伤生意,则人必定矣。"伊彻尔辉至蜀,宣布上旨,云南乃安。

益都等路宣慰使、都元帅来阿巴齐,发兵万人开运河,往来督视,寒暑不辍。有两卒自伤其手,以示不可用,阿巴齐檄枢密府并行省奏闻,斩之,以惩不律。运河既开,迁胶莱海道漕运使。阿巴齐,宁夏人也。

嘉议大夫、太史令王恂,居父丧哀毁,日饮勺水,帝遣内侍慰谕之。未几卒,年四十七。后追封定国公,谥文肃。

河东按察使伊列萨哈迁南台中丞,帝出内中宝刀赐之,曰:"以镇外台。"时丞相阿哈玛特之子呼逊,为江浙行省平章政事,恃势贪秽,伊列萨哈发其奸,得赃钞八十一万锭,奏请诛之;并劾江南释教总统嘉木扬喇勒智诸不法事。诸道竦动。

至元十九年 【壬午,1282】 春,正月,丙寅,罢征东行中书省。

丁卯,诸王扎喇呼至自军中。时皇子北平王,以军镇阿里玛图之地以御(海)〔哈〕都,诸王锡里济与托克托穆尔、〔撒里蛮〕等,谋劫北平王以叛,欲与扎喇呼结援于哈都,不从。萨里曼悔过,执锡里济等,北平王遣扎喇呼以闻。

妖民张圆光伏诛。

二月,辛卯朔,帝幸柳林。

修宫城、太庙、司天台。

(癸巳)〔戊戌〕,遣使往乾山,造江南战船千艘。

壬寅,命:"军官阵亡者,其子袭职;以疾卒者,授官降一等。具为令。"

乙巳,立广东按察使。

戊申,帝还宫。

己酉,减省、部冗员。

徙浙东宣慰司于温州。

分军戍守江南,自归州以及江阴至三海口,凡二十八所。

壬子,遣诸王桑阿克达尔击缅。

初,尼雅斯拉鼎自缅还,言熟其国形势可击。遂以台布为右丞,伊克德济为参政,命桑阿克达尔督诸军复往击之。

甲寅,帝幸上都。

申严汉人军器之禁。

三月，戊寅，益都千户王著，以中书左丞相阿哈玛特蠹国害民，与高和尚合谋杀之。

著素志疾恶，因人心愤怨，密铸大铜锤，自誓愿击阿哈玛特首。会高和尚以秘术行军中无验而归，诈称死，杀其徒，以尸欺众，逃去，人亦莫知。著乃与合谋，结八十馀人，夜入京城。

时皇太子从帝如上都，而阿哈玛特留守京师，著以太子素恶其奸，乃遣二西僧至中书，诈称皇太子与国师还都建佛事。时高觿、张九思宿卫宫中，诘之，仓皇失对，遂以二僧属吏，讯之，不服。觿、九思乃集卫士及官兵各执弓矢以备。（壬）〔及〕午，著复矫太子令，俾枢密副使张易发兵，夜会东宫。易不察，遽以兵往，觿问何为，易附耳语曰：“太子来诛左相也。”既而省中遣使出迎，悉为伪太子所杀，夺其马，入（建）〔健〕德门。夜二鼓，觿等闻人马声，遥见烛笼、仪仗将至宫门前，一人前呼启关，觿谓九思：“它时殿下还宫，必以鄂勒哲、萨阳二人先，请得见二人，然后启关。”觿呼二人，不应，即曰：“皇太子平日未尝行此门，今何来此也？”贼计穷，趋南门，觿留张子政等守西门，亟走南门伺之。伪太子立马指挥，呼省官至前，责阿哈玛特数语，著即牵去，以所袖铜锤碎其脑，立毙；继呼左丞郝祯至，杀之，囚右丞张惠。觿乃与九思大呼曰：“此贼也！”叱卫士亟捕之。留守司达噜噶齐库端遂持梃前，击立马者坠地，弓矢乱发，众奔溃，多就擒。高和尚等逃去，著挺身请囚。

中丞额森特穆尔驰奏，帝时方驻跸察罕诺尔，闻之，震怒，即日至上都，命枢密副使博啰、司徒和尔果斯、参政阿哩等驰驿至大都，讨为乱者。

帝疑廷臣多与谋，召典瑞少监王思廉至行殿，屏左右问之曰：“张易反，若知之乎？”对曰：“未详也。”帝曰：“反已反，何未详也？”思廉徐奏曰：“僭号改元，谓之反；亡入他国，谓之叛；群聚山林，贼害民物，谓之乱。张易之事，臣实不能详也。”帝曰：“朕自即位以来，如李璮之不臣，岂以我若汉高帝、赵太祖遽陟帝位者乎？”思廉曰：“陛下神圣天纵，前代之君不足比也。”帝叹曰：“朕往者有问于窦默，其应如响，盖心口不相违，故不思而得。朕今有问，汝能然乎？且张易所为，张文谦知之否？”思廉即对曰：“文谦不知。”帝曰：“何以知之？”对曰：“二人不相安，或知其不知也。”帝意稍释。

庚辰，获高和尚于高梁河。

辛巳，博啰等至都。

壬午，诛王著、高和尚于市，皆醢之，并杀张易。著临刑，大呼曰：“王著为天下除害，今死矣！异日必有为我书其事者。”复以张易从著为乱，将传首四方，张九思曰：“易应变不审则有之，坐以与谋则过矣，请免传首。”从之。

戊子，以领北庭都护阿密实哈为御史大夫，（有）〔行〕御史台事。

集贤直学士兼秘书少监建昌程文海陈五事：一曰取会江南仕籍，二曰通南北之选，三曰立考功历，四曰置贪赃籍，五曰给江南官吏俸；朝廷多采行之。

夏，四月，丁酉，以和尔果斯为中书右丞相，降右丞相昂吉尔岱为留守，仍同签枢密院事。皇太子谓和尔果斯曰：“阿哈玛特已死，汝任中书，事有便国利民者，毋惮更张；或有阻挠，吾当力持之。”故是时庶务更新，省部用人，多所推荐。

戊戌，陈桂龙率其党来降，诏流桂龙于边地。

中书左丞耿仁等言：“诸王（宫）〔公〕主（公）〔分〕地所设达噜噶齐，例不迁调，百姓苦之。依常调，任满，从本位下选代为宜。”从之。

乙巳,以阿哈玛特家奴呼图达尔等久总兵权,命库端等代之,仍隶大都留守司。

弛西山薪炭禁。

以阿哈玛特之子、江淮行中书省平章政事呼逊罪重于父,议究勘之。

戊申,宁国路太平县饥,民采竹食为粮。

庚戌,行御史台言:"阿尔哈雅占降民为奴,而以为征讨所得。"诏:"降民还之有司,征讨所得,籍其数,量赐臣下有功者。"

丙辰,敕:"以妻、女、姊妹献阿哈玛特得仕者黜之。核阿哈玛特占据民田,给还其主;庇富强户,输赋其家者,仍输之官。"

定内外官以三年为考,满任者(还)〔迁〕叙,未满者不许超迁。

五月,己未朔,沙汰省部官阿哈玛特党七百十四人,已革者百三十三人,馀五百八十一人,并黜之。

初,阿哈玛特死,帝犹不深知其奸。及询枢密副使博啰,乃尽得其罪恶,始大怒曰:"王著杀之,诚是也!"命发阿哈玛特家,剖其棺,戮尸于通玄门外,纵犬啖其肉,百官士庶聚观称快,子侄皆伏诛。

籍其家,得楑藏二人皮,两耳俱存,问之,其妾云:"每咒诅时,置神坐于上,应验甚速。"又以帛二副画甲骑,围守一屋殿,兵皆张弦挺刃内向,状涉不轨,画者为陈某。又有曹震圭者,尝推算阿哈玛特所生年月,王台判者妄引图谶,皆言涉不轨。事闻,剥四人皮以徇。寻以郝祯、耿仁党恶尤甚,命剖祯棺,戮其尸,下耿仁于狱,诛之。

初,巴延灭宋还,诏百官郊迎,阿哈玛特先半舍道谒巴延。巴延解所服玉钩绦遗之,且曰:"宋宝玉固多,吾实无所取,勿以此为薄也。"阿哈玛特谓其轻己,乃诬以平宋时取其玉桃盏,帝命按之,无验。阿哈玛特既死,有献此盏者,帝愕然曰:"几陷我忠良!"

癸未,以甘肃行省左丞敏珠尔卜丹为中书右丞,行台御史中丞张雄飞参知政事。

初,阿哈玛特欲诬杀秦长卿、刘仲泽、伊玛都木达三人,兵部尚书张雄飞力持不可,阿哈玛特使人啖之曰:"诚能杀此三人,当处以参政。"雄飞曰:"杀人以求大官,吾不为也。"阿哈玛特怒,出为澧州安抚使,累迁御史中丞,行御史台事。阿哈玛特恐其子呼逊为江淮右丞,不为所容,改陕西按察使。未行,阿哈玛特死,召拜参政。呼逊被逮,敕廷臣杂问,呼逊历指宰执曰:"汝曾受我家钱,何得问我?"雄飞曰:"我曾受否?"曰:"公独无。"雄飞曰:"如是,则我当问汝矣。"遂伏辜。

六月,己丑朔,日有食之。

甲午,阿哈玛特滥设官府二百四所,诏存者三十三,馀皆罢。又,江南宣慰哥十五道,内四道已立行中书省,罢之。

丙申,发射士百人卫丞相,它人不得援例。

戊戌,以占城既服复叛,发兵讨之。初,朝廷遣索多就占城国立省抚治,王子补的负固弗率,凡使臣经其国者皆执之。帝怒,决意进讨,发淮、浙、福建、湖广军五千、海船百艘、战船二百五十,命索多将之以行。

己酉,以阿哈玛特居第赐和尔果斯。

帝以所籍人权臣家妇赐后卫亲军指挥伊喇元臣,元臣辞曰:"臣家世清素,不敢自污。"帝嘉叹不已。元臣，霸州元帅尼尔之孙也。

丁巳，征亦奚不薜，尽平其地，立三路达噜噶齐，留军镇守，命塔喇海总之。

【译文】

元纪三　起庚辰年(公元1280年)正月,止壬午年(公元1282年)六月,共二年有余。
至元十七年 （公元1280年）

春季,正月,丙辰(十四日),制定迁转官员法:凡是没有过失的授予现有空缺的官职,已故及有过错的则由候选官员补充缺额,任期更替的令还家等待。又规定各路赋税税率,增加的立即上报,隐漏的则处罚。

降旨搜集江、淮地区的铜及铜钱、铜器。

辛酉(十九日),令被海盗贺文达抢掠来的良家妇女一百三十余人返回自己的家。

广西廉州海盗霍公明、郑仲龙等被处决。

甲子(二十二日),令泉州行省:"没有立即归附的山寨要率兵攻克,已被攻克又反叛的则要屠寨。"

评定消灭南宋二王的功绩,任命总管张瑄为沿海招讨使,千户罗璧为管军总管。

原先,阿尔哈雅、呼图特穆尔等攻克

元世祖夫妇像

荆南、江西、广西、海南这些地方,共计得到五十八个州,当地土人不计其数,俘获的三万二千多人都被役使当奴隶,自行设置官吏治理,征收他们的田租赋税。行台御史为此事上奏,戊辰(二十六日),敕令御史大夫姜卫考查核实这事,一律释放他们为自由人。

在福州设置行中书省。

蒙古汉军都元帅张弘范去世。

张弘范从厓山入朝,元世祖在内殿为他设宴,慰劳非常盛厚。不久,张弘范瘴疠病发作,元世祖命良医为他诊视,派近臣监临商议用药,命卫士看门阻止闲杂人,不让他们打扰张弘范养病。张弘范病情很重了,他沐浴之后换上衣冠,由人搀扶着来到厅堂正中,面朝宫殿的方向拜了几拜,退后坐下。他命人置酒奏乐,与亲戚故旧诀别,拿出皇帝赐给他的宝剑和铠甲交给儿子张珪说:"你父亲凭此立功,你佩带、穿戴在身上,不要忘记你父亲曾经怎样征战。"张弘范端坐着死去,终年四十三岁。

张弘范爱好读书,看一遍就能通晓大义,善于应对。当初跟随巴延攻克建康,军中集合众将颁赏,张弘范迟到,巴延说:"军中会集,后到的要受处罚,即使是有功绩的旧臣也不能饶恕,你为什么敢这样?"张弘范说:"出战不敢落后,受赏时耻于居先。"巴延就没有什么理由可责难他了。张弘范平时经常说:"要求自己廉洁,公正明达就自然产生,赏罚有信,人人就都能效力,不怀有报复仇怨的心,仇怨也就自然消释了。"听到的人都认为这话对。张弘范死后被追封为淮阳郡王,谥号献武。

二月,乙亥(初三),张易说高和尚有秘术,能驱使鬼充当士兵,可从远处制服敌人。命令和尔果斯领兵与高和尚一同奔赴北方边境。

丁丑(初五),达尔布罕率领云南行省部队进攻定昌路,擒获总管谷纳,杀了他。诏令达尔布罕返回,任命阿达代行他的职务。

云南行省右丞尼雅斯拉鼎等上奏说:"缅国的地理形势,都已在臣的心目之中。臣先前接受命令,如果重庆各郡平定,然后对缅国进行战争。现在四川已安定,请求增加兵力征伐缅国。"元世祖向丞相托里图哈询问这件事,托里图哈说:"陛下当初命令派出六万士兵征伐缅国,现在尼雅斯拉鼎只想得到一万人。"元世祖说:"足够了。"于是降旨尼雅斯拉鼎率领精兵一万名征伐缅国。

尼雅斯拉鼎又对三件事提出建议:其中一件事说:"云南省规划处理制造的金箔,进行买卖为害人民,应该禁止。"另一件事说:"云南设有省,设有宣慰司,又设有都元帅府。最近宣慰司已奏请撤销,而元帅府还存在。臣认为行省既然一并管领军队和百姓,那么元帅府也理当撤销。"最后一件事说:"云南官员子弟被送入中央朝廷作为人质,臣认为达官子弟应该送去,其余的应该免送。"奏请之事都被允准。尼雅斯拉鼎是赛音谔德齐的长子。

己丑(十七日),任命梅国宝承袭其父梅应春泸州安抚使的官职。

当初,泸州曾投降宋,梅应春被前重庆制置使张珏杀害。梅国宝到朝廷诉冤,降旨把张珏交给梅国宝,让他报他父亲被杀的仇恨,当时张珏在京兆,解下弓弦自缢身亡。梅国宝请求赎回被俘虏的泸州军民,得到批准。

日本杀害国使杜世忠等人。征东元帅实都、洪俊奇请求亲自领兵前往讨伐。朝廷商议姑且稍缓出兵。

庚子(二十八日),派出侍卫军三千人疏通通州运粮河。

江淮行省左丞夏贵因年老请求退休,朝廷批准了,仍授予他子孙官职。

辛丑(二十九日),因为广州地方民不聊生,召回右丞达春、左丞吕师夔,在朝廷上诘问百姓生活变坏的原因,派页迪迪实、贾居贞行宣慰司事前往抚慰那里的百姓。吕师夔到达京城,在朝廷上辩论没有实证,又命令他回省任事。

三月,癸卯(初二),命令王积翁入朝任中书省官职;中书省臣认为不可,改任户部尚书。

甲辰(初三),元世祖亲临上都。当时上都留守空缺,宰相推荐补缺的十多个人,全不合皇帝心意。元世祖看着贺仁杰说:"没有可替代你的人了。"于是授予他上都留守官职。贺仁杰在这个职位上干得很好,每年春秋两季皇帝来巡视,按需要供应的东西不曾缺乏过。

乙卯(十四日),设立都功德使司,掌管帝师总领的僧人及吐蕃军民等事务。

当初,安西王已去世,召王相赵炳入朝谒见,因赵炳报告陕西运使郭琮、郎中郭叔云违法的事,元世祖发怒,派使臣同赵炳一起前往审查他们的罪行。到了那里,郭琮等人假传世子阿南达的命令,拘捕赵炳和他的妻儿,把他们囚禁在平凉北面的崆峒山。赵炳之子赵仁荣上诉朝廷,诏令派遣使者驰往平凉解救赵炳,并且把郭琮及其同伙藏上镣铐一起押到京城来。郭琮等人留住使者,用酒把他灌醉,先派人把赵炳毒死在狱中。元世祖听了,大怒,郭琮被押到朝廷后,元世祖亲自审讯他,郭琮服罪,命赵仁荣在闹市亲手杀死郭琮及郭叔云,没收他们的家财拿来给赵仁荣。赵仁荣说："不共戴天的仇人的财物,怎么能忍心接受呢!"元世祖称赞他说得好,另外赐给他二万贯钱,为赵炳备办丧具。不久追封赵炳中书左丞,谥号忠愍。

赵炳之死,与王府相商挺不相干;恰有一个与郭琮的阴谋有关联的王府女仆,临刑时,有求生之望,话中牵连到商挺及其子商谳。元世祖怒,召来商挺,把他关押在赵炳家,商谳则被投入监狱,并命令儒臣们判定他的罪行。吏部尚书青阳梦炎说："臣是宋人,不知道商挺过去的功劳可不可以弥补现在的过错?"元世祖不高兴地说:"这是同类人相助的话。"符宝郎董文忠说:"梦炎不知道商挺是什么样的人,臣把昔时商挺推奉拥戴皇帝的功劳告诉过他。"元世祖半天才说:"这件事究竟怎么样?"董文忠说:"臣虽没有亲眼看见,但确实听说了,杀人的阴谋,商挺没有参与。"元世祖沉默不语。过了很久,商挺才被释放。

起先,索多的士兵侵扰百姓,所以南剑等路百姓又反叛,等到蒙古岱前往招抚,百姓才得安宁。夏季,四月,壬申朔(初一),降旨任命蒙古岱仍行省福州。

癸酉(初二),南康杜可用反叛,命令史弼讨伐捉拿他。

乙酉(十四日),把太常乐交给太常寺。

丁亥(十六日),设立杭州路金玉总管府。

五月,甲辰(初四),在察罕诺尔建造行宫。

癸丑(十三日),诏令云南行省派出四川军队一万人,命由铎喇哈率领,与先前派遣的将领一同征伐缅国。

将福建行省迁到泉州。

高丽国王王赌因为百姓挨饿乞求借一万石粮食,朝廷允许了。

甲寅(十四日),汀州、漳州叛贼廖得胜被处死。

六月,丁丑(初七),索多部下聚集党众在海上航道抢劫货物,范文虎招降他们,又商议以法处置。

阿塔哈等人奏请撤销江南所设置的税课提举司,阿哈玛特力争,降旨御史台选派官员去检查核实,据实际情况报告,于是派遣布噜哈达等人去检查核实江淮行省的钱谷。

壬辰(二十二日),召范文虎,商议征伐日本。

命令江淮等处颁行钞币法,废止使用南宋铜钱。

秋季,七月,己酉(初十),在京兆设立行省,任命前安西王相李德辉为参知政事兼管钱谷事务。

把泉州行省迁到隆兴。

戊午(十九日),任命参知政事郝祯、耿仁同为中书左丞。

阿哈玛特在位时间长久,更加放肆贪横,提拔郝祯、耿仁二人迅速升到同等地位,阴谋串通,专搞蒙蔽,积欠的租税不免除,使百姓流亡,京兆等路每年收税达到五万四千锭,还认为不真实。百姓有近郊的良田,就取为己有。对内实行贿赂,对外则显示淫威严刑。有朝中大家只相视以目,没有人敢于评论。有一名宿卫士洛阳人秦长卿,上书揭发阿哈玛特的罪恶,事情交付中书省处理,皇帝所宠幸的近臣极力解救他,对他论议定罪的事才止息。阿哈玛特极恨秦长卿,借治铁事件诬陷他,把他逮捕交付司法官吏审讯,没收他的家财,指使狱吏杀害了他。后来,阿哈玛特虽然被处死,但是秦长卿的冤案始终得不到昭雪。

采用姚演的建议,扩展胶东河,并且招集逃亡的百姓屯田涟河、渤海。

起初,中书省因掌大农事的张立道熟悉云南,奏请授予他大理等处巡行劝农使的官职。

那地方有昆明池,处于碧鸡山、金马山之间,周围五百多里,夏季雨水猛烈到来,一定淹没城郭。张立道探寻泉源所出的地方,役使壮健男子二千人治理。放掉池水,造得田地一万多顷,都是良田。爨、僰这些少数民族的人,虽然知道种桑养蚕的事,但是不掌握方法,张立道开始教他们饲养桑蚕,获得的利益是过去的十倍,云南从此日益富庶。庶罗的土著人十分羡慕,相继来降,收附他们的领地,都设为郡县。授予张立道忠庆路总管的官职。

当时云南不知道尊崇孔子,只祭祀王羲之为先师。张立道首次在那里修建孔子庙,设立学校,鼓励土人子弟入学,挑选蜀地德才兼备的读书人迎来做老师,每年于规定日子带领学生们行释菜礼,人人学习礼让,风俗稍有改变。

到这时,张立道回到朝廷谒见,极力向元世祖奏请任命云南王之子额森特穆尔承袭王爵,元世祖听从了他的建议。于是任命张立道为临安、广西道宣抚使兼管军招讨使。张立道是大名府人。

乙丑(二十六日),撤销江南财赋总管府。

划分建康百姓二万户种秥高粱,每年献纳酿酒用米三万石,官府负责运到京师。

己巳(三十日),派遣中使遍游江南名山,访求高士,并且命令他们持香和币帛到信州龙虎山、临江阁皂山、建康三茅山,都要设坛祭祀。

八月,庚午朔(初一),萧简等十人经过河南五路,擅自招收流散人口。事情被发觉后,流放其中为首的充军将功折罪,其余的人都受杖责。

乙亥(初六),把蒙古侍卫总管改为蒙古侍卫亲军都指挥使司。

戊寅(初九),占城、马八儿国都派遣使者到来,奉降表称臣,贡献宝物及犀牛和大象。

占城靠近琼州,顺风行船一天可以到达。海外各蕃国只有马八儿国与俱蓝国被它控制。上一年冬季,派遣兵部侍郎嘉珲迪等与索多出使占城,晓谕他们国王入朝谒见,到这时才派遣使者归附。

丁亥(十八日),集贤院大学士兼国子祭酒许衡退休,皇太子奏请皇帝任命许衡之子许师可为怀孟路总管,以便于奉养父亲,同时派遣使者告诉许衡说:"您不要因为主张未能实施而忧虑,您如果平安,那么您的主张就有实施的机会了。"

翰林学士承旨姚枢去世,谥号文献。姚枢宽厚仁慈,从不怀疑他人欺骗自己;有谁辜负他的恩德,也不怨恨人家;忧患来临,不露声色;有谁来请教计谋,必定反复告诉人家。

戊戌(二十九日),高丽王王晫前来朝觐,并且说将增兵三万征伐日本。于是任命范文虎、实都、洪俊奇为中书右丞,李庭、张巴图为参知政事,共同行中书省事。水军万户都元帅张禧请求前往,当天授予他行省平章政事的官职,与范文虎、李庭等带领水军渡海东征。到了日本,张禧就舍离战船,在平湖岛建筑堡垒,限制战舰各相距五十步远停泊,以避免风涛起来的时候彼此互相撞击。不久飓风大作,范文虎、李庭的战舰全都损坏,张禧率领的战舰独得保全。

漳州陈吊眼,聚集党羽三万人,劫掠汀州、漳州。这个月,加封鄂勒哲图为镇国上将军、福建等处征蛮都元帅,带领士兵五千名前往讨伐,赐他翎根甲,元世祖当面晓谕派遣他,并且说："如果捉住盗贼，听任你处置。"

当时黄华聚集党羽三万人侵扰建宁，号称"头陀军"。鄂勒哲图先领兵击鼓迫近他们的境域，军威大震，贼党惊惧而投降。鄂勒哲图答应任命黄华为副元帅，凡是征蛮之事一概都和他探讨；但又担心他奸诈莫测，于是凭借打猎来炫耀武力。正巧有一只雕在空中飞翔，鄂勒哲图抬手仰射，雕应声而落，于是大行围猎，猎获的禽兽堆积如山，黄华完全心悦诚服。鄂勒哲图于是报告朝廷，奏请同他一起讨伐贼寇，朝廷批准了他的请求，授予黄华征蛮副元帅之职，与鄂勒哲图一同部署讨贼。黄华于是作为前驱，攻克贼寇五座山寨。

九月，壬子（十三日），元世祖从上都回来。从此夏季前往上都避暑，秋季返回京师，每年成为常例。

冬季，十月，壬午（十四日），降旨设立陕西、四川等处行中书省，任命布哈为右丞，李德辉、汪惟正一同任左丞。

起初，罗施鬼国已经投降而后又反叛，诏令云南、湖广、四川会合军队三万人讨伐它。军队将要迫近它的边境，正巧李德辉在播州，于是派安珪驾乘驿马疾行赶去阻止三路军队不要再前进，又派张孝思告知鬼国赶快投降。鬼国首领阿察，熟知李德辉的大名，说："这是救活合州的李公啊！他的话诚信可靠。"立即亲自到播州投降。李德辉将这件事报告朝廷，于是把鬼国改为顺元路，任命阿察为宣抚使。

当时有人向朝廷诬告李德辉接受了鬼国上千匹马的贿赂，元世祖说："这个人朕一向了解，即便是一只羊都不非分接受，难道有这种事吗！"到委任李德辉为左丞的命令下达时，他已经死了。西南地区的当地人为他哭泣，其哀痛的程度像自己的亲属死去一样，为他设立牌位而祭奠的，动不动就有千百人。合州安抚使王立身穿丧服，率领官吏和百姓来拜哭，声震山谷，为他派出上百人护送棺枢入葬。兴元、播州安抚使何彦清，率领那里的百姓建庙祭祀李德辉。

甲申（十六日），诏命龙虎山天师张宗演到宫廷来。

己丑（二十一日），任命达实为招讨使，佩带金虎符，前往探寻黄河源头。达实接受命令出发，经过四个月才到达那地方。返回以后，画好那里的地理形势图奉上，说："黄河出自吐蕃朵甘思的西部边邑，有一百多道泉水，浸漫低湿，不能到近处察看，方圆大约七八十里，登上高山向下看，灿烂如群星，因此取名鄂端诺尔，鄂端，翻译过来即是星宿。众多水流奔腾聚集，在附近五七里的地方，汇成两个大泽，名叫鄂博诺尔。从西向东，接连吞并，往前走一天，曲折连绵向东奔泻成川，叫作齐必勒河。再走两三天，水从西南方向来，名叫伊尔齐河，与齐必勒河汇合。又走三四天，水从南方来，叫作呼阑河。又有水从东南方向来，叫作伊拉齐河，汇合一起流入齐必勒河。那水流逐渐增大，才叫作黄河，然而水还是清澈的，人可以涉水渡过。又走一两天，分成八九股水流，取名也孙斡伦，翻译过来叫九渡，整个宽度五七里，可以骑马渡过。再走四五天，水变浑浊，当地土著人抱着革囊骑在上面过河。从这里开始两山夹着的水道，宽度大约一里、二里或半里，水深不可测。朵甘思东北有大雪山，名叫伊尔玛布谟喇，这座山最高，翻译过来叫腾格尔哈达，就是昆仑。从八九股水到昆仑，得走二十天。昆仑以西，山都不高峻。昆仑以东，山逐渐增高，地逐渐降低，两岸间的距离狭窄，有狐狸可以一跃而过的地方。走五六天，有水从西南方向过来，取名纳邻哈喇，翻译过来叫细黄河。又走

4479

两天,水从南来,名叫奇尔穆苏。两股水汇合流入黄河。黄河水往北走,转向西,流过昆仑山北,向东北方向流去,大约走半个月,到贵德州,地名叫笔齐里,这才开始有州治、官府。又走四五天,到积石州,就是《禹贡》所载的积石。黄河从发源处到汉地,南北的山涧小溪,细流广为缀集互相沟通,谁也不知道有多少。源头山上尽是草石,到积石山才林木茂盛。世人说黄河九曲,原来那地方就有两处弯曲。"

丙申(二十八日),开始制作象轿。吏部尚书刘好礼说:"象的力气很大,皇上往返两都之间,乘坐象轿,万一有变故,随从人员即使很多,力气怎么能够比得上大象!"不久,大象受惊,差一点伤害了随从人员。刘好礼是祥符人。

十一月,乙巳(初七日),设立泉府司,掌管御位下到皇太子、皇太后、诸王的出纳金银事宜。

戊申(初十),中书省拟议实行流通钞币法,凡赏赐应该多给币帛,赋税应该多收钞币,元世祖同意照此施行。

丁巳(十九日),北京行省平章政事廉希宪去世,终年五十岁。

廉希宪曾告诫他的儿子说:"大丈夫要见义勇为,是祸是福与自己不相干。说比不上皋陶、夔、后稷、契、伊尹、傅、周公、召公,这是自甘落后,不求上进。天下事如无牵连制约,夏、商、周三代就可以恢复了。"又说:"你读过《狄梁公传》吗?梁公狄仁杰有大节,被不肖子败坏,你们应该慎重对待。"后来廉希宪被追封为魏国公,谥号文正,又被追封为恒阳王。

壬戌(二十四日),降旨江淮行中书省搜求能工巧匠;不久,赐将作院工匠银钞、币帛;不久又敕令,凡为了逃避劳役以不正当手段列名匠户中的百姓,都恢复为民籍。

甲子(二十六日),降旨颁布《授时历》。

当初,元世祖命令王恂、许衡、杨恭懿及同知太史院事郭守敬查遍历书,昼夜测量检验,创立新历法,参考古制推算,极为精密。到现在,新历法才制成。郭守敬与王恂等人一起上奏说:"自汉代以来,历法经过七十次改动,创立新历法的有十三家。现在所考查订正的,共有七件事:一是冬至,二是岁余,三是日躔,四是月离,五是入交,六是二十八宿距度,七是日出入昼夜刻。所创新历法共有五件事:一是太阳盈缩,二是月行迟疾,三是黄赤道差,四是黄赤道内外度,五是白道交周。其他改正讹误、弥补缺漏的不止一处。"奏章呈上之后,赐名叫《授时历》,并颁布全国实行。从此以后八十年间,司天之官都遵循此历法,一直沿用,没有差错。凡是日月相掩食,金、木、水、火、土五星侵扰,彗星光芒扫射飞速流动,日、月旁的光晕,雨后出现的虹霓,阴阳不祥之气,各种观察天象而预言吉凶的,全都在这历书上。

丁卯(二十九日),派遣宣慰使嘉珲迪、孟庆元等持诏书告晓占城国国王,命令他的子弟或大臣来朝廷谒见。

昭文馆大学士窦默去世。

窦默每逢讨论国家大计,常常当面驳斥他人的错误,在朝廷上向皇帝极力谏净,人们说他可以与汲黯相比。元世祖曾说:"朕求贤三十年,只得到一位窦汉卿和一位李俊民。"又说:"假如窦汉卿之心与姚公茂之才合而为一的话,就可以称得上是十全十美的人了。"公茂是姚枢的字。窦默死后朝廷加赐他太师之衔,追封为魏国公,谥号文正。李俊民是泽州人,精通邵雍的皇极象数之学。当时懂得方术的人没有谁能比得上刘秉忠,而刘秉忠也自认为不如李俊民。元世祖在尚未即位时,曾经向李俊民问过吉兆,到即位时,他的话全都应验,可是李俊民已经去世,皇帝赐给他谥号庄静先生。

十二月,庚午(初二),杀江淮行省平章政事阿里布、右丞雅克特穆尔、左丞崔斌。崔斌揭发了阿哈玛特有害国家社会的不法行为,全国称快。不久,崔斌升任江淮行省左丞,阿哈玛特担心他危害自己,于是奏请派遣布拉噶达尔、刘思愈去检查核实江南行省的钱谷,诬陷崔斌与阿里布等人盗贪官粮四十七万石,因此奏请撤销宣课提举司并擅自调换八百多名朝廷的官吏,自己分派左右司官,铸造银铜官印。命令都事刘正等前往审查,罪案没有判决,又派参政张澍等人会审,终于将三人置于死地。崔斌有文才,通晓政治方略,辅助阿尔哈雅攻克荆湖、广海,屡建大功,并救活很多人。太子听说要杀崔斌,正在吃饭,悲伤地扔下筷子,派使者前往阻止而没来得及。天下人听说以后,认为崔斌太冤枉了。

辛未(初三),高丽国王王賰,领兵一万人,水手一万五千人,战船九百艘,军粮十万石,出征日本,供给右丞洪俊奇等人作战器械、高丽国的铠甲战袄。告晓各路队伍说:"征伐日本的军队,路经高丽,不要侵扰那里的百姓。"

癸酉(初四),任命高丽国王王賰为中书右丞相。

乙酉(十七日),淮西宣慰使昂吉尔奏请用军士屯田,阿达哈等人认为征调乡兵不利,应该招募愿意耕种的百姓来耕种,并且三年之内免征他们的田租,听从了阿达哈等人的意见。

鄂勒哲图打败陈吊眼后,又与副帅高兴讨伐陈桂龙等,一直攻到他的军营下。贼兵居高临下,人们都不敢前进,高兴派人挟带着捆扎起来的柴木遮住身体,进到半山中,丢弃薪柴后即退回。这样一连六天,引诱他们把箭和石头差不多都投射完,于是才点燃薪柴焚烧贼寇营寨的栅栏,杀死两万人。陈桂龙逃进畲族地区的山洞。

甲午(二十六日),大都重建太庙竣工,把神主从旧庙奉迁到新庙的祐室,于是举行合祀先王的祭礼。

丙申(二十八日),敕令雕版印刷帝师帕克斯巴新翻译的《戒本》五百部,分赐各路僧人。

敕令:"擅自占据江南逃亡百姓田地的,一律判罪。"

这一年,把建宁、雷州、廉州、化州、高州改为路,把肇庆路划归广南西道。

救济巩昌、常德路的饥民,仍免除他们的徭役。

至元十八年 (公元 1281 年)

春季,正月,辛丑(初四),召阿喇罕、范文虎、囊嘉特到朝廷接受训练,命巴图、张罗、李庭为留守,命令实都、洪俊奇的军队由陆路行军抵达日本,武器、军备则用船运送,军队路过的州县负责供给粮食。采纳范文虎的建议,增加汉军一万人。范文虎又请求拨给马两千匹和回回炮匠,元世祖说:"战船哪里用得着这些!"都没准许。

癸卯(初六),发放钞币及金银给博啰,让他分给贫民。

丁未(初十),敕令:"江南州郡兼用蒙古、回回人。凡是诸王位下都应设的达噜噶齐,一起到朝廷。"

丙辰(十九日),元世祖到潒州。

癸亥(二十六日),邵武平民高日新占据龙楼寨作乱,朝廷派人把他提拿。

二月,辛未(初五),元世祖到柳林。

乙亥(初九),设立上都留守司。

叙州升为路,隶属安西省。

把潭州省的治所迁到鄂州,把湖南宣慰司迁到潭州,这是听从了湖广平章政事阿尔哈雅的请求。

阿尔哈雅平定的荆南、淮西、江西、海南、广西这些地方,一共得到五十八个州,当地土人不计其数,大都是劝说他们投降,未曾专门采用杀戮的手段。而且他向百姓征收赋税,都规定从轻征收。百姓在当地建立生祠供奉他。

乙酉(十九日),把辉和尔断事官改为北庭都护府。

丙戌(二十日),征伐日本的军队出发。众将向皇帝辞别,元世祖说:"朕只忧虑一件事,恐怕你们不和睦。范文虎是新投降的,你们必定轻视他。"

在这之前,翰林学士王磐,听说军队出发的日期已定,入朝进谏说:"日本是一个东方小国,海道险远,战胜它不算勇武,打不胜则有损国威,臣以为不征伐为好。"元世祖震怒,说这不是他所应该说的话,并且说:"这在我国国法上,说这种话的人是不能被赦免的,你难道有二心才说这话吗?"王磐回答说:"臣赤心为国,所以才敢说这话,假如有二心,为什么从发生叛乱的地方冒万死而回来呢!现在臣已经八十岁,并且没有后代,我有二心想要干什么呢?"第二天,元世祖派侍臣用温和的话语慰抚他,使他不要忧愁恐惧。后来观览内府珍贵玩物,有一个碧玉宝枕,于是拿来赐给王磐。

浙东发生饥荒,发放粮食赈济。

己丑(二十三日),征调肃州军民开凿水渠灌溉田地。

福建行省左丞蒲寿庚进言:"诏命建造海船二百艘,现在已建成五十艘,百姓实在艰苦。"降旨停止建造。

乙未(二十九日),皇后鸿吉哩氏驾崩。皇后生性聪明机敏,善识事机,国家建立初期,左右匡正,支持有力。四集赛奏请把京城外的近郊划作牧马场,元世祖应允了。皇后要进谏,先假装责备刘秉忠说:"你为什么不直言规劝?如果刚刚定都时,用那些地方牧马还可以;现在军民分工已经固定,再用强力夺取过来,可以吗?"这件事于是被制止。

皇后曾经从太府监那里支取缯帛面里各一匹,元世祖对皇后说:"这是供应军务国政使用的物品,不是私家的东西,皇后怎么可以支取呢!"皇后从此带领宫女亲自从事纺织、刺绣、缝纫等活计,收集各种旧弓弦,搓捻成线,织成粗绸来制作衣裳。宣徽院里的羊臑皮闲置不用,皇后取来,合缝成地毯。她勤俭节约而不丢弃废物的情形大抵如此。

宋灭亡后,幼主赵㬎入朝谒见,皇后不高兴。元世祖说:"江南平定,从此不必打仗了,人人都欢喜,为什么唯独你不高兴?"皇后说:"自古没有长达千年的国家,不要让我们的子孙落到这地步就算有幸了。"元世祖令把南宋府库的物品摆在殿前的庭院中,叫皇后来看,皇后看了一眼就返身回去了。元世祖派宦官追上去问皇后想要什么,皇后说:"宋人储存积蓄的东西是留给子孙的,子孙不能守护而归属我们,我又怎么忍心取用呢!"

宋太后全氏到京城,不习惯北方的气候和水土环境,皇后奏请让全氏回江南,元世祖不允许。到第三次奏请时,元世祖才回答说:"你妇道人家,没有长远考虑,假若让她返回南方,或许一有风言风语,就会废了她全家,这不是你怜惜她的办法。如果怜惜她,只要时常加以慰抚就可以了。"皇后退下，更加厚待全氏。

三月，丙申朔(初一)，元世祖回到宫廷。任命中书右丞、行江东道宣慰使阿喇罕为中书左丞相、行中书省事;江西道宣慰使兼招讨使页特密实为参知政事，行中书省事。

因为辽阳、懿、盖、北京、大定各州发生旱灾，免收今年租税总数的一半。

派遣皇太子巡视边疆，又让巴延辅助他。元世祖告晓太子说:"巴延兼备将相的才能，忠于职守，所以让他跟随你，你不要按对待一般人那样对待他。"

戊戌(初三)，辞去国子祭酒职务而退休的许衡病势危急，正值家人祭祀祖先，许衡说:"我一天未死，怎么能不供奉祖先!"他从病床上起来，依照仪式献祭。祭祀完毕而死，终年七十三岁。许衡擅长教育，他教诲别人总是和颜悦色，即使与儿童谈话，都唯恐伤害他们，所以到他这里来的人，无论是高贵的，还是卑贱的;无论贤良的，还是不肖的，都以接受他的教诲为乐。听从他教育的人，把他的教诲视同金科玉律，终身不敢忘。有的人不曾是他的受业弟子，继承他一些零散的学问就改变平日的志向，竭力实践所学的常常大有人在。许衡死后，朝廷赐他司徒职衔，追封魏国公，谥号文正。

辛酉(二十六日)，设立登闻鼓院，准许有冤情的人击鼓以让人听见。

夏季，四月，癸酉(初八)，又颁发朝廷内外官吏的俸禄。

辛巳(十六日)，通州、泰州发生饥荒，发放二万多石粟米救济。

五月，甲辰(初十)，派遣使臣救济瓜州、沙州饥民。己酉(十五日)，禁止瓜州、沙州酿酒。

庚申(二十六日)，严格执行禁止买卖人口的法令，对食用不足的人，根据情况增加救济。

六月，丙寅(初二)，敕令:"谦州织工极其贫困，发给他们粟米，他们卖掉的妻儿，由官府负责为他们赎回。"

己卯(十五日)，让顺庆路隶属四川东道宣慰使。

日本行省大臣派遣使者报告说:"大军驻扎在巨济岛至对马岛，俘虏岛上的人，说太宰府以西六十里原先有防守的军队，已乘其空虚懈怠而进行攻击。"降旨说:"指挥军队的事你们就自己考虑决定。"

庚寅(二十六日)，因为阿喇罕患病，诏令阿达哈统率军队征伐日本。

壬辰(二十八日)，任命中书左丞呼图特穆尔为中书右丞，行中书省事;御史中丞、行御史台事呼喇出为中书左丞，行尚书省事。

秋季，七月，己亥(初六)，阿喇罕在军中去世。

庚戌(十七日)，因为松州知州布萨图格前后射虎万只，赐给他"万虎将军"称号。

辛酉(二十八日)，索多征讨占城，赐给他骆驼皮做的帐篷以防止瘴气毒雾的侵害。

八月，甲子朔(初一)，诏讨使方义进言要重视选择守令、崇奉祀典、约束奸吏、严禁盗贼、治理军旅、奖励忠义等六件事，诏令朝臣及诸群吏之尊者商议施行。

庚午(初七)，蒙古岱为中书右丞，行中书省事。

壬辰(二十九日)，降旨说:"征伐日本的军队回国，由所在的官府供给粮食。"

在这之前，命令阿达哈代替阿喇罕分兵戍守三海口，就近招抚海中残寇。阿达哈还未到达而实都、洪俊奇、范文虎、李庭、金方庆等人已航海到达平壶岛，遇上飓风，船只被毁坏，诸将领各自挑选坚固的兵舰乘坐逃生,把十余万名士卒扔在五龙山下。众人推举张百户为统帅,才伐木造船作回归的打算时,日本人侦察了解到这种情况,把蒙古人、高丽人、汉人都杀光,说新归附的士兵是唐人,不杀而使他们充当奴隶,十万之多的士兵,能得以逃回国内的只有三个人而已。范文虎的部将楚鼎,另外率领一千多人渡海,也遇到大风把船摧毁。楚鼎挟着破船板,在海上漂流了三昼夜,到一座山下,巧遇范文虎的船,因此才能到达高丽的金州合浦,使散兵驻守,漂流而来的人也渐渐聚集起来,楚鼎便带领他们归返。

闰八月,癸巳朔(初一),阿达哈奏请用戍守三海口的军队攻打福建贼寇陈吊眼,降旨认为此举会增加军队的劳累,没有批准。

丙午(十四日),元世祖从上都回到京师。

丁巳(二十五日),搜括江南人口的赋税。

壬戌(三十日),两淮转运使阿喇卜丹犯盗窃官钞及强制购买马匹罪,阻碍朝廷宣布命令,又把官员佩带的符牌擅自交给家奴去往来贸易,被处死。

京兆等路每年筹措赋税的数额,由一万九千锭增加到五万四千锭。九月,癸未(二十一日),阿哈玛特还认为不真实,想派使者去查核。元世祖说:"阿哈玛特知道什么!"事情于是被制止。

签江南、浙西道提刑按察司事高源,揭发常州达噜噶齐马恕掠夺民田及其他违法的事情,马恕很害怕,于是贿赂阿哈玛特,又用别的事情诬陷高源。高源被关进监狱,一天忽被释放,不知道出于什么原因。在这之前,高源居住地方的邻里一向知道高源侍奉母亲特别孝顺,听说高源无辜被判罪,都到阿哈玛特那里说:"高源是孝子,不只我们知道,上天一定也知道。况且构陷诬害酿成的罪名又不确实,如果胡乱杀人,违背天意不吉利。"阿哈玛特也被感动而醒悟,高源才得以不死。

少府为诸王昌图在太庙南边修建住宅,太常丞田忠良前往将立起的房柱推倒。少府把这件事上奏,元世祖问田忠良,田忠良回答说:"太庙前难道是诸王建造住宅的地方吗?"元世祖说:"你的话说得对。"田忠良又奏明:"太庙前没有供君王行使车马的道路,不符合礼制。"立即敕令中书省开辟驰道。按国家的制度,十月大吉日,在太庙祭祀。有人请求供奉祭品不用牛,田忠良上奏说:"梁武帝用面做成供祭祀用的牲畜,后来怎么样呢?"元世祖听从了。田忠良是中山人。

冬季,十月,乙未(初三),在太庙祭祀先祖,贞懿圣顺昭天睿文光应皇后附祭。

丙申(初四),招募百姓在淮西屯田。

己亥(初七),降诏书谕知安南国,立陈日烜之叔陈遗爱为安南国王,仍派出新近归附的士兵一千人护送他进入安南。

元世祖正信奉佛教,诏令枢密副使张易等人参照校勘道家的书籍。张易等人进言《道德经》是老子所著,其余的书都是后世的人伪造杜撰的。己酉(十七日),诏令将伪造杜撰之书全都焚毁。

在占城设置行中书省,任命索多为右丞,刘深为左丞,兵部侍郎额密实为参知政事。

4484 庚戌(十八日),敕令用海船一百艘、新老士兵及水手合共一万人,预定在明年正月征讨海外各番国,仍告知占城郡王负责供给军粮。

壬子(二十日)，采用和尔果斯的建议，在扬州、隆兴、鄂州、泉州四行省各设两名掌管学校的蒙古官员。

癸丑(二十一日)，皇太子从北部边疆回到京师。左谕德李谦曾经为太子述说十件事：一是要有公正无私之心；二是要对宗族和睦，对外亲友好；三是要注重节俭；四是要对尊长婉言规劝；五是要停止军事行动；六是要亲贤才；七是要崇尚文治；八是要制定法律；九是要辨正名分，使名实相符；十是要革除时弊。

漳州贼寇陈吊眼聚集十万人，联合五十多个山寨，控制险要的地势确保自己的安全。高兴攻破十五个山寨，陈吊眼逃跑退守千壁岭，高兴上到半山腰，诱引陈吊眼对话，拉住他的手，把他拽下，将他捉住斩首，漳州境内全部平定。十一月，甲子(初二)，敕令杀陈吊眼的残余同伙，并且收缴他们的武器，捆起来送到京师。

己巳(初七)，在高丽国金州等处设置镇边万户府以控制日本。

高丽国王请求修建沿海城镇，防备日本，没得到允许。

十二月，甲午(初三)，任命昂吉尔岱为中书右丞相。

己亥(初八)，撤销日本行中书省。

丁未(十六日)，商议挑选侍卫军一万人，以准备随从皇帝出巡。

癸丑(二十二日)，免除益都、淄州、莱州、宁海扩展河道的民夫今年的租赋，仍旧发给他们受雇的工钱。

这一年，把漳州改为路。

保定路清苑县发生水灾，平阳路松山县发生旱灾，高唐、夏津、武城等县吃苗根的害虫损坏庄稼，一概免除这些地区今年的田租，共计三万六千余石。

蜀地刚平定，元世祖怜悯那地方长期遭受战争，百姓受伤致残，挑选近臣抚慰他们，任命东宫典文书伊彻尔辉为嘉定路达噜噶齐。当时正以开垦田地、均平田赋、清除盗贼、平息争讼各项事务考核地方长官，伊彻尔辉接受诏令后很慎重，做到使百姓安乐，使臣共同举荐他的才能。

正巧盗贼在云南起事，号称有几十万人，扬言想要劫掠成都，伊彻尔辉疾驰入京告急，言辞恳切，说完接着落泪。大臣怀疑情况不是这样，元世祖说："云南是朕治理过的地方，不可忽视。"于是命拿出吃的东西来慰劳他。又对伊彻尔辉说："南人生活在战乱之中，流亡逃难，难道不厌战畏祸吗！对他们统治失当，不用一种好的措施使他们安定，所以他们要作乱。一定把朕的旨意告诉诸将，凡是叛乱的就予以征讨，凡是降服的就赦免他们，不要多杀而妨碍生机，那么人心一定会安定了。"伊彻尔辉回到蜀地，宣布了皇上的意旨，云南才得安定。

益都等路宣慰使、都元帅来阿巴齐派出一万名士兵开疏运河，并亲自来来回回监督视察施工情况，无论严寒酷暑从不停止。有两个士卒把自己的手弄伤，来让别人看说是不能再干活，阿巴齐把这件事情写成文书呈送枢密府和行省上奏，将这两名士卒斩首，以惩戒不守法者。运河开通后，升任胶莱海道漕运使。阿巴齐是宁夏人。

嘉议大夫、太史令王恂，在他父亲的丧期中因悲伤异常而毁损了自己的身体，每天只喝一勺水，元世祖派遣宫内侍臣抚慰他。不久王恂去世，终年四十七岁。死后追封他为定国公，谥号文肃。

河东按察使伊列萨哈升任南台御史中丞，元世祖取出宫中的宝刀赐给他，说："你用它来镇外台。"当时丞相阿哈玛特之子呼逊为江浙行省平章政事，依仗权势贪污，伊列萨哈揭发了他的罪行，查获赃钞八十一万锭，奏请将他处死；同时劾奏江南释教总统嘉木扬喇勒智各种违法的事情，各道大为震动。

至元十九年　（公元1282年）

春季，正月，丙寅（初五），撤销征东行中书省。

丁卯（初六），诸王扎喇呼从军队中来到京都。当时皇子北平王率领军队镇守阿里玛图地区来抵御哈都。诸王锡里济与托克托穆尔、撤里蛮等，策划劫持北平王反叛，想要与扎喇呼同哈都结为外援。哈都没有答应。萨里曼悔过，拘捕了锡里济等人，北平王派遣扎喇呼回到京都奏闻。

妖民张圆光被处死。

二月，辛卯朔（初一），元世祖到达柳林。

修缮宫城、太庙、司天台。

戊戌（初八），派遣使臣前往乾山，建造江南战船一千艘。

壬寅（十二日），命令："阵亡的军官，由他的儿子承袭职位；因病死亡的军官，按他的官职降低一等后授给他的儿子。用文字写明作为法令。"

乙巳（十五日），设置广东按察使。

戊申（十八日），元世祖回到皇宫。

己酉（十九日），裁减省、部的冗员。

把浙东宣慰司迁到温州。

分派军队戍守江南，自归州以及江阴到三海口，共设二十八处戍所。

壬子（二十二日），派遣诸王桑阿克达尔攻打缅国。

当初，尼雅斯拉鼎从缅国回来，说熟悉那个国家的形势可以攻打。于是任命台布为右丞，伊克德济为参政，命令桑阿克达尔督率各路军队再次前往攻打缅国。

甲寅（二十四日），元世祖到达上都。

申令严格执行查禁汉人私藏武器的法令。

三月，戊寅（十八日），因为中书左丞相阿哈玛特危害国家和人民，益都千户王著与高和尚共同策划杀他。

王著平素的性情就疾恶如仇，由于人们内心充满愤怒怨恨，便秘密铸造了一把大铜锤，王著自己表示决心愿意用这把大铜锤击阿哈玛特的头。恰巧高和尚在军队中施行秘密法术没有效果而回来，诈称说已经死了，杀了他的一个徒弟，用尸首欺骗众人，他自己逃离，谁也不知道。王著于是就与高和尚共同策划，集结了八十多人，在夜间潜入京城。

当时皇太子跟随元世祖到上都，而阿哈玛特留守京师，王著因为太子平常憎恶阿哈玛特邪恶不正，于是派遣两名西域僧人到中书省，诈称皇太子与国师回京都要建造佛像。当时高觿、张九思在宫中担任警卫，追问他们，二人仓皇失措回答不上来，于是把他们交给官吏。官吏审讯他们，这二人不招认。高觿、张九思于是召集卫士及官兵各持弓箭以作戒备。到中午，王著又假托太子的命令，让枢密副使张易出兵，夜晚在东宫会合。张易不了解实情，马上领兵前往东宫。高觿问张易来干什么,张易向高觿附耳密告说:"太子来杀左丞相了。"不久中书省派使臣出去迎接,全都被伪太子杀死,抢夺了他们的马匹,进入健德门。半夜二更天,高觿等人听见人马的声音,远远看见灯笼、仪仗将要到达宫门,头里一个人上前呼叫开门,高觿对张九思说:"别的时候殿下回宫,一定派鄂勒哲、萨阳二人先到,要求见到这两个人,然后再开宫门。"高觿呼唤那两个人,没有人答应,随即说:"皇太子平日不曾走这个门,今天为什么到这里来了?"这伙人没办法,只好奔向南门。高觿留下张子政等人守西门,自己急急跑到南门察看他们的行

蒙古骑兵用的箭袋

动。伪太子立马指挥,呼叫中书省官到前面来,斥责阿哈玛特几句,王著立即把他拉走,用袖子里藏着的铜锤击碎他的脑袋,立即毙命;接着把左丞郝祯叫来,也杀了,同时拘囚了右丞张惠。看到这些,高觿才与张九思大声喊叫说:"这些人是强盗!"大声命令卫士赶快拘捕他们。留守司达噜噶齐库端便手持棍杖上前,把骑马的人打落在地,弓箭乱射,众人逃散,多数被捉住。高和尚等人逃走,王著挺身而出请求拘囚他。

中丞额森特穆尔飞驰上奏,元世祖当时正在途中暂住在察罕诺尔,听说这件事,大为震怒,当天到上都,命令枢密副使博啰、司徒和尔果斯、参政阿哩等人骑乘驿马疾驰回到大都,讨伐叛乱者。

元世祖怀疑朝臣多有参与策划,召典瑞少监王思廉到行殿来,命身边的侍臣退避后问他说:"张易反叛,你知道这件事吗?"王思廉回答说:"不清楚。"元世祖说:"反已经反了,怎么说不清楚呢?"王思廉慢慢奏明说:"僭用称号改变新年号纪元,这叫作反;逃入别国,这叫作叛;成群聚集在山林,伤害百姓抢劫财物,这叫作乱。张易的事,臣实在不清楚算什么。"元世祖说:"朕自即位以来,像李璮那样不守臣节,不合臣道,难道是因为我像汉高祖、宋太祖那样急速登上帝位吗?"王思廉说:"陛下神圣是上天赋予,前代君王都不足以相比。"元世祖叹息说:"朕过去向窦默提出问题,他的回答如同回音与响声相应一样,原来是心里想的和嘴上说的不相违背,所以不用思索就能答得出。朕现在有话问你,你能做到这样吗?张易干的事,张文谦知道不知道?"王思廉立即回答说:"张文谦不知道。"元世祖说:"你根据什么知道张文谦不知道张易干的事呢?"王思廉回答说:"他们二人有矛盾,所以知道他不知道张易干的事。"元世祖的怀疑稍微消除了些。

庚辰(二十日),在高梁河捕获高和尚。

辛巳(二十一日),博啰等人到大都。

壬午(二十二日),在闹市处死王著、高和尚,把他们都剁成肉酱,并且杀死张易。王著临刑时大声喊叫道:"王著为天下除害,今天要被杀死啦!以后一定有人为我写下这件事。"又因为张易跟随王著作乱,将要把他的首级传送各地示众。张九思说:"说张易应付事变不慎重是有的,如果判处他同谋罪却过头了,请免予传送首级示众。"朝廷听从了张九思的意见。

戊子(二十八日),任命兼任北庭都护的阿密实哈为御史大夫,行御史台事。

集贤直学士兼秘书少监建昌人程文海上书陈述了五件事:一是核实江南官吏名册,二是南北统一选拔人才,三是建立考核功绩的记录,四是设置接受贿赂的登记册,五是给予江南官吏俸禄;这五件事,朝廷大多采纳施行。

夏季,四月,丁酉(初八),任命和尔果斯为中书右丞相,把右丞相昂吉尔岱降为留守,仍同签枢密院事。皇太子对和尔果斯说:"阿哈玛特已经死了,现在你担任中书要职,只要是对国家和百姓有好处的事,不要怕改弦更张;如果有人阻挠,我一定尽力支持你。"所以这时国家各种政务更新,中央政府任用人才,多由他推荐。

戊戌(初九),陈桂龙带领他的同伙前来投降,诏令把陈桂龙放逐到边远地方。

中书左丞耿仁等进言:"诸王公主分地所设达噜噶齐,一概不变动,百姓深以为苦。按照常例调动,任职期满,应该从原来的官位上离开,挑选继任者来取代。"听从了建议。

乙巳(十六日),因为阿哈玛特的家奴呼图达尔等人长期掌握兵权,命库端等人取代他们,仍隶属大都留守司。

解除不准在西山砍柴烧炭的禁令。

因为阿哈玛特之子、江淮行中书省平章政事呼逊的罪行比他的父亲还重,议决追究、审问。

戊申(十九日),宁国路太平县发生饥荒,百姓采竹子当粮食吃。

庚戌(二十一日),行御史台进言:"阿尔哈雅强占归降的百姓做他的奴仆,他认为这是靠征战得来的。"降旨:"凡是归降的百姓都把他们交还地方官吏,征战所得到的,登记数量,酌量赐给臣下中有功的人。"

丙辰(二十七日),敕令:"凡是因为把妻子、女儿、姊妹献给阿哈玛特而得到官职的人,一律罢免。核查阿哈玛特占据的民田,退还给原来的主人;他庇护的富强大户,把租税都送到他家中的,仍旧要追回缴纳给官府。"

规定中央和地方官员以三年时间作为考核期,满任的按规定的等级次第升迁,任期不满的不许超格提升。

五月,己未朔(初一),淘汰中央政府官员中阿哈玛特的党羽七百一十四人,已经革去官职的一百三十三人,其余五百八十一人一齐罢免。

起初,阿哈玛特被杀死,元世祖还不深知他的邪恶,直到询问枢密副使博啰以后,才完全知道他的罪恶,这才大怒说:"王著杀他实在对啊!"命令挖开阿哈玛特的坟,劈开他的棺材,陈尸在通玄门外示众,放狗吃他的肉,百官和士人、百姓都聚集在一起观看,拍手称快。阿哈玛特的子侄全被处死。

查抄阿哈玛特的家财时,找到一个木匣,内藏两张人皮,两只耳朵还都在,问这是怎么回事,他的妾说:"每当诅咒什么人的时候,把他的肖像放在人皮上面,应验特别快。"又有两副帛画了披甲的骑兵,围守一座屋殿,骑兵都面向内拉紧弓弦拔出刀,描绘的图形涉及叛乱,作画的人是陈某。又有一个叫曹震圭的人,曾推算阿哈玛特的出生年月,一个叫王台判的人却乱引图谶,说的都是涉及叛乱的话。这些事情上奏后,下令剥四个人的皮示众。不久,因为郝祯、耿仁结党作恶尤其严重,命令劈开郝祯的棺材,陈其尸示众,把耿仁关进监狱,处以死刑。

当初,巴延灭宋后回到京城,诏令百官到郊外迎接,阿哈玛特先到距京城十五里的地方在路上拜见巴延。巴延解下他佩带的玉钩丝带送给他,并且说:"宋朝的珠宝玉器固然很多,我确实没有拿什么,不要认为这件礼物太轻了。"阿哈玛特说他轻视自己,于是就诬陷他平定宋时拿走了宋的玉桃盏。元世祖命令审查这件事,没有证据。阿哈玛特死了以后,有人献上这玉桃盏,元世祖吃惊地说:"差一点陷害了我的忠良大臣!"

癸未(二十五日),任命甘肃行省左丞敏珠尔卜丹为中书右丞,行台御史中丞张雄飞为参知政事。

当初,阿哈玛特想要诬陷杀害秦长卿、刘仲泽、伊玛都木达这三个人,兵部尚书张雄飞极力反对,认为不可以杀,阿哈玛特派人利诱他说:"如果真的能杀死这三个人,你就可以当参政。"张雄飞说:"以杀人来求得大官,我不做这样的事。"阿哈玛特发怒,把他调出京城担任澧州安抚使,后经连续升迁官至御史中丞,行御史台事。阿哈玛特怕他的儿子呼逊担任江淮右丞,不被张雄飞所容受,改任张雄飞为陕西按察使。张雄飞没有到任,阿哈玛特就被杀死了,召回张雄飞任命他为参政。呼逊被逮捕,敕令朝臣一起审问,呼逊依次指着宰相等执掌国家政事的重臣说:"你曾接受过我家钱财,怎么能审问我?"张雄飞说:"我曾接受过没有?"呼逊说:"唯独您没有。"张雄飞说:"像你说的这样,那么我就应当审问你了。"呼逊于是服罪。

六月,己丑朔(初一),发生日食。

甲午(初六),阿哈玛特滥设官府二百零四处,诏令保留三十三处,其余的全都撤销。另外,江南宣慰司十五道,其中有四道已设立行中书省,也予以撤销。

丙申(初八),派遣一百名弓箭手卫护丞相,其他人不准以此为先例。

戊戌(初十),因为占城降服以后又叛乱,于是派兵前往征讨。

当初,朝廷派遣索多前往占城建立行省安抚治理,占城王子补的凭恃当地地势险固而不顺从,凡是经过该国的使臣都被拘留。元世祖动怒,决计进兵讨伐,派遣淮、浙、福建、湖广士兵五千人、海船一百艘、战船二百五十艘,命索多率领出发。

己酉(二十一日),把阿哈玛特的住宅赐给和尔果斯。

元世祖把依令定以罪名受到刑罚的权臣的妻子赐给后卫亲军指挥伊喇元臣,元臣推辞说:"臣家世清白,自己不敢玷污。"元世祖赞叹不止。元臣是霸州元帅尼尔的孙子。

丁巳(二十九日),征讨亦奚不薛,把那地区全部平定,设置三路达噜噶齐,留下军队镇守,命塔喇海统领。

续资治通鉴卷第一百八十六

【原文】

元纪四　起玄黓敦牂【壬午】七月,尽阏逢涒滩【甲申】十二月,凡二年有奇。

世祖圣德神功文武皇帝

至元十九年　【壬午,1282】　秋,七月,戊午朔,日有食之。

立行枢密院于扬州、鄂州。

〔壬戌〕,高丽国王请自造船一百五十艘,助征日本。

(戊辰)〔庚午〕,令蒙古军守江南者更番还家。

壬申,立马湖路总管府。

八月,江南水,民饥者众;真定以南旱,民多流移;和尔果斯请所在官司发廪以赈,从之。

申严以金饰车马服御之禁。

甲寅,圣诞节,是日,还宫。

九月,丁巳朔,赈真定饥民;其流移江南者,给之粮,使还乡里。

辛酉,俱蓝国入贡。海外诸蕃,惟俱蓝尤远,自泉州至其境约十万里。招讨使杨廷璧三往招之,遂遣使贡宝货及黑猿一。

壬戌,敕:“官吏受贿及仓库官侵盗,台察官知而不纠者,验其轻重罪之;中外官吏赃罪,轻者杖决,重者处死;言官缄默,与受赃者一体论罪。仍诏谕天下。”

己巳,定云南赋税,用金为则,以贝子折纳,每金一钱,直贝子二十索。

壬申,敕“平滦、高丽、耽罗及扬州、隆兴、泉州,共造大小船三千艘”。

亦奚不薛之北蛮峒向世雄兄弟及散毛诸峒叛,命四川行省就遣亦奚不薛军前往招抚之,使与其主偕往。

丁丑,遣使括云南所产金,以博啰为打金洞达噜噶齐。

壬午,诏:“诸路岁贡儒吏各一人。中书省掾史有阙,选枢密院、御史台、六部令史转用之;令史则取诸路岁贡之数。”仍诏:“诸路岁贡儒吏,儒必通吏事,吏必知经史者,各道按察使举廉能者,升等迁叙。”

厘正选法,置黑簿以籍阿哈玛特党人之名。

初,阿哈玛特用事,并中书左右司为一,以刘正为左右司员外郎。及治阿哈玛特之党,捕正与参政咱希鲁鼎等偕至。帝前问曰:“汝等皆党于阿哈玛特,能无罪乎?”正曰:“臣未尝阿附,惟法是从耳。"会暮,车驾还内,俱械系于阙东隙地。逾数日,奸党多伏诛,复械系正于拱卫司,和尔果斯曰:"上尝谓刘正衣白衣行炭穴十年,可谓廉洁者。"乃得免归。

冬,十月,辛卯,以平章军国重事耶律铸复为中书左丞相。

壬辰,享于太庙。

罢西京宣慰司。

丙申,初立詹事院,以鄂勒哲为右詹事,萨阳为左詹事。

诏:"由大都至中滦,中滦至瓜州,设南北两漕运司。"

乙巳,罢屯田总管府,以其事隶枢密院,令管军万户兼之。

庚戌,诏:"两广、福建五品以下官,从行省铨注。"

耶律铸言:"有司官吏以采室女,乘时害民,如令大郡岁取三人,小郡二人,择其可者,厚赐其父母,否则遣还为宜。"从之。

十一月,丁卯,袭封衍圣公孔洙入觐,以为国子祭酒兼提举浙东学校。

孔子后,自宋南渡初,其四十八代孙端友子玠寓衢州。帝既灭宋,疑所立,或言孔氏子孙寓衢州者,乃其宗子。洙赴阙,逊于居曲阜者,帝曰:"宁违荣而不违亲,真圣人后也。"遂有是命。就给禄与护持林庙。

诏以阿哈玛特罪恶颁告中外,凡民间利病,即与兴除之。

壬申,以势家为商贾者阻遏官民船,立沿河巡禁军,犯者没其家。

十二月,壬辰,中书左丞张文谦为枢密副使。

乙未,杀宋丞相信国公文天祥。

先是闽僧言:"土星犯帝座,疑有变。"未几,中山有狂人,自称宋主,有兵千人,欲取文丞相。又,京师有中山薛保住上匿名书告变,言某日烧蓑城苇、率两翼兵为乱,丞相可无忧者。时盗新杀阿哈玛特,遂撤蓑城苇、疑丞相者天祥也。乃召天祥入,帝谕之曰:"汝移所以事宋者事我,我当以汝为相。"天祥曰:"受宋恩为宰相,安肯事二姓? 愿赐之一死足矣。"帝犹未忍,麾使退。左右力赞帝从其请,乃诏有司杀于燕京之柴市。俄使止之,至则天祥死矣。

天祥至柴市,观者万人,临刑,殊从容,问市人曰:"孰南面?"或有指之者,即向南再拜而死。年四十七。其衣带有赞曰:"孔曰成仁,孟曰取义,惟其义尽,所以仁至。读圣贤书,所作何事! 而今而后,庶几无愧!"死之日,大风扬沙,帝叹曰:"好男子,不为吾用,杀之诚可惜也!"

天祥妻欧阳氏曰:"我夫不负国,我安能负夫!"遂自到死,天祥二子俱亡。

庐陵张千载者,天祥友也,天祥贵显时,屡以官辟,不就。临安既破,天祥自广还,过吉州城下,千载来见,曰:"丞相赴北,千载当偕行。"既至燕,寓天祥囚所侧近,日以美馔馈,凡三年,始终如一。且潜制一椟,天祥受刑日,即以藏其首。复访求欧阳氏骸骨,袭以重囊,与先所函椟南归吉州,付其家葬之。适家人亦自惠州奉天祥母曾氏枢同日至,人以为忠孝所感。

中书省言平原郡公赵与票,瀛国公赵㬎,翰林直学士赵与票,宜并居上都,帝曰:"与芮老矣,当留大都,馀如所言。"继有诏:"瀛国公给衣粮发遣之,与票勿行。"

与票数进谠言,朝廷立法,多所诹访。寻转侍讲,疏陈江南科敛急督,宋世丘垄暴露,皆大臣擅易明诏所为,帝不以为忤。

癸卯，御史中丞崔彧言："台臣于国家政事得失，生民休戚，百官邪正，虽王公宰相亦宜纠察。近惟御史有言，臣以为台官皆当建言，庶于国家有补。至于选用台察官止由中书，宁无偏党之弊！今宜令本台得自选任，用汉人十六员，蒙古人十六员，相参巡历为宜。"

既而江淮省臣有上议欲以行台隶行省者，诏廷臣杂议。兵部尚书董文用曰："御史台譬之卧虎，虽未噬人，人犹畏之。今虚名仅存而纲纪不振，更加抑之，则风采荼然，无复可望矣！"从之。

浚济州河。

征容城处士刘因至都，以博果密荐其学行也，擢右赞善大夫。寻以继母老辞归，俸给一无所受。

签枢密院事赵良弼，屡以疾辞，许令居怀孟。良弼别业在温，故有地三千亩，乃析为二，六与怀州，四与孟州，皆永隶庙学以赡生徒，自以出身儒素，不忘本也。或问为治，良弼曰："必有忍乃其有济。人性易发而难制者，惟怒为甚，必克己然后可以制怒，必顺理然后可以忘怒。能忍所难忍，容所难容，事斯济矣。"

太平、宣、徽群盗起，行管军万户张珪讨之，数为贼所败。卒有杀民家豕而并伤其主者，珪曰："此军之所以败也。"斩其卒。悉平诸盗。

至元二十年 【癸未，1283】 春，正月，己未，立鸿吉哩氏为皇后。时帝春秋高，后颇预朝政，相臣常不得见帝，辄因后以奏事。

初，鸿吉哩氏之族，从太祖起兵有功，寻其女为后，遂与约曰："鸿吉哩氏生女，世以为后，生男，世尚公主。"故元代诸后多其族焉。

癸亥，敕（药）〔铎〕喇哈领军征缅国。

乙丑，和尔果斯言："自今应诉事者，必须实书其事，赴省台陈告。其以匿名书告事，重者处死，轻者流远方。能发其事者，给犯人妻子，仍以钞赏之。又，阿哈玛特专政时，衙门太冗，虚费俸禄，宜依刘秉忠、许衡所定，并省为便。"皆从之。

设务农司。

敕预备征日本军粮，令高丽国备二十万石，以阿塔哈依旧为征东行省丞相。

丙寅，发五卫军二万人征日本。召太常少卿汪忠良择日出师，忠良曰："僻陋海隅，何足劳天戈！"不听。时帝意甚决，朝臣无敢谏者。淮西行省右丞昂吉尔上疏曰："臣闻兵以气为主，而上下同欲者胜。比者连事外夷，三军屡衄，不可以言气；海内骚然，一遇调发，上下愁怨，非所谓同欲也。请罢兵息民。"南台御史大夫姜卫亦遣使入奏曰："倭不奉职贡，可伐而不可怒，可缓而不可急。向者师行期迫，战船不坚，前车已覆，后当改辙。（今为）〔为今〕之计，预修战舰，训练士卒，耀兵扬武，使彼闻之，深自备御，迟以岁月，俟其疲怠，出其不意，乘风疾往，一举而下，万全之策也。"帝皆不听。

丙寅，御史台言："燕南、河北、山东，去岁旱灾，按察司已尝阅视，而中书不为奏免税粮，民何以堪！"诏有司权停勿征，仍谕："自今管民官，凡有灾伤，过时不申，及按察司不即行视者，皆罪之。"

河北流民渡河求食，朝廷遣使者集官属，绝河止之，按察副使程思廉曰："民急就食，岂得已哉！天下一家，河北、河南，皆吾民也，亟令纵之！"且曰："虽得罪，死不恨。"章上，不之罪也。

刑部尚书崔彧上疏,言时政十八事:"一曰开言路,多选正人,番直上前,以司喉舌。二曰阿哈玛特擅权,台臣莫敢纠其非,迨事败,然后接踵随声,徒取讥笑;宜别加选用,其旧人除蒙古人取圣断外,馀皆当问罪。三曰枢密院定夺军官,赏罚不当,多听阿哈玛特风旨;宜择有声望者为长贰。四曰翰苑亦颂阿哈玛特功德,宜博访南北耆儒以重此选。五曰郝祯、耿仁等虽正典刑,若是者尚多,罪同罚异,公论未伸,合次第屏除。六曰贵游子弟用即显官,幼不讲学,何以从政!得如左丞许衡教国子,则人才辈出矣。七曰今起居注所书,不过奏事检目而已,宜择蒙古、汉人分番上直,言动必书。八曰宜定律令,为一代之法。九曰省冗官,宜参众议,立定成规。十曰官僚无以养廉,宜有俸者增,无俸者给。十一曰内地百姓流移江南避赋役者,已十五万户,去家就旅,岂人之情!赋重政繁,驱之至此。宜特降诏旨,招集复业,免其后来五年科役,其馀积欠并蠲,事产即日给还;民官满替以户口增耗为黜陟,其徙江南不归,与土著一例当役。十二曰凡丞相安图迁转良臣,为阿哈玛特所摈黜,或居散地,或在远方,并令拔擢。十三曰簿录奸党财物,不可视为横得,遂致滥用,宜以之实帑藏,供岁计。十四曰上都非如大都,止备巡幸,不应立留守司,宜易置总管府。十五曰中书省右丞二而左丞缺,宜改所增右丞置诸左。十六曰在外行省不必置丞相、平章,止设左、右丞以下,庶几内重,不致势均。彼谓非隆其名不足镇压者,奸臣欺罔之论也。十七曰阿尔哈雅掌兵民之权,子侄姻党分列权要,官吏出其门者十之七八,其威权不在阿哈玛特下,宜罢职,理算其党;虽无所污染者,亦当迁转它所,勿使久据湖广。十八曰铨选类奏,贤否(各)〔莫〕知,自今三品以上,必引见而后授官。"疏奏,帝即命中书省行其数事,馀命与御史大夫伊实特穆尔议行之。

彧又言:"江南盗贼,相(挺)〔铤〕而起,凡二百馀所,皆由拘刷水手,兴造海船,民不聊生,激而成变。日本之役,宜姑止之。又,江西四省军需,宜量民力,勿强以土产所无。凡给物价与民者,必以实。召募水手,当从其所欲。俟民气稍苏,我力粗备,三二年后,东征未晚也。"帝以为不切,曰:"尔之所言如射然,挽弓虽可观,发矢则非是矣。"

彧又言:"昨中书奉旨,差官度量大都州县地亩,本以革权势兼并之弊,欲其明白,不得不于军民诸色人户通行核实。又因取勘畜牧数目,初意本非扰民,而近者浮言胥动,恐失农时。"又言:"各路每岁选取室女,宜罢。宋文思院小口斛出入官粮,无所容隐,宜颁行。"皆从之。

丁卯,巴约特等伐船材于烈堝、都山、乾山,凡十四万二千有奇,起诸军贴户年及丁者五千人、民夫三千人运之。

命右丞栋哩特穆尔及万户三十五人,蒙古军习舟师者二千人,特默齐万人,习水战者五百人,征日本。

壬午,改广东提刑按察司为海北广东道,广西按察司为广西海北道,福建按察司为福建闽海道,巩昌按察司为河西陇北道。

二月,辛丑,定军官选法及官吏赃罪法。

癸丑,谕中书省:"大事奏闻,小事便宜行之,毋致稽缓。"

三月,己未,御史台言:"平滦造船,五台山造寺伐木,及南城建新寺,凡役四万人,请罢之。"诏:"伐木、建寺即罢之,造船一事,其与省臣议。前后卫军自愿征日本者,命选留五卫汉军千馀,其新附军令悉行。"

乙丑,命乌努呼鲁岱往扬州录囚,其江北重囚,谪征日本。

立云南按察司,照刷行省文卷。

罢淮安等处淘金官,惟计户取金。

丙寅,帝如上都。

丁卯,增置蒙古监察御史六员。

〔癸酉〕,广东新会县林桂方、赵良钤等聚众,伪号罗平国,称延康年号。官军擒之,伏诛,馀党悉平。

〔壬午〕,罢福建宣慰司,复立行中书省于漳州。

夏,四月,庚寅,以侍卫亲军二万人助征日本。

壬辰,阿塔哈求军官习舟楫者同征日本,命元帅张林、招讨张瑄、总管朱清等行,以高丽王就领行省规画日本事宜。

甲午,禁近侍为人求官,紊乱选法。

申严酒禁,有私造者,财产、女子没官,犯人配役。申私盐之禁,许按察司纠察盐司。

五月,乙未,免五卫军征日本,发万人赴上都,纵平滦造船军归耕,拨大都见管军代役。

占城行省右丞索多,率战船千艘出广州,浮海伐占城。占城迎战,兵号二十万,索多率敢死士击之,斩首并溺死者五万馀人,又败之于大浪湖,斩首六万级,占城降。索多造木为城,辟田以耕,伐乌里、越里诸小夷,皆下之,积谷十五万以给军。

六月,戊子,以征日本,民间骚动,盗贼窃发,呼图特穆尔、蒙古岱乞益兵御寇,诏以兴国、江州军付之。

初定官吏赃罪法:"自五十贯以上,皆决杖,除名不叙,百贯以上者死。"

崔彧言:"今百官月俸不能副赡养,难责以廉勤之操。宜议增庶官月俸,所增虽赋之于民,官吏不贪,民必受惠。其有以贪抵罪,亦复何辞!"从之。己丑,诏增内外官吏俸。

初,思、播以南,施、黔、鼎、澧、辰、沅之界,九溪、十八峒蛮獠,叛服不常,诏四川行省讨之。参政奇尔济苏、宣慰使李呼哩雅济等,凿山开道,分兵并进,诸蛮伏险以拒,然众寡不敌,多就擒戮,其酋长内附赴阙。辛亥,诏分其地立州县,听顺元路宣慰司节制。

秋,七月,丙辰,谕阿塔哈:"所造征日本船,宜少缓之,所拘商船悉给还。"

丙寅,开云南驿路。

丁卯,罢淮南淘金司,以其户还民籍。

八月,癸未,以明尔彻平章军国重事,商议公事。

立怀来淘金司。

丁未,浙西道宣慰使史弼言:"顷以征日本船五百艘科诸民间,民病之。宜取阿巴齐所有船,修理以付阿塔哈,庶宽民力,并给钞于沿海募水手。"从之。

济州新开河成,立都漕运司。

九月,戊午,哈喇岱等招降象山县海贼尤宗祖等九千五百九十二人,海道以宁。

壬戌,调黎兵同征日本。

辛未,以岁登,开诸路酒禁。

戊寅,史弼陈弭盗之策:"为首及同谋者死,馀屯田淮上。"帝然其言,诏以其事付弼。贼党耕种内地,其妻孥送京师,以给鹰坊人等。

冬,十月,壬辰,帝至自上都。

庚子,左丞相耶律铸,坐不纳职印,妄奏东平人聚谋为逆、间谍幕僚及党罪囚阿里苏,罢免,仍没其家赀之半,徙居山后。

建宁路管军总管黄华叛,众几十万,称祥兴五年,犯崇安、浦城等县,围建宁府,命征东行省左丞刘国杰以其兵会江淮参政巴延等讨之。国杰攻破赤岩寨,华投火死,馀众皆溃。福建行省左丞呼喇春将兵来会梧桐川,欲搜贼溃去者尽杀之,国杰曰:"首乱者华也,馀皆胁从。招谕不归,诛之未晚。"未几,众果出降。

十一月,丁巳,命各省印《授时历》。

丁丑,禁云南管课官于常额外多取馀钱。

戊寅,禁云南权势多取债息,仍禁没人口为奴及黥其面者。

十二月,(辛卯)〔壬辰〕,以中书参议温特赫图噜哈廉贫,不阿附权势,赐钞百锭。

丙午,罢云南造卖金箔规措所;又罢都元帅府及重设官吏。

定质子令,凡大官子弟,遣赴京师。

枢密副使张文谦卒。文谦为人,刚明简重,凡所陈于上前,莫非尧、舜仁义之道,数忤权幸,而是非得丧,一不以经意;家惟藏书数万卷,尤以引荐人才为己任。

是岁,用王积翁议,令阿巴齐等广开新河以通漕运。然新河候潮以入,船多损坏,民亦苦之。而蒙古岱言海运之舟悉至,于是罢新开河,颇事海运,立万户府二,以朱清为中万户、张瑄为千户、蒙古岱为万户府达噜噶齐。未几,又分新河军士水手及船,于扬州、平滦两处运粮,命三省造船二千艘,于济州河运粮,犹未专于海道也。

有江南人言宋宗室反者,命遣使捕至阙下,东宫宿卫士鄂尔根萨里趋入谏曰:"言者必妄,使不可遣。"帝曰:"卿何以言之?"对曰:"若果反,郡县何以不知?言者不以郡县而言之阙庭,必其仇也。且江南初定,民疑未附,一旦以小民浮言辄捕之,恐人人自危,徒中言者之计。"帝悟,立召使者还,俾械系言者,下郡治之,言者立伏,果尝贷钱不从诬之。帝谓鄂尔根萨里:"非卿言,几误,但恨用卿晚耳。"自是命日侍左右。

湖南、北盗贼乘舟纵横劫掠,行省平章哈喇哈斯患之。右丞图呼噜曰:"树茂鸟集,树伐则散,戮一人足矣。"盗首乔大使者居九江,郡守曳喇玛丹取赂蔽之,遣使擒以来,狱成,杀而令诸市,群盗顿息。

江淮行省宣〔慰〕使郄显、李谦,诉平章蒙古岱不法。有诏勿问,仍以显等付蒙古岱鞫之,系于狱,必抵以死。江南行台监察御史申屠致远,虑囚浙西,知其冤状,将纵之。蒙古岱胁之以势,致远不为动,亲脱显等械,使从军自赎。

至元二十一年 【甲申,1284】 春,正月,乙卯,群臣上尊号曰"宪天述道仁文义武大光孝皇帝"。时议欲大赦,参知政事张雄飞曰:"古人言,无赦之国,其刑必平。故赦者,不平之政也。圣明在上,岂宜数赦!"帝嘉纳之,遂止下轻刑之诏。

丁巳,敕:"自今凡奏事者,必先语同列以所奏。既奏,其所奉旨云何,令同列知而后书之簿;不明以告而辄书簿者,杖笔且齐。"

己未,罢云南都元帅府,府所管军民隶行省。

甲子,罢扬州等处理算官,以其事付行省。

丁卯,建都王乌蒙及金齿一十二部俱降。

建都先为缅所制,欲降未能。时诸王桑阿克达尔及行省右丞台布、参知政事伊克德济分道征缅,于阿昔、阿禾两江造船二百艘,顺流攻之,拔江头城,令都元帅袁世安成之。遣使招谕缅王,不应,遂水陆并进,攻建都所都太公城,拔之。至是皆降。

庚午,立江淮、荆湖、江西、四川行枢密院,治建康、鄂州、抚州、成都。

王积翁久留大都,自诡能宣谕日本。甲戌,遣积翁赍诏奉使,赐锦衣、玉环、鞍辔。帝以日本俗尚佛,命普陀僧如智同往。积翁过温陵,强取任甲所有四舶使行,取道庆元航海,中途鞭任,旋闻任有谇语,乃好语诱以官职。任佯诺,将至日本,醉从者以酒,遂杀积翁,掠其资逃去。

丁丑,云南诸路按察司官陛辞,诏谕之曰:"卿至彼,当宣明朕意,勿求货财。名成则货财随之,徇财则必失其名,而性命亦不可保矣。"

二月,辛巳,以福建宣慰使管如德为泉州行省参知政事,征缅。

浚扬州漕河。

罢高丽造征日本船。

壬辰,邕州、宾州民黄大成等叛,梧州、韶州、衡州民相挺而起,湖南宣慰使萨里曼将兵讨之。

己亥,放檀州淘金五百人还家。

丁未,括江南乐工。

命阿塔哈发兵万五千人,船二百艘,助征占城;船不足,命江西省益之。

戊申,徙江淮行省于杭州,徙浙西宣慰司于平江,省黄州宣慰司入淮西道。

漳州盗起,命江浙行省调兵进讨。

秦州总管刘发有罪,尝欲归黄华,事觉,伏诛。

迁故宋(宋)〔宗〕室及其大臣之仕者于内地。

三月,丁巳,皇子北平王纳珠哈至自北边。王以至元八年建幕庭于和林,北留七年,至是始归。右丞相安图继至。

丙寅,帝如上都。

丁卯,太庙正殿成,奉安神主。

夏,四月,令军民同筑堤堰,以利五卫屯田。

己亥,涿州巨马河决,冲突三十馀里。

壬寅,江淮行省进各翼童男女百人。

戊申,高丽王王晗及公主,以其世子源来朝。

呼图特穆尔征缅之师,为缅人冲溃,敕发思、播田、杨二家军二千从征缅。

云南行省为破缅国江头城,进童男女八十人。

五月,癸丑,枢密院言:"索多溃军,已令李恒收集;江淮、江西两省溃军,别遣使招谕,凡至者皆给之粮,舟楫损者修之,以俟阿尔哈雅调用。"从之。

戊午，敕中书省："奏目文册及宣命札付，并用蒙古书，不许用辉和尔字。"

乙丑，蠲江南今年田赋十分之二，其十八年以前通欠未征者，尽免之。

阿噜呼努言："曩于江南民户中拨匠户三十万，其无艺业者多，今已选定诸色工匠，馀十九万九百馀户，宜纵令为民。"从之。

庚午，荆湖、占城行省以兵进据乌马境，地近安南，请益兵。命鄂州达噜噶齐赵翥等奉玺书往谕安南。

河间任丘县民李移住谋叛，事觉，伏诛。

括天下私藏天文、图谶、《太乙》《雷公式》《七曜历》《推背图》《苗太监历》，有私习及收匿者，罪之。

闰月，丙戌，行御史台自扬州迁于杭州。

丙午，以侍卫亲军万人修大都城。

六月，壬子，遣使分道寻访，测验晷景、日月交食、历法。

增官吏俸，以十分为率，不及一锭者量增五分。

甲寅，封皇子托欢为镇南王，驻鄂州。

庚申，改蒙古都元帅府为蒙古都万户府。

秋，七月，己卯，诏军官勿带相衔。

戊子，诏镇南王托欢征占城。

帝怒占城叛服不常，命托欢与左丞李恒往会索多兵进击之；复以安南通谋占城，令军行假道于其国，且征其粮饷以给军。

八月，己酉，御史台言："无籍之军愿从军杀掠者，初假之以张渡江兵威，今各持弓矢，剽劫平民，若不分隶各翼，恐生他变。"诏遣之还家。

辛亥，占城国王遣使奉表，乞回索多军，愿以土产岁修职贡。

庚午，帝至自上都。

九月，甲申，京师地震。

丙申，籍嘉木扬喇勒智发宋陵所收金银、宝器，修天衣寺；其饮器则赐帝师，盖西僧欲得帝王髑髅以厌胜致富也。

侍卫士鄂尔根萨里擢朝列大夫、左侍仪奉御。因劝帝治天下必用儒术，宜招致山泽道艺之士以备任使，帝嘉纳之，遣使求贤，置集贤馆以待之。是月，命鄂尔根萨里领馆事，辞曰："陛下初置集贤以待士，宜择重望大臣领之以亲观听。请以司徒萨里曼领其事。"帝从之，仍以鄂尔根萨里为集贤馆学士兼太史院事。

士之应诏者，尽命馆谷之，凡饮食、供帐、车服之盛，皆喜过望。其弗称旨者，亦请加赍而遣之。有官于宣徽者，欲阴败其事，故盛陈所给廪饩于内前，冀帝见之，帝果过而问焉，对曰："此一士之日给也。"帝怒曰："汝欲使朕见而损之乎？十倍此以待天下士，犹恐不至，况欲损之，谁肯至者！"

鄂尔根萨里又言于帝曰："国学，人材之本，立国子监，置博士弟子员，宜优其廪饩，使学者日盛。"从之。

冬，十月，丁未，享于太庙。

丁卯,以招讨使张万为征缅招讨使。

戊辰,立常平仓,以五十万石价钞给之。

十一月,戊子,命北京宣慰司修滦河道。

庚子,以范文虎为中书左丞,商量枢密院事。

辛丑,和尔果斯、敏珠尔卜丹、张雄飞、温特赫并罢,安图复为中书右丞相。以前江西榷茶运使卢世荣为右丞,前御史中丞史枢为左丞,布鲁密实哈雅、萨题勒密实并参知政事,前户部尚书拜降参议中书省事。

世荣,大名人,阿哈玛特专政,世荣以贿进,为江西榷茶运使,后以罪废。阿哈玛特死,朝臣讳言利,无可副上意者。总制院使僧格荐世荣有才术,谓能救钞法,增课额,上可裕国,下不损民。帝召见,奏对称旨,令与中书廷辨所欲行。和尔果斯等守正不挠,为强词所胜,皆罢去,故复起安图而世荣擢右丞,史枢等皆世荣所荐也。

初,安图与北平王被哈都拘之,十年始得还,有谮其尝受哈都官爵者,帝怒。断事官石天麟亦自哈都部中还,奏曰:"哈都实宗亲,偶有违言,非仇敌比,安图不拒绝之,所以释其疑心,导其臣顺也。"帝怒方解。

雄飞刚直廉慎,始终一节,尝召见便殿,语之曰:"闻卿贫甚,今特赐卿白金二千五百两,钞二千五百贯。"既出,又加赐黄金五十两,雄飞拜受,封识藏于家。及其罢政,阿哈玛特之党矫诏追夺之。或有劝雄飞自辨者,雄飞曰:"上以老臣廉,故赐臣。然臣未尝敢轻用而封识以俟者,正虑今日耳,又可自辨乎!"寻起为燕南、河北道宣慰使,卒。

安图之再入相也,力辞不允,往决于祁志诚,志诚曰:"昔与子同列者何人?今同列者何人?"安图悟,入见,辞曰:"臣昔为宰相,年尚少,幸不失陛下事者,丞佐皆臣所师友。今事臣者皆进与臣俱,则臣之为政,能有加于前乎?"帝曰:"谁为卿言是?"对曰:"祁真人。"帝叹异者久之。志诚,丘处机之四传弟子也,居云州金阁山,道誉甚著。安图初为相,常过而问之,志诚告以修身治世之要,故其为相也,以清静忠厚为主。及罢还第,退然若无与于世者,人以为有得于志诚之言云。

卢世荣既入中书,即日奉诏理钞法之弊,自谓生财有法,用其法当赋倍增而民不扰。诏下会议,人无敢言者。翰林学士董文用谓曰:"此钱取于右丞家耶?将取之于民耶?取于右丞之家,则吾不知;若取于民,则有说矣。牧羊者岁常两剪其毛,今牧人日剪以献,主者固悦其得毛之多,然羊无以避寒热,即死且尽,毛又可得乎?民财有限,右丞将尽取之,得无有日剪其毛之患乎?"世荣不能对。议者出,皆谢文用曰:"君以一言折聚敛之臣而厚邦本,真仁人之言哉!"

至元初,丞相史天泽、学士承旨王鹗等屡请以科举取士,诏中书议定程式,未及施行。至是,和尔果斯与留梦炎等复言天下习儒者少而由刀笔吏得官者多,帝曰:"将若之何?"对曰:"惟贡举取士为便。凡蒙古之士及儒吏、阴阳、医、巫,皆令试举,则用心为学矣。"方下中书省议,而和尔果斯罢,事遂寝。

十二月,甲辰朔,中书省言:"江南官田,为权豪、寺观欺隐者多,宜免其积年收入,限以日期,听人首实,逾限为人所告者征,以其半给告者。"从之。

乙巳,御史中丞崔彧,言卢世荣不可为相,帝大怒,下彧吏,欲致之法,寻罢之。

卢世荣欲以均输法益国赋，虑按察司挠其事，请令与转运使并为一职，诏集议。左赞善大夫瓜勒佳之奇言："按察司者，控制诸路，摘发奸伏，责任匪轻。若使理财则事冗，将弥缝自救之不暇，安能绳纠它人哉！并之勿便。"事遂寝。之奇，滕州人也。

以丁壮万人开神山河，立万户府以总之。

癸亥，卢世荣言："京师富户酿酒，价高而味薄，以致课不时输。宜一切禁罢，官自酤卖，向之岁课，一月可办。"从之。

癸西，命翰林承旨萨里曼，翰林、集贤大学士许国祯，集诸路医学教授增修《本草》。

是月，镇南王托欢军至安南，杀其守兵，分六道以进。安南兴道王以兵拒于万劫，进击，败之。万户倪闰战死于刘邨。

安图言于帝曰："阿哈玛特专政十年，亲故迎合者，往往骤进据显位，独刘宣、张孔孙二人，恬守故常，终始如一。"乃除宣吏部尚书，孔孙礼部侍郎。

是岁，诏燕南、河北道按察使博果密参议中书省事。

时卢世荣阿附僧格，言能用己，则国赋可以十倍于旧。帝以问博果密，对曰："自昔聚敛之臣，如桑弘羊、宇文融之徒，操利术以惑时君，始者莫不谓之忠，及其罪稔恶著，国与民俱困，虽悔何及！臣愿陛下无纳其说。"帝不听。博果密遂辞参议不拜。

湖广平章政事约苏穆尔，贪纵淫虐，诛求无厌。或妄言："初归附时，州县长吏及吏胥富人，比屋敛银，将输之官，银已具而事中止。"约苏穆尔即下令责民自实，使者旁午，随地置狱，株连蔓引，备极惨酷，民以拷掠瘐死者载道，所获不资，约苏穆尔尽掩有之。

有使至永州，判官乌克逊泽，戒吏美供帐，丰酒食，务顺适其意。使者感愧，无所发其毒，因间以利害晓之，一郡由是获安。盗起宝庆、武冈，皆永旁郡也。行省遣泽讨平之，俘获五百馀人，简出其诖误者百有五十人，上书言状。诛其首恶者三十一人，馀得减死。

【译文】

元纪四　起壬午年（公元1282年）七月，止甲申年（公元1284年）十二月，共二年有余。

至元十九年　（公元1282年）

秋季，七月，戊午朔（初一），发生日食。

在扬州、鄂州设立行枢密院。

壬戌（初五），高丽国王奏请自行建造一百五十艘船，协助征伐日本。

庚午（十三日），命令驻守江南的蒙古士兵轮流替换回家休息。

壬申（十五日），设立马湖路总管府。

八月，江南发生水灾，饥民很多；真定以南发生旱灾，很多人流离失所；和尔果斯奏请灾区官府发放官库粮食救济，得到同意。

申令严格执行不准用黄金装饰车马衣服的禁令。

甲寅（二十八日），皇帝的生日，这一天元世祖返回皇宫。

九月，丁巳朔（初一），救济真定灾民；对那些流浪江南的灾民，供给他们粮食，让他们返归家乡。

辛酉（初五），俱蓝国入朝献纳贡品。海外诸藩国，只有俱蓝国相距最远，从泉州到他们国境大约有十万里,招讨使杨廷璧三次前往招抚,于是派遣使臣前来贡献珍贵的物品及一只黑猿。

壬戌(初六),敕令:"凡有官吏受贿及仓库官员侵占盗窃财物,监察官知情却不举发的,要根据情节轻重予以定罪;中央和地方官吏犯有贪污受贿罪,轻的用棍棒责打,重的处以死刑;谏官缄默不语,与受贿者一样定罪。就此以诏书指示天下臣民知晓。"

己巳(十三日),规定云南赋税收缴办法,用黄金作为计量标准,拿贝币折算缴纳,一钱黄金相当于二十索贝子。

壬申(十六日),敕令"平滦、高丽、耽罗及扬州、隆兴、泉州,一共建造大小船只三千艘。"

亦奚不薛的北蛮峒向世雄兄弟及散毛各峒反叛,命令四川行省就近派遣亦奚不薛军队前往招抚叛众,并让与他们的首领一起前往。

丁丑(二十一日),派遣使者搜求云南出产的黄金,任命博啰为打金洞达噜噶齐。

壬午(二十六日),降旨:"各路每年向中央政府推选儒生、官员各一人。中书省掾史有空缺,就选拔枢密院、御史台、六部的令史提升任用;令史则从各路每年向中央政府推选的儒吏人数中选任。"就此降旨:"各路每年向中央政府推选的儒生、官员,儒生必须通晓政事,官员必须懂得经史,各道按察使推举廉洁有能力的,晋级任用。"

改正量才授官的办法,设立黑簿登记阿哈玛特党羽的姓名。

当初,阿哈玛特掌权,把中书省左右司合并为一个官署,任命刘正为左右司员外郎。到了惩治阿哈玛特党羽的时候,把刘正与参知政事咱希鲁鼎等一起逮捕押来。元世祖上前问他们说:"你们都同阿哈玛特结为一伙,能没有罪吗?"刘正说:"臣不曾附和迎合,唯有依从法律办事。"正好天黑了,元世祖坐车驾返回内宫,阿哈玛特的党羽都被加上脚镣手铐等刑具拘禁在皇宫东边的空地上。过了几天,阿哈玛特的同伙多数都被处死,刘正戴着刑具又被押到拱卫司,和尔果斯说:"皇上曾经说刘正穿着白衣服在煤窑走了十年,可以称得上是廉洁的人。"刘正才得以被免职,遣送回乡。

冬季,十月,辛卯(初五),任命平章军国重事耶律铸再次担任中书左丞相。

壬辰(初六),在太庙举行合祭先祖大典。

撤销西京宣慰司。

丙申(初十),开始设立詹事院,任命鄂勒哲为右詹事,萨阳为左詹事。

诏令:"由大都到中滦,由中滦到瓜州,设立北南两个漕运司。"

乙巳(十九日),撤销屯田总管府,把它的事务隶属于枢密院,命令管军万户兼管这些事务。

庚戌(二十四日),诏令:"两广、福建五品以下的官员,听从行省的考选登录。"

耶律铸进言:"有关官吏借选未出嫁的女子乘机损害百姓,不如命令大郡每年选送三人,小郡选送二人,再从中挑选合格的,重赐她们的父母,不合格的就送回去,这样做更合适。"听从了他的建议。

十一月,丁卯(十一日),沿袭旧例受封衍圣公的孔洙入朝觐见,任命他为国子祭酒兼提举浙东学校。

孔子的后人,自宋南迁开始,第四十八代孙孔端友之子孔玠住在衢州。元世祖灭宋后,怀疑所立的衍圣公,有人说孔氏子孙中住在衢州的是嫡长子。孔洙来到朝廷,待遇不如住在曲阜的时候。世祖说:"宁可抛弃荣华也不违背亲族,真是圣人的后代。"于是才有这个任命。立即给予俸禄,及降旨保护孔府林庙。

诏令把阿哈玛特的罪恶向朝廷内外公布,凡是在百姓中间造成的弊害,立即给予清除。

壬申(十六日),因为有权势的人家经商的阻挡官府与民间船只航行,所以设立沿河巡禁军,再有阻挡船只航行的就没收他的家产。

十二月,壬辰(初六),中书左丞张文谦担任枢密副使。

乙未(初九),杀害宋丞相信国公文天祥。

在这之前,闽地僧人说:"土星冲犯帝座星,估计要发生变故。"不久,中山有一名狂人,自称是宋国主,有士兵一千人,想要迎接文丞相。另外,京师有个中山人薛保住,上匿名信报告发生变故,说在某一天烧掩蔽城墙的芦苇、率领左右两军制造混乱,丞相可以不用担心。当时盗寇刚杀死阿哈玛特,于是撤掉了掩蔽城墙的芦苇,怀疑信中所说的丞相是指文天祥。于是召文天祥入朝,元世祖告诉他说:"你把侍奉宋朝的本领拿来侍奉我,我将任用你为宰相。"文天祥说:"我承受宋朝恩惠做宰相,哪里肯侍奉二姓! 愿求赐我一死就满足了。"元世祖还不忍心杀他,挥手让他退下。侍臣极力赞同元世祖答应文天祥的请求,才诏命官吏在燕京的柴市杀文天祥。过了一会儿,又派人去制止,使者赶到刑场时文天祥已被处死了。

文天祥被押到柴市,围观的多达上万人,临刑时,非常从容,问市人说:"哪边是南面?"有人就指给他看,文天祥立即向南方拜了两拜就被杀死了。终年四十七岁。他的衣带上写有赞语说:"孔子说要成仁,孟子说要取义,只有义尽,才能仁至。读圣贤书,要做的还有什么事呢! 从今以后,或许没有可惭愧的了!"文天祥死的那天,大风扬起尘沙,元世祖叹息说:"好男子,不被我所用,杀了他实在可惜啊!"

文天祥的妻子欧阳氏说:"我丈夫没有背弃国家,我怎么能背弃丈夫!"于是自刎而死,文天祥的两个儿子也都死了。

庐陵人张千载,是文天祥的朋友,文天祥尊贵显赫的时候,多次以官职征召他,他始终不应召。临安被攻破后,文天祥从广州被押解回来,路过吉州城下,张千载来见他说:"丞相到北方去,我张千载理当跟您一起走。"到燕京以后,张千载住在囚禁文天祥的地方附近,每天给文天祥送去好饭菜,一共三年,始终如一。并且暗地里制作了一个木匣,到文天祥受刑的那天,就用那只木匣收藏了他的头颅。他又查访寻求欧阳氏的尸骨,装入双层袋子,与先前收藏文天祥头颅的木匣一起送回吉州,交给他们的家人安葬。恰逢他们的家人也从惠州护送文天祥母亲曾氏的灵柩同日到达,人们认为这是忠孝的感应。

中书省进言平原郡公赵与芮,瀛国公赵㬎、翰林直学士赵与票,应该一同住在上都。元世祖说:"赵与芮老了,应当留在大都,其余的人照你们说的那样住在上都。"接着降旨:"瀛国公发给衣服粮食遣送上都,赵与票不要走。"

赵与票屡进直言,朝廷立法,多次向他征求意见。不久转任侍讲,上疏陈述江南逼迫征收摊派的赋税,宋代的坟墓被盗掘暴露,都是大臣擅自篡改英明的诏示造成的,元世祖不认为他说这些话是冒犯朝廷。

癸卯(十七日),御史中丞崔彧进言:"御史台官对于国家政事的得失,百姓的欢乐与悲苦,百官的邪恶或正派,即使是王公宰相,也应该加以纠察。近来只有御史有所进言,臣以为御史台官都应当对国事有所建议,这样对国家才有好处。至于选用台察官仅仅由中书省决定,难道没有偏向的弊病!今后应该让御史台自行选任,任用汉人十六名,蒙古人十六名,相互参错巡行视察为宜。"

不久江淮省臣有人上书建议想把行御史台隶属行中书省,诏令由朝臣共同商议。兵部尚书董文用说:"御史台好像是卧虎,虽然没有吃人,人们还是怕它。现在仅存虚名而纲纪不振,如果更加抑制它,声威名望更加衰落不振,那就再也没有什么希望了。"听从了董文用的意见。

疏浚济州河。

征召容城处士刘因到京都,因为是博果密推荐他的学问与操行,提拔他为右赞善大夫。不久刘因因为继母年老而辞官回家,俸禄一点都没接受。

签枢密院事赵良弼,多次因病辞官,只好准许他住在怀孟。赵良弼的别墅在温州,原先有三千亩地,于是就分为两份,六成给怀州,四成给孟州,都永远归属于设在孔庙内的学校以供养学生,赵良弼因为自己出身读书人家,不忘本。有人问他怎样治理国家的事,赵良弼说:"必须能忍耐才能有成就。人的性情中容易发作而难以控制的,只有愤怒最厉害,必须克制自己然后才能控制愤怒,必须顺应事理然后才能忘掉愤怒。要能忍耐人们所难以忍耐的,要容纳人们所难以容纳的,事情就成功了。"

太平、宣、徽各州众多盗贼闹事,行管军万户张珪讨伐他们,多次被盗贼打败。士兵中有杀百姓家里的猪并且伤害那家主人的,张珪说:"这就是军队被打败的原因。"于是杀掉那些士兵。这样才把各股盗贼全都平定。

至元二十年 （公元 1283 年）

春季,正月,己未(初四),册立鸿吉哩氏为皇后。当时元世祖年纪大了,皇后往往干预朝政,宰相大臣经常见不到元世祖,往往通过皇后奏事。

当初,鸿吉哩氏的家族,跟随太祖起兵有功,不久册立他们的女儿为皇后,而且与他们约定说:"鸿吉哩氏家族生的女儿,世代都立为皇后,生的儿子,世代都娶公主为妻。"所以元代的众皇后中大多是他们家族的人了。

癸亥(初八),敕令铎喇哈率领军队征讨缅国。

乙丑(初十),和尔果斯进言:"从今以后所有提出控诉的人,必须按照真实情况写出事实,到中书省御史台陈述上告。那些用匿名信控告的人,严重的要处死,轻微的也要流放到边远地区;能揭发写匿名信的,把犯人的妻儿赐给他,再赏予钞币。另外,阿哈玛特执政的时候,衙门里闲散人员太多,白白地消耗许多俸禄,应该依照刘秉忠、许衡制定的办法,合并机构才有利。"都同意了。

设置务农司。

敕令准备征伐日本的军粮,命令高丽国准备二十万石,照旧任命阿塔哈为征东行省丞相。

丙寅(十一日),派出五卫军二万人征伐日本。召见太常少卿汪忠良让他选择日期出兵,汪忠良说:"地处僻远风俗粗野的海边,哪里值得天朝军队去受劳顿!"不听汪忠良的意见。

当时元世祖的态度很坚决，朝臣中没有一个敢劝谏的人。淮西行省右丞昂吉尔上疏说："臣听说军队以士气为主，而上下想法相同的就能取胜。近来接连与外夷作战，三军多次失败，已经没有士气可谈了；国内情绪波动，一遇到调兵征发，上上下下全都满腹愁苦哀怨，就不是所说的想法相同。恳请停止进军使人民得到休养生息。"南台御史大夫姜卫也派遣使者到朝廷上奏说："倭人不守职献贡，应该讨伐但不可表现出愤怒，应该从缓考虑而不可急忙行事。过去军队出征期限紧迫，战船不坚固，前车已经颠覆，后车就应当改辙。现今计划，应该预先修造战舰，训练士兵，炫耀武力，显示威风，让他们知道我们的举动，必定加紧防备，我们延迟时间不出兵，等他们疲惫懈怠时，再出其不意，乘风疾速前往，一举攻下，这是万全之策。"元世祖都不听从这些意见。

丙寅(十一日)，御史台上言："燕南、河北、山东，去年发生旱灾，按察司已曾视察过，可是中书省不替他们奏免税粮，百姓怎么能忍受！"诏令官员暂且停止征收上述地区的税粮，同时谕知："从今以后，管理百姓的官吏，凡有天灾人祸，过时不报告，以及按察司不立即巡行视察的，都予以处罚。"

河北流民渡过黄河讨饭，朝廷派遣使臣聚集官属，渡过黄河阻止他们。按察副使程思廉说："百姓生活困难出外谋生，难道是出于自己的意愿吗！天下是一家，河北、河南的人都是我朝的百姓，应当赶快命令放开他们！"并且说："即使因此获罪，死了也不怨恨。"奏章呈上以后，没有处罚他。

刑部尚书崔彧上疏，谈论当时的政治措施十八件事：一是广开言路，多选用正直的人，轮流在皇帝前面值勤，以行使言官之职。二是阿哈玛特专权时，御史台官员谁也不敢举发他的过失，直到阿哈玛特罪恶败露，然后才一个个出来说话，只能任凭人们讥笑，应该另外选用，原有御史台官员中除蒙古人怎样处置由皇帝自己决断外，其余的人都理当问罪。三是枢密院裁决军官功过，赏罚不当，大多听从阿哈玛特的意图，应该挑选有声望的人做枢密院的正副长官。四是翰林院也颂扬阿哈玛特的功德，应该广泛访求南北各地年老博学的儒者来担当翰林院的官员。五是郝祯、耿仁等虽然已被处以死刑，但是像他们这样的人还有很多，罪过相同而处罚各异，公众的评论认为不合理，应该把这些人依次除去。六是无官职的王公贵族子弟一任用就是高官，幼年时不曾学习接受训练，凭着什么去从政！应该像左丞许衡那样教育国子监的学生，才能人才辈出。七是现在起居注写的不过是上奏诸事文书底稿的题目而已，应该挑选蒙古人、汉人轮流值班，一言一行都必须写下来。八是应该制定律令作为一代的大法。九是减少闲散的官吏，应该研究众人的议论，制定规章制度。十是官吏无法养成廉洁的操守，有俸禄的应该增加俸禄，没有俸禄的应该赐予俸禄。十一是内地百姓流落江南逃避赋役的已有十五万户，离开家乡走上流亡的道路，难道是人之常情！赋税重徭役多，驱赶他们到了这地步。应该专门降旨，召集他们恢复常业，免除他们今后五年的徭役，其余积欠的租税一起免除，家产当日发还；主持民政的官吏任期已满而换任要根据管辖的户数人口的增减决定提升或贬降，那些迁移江南不回来的人，与当地土著人同等服劳役。十二是凡是丞相安图所升调的清廉贤能的大臣，被阿哈玛特斥退废黜，有的位居闲散的官职，有的在边远的地方，一起下令提拔。十三是查抄奸党的财产，将其登记入册，不能把这些财产看作是意外所得的横财，以致胡乱使用，应该将这些财产充实国库，供一年收支计算。十四是上都

4503

不像大都,只备做皇帝巡幸,不应设立留守司,应改置总管府。十五是中书省有两位右丞而左丞空缺,应该将所增设的右丞改为左丞。十六是在外地的行省不必设置丞相、平章职位,只设左、右丞以下职位,这样才可使朝内权重,不导致朝廷内外权势均衡。那种所谓不提高他们的名声不足以镇压的说法,是奸臣欺蒙的论调。十七是阿尔哈雅掌握军事与民政大权,他的子侄亲戚党羽都分别列居权贵之位,官吏中有十分之七八的人都出在他的门下,他的威势和权力不在阿哈玛特之下,应该撤销他的职务,清算他的党羽,即使没有牵连的,也应该调往别的地方,不要让他们长期占据湖广。十八是量才授官的众多奏章中这些人是否贤能并不知道,今后三品以上的官员,必须先引见皇上而后授官。"疏奏呈上之后,元世祖立即命令中书省办理其中的几件事,其余的与御史大夫伊实特穆尔商议实行。

崔彧又进言:"江南盗贼,相继而起,共有二百多处,都是由于扣留水手,兴造海船,致民不聊生,激发成事变。征讨日本的战争,应该暂且停止。另外,江西四省的军需,应该估量百姓承受的能力而行事,不要强迫交纳当地不出产的东西。凡是付给百姓供给的物资的钱款,一定要依实价支付。招募水手,应当听从他们的意愿。等百姓的气势稍有复苏,我们的兵力准备大体就绪,三两年以后,举行东征也不为晚。"元世祖认为这不切合实际,说:"你说的这番话就像射箭一样,拉开弓虽然可以看,放出箭就不行了。"

崔彧又进言:"昨天中书省奉旨派官员丈量大都州县的土地,本意是想用这种办法革除有权有势者兼并土地的弊端,想要把这项大事弄明白,就不得不到军民等各种人户进行复查核实。又因为要查核饲养牲畜的数目,初意本来不是扰民,可是近来风言风语到处流传,恐怕耽误了农时。"又说:"各路每年选送未出嫁的女子一事,应该取消。宋朝文思院用小口斛支出与收入官粮,没有什么可包庇隐瞒的,应该颁行天下。"这些全都同意。

丁卯(十二日),巴约特等人在烈㛃、都山、乾山采伐造船木材,共计十四万二千多根,征用出钱代服兵役的军户成年男子五千人、民工三千人运输这些木料。

命令右丞栋哩特穆尔及万户三十五人、蒙古军熟习水军的二千人、特默齐一万人、熟悉水战的五百人,征伐日本。

壬午(二十七日),把广东提刑按察司改为海北广东道,把广西按察司改为广西海北道,把福建按察司改为福建闽海道,把巩昌按察司改为河西陇北道。

二月,辛丑(十六日),制定军官选法及官吏贪污受贿处罚法。

癸丑(二十八日),谕知中书省:"大事一定要奏闻,小事可以酌情自行决断处理,不致造成迟延。"

三月,己未(初五),御史台进言:"平滦造船,五台山建寺庙伐木,及南城建新寺,共役使四万人,请下令停止进行。"降旨:"伐木建寺的事立即停止,造船一事,要与中书省臣商议解决。前后卫军自愿征伐日本的,命令选留五卫汉军一千多人,那些新近归附的士兵让他们全都出发。"

乙丑(十一日),派乌努呼鲁岱前往扬州查点囚犯,其中的江北重犯,戴罪遣发征讨日本。

设立云南按察司,清查行省公文案卷。

罢免淮安等处淘金官,只按户计算索取黄金。

丙寅(十二日),元世祖到上都。

丁卯(十三日),增设蒙古监察御史六名。

癸酉(十九日),广东新会县林桂方、赵良钤等人聚集徒众,建立伪罗平国,年号延康。官军将他们擒获,处死,其余党羽都被平定。

壬午(二十八日),撤销福建宣慰司,在漳州恢复设立行中书省。

夏季,四月,庚寅(初六),派侍卫亲军二万人协助征伐日本。

壬辰(初八),阿塔哈挑选熟习战船的军官一起征伐日本,命令元帅张林、招讨张瑄、总管朱清等出发,任命高丽王兼任行省规划关于征伐日本事宜。

甲午(初十),禁止近侍人员为别人求官,以免使挑选官吏的法规紊乱。

申令严格执行禁止酿酒的法令,若有私自酿造的,家中财产、女子都要没收入官,犯法的人要流放服劳役。宣布禁止贩运私盐,准许按察司举发检察盐司。

五月,己未(初六),免去五卫军征伐日本,派出一万人到上都。放平滦造船的士兵回乡耕种,调派大都现管军代行劳役。

占城行省右丞索多率领一千艘战船从广州出发,渡海攻打占城。占城迎战,号称有士兵二十万人,索多率领敢死队士兵攻打他们,占城士兵被斩首和被溺死的有五万多人,又在大浪湖打败占城军,斩首六万级,占城投降。索多造木为城,开荒耕种,讨伐乌里、越里各小国,全都降附,积得稻谷十五万石来供给军队。

六月,戊子(初六),因为征伐日本,民间骚动,盗贼暗暗产生。呼图特穆尔、蒙古岱请求增兵抵御盗寇。诏令把兴国、江州的军队交给他们指挥。

初次制定官吏贪污受贿处罚法:"自五十贯以上,都处以杖刑,除名不再授官,一百贯以上的处以死刑。"

崔彧进言:"现在各级官吏每月的俸禄不够赡养家人,难于用廉洁勤勉的品行要求他们。应该商议增加各级官吏的月俸,所增加的部分虽然是从百姓那里征收而来,但官吏不贪赃受贿,百姓必定得到好处。如果有的官吏还因贪赃受贿而受到处罚,那又有什么可说的呢!"听从了他的意见。己丑(初七),降旨增加中央和地方官吏的薪俸。

起初,思州、播州以南,施州、黔州、鼎州、澧州、辰州、沅州的地界,九溪、十八峒的土著,时而叛乱,时而顺服,诏令四川行省讨伐他们。参政奇尔济苏、宣慰使李呼哩雅济等人,凿山开道,分兵并进,各土著部族据守险要地势抗拒,可是由于寡不敌众,多数被捉住杀掉,土著首领归附朝廷前往京城。辛亥(二十九日),诏令划分那些地区设立州县,接受顺元路宣慰司管辖。

秋季,七月,丙辰(初四),晓谕阿塔哈:"建造征伐日本的战船,应该稍缓进行,扣押的商船全都发还船主。"

丙寅(十四日),开通云南驿路。

丁卯(十五日),撤销淮南淘金司,把那些淘金的人家恢复为民籍。

八月,癸未(初二),任命明尔彻为平章军国重事,参加商议朝廷之事。

设立怀来淘金司。

丁未(十四日),浙西道宣慰使史弼进言:"近来因建造征伐日本的战船五百艘而向民间征收赋税,百姓为此而困苦。应该把阿巴齐所有的船只收来,修理之后交给阿塔哈,或许可以减轻百姓人力、物力、财力的负担。同时拨款到沿海招募水手。"同意了他的建议。

济州新开的河道通航,设立都漕运司。

九月,戊午(初八),哈喇岱等人招降象山县海盗尤宗祖等九千五百九十二人,海路才得安宁。

壬戌(十二日),调遣黎兵一起征伐日本。

辛未(二十一日),因为这一年谷物丰收,解除各路不准酿酒的禁令。

戊寅(二十八日),史弼陈述平定盗贼的策略:"为首者及同谋者处死,其余的人到淮河边屯田。"元世祖认为他说得对,下令把这件事交给史弼办理。盗贼的党羽到内地耕种,他们的妻子和儿女被送往京师,以给鹰坊人等。

冬季,十月,壬辰(十二日),元世祖从上都回到京城。

庚子(二十日),左丞相耶律铸,因为不纳职印,没有事实根据就上奏说东平人聚集一起谋划叛乱、离间幕僚和偏袒罪犯阿里苏,被罢免,又没收他全部家财的一半,迁居山后。

建宁路管军总管黄华叛乱,部众将近十万人,称祥兴五年,进犯崇安、浦城等县,围攻建宁府,命令征东行省左丞刘国杰带领部队会合江淮参政巴延等前往讨伐。刘国杰攻破赤岩寨,黄华投入火中而死,其余的部众都溃败逃散。福建行省左丞呼喇春带兵来梧桐川会聚,想搜捕溃败逃散的叛贼把他们全都杀掉,刘国杰说:"领头叛乱的是黄华,其余的人都是被迫跟随他的。对他们进行招抚,如果不归顺,再捕杀他们也不晚。"不久,叛乱的徒众果然出来投降。

十一月,丁巳(初七),命令各行省印制《授时历》。

丁丑(二十七日),禁止云南负责征收赋税的官员在固定数额以外多收其他的钱。

戊寅(二十八日),禁止云南有权势的人多收借债的利息,并且禁止隐瞒人口为奴婢和在他们面部刺字。

十二月,壬辰(十三日),因为中书参议温特赫图噜哈廉洁清贫,不向有权势的人阿谀逢迎,赐给他钱钞一百锭。

丙午(二十七日),撤销云南造卖金箔规措所;又撤销都元帅府及重复而设的官吏。

制定质子令,凡是大官的子弟,都要送往京师。

枢密副使张文谦去世。

张文谦为人刚直光明,庄严持重。凡是在皇帝面前陈述的,没有不是尧、舜仁义之道,屡次触犯有权势而得到皇帝宠爱的奸佞之人,而对自己的是非得失一概不在意;家中只有几万卷藏书,尤其以引荐人才为己任。

这一年,采用王积翁的建议,命令阿巴齐等人广开新河以畅通漕运。可是新河要等涨潮后船才能进入,船只多有损坏,百姓也为此叫苦。蒙古岱说海运的船只全都到达,于是停止新开河的运输,大力从事海运,设立两个万户府,任命朱清为中万户、张瑄为千户、蒙古岱为万户府达噜噶齐。不久,又分派新河军士水手及船只,到扬州、平滦两处运粮,命令三省造船二千艘在济州河运粮,仍然没有完全从海路运输。

有个江南人上言宋皇族成员造反,下令派遣使臣去把造反的人捉拿到朝廷来,东宫宿卫士鄂尔根萨里急忙入朝直言规劝说:"说那话的人一定没有事实根据,不能派遣使臣前往。"

元世祖说:"你根据什么说这话?"鄂尔根萨里回答说:"假如果真造反,郡县为什么不知道呢?说那话的人不通过郡县而直接报告朝廷,一定是他有私仇。况且江南刚刚平定,百姓心怀疑忌,尚未附服朝廷,如果一旦因小民捕风捉影的话就抓人,恐怕会造成人人自危,白白中了说那话的人的计谋。"元世祖恍然大悟,立即召唤使臣返回,派人给说那话的人戴上镣铐,拘禁起来,交给郡县惩处,说那话的人马上承认了罪责,果然是因为他曾经向人家借钱人家没有答应,他才诬陷人家的。元世祖对鄂尔根萨里说:"要不是你进言,差一点儿误大事,只恨任用你太晚了。"从此命他天天在自己身边侍候。

湖南、湖北盗贼乘船恣肆横行抢劫财物,行省平章哈喇哈斯为此忧虑重重。右丞图呼噜说:"树木生长茂盛,鸟就飞来聚栖在树上,把树木砍掉,鸟则四处飞散,因此杀一个人就足够了。"盗贼头目乔大使住在九江,郡守曳喇玛丹受了他的贿赂而庇护他。行省派人把他捉来,罪案审理完毕,即把他杀了示众,群盗很快销声匿迹。

江淮行省宣使郤显、李谦告发平章蒙古岱违法,降旨不予追究,却把郤显等交给蒙古岱审讯。蒙古岱把他们拘囚在监狱里,一定要判处死刑。江南行台监察御史申屠致远在浙西讯察记录囚犯的罪状,了解到郤显等人的冤案,打算释放他们。蒙古岱以权势威胁他,申屠致远却毫不动摇,亲自为郤显等人卸下刑具,让他们从军去自行赎罪。

至元二十一年　（公元 1284 年）

春季,正月,乙卯（初六）,群臣为元世祖上尊号称"宪天述道仁文义武大光孝皇帝"。当时商议想要实行大赦,参知政事张雄飞说:"古人说,没有大赦的国家,它的刑罚一定公正。所以实行赦免,就说明惩处得不公正。圣哲英明的天子在上,怎可多次实行赦免!"元世祖很高兴地采纳了他的意见,于是只下发减轻刑罚的诏书。

丁巳（初八）,敕令:"从今以后,凡有奏事的人,必须先把上奏的事情告诉同官署的人。奏陈之后,所接受的圣旨说的是什么,要让同官署的人知道,然后把它写入文书;如不公开告诉同官署的人就写入文书的,要杖责笔且齐。"

己未（初十）,撤销云南都元帅府,都元帅府管辖的军民改由行省管辖。

甲子（十五日）,撤销扬州等地负责核算钱谷的官员,把他们负责的事务交给行省办理。

丁卯（十八日）,建都王、乌蒙和金齿十二个部族一起投降。

建都先前被缅国所控制,所以想要投降又不能。当时诸王桑阿克达尔及行省右丞台布、参知政事伊克德济分路征伐缅国,在阿昔、阿禾两江造船二百艘,顺流而下进攻缅国,攻下江头城,命令都元帅袁世安戍守。派遣使臣招谕缅王,缅王不答复,于是水陆并进,攻打建都的都城太公城,一举攻克。到这时才全都投降。

庚午（二十一日）,设置江淮、荆湖、江西、四川行枢密院,官署分别设在建康、鄂州、抚州、成都。

王积翁长期居留大都,自己诡称能够宣谕日本。甲戌（二十五日）,派遣王积翁携带诏书出使,赐给他锦衣、玉环、鞍辔。元世祖因为日本风俗崇尚佛教,所以命普陀山僧人如智与王积翁一同前往。王积翁路过温陵,强取任甲所有的四艘海船命令他出海,取道庆元的海路航行。中途鞭打任甲,一会儿听到任甲在责骂,于是又用好言好语许以官职来引诱他。任甲假装答应,快要到日本的时候,用酒把随从灌醉,于是杀死王积翁,抢走财物逃离。

丁丑(二十八日),云南诸路按察司官员辞别皇帝,下诏书指示说:"你们到那里,应当明白宣布朕意,不要贪求财物。功名成则财物随之而来,不惜身而求财则必失掉功名,而且性命也不能保了。"

二月,辛巳(初二),任命福建宣慰使管如德为泉州行省参知政事,出兵征伐缅国。

疏通扬州的漕运河道。

令高丽停止建造征伐日本的船只。

壬辰(十三日),邕州、宾州百姓黄大成等人叛乱,梧州、韶州、衡州百姓相继而起,湖南宣慰使萨里曼带兵讨伐他们。

己亥(二十日),放檀州淘金的五百人回家。

丁未(二十八日),搜求江南乐工。

命令阿塔哈派出一万五千名士兵、二百艘战船,协助征伐占城;船只不够,命令江西省负责补足。

戊申(二十九日),把江淮行省迁到杭州,把浙西宣慰司迁到平江,把黄州宣慰司撤去归入淮西道。

漳州出现盗贼,命令江浙行省调兵进行讨伐。

秦州总管刘发有罪,因曾想归附黄华,事情被发觉,被处死。

把亡宋宗室成员及其大臣中现在在任的官员迁到内地。

三月,丁巳(初八),皇子北平王纳珠哈从北方边境回到京城。北平王于至元八年在和林建立帐幕官署,滞留七年,到这时才归返。右丞相安图相继到达。

丙寅(十七日),元世祖到上都。

丁卯(十八日),太庙正殿落成,把神主安放于殿内。

夏季,四月,命令军民共同修筑堤堰,以利于五卫军屯田。

己亥(二十一日),涿州巨马河决堤,水流奔突三十多里。

壬寅(二十四日),江淮行省进贡各翼童男童女一百人。

戊申(三十日),高丽王王睻及公主,派他们的太子王源入朝觐见。

呼图特穆尔征伐缅国的军队,被缅人冲溃,敕令征调思州、播州田、杨两家军队二千人随军出征缅国。

云南行省为了攻破缅国江头城,进献童男童女八十人。

五月,癸丑(初五),枢密院报告说:"索多溃败的部队,已经派李恒去收集;江淮、江西两省溃散的部队,另外派遣使臣去诏谕,凡是到达的地方都供给他们粮食,船只损坏的给予修理,以待阿尔哈雅调用。"批准了报告。

戊午(初十),敕令中书省:"奏事的条目、公文簿和诏命、官府上行下的文书,都要用蒙古文字书写,不许用辉和尔文字。"

乙丑(十七日),减免江南今年田租总数的十分之二,那些在至元十八年以前拖欠没有征收上来的田租,全都予以免征。

阿噜呼努进言:"过去在江南民户中调拨各类匠户三十万,其中没有技艺的很多,现在已经选定了各种工匠,剩下的一十九万零九百多户应该放回让他们改为民户。"得到同意。

庚午(二十二日)，荆湖、占城行省派兵进占乌马境地，地界接近安南，奏请朝廷增加军队。命鄂州达噜噶齐赵翥等人带着诏书前往诏谕安南。

河间任丘县县民李移住谋划叛乱，事情被发觉，被处死。

搜集全国私行收藏的天文书籍、方士编造的图谶，包括《太乙雷公式》《七曜历》《推背图》《苗太监历》等。凡有秘密学习和藏匿的，一律治罪。

闰五月，丙戌(初九)，行御史台从扬州迁到杭州。

丙午(十九日)，派侍卫亲军一万人修大都城。

六月，壬子(初六)，派遣使臣分道访求寻找测量检验日影、日月亏蚀、历法。

增加官吏薪俸，以十分为标准，不够一锭的酌量增加五分。

甲寅(初八)，封皇子托欢为镇南王，进驻鄂州。

庚申(十四日)，把蒙古都元帅府改为蒙古都万户府。

秋季，七月，己卯(初三)，诏令军官不得加带相衔。

戊子(十二日)，诏令镇南王托欢征伐占城。

元世祖对占城时而叛乱时而降服，反复无常，很恼怒，命令托欢与左丞李恒前往会合索多的部队进攻占城；又因安南与占城通谋勾结，所以特令军队经由安南借路前往占城，并且向安南征集粮饷来供给军队。

八月，己酉(初四)，御史台报告说："游民组成的军队愿意随正规军杀戮掳掠，当初借他们来壮大渡长江的军队威势，现在他们却各自带着弓箭抢劫百姓，如果不将他们分归各翼军队管辖，恐怕会发生其他事变。"降旨把他们遣送回乡。

辛亥(初六)，占城国王派遣使臣上表，乞求撤回索多的军队，愿意用土产作为每年向朝廷的贡纳。

庚午(二十五日)，元世祖从上都回到京城。

九月，甲申(初十)，京师发生地震。

丙申(二十二日)，没收嘉木扬喇勒智发掘南宋皇陵所获取的金银宝器来修建无衣寺；那些"饮器"则赐给帝师，因为西域僧人原想得到帝王的头骨以避灾致富。

侍卫士鄂尔根萨里被提升为朝列大夫、左侍仪奉御。于是向世祖建议治理国家一定要采用儒术，应该招聘民间有学问与技能的人以备任用。元世祖赞许并采纳了他的建议，派遣使臣访求贤能的人，设置集贤馆来接待他们。这个月命鄂尔根萨里兼管馆事，他推辞说："陛下初次设置集贤馆来接待士人，应该挑选威望高的大臣来管理，以使耳目一新。请任命司徒萨里曼兼理集贤馆事务。"元世祖同意了，又任命鄂尔根萨里为集贤馆学士兼太史院事。

接受诏命的士人，都让集贤馆供养他们，所有饮食、供帐、车马、礼服的丰盛华美，都比原来希望的更好，因此士人们非常高兴。那些不符合上意的，也都给以赏赐，让他们回去。有在宣徽院当官的，想暗中破坏这件事，故意在内宫前多摆放供给士人的日用物品，希望元世祖能看见，元世祖果然在经过这里时间这是怎么回事，回答说："这是一个士人一天的供给。"元世祖很生气地说："你想让朕看见这些而减少对士人的供给吗？用十倍于此的东西来款待天下的士人，还怕人家不来呢，何况要减少供给，谁还肯来！"

鄂尔根萨里又向元世祖建议说："国家的最高学校是培养人才的主要场所，设立国子监，设置博士弟子员,应该给予他们优厚的生活待遇,使求学的人一天天多起来。"听从了他的建议。

冬季,十月,丁未(初三),在太庙举行祭祀典礼。

丁卯(二十三日),任命招讨使张万为征缅招讨使。

戊辰(二十四日),建立常平仓,把购进五十万石粮食的价款拨给它。

十一月,戊子(十五日),命令北京宣慰司修治滦河河道。

庚子(二十七日),任命范文虎为中书左丞,商决枢密院事宜。

辛丑(二十八日),和尔果斯、敏珠尔卜丹、张雄飞、温特赫一同被罢免,安图再次担任中书右丞相。任命前江西榷茶运使卢世荣为右丞,前御史中丞史枢为左丞,布鲁密实哈雅、萨题勒密实同为参知政事,前户部尚书拜降为参议中书省事。

卢世荣是大名府人,阿哈玛特独揽政权的时候,卢世荣用贿赂的办法得以升官,担任江西榷茶运使,后来因罪被黜免。阿哈玛特死后,朝臣忌讳谈财利,没有能符合元世祖心意的人。总制院使僧格举荐卢世荣有才学,说他能救钞引法,增加赋税数额,对上可以使国家富裕,对下也不会使百姓受损害。元世祖召见卢世荣,卢世荣当面回答皇帝提出的问题很符合上意,于是命令他与中书大臣在朝廷上辩论他想要实行的办法。和尔果斯等人坚守正道而不屈从,还是被卢世荣的无理强辩之词战胜,都被罢官而离去,所以又起用安图,同时卢世荣被提拔为右丞。史枢等人都是卢世荣举荐的。

当初,安图与北平王被哈都拘囚,十年之后才得以返回。有人诬陷安图曾接受哈都授予的官爵,元世祖很恼怒。断事官石天麟也从哈都那里回来,就上奏说:"哈都实际是皇帝同宗的亲属,只不过偶然因言语不和而失和,不能与仇敌等同。安图不拒绝他授予的官爵,是要用这种做法打消他的疑心,引导他臣服依顺。"元世祖听了这话怒气才消。

张雄飞刚强正直清廉谨慎,平生始终坚守节操,元世祖曾经在便殿召见他,对他说:"听说你很贫苦,现在特赐给你白银二千五百两,钞币二千五百贯。"出殿以后,又加赐黄金五十两,张雄飞叩拜接受,包封之后并加标记藏在家中。到他被罢职以后,阿哈玛特的同党假托诏令追夺赏赐给他的金银钞币。有人劝张雄飞自己申辩,张雄飞说:"皇上因为老臣清廉,所以才赏赐臣。可是臣不曾敢轻易动用而包封起来并加上标记等着的原因,正是担心会出现今天这种情况。难道还用得着自辩吗!"不久,又起用他为燕南、河北道宣慰使,他在这个职位上去世。

简仪 (模型)

安图再次入朝为宰相,曾极力推辞,但没被允许,便往祁志诚处请做决断。祁志诚说:"过去与您一起任职的是什么人? 现在与您的又是什么人?"安图马上领悟,入朝见元世祖,推辞说:"臣过去做宰相,年纪还轻,幸而没有使陛下的大事失误,因为辅助臣的都是臣的师友。而现在辅助臣的都是与臣一起被提拔起来的人,那么臣处理政事,能比以前更好吗?"元世祖说:"谁对你说的这些话?"安图回答说:"祁真人。"元世祖赞叹诧异了很长时间。祁志诚是丘处机的四传弟子,住在云州金阁山,道行声誉很出名。安图刚任宰相时,常拜访他向他请教。祁志诚把修身治世的要领告诉安图,所以他做宰相以清静忠厚为主。到被免除职务返回家中时,淡于名利,安于退让,好像与世不相干的样子,人们认为是因他对祁志诚的话有所领悟。

卢世荣进入中书省以后,当日接受诏令治理钞引法的弊端,自称有办法增加财富,用他的办法必定使税收成倍增加而百姓却不受扰。诏令聚会大臣们谋议,却没有一个敢说话的人。翰林学士董文用问卢世荣说:"这钱是从右丞家拿来呢,还是从百姓那里拿来?如果从右丞家里拿来,那我不知道怎么办;如果从百姓那里拿来,那我就有话说了。牧羊人按通例每年剪两次羊毛,如果牧人每天都剪下羊毛拿来进献,主管的人当然高兴他得到的羊毛多,可是羊没有毛可来避寒暑,就会死掉并且会死光,羊毛还能得到吗?百姓的财物有限,右丞将要把百姓的财物都拿来,能没有像每天剪羊毛那样的祸患吗?"卢世荣不能回答。参加谋议的人出来以后,都感谢董文用说:"您用一席话挫败搜刮财货之臣而维护了全国百姓利益,真是仁人说的话啊!"

至元初年,丞相史天泽、学士承旨王鹗等屡次奏请采用科举办法选取士人,诏令中书省商议制定规则,没有来得及施行。到这时,和尔果斯与留梦炎等人又进言天下学习儒学的人少而由刀笔吏而得到官职的人多,元世祖说:"打算怎么办呢?"他们回答说:"只有贡举取士是最适当的办法。凡是蒙古的士人及儒生出身的官吏、阴阳家、医生、巫师,都令他们通过考试再加以任用,这样人们就一定专心做学问了。"刚交给中书省商议,而和尔果斯却被罢免了,这件事也就搁置下来。

十二月,甲辰朔(初一),中书省报告说:"江南的官田,被权贵豪门、寺院宫观欺占隐瞒的很多,应该免征他们多年的收入,限定日期,让他们自己向官府交代,超过限期被别人告发的要征收入官,把其中的一半赐给告发的人。"听从了这个建议。

乙巳(初二),御史中丞崔彧进言卢世荣不可当宰相,元世祖听了大怒,把崔彧交给司法官吏审讯,想对他依法治罪,不久解除了崔彧的官职。

卢世荣想用均输法来增加国家税收,担心按察司阻挠这件事,请求把按察司与转运使合并为一项职务,诏令大臣聚集一起共同商议。左赞善大夫瓜勒佳之奇说:"按察司是控制各路,揭发隐伏未露的坏人坏事的,责任不轻。如果让他们治理财务事情就太繁杂了,连补救自己的过失都自顾不暇,怎么能再去纠正别人的过失呢!把按察司与转运使合并不利。"这件事就搁置了下来。瓜勒佳之奇是滕州人。

用壮丁一万人开凿神山河,设立万户府来统管这件事。

癸亥(二十日),卢世荣进言:"京师富户自己酿酒,价钱贵却味道薄,以致不能按时缴纳赋税。应该一律禁止私人酿酒出售,由公家自己卖酒,过去一年的税收,一个月就可以收齐。"听从了他的意见。

癸酉(三十日),命翰林承旨萨里曼、翰林集贤大学士许国祯,召集各路医学教授增修《本草》。

这个月,镇南王托欢的部队到达安南,杀死那里的守兵,分六路进发。安南兴道王派兵在万劫抵抗,托欢进攻,打败了他们。万户倪闰在刘村阵亡。

安图对元世祖说:"阿哈玛特独揽政权长达十年,他的亲戚故旧迎合他的人,常常迅速升官占据显要职位,唯独刘宣、张孔孙二人,在原来的官位上安然任职,始终如一。"于是授予刘宣吏部尚书之职,授予张孔孙礼部侍郎之职。

这一年,降旨燕南、河北道按察使博果密参议中书省事。

当时卢世荣逢迎附和僧格,说如果能够任用他,那么国家的税收可以比过去增加十倍。元世祖就这件事询问博果密,博果密回答说:"自古以来搜括财货的大臣,像桑弘羊、宇文融这些人,以可获利的权术来迷惑当时的君主,开始时没有谁不说他们是忠臣,等到他们的罪恶积久而显露出来,国家和百姓都陷入艰难窘迫的境地,即使后悔又怎么来得及!臣愿陛下不要采纳他的主张。"元世祖不听从博果密的意见。博果密于是就推辞不接受参议这个官职。

湖广平章政事约苏穆尔,贪财放纵淫乱暴虐,贪得无厌。有人胡说:"江南刚归附的时候,州县最高官长及官府小吏和有钱财的人,让家家户户聚集银两,说要交给公家,银子已经准备好了可是上交的事却中途停止了。"约苏穆尔立即下令责令百姓如实自报有多少银子,他的仆从到处都是,随地设置刑狱,株连蔓引,极其残酷,百姓因为刑讯而死的充塞道路。得到的银两不可计数,约苏穆尔全都隐匿起来据为己有。

有使臣到永州,判官乌克逊泽告诫小吏要准备华美的帷帐、用具,备办丰盛的酒宴,务必迎合使臣心意。使臣既感动又惭愧,没有为害百姓,于是私下给他讲明利害关系,全郡因此得以安宁。盗贼在宝庆、武冈出现,那两处都是永州旁边的州府。行省派乌克逊泽去讨伐平定,俘获五百多人,核实出其中受牵累的一百五十人,上书说明情况。处死其中的首恶分子三十一人,其余的都得免一死。

续资治通鉴卷第一百八十七

【原文】

元纪五　起旃蒙作噩【乙酉】正月,尽柔兆掩茂【丙戌】十二月,凡二年。

世祖圣德神功文武皇帝

至元二十二年　【乙酉,1285】　春,正月,戊寅,发五卫军及新附军浚蒙村漕渠。

庚辰,诏毁宋郊天台。

僧格言:"嘉木扬喇勒智云:'会稽有泰宁寺,宋毁之以建宁宗攒宫。钱唐有龙华寺,宋毁之以为南郊。皆胜地也。'宜复为寺,为皇上、东宫祈寿。"时宁宗等攒宫已毁,建寺,乃毁郊天台,亦建寺焉。

皇太子尝遣使辟宋工部侍郎倪坚于开元,既至,访以古今成败得失,坚对言:"三代得天下以仁,其失也以不仁。汉、唐之亡也以外戚、阉竖,宋之亡也以奸党、权臣。"太子嘉纳之。

谕德李谦、瓜勒佳之奇言于太子曰:"殿下方遵圣训,参决庶务,如军民之利病,政令之得失,事关朝廷,责在台院,非宫臣所宜言;独有澄源固本,臣等不容缄口者。太子之心,天下之本也,太子心正,则天心有所属,人心有所系矣!唐太宗尝言:'人主一心,攻之者众,或以勇力,或以辩口,或以谄谀,或以奸诈,或以嗜欲,辐凑攻之,各求自售。人主少懈而受其一,则其害有不可胜言者。'殿下,至尊之储贰,人求自售者亦不为少,须常唤醒此心,不使为物欲所挠,则宗社生灵之福。固本澄原,莫此为切。"

壬午,诏立市舶都转运司及诸路常平盐铁坑冶都转运司。

戊子,库库尔端言:"先遣军二千屯田芍陂,试土之肥硗,去秋已取米二万馀石。请增屯田士二千人。"从之。

徙江南乐工八百家于京师。

西川赵和尚,自称宋福王子广王以诳民,民有信者;真定民刘驴川有三乳,自以为异,谋不轨。事觉,皆磔裂以徇。

辛卯,发诸卫军六千八百人,给护国寺修造。

癸巳,诏括京师荒地,令宿卫士耕种。

枢密院言:"旧制四宿卫各选一人,参决枢密院事,请以图鲁卜为签院。"从之。

乙未,卢世荣奏罢江南行御史台及改诸路按察司为提刑转运司,兼理钱谷。未几,御史台臣言行台不可辄罢,且按察司兼转运,则纠弹之职废。帝以为疑,安图曰:"江南盗贼屡起,恃有行台镇遏，不可罢。但与行省并治杭州，差觉僻远，宜徙江州，据三省之间。"从之。

以董文用为江淮行中书省参知政事。

时行省长官素贵，多傲，同列莫敢仰视，跪起禀白，如小吏事上官。文用至，则坐堂上，侃侃与论，是非可否，无所迁就，虽数忤之，不顾也。时方建佛塔于宋故宫，有司奉行甚急，天大雨雪，入山伐木，死者数百人；又欲并建大寺。文用谓行省曰："非时役民，民不堪矣，少徐之，如何？"行省曰："参政奈何格上命？"文用曰："今之困民力而失民心者，岂上意耶？"行省意沮，乃稍宽其期。

丙申，以阿必齐哈为中书平章政事。

命礼部领会同馆。初，外国使至，常令翰林院主之，至是改正。

诏禁私酒。

壬寅，造大樽于殿。樽以木为质，银内而外镂为云龙，高一丈七尺。

二月，乙巳，增济州漕舟三千艘，役夫万二千人。初，江淮岁漕米百万石于京师，海运十万石，胶莱六十万石，而济之所运三十万石，水浅舟大，恒不能达；更以百石之舟，舟用四人，故夫数增多。

塞(漳)〔浑〕河堤决，役夫四千人。

诏改江淮、江西元帅招讨司为上、中、下三万户府。蒙古、汉人新附诸军相参，作三十七翼：上万户七翼，中万户八翼，下万户二十二翼。翼设达噜噶齐、万户、副万户各一人，隶所在行枢密院。

以应放还五卫军穿河西务河。

辛亥，广东宣慰使页特密实讨潮、惠二州盗郭逢贵等，四十五寨皆平，降民万馀户，军三千六百馀人，请将所获渠帅入觐，面陈事宜，从之。

丙辰，诏罢胶莱所凿新河，以军万人隶江浙行省习水战，万人载江淮米泛海，由利津达于京师。

壬戌，立规措所。

初，卢世荣言："天下岁课钞九十三万馀锭，以臣经画之，不取于民，裁抑权势所侵，可增三百万锭。事未行而中外已非议，臣请与台院面议上前行之。"帝曰："不必如此，卿但言之。"世荣因言："自王文统后，钞法虚弊已久，宜括铜铸钱，并制绫券，与钞参行。"又奏："于泉、杭二州立市舶都转运司，给民钱，令商贩诸番，官取其息七，民取其三。禁私贩海者，拘其先所蓄宝货，官卖之；匿者许告，没其财，以其半给告者。今各路虽设常平仓，名存实废；宜取权豪所擅铁冶铸器鬻之，以其息储粟平粜，则可均物价而获厚利。民间酒课太轻，宜官给钞，行古榷酤法，仍禁民私酤，米一石取钞十贯，可得二十倍。国家虽设平准，然无晓规运者；宜令各路立平准周急库，轻其月息以贷贫民。如此，则贷者众而本且不失。又随朝官吏增俸，州郡未及；可于各路立市易司，领诸牙侩人，计商人物货，四十分取一，以十为率，四给牙侩，六给官吏俸。本朝以兵得天下，不籍粮馈，惟资羊马；宜于上都、隆兴诸路以官钱买币帛，易羊马于北方，选蒙古人牧之，岁收其皮毛、筋角、酥酪之用，以十之二与牧者，而马以备军兴，羊以充赐予。"帝皆善而行之。至是请立规措所，用官吏以善贾为之。帝曰："此何职？"世荣曰："规画钱谷耳。"从之。

又言："天下能规运钱谷者，为阿哈玛特所用，今悉以为污滥黜之；臣欲择而用之，惧有言臣私有罪者。"帝曰："何必计此！第用其可用者。"于是擢用甚众。群小既用事，每借法以逞其欲，州县乡村，深山穷谷，各分地方以搜抆民财，率众入人家，笥箧尽发，谓之打勘。岁每一二次打勘，民不聊生。群凶既饱，世荣辄又设法以取之，时人目为"鸬鹚句当"，以鸬鹚得鱼，既满其颔，即为人抖取也。

世荣尝言于帝曰："臣之行事多为人所怨，后必有潜臣者，请先言之。"帝曰："汝言皆是，惟欲人无言者，安有是理！疾足之犬，狐不爱焉，主人岂不爱之！汝之所行，朕自爱也，彼奸伪者则不爱耳。汝之职分既定，其无以一二人从行，亦当谨卫门户。"遂谕丞相安图增其从人。其为帝所倚眷如此。

回买江南民土田。

戊辰，帝如上都。

立真定、济南、太原、甘肃、江西、江淮、湖广等处宣慰司兼都转运使司，以治课程；仍严立条例，禁诸司不得阻挠检察。乃以宣德王好礼为浙西宣慰使，帝曰："宣德人多言其恶。"世荣言："彼自陈能岁办钞七千馀万（钞）〔锭〕，是以用之。"

以昂吉尔岱为中书左丞相。

己巳，复立按察司。

三月，丙子，遣太史监候张公礼、彭质等，往占城测候日晷。

癸未，荆湖、占城行省请益兵。

时陈日烜所逃天长、长安二处兵力复集，兴道王船千馀艘，聚万劫，阮盇在永平，而官兵远行久战，县处其中，索多、蒙古岱之兵又不以时至，故请益兵。帝以水行为危，令遵陆以往。

夏，四月，庚戌，监察御史陈天祥上疏，极论卢世荣奸恶，其略曰："世荣素无文艺，亦无武功，惟以商贩所获之资，趋附权臣，营求入仕；舆赃辇贿，输送权门，所献不充，又别立欠少文券银一千锭，由白身擢江西榷茶转运使；于其任专务贪饕，所犯赃私，动以万计，已经追纳及未纳见追者，人所共知。今不悔前非，狂悖愈甚，既怀无厌之心，广蓄攘掊之计。而又身当要路，手握重权，虽位在丞相之下，朝省大政，实得专之，是犹以盗跖而掌阿衡之任。朝廷信其虚诞之说，俾居相位，名为试验，实授正权。校其所能，败阙如此；考其所行，毫发无称。此皆既往之真迹，已试之明验。若谓必须再试，亦止可叙以它官；宰相之权，岂可轻授！夫宰天下譬犹制锦，初欲验其能否，先当试以布帛，如无能效，所损或轻。今捐相位以验贤愚，犹舍美锦以较量工拙，脱致隳坏，欲悔何追！

"国家之与百姓，上下如同一身，民乃国之血气，国乃民之肤体。血气充实，则肤体康强，血气损伤，则肤体羸病，未有耗其血气，能使肤体丰荣者。是故民富则国富，民贫则国贫，民安则国安，民困则国困，其理然也。夫财者，土地所出，民力所集，天地之间，岁有常数，惟其取之有节，故用之不乏。今世荣欲以一岁之期，将致十年之积，危万民之命，易一己之荣，广邀增羡之功，不恤颠连之患，期锱铢之诛取，诱上下以交征，视民如仇，为国敛怨，肆意诛求，何所不得！然其生财之本，既已不存，敛财之方，复何所赖！将见民间由此凋耗，天下由此空虚。

"计其任事以来，百有馀日，今取其所行与所言不相副者，略举数端：始言能令钞法如旧，钞今愈虚;始言能令百物日贱,物今愈贵;始言课增三百万锭,不取于民而办,今却迫胁诸路官司增数包认。凡今所为,无非败法扰民者。若不早有更张,须其自败,正犹蠹虽除去,木病已深,事至于此,救将何及!臣亦知阿附权要,则荣宠可期,违忤重臣,则祸患难测,止以事在国家,关系不浅,忧深虑切,不得无言。"

御史大夫伊实特穆尔以其状闻,帝始大悟。命安图集诸司官吏、老臣、儒士及知民间事者,同世荣听天祥弹文,仍令世荣、天祥皆赴上都。

壬戌,御史中丞阿喇特穆尔等奏卢世荣所招罪状,诏:"安图与诸老臣议,世荣所行,当罢者罢之,当更者更之,其所用人实无罪者,朕自裁决。"

癸亥,敕以敏珠尔卜丹所行清洁,与安图治省事。

五月,甲戌,以御史中丞郭佑为中书参知政事。

戊寅,以远方历日取给京师,不以时至,荆湖等处四行省所用者,隆兴印之;哈喇章、河西、四川等处所用者,京兆印之。

甲申,立汴梁宣慰司,依安西王故事,汴梁以南至江,以亲王镇之。

丁亥,中书省言六部官甚冗,可以六十八员为额,馀悉汰去;诏择其廉洁有干局者存之。

庚寅,复徙江南行御史台于杭州。

丁酉,徙行枢密院于建康。

戊戌,镇南王托欢兵击陈日烜,败走之,遂入其城而还。日烜遣兵来追,索多、李恒战死。

初,托欢屡移书日烜,欲假道,竟不纳,益修兵船为迎敌计。托欢乘间缚筏为桥,渡富良江北,与日烜大战,破之。日烜遁走,不知所之,其弟益稷率其属来降。然交兵虽败,而势益盛。适盛夏霖潦,军中疾作,死伤者众,而占城竟不可达,乃谋引兵还。交趾兵追袭之,李恒殿,中毒矢,一卒负恒而趋,至思明州,卒。索多军与托欢相去二百馀里,托欢军还,索多犹未之知,亟趋其营,交人邀于乾满江,索多力战而死,后谥襄愍。恒谥武愍。

六月,庚戌,命女真硕达勒达造船二百艘,及造征日本迎风船。

丙辰,遣玛苏呼阿里赍钞千锭,往马巴国求奇宝。

左丞吕师夔,乞假省母江州,帝许之。因谕安图曰:"此事汝蒙古人不知,朕左右复无汉人,可否皆自朕决,恐谬误。汝当尽心善治百姓,无使重困致乱,以为朕羞。"安图言:"前召徐世隆为集贤殿学士,未赴。世隆明习前代典故,善决疑狱,虽老尚可用。"遣使召之,以老疾辞,附奏便宜九事;复遣使征李昶,亦以老疾辞;诏并赐以田。

秋,七月,壬申,造温石浴室及更衣殿。

甲戌,敕秘书监修《地理志》。

甲申,改奇尔济苏等所平大小十溪、峒悉为府、州、县。

修汴梁城。

丁亥,广东宣慰使页特密实入觐,以所降渠帅郭廷贵等至京师,言山寨降者百五十馀所,帝问:"战而后降耶?招之即降耶?"页特密实对曰:"其首拒敌者,臣已磔之矣;是皆招降者也。"因言:"达珠兵后未尝抚治其民,州县复无至者,故盗贼各据土地,互相攻杀,人民渐耗,今宜择良吏往治。"从之。

庚寅,枢密院言:"镇南王所统征交趾兵,久战力疲,请发蒙古军千人,汉军新附军四千人,选良将将之,取镇南王节制,以征交趾。"帝从之。复以蒙古岱为荆湖行省左丞,蒙古岱请放征交趾军还家休息,诏从镇南王处之。

乙未,云南行省言:"今年未暇征缅,请收获秋禾,先伐罗北甸等部。"从之。

八月,丙辰,帝至自上都。

己未,诏复立泉府司,以达实曼领之。初,和尔果斯以泉府司商贩者,所至官给饭食,遣兵防卫,民实厌苦不便,奏罢之。至是,达实曼复奏立之。

九月,戊(戌)〔辰〕,罢禁海商。

初,民间酒听自造,米一石,官取钞一贯。卢世荣以官钞五万(钞)〔锭〕立榷酤法,米一石取钞十贯,增旧十倍。至是罢之,听民自造,增课钞一贯为五贯。

乙亥,中书省以江北诸城课程钱粮,听杭、鄂二行省节制,道途迂远,请改隶中书,从之。

敕:"自今贡物,惟地所产,非所产者毋辄上,听民自实。两淮荒地,免税三年。"

丙子,真腊、占城贡乐工十人及药材、鳄鱼皮诸物。

宗王阿济苏失律,诏巴延代总其军。

先是边兵尝乏食,巴延令军中采薇怯叶儿及蓿藋之根贮之,人四斛,草料称是,盛冬雨雪,人马赖以不饥;又令军士有捕塔喇布欢之兽而食者,积其皮至万,人莫知其意,既而遣使辇至京师,帝笑曰:"巴延以边地寒,军士无衣,欲易吾缯帛耳。"遂赐以衣。

冬,十月,癸丑,立征东行省,以阿塔哈为左丞相,刘国杰、陈岩并左丞,洪俊奇右丞,率诸军征日本。

吏部尚书刘宣上言曰:"近议复置征东行省,再兴日本之师,此役不息,安危系焉。索多建伐占城,哈雅言平交趾,三数年间,湖广、江西供给船只,军须、粮运,官民大扰;广东群盗并起,军兵远涉江海瘴毒之地,死伤过半,连兵未解。且交趾与我接壤,蕞尔小邦,遣亲王提兵深入,未见报功;索多为贼所杀,自遗羞辱。况日本海洋万里,疆土阔远,非二国可比。今次出师,动众履险,纵不遇风,可到彼岸,倭国地广,徒众猥多,彼军四集,我师无援,万一不利,欲发救兵,其能飞渡耶!隋伐高丽,三次大举,数见败北,丧师百万;唐太宗以英武自负,亲征高丽,虽取数城,徒增追悔。且高丽平壤诸城,皆居陆地,去中原不远,以二国之众加之,尚不能克,况日本僻在海隅,与中国相悬万里哉!"帝嘉纳其言。

丙辰,以参议特穆尔为参知政事,位郭佑上,且命之曰:"自今之事,皆责于汝。"

丁卯,敕枢密院计胶、莱诸处漕船,江南、高(严)〔丽〕诸处所造海舶,括佣江、淮民船,备征日本。仍敕:"习泛海者,募水工至千人者为千户,百人为百户。"

郭佑言:"自平江南,十年之间,凡钱粮事,八经理算,今塔奇呼、阿萨尔等又复钩考,宜即罢去。"帝嘉纳之。

十一月,戊寅,遣使告高丽发兵万人,船六百五十艘,助征日本,仍令于近地多造船。

己丑,御史台言:"昔宋以无室家壮士为盐军,数凡五千,(令)〔今〕存者一千一百二十二人,性习凶暴,民患苦之,宜给以行粮,使屯田自赡。"诏议行之。

癸巳,敕:"漕江、淮米百万石,泛海贮于高丽之合浦,仍令东京及高丽各贮米十万石,备征日本。期诸军于明年三月以次而发,会于合浦。"

乙未,以托鲁欢为参知政事。

卢世荣伏诛,刲其肉以食鹰獭。

世荣初以言利进,皇太子意深非之,曰:“财非天降,安能岁取盈乎!”僧格素主世荣者,闻太子尝有是言,卒不能救。先是世荣荐王恽为左司郎中,屡趣之,不赴。或问其故,恽曰:“力小任大,剥众利己,未闻能全者。远之尚恐见浼,况可近乎!”至是人服其识。

卢世荣既诛,帝谓博果密曰:“朕殊愧卿。”即擢吏部尚书。

时方籍没阿哈玛特家,其奴张撒礼尔等罪当死,谬言阿哈玛特家资隐寄者多,如尽得之,可资国用,遂句考捕系,连及无辜,京师骚动。帝颇疑之,命丞相安图集六部长、贰官询问其事,博果密曰:“是奴为阿哈玛特心腹爪牙,死有馀罪。为此言者,盖欲苟延岁月,侥幸不死耳!岂可复受其诳,嫁祸善良耶!急诛此徒,则怨谤自息。”安图以其言入奏,帝悟,命博果密鞫之,具得其实,撒礼尔等伏诛,其捕系者尽释之。

丙申,赦囚徒,黥其面,及招宋时贩私盐军习海道者为水工,以征日本。

时思、播以南,施、黔、鼎、澧、辰、沅之界蛮獠叛服不常,往往劫掠边民,乃诏四川行省讨之。参政奇尔济苏、左丞汪惟正一军入黔中,签省巴图一军出思、播,都元帅托察一军出澧州南道,宣慰使李呼哩雅济一军自夔门会合。是月,诸将凿山开道,绵亘千里。诸蛮设伏险隘,木弩、竹矢,伺间窃发,亡命迎敌者,皆尽杀之,遣谕其酋长,于是率众来降。独散毛洞谭顺走避岩谷,力屈始降。

张立道籍两江依士贵、岑从毅、李维屏所部户二十五万有奇,以其籍归有司;迁临安、广西道军民宣抚使,复创庙学于建水路,书清白之训于公廨,以警贪墨。

十二月,丁未,皇太子珍戬薨。

太子初从姚枢、窦默学,仁孝恭俭,尤优礼大臣,一时在师友之列者,非朝廷名德,则布衣节行之士。

在中书日久,明于听断,闻四方科征、挽漕、造作、和市,有系民之休戚者,多奏罢之。江西行省以岁课羡钞四十七万贯来献,太子怒曰:“朝廷但令汝等安百姓,百姓安,钱粮何患不足!百姓不安,钱粮虽多,能自奉乎?”尽却之。尝服绫袷,为沈所渍,命侍臣重加染治;侍臣请更制之,太子曰:“吾欲织百端,非难也,顾是物未敝,岂宜弃之!”东宫香殿成,工请凿石为池,如曲水流觞故事。太子曰:“古有肉林、酒池,尔亦欲吾效之耶?”每与诸王近臣习射之暇,辄讲论经典,片言之间,苟有允惬,未尝不为之洒然改容。

中庶子巴拜以其子阿巴齐入见,谕之以“毋读蒙古书,须习汉人文字”。行台治书侍御史王恽进《承华事略》二十篇,太子览之,至汉成帝不绝驰道,唐肃宗改服绛纱为朱明服,心甚喜,曰:“使我行之,亦当如是。”又至邢峙止齐太子食邪蒿,顾侍臣曰:“一菜之名,遽能邪人耶?”詹事张九思曰:“正臣防微,理固当然。”太子善其说,令诸子传观其书。

时帝春秋高,行台御史上书请内禅,太子闻之惧。台臣秘其章不发,而阿哈玛特之党塔奇呼、阿萨尔请收百司吏案,钩考天下钱谷,欲因以发其事,乃悉拘封御史台吏案。都事尚文拘留秘章不与,达济呼闻于帝,命宗正锡彻罕取其事。文曰:“事急矣!”即白御史大夫曰:“是欲上危太子,下陷大臣,流毒天下之民,其谋至奸也。且塔奇呼乃阿哈玛特馀党,赃罪狼籍,宜先发以夺其谋。”大夫遂与丞相入言状,帝震怒曰:“汝等无罪耶?”丞相进曰:“臣等无所逃罪,但此辈名载刑书,而为此举,动摇人心,宜选重臣为之长,庶靖纷扰。”帝怒稍解,可其奏。太子益忧惧不自安,以是致疾,薨,年四十三。

朝议以太子薨,欲罢詹事院,院丞张九思抗言曰:"皇孙,宗社人心所属,詹事所以辅成道德者也,奈何罢之!"众以为允。

以哈喇哈斯为大宗正。哈喇哈斯由掌宿卫拜是职,用法平允。时相欲以江南狱隶宗正,哈喇哈斯曰:"江南新附,教令未孚,且相去数千里,欲遥制其刑狱,得无冤乎!"事遂止。

是岁,前中书左丞相耶律铸卒,后赠太师,谥文忠。

至元二十三年 【丙戌,1286】 春,正月,戊辰朔,以皇太子故,罢朝贺。

禁赍金银铜钱越海互市。

甲戌,帝以日本孤远,重困民力,遂罢征日本,召阿巴齐赴阙,仍散所雇民船。

以江南废寺田土为人占据者,悉付总统嘉木扬喇勒智修寺,自是僧徒益横。

己卯,江淮行省右丞吕文焕告老,许之,任其子为宣慰使。

癸未,从僧格请,命嘉木扬喇勒智遣宋宗戚谢仪孙、全允坚、赵沂、赵太一入质。

甲申,呼都噜言:"所部屯田新军二百人,凿河渠于亦集乃之地,役久功大,请以旁近民、西僧馀户助其力。"从之。亦集乃,即汉张掖之居延县也。

丁亥,禁阴阳伪书,《显明历》。

辛卯,命阿尔哈雅议征安南事宜。

丁酉,设诸路推官以审刑狱,上路二员,中路一员。

二月,己亥,敕中外:"凡汉民持铁尺、手挝及杖之藏刃者,悉输于官。"

甲辰,以阿尔哈雅仍安南行中书省左丞相,鄂啰齐平章政事、都元帅,乌讷尔、伊克穆苏、阿尔旮顺、樊楫并参知政事。遣使谕皇子额森特穆尔,调(合)〔哈〕喇章军付阿尔哈雅,从征交趾。

乙巳,罢山北、辽东道、开元等路宣慰司,立东京等处行中书省,以诸王所部杂居其间,宣慰司望轻故也。

复立大司农司,专掌农桑。

丁未,用御史台言,立按察司巡行郡县法,除使二员留司,副使以下,每岁二月分莅按治,十月还司。

丁巳,命湖广行省造征交趾海船三百,期以八月会钦、廉。

戊午,命荆湖、占城行省,将江浙、湖广、江西三行省兵六万人伐交趾。

翰林、集贤学士程文海见帝,首陈兴建国学,请遣使江南,搜访遗逸;御史台、按察司并宜参用南北之人;帝嘉纳之。

封陈益稷为安南国王,陈秀(瑗)〔峻〕为辅义公。命阿尔哈雅以兵纳之。

罢鬻江南学田。时江浙行省理算钱谷甚急,鬻所在学田,输其直于官。利用监臣彻尔使江南,见之,谓曰:"学有田,以供祭祀,育贤才,安可鬻耶?"遂奏罢之。

甲子,复以平原郡公赵与芮江南田隶东宫。

立甘州行中书省。

丙寅,以编地理书,召曲阜教授陈俨、京兆萧㪺、蜀人虞应龙;惟应龙赴京师。

三月,己巳,诏程文海仍集贤直学士,拜侍御史,行御史台事,往江南博采知名之士。

初，帝欲以文海为中丞，台臣言文海南人，不可用，且年少，帝大怒曰："汝未用南人，何以知南人不可用？自今省、部、台、院，必参用南人。"遂拜文海是职，奉诏求贤于江南。诏令旧用蒙古字，及是特命以汉字书之。帝素闻赵孟适、叶李名，密谕文海，必致此二人。文海复荐赵孟頫、余恁、万一鹗、张伯淳、胡梦魁、曾晞颜、孔洙、曾冲子、凌时中、包铸等二十馀人。

帝坐披香殿，召见叶李，劳问："卿远来良苦？"且曰："卿向时讼贾似道书，朕尝识之。"更询以治道安出，李历陈古帝王得失成败之由，帝首肯，赐坐，锡宴，命五日一入议事。时各道儒司悉以旷官罢，李因奏曰："臣钦睹先帝诏书，当创业时，军务繁多，尚招致士类。今陛下混一区宇，偃武修文，可不作养人材以弘治道！各道儒学提调学官，课诸生讲明治道，而上其成材者于大学，以备录用。凡儒户徭役，请一切蠲免。"帝可其奏。

孟頫，宋太祖子秦王德芳之后也。才气英迈，神采焕发，初入见，帝顾之喜，使坐叶李上。或言孟頫宋宗室子，不宜使近左右，帝不听。

宋故江西招谕使、知信州谢枋得，遁居闽中，程文海之荐士也，初以枋得为首。枋得方居母丧，遗书文海曰："大元制世，民物一新，宋室孤臣，只欠一死。枋得所以不死者，以九十三岁之母在堂耳。今先妣考终正寝，枋得自今无意人间事矣！亲丧在浅土，贫不能礼葬，苫块馀息，心死形存。小儿传到郡县公文，乃知执事荐士凡三十，贱姓名亦玷其中，将降旨督郡县以礼聘召。执事为君谋亦忠矣，岂知枋得有母之丧，衰经之服，不可入公门乎？稽之古礼，子有父母之丧，君命三年不过其门，所以教天下之孝也！解官持服，在大元制典尤严。自伊尹、傅说之后，三千年间，山林匹夫，辞烟霞而依日月者亦多矣，未闻有冒哀匿服而应币聘者。传曰：'求忠臣必于孝子之门。'为人臣不尽孝于家而能尽忠于国者，未之有也；为人君不教人以孝而能得人之忠者，亦未之有也。枋得亲丧未克葬，持服未三年，若违礼背法，从郡县之令，顺执事之意，其为不孝莫大焉！传曰：'君子成人之美，不成人之恶。'执事能亮吾之心，使幸而免不孝之名，是成我者之恩与生我者等也。"遂坚不赴诏。

甲戌，雄、霸二州及保定诸县水泛滥，冒官民田，发军民筑河堤御之。

乙亥，以敏珠尔卜丹仍中书右丞，与郭佑并领钱谷。

丙子，帝如上都。

夏，四月，庚子，以江南诸路财赋并隶中书省。

云南省平章纳苏喇鼎上便宜数事："一曰弛道路之禁，通民来往；二曰禁负贩之徒，毋令从征；三曰罢丹当站赋民金为饮食之费；四曰听民伐木贸易；五曰戒使臣勿扰民居，立急递铺以省驿骑。"诏议行之。

甲辰，徙杭州行御史台于建康，以山南、淮东、淮西三道按察司隶内台，增置行台色目御史员数。

庚戌，制谥法。

己未，遣约苏穆尔钩考荆湖行省钱谷。中书拟约苏穆尔平章政事，托克托呼参知政事，帝曰："约苏穆尔小人，事朕方五年，授一理算官足矣。托克托呼，人奴之奴，令史、宣使才也。读卿等所进拟，令人耻之。"

以汉民就食江南者多，又从官南方者，秩满多不还，遣使尽徙北还。仍设托克托禾孙于黄河、江、淮诸津渡，凡汉民非赍公文适南者止之，为商者听。

五月，约苏穆尔奏："荆湖行省阿尔哈雅赃罪，请考核。"阿尔哈雅乃入朝，言："约苏穆尔在鄂，岂无赃贿之迹！臣亦请钩考之。"遂遣参知政事托鲁罕、枢密院判李道、治书侍御史陈天祥偕行。

天祥既至鄂州，即劾约苏穆尔贪暴不法诸事。时僧格与约苏穆尔连姻，相与为奸，摘天祥疏中语，诬以不道，遣使究问，欲杀之；行台御史申屠致远累章辨其无罪，僧格气沮。天祥系狱几四百日，遇赦，始得释。

阿尔哈雅加湖广行省左丞相，寻卒，谥武定。

朝廷将用兵海东，征敛益急，有司大为奸利。江淮参知政事董文用请入奏事，大略言疲国家可宝之民力，取僻陋无用之小邦，列其条目甚悉。

六月，辛丑，中书省言："前阿尔哈雅与约苏穆尔互请钩考，今虽已死，而事之是非，宜令暴白。"帝曰："此事自约苏穆尔所发，当依其言究行之。"遂籍阿尔哈雅家赀，归之京师。

乙巳，诏以大司农司所定《农桑辑要》书，颁诸路。

戊申，括诸路马。凡色目人有马者三取其二，汉民悉入官，敢匿与互市者罪之。

丁巳，以锡栋罕为中书省平章政事。

辛酉，封杨邦宪妻田氏为永安郡夫人，领播州安抚司事。

是月，湖南宣慰司上言："连岁征日本及用兵占城，百姓罢于转输，赋役烦重，士卒触瘴疠，多死伤者。群生愁叹，四民废业，贫者弃子以偷生，富者鬻产而应役，倒悬之苦，日甚一日。今复有事交趾，动百万之众，虚千金之费，非所以恤士民也。且举动之间，利害非一。兼交趾已尝纳表称藩，若从其请，以苏民力，计之上也。无已，则宜宽百姓之赋，积粮饷，缮甲兵，俟来岁天时稍利，然后大举，亦未为晚。"

湖广行省臣戳格是其议，遣使入奏，且言："本省镇戍凡七十馀所，连岁征战，士卒精锐者罢于外，所在者皆老弱，每一城邑，多不过二百人，窃恐奸人得以窥伺虚实。往年平章阿尔哈雅出征，输粮三万石，民且告病；今复倍其数，官无储蓄，和籴于民间，百姓将不胜其困。宜如宣慰司所言，缓师南伐。"

先是，吏部尚书刘宣亦上言："安南臣事已久，岁贡未尝愆期，往者用兵无功，疮痍未复，今又下令再征，闻者莫不恐惧。且交、广炎瘴之地，毒气害人，甚于兵刃。今以七月会诸道兵于静江，比至安南，病死必众，缓急遇敌，何以应之？又，交趾无粮，水路难通，不免陆运。兼无车牛驮载，一夫担米五斗，往还自食外，官得其半，若十万石用四十万人，止可供一二月军粮，搬载船料军须，通用五六十万众。广西、湖南，调度频数，民多离散，户令供役，亦不能办。况(潮)〔湖〕广密迩溪峒，寇盗常多，万一奸人伺隙，大兵一出，乘虚生变，虽有留后人马，疲弱衰老，卒难应变。何不与彼中军官深知事体者，论量万全方略！不然，将复蹈前辙矣。"

奏入，会湖广宣慰使至，帝即日下诏罢征，纵士卒还各营，陈益稷从师还鄂。

华州华阴县大雨，潼谷水涌，平地三丈馀。杭州、平江二路属县，水坏民田万七千馀顷。

秋，七月，己巳，用中书省臣言，以江南隶官之田多为强豪所据，立营田总管府，其所据田仍履亩计之。

罢辽阳等处行中书省，复北京、咸平等三道宣慰司。

庚午，江淮行省蒙古岱言："今置省杭州、两淮、江东诸路，财赋军实皆南输，又复北上，不便。扬州地控江海,宜置省,宿重兵镇之,且转输无往返之劳。行省徙扬州便。"从之。

立淮南洪泽、芍陂两处屯田,益兵至二万,岁得米数十万斛。

壬午,左丞相昂吉尔岱、平章政事阿必实克并罢。总制院使僧格好言利,一日,于帝前论和雇、和买事,帝善其策,遂有大任之意,令具省臣姓名以进。帝曰:"安图、郭佑、杨居宽等并仍前职,昂吉尔岱等其别议,仍选可代者以闻。"遂罢之。自是廷中有所建置,人才进退,僧格咸与闻焉。

癸巳,诏中书省铨定省、院、台、部官属,自中书令、左、右丞相而下,各有定员。仍谕安图曰:"中书省朕当亲择,其馀诸司,并从中书斟酌裁减。"安图曰:"比闻圣意欲倚近侍为耳目,如臣所行非法,从其举奏。今近臣乃伺隙援引非类,曰某居某官,某居某职,以所署奏目付中书施行。铨选之法,自有定制,其尤无事例者,臣尝废格不行,虑其党有短臣者。"帝曰:"卿言良是,后若此者其勿行。"

八月,辛酉,婺州永康县民陈选四等谋反,伏诛。

苏、湖多雨,伤稼,百姓艰食。浙西按察使雷膺请于朝,发廪米二十万石赈之。江淮行省以发米太多,议存三之一。膺曰:"布宣皇泽,惠养困穷,行省职尔,岂可效有司出纳之吝耶!"行省不能夺。

九月,乙丑朔,海外诸番,曰马八儿,曰须门那,曰僧急里,曰南无力,曰马兰丹,曰那旺,曰丁呵儿,曰来来,曰急兰亦𫘧,曰苏木都剌,凡十国,因杨廷璧屡奉诏招之,各遣其子弟上表来觐,仍贡方物。

壬寅,高丽遣使献日本俘。

是月,以工部尚书博果密为刑部尚书。

时河东按察使阿哈玛特以赀财诩媚权贵,贷钱于官,约偿牛马,至期,抑取部民所产以输,事觉,遣使按治,皆不伏。及博果密往,始得其不法百馀事。会大同民饥,博果密以便宜发仓廪赈之。阿哈玛特所善幸臣奏博果密擅发军储,又锻炼阿哈玛特使自诬服,帝曰:"使行,发粟以活吾民,乃其职也,何罪之有!"命移其狱至京师审视,阿哈玛特竟伏诛。

托克托呼求奇彻之为人奴者,增益其军,而多取编民,中书签省王遇验其籍,改正之。托克托呼遂奏遇有不臣语,帝怒,欲斩之,博果密谏曰:"遇始令以奇彻之人奴为兵,未闻以编民也。万一他卫皆仿此,户口耗矣。若诛遇,后人岂肯为陛下尽职乎!"遇得不死。

冬,十月,甲午朔,徙浙西按察使治杭州,罢诸道按察使判官及行台监察御史。

己亥,帝至自上都。

(壬寅)〔辛亥〕,河决开封、祥符、陈留、杞、太康、通许、鄢陵、扶沟、洧川、尉氏、阳武、延津、中牟、原武、睢州十五处,调民夫二十馀万,分筑堤防。

甲寅,敕招讨使张万等造战船,将兵六千人以征缅,俾图门特为都元帅总之。

壬戌,高丽复遣使来献日本俘。

十一月,乙丑,中书省言:"张瑄、朱清海道运粮,以四岁计之,总百一万石,斗斛耗折,愿如数以偿,风浪覆舟,请免其征。"从之。以瑄、清并为海道运粮万户。

敕:"禽兽字孕时无畋猎。"

〔丙子〕,涿、易二州,良乡、宝坻县饥,免今年租,赈粮三月。

十二月，丙午，置燕南、河东、山东三道宣慰司。

乙卯，以阿尔哈雅所芘逃民无主者千人屯田，遣中书省断事官图布申，复钩考湖广行省钱谷。

大都饥，发官米，减价粜于贫民。

戊午，翰林承旨萨里曼言："国史院纂修太祖累朝实录，请以辉和尔字翻译，俟奏读然后纂定。"从之。

诸路分置六道劝农司。

【译文】

元纪五　起乙酉年(公元 1285 年)正月，止丙戌年(公元 1286 年)十二月，共二年。

至元二十二年　(公元 1285 年)

春季，正月，戊寅(初五)，征调五卫军及新近归附的军队疏通蒙村漕运的河道。

庚辰(初七)，降旨拆除宋的祭天台。

僧格上书说："嘉木扬喇勒智说：'会稽有一座泰宁寺，宋把它拆除来修建宁宗的茔冢。钱唐有一座龙华寺，宋把它拆除作为祭天的场所。这些地方都是名胜之地。'应该把它们恢复为寺庙，为皇上、太子祈寿。"当时宁宗等的茔冢已经被毁，坟地上建了寺庙，于是拆除祭天台，也是在那里建寺庙。

皇太子曾经派遣使臣到开元征召宋工部侍郎倪坚，倪坚到达后，皇太子向他询问古今成败得失的原因。倪坚回答说："三代凭着仁爱得天下，也因不仁而失天下。汉、唐灭亡是因为外戚和太监专权，宋灭亡是因为奸党和权臣当道。"太子赞许并接受了他的话。

谕德李谦、瓜勒佳之奇对太子说："殿下正遵照圣训，参与决策各种事务，象军民的利害、政令的得失，这些事情关系朝廷，责任在于台院，不是近臣应该谈论的；只有怎样才能使国家源头清澈、根本巩固这样的事情臣等不能闭口不谈。太子的心是国家的根本，太子的心纯正不偏，那么君主的心意就有所寄托，人们的意愿就有所依附了。唐太宗曾经说：'君主只有一条心而冲击它的却很多。有的人凭胆量气力，有的人凭能言善辩，有的人凭奉承献媚，有的人凭虚伪奸诈，有的人凭嗜好欲望，这些人聚集在一起冲击它，各人都想实现自己的主张。君主如果稍微有所懈怠而接受了其中一种主张，那危害就无法尽说了。'殿下是皇帝的继承人，想找您实现自己主张的人也不会少。您必须经常唤醒纯正不偏的心意，不让它被物质享受的欲望扰乱，就是国家和百姓的福气。巩固根本澄清源头，没有比这更急切的了。"

壬午(初九)，诏令设立市舶都转运司及诸路常平盐铁坑冶都转运司。

戊子(十五日)，库库尔端进言："先前派遣二千军人在芍陂屯田，试验土地的肥瘠，去年秋天已收获二万多石米，请求增加屯田的士兵二千人。"批准了这项请求。

迁移江南乐工八百家到京师。

西川赵和尚自称是宋福王的儿子广王来诓骗百姓，百姓中有相信的；真定百姓刘驴儿有三个乳头，自己认为是非凡的人，谋划叛乱。事情被发觉，都被凌迟处死以示众。

辛卯(十八日)，征调诸卫军六千八百人，参加修建护国寺。

癸巳(二十日)，降旨查验京师荒地，命令宿卫士兵耕种。

枢密院上奏:"按旧制四支宿卫军备自选出一人,参与决策枢密院事,请求任命图鲁卜为签院。"批准了请求。

乙未(二十二日),卢世荣奏请撤销江南行御史台和把各路按察司改为提刑转运司,兼管钱粮。不久,御史台臣进言行御史台不能擅自撤销,并且按察司兼管运输,则弹劾官吏过失的职能就懈怠了。元世祖犹豫不决,安图说:"江南盗贼屡次出现,靠着行台平定,所以不能撤销行御史台。只是与行省同在杭州设置官署,稍微觉得偏僻疏远,应该把行御史台迁到江州,使它处于三省之间。"听从了安图的意见。

任命董文用为江淮行中书省参知政事。

当时行省长官向来地位显贵,多数人很高傲,同官署做官的人没有谁敢抬头看他,跪下再立起报告事情,好象小吏侍奉上级官员一样。董文用到任以后,则坐在堂上,从容不迫、理直气壮地与行省长官谈论,无论是非可否,从来没有迁就的,即使多次触犯行省长官,他也不理会。当时正在南宋故宫建造佛塔,官员奉命行事特别急迫,天降大雨雪,还进山伐木,造成几百人死亡;又想同时修建大庙。董文用对行省长官说:"违背时节役使百姓,百姓不堪忍受了。稍微慢点施工,怎么样?"行省长官说:"参政怎么能抗拒皇上的命令?"董文用说:"现在做这些使百姓困乏疲惫而丧失民心的事,难道是皇上的心意吗?"听了董文用这话行省长官内心沮丧,于是才稍微放宽了修建佛塔寺庙的期限。

丙申(二十三日),任命阿必齐哈为中书平章政事。

命令礼部管理会同馆。

当初,外国使臣到来,常常让翰林院负责接待,到这时才改正。

降旨禁止私人酿酒。

壬寅(二十九日),在宫殿里制作了一个大酒樽。酒樽用木头做本体,里面镶包白银,外面雕刻云龙图案,高达一丈七尺。

二月,乙巳(初二),增加济州漕运船只三千艘,役夫一万二千人。

当初,江淮每年漕运大米一百万石到京师,海运十万石,胶州莱州运六十万石。而济州所运的三十万石,因为水浅船大,经常不能运到;因此换成装载量一百石的船,每只船用四个人,所以役夫人数增多。

役使民夫四千人堵塞浑河河堤的决口。

诏令把江淮、江西元帅招讨司改为上、中、下三个万户府。蒙古、汉人新近归附的诸军相互交错,分作三十七翼:上万户七翼,中万户八翼,下万户二十二翼。每翼设达噜噶齐、万户、副万户各一人,隶属所在的行枢密院。

派应该释放回家的五卫军开凿河西务河。

辛亥(初八),广东宣慰使页特密实讨伐潮州、惠州的盗贼郭逢贵等,四十五个山寨都已平息,投降的百姓有一万多户,士兵有三千六百多人,请求带俘获的盗贼首领入朝进见,当面陈述有关事情,得到批准。

丙辰(十三日),降旨停止开凿胶莱新河,将挖河的一万名士兵隶属江浙行省练习水战,一万人运载江淮大米航海,由利津到达京师。

壬戌(十九日),设立规措所。

当初，卢世荣进言："天下每年税收钱钞九十三万多锭，如果由我来筹划，不从百姓那里收取，只要裁抑居高位有势力的人的侵吞，就可以增收三百万锭。事情还没有做，朝廷内外就已经责难开了，我请求与台院大臣在圣上跟前当面商议实行此事。"元世祖说："不必这样，你只管说。"卢世荣乘机说："自王文统之后，钞引法虚弱疲敝已久，应该搜集铜以铸造钱币，同时制造绫券，与纸币同时使用。"又上奏："在泉州、杭州设立市舶都转运司，发给百姓钱币，让他们到各番国经商，赢利公家收取七成，百姓得到三成。禁止私自到海外进行贩卖活动，收缴先前私自到海外经商者所蓄存的宝货，由官府出售；敢有藏匿的允许别人告发，一经告发就没收他的全部财物，把其中的一半赐给告发的人。现在各路虽然设立了常平仓，也是名存实亡；官府应该没收权贵豪强擅自炼铁铸造的器物，把它卖掉，用这笔钱的利息购买储存粮食，以便在灾年平价出售，这样做就可以平抑物价而又可以获得厚利。现在民间酒税太轻，应该由官府发给纸币，实行古代的酒专卖制度，仍然禁止百姓私自卖酒，一石米收取纸币十贯，可以比过去多获利二十倍。国家虽然制定了转输物资、平抑物价的措施，可是没有把规定的措施告知转运的人；应该让各路设立转输物资周济困急的仓库，减轻每月利息借给贫民。这样做，借贷的人就会多而本钱又不会受损失。另外朝廷内的官吏增加了薪俸，州郡官吏没有增加；可以在各路设立市易司，由牙侩人兼管，统计商人的货物，四十分取一，提取的部分，分为十成，其中四成给买卖中间人，六成给官吏做薪俸。本朝靠打仗取得天下，不用粮食给养，只取用羊马；应该在上都、隆兴各路用官府的钱币购买缯帛，拿着到北方去换羊马，再挑选蒙古人去放牧，这样每年可以收取皮毛、筋角、酥酪使用，只需把其中的十分之二给放牧的人，而那些马匹可以用来供给军用，羊可以拿来作赏赐物。"元世祖对卢世荣的这些建议全都表示赞同并且决定实行。到这时卢世荣请求设立规措所，选用的官吏由善于经商的人担任。元世祖问："这是什么职务？"卢世荣回答说："不过是筹划钱币粮食罢了。"听从了他的意见。

卢世荣又进言："全国善于筹划钱币粮食的人，被阿哈玛特所任用，现在全都把他们当作行为卑污的人而罢免；我想从中挑选一些人任用，只怕有人说我偏爱任用有罪的人。"元世祖说："何必顾虑这些呢！只是用其中可以用的人。"于是被提拔任用的人很多。众多的小人既然掌权，就常常利用执法的名义来满足自己的贪欲。无论州县乡村，还是深山穷谷，他们都各自划分区域来搜刮百姓的财物，带领很多人进入百姓家中，连装衣物的竹器和小箱子都打开，把这叫作打勘。一年当中常常有一两次打勘，弄得民不聊生。群凶已经满足，卢世荣就设法从他们那收取财物，当时的人把这看作是"鸬鹚勾当"。因为鸬鹚捕到鱼，填满了它的下巴后，就被渔人从嘴里抖落出拿走。

卢世荣曾经对元世祖说："我做事多被别人怨恨，以后一定有诬陷我的人，请让我先说明这一点。"元世祖说："你说的全对，只想让别人不说什么，哪里有这道理！奔跑快的狗，狐狸不喜欢它，主人难道不喜欢它！你做的事，朕自己喜欢，那些诡诈虚伪的人就不喜欢。你的职责既然已经确定，就不要只用一两个人跟随你，也应当注意防卫门户。"于是晓谕丞相安图为卢世荣增加随从。卢世荣被元世祖所倚重宠爱到这地步。

回买江南百姓的土地。

戊辰（二十五日），元世祖到上都。

设置真定、济南、太原、甘肃、江西、江淮、湖广等处宣慰司兼都转运使司，用来管理按税率收税；又严格制定条例，禁止各衙门阻挠检察。于是任命宣德人王好礼为浙西宣慰使，元世祖说："宣德人大多说他不好。"卢世荣说："他自己说每年能收取纸币七千多万锭，因此任用他。"

任命昂吉尔岱为中书左丞相。

己巳（二十六日），恢复设置按察司。

三月，丙子（初四），派遣太史监候张公礼、彭质等前往占城观测日影。

癸未（十一日），荆湖、占城行省请求增派军队。

当时陈日烜逃到天长、长安后，两处的兵力又聚集起来，兴道王的一千多艘船只聚集在万劫，阮盎在永平，而政府的军队长途行军、持久作战，孤立无援地处在几路敌军之中，索多、蒙古岱的部队又不能按时到达，所以请求增兵。元世祖认为由水路前进危险，命令军队沿着陆路前往。

夏季，四月，庚戌（初八），监察御史陈天祥进呈奏章，透彻地论述卢世荣的奸恶，其大意是："卢世荣向来没有为文的才能，也没有军事方面的功绩，只是用经商得到的财物，迎合依附有权势的大臣，谋求入朝做官。他用车装着赃物，行贿权贵豪门，如果有人嫌他给的不够多，他就另外立一个欠银一千锭的字据，这样，他就由一个无功名无官职的人被提拔为江西榷茶转运使；在任职期间，他专心致力于贪婪侵吞，贪赃私吞的钱财，常常数以万计，已经收回和尚未收回正在被追究的，人所共知。现在他对过去的邪恶不仅不思悔改，而且更加狂妄悖逆，他既怀贪得无厌的心思，多藏掠夺搜括的计谋，又身居显要的地位，手握重大的权力，他虽然职位在丞相之下，但是朝廷大政实际上由他掌管，这犹如任用盗跖来担负辅导帝王、主持国政的重任。朝廷听信他的虚假欺骗之说，使他位居相位，名义上说是试验，实际上授给他实权。考核他的能力，败绩这样严重；考察他的行为，与他说的一点儿都不相称。这都是过去的真实情况，已经试验证明过的。如果说还必须再试验，也只可以授给他别的官职；宰相的大权难道是可以轻易授给的吗！主宰天下如同剪裁有彩色花纹的丝绸一样，起初想要试验某人能不能裁剪好，首先应该用普通的布帛来试验，如果不能裁剪好，损失也还轻些。现在拿出宰相的职位来试验他的贤愚，如同舍弃美丽的锦缎来考察他本领的巧拙，万一造成毁坏，想后悔都来不及呀！

"国家与百姓，上下如同人的一身。百姓是国家的血气，国家是百姓的肤体。血气充实，肤体就健康强壮，血气损伤，肤体就羸弱多病，没有消耗了血气却能使肤体丰腴气色好的。所以百姓富足了国家就能富足，百姓贫穷了国家就贫穷，百姓安宁了国家就安宁，百姓困窘了国家就困窘，道理就是这样。财物是由土地出产，民力聚集，天地之间，每年有固定的数量，只能有节制地获取它，国家财用才不致缺乏。现在卢世荣想要用一年的期限，得到十年的积蓄，危害万民的性命，以换取一己的荣耀，到处增加杂税为自己邀功，而不悯惜百姓困顿疾苦，希望把极微细的东西都征敛到手，引诱全国上下的公差交错频繁地征收赋税，把百姓看作是仇敌，为国家招惹怨恨，肆意索取，有什么得不到！但是生财之本，既然已经不存在，敛财的方法，又依赖什么呢！将要看到民间因此而衰败，国家因此而空虚。

"计算他任事以来，已有一百多天，现在择取他所做的事与他所说的话不相符合的，简略举出几件:起初说能够让钞引法像过去一样,而现在钞引愈来愈虚弱;起初说能让各种货物一天天便宜,而现在物价却愈来愈贵;起初说能使税收增加三百万锭,不从百姓那里搜取就能做到,而现在却威逼、强迫各路官府增加数额包干完成。凡是他现在所做的事,没有不是破坏法规侵扰百姓的。如果不及早改变作法,而等待他自己失败,正如蠹虫虽然被清除,树木病害已经很深重,事情到了这地步,再挽救怎么来得及! 臣也知道阿谀依附官高势大的人,就有希望得到荣耀和恩宠,而违抗触犯居于要职的大臣,则祸患就难以预料了,只因为事情对于国家关系不浅,忧虑深切,不能不说。"

御史大夫伊实特穆尔把这些情况奏明,元世祖才顿时大悟,命令安图召集各司官吏、老臣、儒士及了解民间情况的人,同卢世荣来听陈天祥的弹劾奏疏,又命令卢世荣、陈天祥都到上都来。

壬戌(二十日),御史中丞阿喇特穆尔等上奏卢世荣招认的罪状,诏令:"安图与各位老臣商议,卢世荣所做的事情,应当停止的就停止,应当改变的就改变,他所任用的人确实没有罪过的,朕亲自裁决。"

癸亥(二十一日),敕令:因为敏珠尔卜丹行为廉洁,与安图共同治理中书省事。

五月,甲戌(初二),任命御史中丞郭佑为中书参知政事。

戊寅(初六),因为远方使用的历书从京师取得,不能按时到达,决定荆湖等处四行省所使用的,由隆兴印制;哈喇章、河西、四川等处所使用的,由京兆印制。

甲申(十二日),设置汴梁宣慰司,按照安西王的旧例,汴梁以南到长江,派亲王镇守。

丁亥(十五日),中书省进言六部的官员太冗滥,可以按六十八名为定额,其余的全都淘汰;诏令挑选其中廉洁有办事才能的官员留下。

庚寅(十八日),又把江南行御史台迁到杭州。

丁酉(二十五日),把行枢密院迁到建康。

戊戌(二十六日),镇南王托欢的军队攻打陈日烜,陈日烜被打败逃跑,于是进入他的城池后返回。陈日烜派兵来追击,索多、李恒阵亡。

当初,托欢多次送信给陈日烜,想要借道征伐,陈日烜竟然不同意,还多修兵船作迎敌的准备。托欢利用机会捆绑竹筏架桥,渡过富良江北上,与陈日烜大战,把他击溃。陈日烜逃跑,不知道逃到什么地方,他的弟弟陈益稷带领他的部下来投降。然而交趾的军队虽然被打败,可气势更盛。恰逢盛夏雨水很大,军队中疾病流行,死伤的士兵很多,可是始终不能到达占城,于是才谋划带领军队返回。交趾兵追逐袭击,李恒担任后卫,中了一支毒箭,一名士兵背着李恒急走,到达思明州时李恒死去。索多的部队与托欢相距二百多里,托欢的军队返回,索多还不知道,急忙赶往托欢军营,交趾人在乾满江截击他,索多努力作战后阵亡,死后赠谥号襄愍。李恒赠谥号武愍。

六月,庚戌(初九),命令女真硕达勒达造船二百艘,并且建造征伐日本用的迎风船。

丙辰(十五日),派遣玛苏呼阿里携带一千锭钱钞,前往马巴国选取珍贵宝物。

左丞吕师夔乞求请假回江州探望母亲,元世祖允许了。于是告谕安图说:"这事你们蒙古人不知道,朕身边再没有汉人,行不行全都由朕亲自决,恐怕出现错误。你应当尽心好好治理百姓,不要使他们加重贫困而导致叛乱,成为朕的耻辱。"安图说:"先前征召徐世隆为集贤殿学士，他没有到任。徐世隆通晓前代的典制和成例，善于判决疑难案件，虽然年老还可以任用。"派遣使臣征召徐世隆，他以年老有病推辞，附带上奏有利国家、合乎时宜的九件事；又派遣使者征召李昶，李昶也因为年老有病推辞；降旨一起赐给他们土地。

秋季，七月，壬申（初二），建造温石浴室及更衣殿。

甲戌（初四），令秘书监编修《地理志》。

甲申（十四日），把奇尔济苏等人平定的大小十个溪、峒都改为府、州、县。

修缮汴梁城。

丁亥（十七日），广东宣慰使页特密实入朝觐见，带领他降服的盗贼首领郭廷贵等到京师，上言投降的山寨有一百五十多座，元世祖问："是攻打后才投降的呢，还是一招就投降的呢？"页特密实回答说："那些为首抵抗的匪贼，臣已经把他们肢解处死了；这些人都是被招降的。"借机又进言："达珠的部队后来不曾安抚治理那里的百姓，又没有再到各州县，所以盗贼各自占据地盘，互相攻杀，百姓逐渐困乏，现在应该挑选清廉贤能的官吏前往治理。"听从了他的意见。

庚寅（二十日），枢密院进言："镇南王率领的征伐交趾的军队，长期作战体力疲惫，请求派出蒙古军一千人，汉军新近归附的军队四千人，挑选有才能的将领统率他们，听从镇南王指挥，前往征伐交趾。"元世祖听从了。又任命蒙古岱为荆湖行省左丞，蒙古岱请求放征讨交趾的将士回家休息，降旨说听从镇南王的安排。

乙未（二十五日），云南行省进言："今年没有时间征伐缅国，请求收获秋熟的谷物后，先征伐罗北甸等部落。"同意了请求。

八月，丙辰（十六日），元世祖从上都回到大都。

己未（十九日），降旨恢复设置泉府司，派达实曼管理。当初，和尔果斯因为泉府司商贩每到一个地方，要由官府供给饭食，派遣军队防守保卫，百姓实在感到烦扰困苦不便，因而奏请撤销。到这时，达实曼又奏请设立。

戊辰（二十八日），禁止从事海上贸易。

当初，民间的酒任凭百姓自己酿造，用米一石，官府收取纸币一贯。卢世荣用官府发行的钱票五万锭制定酒专卖法，用米一石收取纸币十贯，比旧法增加十倍。到这时取消了这种方法，任凭百姓自己酿造，税收由一贯增加到五贯。

九月，乙亥（初六），中书省因为江北各城按税率收取钱粮，接受杭、鄂二行省管辖，路途迂回遥远，请求改为隶属中书省，得到同意。

敕令："从今以后贡献物品，只能是当地出产的，不是当地出产的不得擅自献上，听凭百姓如实自报。两淮荒地，免税三年。"

丙子（初七），真腊、占城向朝廷荐举十名乐工并进献药材、鳄鱼皮等物品。

宗王阿济苏统领的军队军纪不整肃，诏令巴延代理统领他的军队。

在这之前，边防士兵曾缺少粮食，巴延命令军中士兵采集蒇怯叶儿及蓿藬的根并把它储存起来，每人采集四斛，草料的数量也与这一样。到了隆冬时节，天降大雪，军中人马就靠着这些东西维持而不挨饿。又命令军士中有捕捉塔喇布欢这种野兽来吃的人，把它的毛皮积攒起来达上万张，人们不知道他的用意。不久他派使者用车把这些毛皮运送到京师，元世祖笑着说:"巴延因为边境地区寒冷,军士没有衣服穿,想用这些毛皮换取我的缯帛罢了。"于是把衣服赐给巴延的部队。

冬季,十月,癸丑(十五日),设置征东行省,任命阿塔哈为左丞相,刘国杰、陈岩为左丞,洪俊奇为右丞,率领各路军队征伐日本。

吏部尚书刘宣上书说:"近来谋议恢复设置征东行省,再次派遣军队攻打日本,这场战争不停止,关系国家的安危。索多建议讨伐占城,阿尔哈雅主张讨平交趾,三几年之中,湖广、江西供给船只、军需、粮运,官方和民间大受烦扰;广东各处盗贼蜂起,军队长途跋涉,渡过江海,进入瘴气毒雾弥漫的地区,死伤超过半数,仍连年用兵不止。况且交趾与我国接壤,不过是一个小国,派遣亲王率领军队深入其地,还没有听见报告功绩;索多被贼寇杀死,给自己留下羞辱。何况日本与我们中间横隔着万里海洋,它的疆土离我们遥远,不能与交趾、占城相比。这次出兵动员那么多人奔赴险地,即使没有遇到风浪,可以到达彼岸,但是倭国地域广阔,士兵百姓众多,他们的军队由四方会集一处,我们的军队孤立无援,万一不能取胜,想要派出救兵,又怎么能够飞渡大海呢!隋朝征伐高丽,三次大兴军旅,数见失败,损失军队多达百万。唐太宗以英明威武自负,亲自征伐高丽,虽然攻克了几座城池,也还是白白地增添悔恨。并且高丽平壤各城,都是位于陆地,离中原地区不远,用隋唐两国的军队攻打,还不能攻下,何况日本偏在海角,与中原地区相距万里呢!"元世祖赞许并采纳了刘宣的意见。

丙辰(十八日),任命参议特穆尔为参知政事,位在郭佑之上,并且命令他说:"从今以后的事情,全都由你负责。"

丁卯(二十九日),敕令枢密院计算胶州、莱州各处的漕运船只,江南、高丽各处建造的海船,搜集雇用的江、淮民船,准备征伐日本。又敕令:"熟悉渡海的人,招募到水手一千人的任命为千户,招募水手一百人的任命为百户。"

郭佑进言:"自从平定江南,十年之间,凡是钱币粮食这类东西,经过多次核算,现在塔奇呼、阿萨尔等人又再次核查清算,应该立即停止。"元世祖赞许并采纳了他的建议。

十一月,戊寅(初十),派遣使臣告谕高丽派出士兵一万人,船只六百五十艘,协助征伐日本,又命令在近处多造船。

己丑(二十一日),御史台进言:"过去南宋把没有家室的身体健壮的人征集起来编为巡逻稽查私盐的军队,数目共有五千人,现在还有一千一百二十二人,这些人习性凶暴,百姓厌恶他们,应该发给他们旅途中的口粮,让他们去屯田,自己供养自己。"诏令商议后实行。

癸巳(二十五日),敕令:"漕运江、淮大米一百万石,渡海运到高丽的合浦贮存。又命令东京及高丽各储备大米十万石,供征伐日本使用。限定各路军队在明年三月按次序出发,到达合浦会师。"

乙未(二十七日),任命托鲁欢为参知政事。

卢世荣被处死,割取他的肉来喂鹰獭。

卢世荣当初凭着谈论赢利到朝廷做官,皇太子内心非常反对,说:"财物不是从天上掉下来的,怎么能每年都多收取呢!"僧格是向来支持卢世荣的人,听说太子曾经有这样的话,终于不能救他。

在这之前,卢世荣举荐王恽担任左司郎中,多次催促他,他都不到任。有的人问他不上任的原因,王恽说:"能力小而责任大,伤害众人而使自己得利,没听说过能保全自己的。远离他还怕被玷污,怎么可以接近他呢!"到这时人们都佩服王恽的见识。

卢世荣被杀后,元世祖对博果密说:"朕很对不起你。"随即提拔他为吏部尚书。

当时正没收阿哈玛特的家产,他的奴仆张撒礼尔等罪该处死,胡说阿哈玛特家产隐瞒寄存别处的很多,如果全都得到,可以供给国家的费用,于是到处检查逮捕拘禁有嫌疑的人,牵连到许多无辜的人,引起京师地区的骚动。元世祖很怀疑这件事,命令丞相安图召集六部的正副职官员询问。博果密说:"这些奴仆是阿哈玛特的心腹爪牙,死有余辜。他们说这话,原来是想苟延时间,侥幸不死!怎么能够又受他们的欺骗,嫁祸善良人呢!赶快杀死这些家伙,怨恨非议就自然消失了。"安图入朝把博果密的话上奏,元世祖明白了,派博果密审讯张撒礼尔,全都弄清了实际情况,张撒礼尔等被处死,那些被逮捕拘禁的人全都被释放。

丙申(二十八日),赦免囚徒,在他们脸上刺字,又招集南宋时巡逻稽查贩卖私盐的军队中熟悉水路的人为水手,用他们征讨日本。

当时思州、播州以南,施、黔、鼎、澧、辰、沅交界地区,蛮獠时而叛乱时而顺服,常常劫掠边境百姓的财物,于是诏令四川行省讨伐他们。参政奇尔济苏、左丞汪惟正的一支军队从黔中出发,签省巴图的一支军队从思、播出发,都元帅托察的一支军队从澧州南道出发,宣慰使李呼哩雅济的一支军队由夔门来会合。这个月,众将率领士兵凿山开道,绵亘千里。诸蛮人在险要地点设置伏兵,窥测时机暗中发射木弩、竹箭。官军对拼命抵抗的人全都杀死,派遣使者告谕他们部落首领,于是部落首领带领众人前来投降。唯独散毛洞谭顺逃跑躲进岩谷,力竭后才投降。

张立道登记两江侬士贵、岑从毅、李维屏新管辖的二十五万多户人家,把他们的户口交归地方官吏;张立道升任临安、广西道军民宣抚使,又在建水路创办庙学,在官署中书写为官清廉的训词,用来警戒贪财图利的官吏。

十二月,丁未(初十),皇太子珍戬亡故。

太子最初跟姚枢、窦默学习,为人仁爱孝顺,恭谨谦逊,特别优待礼遇大臣,一个时期在太子的师友行列中,不是朝廷中名高德重的大臣,就是平民中有气节操行的人。

太子在中书省任事时间长,明于听断,听见各地关于征收赋税、车船运输、建造制作、官府强行摊派掠夺民财民物等凡关系百姓利害的事,大都奏请下令停止。江西行省用一年赋税盈余的四十七万贯纸币拿来献给太子,太子生气地说:"朝廷只让你们安抚百姓,百姓安宁了,何必担心钱粮不够呢!百姓不安宁,钱粮即使很多,能保证自己的供养吗!"全都退回了。

太子曾经穿过一件绫夹衣,被汤汁渍染,令侍臣拿去重新染色;侍臣请求为太子另外裁剪缝制一件新衣,太子说:"我想要一百匹锦帛也不难,不过这件夹衣还没破,怎么可以丢弃它呢!"太子居住的东宫的佛殿建成,工部官员请求开凿石头修建水池,像古代曲水流觞的习俗那样。太子说:"古代商纣王曾悬肉为林、以酒为池,你也想让我效仿他吗?"每当与诸王近臣练习射术的空暇时间,就谈论经典,只言片语当中,如果有妥帖的见解,他一定会为之肃然起敬。

中庶子巴拜带领他的儿子阿巴齐入宫进见太子,太子告诉他"不要读蒙古书,必须学习汉人的文字"。行台治书侍御史王恽进呈《承华事略》二十篇,太子阅览它,看到汉成帝为太子时不敢横过天子专用的大道,唐肃宗为太子时改穿用绛纱制作的夏季官服而不越礼,心中非常高兴,说:"假使让我做,也必定如此。"又看到邢峙劝阻齐太子吃邪蒿,问侍臣说:"一种菜的名字就能使人不正吗?"詹事张九思说:"正直之臣注意防微杜渐,道理本来就是这样。"太子称赞他的说法,让诸子传看那本书。

当时元世祖年岁大了,行台御史上书请求元世祖让位给内定的继承人,太子听说这件事很忧虑。台臣隐藏了那份奏章没有上达。而阿哈玛特的党羽塔奇呼、阿萨尔请求收取各级官吏处理公事的文书,检查考核全国钱粮管理人员,想要借此张扬那件事,于是就把御史台的文书、奏章等全都查封取来。都事尚文扣留了那份秘密奏章没有交出。达济呼将此事报告元世祖,元世祖命令宗正锡彻罕处理这件事。尚文说:"事情紧急了!"立即禀报御史大夫说:"这是想要对上危害太子对下陷害大臣,毒害全国百姓,他们的计谋极其恶毒。并且塔奇呼是阿哈玛特的余党,犯有受贿贪污罪,名声不好,应该先下手揭发他以扰乱他的计谋。"御史大夫于是与丞相一起入朝言明情状。元世祖异常愤怒,说:"你们没有罪责吗?"丞相进言:"臣等没有什么可以逃避惩罚的,只是这些人是触犯刑律的罪人,却做出这样的举动,动摇人心。应该选派重要大臣做他们的主管,或许可以治理混乱的局面。"元世祖的怒气稍有消散,准许了他的奏陈。太子更忧虑恐惧不能使自己的内心安宁,因此致病而亡故,终年四十三岁。

因为太子病故,朝廷谋议想要撤销詹事院,院丞张九思高声说:"皇孙是国家和人心的寄托,詹事是用来辅助他们修成道德的,怎能把它撤销呢!"众多大臣认为张九思说得很恰当。

任命哈喇哈斯为大宗正。

哈喇哈斯由掌管宿卫而被授予大宗正这个职位,依法断罪公平适当。当时宰相想要把江南的罪案交给宗正府审理。哈喇哈斯说:"江南新近归附,对朝廷教化命令还未能信服,并且相距几千里,想要在远处裁断那里的刑罚,能没有冤屈吗!"这件事于是未实行。

这一年,前中书左丞相耶律铸去世。死后被追封为太师,谥号文忠。

至元二十三年 （公元 1286 年）

春季,正月,戊辰朔(初一),因为皇太子病故,取消了朝觐庆贺。

禁止携带金银铜钱出海进行贸易活动。

甲戌(初七),元世祖因为日本地处海外遥远的地方,国内民众的人力、物力、财力严重窘迫,于是停止征伐日本,征召阿巴齐前来朝廷,又遣散雇用的民船。

把被百姓占据的衰败了的江南寺庙的土地,全都交给总管嘉木扬喇勒智供修建寺庙,从此僧徒更加骄横。

己卯(十二日),江淮行省右丞吕文焕因年老请求辞官退休,得到允许,任命他的儿子为宣慰使。

癸未(十六日),答应僧格的请求,指派嘉木扬喇勒智遣送南宋宗室亲戚谢仪孙、全允坚、赵沂、赵太一到大都做人质。

甲申(十七日),呼都噜进言:"我所管辖的屯田新军二百人,在亦集乃地方开挖河渠,施工时间长工程浩大,请求派附近百姓、西域僧人属下富余的劳力帮助这项工程。"得到同意。亦集乃就是汉代张掖的居延县。

4531

丁亥(二十日),查禁伪造的阴阳书、《显明历》。

辛卯(二十四日),命令阿尔哈雅筹划征伐安南事宜。

丁酉(三十日),设置各路推官来审理案件、判决刑罚。上路设置二名推官,中路设置一名推官。

二月,己亥(初二),敕令朝廷内外:"凡是汉人持有的铁尺、手挝及带有刃器的棍棒,全都送交官府。"

甲辰(初七),任命阿尔哈雅仍旧担任安南行中书省左丞相,鄂啰齐为平章政事,都元帅乌讷尔、伊克穆苏、阿尔、嵒顺、樊楫同为参知政事。派遣使臣告谕皇子额森特穆尔,调哈喇章的部队附属阿尔哈雅,跟随征伐交趾。

乙巳(初八),撤销山北辽东道、开元等路宣慰司,设立东京等处行中书省,这是因为诸王管辖的地区杂处其间,宣慰司威望太轻无力处理的缘故。

恢复设置大司农司,专门掌管农桑。

丁未(初十),采纳御史台的建议,制定按察司巡行郡县法。除留两名按察使在按察司办公外,副使以下的官员,每年二月起分别到各地检查办案,十月返回按察司。

丁巳(二十日),命令湖广行省建造三百艘征伐交趾的船只,规定八月在钦州、廉州会齐。

戊午(二十一日),命令荆湖、占城行省,统率江浙、湖广、江西三个行省的六万名士兵征伐交趾。

翰林、集贤学士程文海谒见元世祖,首次陈述兴建国学、请求派遣使臣到江南寻访隐士;建议御史台、按察司两个衙门应兼用南北两方人士;元世祖赞许并采纳了他的意见。

封陈益稷为安南国王,陈秀嵘为辅义公。命令阿尔哈雅派军队护送他们回国。

停止出卖江南学田。当时江浙行省清查钱粮抓得很紧,出卖当地的学田,把所得收入交纳给官府。利用监大臣彻尔出使江南,见到这种情况,对他们说:"学校有田地,用它来供祭祀,育贤才,怎么可以出卖呢!"于是奏请停止出卖学田。

甲子(二十七日),又划平原郡公赵与芮在江南的田地隶属东宫。

设置甘州行中书省。

丙寅(二十九日),因为编修地理书,征召曲阜教授陈俨、京兆人萧㪺、蜀人虞应龙,只有虞应龙应召来到京师。

三月,己巳(初三),诏命程文海继续担任集贤直学士,并授予侍御史官职,行御史台事,派往江南广泛搜集知名士人。

当初,元世祖想任命程文海为中丞,御史台的大臣说程文海是南人,不能任用,况且年纪太轻,元世祖大怒,说:"你没任用过南人,怎么知道南人不可用?从现在起省、部、台、院,必须兼用南人。"于是授予程文海这个官职,派他奉诏命到江南访求贤士。诏令过去用蒙古字书写,到这时特意命令用汉字书写。元世祖早就听说过赵孟适、叶李的名字,密嘱程文海一定要把这两个人请来。程文海又荐举赵孟𫖯、余恁、万一鹗、张伯淳、胡梦魁、曾晞颜、孔洙、曾冲子、凌时中、包铸等二十多人。

元世祖坐在披香殿,召见叶李,慰劳他说:"您远道而来很辛苦吧?"又说:"您过去谴责贾似道的上书,我曾经看过。"进一步询问治理国家的方法怎么制定,叶李逐一陈述古代帝王得失成败的缘由,元世祖点头表示同意,让他坐下,为他设宴,叫他每五天入朝商议国家大事一次。当时各道儒学提举司都因为没有官员被撤销,叶李于是呈上奏章说:"臣曾钦睹先帝诏书,当初创业的时候,军务繁多,还招致不少士人。现在陛下统一天下,停息武备,修明文教,怎可以不培养人才以大力宣扬治理国家的方法!各道儒学提调学官,向诸生讲明治理国家的方法并加以考核,把那些成材的学生送到国学,以备录用。凡是读书人家的徭役,请求全部免除。"元世祖同意他的奏议。

赵孟頫是宋太祖之子秦王赵德芳的后代。才气出众,神采焕发,刚一入朝谒见,元世祖看到他就很高兴,让他位居叶李之上。有人说赵孟頫是宋朝皇族的后代,不应该让他接近皇帝身边,元世祖没有听从。

浴马图 元 赵子昂

南宋先前的江西招谕使、知信州谢枋得,隐居闽中,程文海举荐的士人,最初把谢枋得排在首位。谢枋得正为母亲守孝,写信告诉程文海说:"大元统治天下,民情、风俗全部更新,我是宋室孤臣,只欠一死。枋得之所以没有死,是因为九十三岁的老母亲健在。现在老母寿终正寝,我从今以后再也无意过问人世间的事了!母亲的遗体埋在浅土,家贫不能厚葬,我现在睡草席,枕土块,只剩下一口气,形体虽还存在但我的心早已死去。差役送到郡县公文,我才知道您举荐的士人一共三十人,贱名也愧在其中,将要降旨督使郡县以礼聘召。您为国君谋划也是尽忠心,哪里知道枋得有母丧,穿着丧服不能进入官府的大门呢?查考古代礼法,儿子有父母的丧事,君王的命令三年之内不送到他的家门,这是为了教导天下人尽孝。辞官守孝,在大元典制上规定得尤其严格。自从伊尹、傅说之后,三千年间,山林百姓,告别红尘俗世而托身天地的人也很多呀,没听说过有不顾居丧守孝,而接受聘礼的人。书上说:'一定要在孝子的家门寻求忠臣。'为人臣不能在家尽孝道而能对国尽忠的,从来没有过;做人君的不用孝道来教导人而能得到别人忠心的,也从来没有过。枋得亲人死了未能完葬,守孝未满三年,如果违背礼法,服从郡县的命令,顺从您的心意,那么我做出的不孝没有比这更大了。书上说:'君子成全别人的美事,不能成全别人之恶行。'您能明白我的心意,使我幸而免除不孝的名声,这成全我的恩德与救我一命的恩德一样。"于是坚决不应召。

甲戌(初八),雄、霸二州及保定各县洪水泛滥,冲了官府和百姓的田地,派出军民修筑河堤防御洪水。

乙亥(初九),任命敏珠尔卜丹继续担任中书右丞,与郭佑一起管理钱粮。

丙子(初十),元世祖到上都。

夏季,四月,庚子(初四),把江南各路财货贡赋全都归属中书省管辖。

云南省平章纳苏喇鼎奏请应办的有利国家、合乎时宜的几件事:一是解除道路通行的禁令,允许百姓往来;二是限制贩卖货物的人随军出征;三是取消丹当站征收百姓的钱财作为饮食的开支;四是允许百姓伐木贸易;五是告诫使臣不要侵扰百姓居所,设立急递铺以减省驿站的马匹。诏令商议实行。

甲辰(初八),把杭州行御史台迁到建康,把山南、淮东、淮西三道按察司划归御史台管辖,增置行台色目人御史的人数。

庚戌(十四日),制定给人死后评定称号的谥法。

己未(二十三日),派遣约苏穆尔清查荆湖行省钱粮。中书省原打算任用约苏穆尔为平章政事,托克托呼为参知政事,元世祖说:"约苏穆尔是识见浅狭的人,侍奉朕才五年,授予一个负责清查钱粮的官职就足够了。托克托呼是奴仆的奴仆,只有当令史、宣使的才力。看了你们送上的计划,让人感到耻辱。"

因为汉人到江南谋生的人太多,另外到南方任职的官吏,任期届满又大多不返回,于是派遣使臣让他们全都迁回北方。又在黄河、长江、淮河各渡口设立托克托禾孙,凡是汉人没有携带公文而要到南方去的,一律加以阻止,做买卖的允许过去。

五月,约苏穆尔上奏荆湖行省阿尔哈雅犯有贪污受贿罪,请求考查审核。阿乐哈雅于是入朝,进言:"约苏穆尔在鄂州,难道没有贪污受贿的嫌疑!臣也请求考查审核他。"于是派遣参知政事托鲁罕、枢密院判李道、治书侍御史陈天祥一起前往考查审核。

陈天祥到达鄂州以后,立即劾奏约苏穆尔纳赃受贿、凶恶残暴等不法的行为。当时僧格与约苏穆尔是联姻亲家,他们互相勾结干坏事,摘出陈天祥奏疏中的话,诬陷他胡作非为,派遣使者审讯,想要杀死他;行台御史申屠致远连续上奏章申辩陈天祥无罪,僧格才气馁。陈天祥被囚禁在牢狱中将近四百天,遇赦,才被释放。

阿尔哈雅担任湖广行省左丞相,不久去世,谥号武定。

朝廷将派兵征讨海东,收取赋税更加急迫,官员乘机大肆谋取私利。江淮行省参知政事董文用请求入朝奏事,奏章大意是说使国家值得珍爱的民力困乏疲惫,去征服一个地处僻远、风俗粗野、没有用处的小国,详尽开列奏事条目。

六月,辛丑(初六),中书省进言:"先前阿尔哈雅与约苏穆尔互相请求考查审核,现在阿尔哈雅虽然已死,可是事情的是非,应该剖析辩白清楚。"元世祖说:"这件事由约苏穆尔提出,应该依照他的话去追究。"于是就查抄阿尔哈雅的家产,送往京师。

乙巳(初十),诏令把大司农司新编定的《农桑辑要》一书颁发给各路。

戊申(十三日),搜集各路马匹。凡是色目人,有三匹马的取其中的两匹,汉人的马匹全都没收入官,有敢藏匿与买卖的一律治罪。

丁巳(二十二日),任命锡栋罕为中书省平章政事。

辛酉(十六日),封杨邦宪妻田氏为永安郡夫人,管理播州安抚司事。

这个月,湖南宣慰司上书说:"连年征伐日本及对占城进行战争,百姓疲于运输,田赋力役繁重,士卒染上瘴疬,死伤的很多。儒生们忧愁叹息,士、农、工、商荒废本业,贫穷的人家遗弃自己的子女以苟且偷生,富裕的人家出卖家产以应付劳役。倒悬之苦,一天比一天厉害。现在又与交趾进行战争,动用百万军队,消耗千金费用,这不是安恤士民的办法。况且兴兵动众当中,利害并非只有一种。而且交趾已经呈上奏章自称藩属,如果接受他们的请求,以恢复民力,这是上计。如果非打不可的话,就应该减轻百姓的赋税,积蓄粮饷,休整军队,等到明年天时稍为有利,然后大举发兵,为时也不算晚。"

湖广行省臣戬格认为这个建议正确,派遣使臣入朝上奏,并且上言:"本省镇戍的地方一共七十多处,连年征战,精锐的士卒在外连续作战,留下戍守的都是老弱士兵,每一座城邑最多不超过二百人,私下担心奸细得以暗中探得内部的虚实。往年平章阿尔哈雅出征,本省输送粮食三万石,百姓尚且称说困苦;现在又比那时的数量加倍,官府没有储蓄,就以议价交易为名向民强制征购粮食,百姓将承受不了那种困难。应该像宣慰司说的那样,暂缓出兵南伐。"

在这之前,吏部尚书刘宣也上书说:"安南向朝廷称臣时间已经很久了,每年向朝廷进献礼品不曾误期,过去对安南使用武力没有成效,战争的创伤没有恢复,现在又下令再次征伐,听到这消息的人没有不恐惧的。而且交趾、广东地区是天气炎热瘴气弥漫的地方,毒气害人比兵器伤人更厉害。现在命令各道军队在七月赶到静江会合,等到到了安南,病死的将士一定很多,到了和敌军作战的时候,靠什么应付呢!另外,交趾没有粮食,水路难以通航,免不了陆路运输粮食。再加上没有车牛驮载,一个人担五斗米,往返途中自己吃掉之外,公家只能得到其中的一半。如果用四十万人担十万石粮食,仅仅可以供一两个月的军粮,搬运造船材料军需品,一般要用五六十万人。广西、湖南频繁征调,百姓大多离散,按户命令服役,也不能做到。况且湖广靠近溪峒,寇盗很多,万一奸细等待机会,乘大军出外远征,乘虚作乱,虽然有留守的人马,但是他们疲弱衰老,终究难以应付事变。为什么不与那里深知事体的军官议论商量出一个万无一失的策略!不然的话,将要重蹈前辙了。"

吏部尚书刘宣奏章上呈后,恰巧湖广宣慰使的奏章也送到了,元世祖当天就下诏停止征伐安南,让士卒返回各自的营寨,陈益稷跟随部队返回鄂州。

华州华阴县降大雨,潼谷水势汹涌,平地水深三丈多。杭州、平江两路所属的各县被大水冲毁的民田有一万七千多顷。

秋季,七月,己巳(初四),采纳中书省臣的建议,因为江南隶属官府的土地多被豪强占据,设立营田总管府,把被他们占据的土地逐亩进行丈量计算。

撤销辽阳等处行中书省,恢复北京、咸平等三道宣慰司。

庚午(初五),江淮行省蒙古岱进言:"现在在杭州、两淮、江东各路设置行省,财赋及军用物资都必须向南运送后再运回北方,这样实在不方便。扬州地区控制江海的有利地位,应该在那里设置行省,驻扎重兵镇守,并且运输没有往返之劳。行省迁到扬州便利。"听从了建议。

设立淮南洪泽、芍陂两处屯田,增兵到两万人,每年收获几十万斛大米。

壬午(十七日),左丞相昂吉尔岱、平章政事阿必实克一起被罢免。总制院使僧格喜欢谈论赢利的事,有一天,在元世祖面前叙说官府出价雇用人力和官府向民间议购的事,元世祖赞赏他的办法,于是有重用他的打算,让他开列行省的长官姓名送上。元世祖说:"安图、郭佑、杨居宽等继续担任先前的职务,昂吉尔岱等人的任职要另外考虑,仍然挑选可以取代他们的人奏闻。"于是罢免了昂吉尔岱等人职务。从此朝廷有什么建置及人员升降,僧格全都参与其事。

癸巳(二十八日),诏令中书省选定省、院、台、部的属吏,自中书令、左右丞相以下,各有固定的人员编制名额。又告谕安图说:"中书省朕当亲自挑选,其余各司官员全都听从中书省斟酌裁减。"安图说:"近来听说圣上的旨意是想依靠亲近的侍从作为耳目,如果臣做的事不合法,任凭他们上奏章检举。现在陛下左右的近臣,就等待机会引荐行为不正的人,说某人可以当某官,某人可以任某职,把他们所写的奏事的条目交给中书省施行。铨选之法,本来有固定的制度、规则。因此,他们交中书省施行的奏目,其中尤其没有事例可循的,臣曾搁置而不予实施,担心他们的同党有指摘臣的。"元世祖说:"你说的很对,以后如果有这类的事,你一定不要实施。"

八月,辛酉(二十七日),婺州永康县民陈选四等谋反,被处死。

苏州、湖州多雨,伤害了庄稼,百姓食粮发生困难。浙西按察使雷膺请求朝廷发给二十万石官仓的米救济灾民。江淮行省认为发给的米太多,建议存留三分之一。雷膺说:"传布宣扬皇上的恩泽,加恩抚养困苦贫穷的百姓,是行省的职责,怎么可以效仿官吏舍不得支出呢!"行省不能改变他的主张。

九月,乙丑朔(初一),海外各国马八儿、须门那、僧急里、南无力、马兰丹、那旺、丁呵儿、来来、急兰亦䚡、苏木都剌,共十国,因为杨廷璧多次奉诏招抚他们,所以各自派遣他们的子弟上表章入朝觐见,并且贡献本地产物。

壬辰(二十八日),高丽派遣使臣献上日本俘虏。

这个月,任命工部尚书博果密为刑部尚书。

当时河东按察使阿哈玛特用财物谄媚权贵,向官府借钱,约定偿还牛马,到期则强取辖区百姓生产的东西献纳,事情被发觉后,派遣使臣查问惩办,全都不服。等到博果密前往,才了解到他们做了一百多件违法的事。正巧碰上大同百姓饥荒,博果密根据情况自行决定,打开粮仓救济饥民。与阿哈玛特交好的宠臣奏博果密擅自散发军队的储存粮,又给阿哈玛特罗织罪名,让他无辜服罪。元世祖说:"使臣前往,发放粮食以救活我的百姓,是他的职责,有什么罪!"命令把阿哈玛特的案件移送京师审理,阿哈玛特终于被处死。

托克托呼请求选取做奴仆的奇彻人,以增加他军队的兵额,实际上选取的却多是编入户籍的平民,中书签省王遇核验他们的户籍,改正过来。托克托呼就上奏王遇有不合臣道的话,元世祖怒,想要杀王遇。博果密进谏说:"王遇当初命令以为奴的奇彻人当兵,没听说让编入户籍的平民当兵。万一其他卫所也都仿效这种做法,户籍上的人口就不足了。如果杀了王遇,后人怎么肯再为陛下尽职呢!"王遇因此得以不死。

冬季,十月,甲午朔(初一),把浙西按察使迁至杭州,撤销各道按察使判官及行台监察御史。

己亥(初六),元世祖从上都回到京城。

辛亥(十八日),黄河在开封、祥符、陈留、杞、太康、通许、鄢陵、扶沟、洧川、尉氏、阳武、延津、中牟、原武、睢州等十五处决口,征调二十多万民夫分段修筑堤防。

甲寅(二十一日),敕令招讨使张万等造战船,领兵六千人征伐缅国,派图门特为都元帅统率。

壬戌(二十九日),高丽又派使臣来进献日本俘虏。

十一月,乙丑(初三),中书省进言:"张瑄、朱清从海道运粮,按四年计算,总共一百零一万石,少量亏损,愿如数补偿。因风浪把船掀翻造成的损失,请求免于征收。"同意了请求。任命张瑄、朱清同为海道运粮万户。

敕令:"禽兽怀胎时不准打猎。"

丙子(十四日),涿州、易州、良乡、宝坻县发生饥荒,免除今年的田租,发放三个月的救济粮。

十二月,丙午(十四日),设置燕南、河东、山东三道宣慰司。

乙卯(二十三日),用阿尔哈雅庇护的无主逃亡奴仆一千人屯田,派遣中书省断事官图布申再次清查湖广行省的钱粮。

大都闹饥荒,拿出官府储存的米,减价卖给贫民。

戊午(二十六日),翰林承旨萨里曼进言:"国史院纂修太祖以来的历朝实录,请用辉和尔字翻译,待奏读完毕之后编定。"意见得到同意。

各路分别设置六道劝农司。

续资治通鉴卷第一百八十八

【原文】

元纪六　起强圉大渊献【丁亥】正月,尽著雍困敦【戊子】十二月,凡二年。

世祖圣德神功文武皇帝

至元二十四年　【丁亥,1287】　春,正月,戊辰,浚河西务漕渠。

丙戌,以程鹏飞为中书右丞,阿尔为中书左丞。丁亥,以布颜里哈雅参知政事。

发新附军千人,从阿巴齐讨安南。

复改江浙行省为江淮行省。

辛卯,诏发江淮、江西、湖广三省蒙古、汉券军七万人,船五百艘,云南兵六千人,海外四〔川〕〔州〕黎兵万五千,命海道运粮万户张文虎、费拱辰、陶大明运粮十七万石,分道以进。置征交趾行省,鄂啰齐平章政事,乌纳尔、樊楫〔参〕知政事,总之,并受镇南王节制。

二月,甲午,畋于近郊。

乙未,以敏珠尔卜丹为平章政事。

甲辰,以范文虎为中书右丞,商议枢密院事。

壬子,中书省言:“自正旦至二月中旬,费钞五十万锭。臣等兼总财赋,自今侍臣奏请赐赉,请令臣等预议。”帝曰:“此朕所当虑。”仍谕伊实特穆尔、伊彻察喇知之。

戊午,以赵与芮子孟桂袭平原郡公。

宗王纳颜遣使征东道兵,谕栋摩特穆尔毋辄发。初,纳颜镇辽东,北京宣慰使伊列萨哈察其有异志,密请备之。帝素然其言,故有是谕。

闰月,癸亥,敕:“春秋二仲月上丙日,祀帝尧祠。”

西京等处管课官马合谋,自言岁以西京、平阳、太原课存额外羡钱,市马驼千头输官,而实盗官钱市之。按问有迹,伏诛。

乙丑,复立尚书省,以僧格、特穆尔并为平章政事,鄂尔根萨里为右丞,叶李为左丞,马绍参知政事。

是月,帝畋于近郊,召敏珠尔卜丹、特穆尔、杨居厚等,与叶李、程文海、赵孟頫论钞法。敏珠尔卜丹言:“自制国用使司改尚书省,颇有成效,今仍分两省为便。”诏从之。安图谏曰:“臣力不能回天,但乞不用僧格,别选贤者,犹或不至虐民误国。”不听。鄂尔根萨里虽与僧格同事,然数切诤之,以廉正自持。叶李固辞左丞之命,言:“臣资格未宜遽至此。”帝曰:“商起伊尹,周起太公,岂循资格耶?尚书系天下轻重,朕以烦卿,卿其勿辞。"赐大小车各一,许乘小车入禁中,仍给扶升殿。

辛未,以复置尚书省诏天下。除行省与中书议行,馀并听尚书省从便以闻。诏,赵孟頫所草也,帝览之,喜曰:"得朕心之所欲言者矣。"

初,太宗设总教国子之官,逮至元初,以许衡为祭酒,而侍臣子弟就学者才十馀人。衡既去,教益废而学舍未建,师生寓居民舍,司业耶律有尚屡以为言。至是乃立国子监,设监丞、博士、助教,增广弟子员至百二十人,蒙古、汉人各半,官给纸劄、饮食,遂以有尚为祭酒。

设江南各路儒学提举司。时江南诸县各置教谕二人;又用廷臣请,诸道各置提举司,设提举儒学二人,统诸路、府、州、县学祭祀、钱粮之事。学校已废而复兴,实叶李之言有以导之也。

乙酉,镇南王托欢徙镇南京。

范文虎改尚书右丞,商议枢密院事。

改行中书省为行尚书省,六部为尚书六部。以吏部尚书实都为尚书省参知政事。

庚寅,帝如上都。

达噜哈齐、哈喇哈斯等言:"去岁录囚南京、济南两路,应死者已一百九十人。若总校诸路,为数必多,宜遣人分道行刑。"帝曰:"囚非群羊,岂可遽杀!即宜悉配隶淘金。"

以礼部主事王约为监察御史。约疏请建储及修史,又言前中丞郭佑以奏诛卢世荣为僧格所嫉,诬以他罪,宜白其冤,不报。

三月,甲午,行至元钞。

僧格以交钞及中统元宝行之既久,物重钞轻,建议更造至元钞行之。自一贯至五十文,凡十有一等,每一贯视中统钞五贯,子母相权,要在新者无冗,旧者无废。凡岁赐、周乏、饷军,皆以中统钞为准。诏百官于刑部集议,赵孟頫亦与焉。众欲计至元钞二百贯赃满者死,孟頫曰:"始造钞时,以银为本,虚实相权。今二十馀年间,轻重相去至数十倍,故改中统为至元;又二十年后,至元钞必复如中统。使民计钞抵法,疑于太重。古者以米、绢民生所须,谓之二实,银、钱与二物相权,谓之二虚;四者为直,虽升降有时,终不大相远也。以绢计赃,最为适中。况钞乃宋时所创,施于边郡,金人袭而用之,皆出于不得已,乃欲以此断人死命,似未可也。"或以孟頫年少,初自南方来,讥国法不便,意颇不平,责之曰:"今朝廷行至元钞,故犯法者以是计赃论罪。汝以为非,岂欲沮格至元钞耶?"孟頫曰:"法者,人命所系,议有重轻,则人不得其死。孟頫奉诏与议,不敢不言。今中统钞虚,故改至元钞,谓至元钞终无虚时,岂有是理?公不揆于理,欲以势相陵,可乎?"其人有愧色。

丙辰,命都水监开汶、泗水以达京师。

汴梁河水泛溢,役夫七千修完故堤。

夏,四月,宗王纳颜反,诸王诸延等皆应之。帝问侍卫士阿实克布哈:"计将安出?"对曰:"臣愚以为莫若先安抚诸王,乃行天讨,则叛者势自孤矣。"帝曰:"善!卿试为朕行之。"阿实克布哈即北说诸延曰:"大王闻纳颜反耶?"曰:"不知也。"曰:"闻大王等皆欲为纳颜外应,今纳颜既自归矣,是独大王与主上抗,幸主上圣明,亦知非大王意,置之不问,然二三大臣不能无惑。大王何不往见上自陈,为万全计!"诸延悦,许之。于是诸王之谋皆解。

阿实克布哈还报,帝乃议亲征,命征兵辽阳,以千户帅锡保齐之众从行。阿实克布哈以大同、兴和两郡,当车驾所经有帏台岭者,数十里无居民,请诏有司作室岭中,徙邑民百户居之,割境内锡保齐牧地,使耕种以自养,帝从之。阿实克布哈既领锡保齐,帝复欲尽徙兴和、桃山数十村之民,以其地为锡保齐牧地,阿实克布哈固请存三千户以给鹰食,帝皆听纳,民德之,饮食必祭。锡保齐,鹰房之执役者也。

五月,乙亥,遣额森谕北京等处宣慰司:"凡隶纳颜所部者,禁其往来,毋令乘马、持弓矢。"

壬寅,诛御史台吏王良弼。

僧格尝奉旨检核中书省事,凡校出亏欠钞四千七百七十锭,昏钞一千三百四十五锭,平章敏珠尔卜丹即自伏。参政杨居宽微自辨,以为实掌铨选,钱谷非所专,僧格令左右拳其面,因问曰:"既典选事,果无黜陟失当者乎!"寻亦引伏。参议伯降以下,凡钩考违惰耗失等事,及参议王巨济尝言新钞不便忤旨,各款伏。帝令丞相安图与僧格共议,且谕:"毋令敏珠尔卜丹等它日得以胁问诬服为辞,此辈故狡狯人也。"数日,僧格又奏:"鞫中书参政郭佑,多所逋负,尸位不言,以疾为托。臣谓'中书之务隳惰如此,汝力不能及,何不告之蒙古大臣?'故殴辱之,今已款服。"帝命穷诘之。良弼尝与人言:"尚书钩校中书不遗馀力,它日我留,得发尚书奸利,其诛籍无难。"僧格闻之,捕良弼,鞫问,款服。谓此曹诽谤,不诛无以惩后,遂诛良弼,籍其家。

又有吴德者,尝为江宁县达噜噶齐,求仕不遂,私与人非议时政,且言:"尚书今日核正中书之弊,他日复为中书所核,汝独不死也耶!"或以告僧格,即捕德按问,杀之,没其妻子入官。

用僧格言,置上海、福州两万户府,以维制锡布鼎、乌纳尔等海运船。户、工两部各增尚书二员。初立行泉府司,专掌海运,遂罢东平河运粮;寻又于河西务置漕运司,领接运海道粮事。

帝自将征纳颜,发上都,括江南僧、道马匹。诏范文虎将卫军五百镇平(乐)〔滦〕,以奇彻为亲军都指挥使,伊苏岱尔、右卫签事王通副之。

同知留守兼少府监事王思廉,谓留守丹津曰:"藩王反侧,地大故也。汉晁错削地之策,实为良图,盍为上言之。"丹津以闻,帝曰:"汝何能出此言也?"丹津以思廉对,帝嘉之。

壬子,行尚书省平章政事、高丽国王王暗请益兵征纳颜,以五百人赴之。

行尚书省左丞相阿珠受命西征,至哈喇霍州,以疾薨。阿珠继其祖苏布特、父乌兰哈达为将帅,沈几有智略,临阵勇决,三世皆以功名显。后追封河南王。

六月,庚申朔,百官以职守不得从征纳颜,献马以给卫士。

壬戌,帝至萨尔都噜之地,纳颜率所部六万,逼行在而阵,遣左丞李庭等将汉军,用汉法以战。既而纳颜之党金嘉努、塔布岱拥众号十万,进逼乘舆,帝亲麾诸军围之,纳颜坚壁不出。司农卿特尔格曰:"彼众我寡,当以疑退之。"于是帝张曲盖,据胡床坐,特尔格进酒,塔布岱按兵觇之,不敢进。李庭曰:"彼至夜当遁耳。"乃引壮士十馀人,持火炮夜入其阵,炮发,果自溃散。帝问:"何以知之?"庭曰:"其兵虽多而无纪律,见车驾驻此而不战,必疑有大军继之,是以知其将遁。"遂命庭将汉军,御史大夫伊实特穆尔将蒙古军并进。追至实列门林,擒纳颜以献,遂伏诛。

初,潞州靳德进,精于星历之学,所言休咎辄应,时用天象以进规谏,多所裨益,累迁秘书监,掌司天事。及是从征纳颜,揆度日时,率中机会。诸将欲剿灭其党,德进独陈天道好生,请缓师以待其降,帝嘉纳之。

李庭之讨纳颜也,将校多用国人或其亲昵,立马相向语,辄释仗不战,逡巡退却,帝患之。叶李密启曰:"兵贵奇不贵众,临敌当以计取。彼既亲昵,谁肯尽力!徒费陛下粮饷,四方转输甚劳。臣请用汉军列前步战,而联大车断其后以示死斗。彼尝玩我,必不设备;我以大众蹄之,无不胜矣。"帝用其谋,果奏捷。

自是益奇李,每召见论事。寻诏以为御史中丞,商议中书省事。李辞曰:"臣本羁旅,蒙眷使备顾问,固当竭尽愚衷。御史台总察中外机务,臣愚不足当此任;且臣昔窜瘴乡,素染足疾,比岁尤剧。"帝笑曰:"卿足艰于行,心岂不可行耶?"李固辞,得许,因叩首谢曰:"臣今虽不居是职,然御史台天子耳目,常行事务,可以呈省。至若监察御史奏疏,西南两台咨禀,事关军国,利及生民,宜令便宜闻奏以广视听,不应一一拘律,遂成文具。请诏台臣言事,各许实封。"又曰:"宪臣以绳愆纠谬为职,苟不自检,于击搏何有!其有贪婪败度之人,宜付法司增条科罪,以惩欺罔。"帝然之。由是台臣得实封言事。

帝初欲大用赵孟𫖯,议者难之。是月,授孟𫖯兵部郎中。兵部总天下诸驿,时使客饮食之费,几十倍于前,吏无以供给,强取于民,不胜其扰,遂请于中书,增钞给之。

至元钞法滞涩不能行,诏遣尚书刘宣与孟𫖯驰驿至江南,问行省慢令之罪,左右司官及诸路官得径笞之。孟𫖯还,不笞一人,僧格大以为谴。

时有王虎臣者,言平江路总管赵全不法,即命虎臣往按之,叶李执奏不宜遣虎臣,帝不听。孟𫖯进曰:"赵全故当问,然虎臣前守此郡,多强买人田,纵宾客为奸利,全数与争,虎臣怨之,往必将陷全。事纵得实,人亦不能无疑。"帝悟,乃遣它使。

僧格钟初鸣时,即坐省中,六曹后至者笞。孟𫖯偶后至,断事官遽引孟𫖯受笞,孟𫖯入诉于右丞叶李曰:"古者刑不上大夫,所以养其廉耻,教之节义。且辱士大夫,是辱朝廷也。"僧格亟慰孟𫖯使出,自是所笞惟曹吏以下。它日,行东御墙外,道隘,孟𫖯马跌,堕于河;僧格闻之,言于帝,移筑御墙稍西二丈许。

帝闻孟𫖯素贫,赐钞五十锭。

初,纳颜将叛,阴遣使结额布罕、腾勒噶,奇彻亲军卫指挥使托克托呼执之,尽得其情以闻。'诏腾勒噶入朝。将由东道进,托克托呼言于北安王曰:"彼分地在东,脱有不虞,是纵虎入山林也。"乃命从西道。既而有言额布罕叛者,众欲先闻于朝,然后发兵,托克托呼曰:"兵贵神速,若彼果叛,我军出其不意,可即图之,否则与约而还。"即日起行,疾驱七昼夜,渡图呼喇河,战于托集岭,人败之,额布罕仅以身免。

秋,七月,癸巳,纳颜馀党犯咸平,辽东道宣慰使达春,从皇子爱额齐合兵出沈州进讨。

初,帝命达春领军一万,与爱额齐同力备御纳颜。女真、(水)〔硕〕达勒达官民与纳颜连结,达春遂弃妻子,与麾下十二骑直抵建州,距咸平千五百里,与纳颜党达萨巴图尔等合战,两中流矢。继知其党特尔格、素尔齐等欲袭皇子,乃以数十人退,战千馀人,扈从皇子渡辽水。纳颜军来袭,达春转斗而前,射其酋特古岱,堕马死,追兵乃退。遂军懿州。州老幼千馀人,焚香罗拜道旁,泣曰:"非宣慰公,吾属无遗种矣。"

达春军至辽西(罢)〔黑〕山北小龙泊,得叛酋史图凌岱、卢全等纳款书,期而不至,达春即遣将讨擒之,又获其党王萨布。复与库锡尔等战,破之。将士欲俘掠,达春一切禁止,与签院汉瓜、监司托克托岱追纳颜馀党,北至金山,悉平之。

丁酉,弘州匠官以犬、兔毛制如西锦者以献,授匠官知弘州。

戊戌,枢密院奏签征缅行省事哈萨尔哈雅言:"比至缅国,谕其王赴阙,彼言邻番数叛,未易即行,拟遣使奉表赍土贡入觐。"

八月,乙丑,帝至自上都。

以托曼达尔为都元帅,将四川兵五千赴缅省,仍令其省驻缅近地,以俟进止。

己巳,谪从叛诸王,赴江南诸省从军自效。谕镇南王托欢,禁戢从征诸王及省官与(鲁齐)〔鄂啰齐〕等:"毋纵军士焚掠,毋以交趾小国而易之。"

九月,庚子,禁市毒药者。

丁未,安南国遣使贡方物。

戊申,咸平、懿州、北京,以纳颜叛,民废耕作,又霜雹为灾,告饥;诏以海运粮五万石赈之。

壬子,禁沮挠江南茶课。

冬,十月,戊午朔,日有食之。

甲子,僧格言:"中书省旧在大内,前阿哈玛特移置于此,请仍旧为宜。"从之。

丙子,僧格奏参知政事郭佑、杨居宽坐亏负中书钱谷,并弃市,人皆冤之。当僧格之诬杀佑与居宽也,刑部尚书博果密争之不得,僧格深忌之,尝指博果密谓其妻曰:"它日籍我家者,此人也。"因其退食,责以不坐曹理务,欲加之罪,遂以疾免。帝还自上都,其弟额埒璘班侍坐輦中,帝曰:"汝兄必以某日来迎。"博果密果以是日至。帝见其癯甚,问其禄几何,左右对以满病假者例不给,帝念其贫,命尽给之。

僧格威焰方炽,参议尚书省事唐仁祖议论不回,屡忤僧格,人皆危之,仁祖自若也。迁工部尚书,僧格以漕务烦剧,特重困之,仁祖处之甚安。寻出使云中,僧格(攻)〔考〕工部织课稍缓,怒曰:"误国家岁用。"遣骑追还,命直吏拘往督工,且促其期曰:"违期,必置汝于法。"左右皆为之惧。仁祖退,召诸直长,从容谕之曰:"丞相怒在我,不在尔也。汝等勿惧,宜力加勉。"众皆感激,昼夜倍其功,期未及而办,僧格不能加罪。

乙酉,帝谕翰林诸臣:"以丞相领尚书省,汉、唐有此制否?"咸对曰:"有之。"翌日,左丞叶李以所对奏闻,且言:"前省官不能行者,平章僧格能之,宜为右丞相。"帝然之。

丙(辰)〔戌〕,范文虎言:"豪、懿、东京等处人心未安,宜立省以抚绥之。"诏立辽阳等处行尚书省。

十一月,壬辰,以僧格为尚书省右丞相兼统制院使,领功德使司事。于是,僧格请以平章特穆尔代其位,阿喇根萨里为平章政事,叶李迁右丞,参政马绍为左丞。绍为参政时,有信州三务提举杜璠者,言至元钞公私未便,僧格怒,欲当以重罪。绍从容言曰:"国家导人使言,可采,用之,不可采,亦不之罪。今重罪之,岂不与诏书违戾乎!"璠得免罪。至是亲王戍边,其士卒有过支廪米者,有司以闻,帝欲究问加罪,绍言:"方边庭用兵,罪之,惧失将士心。所支逾数者,当后年之数可也。"从之。

辛丑，改卫尉院为太仆寺，仍隶宣徽院。

己酉，诏议弭盗。僧格、伊苏特穆尔言："江南归附十年，盗贼迄今未靖，宜立限招捕，而以安集责州县之吏，其不能者黜之。"叶李言："臣在漳州十年，详知其事，大抵军官嗜利与贼通者，尤难弭息。宜令各处镇守军官，例以三年转徙，庶革斯弊。"帝皆诏行之。

江淮行尚书省参知政事高兴，讨婺州盗柳分司，擒斩之。会丁母忧，诏起复，讨处州盗詹老鸹、温州盗林雄。兴潜出青田，捣其巢穴，战于叶山，擒老鸹及雄等二百馀人，斩于温州市。又奉省檄平徽州盗汪千十等。

广东盗起，寇肇庆，其魁邓太獠居前寨，刘太獠居后寨，相依以为固。湖广行省左丞刘国杰趣捣后寨，破之，遂拔前寨，擒斩邓、刘二人。捕民结贼者，皆杖杀之。

十二月，丁卯，减扬州省岁额米十五万石，以盐引五十万易粮。免浙西鱼课三千锭，听民自渔。

癸酉，诸王锡勒图部雨土七昼夜，没死羊畜。

丁丑，以朱清、张瑄海漕有劳，遥授宣慰使。

镇南王托欢以诸军征安南，次思明州，留兵二千五百人，命万户贺祉统之，以守辎重。程鹏飞、鄂啰、哈达尔以汉券兵万人由西道永平，鄂啰齐以万人从镇南王由东道女儿关以进。阿巴齐以万人为前锋，乌讷尔、樊楫以兵由海道经玉山、双门、安邦口，遇交趾船四百馀艘，击之，斩四千馀级，生擒百馀人，夺其船百艘，遂趣交趾。程鹏飞、鄂啰、哈达尔经老鼠、陷沙、茨竹三关，凡十七战，皆捷。是月，镇南王次茅罗港，交趾兴道王遁。攻浮山寨，拔之。又命鹏飞、阿尔以兵二万人守万劫，且修普赖山及至灵山木栅。命乌讷尔将水兵，阿巴齐将陆兵，径趣交趾城。镇南王以诸军渡富良江，次城下，败其守兵。陈日烜与其子弃城，走敢喃堡，诸军攻下之。

至元二十五年 【戊子，1288】 春，正月，陈日烜复走入海。镇南王以诸军追之，不及，引兵还交趾城。令乌讷尔将水军迎张文虎等粮船，又发兵攻其诸寨，破之。

己丑，诏江淮省内外并听蒙古岱节制。

辛卯，尚书省言："初以行省制丞相与内省无别，罢之。(令)〔今〕江淮平章政事蒙古岱所统，地广事繁，宜依前置丞相。"从之。诏以蒙古岱为右丞相。

毁中统钞板。

戊戌，大赦，弛辽阳渔猎之禁，惟毋杀孕兽。

壬寅，贺州贼七百馀人焚掠封州诸郡，循州贼万馀人掠梅州。

癸卯，哈都犯边，敕发兵从诸王珠纳北征。

甲辰，伊苏布哈谋叛，逮捕至京师，诛之。

丙午，畋于近郊。

己酉，发海运米十万石，赈辽阳省军民之饥者。

癸丑，募民能耕江南旷土及公田者，免其差役三年，其输租免三分之一。

江淮行省言："两淮土旷民寡，兼并之家皆不输税。又，管内七十馀城，止屯田两所，宜增置淮东、西两道劝农营田司，督使耕之。"从之。

僧格以甘肃行省特穆格无心任事，又不与协力，奏以雅岱代之。未几，又以江西行省平

4543

章呼图特穆尔不职,奏罢之。兵部尚书呼图达尔不勤其职,僧格殴罢之而后奏。帝曰:"若此等不罪,汝事何由得行也!"

二月,丁巳,改济州漕运司为都漕运司,并领济之南、北漕,京畿都漕运司惟治京畿。

戊午,以右丞叶李为平章政事,李固辞,许之;赐以玉带,视秩一品,又赐平江、嘉兴田四顷。

庚申,司徒萨里曼等进读《祖宗实录》。帝曰:"太宗事则然,睿宗少有可易者,定宗固日不暇给;宪宗汝独不能忆之耶? 犹当询诸知者。"

壬戌,敕江淮勿捕天鹅,弛鱼泺禁。

丙寅,改南京路为汴梁路,北京路为武平路,西京路为大同路,东京路为辽阳路,中兴路为宁夏府路。

嘉木扬喇勒智言:"以宋宫室为塔一,为寺五,已成。"诏以水陆地百五十顷养之。

征葛洪山隐士刘彦深。

辛巳,以杭州西湖为放生池。

壬午,命皇孙云南王额森特穆尔帅兵领大理府等处。

三月,戊子,帝还宫。

淞江民曹梦炎愿岁以米万石输官,乞免它徭,且求官职。僧格以为请,乃遥授浙东道宣慰副使。

庚寅,帝如上都。

故事,枢密院官俱从行,岁留一人领院事,汉人不得与。至是以属判官郑制宜,制宜逊辞,帝曰:"汝岂汉人比耶!"竟留之。制宜,鼎之子也。

江淮行省蒙古岱,言宜除军官更调法,死事者赠散官,病故者降一等,帝曰:"父兄虽死事,子弟不胜任者,安可用之! 苟贤,则病故者亦不可降也。"

辛卯,造尚书省。

壬寅,礼部言:"会同馆,蕃夷使者时至,宜令有司仿古《职贡图》,及询其风俗、土产、去国里程,籍而录之,实一代之盛事。"从之。

甲寅,循州贼万馀人寇漳浦,泉州贼二千人寇长泰、汀、赣,畲贼千馀人寇龙溪,皆讨平之。

镇南王托欢复遣兵追陈日烜于海,不知所之。乌讷尔不见张文虎船,复还万劫。右丞相阿巴齐曰:"贼弃巢穴远遁,意待吾之敝而乘之。将士皆北人,春夏之交,瘴疠将作,馈饷且尽。今出兵分定其地,招降纳附,勿纵士卒侵掠,急捕日烜,此策之善者也。"时日烜复遣使请降以款师,诸将信其说,久之不降,拥众据海口。阿巴齐率众攻之,将士多被疫,不能进。诸蛮复叛,所得险隘皆失守,遂谋引还。

日烜复集散兵三十万守御东关,遏托欢归路,诸军且战且行,日数十合。贼据险发毒矢,将士裹疮以战。樊楫、阿巴齐皆死。前军锡都尔奋勇乘之,交人小却。托欢由单已县趣盝州,间道以出,次思明州,命安噜引兵还云南,鄂啰齐以诸军北还。日烜寻遣使来谢,进金人代己罪。帝以托欢无功而还,令出镇扬州,终身不容入觐。

夏,四月,辛酉,僧格言:"自至元丙子置应昌和籴所,其间必多盗诈,宜加钩考。屡从之臣,种地极多,宜依军站例,除四顷之外,验亩征租。"并从之。

癸亥,浑河决,发军筑堤捍之。

癸酉,尚书省言:"近以江淮饥,命行省赈之,吏与富民因缘为奸,多不及于贫者。今杭、苏、湖、秀四州复大水,民鬻妻女易食,请辍上供米二十万石,审其贫者赈之。"帝是其言。

甲戌,万安寺成,佛像及窗壁皆金饰之,凡费金五百四十两有奇,水银二百四十斤。

增立直沽海运米仓。

命征交趾诸军还家,休息一岁。

敕缅中行省:"比到缅中,一禀云南王节制。"

庚辰,安南国王陈日烜遣其中大夫陈克用来贡方物。

甲申,诏皇孙特穆尔抚诸军,讨叛王和尔果斯、哈坦、图噜罕。

广东民董贤举,循州民钟明亮,各拥众万馀相继起,皆称"大老",明亮势尤猖獗。诏遣江浙行省丞相蒙古岱、行枢密使页特密实发四省兵讨之。

湖南盗詹一仔,诱衡、永、宝庆、武冈人啸聚四望山,久不能讨。行省左丞刘国杰帅师击破之,斩首盗,馀众悉降。将校请曰:"此辈久乱,急则降,降而有衅,复反矣,不如尽坑之。"国杰曰:"多杀不可,况杀降也!"乃相要地为三屯,迁其众守之,每屯五百人以备贼,且垦废田榛棘,使贼不得为巢穴。降者有故田宅,尽还之,无者使杂耕屯中。后皆为良民。

五月,戊子,诸王察克子库库岱叛,绰和尔执之以来。

乙未,僧格言:"中统钞行垂三十年,省官皆不知其数。今已更用至元钞,宜差官分道置局,钩考中统本。"从之。

壬寅,铸浑天仪。

乙巳,罢兴州采蜜。

癸丑,迁四川省治重庆,复迁宣慰司于成都。

六月,癸未,处州贼柳世英寇青田、丽水等县,浙东道宣慰使史耀讨平之。

秋,七月,丙戌,以南安、瑞、赣三路连岁盗起,民多失业,免逋税万二千六百石有奇。

中书右丞相安图见天下大权尽归尚书,屡求退,不许。八月,丙辰,诏安图以本部集赛蒙古军三百人北征。

癸亥,尚书省成。

庚辰,分万亿库为宝源、赋源、绮源、广源,与万亿共为五库,从僧格请,营之禁中,以贮币帛。

九月,南台御史中丞刘宣自杀。时行省丞相蒙古岱,悍戾纵恣,常虑台臣纠劾其罪,而尤畏宣,日遣人入建康侦伺台中违失,台臣皆惮之,恳求自解。惟宣屹不为动,蒙古岱益忌之,因罗织宣罪,逮系其子孙于狱,又令人妄言宣沮坏钱谷。事闻,遂使置狱行省,鞫治之,宣及御史六人俱就逮。既登舟,行省以军船列兵卫驱迫之,至则分异各处,不使往来,宣不胜愤,遂自刭于舟中。

始,宣将行,以一缄付从子自诚,令勿启视。宣死,视其书云:"触怒大臣,诬构成罪,岂能与经断小人交口辨讼,屈膝为容于怨家之前!身为台臣,义不受辱,当自引决,但不获以身徇国为恨耳!"且言别有公文言蒙古岱罪状,后得其藁,涂注句抹,辞句难辨,前治书侍御史霍肃为叙次其文,读者悲愤。宣既引决,行省白于朝,以为宣罪重自杀,前后构成其事者,郎中张斯立也。宣忠义节操为世所重,闻者莫不嗟悼。其后自诚以宣行实上闻,赠御史中丞,谥忠宪。

壬辰,帝至自上都。

召江淮行省参政董文用为御史中丞。

文用至,曰:"中丞不当理细务,吾当先举贤才。"乃举胡祇遹、王恽、雷膺等十馀人为按察使,又举徐炎、魏初为行台中丞。当时以为极选。

癸卯,置征理司,专治合追财谷,以甘肃行省参政图喇延哈、签省吴诚并为征理使。自立尚书省,凡仓库诸司,无不钩考。先摘委六部官,至是僧格复以为不专,请置征理司,日以理算为事,毫分缕晰,司钱谷者无不破产,及当更代,人皆弃家避之。

庚戌,太医院新编《本草》成。

冬,十月,庚申,遣使钩考诸路钱谷。僧格言:"湖广钱谷,已责平章约苏穆尔自首偿矣。它省欺盗者必多,请以省院台官实都、王巨济、阿萨尔、何荣祖、昭噜呼齐图呼鲁、李佑、吉丁、戎益、崔彧、燕真、安祐、巴延等十二人,理算江淮、江西、福建、四川、甘肃、安西六省,每省各二人,特给与印章,给兵以备使令,且以为卫。"帝皆从之。

僧格尝奏上都留守司钱谷多失实,召留守喇呼尔、贺仁杰廷辩。仁杰曰:"臣汉人,不能禁吏戢奸,致钱谷耗损,臣之罪。"喇呼尔曰:"臣为长,印在臣手,事未有不关白而能行者,臣之罪。"帝曰:"以爵让人者有之,未有争引咎归己者,其置勿问。"

帝追念商挺,问董文用曰:"商孟卿今年几何?"对曰:"八十。"帝甚惜其老而叹其康强。挺旋卒。后追赠鲁国公,谥文定。

丙寅,赐瀛国公赵㬎钞百锭。

湖广省言:"左右江口谿峒蛮獠置四总管府,统州县峒百六十,而所调官畏惮瘴疠,多不敢赴,请以汉人为达噜噶齐。军官为民职,杂土人用之。"就拟瓜勒佳素赫等七十四人以闻,从之。

大同民李伯祥、苏永福八人,以谋逆伏诛。

庚午,哈都犯边。

丙子,始造铁罗圈甲。

遣瀛国公赵㬎学佛法于土番。

己卯,诏免儒户杂徭。

僧格请令集贤院诸司,分道钩考江南郡学田所入羡馀,贮之集贤院,以给多才艺者。从之。

十一月,壬午,巩昌路荐饥。免田租之半,仍以钞三千锭赈其贫者。

丁亥,以山东按察使何荣祖为中书省参知政事。

修国子监以居胄子。

禁有分地臣私役富室为柴米户及赋外杂徭。

柳州民黄德清叛,潮州民蔡猛等拒杀官军,并伏诛。

己亥,命李思衍为礼部侍郎,充国信使;以万努为兵部郎中,副之,同使安南,谕陈日烜亲身入朝,否则必再加兵。

时有佞谀者,讽大都民史吉等请为僧格立石颂德,帝曰:“民欲立则立之。”仍以告僧格,使其喜也。于是翰林制文,题曰“王公辅政之碑”。

僧格恩宠方盛,自近戚、贵人见之,皆屏息逊避,董文用独不附之。僧格令人讽文用颂己功于帝前,文用不答;僧格又自谓文用曰:“百司皆具食丞相府,独御史台未具食耳。”文用亦不答。

辛丑,马八儿国遣使来朝。

初,帝遣荆湖、占城行省参知政事伊赫密实使马八儿国,取佛钵舍利。浮海阻风,行一年乃至,得其良医善药,遂与其国人来贡方物,又以私钱购紫檀木殿材,并献之。尝侍帝于浴室,问:“汝逾海者凡几?”对曰:“臣四逾海矣。”帝悯其劳,遥授江淮行尚书省左丞、行泉府大卿。

甲辰,僧格以总制院统西蕃诸司军民钱谷,事体甚重,宜有以崇之,奏改为宣政院,秩从一品,用三台银印,帝从之。命僧格以本官兼宣政使、领功德司使事。

十二月,丁巳,哈都兵犯边,巴图额森托迎击,死之。

朔方军兴,粮糗粗备,而诛责愈急,董文用谓僧格曰:“民急矣,外难未解而内戕其根本,丞相宜思之!”又持外郡所上盗贼之目,谓之曰:“百姓岂不欲生养安乐哉？急法苛敛,使至此耳。御史台所〔以〕〔救〕政事之不及者,丞相当助之,不当抑之也。御史台不得行,则民无所赴诉而政日乱,将不止台事不行也。”浸忤僧格意,撼拾台事百端,文用日与辩论,不为屈。于是具奏僧格奸状,帝报之,语秘,人莫(间)〔闻〕。僧格日诬谮文用于帝曰:“在朝惟董文用戆傲不听令,沮挠尚书省,请痛治其罪。”帝曰:“彼御史职也,何罪！且文用端谨,朕所素知,汝善视之！”旋迁大司农。时欲夺民田为屯田,文用固执不可,复迁翰林学士承旨。

先是安图将兵临边,为实里吉所执,一军皆没。至是八邻来归,从者凡三百九十人,赐钞万二千五百一十三锭。

辛未,僧格言:“分地之臣,例以贫乏为辞,希觊赐与。财非天坠地出,皆取于民,苟不慎其出入,恐国用不足。”帝曰:“自今不当给者,汝即画之,当给者宜覆奏,朕自处之。”

乙亥,湖头贼张治团掠泉州,免泉州今岁田租。

丙子,伊苏布哈以实勒们叛,甘肃行省官合兵讨之,皆自缚请罪。独实勒们以其属西走,追获之,以归京师。

先是宋供奉汪元量从三宫入燕,授瀛国公书。帝闻其能琴,尝召入禁中,令鼓琴,称善。元量乞归,许之。是冬,元量归杭州,具言:“谢太后临殁遗言,欲归葬绍兴。全太后为尼。瀛国公学佛,号木波讲师。”遗老闻之,有泣下者。

是岁,汴梁路阳武、襄邑、太康、通许、杞、考城、陈留等县,陈、颍二州,河决凡二十二所,漂荡麦禾、房舍,委宣慰司督本路差夫修治。

有小吏诬告漕司刘献盗仓粟。僧格方事聚敛,众阿其意,锻炼枉服。刑部尚书列斯哩卫曰:“刑部天下持平,今辇毂之下,漕臣以冤死,何以正四方乎！”即以实闻。以是忤僧格,出为江东道宣慰使。在官务兴学,诸生有俊秀者,拔而用之。为政严明,豪民猾吏缩手不敢犯,然亦无所刑戮而治。

初，皇孙抚军于北，诏以托克托呼从，追纳颜馀党于哈喇温之地，诛叛王乌塔哈，尽降其众。至是诸王额斯尔为叛王和尔哈斯所攻，遣使告急，复从皇孙移师援之，败诸呼噜辉。还至哈喇温山，夜渡贵烈河，败叛王哈坦，尽得辽左诸部，置东路万户府。帝多其功，以额斯尔女弟妻之。

先是，帝命江西行省蒙古岱召谢枋得，执手相勉劳。枋得曰："上有尧、舜，下有巢、由。枋得姓名不祥，不敢赴召。"蒙古岱义之，不强也。既而福建行省管如德，将旨如江南求人材，尚书留梦炎以枋得荐，枋得遗书梦炎曰："江南人材，未有如今日之可耻。《春秋》以下之人物，本不足道，今求一瑕吕饴甥、程婴、杵臼厮养卒，不可得也。纣之亡也，以八百国之精兵，不敢抗二子之正论，武王、太公凛凛无所容，急以兴灭断绝谢天下，殷之后遂与周并立。使三监、淮夷不叛，武庚必不死，殷命必不黜。夫女真之待二帝亦惨矣，而我宋今年遣使祈请，明年遣使问安。王伦一市井无赖狎邪小人，谓梓宫可还，太后可归，终则二事皆符其言。今一王伦且无之，则江南无人材可见也。吾年六十餘矣，所欠一死耳，岂复有他志哉！"终不行。

【译文】

元纪六　起丁亥年（公元1287年）正月，止戊子年（公元1288年）十二月，共二年。

至元二十四年　（公元1287年）

春季，正月，戊辰（初七），疏通河西务漕运水道。

丙戌（二十五日），任用程鹏飞为中书右丞，阿尔为中书左丞。丁亥（二十六日），任用布颜里哈雅为参知政事。

派遣新附军千人，跟随阿巴齐征讨安南。

重新把江浙行省改为江淮行省。

辛卯（三十日），下诏派遣江淮、江西、湖广三省蒙古、汉券军七万人，船五百艘，云南兵六千人，海外四州黎兵一万五千人，命令海道运粮万户张文虎、费拱辰、陶大明运送食粮十七万石，分数路进发。设立征交趾行省，任鄂啰齐为平章政事，乌讷尔、樊楫为参知政事，统领该行省，均受镇南王节制。

二月，甲午（初三），射猎于近郊。

乙未（初四），任命敏珠尔卜丹为平章政事。

甲辰（十三日），任命范文虎为中书右丞，商议枢密院事。

壬子（二十一日），中书省奏称："从正月初一到二月中旬，已经用掉钞币五十万锭。臣等兼总管全国财赋，自今开始，凡侍臣们奏请赏赐，请陛下命臣等先商讨一个意见。"皇帝说："这正是朕应考虑的。"于是，面谕伊实特穆尔和伊彻察喇二人主管此事。

戊午（二十七日），命赵与芮之子赵孟桂承袭平原郡公爵位。

宗王纳颜派遣使者去征召辽东之兵。皇帝听到后，马上诏谕栋摩特穆尔不要马上派兵。还在以前纳颜镇守辽东时，北京宣慰使伊列萨哈就察知他心怀不轨，密奏皇帝注意监视防范。皇帝向来认为伊列萨哈的看法有道理，因而，才有以上诏谕。

闰二月，癸亥（初二），敕令："春、秋两季第二个月的第一个丙日祭祀帝尧。"

西京等地区负责征收赋税的官员马合谋，自己声称每年用西京、平阳、太原几处征收后结余的钱购买上千头马匹骆驼缴入官府,而实际是盗用官款购买的。经查问属实,依法处死。

乙丑(初四),重新建立尚书省。任命僧格与特穆尔一起担任平章政事,任命鄂尔根萨里为右丞,叶李为左丞,马绍为参知政事。

此月,皇帝射猎于京城近郊。召见敏珠尔卜丹、特穆尔、杨居宽等人,同叶李、程文海、赵孟頫讨论有关纸钞发行管理的法规。敏珠尔卜丹认为:"从制国用使司改为尚书省管理后,成效甚为显著,当今还是按两省区分适当。"皇帝同意,便下了诏令。

安图规劝皇帝说:"臣下能力差,难以回天,只是请求不要任用僧格,应该选择有道德有才能的贤者,这样或许不至于误国害民。"皇帝不听。右丞相鄂尔根萨里虽然也同僧格共事,可他自己始终保持廉正,对僧格的作为多次直言规劝。左丞相叶李一再要求辞去任命,说:"依臣下的资格,不适宜一下提拔到左丞位置。"皇帝对他说:"商汤起用伊尹,周文王起用太公,哪里是遵循什么资格啊! 尚书左丞关系到天下的轻重,朕既然请你担任,你就不要推辞。"遂即赐给叶李大小车各一辆,准许他乘小车到宫内,依旧可以由人挽扶升殿。

辛未(初十),将重新设置尚书省的事诏告天下。除去行省与中书议行建制,其余一齐听从尚书省便宜行事。这个重置尚书省的诏书是赵孟頫起草的,皇帝看后,高兴地说:"这诏书把朕想说的都写出来了。"

起初,太宗设置了国子总教官职,到了至元初年,用许衡为祭酒,可上学的侍臣子弟不过十几人。许衡走后,教学日益荒废,而学舍仍未建立,老师和学生寄住在居民房屋,对此,司业耶律有尚多次提出。直到现今,方才设立国子监这个机构,设置监丞、博士、助教等职位,弟子生员增到一百二十人,蒙、汉生员各一半,由公家供给课簿、饮食,遂即任命耶律有尚为祭酒。

设置江南各路儒学提举司。当时江南各县均置教谕之职二人;又根据廷臣请求,各道设置提举司,设提举儒学二人,主管各路、府、州、县学有关祭祀和钱粮事项。学校由荒废到复兴,这实际是叶李倡导的结果。

乙酉(二十四日),镇南王托欢受命调防南京。

范文虎改授尚书右丞,商议枢密院事。

将行中书省改为行尚书省,原中书六部改为尚书六部。任命吏部尚书实都为尚书省参知政事。

庚寅(二十九日),皇帝去上都。

达噜哈齐、哈喇哈斯等上言:"去年讯察囚犯判决的情况,仅南京、济南两个地区,应处死的就有一百九十人。如果总计各地区,那人数就更多,应该派遣行刑者分道去执行才是。"皇帝说:"囚犯又不是羊群,怎么能匆匆杀死! 应该马上把他们发配为奴隶前去淘金。"

任命礼部主事王约为监察御史。王约上疏请求建立储君和撰修历史,又谈到前任中丞郭佑因奏请处死卢世荣,招致僧格嫉恨,以致捏造罪名受到陷害,郭佑冤屈应予昭雪。但奏章未被报到皇帝那里。

三月,甲午(初四),发行至元宝钞。

僧格认为交钞和中统元宝钞通行已久,形成了物品与纸币重轻不平衡,建议更新纸币,发行至元宝钞。从一贯钱到五十文，共分十一等，每一贯至元钞当中统钞五贯，二者相权而行，关键在于不滥发新钞，旧钞照旧通行。凡是作为每年赏赐、周济贫乏和军队粮饷，都以中统钞为准。

皇帝下诏，叫百官在刑部集会论议此事，赵孟頫也参加了。众官打算拟定贪赃满二百贯至元钞者给以死刑，赵孟頫说："开始造中统钞时，以银为本位，纸币发行额与钞本相适应，到现在二十多年，物重钞轻，相差多至数十倍，所以要更换中统纸币为至元纸币；再过二十年，至元新钞也就如同现在的中统纸币，让百姓依据纸币数值论罪，我觉得太重。在古代，人们认为米、绢为民生所必需，称之为二实，银、钱同米、绢相权而行，称之为二虚，这四样东西的价值，虽然有时发生升降变化，毕竟相差不大。所以，计算贪赃，用绢最为适合，更何况钞票是宋朝时创造，应用于边疆郡县，金人也相袭应用，这都是出于不得已。而要用它来决断人的死活，看来不妥。"当时集议的百官中，有人以为赵孟頫年轻，刚从南方来，就进谏国法不合适，心里颇为不满，指责他说："现今圣朝发行至元钞，所以犯法者以至元钞计算赃款论定罪之轻重。你认为不对，难道是想败坏和抵制至元钞吗？"赵孟頫说："法者，人命所系，立法不当，则人不当死而死。我既然奉皇帝诏命参加会议，就不敢不讲话。现今中统钞贬值，才改发至元钞，如果说至元钞永远不会贬值，哪里有这种道理？您不揆度事理，企图以权势相欺压，这合适吗？"指责赵孟頫的人听了面有愧色。

丙辰（二十六日），下令都水监开挖汶水、泗水，使其水流到京师。

汴梁河河水泛滥，动用民夫七千人，修复该河旧堤。

夏季，四月，宗王纳颜反叛，诸王诺延等都起而响应。皇帝就此询问侍卫士阿实克布哈："应采取什么对策？"回答说："臣下以为不如首先安抚诸王，再进行征讨，这样反叛的势力自然就孤立了。"皇帝说："好，你就照这办法替朕去办！"阿实克布哈马上出发北上游说诺延："大王您听到纳颜反叛没有？"诺延说："我没听说啊！"阿实克布哈马便说："我听说大王您等都愿为纳颜做外应，可现在纳颜已经投案自首了，这是大王您自己与皇帝抗争。幸亏皇上圣明，知道这并不是大王您的本心，因而置之不问，可是下面的一些大臣却不能不有疑问。大王您为了万全之计，怎么不去见皇帝亲自表白陈述啊！"诺延听了很高兴，就答应了。这样，诸王联合反叛的谋划就完全瓦解。

阿实克布哈回来报告后，皇帝于是计划亲自率兵征讨，命令征召辽阳的军队，叫千户带领锡保齐的部众随行。阿实克布哈看到大同、兴和两郡，当皇帝车驾经过帷台岭时，接连数十里不见居民，因请皇帝下诏令有司在岭中建立居室，迁徙城中百户民众居住，将该境以内的锡保齐牧地割让出来，叫人们种田自己养活自己，皇帝同意了这个建议。阿实克布哈宣授管领锡保齐之职后，皇帝又想全部迁移兴和、桃山两郡数十村百姓，将迁出后的地方作为锡保齐牧地。阿实克布哈坚持请求保存三千户居民以供给猎鹰的食物，皇帝对此都听取采纳，老百姓感戴阿实克布哈的恩惠，每逢饮食就进行祭祀。所谓锡保齐，就是打捕鹰房的执役人员。

五月，己亥（初九），派遣额森告谕北京等处的宣慰司："凡是隶属于纳颜的部下，禁止他们相互往来，不许他们乘马，手持弓箭。"

壬寅（十二日），处死御史台吏员王良弼。

僧格曾奉旨检察核实中书省政事,共查对出亏欠款钞四千七百七十锭,昏旧破损的钞币一千三百四十五锭,平章敏珠尔卜丹随即认罪。参政杨居宽稍有辩解,说他实际掌握人事选察,财务之事并不专管,僧格就下令左右随从拳击其面,并且问道:"你既执掌官吏选拔,难道就没有升降失当的吗!"杨居宽不久也承认有罪。参议伯降以下各官员,凡在核查钱谷中有怠惰失责短缺丢失等事,以及参议王巨济对发行新钞有意见因而违抗圣旨,都自认有罪。为此,皇帝令丞相安图和僧格共议,并告谕:"不要让敏珠尔卜丹等人将来能以逼供胁迫做借口,这一群都是狡狯的人哪!"过了几天,僧格又上言:"臣讯问中书参政郭佑,多有亏欠事,郭佑空占其位,以病推托。臣说他'中书的事务荒废到如此地步,你力不能及,为什么不告诉蒙古大臣?'因而臣殴打和辱骂他,现在他已老实认罪。"皇帝命令对郭佑要追问到底。王良弼曾对人说:"尚书省核查中书省钱谷事不遗余力,如果我工作到将来一天,能揭发尚书省违法谋利之事,很容易把他们处死抄家。"僧格听到后,逮捕了王良弼,经审问,王良弼承认有罪。僧格称,这等人任意诽谤,不杀不能惩戒后者,便将王良弼处死,没收其家产。

还有一个叫吴德的人,曾当过江宁县的达噜噶齐,因为求取功名没达到,私下与人非议时政。并说:"今天尚书核查中书的弊端,将来会反过来被中书核查,难道就你一个人不死吗?"有人将此事报告僧格,僧格立即将吴德逮捕审问杀掉,其妻、儿也被押进官府。

采用僧格意见,设置上海、福州两个万户府,以调节锡布鼎、乌讷尔等海运船。户部和工部各增加尚书两名。开始建立行泉府司,专门掌管海路运输,于是结束从东平河运粮。随即又在河西务设置漕运司,负责接运南来粮食之事。

皇帝亲自领兵征讨纳颜,发兵上都,收缴江南和尚、道士的马匹。命令范文虎率领卫军五百人镇守平滦,任命奇彻为亲军都指挥使,伊苏岱尔、右卫签事王通为副使。

同知留守兼少府监事王思廉,对留守丹津说:"藩王造反,是因为封地太大。汉代晁错削夺诸王封地的策略,确实是好办法,你何不对皇帝说说。"丹津就把听到的告诉皇帝,皇帝说:"你怎么可能想出这样的主意?"丹津就回答是思廉说的,皇帝表示赞许。

壬子(二十二日),行尚书省平章政事高丽国王王賰请求增派军队征讨纳颜,派五百人奔赴前往。

行尚书省左丞相阿珠接受皇帝之命西征,到了哈喇霍州,因病去世。阿珠继祖父苏布特、父亲乌兰哈达之后出任将帅,沉着机智有谋略,临阵勇敢决断,祖孙三代都以功名获得高官。后来被追封为河南王。

六月,庚申朔(初一),百官因职守关系不能跟从世祖征讨纳颜,各自献出马匹,用来赠给卫士。

壬戌(初三),皇帝来到萨尔都噜的地方,纳颜率领自己的部队六万人,直逼皇帝驻地摆开阵势,皇帝派遣左丞相李庭等率领汉军,用汉人兵法作战。不久,纳颜的党羽金嘉努、塔布岱聚结兵众,号称十万,进逼皇帝的乘车。皇帝亲自指挥各军进行包围,纳颜坚守营垒,拒不出战。司农卿特尔格建议说:"敌军众多,我军人少,可以使用疑兵以退敌兵。"于是皇帝令人撑起自己的车盖,靠着胡床坐下,叫特尔格向前敬酒。塔布岱按兵不动,偷偷观看,终不敢下令进兵。李庭说:"敌人到夜里就要跑了。"于是率领壮士十余人,带着火炮在夜间进入他们阵地,引发炮火,敌人果然自行溃散。皇帝于是问道:"你怎么知道敌人会这样?"李庭回答:

"敌人兵虽多而无纪律,见皇上车驾停靠在此而不打,必然怀疑有大军接应,所以料到他们会逃跑。"皇帝于是命令李庭指挥汉军,御史大夫伊实特穆尔指挥蒙古军,齐头并进,追到实列门林,将纳颜活捉献上,随即处死。

当初,潞州靳德进精通星相历法,所讲的吉凶祸福每每应验,他时常用天象的变异向皇帝进行规劝,使政事多有补益,也因此不断被提拔,直至担任秘书监,掌管历象之事。这时他随从征讨纳颜,揣测天时,大多恰合时机,不少将领一心想剿灭纳颜党羽,靳德进却单独陈述天道的好生为德,请求暂缓进兵而等待他们归顺。皇希称赞并采纳了他的意见。

李庭带兵征讨纳颜时,其将校多为蒙古人或纳颜的相好,对阵时常常勒住马首相互对答,随即放下兵刃不再交手,徘徊而退。皇帝为此担忧。

蒙古西征武士像

叶李便秘密地对皇帝说:"用兵不在于人多,而贵在出其不意,临阵之时应当用计谋取胜。他们既然这样亲昵,谁还肯尽力作战!简直是白白耗费陛下粮饷,致使四方转运极为劳苦。臣下请求用汉军列阵在前面进行步战,在步兵后则用相连的大车隔断他们退路,以示决一死战。敌人既然过去忽视我们,就必不设防戒备,我们用众多步兵使敌兵栽下马来,就没有不胜的。"皇帝采用了他的计谋,果然获胜。

从这以后皇帝越发觉得叶李不一般,常常召见他讨论政事。不久又任命为御史中丞,商议中书省事。叶李辞谢说:"臣下本是个作客在外的人,承蒙皇上宠爱留作顾问,自应竭尽自己忠心。御史台负责监察内外军政大事,臣才浅不足以当此重任。何况臣下过去放逐漳州,一向患有足疾,近年又有加剧!"皇帝笑着说:"你的脚难于行走,心思难道也不能运行吗?"叶李坚持推辞,最后得到允许,于是磕头拜谢说:"臣下现虽不担任这个职务,但御史台乃天子耳目,寻常办理事务,可以上呈中书省。至于像监察御史的奏疏,西南两台的请示,事关军队国家,利害涉及百姓,应该下令怎样便利就怎样申奏,以广视听,不应一一拘于格律,以致成为有名无实。请诏谕台臣上书奏事,各许用袋封缄。"又说:"宪臣以纠弹违错为职责,如果自己不检点,还谈什么纠正弹劾他人!对其中贪婪成性败坏制度的人,应该交付司法衙门加重判刑,以惩罚欺罔之罪。"皇帝同意他的说法,从此台臣奏事可用袋封缄。

皇帝最初想重用赵孟頫,讨论的人认为不合适。此月,授赵孟頫兵部郎中之职。兵部总管天下的驿站。当时使臣过路费用,较前增加几十倍,官吏拿不出供给,便强取于百姓,百姓受不了这种骚扰;兵部便请示中书省,给驿站增加了银钞。

至元宝钞的发行流通不顺畅,皇帝命令派尚书刘宣与赵孟頫乘驿车兼程而进到江南,追究行省怠慢法令的罪过,对左右司官和各路官可径自用竹板责打。赵孟頫回来,却未打一人,僧格便对他大加责备。

当时有个叫王虎臣的人，说平江路总管赵全不遵守法制，便命令王虎臣前去按验，叶李坚持说不适宜派遣王虎臣，皇帝不听。赵孟頫进而上言："赵全理当查究，可王虎臣先前任平江路总管时，屡次强逼购买良田，放任宾客谋取奸利，赵全多次与其争论，王虎臣因而怨恨他，所以王虎臣如去必将陷害赵全。案情即使审查得实，人们也不能不怀疑。"皇帝醒悟，就派了别人去。

僧格每于钟声初响，就已坐在官署，左右司晚到的人都挨竹板。赵孟頫偶尔晚到，断事官立刻叫赵孟頫过去挨板子，赵孟頫于是向右丞叶李诉说："古时刑不上大夫，为的是培养他们懂得廉耻，多行节义。再说侮辱士大夫，也就是侮辱朝廷。"僧格急忙安慰赵孟頫让他出来，从这以后，就只有司吏以下才挨板子。有一天，赵孟頫骑马走到东御墙外，因道路狭窄，马失前蹄，掉在河里，僧格知道后，告诉了皇帝，将御墙向西移筑了两丈多。

皇帝听说赵孟頫素来贫寒，赐给钞五十锭。

当初，纳颜将要叛乱，暗中派使者结交额布罕、腾勒噶，奇彻亲军卫指挥使托克托呼抓住了使者，将口供上报朝廷，皇帝宣召腾勒噶入朝。腾勒噶准备由东道进入，托克托呼就对北安王说："腾勒噶的封地本来在东，稍有不备，等于放虎归山。"因而命令改由西道来。不久，有说额布罕反叛的，众臣打算先报告朝廷，然后再发兵，托克托呼说："兵贵神速，如果他们真的叛乱，我军出其不意，可马上消灭，如果没有叛乱，可与订约而回。"即日起行，急行军七天七夜，渡过图呼喇河，激战于托集岭，大败敌军，只额布罕一人侥幸脱逃。

秋季，七月，癸巳(初四)，纳颜余党进犯咸平，辽东道宣慰使达春，随从皇子爱额齐联合出兵沈州前去讨伐。

最初，皇帝命令达春带领兵士一万人，同爱额齐一起防备抵御纳颜。女真和水达勒达的官民与纳颜相联合，达春便丢下妻儿，带领手下十二骑直奔建州，距离咸平有一千五百里处，与纳颜党羽达萨巴图尔等交战，两次被流箭射中。后来知道其党羽特尔格、素尔齐等想要袭击皇子，便领数十人退却，力战千余敌军，护随皇子渡过辽水。这时纳颜军队前来袭击，达春转身战斗于前，射中酋首特古岱，堕马身亡，追兵才退走。于是进军懿州。该州的老老少少一千多人，烧着香磕拜在道两旁，哭着说："没有宣慰公，我们就断子绝孙了。"

达春率军到辽西黑山北面的小龙泊，收到叛军酋首史图凌岱和卢全等人送来的投诚书。但却不按期而来，达春便派遣军将讨伐将其生擒，捕获其党羽王萨布。重又与库锡尔等交战，大败敌军。手下将士想趁机俘掠人财，达春一律禁止，与签院汉爪、监司托克托岱一起追击纳颜余党，北到金山，将其全部扫平。

丁酉(初八)，弘州管理工匠的官吏用狗、兔毛仿制西锦进献皇帝，授匠官弘州长官之职。

戊戌(初九)，枢密院转达签征缅行省事哈萨尔哈雅的话说："到达了缅国，便告谕该国王来朝廷，对方言称相邻的番邦多次叛乱，难以立即前往，打算派遣使者敬献奏章携带本国所产贡品前来朝见。"

八月，乙丑(初七)，皇帝从上都回来。

任命托曼达尔为都元帅，率领五千四川兵奔赴缅省，仍命令该行省机构驻在缅国附近地方，等待下一步的布置。

己巳(十一日)，贬斥跟随反叛的诸王，去江南各省从军效力。诏谕镇南王托欢，禁止从征诸王和省官鄂啰齐等：“不得纵容士兵焚烧杀掠，不许因为交趾是个小国而轻视它。”

九月，庚子(十二日)，禁止买卖毒药。

丁未(十九日)，安南国派使臣进贡本地名贵物产。

戊申(二十日)，咸平、懿州、北京因纳颜反叛，百姓荒废耕作，又遭受霜雹天灾，请求赈济，诏谕发放海运粮五万石救济。

壬子(二十四日)，禁止扰乱江南茶税的按时按量征收。

冬季，十月，戊午朔(初一)，有日蚀出现。

甲子(初七)，僧格上言：“中书省过去在宫内，以前阿哈玛特将它迁移到这里，请恢复原址为好。”皇帝依从。

丙子(十九日)，僧格奏称参知政事郭佑、杨居宽犯了亏欠中书省钱粮罪，郭佑、杨居宽一起被处死，时人均认为冤枉。在僧格捏造罪状谋害郭佑和杨居宽时，刑部尚书博果密曾经力争，但没有成功，僧格非常忌恨，曾指着博果密对他妻子说：“将来抄没我们家产的，定是这个人啊！”因博果密在家就膳，便责备他不坚持坐班处理事务，想要加罪于他，于是博果密称病而得幸免。皇帝从上都回京，博果密弟弟额埒璘班侍坐于辇车之中。皇帝说：“你哥哥必定在某一天来迎接我。”博果密果然在这一天来到。皇帝见他很瘦，就问他薪水多少，侍卫人员回答说超过病假的按例不发薪。皇帝考虑他贫穷，下令如数发给。

僧格威势正盛之时，参议尚书省事唐仁祖在论事中常坚持己见，屡次顶撞僧格，人们都替他担忧，而唐仁祖还是像平常一样。后来将他迁调为工部尚书，僧格想利用漕务繁重，特意刁难，唐仁祖却安然处之。不久他出使到云中，僧格核查到工部织造局的征税慢了一些，大怒说：“这简直是耽误国家每年用度。”派人骑马将唐仁祖从途中追回，命令当值吏员把他押去督工，并规定期限说：“过了期，必将你依法处置。”左右的人都为他害怕。唐仁祖退下，召集当值官吏，从容不迫地告诉他们说：“丞相怪罪的是我，不是你们。你们不要害怕，应竭尽全力才是。”众人都非常感激，日夜加班，没到期限就征收完毕，僧格也就无法给唐仁祖添加罪名。

乙酉(二十八日)，皇帝诏谕翰林各官员：“由丞相兼管尚书省，汉、唐两朝是否有此制度？”官员们都说：“有此制度。”第二天，左丞叶李将大家的意见告诉皇帝，并且说：“以前尚书省的长官办不到的，平章僧格能够办到，应该担任右丞相。”皇帝认为说得对。

丙戌(二十九日)，范文虎上言，说豪、懿、东京等地方人心尚未安定，应该建立行省以安抚人们，下令建立辽阳等处行尚书省。

十一月，壬辰(初六)，任命僧格为尚书省右丞相兼统制院使，统领功德使司事。于是僧格请求让平章特穆尔接替他原来的职务，阿喇根萨里为平章政事，叶李迁任右丞，参政马绍担任左丞。马绍担任参政的时候，信州三务提举杜璠，曾发表至元钞公私都不方便的言论。僧格大怒，想处以重罪，马绍从容不迫地说：“国家引导人们说话，可以采纳就用，不能采纳的也不加罪。现在对他处以重罪，这不是与诏书的原则相违背吗！”于是，杜璠才免遭处罚。这时亲王卫戍边防，士卒有的超额支领官家供给的粮食，主管部门将情况上报，皇帝想追究治罪。马绍说：“目前边防正在用兵，给以处治，怕会失去将士的忠心，支领超出规定数额的，不妨算在下一年度的应支数额上。”皇帝表示同意。

辛丑(十五日),改卫尉院为太仆寺,依旧隶属宣徽院。

己酉(二十三日),下令商议消灭盗贼之事。僧格、伊苏特穆尔说:"江南归附朝廷已经十年,至今盗贼未平定,应该立即限期招安追捕,而以实现安定来要求州县官吏,不能实现的免官。"叶李说:"我在漳州三年,对此了解很清。大凡军官好利,与盗贼相通的,特别难以平息。应该下令各地镇守军官,照常例以三年为期调另地任职,这样也许能除掉这种弊病。"皇帝按此下诏实行。

江淮行尚书省参知政事高兴,征讨婺州盗匪柳分司,捉拿后处斩。后逢其母丧事回家,下诏重新起用,去讨伐处州盗匪詹老鸹和温州盗匪林雄。高兴暗地从青田出发,攻打他们根据地,交战在叶山,活捉老鸹和林雄等二百多人,在温州市处死。随后又奉行省命令平定徽州盗匪汪千十等。

广东盗匪作乱,侵犯肇庆,其头领邓太獠把守前寨,刘太獠把守后寨,相互依托以增强防守力。湖广行省左丞刘国杰一下直捣后寨,攻破防守,接着拔除前寨,捉住并处斩邓、刘二人。逮捕勾结贼匪的人,都用棍杖打死。

十二月,丁卯(十一日),减免扬州省每年上交米十五万石,用盐引五十万代替粮食。免除浙西鱼课税三千锭,听任百姓自由捕鱼。

癸酉(十七日),诸王锡勒图管辖地连降七天七夜大雨,淹死羊牛牲畜。

丁丑(二十一日),因朱清、张瑄海上运粮有功,遥授宣慰使之职。

镇南王托欢指挥各军征讨安南,驻扎在思明州,留下士兵二千五百人,命令万户贺祉统领,以守护粮草辎重。程鹏飞、鄂啰哈达尔指挥汉券兵一万人从西道永平前进,鄂啰齐指挥一万人随从镇南王从东道女儿关前进。阿巴齐带领一万人打前锋,乌讷尔、樊楫率兵从海道经过玉山、双门、安邦口后,与交趾船四百余艘遭遇,发起攻击,斩敌首四千多,活捉一百多人,夺取上百艘战船,随即直奔交趾。程鹏飞、鄂啰哈达尔途经老鼠、陷沙、茨竹三个关口,前后交战十七次,都获胜利。此月,镇南王进驻茅罗港,交趾的兴道王逃走。进攻浮山寨,占领了该地。又命令程鹏飞、阿尔领兵两万人驻守万劫城,并修筑普赖山和到灵山的木栅工事。命令乌讷尔率水兵,阿巴齐率陆军,直赴交趾城。镇南王带领各军渡过富良江,屯扎城下,打败驻守的敌兵。陈日烜和他儿子丢弃城池逃往敢喃堡,各路军兵攻克城池。

至元二十五年 (公元 1288 年)

春季,正月,陈日烜又逃亡到海上,镇南王指挥各军去追,没追上,即带兵回到交趾城。命令乌讷尔指挥水军迎接张文虎等人运粮船,又发兵攻打敌人寨子,全部攻克。

己丑(初四),诏江淮省内外官吏一齐听从蒙古岱节制。

辛卯(初六),尚书省上言:"当初曾因行省置丞相和内省没有区别,将其去掉。现今江淮平章政事蒙古岱管区地大事多,应依照前例设丞相职位。"皇帝表示同意,任命蒙古岱为江淮行省右丞相。

销毁中统钞印刷底版。

戊戌(十三日),颁布大赦令,解除辽阳打鱼狩猎的禁令,唯独不准捕杀怀孕的野兽。

壬寅(十七日),贺州的盗贼七百多人焚烧抢掠封州各郡,循州盗贼一万多人抢掠梅州。

癸卯(十八日),哈都侵犯边境,下令派遣军兵跟随诸王珠纳北征。

4555

甲辰(十九日),伊苏布哈阴谋反叛,逮捕押到京师,处以死刑。

丙午(二十一日),皇帝在近郊狩猎。

己酉(二十四日),发放海运米十万石,赈济辽阳省闹饥荒的军民。

癸丑(二十八日),招募能耕种江南荒地和公田的人,免除差役三年,减免租税三分之一。

江淮行省上言:"两淮地广人稀,兼并土地的人家都不交税,另外,管区内七十多座城市,仅有屯田两所,应该增加设置淮东、淮西两道劝农营田司,以督促耕种。"皇帝表示同意。

僧格认为甘肃行省特穆格不专心职事,又不与他配合,奏请以雅岱代替。没多久,又认为江西省平章呼图特穆尔不称职,奏请将其罢免。兵部尚书呼图达尔在职不够勤勉,僧格将其殴打罢免而后上奏。皇帝说:"如果这些人不绳之以法,你的政务怎么能推行啊!"

二月,丁巳(初二),改济州漕运司为都漕运司,统管济州南北两漕,而京畿都漕运司就只负责京畿地区。

戊午(初三),任命右丞叶李为平章政事,叶李固辞不就,皇帝答应他请求。赐给玉带,按一品给俸禄,又赐给平江、嘉兴良田四顷。

庚申(初五),司徒萨里曼等人给皇帝诵读《祖宗实录》,皇帝说:"太宗的事就是这样了,睿宗的事迹还可稍稍改变,定宗本来就整日忙碌,宪宗你就不能想想吗?还应该问问知情的人。"

壬戌(初七),下令江淮不许捕捉天鹅,解除湖泊打鱼禁令。

丙寅(十一日),改南京路为汴梁路,北京路为武平路,西京路为大同路,东京路为辽阳路,中兴路为宁夏府路。

嘉木扬喇勒智奏言,以宋朝宫室改建塔一个,寺五个,现已完成。诏令给以水陆地一百五十顷作为供养之用。

征召葛洪山隐士刘彦深出山为官。

辛巳(二十六日),将杭州西湖作为放生池。

壬午(二十七日)命令皇孙云南王额森特穆尔率领部队镇守大理府等处。

三月,戊子(初四),皇帝回宫。

淞江的平民曹梦炎愿每年出米一万石给官府,请求免除他的徭役,并谋求官职。僧格为之奏请,于是遥授曹梦炎为浙东道宣慰副使。

庚寅(初六),皇帝去上都。

按惯例,枢密院官员都要随行,每年留下一人管理院事,汉人不得参与。这次任命委托判官郑制宜,郑制宜谦逊辞让,皇帝说:"你哪里是一般汉人所能相比的!"终于将其留下。郑制宜,乃郑鼎的儿子。

江淮行省蒙古岱,上言应废除更调军官的制度,谓有阵亡者,赠子弟以散官,因病而死的子弟可降一等任职。皇帝说:"父兄虽然因公牺牲,子弟不能胜任的,怎么可以用他!子弟如果贤德有才,父兄即使是因病去世,也可以不降职使用。"

辛卯(初七),营造尚书省。

壬寅(十八日),礼部上言:"会同馆是海外诸藩和少数民族使者时常光临的地方,应下令主管部门仿照古代《职贡图》,询问各国的风俗、土产、相距里程等,予以登载记录,这实在是一代的盛事。"皇帝表示同意。

甲寅(三十日),循州贼盗一万多人入侵漳浦,泉州贼盗二千人进犯长泰、汀、赣,畲地贼盗一千多人侵掠龙溪,都被平定。

镇南王托欢重又派兵追击陈日烜于海上,不知陈的去向。乌讷尔没有看到张文虎的船,重又回到万劫。右丞相阿巴齐说:"贼盗放弃老窝远避他处,就是想等我们疲惫时再乘机攻打。而我们官兵都是北方人,现值春夏之交,瘴气瘟疫即将流行,粮饷又快用完,目前应该派兵分头平定这些地方,招降纳叛,不要纵容士兵侵扰掠夺,抓紧捕获陈日烜,这才是上策。"当时陈日烜重又派遣使者请降以求缓兵,将领们都相信他的话,但却长久没降,并集合部众占据海口。阿巴齐带兵进攻,将士多染上瘟疫,无法前进。从而诸蛮又起来反叛,所得的险要关塞都失守,于是谋划收兵还朝。

陈日烜又聚合流散之兵三十万把守东关,阻断托欢归路。各军一边战斗一边退走,每天交战数十回合,贼盗占据险势发射毒箭,将士裹起疮伤再战,樊楫和阿巴齐都战死。前军锡都尔奋勇追逐,交趾人才稍稍退却。托欢从单己县奔盏州,绕偏僻小路出来,停留在思明州,下令安噜带兵回云南,鄂啰齐则带兵北还。陈日烜不久派使者前来谢罪,并进献金铸人像替代自己接受罪责。

皇帝认为托欢无功而还,下令去镇守扬州,终身不许进京朝见。

夏季,四月,辛酉(初七),僧格上言:"从至元丙子(公元1276年)设置应昌和籴所,这期间必有不少盗窃欺诈之为,应该加以核查。侍从人员,领种之地极多,应依据军站常例,除去四顷田地免租外,验检其余之地并征收租税。"皇帝都表示同意。

癸亥(初九),浑河决口,征发军队筑堤防洪。

癸酉(十九日),尚书省上言:"最近因为江淮地区饥荒,曾令行省派人赈济,但官吏与富户朋比为奸,粮食大多没进入贫困人家。现在杭、苏、湖、秀四个州又闹水灾,百姓卖妻女换取食物,特请暂停上供米二十万石,查明贫饥困者加以赈济。"皇帝表示同意。

甲戌(二十日),万安寺落成,佛像和窗壁都用黄金镀饰,共花掉黄金五百四十多两,水银二百四十斤。

增设直沽海运米仓。

命令征伐交趾的各路军士回家,休养一年。

命令缅中行省:凡到缅中省,一切接受云南王管辖。

庚辰(二十六日),安南国王陈日烜派遣中大夫陈克用进贡该地特产。

甲申(三十日);诏令皇孙特穆尔统领诸军,征讨叛王和尔果斯、哈坦图噜罕。

广东平民董贤举,循州平民钟明亮,各自集结民众一万多人相继起事,都称"大老",钟明亮势头更为凶猛。命令派江浙行省丞相蒙古岱、行枢密使页特密实征发四省之兵去讨伐。

湖南盗匪詹一仔,引诱衡、永、宝庆、武冈等地民众占据四望山,长时不得征讨,行省左丞刘国杰率军攻破山寨,杀死为首之盗,余众全部投降。军中将领请求说:"这类人长久作乱,危急时就投降,降后一有间隙,就又反叛,不如全部活埋掉!"刘国杰说:"多杀尚且不可,更不用说杀投降的!"于是察看好重要的地点作为三个屯驻点,迁移这些人守卫,每个屯五百人以防备贼寇,并且开垦废田,翻耕草木荆棘,使贼匪不能作为巢穴。投降的人过去有田地住宅,全部发还,没有田地住宅的叫他们共耕屯中。后来都成为良民。

五月,戊子(初四),诸王察克之子库库岱叛乱,绰和尔将其捉拿送来。

乙未(十一日),僧格上言:"中统钞通行了将三十年,省官都不知其数多少,现在已经改用至元钞,应该派遣官员分道置局,核查中统钞的准备金。"皇帝表示同意。

壬寅(十八日),铸造浑天仪。

乙巳(二十一日),停止兴州采蜜。

癸丑(二十九日),迁四川省治所到重庆,将宣慰司重新迁到成都。

六月,癸未(三十日),处州盗贼柳世英侵掠青田、丽水等县,浙东道宣慰使史耀率兵征讨,已告平息。

秋季,七月,丙戌(初三),因南安、瑞、赣三路连年盗匪蜂起,百姓大多失业,免除拖欠赋税一万二千六百多石。

中书右丞相安图眼看天下大权全部到了尚书省,屡次请求退职,皇帝不允许。八月,丙辰(初四),诏令安图以本部侍卫蒙古军三百人北征。

癸亥(十一日),尚书省成立。

庚辰(二十八日),从万亿库分出宝源、赋源、绮源、广源四库,与万亿库一起共为五库,依从僧格请示,设于皇宫之内,用来贮备币帛。

九月,南台御史中丞刘宣自杀。当时行省丞相蒙古岱,残暴放纵,常惧怕台臣查究揭发他罪状,而且特别畏惧刘宣,每天派人到建康侦伺御史台里有无违章错失。台臣们都畏惧他,恳求自动引退,只有刘宣屹立不动。蒙古岱越发对他忌恨,便凑集刘宣罪过,将其子孙逮捕入狱,又叫人编造谎言说刘宣破坏钱粮,事情传闻出去,立即指使置狱行省加以审问惩治,刘宣和御史六人都被逮捕。上船后,行省用军船列兵加以驱赶逼迫,到地点后就叫六人分住,不使他们来往,刘宣悲愤万分,随即在船中自刎。

开始时,刘宣将出行,交付侄儿一封信,叫他不要打开。刘宣死后,开视这封信,信上说:"我触犯了大臣,诬陷编排成罪名,我哪能同寻常断案的小人相互辩解,屈身跪在冤家的面前。身为御史,义不受辱,应该自己与世诀别,只是没有以身殉国而抱恨终生!"并谈到另有公文上言蒙古岱罪状。后得到这份草稿,因语句被涂抹,以致词句难以辨认,前任治书侍御史霍肃整理了这篇公文,读过的人都感到十分悲愤。刘宣既然引罪自杀,行省陈告朝廷,认为刘宣罪重自杀,前后造成此事的人,是郎中张斯立。刘宣平素以忠义节操被世人所器重,知道这个消息的人无不感慨悼念。后来,他的侄儿刘自诚将刘宣的行为据实上告皇帝知晓,赠御史中丞,赐谥忠宪。

壬辰(初十),皇帝从上都回来。

召用江淮行省参政董文用担任御史中丞。

董文用到后说:"任中丞职位的不应当办理琐碎小事,我首先要荐举贤德有才之人。"于是荐举胡祇遹、王恽、雷膺等十多人担任按察使,又举荐徐炎、魏初为行台中丞,在当时都以为是极尽选用人才之事。

癸卯(二十一日),设立征理司,专门负责追索汇总钱财粮食,任用甘肃行省参政图喇延哈、签省吴诚共同为征理使。自从建立尚书省,所有的仓库各司,没有不检查考核的。首先选派六部官员,到了这种程度,僧格还以为不够专门,请求设置征理司,每天以条理计算为事务,一毫一分都弄得详尽清晰,负责钱财粮食的人都破了产,等到更换代替之时,人们都扔掉家业逃避他方。

庚戌(二十八日),太医院重新编著的《本草》完成。

冬季,十月,庚申(初八),派遣使者到各路考察核实钱粮的管理使用状况。僧格上言:"湖广的钱粮,已经责成平章约苏穆尔自认有罪进行赔偿。别的行省欺骗盗窃者也必然不少,请求任用省院台官实都、王巨济、阿萨尔、何荣祖、昭噜呼齐图呼鲁、李佑、吉丁、戎益、崔彧、燕真、安祐、巴延等十二人,清理江淮、江西、福建、四川、甘肃、安西六省。每省各两人,专门发给印章,供给士兵,为其使用和进行保卫。"皇帝批准了这个奏请。

僧格曾经奏言上都留守司的钱粮多有失实,便宣召留守喇呼尔、贺仁杰在朝廷上答辩。贺仁杰说:"为臣是个汉人,没权禁止官吏邪恶,以致造成钱粮耗损,这是臣的罪。"喇呼尔说:"为臣是首领,大印在我手中,事情没有不经盖印而能够办理的,所以,这应该是我的罪。"皇帝说:"拿着官位让给别人的人是有的,可没有争抢着把罪过归到自己头上的,这事就扔在一旁不要再过问吧!"

皇帝追念商挺,便询问董文用说:"商孟卿今年多大岁数?"回答说:"八十。"皇帝非常爱惜商之年高而赞叹他的康强。商挺不久逝世,后追赠为鲁国公,赐谥文定。

丙寅(十四日),赐给瀛国公赵㬎钞一百锭。

湖广省上言:"左右江口溪峒的蛮獠地区设置四个总管府,统辖州县峒一百六十处,而调任的官吏由于害怕瘴气瘟疫,多不敢上任,请求任命汉人为达噜噶齐,军官成为民职,夹杂土人使用。"依此拟定了瓜勒佳素赫等七十四人报皇帝批准,皇帝表示同意。

大同平民李伯祥、苏永福八个人因谋反被处死。

庚午(十八日),哈都侵犯边境。

丙子(二十四日),开始铸造铁的罗圈甲。

派遣瀛国公赵燕到吐蕃国学习佛法。

己卯(二十七日),下诏免除读书人家杂泛差役。

僧格请求下令给集贤院各司,按各道分别去查核江南各郡学田多余的收入,贮存到集贤院,用它奖给多才多艺的人。皇帝表示同意。

十一月,壬午朔(初一),巩昌路频频闹饥荒,免去一半田租,依旧拿三千锭钞来赈济饥贫之人。

丁亥(初六),任命山东按察使何荣祖为中书省参知政事。

修建国子监,叫王公贵族的后裔居住。

禁止拥有分地的大臣私下役使富户,作为他们的柴米户和赋税之外的杂泛差役。

柳州平民黄德清叛乱,潮州平民蔡猛等人抗拒并杀死官军,一起被处死。

己亥(十八日),任命李思衍为礼部侍郎,充当国信使,以万努为兵部郎中,为副使,一起出使安南;诏谕陈日烜必须亲自前来朝见,不然,必定重新出兵。

当时有阿谀奉承之人,劝说大都民众史吉等请求皇上为僧格立碑歌颂其德,皇帝说:"老百姓想要立就立它。"并将此告诉僧格,使他欢喜。于是由翰林书写碑文,碑题叫"王公辅政之碑"。

僧格受恩宠正处于兴盛之时,就是皇帝近戚贵人看见他,都屏住呼吸谦逊避开,独有董文用不依附他。僧格便叫人劝告董文用在皇帝面前颂扬他的功德,董文用不回答。僧格又自己对董文用说:"百官都设筵于丞相府,唯有御史台还没设筵!"董文用听了仍然不回答。

辛丑(二十日),马八儿国派使臣前来朝拜。

开始时,皇帝派荆湖、占城行省的参知政事伊赫密实出使马八儿国,请取佛钵舍利。在海上遇风阻拦,航行一年才到。得到该国的良医好药,随即和该国人前来贡献地方特产,他又用自己的钱购买建造殿堂的紫檀木材,一起进献皇帝。他曾在浴室侍奉皇帝,皇帝问:"你过海有几次?"回答说:"我过海四次了。"皇帝怜悯他的劳苦,便遥授伊赫密实江淮行尚书省左丞、行泉府大卿之职。

甲辰(二十三日),僧格因总制院统管西蕃各衙门的钱粮,其事项甚为重要,应该提高这个建制,便上奏改为宣政院,作为一品衙门,使用三台银制官印,皇帝同意了。命令僧格以本来官职兼任宣政使、统领功德司使的政事。

十二月,丁巳(初六),哈都出兵侵犯边境,巴图额森托迎头痛击,将其杀死。

北方开始打仗,粮饷大体完备,然而诛杀责罚却愈来愈多,董文用对僧格讲:"老百姓已经急了,今外难没解除却于内残害根本,丞相应该很好考虑!"又拿着外面郡县所呈上的盗贼的名目对他说:"老百姓哪里有不愿生养安乐的呀!不过是滥施刑罚和横征暴敛造成今天这种情况罢了。御史台的作用就是救弊补漏,丞相应当帮助而不该抑止御史台工作。如果御史台的工作不能推行,老百姓就没地方诉说而政事日益混乱,那时就不仅仅是御史台的政事不能推行了。"董文用愈益不顺从僧格心意,拾取各种御史台政事,天天和僧格争辩而不屈从。于是上奏陈述僧格邪恶之行,皇帝做了答复,言语秘密,外人都不知道。僧格有一天在皇帝面前诬告董文用说:"在朝官员只有董文用傲慢不听从命令,阻挠尚书省工作,请对他严加治罪。"皇帝说:"这是他御史的职责,有什么罪!而且董文用这个人端正谨慎,我向来了解,你应该好好看待他才是!"随即迁任大司农之职。当时朝廷想要夺取民田作为屯田,董文用坚持主张不可,后又迁任翰林学士承旨。

先前,安图领兵到边境,被实里吉所捉,全军覆没。现在,八邻来归降。跟随他的有三百九十人,皇帝赏给钞一万二千五百一十三锭。

辛未(二十日),僧格上言:"凡分赐给领地的大臣,经常拿着贫苦当借口,希望得到非分恩赐。可财物并不是天上掉下来的,都是取之于民,倘若财物的出入不审慎,恐怕国家的需用就不够了。"皇帝说:"从今天起,不应当赐给的你就制止,应当赐给的应重新上奏,由朕自己处理。"

乙亥(二十四日),湖头的贼匪张治团抢掠泉州,免除泉州今年田租。

丙子(二十五日),伊苏布哈以实勒们作乱,甘肃行省官联合兵力征讨,乱众都自缚请罪。只有实勒们带着他部下往西逃跑,被追上捉获,将其带归京师。

起初,宋朝供奉汪元量跟随三宫到了燕地,教授瀛国公读书。皇帝听说他能鼓琴,便常常召到宫内,叫他演奏,赞美演奏得好。后来汪元量乞求归乡,准许了请求。这年冬天,汪元量回杭州,陈述说:"谢太后临终留言,要求归葬绍兴,全太后做了尼姑,瀛国公则学佛,号为木波讲师。"宋朝遗老听了,有的痛哭流泪。

此年,汴梁路的阳武、襄邑、太康、通许、杞、考城、陈留等县,陈、颍两个州,黄河决口达二十二处,麦禾房舍被冲走。委派宣慰司监督这个路的差夫们抢修治理。

有小吏诬告漕司刘献盗窃官仓粮食。这时僧格正大事聚敛,众人奉迎他心意,用酷刑使刘献服罪。刑部尚书列斯哩卫说:"刑部的责任是使天下保持公平,现今在天子脚下,漕臣含冤而死,还怎么能叫四方正直不偏呢!"当下便将事实报闻,因此得罪僧格,把他调离京师,出任江东道宣慰使。列斯哩卫在任上注重办学,学生中有才华的提拔使用。他为政严明,土豪恶吏都小心不敢闹事,可称是不加刑戮而治。

起初,皇孙出镇北方,皇帝令托克托呼随从,在哈喇温一带追逐纳颜余党,杀死叛王乌塔哈,使他部众全部投降。这时,诸王额斯尔被判王和尔哈斯攻击,派使者前来告急,托克托呼又随从皇孙调动军队相援,打败和尔哈斯。大军回到哈喇温山,连夜渡过贵烈河,打败叛王哈坦,全部占领辽左各部,设置了东路万户府。皇帝称赞他的功劳,将额斯尔的妹妹嫁给他。

起初,皇帝命令江西行省蒙古岱征召谢枋得,蒙古岱握住谢枋得的手劝他勉力为之,谢枋得说:"在上有尧、舜之君,下面有巢、由之民。枋得姓名不祥,不敢应诏。"蒙古岱感其义,不加强迫。随后福建行省管如德,拿圣旨到江南求访人才,尚书留梦炎便推荐谢枋得,谢枋得写信给梦炎说:"江南的人才,从没像今天这样可耻。《春秋》以下的人物,本来是不足以称道,可今天找一个像瑕吕饴甥、程婴、公孙杵臼这样的小卒也找不出来。商纣灭亡时,就是八百国的精兵,也不敢抗争伯夷叔齐二子的正论,连周武王和姜太公都恐惧得无以容身,急忙用兴灭国、继绝世向天下谢罪,殷的后代于是就同周相并而立。如果三监、淮夷不叛乱,武庚必定不会身亡,殷的天命必定不致废黜。女真人对待徽钦二帝也足够惨了,可我宋朝却今年派使祈请,明年派使问安。王伦本是市井无赖行为不轨的小人,却称皇帝灵柩可以回归,太后可以归还,最后这两件事都与他的话相符。可今天连一个像王伦这样的人都没有,这江南没有人材是不难想见的。我今年已六十多岁,所缺欠的就是一个死了,哪里还再有其他什么志向呢!"最终还是没应召。

续资治通鉴卷第一百八十九

【原文】

元纪七 起屠维赤奋若【己丑】正月,尽重光单阏【辛卯】三月,凡二年有奇。

世祖圣德神功文武皇帝

至元二十六年 【己丑,1289】 春,正月,丙戌,地震。

辛卯,锡布鼎上市舶司岁输珠四百斤,金三千四百两,诏贮之以待贫乏者。

哈坦入寇。

戊戌,蠲漳、汀二州田租。

己亥,开安山渠,引汶水以通运道。

先是寿张县尹韩仲晖、太史院令史边源,相继建言:"请自东昌路须城县安山之西南开河置闸,引汶水达舟于御河,以便公私漕贩。"尚书省遣漕副马之贞与源等按视地势,商度工用。于是图上可开之状,僧格以闻,言:"开浚之费,与陆运亦略相当;然渠成乃万世之利,请以今冬备粮费,来春浚之。"诏出楮币一百五十万缗、米四百石、盐五万斤,以为佣直,备器用;征旁郡丁夫三万,驿遣断事官猛苏尔、礼部尚书张孔孙、兵部尚书李处巽等董其役。是日兴工,起于须城之安山,止于临清之御河,长二百五十余里,建闸三十有一,度高低,分远近,以节蓄泄。

时缮修尚书省奏役军士万人,留守司主之,参议枢密院事吴元珪亟陈其不便,乃止。

辛丑,立武卫亲军都指挥使司,以侍卫军六千、屯田军三千、江南镇守军一千隶焉,以留守段天祐兼都指挥使。凡有兴作,必以闻于枢府。

壬寅,海船万户府言:"山东宣慰使乐实所运江南米,陆负至淮安,易闸者七,然后入海,岁止二十万石。若由江阴入江至直沽仓,民无陆负之苦,且米石省运估八贯有奇,请罢胶莱海道运粮万户府,而以漕事责臣,当岁运三千万石。"诏许之。

癸卯,贼钟明亮寇赣州,掠宁远,据秀岭。诏以江西参政管如德为左丞,将兵五千往讨。

畲民邱大老,集众千人寇长泰县,福、漳二州兵讨平之。

二月,辛亥朔,诏(集)〔籍〕江南户口,凡北方诸色人寓居者,亦就籍之。

浚沧州御河。

台州贼杨镇龙据玉山反,僭称"大兴国",伪号安定元年,以其党厉某为右丞相,楼蒙才为左丞相。得良民,刺额为"大兴国军",遂有兵十二万,以七万攻东阳、义乌、馀姚、嵊、新昌、天台、永康,浙东大震。宗王昂吉尔岱时谪婺州,帅师讨之。

癸亥,徙江淮省治杭州,改浙西道宣慰司为淮东道宣慰司,治扬州。

大都路总管府判官萧仪,尝为僧格掾,坐受赃,事觉,帝贷其死,欲徙为淘金,僧格曰:"仪尝钩考万亿库,有追钱之能,足赎其死,宜解职杖遣。"帝曲从之。

丁卯,帝如上都。僧格言:"去岁陛下幸上都,臣日视内帑诸库。今岁欲乘小舆以行,人必窃议。"帝曰:"听人议之,汝乘之可也。"

以中书右丞相巴延知枢密院事,将兵镇和林。和林统有漠北诸路,置知院自巴延始。

以拜特尔为中书平章政事。

三月,庚辰朔,日有食之。

僧格言:"近委省臣检责左右司文簿,凡经监察御史稽照者,遗逸尚多。自今当令御史即省部稽照,书姓名于卷末,苟有遗逸,易于归罪。仍命侍御史监视,失则连坐。"帝从之。乃答监察御史四人。是后御史赴省部者,掾史与之抗礼,但令小吏持文簿置案而去,御史遍阅之,而台纲废矣。

乙未,浑天仪成。

夏,四月,戊午,禁江南民挟弓矢,犯者籍为兵。

戊辰,安南国王陈日烜遣使来贡。

庚午,沙河决,发兵筑堤以障之。

癸酉,以高丽国多产银,遣工即其地,发旁近民冶以输官。

甲戌,诏江淮行省参政实都赴阙,以户部尚书王巨济专理算江淮钱谷,左丞相蒙古岱总之。巨济乘势刻剥,遣使征徽州民钞,多输二千锭,巨济怒其少,欲更益千锭,总管许楫诣巨济曰:"公欲百姓死耶,生耶?如欲其死,虽万锭可征也。"巨济怒解,徽州赖以免。

置浙东、江东、江西、湖广、福建木绵提举司,责民岁输木绵十万匹,以都提举司总之。

丁丑,尚书省言:"纳颜已诛,其人户月给米万七千馀石,父母妻子俱在北方,恐生他志,请徙置江南,充锡布鼎所请海船水军。"从之。

福建行省参政魏天祐,执宋谢枋得至燕。

初,天祐见时方求才,欲以荐枋得为功,遣其友赵孟迎诱枋得入城,与之言,坐而不对,且有嫚辞。天祐不能堪,乃曰:"封疆之臣,当死封疆。安仁之败,何不死?"枋得曰:"程婴、公孙杵臼,二人皆忠于赵,一存孤,一死节,一死于十五年之前,一死于十五年之后;汉亡十四年,龚胜乃饿死;司马子长云:'死有重于泰山,有轻于鸿毛。'参政岂足知此!"天祐怒,逼之北行。枋得以死自誓,自离嘉兴,即不食,二十馀日不死,乃复食。既渡采石,惟少茹蔬果,积数月,困殆。是月朔日至燕,问太后攒所及瀛国公所在,再拜恸哭。已而疾甚,迁悯忠寺,见壁间曹娥碑,泣曰:"小女子犹尔,吾岂不汝若哉!"留梦炎使医持药杂米饮造之,枋得怒,掷之于地。不食,五日死。

五月,庚辰,浚河西务至通州漕渠。

丙申,贼钟明亮率众万八千五百馀人来降。

行御史台复徙于扬州,浙西按察使徙苏州。

以实都为尚书左丞,何荣祖参知政事,张天祐为中书参知政事。

辛丑,御河溢入安山渠,漂东昌民庐舍。

青山苗蛮三十三寨相继内附。

六月,辛亥,安山渠成,凡役工二百五十一万七百四十有八。河渠官张孔孙等言:"开魏、博之渠,通江、淮之运,古所未有。"诏赐名会通河,置提举司,职河渠事。

诏以云南行省地远,州县官多阙,六品以下,许本省选辟以闻。

丙寅,页特密实请以降贼钟明亮为循州知州,宋士贤为梅州判官,邱应祥等十八人为县尹、巡尉。帝不许,令明亮、应祥并赴都。

甲戌,西南夷中、下烂土等处峒长忽带等,以洞三百、寨百一十来归,得户三千馀。

乙亥,立江淮等处财赋总管府,掌所籍宋谢太后赀产,隶中宫。

济宁、东平、汴梁、济南、棣州、顺德、平滦、真定霖雨害稼。丁丑,诏免田租十万五千七百四十九石。

秋,七月,戊寅朔,哈都兵犯边,帝亲征。

辛巳,两淮屯田雨雹害稼,蠲今年田租。

雨坏都城,发兵、民各万人完之。

甲申,四川山齐蛮民四寨内附。

丙戌,命百官市马助边。

敕以图噜哈及侍卫兵百人为僧格导从。

戊子,太白经天。

甲午,御河溢。

戊戌,诛信州(判)〔叛〕贼鲍惠日等三十三人。

辛丑,发侍卫亲军万人赴上都。

壬寅,赋百官家制战袍。

癸卯,沙河溢,铁灯杆堤决。

哈都兵至和林,宣慰司奇卜反,应之。其副刘哈喇巴图尔乘间脱归,入见,帝喜曰:"人言汝陷贼,乃能来耶!"命与酒肴。顾谓侍臣曰:"譬诸畜犬,得美食而弃其主,奇卜是也;虽未得食而不忘其主,此人是也。"更其名曰察罕斡托齐。

初,托克托呼从皇孙噶玛拉征哈都,抵杭爱岭。贼先据险,诸军失利,惟托克托呼以其军直前鏖战,翼皇孙而出。追骑大至,乃选精锐,设伏以待之,贼不敢逼。至是帝巡幸北边,召见,慰谕之曰:"昔太祖与其臣同患难者,饮班珠尔河之水以记功。今日之事,何愧昔人!卿其勉之!"

八月,霸州大水,发直沽仓米粜之。

辛酉,大都路霖雨害稼,免今年田租。

癸酉,以台、婺二州饥,免今岁田租。

甲戌,徙浙东道按察司治婺州,河东、山西道按察司治太原,宣慰司治大同。

九月,己卯,置高丽国儒学提举司。

丙戌,罢济州泗、汶漕运使司。

丙申,江淮省平章锡布鼎,言提调钱谷,积怨于众,乞如约苏穆尔例,发戍兵三百人为卫,从之。

冬，十月，丙辰，禁内外百官受人馈酒食，犯者没其家赀之半。

甲子，享于太庙。

闰月，戊寅，帝至自上都，大宴群臣。谓托克托呼曰："朔方人来，闻哈都言，'杭爱之役，使彼边将皆如托克托呼，吾属安所置哉！'"论功行赏，帝欲先奇彻之士，托克托呼言："庆赏之典，蒙古将吏宜先之。"帝曰："尔毋饰让，蒙古人诚居汝右，力战岂在汝右耶！"召诸将颁赏有差。帝尝以奇彻人为民及隶诸王者，皆籍之以隶托克托呼，岁选其材勇以备禁卫。及晋王征哈都，托克托呼最有功，故赏先奇彻之士云。

尚书省言："南北盐均以四百斤为引，今权豪家多取至七百斤，莫若先贮盐于席，来则授之为便。"从之。

僧格辅政碑成，树于省前，楼覆其上而丹艧之。

庚辰，僧格言："初改至元钞，欲尽收中统钞，故令天下盐课以中统、至元钞相半输官。今中统钞尚未可急敛，宜令赋税并输至元钞。商贩有中统钞，听易至元钞以行，然后中统钞可尽。"从之。

页特密实以首贼邱应祥、董贤举归于京师。

僧格言："国家经费既广，岁入恒不偿所出，以往岁计之，不足者馀百万锭。臣以为盐课每引今直五贯，宜增为十贯；酒醋税课，江南宜增额十万锭；协济户十八万，自入籍至今十三年，止输半赋，闻其力已完，宜增为全赋。如此，则国用庶可支，臣等免于罪矣。"帝曰："如所议行之。"

僧格又以铨调内外官皆由于己，而其宣敕尚由中书，至是以为言。乙酉，命自今所授宣敕并付尚书省。于是僧格遂以刑爵为贩市，所求无不遂，纲纪大坏，人心骇愕。

丙戌，西南生番内附。

广东贼钟明亮复反，以众万人寇梅州，江罗等以八千人寇漳州，又韶、雄诸贼二十馀处，皆举兵应之，声势张甚。诏页特密实复与福建、江西省合兵讨之，且谕页特密实："钟明亮既降，朕令汝遣之赴阙，而汝玩常不发，至有是变。自今降贼，其即遣之。"

丁亥，安南国王陈日烜遣使来贡。

庚寅，江西宣慰使胡颐孙，援锡布鼎例，请至元钞千（钞）〔锭〕为行泉府司，岁输珍异物为息，从之。遥授颐孙行尚书省参政、泉府大卿、行泉府司事。

丙申，婺州贼叶万五以众万人寇武义县，杀千户一人，江淮省平章布琳吉岱将兵讨之。

遣使钩考大同钱谷及区别给粮人户。

庚子，取石泗滨为磬，以补宫县之乐。

癸卯，浙西宣慰使史弼请讨浙东贼，以为浙东道宣慰使，位哈喇岱上。弼讨台州贼，擒斩杨镇龙及其党，台州平。

甲辰，湖广省臣言："近招降赣州贼胡海等，令将其众屯田自给。今遇耕时，不恤之，恐生变。"命赣州路发米千八百九十石赈之。

（丙午）〔乙巳〕，缅国遣使来贡方物。

十一月，丁未，禁江南、北权要之家，毋沮盐法。

壬子,漳州贼陈机察等八千人寇龙岩,执千户张武义,与枫林贼合,福建行省兵大破之,陈机察、邱大老、张顺等以其党降。行省请斩之以警众,事下枢密院议,范文虎曰:"贼固当斩,然既降乃杀之,何以示信! 宜并遣赴阙。"从之。

癸丑,建宁贼黄华弟福,结陆广、马胜,复谋乱,事觉,皆论诛。

以王恽为福建闽海道提刑按察使。恽上言曰:"福建所辖郡县五十馀,连山距海,实为边徼要地。而民情轻诡,自平宋以来,官吏贪残,故山寇往往啸聚,愚民因而蚁附,剽掠村落。官兵致讨,复蹂践之,甚非朝廷一视同仁之意也。今虽不能一一择任守令,而行省官僚,如平章、左丞尚阙,宜特选清望素著,文足以抚绥黎庶,武足以折冲外侮者,使镇静之,庶几治安可期也。"恽黜官吏贪污者数十人,察系囚之冤滞者,决而遣之,戒戍兵无得寓民家,别创营屋居之,民得少安。

丁巳,改播州为播南路。

十二月,辛巳,诏括天下马。哈都犯边,帝命伊勒噜与李庭议所以为备,庭请下括马之令,其品官所乘限数外,悉令入官。凡得马十一万匹。

绍兴路总管府判官白絜矩言:"宋赵氏族人散居江南,百姓敬之不衰,久或非便,宜悉徙京师。"擢絜矩为尚书省舍人,遣诣江南发兼并户,偕宋宗室至京师。既而江淮行省言:"江南之民,方患增课、料民、括马之苦,今此举必致人心摇动,宜且止。"从之。

时僧格专政,法令苛急,天下骚然。南台侍御史、行御史台事程文海入朝,上疏曰:"臣闻天子之职,莫大于择相,宰相之职,莫大于进贤。苟不以进贤为急而惟以殖货为心,非为上为德,为下为民之意也。昔汉文帝以决狱及钱谷问丞相周勃,勃不能对,陈平进曰:'陛下问决狱,责廷尉,问钱谷,责治粟内史。宰相上理阴阳,下遂万物之宜,外镇抚四夷,内亲附百姓。'观其所言,可以知宰相之职矣。今权奸用事,立尚书,钩考钱谷,以剥割生民为务,所委任者率皆贪饕邀利之人。江南盗贼窃发,良以此也。臣以为宜清尚书之政,省行省之权,罢言利之官,行恤民之事,于国为便。"僧格大怒,欲羁留不遣,复奏请杀之。凡六奏,帝皆不许,仍遣还行台。

丁亥,封皇子库库春为宁远王。

命回回司天台祭荧惑。

是岁,诏:"天下梵寺所贮《藏经》,集僧看诵,仍给所费,俾为岁例。"

朝廷以中原民转徙江南,令有司遣还,蒙(吉)〔古〕岱言其不可,遂止。

湖广行省左丞刘国杰率兵入肇庆,攻闾太獠于清远;还,攻萧太獠于怀集,擒之,复击走严太獠;寻又攻曾太獠于金林,破走之;贼深入保险,国杰凿山而入,贼众五千人,掩杀略尽。军次贺州,土卒冒瘴疫,国杰亲抚视之,疗以医药,多得不死。会国杰亦病,乃移军道州。广东盗陈太獠寇道州,国杰讨擒之,遂攻拔赤水贼寨。

皇孙出镇怀孟,帝为选老成练达旧臣护之,乃以属太子家丞王倚。陛辞,帝目之良久,谓侍臣曰:"倚,修洁人也,左右皇孙,得人矣。"

至元二十七年 【庚寅,1290】 春,正月,戊申,改大都路总管府为都总管府。

癸丑,敕从臣子弟入国子学。

安南国王陈日烜遣使来贡。

丁巳,遣使代祀岳渎、海神、后土。

辽阳自纳颜之叛,民甚疲敝,戊午,发钞赈之。

哈坦馀寇未平,丙寅,命高丽国发耽罗戍兵千人讨之。

丁卯,高丽国王王賰言:"臣昔宿卫京师,遭林衍之叛,高丽民居大同者皆籍之,愿复付还高丽。"从之。

(己巳)〔辛未〕,无为路大水,免今年田租。

癸酉,立兴文署,掌经籍板及江南学田钱谷。

哈坦寇辽东海阳。

二月,癸未,泉州地震;(乙酉)〔丙戌〕,又震。时商琥入为中台监察御史,上言:"汉文帝时有此灾而无其应,盖以躬行德化而弭也。"因条陈汉文帝时政以进,又言为政之道在立法、任人二者而已,法不徒立,需人而行,人不滥用,惟贤是择,因举天下名士十馀人。帝纳其言。

己丑,江西群盗钟明亮等降,诏徙为首者至京师,而给其馀党粮。

癸巳,晋陵、无锡二县霖雨害稼,并免其田租。

江西贼华大老、黄大老等掠乐昌诸县,行枢密院讨平之。

三月,(己未)〔庚申〕,立江南营田提举司,掌僧寺赀产。

癸亥,建昌贼邱元等称"大老",集众千馀人,掠南丰诸县,建昌副万户擒斩之。

甲子,杨镇龙馀众剽浙东,总兵官讨贼者,多俘掠良民。敕行御史台分拣之,凡为民者千六百馀人。

庚午,以广昌县经钟明亮之乱,免其田租。

辛未,太平县贼叶大五,集众百馀,寇宁国,擒斩之。

夏,四月,癸酉朔,〔帝〕幸上都。

丙戌,遣僧济额森等诣马八儿国访求方技。

癸巳,河北十七郡蝗,敕赈之。平山、真定、枣强三县旱,灵寿、元氏二县大雨雹,并免其租。

庚子,哈坦复寇海阳。

五月,乙巳,哈坦寇开元。

初,钟明亮降,诏缚至阙下,江西行省管如德等留不遣。明亮复叛,率众寇赣州。戊申,枢密院以如德等违诏纵贼,请诘之,诏可。罢江西行省枢密院。

庚戌,陕西南市屯田陨霜杀稼,免其租。

戊午,移江西行省于吉州,以便捕盗。

尚书省遣人行视云南银洞,狱银四千四十八两,奏立银场官。

癸亥,徽州绩溪贼胡发、饶必成伏诛。

丙寅,江西行省言:"吉、赣、湖南、广东、福建,以禁弓矢,贼益发,请依内郡例,许尉兵持弓矢。"从之。

己巳,立云南行御史台,起复前汉中道按察使程思廉为御史中丞。始至,蛮夷酋长来贺,词若逊而意甚倨。思廉奉宣绥怀之意,且明示祸福,使毋自外,闻者慑服。云南旧有学校而礼教不兴,思廉力振起之,始有从学问礼者。

4567

江阴大水,免田租万七百九十石。

庚午,婺州永康、东阳、处州缙云贼吕重二、杨元六等反,浙东宣慰使史弼擒斩之。

泉州、南安贼陈七师反,讨平之。

六月,壬申朔,河溢太康,免溢没地租。

庚辰,用江淮省平章锡布鼎言,以参政王巨济钩考钱谷有功,赏钞五百锭。

缮写金字《藏经》,凡糜金三千二百馀两。

以广州增城、韶州乐昌遭畲贼之乱,并免其田租。

杭州贼唐珍等伏诛。

壬辰,泉州大水。

丙申,发侍卫兵万人完都城。

丁酉,大司徒萨里曼等进《定宗实录》。

己亥,棣州厌次、济阳大风雹害稼,免其租。

秋,七月,癸丑,罢缅中行尚书省。

江淮省平章锡布鼎,以仓库官盗欺钱粮,请依宋法黥而断其腕,帝曰:"此回回法也。"不允。

戊午,贵州苗蛮三十馀人作乱,入顺元城,杀伤官吏,其众遂盛。湖广省合兵往讨之。

建平贼王静照伏诛。

乙丑,芜湖贼徐汝安、孙惟俊等伏诛。

丙寅,云南阁力白衣甸酋长凡十一甸内附。

丁卯,用僧格言,遣庆元路总管毛文豹,搜括宋时民间金银诸物,已而罢之。

沧州乐陵旱,免田租三万馀石。

魏县御河溢害稼,免其租。

八月,辛未朔,日有食之。

丁亥,以南安、建昌等处尝罹钟明亮之乱,悉免其田租。

癸巳,地大震,武平尤甚。地陷,黑沙水涌出,压死按察司官及总管府官王连等,民七千馀人。

己亥,帝闻武平地震,虑纳颜党入寇,遣平章政事特穆尔、枢密院官塔鲁呼岱引兵五百人往视。

九月,癸卯,申严汉人田猎之禁。

乙巳,禁诸王遣僧建寺扰民。

平章政事栋里特穆尔帅师与哈坦战,大破之。

丁未,御河决高唐,没民田,命有司塞之。

武平盗贼乘地震为剽掠,民愈忧恐。特穆尔以便宜蠲租赋,罢商税,弛酒禁,斩为盗者。发钞八百四十锭,转海运米万石以赈之。

帝自上都还,驻跸龙虎台,遣阿喇根萨里驰还,召集贤、翰林两院问致灾之由。议者畏僧格,但泛引经传及五行灾异之言,以修人事、应天变为对,莫敢议及时政。

先是僧格遣实都、王巨济等理算天下钱谷,已征入数百万,未征者尚数千万,害民特甚,民不聊生，自杀者相属，逃山林者，则发兵捕之。于是集贤直学士赵孟頫为阿喇根萨里言："宜请赦天下，尽与蠲除，庶几天变可弭。"阿喇根萨里素与孟頫善，入奏，具如孟頫言，帝从之。诏草已具，僧格怒，谓必非帝意。孟頫曰："此钱谷未征者，其人死亡已尽，何所从取！非及是时除免之，他日言事者，倘以失陷钱谷数千万归罪尚书省，岂不为丞相深累耶？"僧格悟，遂赦天下，民得稍苏。

丁卯，命江淮行省钩考行教坊司所总南乐工租赋。

置四巡检司于宿迁之北，以所罢陆运夫为兵，护送会通河上供之物，禁发民挽舟。

僧格贵幸已极，讳言师事丹巴而背之。丹巴知不见容，力请西归，寻复召还，谪之潮州。

冬，十月，壬申，封皇孙噶玛拉为梁王，赐金印，出镇云南。

甲戌，立会通、汶、泗河道提举司。

丁丑，尚书省言："江阴、宁国等路大水，民流移者四十馀万户。"帝曰："此亦何待上闻，当速赈之！"

己丑，新作太庙登歌、宫县乐。

以〔伊〕〔锡〕宝齐岁取鸬鹚成都扰民，罢之。

十一月，戊申，江淮行省平章布琳济岱言："福建盗贼已平，惟浙东一道地极边恶，贼所巢穴。宜以哈喇岱一军戍沿海明、台；伊拉齐一军戍温、处；扎呼岱一军戍绍兴、婺。其宁国、徽初用土兵，后皆与贼通，宜以高邮、泰两万户汉军易地而戍。扬州、建康、镇江三城，跨据大江，人民繁会，宜置七万户府；杭州行省诸司府库所在，置四万户府。水战之法，旧止十所，宜择濒海沿江要害二十二所分兵阅习，伺察诸盗。钱塘控扼海口，旧止战船二十艘，故海贼时出，夺船杀人，宜增置百艘，则盗贼不敢发。"从之。

庚戌，罢云南会川路采碧甸子。

壬戌，大司徒萨里曼等进《太宗实录》。

癸亥，河决祥符乂唐湾，太康、通许、陈、颍二州大被其患。

甲子，御史台言："江南盗起，讨贼官利其剽掠，复以生口充赠遗，请给还其家。"帝嘉纳之。

徙河北、河南道按察司治许州。

乙丑，易水溢，雄、霸、任丘、新安田庐漂没无遗，命有司筑堤障之。

十二月，辛未，以卫尉院为太仆寺。

己卯，命枢密院括民间兵器。

丙戌，兴化路仙游贼朱三十五，集众寇青山，万户李纲讨平之。

己亥，湖广省上二年宣课珠九万五百一十五两。

处州青田贼刘甲乙等，集众千馀人，寇温州平阳。

是岁，江西行省丞相兼知枢密院事蒙古岱，到官四十日卒。蒙古岱先在江、浙，专复自用，又易置戍兵，平章布琳济岱言其变更巴延、阿珠成法。帝每戒饬之。既死，台臣劾郎中张思立罪状，而蒙古岱迫死刘宣及其屯田无成事始闻于帝云。

江西盗起龙泉，湖广省左丞刘国杰下令往击之，诸将交谏曰："此它省盗也。"国杰曰："纵寇生患，岂可以彼此言耶！"乃选轻兵，弃旗鼓，去缨饰，一日夜趣贼境。贼众数千逆战，望见军容不整,曰:“此乡丁也。”易之。国杰以数千骑陷阵,众从之,贼大败,斩首五百馀级,夺所掠男女,日暮,收兵去。堡中民望见,怪之,莫知其谁。明日又忽至,召堡民,归其男子,曰:“吾刘二巴图也。”民皆惊以为神,因告别盗钟太獠居南安十八耒。国杰乘雾突入其巢,贼众惊乱,自相蹂践。官军搏之,自旦及午,所擒杀甚众,还兵桂东。未几,龙泉盗复寇鄜县,国杰遂还鄜。贼退保大井山,乃分军三道趣之,道险,弃马而入。时天大雨,贼不为备,尽掩杀之,还镇道州。

至元二十八年 【辛卯,1291】 春,正月,壬寅,太白、荧惑、镇星聚于奎。

帝尝问赵孟頫以叶李、留梦炎优劣,孟頫对曰:“梦炎,臣之父执,其人厚重,笃于自信,好谋而能断,有大臣器。叶李所读之书,臣皆读之,其所知所能,臣皆知之能之。”帝曰:“汝以梦炎贤于李耶?梦炎在宋为状元,位至丞相,当贾似道误国罔上,梦炎依阿取容。李布衣,乃伏阙上书,是贤于梦炎也。汝以梦炎父友,不敢斥言其非,可赋诗讥之。”孟頫所赋,有“往事已非那可说,且将忠直报皇元”之句,帝叹赏。而梦炎衔之终身。

孟頫退,谓奉御彻尔曰:“上论贾似道误国,责留梦炎不言。僧格罪甚于似道而我等不言,他日何以辞其责!然我疏远之臣,言必不听。侍臣中,读书知义理,慷慨有大节,又为上所亲信,无逾公者。夫捐一旦之命,为万姓除残贼,仁者之事也,公必勉之!”会帝畋于柳林,彻尔至帝前,具陈僧格奸贪误国害民状,辞语激烈。帝怒,谓其毁诋大臣,命左右批其颊,血涌口鼻,委顿地上。少间,复呼而问之,辨愈力,且曰:“臣与僧格无仇,所以力数其罪而不顾身者,为国家计耳。苟畏圣怒而不复言,则奸臣何由除,民害何由息!且使陛下有拒谏之名,臣窃惧焉。”页特巴勒及额森特穆尔等,亦劾奏僧格专权黩货。时博果密出使,三遣人趣召之,至,觐于行殿,帝以问,博果密对曰:“僧格壅蔽聪明,紊乱政事,有言者即诬以它罪而杀之。今百姓失业,盗贼蜂起,召乱在旦夕,非亟诛之,恐为陛下忧。”自是言者益众,帝始决意诛之。

甲寅,虎入南城,翰林侍讲赵与票,疏言权臣专政之咎,退而家居待罪。

辛酉,罢江淮漕运司,并于海船万户府,由海道漕运。

免江淮贫民至元十二年至二十五年所逋田租二百九十七万六千馀石,及二十六年未输田租十三万石,钞千一百五十锭,丝五千四百斤,绵一千四百三十斤。

罢淘金提举司。

立江东、两浙都转运使司。

壬戌,尚书省右丞相僧格等罢。

二月,辛未,尚书省言:“大同仰食于官者七万人,岁用米八(千)〔十〕万石。遣使覆验,不当给者万三千五百人,宜征还官。”从之。

癸酉,以陇西、四川总摄年札克真珠纳斯为诸路释教都总统。

改福建行省为宣慰司,隶江西行省。

诏:“行御史台勿听行省节度。”

云南行省言:“叙州乌蒙水路险恶,舟多破溺。宜自叶稍水站出陆,经中庆,又经盐井(上)〔土〕老、必(撤)〔撒〕诸蛮,至叙州庆符,可治为驿路,凡立五站。”从之。

丙子,罢征理司,从鄂尔根萨里言也。诏下之日,百姓相庆。

以僧格党与,罢扬州路达噜噶齐索罗呼斯。

丁丑,以太子右詹事鄂勒哲为尚书右丞相,翰林学士承旨博果密平章政事。

帝欲相博果密,谓之曰:“朕过听僧格,致天下不安,今虽悔之已无及。朕识卿幼时,使从学,正欲备今日之用。”博果密曰:“朝廷勋旧齿爵居臣右者尚多,今不次用臣,无以服众。”帝曰:“然则孰可?”曰:“太子詹事鄂勒哲可。向者籍阿哈玛特家,其赂遗近臣,皆有簿籍,唯无鄂勒哲名;又尝言僧格为相,必败国事,今果如其言,是以知其可也。”帝以僧格蠹政恐未尽去,召江淮参政燕公楠赴阙。公楠极陈其害,请更张以固国本,帝悦,问孰可以为首相,对曰:“天下人望所属,莫若安图。”问其次,曰:“鄂勒哲可。”先是贺胜父仁杰,留守上都,不肯为僧格下,僧格欲阴中之,累数十奏,帝皆不听。僧格败,帝问胜:“孰可相者?”对曰:“天下公论皆属鄂勒哲。”

帝命元教宗师张留孙筮之,得《同人》之《豫》,留孙进曰:“《同人》,柔得位而进乎《乾》,君臣之合也;《豫》,利建侯,命相之事也;何吉如之!愿陛下勿疑。”及拜鄂勒哲,天下果以为得贤相。

帝命胜参知政事。

壬午,帝谕御史大夫伊啰勒曰:“屡闻僧格沮抑台纲,杜言者之口,又尝捶挞御史,其所罪者何罪,当与辨之。”僧格等持御史李渠等已刷文卷至,令侍御史杜思敬等勘验,辨论往复数四,僧格等辞屈。

明日,帝如上都,驻跸土口,复召御史台暨中书、尚书两省官辨论。尚书省执卷上言:“前浙西按察使勒济因监烧钞,受赃至千锭,尝檄台征之,二年不报。”思敬曰:“文之次第尽在卷中,令尚书省拆卷持对,其弊可见。”及抱卷至,思敬曰:“用朱印以封纸缝者,防欺弊也。若辈为宰相,乃折卷破印与人辨,是教吏为奸,当治其罪。”帝是之,责御史台曰:“僧格为恶始终四年,其奸赃暴著非一,汝台臣难云不知;知而不劾,自当何罪?”思敬等对曰:“夺官追俸,惟上所裁。”数日不决,伊啰勒奏台臣久任者当斥罢,新者存之,帝曰:“然。”

癸未,帝如上都。

甲申,命江淮行省钩考锡布鼎所总詹事院江南钱谷。

乙酉,立江淮、湖广、江西、四川行枢密院;江淮治广德军,湖广治岳州,江西治汀州,四川治嘉定。

丙戌,诏:“改提刑按察司为肃政廉访司,每道仍设官八员,除二使留司以总制一道,馀六人分临所部。如民事、钱谷、官吏奸弊,一切委之。俟岁终,省、台遣官考其功效。”

初,何荣祖为参知政事,僧格急于理算钱谷,人受其害,荣祖数请罢之,帝不从,屡恳请不已,乃稍缓之。而畿内民苦尤甚,荣祖每以为言,同僚曰:“上既为免诸路,惟未及京畿,可少止,勿言也。”荣祖执愈坚,至于忤旨不少屈,竟不署其牍。未逾月而害民之弊皆闻,帝乃思荣祖言,召问所宜。荣祖请于岁终立局考校,人以为便,立为常式,诏赐钞万一千贯。荣祖条中外百官规程,欲矫时弊,僧格抑不为通。荣祖既与之异议,乃以病告,特授集贤大学士,至是起为右丞。

诏江淮行省遣蒙古军五百、汉兵千人从皇子镇南王镇扬州。

执河间都转运使张庸,仍遣官钩考其事。

丁亥,营建宫城南面周庐,以居宿卫之士。

诏逮湖广省平章约苏穆尔诣京师。戊子,籍其家赀,金凡四千两。约苏穆尔,僧格之妻党也,钩考日急,恣为不法。永州判官乌克逊泽叹曰:"民不堪命矣!"即自上计行省。约苏穆尔怒曰:"郡国钱粮,无不增羡,永州何独不然?此直孙府判倚其才辨慢我,亟拘系之!"欲置之死,至是始得释。

辛卯,封诸王特穆尔布哈为肃远王。

壬辰,雨坏太庙第一室,奉迁神主别殿。

癸巳,命彻尔率卫士三百人籍僧格家,得珍宝如内藏之半。鄂尔根萨里以连坐,亦籍其赀,帝问之曰:"僧格为政如此,何故无一言?"对曰:"臣未尝不言,顾言不用耳。"

时尚书省臣多以罪罢,帝欲使赵孟頫与闻中书政事,孟頫固辞。帝令出入宫门无禁,每见,必从容语及治道,多所裨益。孟頫自念久在帝侧,必为人所忌,力请补外,出同知济南路总管府事。

丁酉,诏加岳渎、四海封号,各遣官致告。

(二)〔三〕月,己亥朔,僧格妻弟巴济扣,为燕南宣慰使,以受赂积赃伏诛。

仆《僧格辅政碑》。

提点太医院事许扆,与丞相安图善,国政多所赞益,僧格忌之,数谮于帝,帝不之信。僧格败,系于左掖门,帝命扆往唾其面,辞不可。帝称其仁厚,赐以白玉带,且谕之曰:"以汝明洁无瑕,有类此玉,故以赐汝。"扆,集贤大学士国桢子也,赐名和尔果斯。

乙卯,纳颜所属伊乌纳尔等同女真兵五百人,追杀内附民千馀人,遣塔哈率众平之。

辛酉,发侍卫兵,营紫檀殿。

壬戌,以甘肃行省右丞崔或为中书右丞。

杭州、平(章)〔江〕等五路饥,发粟赈之;仍弛湖泊捕鱼之禁。溧阳、太平、徽州、广德、镇江五路亦饥,赈之如杭州等路。武平路饥,百姓困于盗贼、军旅,免其去年田租,凡州、郡田尝被灾者,悉免其租,不被灾者免十之五。

江淮豪家多行赂权贵,为府县卒(吏)〔史〕,以庇门户,遇有差赋,惟及贫民,诏江淮行省严禁之。

【译文】

元纪七　起己丑年(公元1289年)正月,止辛卯年(公元1291年)三月,共二年有余。

至元二十六年　(公元1289年)

春季,正月,丙戌(初六),地震。

辛卯(十一日),锡布鼎献上市舶司今年缴纳的珍珠四百斤,金三千四百两。诏令把它贮藏起来,用以赐给贫苦的人。

哈坦侵犯边境。

戊戌(十八日),免掉漳州、汀州的田地赋税。

己亥(十九日),开掘安山渠,引入汶水,用来沟通漕运通道。

先前,有寿张县县尹韩伯晖、太史院令史边源前后建议,请求从东昌路须城县安山的西南开河置闸,引入汶水,使船只可以到达御河,以利公家漕运和私人贩运。尚书省派遣漕副马之贞同边源等人勘察地势,商计工程费用。于是把可开挖的地形画图上报,僧格知道后说:"开挖疏通耗费,和旱地运送大体相当,但开通河渠有利于千秋万代,请求在今冬备好粮食、费用,到明春开工。"皇帝下令拿出楮币一百五十万串、米四万石、盐五万斤,用来作为工钱和准备器物等的开销。征召河道西旁各郡县三万民,通过驿站派遣断事官猛苏尔、礼部尚书张孔孙、兵部尚书李处巽等人监管这件事。己亥(十九日)这天动工开挖,从须城的安山开始,到临清的御河为止,共长二百五十余里,按地势的高低和远近的不同,建立水闸三十一座,用来节调河水的蓄积与排泄。

当时为缮修尚书省,奏请使用万名士兵,由留守司主管,参议枢密院事吴元珪极力陈述这样做不方便,便停止了。

辛丑(二十一日),建立武卫亲军都指挥使司,以六千侍卫军、三千屯田军和一千江南镇守军归属其下,任命留守段天佑兼都指挥使。凡有工程建设事项,必须上报枢府。

壬寅(二十二日),海船万户府奏言:"山东宣慰使乐实所运的江南大米,由陆路运到淮南,需要通过七个闸门,才能到海上,每年只能运粮食二十万石。如果从江阴入长江到达直沽仓库,老百姓没有旱路背负的痛苦,并且每石米可以节省运费八贯多,请求撤销胶莱海道运粮万户府机构,而将运粮的事交给我,一定每年运送粮食三十万石。"皇帝下诏准许。

癸卯(二十三日),贼匪钟明亮侵掠赣州,抢劫宁远,占据秀岭,诏令江西参政管如德为左丞,率领五千士兵征讨。

畲族平民丘大老,聚集一千多人侵扰长泰县,被福州、漳州两州的士兵讨伐平定。

二月,辛亥朔(初一),诏令登记江南户口,凡是北方到那里居住的各种人,也就地登记入户。

疏通沧州的御河。

台州的匪贼杨镇龙盘踞玉山作乱,非法冒称大兴国,虚设帝号安定元年,用其党羽厉某为右丞相,楼蒙才为左丞相。得获良民,便在他的前额刺上记号,充当大兴国军,于是拥兵十二万,用七万攻打东阳、义乌、余姚、嵊、新昌、天台、永康,引起浙东很大震动。宗王昂吉尔岱当时被贬放婺州,率领军队前去讨伐。

癸亥(十三日),改由江淮省管理杭州,将浙西道宣慰司改为淮东道宣慰司,管理扬州。

大都路总管府判官萧仪,曾经当过僧格的属员,因贪赃犯罪事情被发觉后,皇帝宽恕他,免予死罪,打算叫他前去淘金。僧格说:"萧仪曾检查考核过亿万个财库,有追讨钱财的能力,足够赎回他的死罪,还是削职施以杖刑后遣返合适。"皇帝勉强依从了。

丁卯(十七日),皇帝到上都。僧格奏言:"去年皇上到上都,我每天视察宫内各钱物仓库。今年,我打算乘坐小车前往,人们必定在背后议论。"皇帝说:"你可以坐车,任凭别人去议论。"

任命中书右丞相巴延为知枢密院事,率领军队镇守和林;和林管辖沙漠以北各路。设置知枢密院从巴颜开始。

任命拜特尔为中书平章政事。

三月,庚辰朔(初一),出现日蚀。

僧格奏言：“近来委派省臣去检查责问左右司的文书簿册，发现凡是经过监察御史考核查看过的，遗失不少。从今以后，应该命令御史到省部考核查看文簿时把自己姓名写在文簿卷末，这样假如发生遗失散脱，则容易追查责任。仍然命令侍御史进行监视，如有丢失，一同治罪。”皇帝表示同意，于是责打了四名监察御史。从此以后，御史前往省部考核查看文簿，负责文簿的属员便以平等的礼节对待，只叫下面小吏拿着文簿放到桌案就一走了事，由御史自己去翻阅，因而官署的纲纪便废弛了。

乙未（十六日），浑天仪制造成功。

夏季，四月，戊午（初十），禁止江南百姓携带弓箭，违犯者登记当兵。

戊辰（二十日），安南国王陈日烜派使臣前来朝贡。

庚午（二十二日），沙河决口，征发民工建筑堤坝以保障周围百姓安全。

癸酉（二十五日），因高丽国产银地方很多，派遣工匠到那里，征发附近百姓冶炼白银交纳给官府。

甲戌（二十六日），诏令江淮行省参政实都入朝，任命户部尚书王巨济专门清理核查江淮的钱粮，由左丞相蒙古岱总负责。王巨济便借其权势苛刻剥夺，派遣使者征收徽州民钞，多征收了两千锭，王巨济还大发雷霆，嫌其数少，想再加一千锭。总管许楫进见巨济，说：“您是想让百姓死呢还是活？如果想让他们死，那么就是一万锭也是可以征到的！”王巨济这才消了气，徽州百姓才得免交新增一千锭银钞。

设置浙东、江东、江西、湖广、福建木绵提举司机构，要求百姓每年交纳木绵十万匹，由都提举司总管这件事。

丁丑（二十九日），尚书省奏言：“纳颜已经处死，他的人户每月供给一万七千多石米，他父母妻子又都在北方，恐怕滋生其他想法，请求迁移安置到江南，充当锡布鼎所请求的海船水军。”皇帝批准这个奏请。

福建行省参政魏天祐带着拘拿的宋朝谢枋得到河北。

起初，魏天祐看到当时皇帝正在求举贤才，就想用举荐谢枋得来邀功请赏，派他朋友赵孟郔诱使谢枋得进城。他亲自同谢枋得谈话，枋得却坐着不答，并有羞辱言辞。天祐不能忍受，就说：“你这个封疆大臣，应该死在封疆，安仁之败为什么不自杀？”枋得说：“程婴、公孙杵臼两个人都忠于赵国，一个保存遗孤，一个死于节义；一个死在十五年以前，一个死在十五年以后。汉朝灭亡了十四年，龚胜才饿死。司马子长说：‘死有重于泰山，有轻于鸿毛。’参政大人你那里有资格知道这个道理！”天祐恼怒，逼迫谢枋得北上。枋得发誓决心一死，从离开嘉兴，就不吃东西；过了二十多天没有饿死，就又吃东西。从采石渡江后，只吃少量蔬菜瓜果，连续了数个月之久，身体已经困乏到极点。这个月初一到河北，先问太后暂时埋葬的地点和瀛国公在什么地方，接着跪拜恸哭。不久病情严重，便迁居到悯忠寺，当他看到墙壁上的曹娥碑文时，便哭泣着说：“一个小小女子还能这样，我难道还不如她吗！”留梦炎派医生拿来掺杂米汤的药到他那里，枋得大怒，将药摔在地上，绝食五天去世。

五月，庚辰（初二），疏通从河西务到通州的运粮渠道。

丙申（十八日），叛贼钟明亮带领一万八千五百多人前来归降。

行御史台重又迁至扬州，浙西按察使迁移到苏州。

任命实都为尚书左丞,何荣祖为参知政事,张天祐为中书参知政事。

辛丑(二十三日),御河漫溢,河水流入安山渠,冲走东昌百姓的房舍。

青山苗蛮三十三个寨接连归顺。

六月,辛亥(初四),安山渠修成,共用二百五十一万七百四十八个工。河渠官张孔孙等奏言:"开挖魏、博渠道,沟通长江、淮河之间运输,自古以来所不曾有过。"下诏命名该渠为会通河,设置提举司,掌管河渠事务。

发布诏令:因云南行省地处遥远,州县官大多空缺,特允许六品以下官员,由本省选拔举荐上报。

丙寅(十九日),页特密实请求任用降贼钟明亮为循州知州,宋士贤为梅州判官,丘应祥等十八人为县尹、巡尉。皇帝不允许,命令钟明亮、丘应祥一起来京都。

甲戌(二十七日),西南夷中、下烂土等处的峒长忽带等人,率领三百个峒、一百一十个寨归顺朝廷,朝廷因而得到三千多户数。

乙亥(二十八日),设立江淮等处财赋总管府,掌管没收的宋朝谢太后资产,这个府隶属中宫管辖。

济宁、东平、汴梁、济南、棣州、顺德、平滦、真定连降大雨伤害庄稼。丁丑(三十日),下诏免除十万五千七百四十九石田租。

秋季,七月,戊寅朔(初一),哈都兵侵犯边境,皇帝亲自征讨。

辛巳(初四),两淮屯田庄稼遭受大雨冰雹伤害,免除今年田租。

大雨毁坏京都城墙,征发兵民备一万人修补。

甲申(初七),四川山齐蛮民四个寨归顺。

丙戌(初九),命令文武百官购买马匹资助边防。

下令用图噜哈和侍卫兵一百人作为僧格的随从。

戊子(十一日),太白金星经过天空。

甲午(十七日),御河河水漫溢。

戊戌(二十一日),处死信州叛贼鲍惠日等三十三人。

辛丑(二十四日),派出侍卫亲军一万人到上都。

壬寅(二十五日),令文武百官各家制造战袍作为兵赋。

癸卯(二十六日),沙河泛滥,铁灯杆堤防溃决。

哈都军兵到了和林,宣慰司奇卜反叛以响应,他的副手刘哈喇巴图尔利用间隙逃脱归来,觐见皇帝。皇帝高兴地说:"人们说你已失陷贼中,还能归来呀!"命赐给酒食。皇帝环顾左右侍臣说:"就好像牲畜犬马,得到好吃的就丢掉他主人,奇卜就属于这种人;虽然没有得到吃的却仍不忘他主人,就是这个人哪!"便将他的名字改为察罕斡托齐。

起初,托克托呼跟随皇孙噶玛拉征讨哈都,到了杭爱岭,叛贼首先占据险要,致使各军失利,只有托克托呼率领他的军队冲在前面与敌苦战,保护皇孙脱险。敌人大批骑兵追到,托克托呼就挑选精锐兵马,设置埋伏以等待追敌,敌人不敢逼近。现在皇帝巡视到北部边境,便召见了托克托呼,安慰他说:"从前太祖与同患难的大臣,共饮班珠尔河水以记载功劳,今天这件事,不愧于先人,你要勉力啊!"

八月,霸州遭受洪水,调拨直沽官仓粮米售给灾民。

辛酉(十五日),大都路连降大雨毁坏庄稼,免除今年田租。

癸酉(二十七日),因台州、婺州两地饥荒,免除今年田租。

甲戌(二十八日),调浙东道按察司管理婺州;调河东、山西道按察司管理太原,宣慰司管理大同。

九月,己卯(初三),设置高丽国儒学提举司。

丙戌(初十),撤销济州泗、汶漕运使司。

丙申(二十日),江淮省平章锡布鼎,奏言提取调拨钱谷,民众怨恨,请求按照约苏穆尔先例,派卫戍兵士三百人来保卫。依准。

冬季,十月,丙辰(初十),禁止宫内外文武百官接受他人馈送的酒食,如有违犯,将其家庭资产没收一半。

甲子(十八日),祭祀于太庙。

闰十月,戊寅(初二),皇帝从上都回来,大宴百官,对托克托呼说:"北方的来人听哈都说:'杭爱山战役,要是他们的边将都像托克托呼,我的下属就没地方安放了。'"论功行赏,皇帝想首先奖赏奇彻的将士。托克托呼说:"庆赏盛会,蒙古将吏应当首先奖赏。"皇帝说:"你不必谦让,蒙古人的确位居在你上面,可努力作战难道也在你上面吗!"随即召见各将领,给予不同的奖赏。皇帝曾将奇彻人中当平民和隶属各王的户口,登记后都拨归托克托呼管辖,每年从中选挑勇敢的以供禁卫。等到晋王征讨哈都,因托克托呼最为有功,因此首先奖赏奇彻将士。

尚书省奏言:"南北的食盐都是以四百斤为一引,现在有权势的豪绅家里大多取到七百斤,不如先将食盐贮存在席子上,来了就授给比较方便。"皇帝采纳这个建议。

《僧格辅政碑》建成,树立在尚书省衙门前面,还覆以彩绘的碑楼。

庚辰(初四),僧格上奏说:"最初更改至元钞,目的是为了全部收回中统钞,所以命令天下盐税以中统钞和至元钞各一半交纳。现在中统钞还不可回收太急,应该下令赋税都交纳至元钞。商贩中有中统钞的,任凭他们改换至元钞通行,这样做以后,中统钞就可收尽了。"皇帝同意这个建议。

页特密实将为首作乱的丘应祥、董贤举送到京师。

僧格奏言:"国家的费用浩大,每年的收入常常抵不上支出,用过去的年份计算,不足一百万万锭有余。我以为食盐课税每一引现在值五贯钱,应当增加到十贯。酒醋的赋税,江南应该增加到十万锭。协济户有十八万户,从他们登记入籍到现在已经有十三年。仅交纳一半赋税,听说他们的劳役已经完成,应该增为交纳全部赋税。这样,国家费用则可以支撑,我们做臣子的也避免了罪责。"皇帝说:"按这建议实行。"

僧格又因铨选调动内外官员都由自己一手经办,而宣布诏书命令还在中书省,到现在就借此发表意见。乙酉(初九),下令从今天起,宣布敕书、授任官员大权一起交给尚书省。于是僧格就将刑赏爵禄作为商品来交易,他要求的没有达不到的,结果国家纲纪大大败坏,人心惊愕骚动。

丙戌(初十),西南生番归附。

广东贼匪钟明亮重又造反，用部众一万人侵犯梅州、江罗等城，用八千人侵犯漳州。另外，韶、雄二十多处贼匪，都举兵响应，声势十分嚣张。诏令页特密实再与福建、江西省合兵征讨，并且晓谕页特密实："钟明亮降顺后，我就命令你将他遣送到京，而你却玩忽如故，不加遣送，才有这个变乱。从今以后，凡是归降的贼寇首领，应立即遣送到京。"

丁亥（十一日），安南国王陈日烜派遣使臣前来朝贡。

庚寅（十四日），江西宣慰使胡颐孙，援引锡布鼎之例，请求拨给至元钞千锭作为行泉府司经费，每年向朝廷交纳奇珍异宝作为利息，得到批准。遥授胡颐孙行尚书省参政、泉府大卿、行泉府司事。

丙申（二十日），婺州贼叶万五率领部众一万多人侵掠武义县，杀死千户一人，江淮省平章布琳吉岱率兵前去征讨。

派遣官吏检查考核大同钱谷和区分辨别供给粮米人户的情况。

庚子（二十四日），取泗水旁的石料制成磬，用来补充宫中所悬乐器。

癸卯（二十七日），浙西宣慰使史弼请求讨伐浙东贼寇，于是任命他为浙东道宣慰使，地位在哈喇岱之上。史弼征讨台州贼寇，捕杀贼首杨镇龙及其党羽，平定台州。

甲辰（二十八日），湖广省臣上言："最近招降赣州贼寇胡海等人，下令带领他的部众屯田的自给。现在遇上耕种时节，如不抚恤，恐怕发生变乱。"命赣州路散发一千八百九十石米赈济他们。

乙巳（二十九日），缅国派使臣前来进贡土产。

十一月，丁未（初二），严令江南、北权势显要的人家，不得阻挠盐法的推行。

壬子（初七），漳州贼寇陈机察等八千人侵犯龙岩，抓走千户张武义，与枫林贼寇会合。福建行省派兵将其打得大败，陈机察、丘大老、张顺等带领他们党羽投降。行省请求将他们斩首，以警戒众人。此事发交枢密院讨论，范文虎说："贼寇固然应当处死，可是既已归降再加杀害，又怎能显示朝廷信义！应该将他们一齐遣送到京。"皇帝采纳了范文虎建议。

癸丑（初八），建宁贼寇黄华的弟弟黄福，勾结陆广、马胜，重又图谋叛乱，事被发觉，都被处死。

任命王恽为福建闽海道的提刑按察使。王恽上言说："福建管辖五十多个郡县，连山抵海，实在是边境要地。但百姓性情轻浮诡诈，从平定宋朝以来，官吏贪婪残暴，所以山中贼寇往往聚集，愚民因此纷纷归附，抢掠村落。而官兵前去讨伐，又再一次蹂躏践踏百姓，这完全不是朝廷一视同仁的心意。现在虽然不能一个一个地选择任用郡守县令，但行省高级官员，如平章、左丞还有空缺，应该特别选拔那些清廉有威望、文足以安抚百姓、武足以抵御外侮的人去那里镇压寇贼，这样，政治安宁大概就可期待了。"王恽贬逐贪官污吏有数十人，了解到监狱中有冤屈者，弄清后就加以释放。告诫卫戍士兵不能住在百姓家里，另外建筑营房居住，这样，百姓稍稍得以安宁。

丁巳（十二日），改播州为播南路。

十二月，辛巳（初六），下诏搜括天下之马。哈都侵犯边境，皇帝命令伊勒噜和李庭商讨怎样防备。李庭请求下达括马命令，朝廷命官坐骑凡超过规定限数的，全都收归官府。共得到十一万匹马。

绍兴路总管府判官白絜矩奏言："宋朝赵氏皇族的人分散住在江南,老百姓对他们恭敬不减当年,年久或有不利,应全部迁移到京师。"晋升白絜矩为尚书省舍人,派往江南去分散兼并大户,偕同宋代皇族一起回京师。不久,江淮行省上奏:"江南百姓正受着增派赋税、统计人口和搜括军马的痛苦,今天这个举动势必动摇人心,应该暂且停止。"依准。

当时僧格专权,法令苛刻急迫,天下骚动。南台侍御史、行御史台事程文海入朝上奏说:"我听说皇帝的职责,没有大过选择丞相,宰相的职责,没有大过引进贤能。如果不是把引进贤能看作急务,而只是把殖货放在心上,这不是上为皇上施行恩德,下为百姓谋利的本意。过去汉文帝以决狱和钱粮事问丞相周勃,周勃不能回答,陈平向文帝进言:'陛下询问判案,应责问廷尉;询问钱粮,该责问治粟内史。做宰相的任务是上能通晓阴阳之理,下顺万物之宜,外可镇压安抚四方夷狄,内能使百姓亲密依附。'看他所说,可以知道宰相的职责是什么了。如今权诈奸佞的小人掌权行事,设立尚书,查考钱粮以剥削宰割百姓为事业,所委任的都是贪婪逐利之人。江南盗贼所以不断暗中发生,实在是因此引起。我认为应该清理尚书政事,限制行省权力,免掉言利官员,施行体恤百姓的事,这对国家方为有利。"僧格知道后大怒,打算扣留程文海,不放他回去。后又奏请杀掉他,前后共上奏六次,但皇帝都没答应,依然把程文海遣回行台。

丁亥(十二日),封皇子库库春为宁远王。

下令回回司天台祭祀火星。

这年,下诏:"天下僧庙里贮藏的《藏经》,召集僧人看诵,依旧供给费用,成为每年常例。

朝廷因为中原百姓辗转迁移江南,令有关部门遣送回来,蒙古岱说不能这样做,于是停止。

湖广行省左丞刘国杰率兵进入肇庆,在清远进攻闫太獠,归还途中,在怀集进攻萧太獠,将其活捉,又将闫太獠击走,接着又在金林进攻曾太獠。曾战败后逃走,深入险要据点固守,刘国杰在山上开凿小路进入,将五千贼众差不多杀光。军队驻扎贺州时,士兵得了瘟疫,刘国杰亲自安抚看视,用药医治,大多救活。正巧刘国杰也得病,就将军队转移道州。广东盗寇陈太獠侵犯道州,刘国杰率兵征讨并将他捉住,终于攻占并拔除了赤水贼寨。

皇孙出外镇守怀孟,皇帝为选择老成练达的老臣保护他,选中了太子家丞王倚。当王倚向皇帝辞别时,皇帝看他好久,对左右侍臣说:"王倚是个修养纯正的人,叫他辅佐皇孙,实在是选对了人。"

至元二十七年 （公元 1290 年）

春季,正月,戊申(初四),更改大都路总管府为都总管府。

癸丑(初九),皇帝命令侍从大臣子弟进国子学学习。

安南国王陈日烜派遣使者前来朝贡。

丁巳(十三日),派遣使者代替皇帝祭祀名山、大川、海神、土地神。

辽阳自从纳颜叛乱后,百姓非常疲惫困苦,戊午(十四日),散发钞票赈济他们。

哈坦残余的贼寇还未平定,丙寅(二十二日),命令高丽国派耽罗卫戍兵士一千人前去讨伐。

丁卯(二十三日),高丽国王王賰言:"我过去在京师值宿警卫时,正碰上林衍叛乱,高丽平民住在大同的都加入了当地户口,希望把这些平民重新归还高丽。"皇帝批准他的奏议。

辛未(二十七日),无为路发大水,灾后免今年田租。

癸酉(二十九日),设立兴文署,掌管经书典籍印制和江南学田钱粮。

哈坦侵犯辽东海阳。

二月,癸未(初九),泉州发生地震,丙戌(十二日),再次地震。当时商琥入朝担任中台监察御史,上书说:汉文帝时期,发生过这种天灾却没造成什么祸害,是因为汉文帝亲身施行德化而消弭了祸害。于是将汉文帝时期的政事整理进献。又说为政的根本在立法和任人两项而已,法不是立了就可以,需要人去执行;人不能滥用,只能选择贤能,因而举荐天下十多个有名望的人士。皇帝采纳了他的建议。

己丑(十五日),江西群盗钟明亮等人投降,诏令将为首的人移送京师,对其余党则发给粮米。

癸巳(十九日),晋陵、无锡两县连降大雨,毁坏庄稼,免掉两县田租。

江西贼寇华大老、黄大老等人抢掠乐昌各县,行枢密院派兵将其讨伐平定。

三月,庚申(十七日),设立江南营田提举司,掌管僧庙的资产。

癸亥(二十日),建昌贼寇丘元等自称"大老",聚集一千多人抢掠南丰各县,被建昌副万户捕获斩首。

甲子(二十一日),杨镇龙余部抢掠浙东。统领官兵讨伐贼寇的,大多俘虏抢掠良民。命令行御史台对俘虏加以甄别,发现其中有平民一千六百余人。

庚午(二十七日),因广昌县遭受钟明亮之乱,免去田租。

辛未(二十八日),太平县贼寇叶大五,集聚一百多人侵犯宁国,被捉住斩首。

夏季,四月,癸酉朔(初一),皇帝到上都。

丙戌(十四日),派僧济额森等人赴马八儿国求访医药养生之术。

癸巳(二十一日),河北十七个郡发生蝗灾,诏令加以赈济。平山、真定、枣强三县发生旱灾,灵寿、元氏两县遭受大雨冰雹,一起免去田租。

庚子(二十八日),哈坦又侵犯海阳。

五月,乙巳(初三),哈坦侵犯开元。

开始时,钟明亮投降,诏令将他绑缚送到京城,江西行省管如德等将其留下没有遣送。后钟明亮重又反叛,率领部众侵犯赣州。戊申(初六),枢密院以管如德等人违背诏令纵容贼寇,请求究办他,下诏准许。撤销江西省枢密院。

庚戌(初八),陕西南市的屯田庄稼因降霜受到伤害,免掉租税。

戊午(十八日),将江西行省迁移到吉州,以便追捕盗寇。

尚书省派人察看云南银洞,得到银四千零四十八两,奏请设置银场官。

癸亥(二十一日),徽州绩溪贼寇胡发、饶必成伏法被杀。

丙寅(二十四日),江西行省上奏:"吉、赣、湖南、广东、福建,因为严禁携带弓箭,盗贼日益增多,请求依照内地郡县条例,允许尉兵持带弓箭。"皇帝批准这个请求。

己巳(二十七日),设立云南行御史台。重新起用前任汉中道按察使程思廉为御史中丞。程恩廉刚到任,蛮夷的首领都来祝贺,言辞好似谦逊而意气却相当倨傲。程思廉便宣示安抚关怀的圣意,并且明确地向他们说明利害祸福关系,叫他们不要自外于朝廷,听到的人都畏惧而屈服。云南过去虽有学校但礼教不兴,程思廉大力振兴儒学,这样才开始有了从学问礼的人。

江阴发大水,减免田租一万七百九十石。

庚午(二十八日),婺州永康、东阳、处州、缙云的贼寇吕重二、杨元六等造反,被浙东宣慰使史弼捕获斩首。

泉州、南安贼寇陈七师造反,被讨平。

六月,壬申朔(初一),黄河水漫溢,淹了太康,免去淹没地区的租税。

庚辰(初九),采纳江淮省平章锡布鼎奏言,因参政王巨济检查考核钱粮有功,赏给钞银五百锭。

抄写金字《藏经》,共耗费黄金三千二百余两。

因广州增城、韶州乐昌遭受畲贼扰乱,同时免去两地田租。

杭州贼寇唐珍等人伏法处死。

壬辰(二十一日),泉州发生水灾。

丙申(二十五日),派出侍卫兵一万人修缮都城。

丁酉(二十六日),大司徒萨里曼等人进献《定宗实录》。

己亥(二十八日),棣州厌次、济阳大风冰雹损坏庄稼,减免两地租税。

秋季,七月,癸丑(十二日),撤销缅中行尚书省机构。

江淮省平章锡布鼎因管理仓库官员偷盗和骗取钱粮,请求依照宋朝法律,面上刺字并砍断手腕,皇帝说:"这是回回的法制。"没有采纳。

戊午(十七日),贵州苗蛮三十多人作乱,攻进顺元城,杀伤官吏,于是参加的人更多。湖广省会合兵马前往征讨。

建平的贼寇王静照伏法处死。

乙丑(二十四日),芜湖贼寇徐汝安、孙惟俊等人伏法处死。

丙寅(二十五日),云南阇力白衣甸首领等总共十一个甸归附。

丁卯(二十六日),采用僧格的奏言,派庆元路总管毛文豹搜刮宋代民间金银财宝,不久停止。

沧州乐陵发生旱灾,免除田租三万余石。

魏县御河漫溢伤害庄稼,减免该地租税。

八月,辛未朔(初一),发生日蚀。

丁亥(十七日),因南安、建昌等地曾遭受钟明亮的扰乱,全部免掉田租。

癸巳(二十三日),发生大地震,武平更为严重,地下陷,黑沙水涌出,压死按察司官员和总管府官员王连等人以及百姓七千余人。

己亥(二十九日),皇帝听到武平地震,担心纳颜党羽入侵,派平章政事特穆尔、枢密院官员塔鲁呼岱带兵五百前去监视。

九月,癸卯(初三),申令严格禁止汉人在田野上狩猎。

乙巳(初五),下令禁止诸王派遣僧人建立寺庙侵扰百姓。

平章政事栋里特穆尔率兵与哈坦作战,将其打得大败。

丁未(初七),御河高唐段决口,淹没民田,命主管官吏将决口堵塞。

武平盗贼趁地震之机大肆抢掠,百姓更加恐惧忧愁。特穆尔未报告皇上,就减免租税,停征商税,放松酒禁,将盗贼处死,发放钞银八百四十锭,挪用海运米一万石赈济百姓。

皇帝从上都回来,驻扎在龙虎台,令阿喇根萨里飞速返还,召集翰林、集贤两院询问造成地震灾害的原因。议论的人都怕僧格,只是空泛地引用古代的经传和五行灾异的话,用整治人事顺应天变来回答。

起初,因为僧格派遣实都、王巨济等人清理查算天下钱粮,已征收数百万,没征收的还有几千万,为害人民特别严重,百姓无法生活,自杀的接连不断,而逃入山林的,就发兵捕捉。于是集贤直学士赵孟頫便对阿喇根萨里说:"应该请求赦免天下,全部免除税赋,这样,天地的异常变化大概可以消弭。"阿喇根萨里日常和孟頫要好,便按赵孟頫的话上奏,皇帝依准诏书的草稿已打好,僧格大怒,认为必定不是皇帝的意思。孟頫便说:"这些未征钱粮的户,人已经死绝了,还从哪里去收取!如现在不及时免除,将来上奏言事的人,若用丢失钱粮数千万的罪名加到尚书省头上,那难道不是给丞相您增添深重的累赘吗?"僧格领悟,于是赦免天下,百姓稍稍得以复苏。

丁卯(二十七日),命令江淮行省检查考核行教坊司所总管的南乐工租赋状况。

在宿迁北面设置四巡检司,用罢免陆运民夫为兵,护送沿会通河运给朝廷的上供物品;禁止征发百姓为拉船纤夫。

僧格的富贵荣华达到了极点,他讳忌说出自己曾跟随丹巴学习而又背叛他的事。丹巴知道已为僧格不容,极力请求回到西部。不久又被召回,贬逐到潮州。

冬季,十月,壬申(初二),册封皇孙噶玛拉为梁王,赐给金印,出外镇守云南。

甲戌(初四),设置会通、汶、泗河道提举司。

丁丑(初七),尚书省上言:"江阴、宁国等路发生水灾,流离失所的百姓有四十多万户。"皇帝说:"这又何必等待上面知道呢?应当急速赈济他们。"

己丑(十九日),新创作了太庙登歌和宫悬音乐。

因锡宝齐每年在成都猎取鸧鹒侵扰百姓,下令停止。

十一月,戊申(初九),江淮行省平章布琳济岱上言:"福建盗贼已经平定,只有浙东一道地远势险,贼寇将它作为巢穴。应该命令哈喇岱一军守卫沿海明、台一带,伊拉齐一军守卫温处一带,札呼岱一军守卫绍兴、婺州一带。宁国、徽州两处开始时使用当地士兵守卫,后来都和贼寇串通,应调派高邮、泰州两个万户管辖的汉军来守卫。扬州、建康、镇江三个城市,跨据长江,人口繁多集中,应设置七个万户府;杭州是行省诸司府库所在地,应设置四个万户府。演习水战的地方,过去只有十所,应选择濒海沿江的要害地点二十二所,分兵驻扎,演习水战之法,以便监视侦察盗匪。钱塘控制海口,过去只有二十艘战船,所以海贼常常出入,夺船杀人,应该增置一百艘,那样,盗贼就不敢发兵出扰了。"皇帝准许。

庚戌(十一日),撤掉云南会川路开采碧玉的场所。

壬戌(二十三日),大司徒萨里曼等人进献《太宗实录》。

癸亥(二十四日),黄河祥符义唐湾段决口,太康、通许和陈、颍两个州遭受极大的水患。

甲子(二十五日)，御史台上言："江南盗匪起事时，讨匪官吏利用这机会抢掠，又拿俘虏当奴隶互相赠送，请求将他们送还各自的家中。"皇帝嘉奖并采纳这建议。

调河北、河南道按察司治理许州。

乙丑(二十六日)，易水泛滥，雄、霸、任丘、新安的田地房屋全被淹没，命令官吏修筑堤坝拦阻洪水。

十二月，辛未(初二)，将卫尉院改为太仆寺。

己卯(初十)，命令枢密院搜括民间兵器。

丙戌(十七日)，兴化路仙游的贼寇朱三十五，纠集贼众进犯青山，被万户李纲平定。

己亥(三十日)，湖广省前两年征收珍珠九万五百一十五两。

处州青田贼寇刘甲乙等纠集一万余人进犯温州平阳。

元世祖出猎图

这一年，江西行省丞相兼知枢密院事蒙古岱，到任四十天后死去。

蒙古岱原先在江浙任职时，专横刚愎自用，又调动卫戍兵位置。平章布琳济岱上奏弹劾他变更巴延、阿珠制定的法度，皇帝经常告诫他。蒙古岱死后，台臣在揭发郎中张思立的罪状时，他逼死刘宣和屯田无成效的事才开始被皇帝知道。

江西盗寇在龙泉起事。湖广省左丞刘国杰下令前往打击，各将领交替劝说："这是别省的盗寇。"刘国杰说："纵容盗寇就会产生祸害，怎么能以彼省此省来论呢？"于是挑选士兵，轻装出发，丢掉旗鼓，除去缨饰，一昼夜抵达贼寇境地。贼众几千人迎战，看见军容不整，说："这是乡丁啊！"乃产生轻敌心理。刘国杰用数千骑兵冲入敌阵，轻装的士兵跟随进攻，大败贼寇，斩首五百多级，还夺回被盗贼抢掠的男女百姓。天黑时，刘国杰收兵回去。村堡百姓看见，觉得奇怪，不知是什么人。第二天又忽然来到，召集村堡百姓，归还他们的男子，说："我是刘二巴图也。"百姓都惊异，以为是神，因而离开盗寇钟太獠居住的南安十八寨。刘国杰趁大雾突袭盗贼据点，贼众惊乱而自相践踏，官军与之搏战，从早晨到中午，捕杀很多，便还兵桂东。没多久，龙泉盗寇重又侵犯郿县，刘国杰于是返回郿县。贼寇退兵固守大井山，刘国杰分兵三路前进，道路险阻，就丢下马匹继续前进。当时天降大雨，贼寇没作防备，全部被歼灭。刘国杰平定贼寇后，就还归镇守道州。

至元二十八年 （公元 1291 年）

春季，正月，壬寅(初三)，金星、火星、土星会聚于奎星附近。

　　皇帝曾询问赵孟頫关于叶李和留梦炎二人的优劣，孟頫回答说："梦炎，是臣下的父辈，为人厚重，诚实而自信，好谋而能决断，具备大臣的器材。叶李所读的书，我都读过；他所知道的所能做到的，我都知道也能做到。"皇帝说："你以为留梦炎比叶李贤能吗？留梦炎在宋朝是个状元，官位高到丞相，当时贾似道欺上误国，留梦炎阿谀依附以取得容身；叶李虽为布衣之士，却拜伏宫阙之下而上书皇上，应该是叶李比留梦炎贤德啊！你因为留梦炎是你父亲的朋友，不敢批评他的不是，那么你可以作诗来讽喻他。"孟頫所赋的诗，其中有"往事已非那可说，且将忠直报皇元"的句子，皇帝听了，赞赏而又叹息，留孟炎却因此衔恨终生。

　　孟頫退下，对奉御彻尔说："皇上评论贾似道误国，责怪留梦炎不敢说话，僧格罪恶超过贾似道，我们如不说话，将来怎能推卸掉责任？可我只是个与皇上疏远的臣子，说了话必定听不进去。在皇帝周围的侍臣中，读书知晓义理，慷慨而具大节，又为皇上亲信的，没有人超过您。舍弃一条性命，而为黎民百姓除掉残恶的奸贼，这是仁义之人应做的事，您必能勉力实现它！"正好皇帝在柳林狩猎，彻尔走到皇帝面前，逐条陈述僧格贪奸误国害民罪状，言辞激烈。皇帝生气。认为他诋毁大臣，叫左右侍者打他嘴巴，鲜血从鼻孔、嘴巴里涌出来，彻尔极度疲困，倒在地上不能动弹。过了一会儿，重又被叫起盘问，彻尔则分辨更为有力，并且说："臣下与僧格无仇，所以不顾自身安危极力条数他的罪恶，是为了国家考虑啊！如果我害怕圣上发怒而不再述说，那奸臣怎能除掉，百姓的祸害怎能平息！而且还给皇上落个拒绝接受直言规劝的名声，我为此而感到惶恐不安。"页特巴勒和额森特穆尔等人也揭发僧格专权贪财。当时博果密出使在外，三次派遣人去召回，到后在行殿拜见，皇帝将此事问他。博果密回答说："僧格蔽塞圣聪，紊乱政事，有敢说话的就诬陷别的罪过加以杀害。如今百姓失业，盗贼蜂起，引起大乱只在早晚，不赶快将他杀死，恐怕给皇上带来忧虑。"从这以后，进言弹劾僧格的越来越多，皇帝开始下决心除掉僧格。

　　甲寅(十五日)，有老虎进入南城。翰林侍讲赵与票，上疏奏言权臣专政的过失，辞官在家等候处理。

　　辛酉(二十二日)，撤销江淮漕运司，把它合并于海船万户府，从海路运送漕粮。

　　免除江淮贫苦百姓从至元十二年到二十五年所拖欠的田租三百九十七万六千多石，和至元二十六年未交纳的田租十三万石，钞一千一百五十锭、丝五千四百斤、绵一千四百三十斤。

　　撤销淘金提举司。

　　设置江东、两浙都转运使司。

　　壬戌(二十三日)，尚书省右丞相僧格等人被免职。

　　二月，辛未(初三)，尚书省上奏："大同地区依赖官府供给食粮的有七万人，每年用去粮食八十万石。派使臣去重新核实，发现不当给的有一万三千五百人，应将其征收归还官府。"皇帝同意这个建议。

　　癸酉(初五)，任命陇西、四川总摄年札克真珠纳斯为各路佛教都总统。

　　更改福建行省为宣慰司，隶属江西行省。

　　诏令："行御史台不要听从行省节制调度。"

　　云南行省奏言："叙州乌蒙地区水路险恶，行船经过大多被破坏淹没，应该从叶稍水站上陆,经过中庆,再经过盐井、土老、必撒各蛮人住区,到叙州庆符,可修建驿路,设立五个驿站。"准许。

丙子(初八),皇帝接受鄂尔根萨里的建议,撤销征理司,诏令下达的那一天,百姓相互祝贺。

扬州路达噜噶齐索罗呼斯因是僧格的党羽,而被罢职。

丁丑(初九),任命太子右詹事鄂勒哲为尚书右丞相,翰林学士承旨博果密为平章政事。

皇帝打算任命博果密为丞相,对博果密说:"我过于听信僧格,造成天下不安,现在虽然后悔但已来不及了。我在你年幼时就认识你,让你随从我学习,正是打算供今天使用。"博果密说:"朝廷里位在我上面的有功勋的老臣还很多,现在不按寻常的次序而破格任用我,没法叫众臣心服。"皇帝说:"那么谁可以呢?"答:"太子詹事鄂勒哲可以。从前没收阿哈玛特家产时,发现阿哈玛特贿赂遗老近臣都登记册上,册上唯独没有鄂勒哲的名字。他又常说用僧格做丞相必定败坏国家大事,现在果然像他说的那样,所以知道他可以担任。"皇帝认为僧格损害政事的措施恐怕没有完全去掉,便召江淮参政燕公楠入朝。公楠极力陈述僧格举措的危害,请求改变以巩固国家根本,皇帝高兴,询问他谁可以担任首相,他回答说:"天下众望所归,没有一个像安图的。"问其次是谁,答:"鄂勒哲可以。"先前,因为贺胜的父亲贺仁杰留守上都,不肯位居僧格之下,僧格打算暗算他,前后累计上奏几十回,皇帝都没听从。僧格败露后,皇帝询问贺胜:"谁可以当丞相?"回答说:"天下公论都属意鄂勒哲。"

皇帝命令玄教宗师张留孙占卜,得到《同人》的《豫》卦,留孙进言说:《同人》,柔和得位而接近《乾》卦,表示君臣相合;《豫》,有利于臣侯的建立,是任命丞相的事,怎么如此吉利!请皇上不必疑虑。"等到给鄂勒哲授位时,天下果然以为得到了贤明丞相。

皇帝任命贺胜为参知政事。

壬午(十四日),皇帝晓谕御史大夫伊罗勒说:"屡次听说僧格阻挠压抑台纲,堵塞言路,又曾用鞭棍责打御史,他所犯的罪是什么罪,应当与他辩论。"僧格等人拿着御史李渠等查看过的文卷来到,皇帝命令侍御史杜思敬等人查问推究,前后反复辩论四次,僧格等理屈词穷。

第二天,皇帝去上都,车驾驻扎在大口,又宣召御史台和中书、尚书两省官员辩论。尚书省拿着文卷上奏:"前任浙西按察使勒济利用监督烧毁钞票的机会,受赃达一千锭,曾命令台臣追究此事,可两年没见回复。"杜思敬说:"文书的次序都在卷宗里,叫尚书省打开卷宗拿来对证,其中的弊端就可看到。"等卷宗抱来,思敬说:"把卷宗加封,又在封条盖上朱印,是为了防止欺骗弊病。他们那些人当宰相,却拆开卷宗上封条破坏朱印同人家辩论,这是教官吏为奸,应当加以治罪。"皇帝以为有理,斥责御史台说:"僧格作恶前后四年,他的奸邪贪赃暴露出来不止一件,你们这些台臣,难说不知道;知道却不揭发,各自应该承当什么罪责?"杜思敬等人回答说:"夺去官职,追回俸禄,全凭皇上裁决。"过了几天,皇帝还没有裁决,伊罗勒便奏言担任台臣时间长的应该斥罚免职,任职不久的留下。皇帝说:"对"。

癸未(十五日),皇帝到上都。

甲申(十六日),命令江淮行省检查审核锡布鼎所主管的詹事院在江南的钱粮。

乙酉(十七日),设置江淮、湖广、江西、四川行枢密院;江淮行枢密院管理广德军,湖广行枢密院管理岳州,江西行枢密院管理汀州,四川行枢密院管理嘉定。

丙戌（十八日），诏令："将提刑按察司改为肃政廉访司，每个道依旧设八名官员，除两名留在司里以总制全道外，其余六人各分赴所管辖部门。诸如民事、钱粮、官吏的奸弊，一切都委托给他们查访，等到年终，由省、台派官员考察他们功效。"

起初，何荣祖担任参知政事，僧格急于清理查算钱粮，百姓受其祸害，荣祖屡次请求停止，皇帝不依，经多次不停恳请，才稍微缓和。而京郊百姓困苦尤为严重，荣祖每次都想上奏。他的同事说："皇上既已下令免去各路清算钱粮，只差京郊一地，可以稍停，不要再上奏了。"荣祖心意更为坚决，直至违逆皇上旨意也不曾稍有屈服，竟然不在文件上署名。没过一月，危害人民的弊端都传开了，皇帝才想起何荣祖的话，将他宣召来，问他应该怎么办才合适。荣祖请求年终设局考查核对，人们都感到方便，于是便将这种做法定为常式。皇帝下诏赐给何荣祖钱一万一千贯。何荣祖条列了朝廷内外百官的规程，力图矫正当时弊端，因受僧格的压制而无法施行。荣祖既然同僧格意见对立，就托病告假，皇帝当时特授予集贤大学士，到现在才起用为右丞相。

诏令江淮行省派遣蒙古军五百人、汉兵一千人跟随皇子镇南王镇守扬州。

捉拿河间都转运使张庸，仍然派官员检查审核他的事情。

丁亥（十九日），营建宫城南面庐舍，用来居住值宿警卫的兵士。

下诏逮捕湖广省平章约苏穆尔，押送京师。戊子（二十日），没收他家资产，共有黄金四千两。约苏穆尔是僧格妻子的党羽，每天急于清算查核钱粮，不守法度，恣意妄为，永州判官乌克逊泽叹息说："老百姓忍受不住了！"遂即自己向行省上报钱粮账单。约苏穆尔生气说："郡国的钱粮，没有不多征的，永州为什么单独不这么办？这一定是孙府判依恃才识看不起我，立即把他拘押起来。"想将他置于死地，到现在才被释放。

辛卯（二十三日），封诸王特穆尔布哈为肃远王。

壬辰（二十四日），大雨淋坏了太庙第一室，将神主迁移到别的殿堂。

癸巳（二十五日），命令撒尔率领宫中卫士三百人查抄僧格家产，所得珍宝的数量有宫内珍藏的一半。鄂尔根萨里因受僧格案牵连而一同犯罪，也被抄家。皇帝问他说："僧格为政坏到这地步，你为什么没对他进一言？"回答说："我不是不曾说过，只是说了他不采用罢了。"

当时尚书省官员多数因有罪被撤职，皇帝想让赵孟頫参与处理中书政事，孟頫坚决推辞。皇帝便下令，允许他出入宫门不加禁止，每次见面，必定从容地谈到治国的方法，对政事多有补益。孟頫自己考虑长期在皇帝身边，必定被人忌妒，便极力请求外放补缺，出任同知济南路总管府事。

丁酉（二十九日），诏令增加山、河、四海的封号，分别派遣官吏前去宣告。

三月，己亥朔（初一），僧格的妻弟巴济扣担任燕南宣慰使，因受赂、积赃伏法处死。

推倒《僧格辅政碑》。

提点太医院事许扆，同丞相安图友好，对国政多有帮助，因而为僧格所忌恨。僧格几次在皇帝面前进谗言，皇帝并不相信。僧格败露后，被捆绑在左掖门，皇帝叫许扆朝僧格脸上吐唾沫，许扆推辞，认为不能这样做。皇帝称赞他为人仁厚，赐给白玉带，并且告诉他说："因为你明洁没有斑点，好像这块玉，所以才把它赐给你。"许扆，集贤大学士许国桢的儿子，皇帝赐名为和尔果斯。

乙卯(十七日),纳颜的下属伊乌纳尔等人同女真兵五百人,追杀归顺的一千多老百姓。朝廷派遣塔哈领兵将其平定。

辛酉(二十三日),派侍卫兵营造紫檀殿。

壬戌(二十四日),任命甘肃行省右丞崔或为中书右丞。

杭州、平江等五路发生饥荒,散发粮食加以救济,依旧放松湖泊捕鱼禁令。溧阳、太平、徽州、广德、镇江五路也闹饥荒,按杭州等路那样加以救济。武平路饥荒,百姓受困于盗贼、军队,免除去年田租。各州郡田地凡曾受灾的,全部免除租税,没受灾的免去十分之五。

江淮富豪之家大多通过贿赂权贵的办法担任府县卒史,以庇护自家门户,遇到差役赋税,就只令贫民负担。诏令江淮行省对这种情况要严加禁止。

续资治通鉴卷第一百九十

【原文】

元纪八　起重光单阏【辛卯】四月,尽玄默执徐【壬辰】十二月,凡一年有奇。

世祖圣德神功文武皇帝

至元二十八年　【辛卯,1291】　夏,四月,乙未,徙湖广行枢密院治鄂州。

五月,戊戌,逮嘉木扬喇勒智下狱。

初,嘉木扬喇勒智重赂僧格,发宋陵墓,戕虐人命,私庇平民不输赋者二万三千户,田土称是,受美女宝物之献,藏匿未露者尤多。至是坐侵盗官物,治之,籍其妻孥田亩。

徙江淮行省枢密院治建康。

甲辰,中书省臣敏珠尔卜丹、崔彧言:“僧格当国四年,中外诸官,鲜有不以贿而得者,其昆弟、故旧、妻族,皆授要官美地,唯以欺蔽九重、朘削百姓为事。宜令两省严加考核,凡入其党者,汰逐之。其出使之臣及按察司官受赇者,论如律,仍追宣敕,除名为民。”又言:“僧格所设衙门,其闲冗不急之官,徒费禄食,宜令百司集议汰罢。自今调官宜如旧制,避其籍贯,庶不害公。又,大都高赀户,多为僧格等所容庇,凡百徭役,止令贫民当之,今后徭役宜皆均输,有敢以贿求人容庇者,罪之。又,军站诸户,每岁官吏非名取索,赋税倍蓰,民多流移,请非奉旨及省部文字,敢私敛民及役军匠,论如法。又,呼都呼那颜籍户之后,各投下毋擅招集,太宗既行之。江南民为籍已定,请依太宗所行为是。”帝皆从之。

约苏穆尔在湖广时,正月朔日,百官会行省,朝服以俟,约苏穆尔召至其家受贺毕,方诣省〔望〕阙贺如常仪。又阴召卜者,有不轨言。及是逮至京师,中书列其罪以闻,凡数十事。帝命械至湖广戮之。

辛亥,诏以僧格罪恶,下狱按问。

以太原、杭州饥,免今岁田租。

刘因既去,复以集贤学士征,因以疾辞,且上书宰相,乞曲为保全。帝闻之曰:“古有所谓不召之臣,其斯人之徒与!”遂不强致之。

罢江南六提举司岁输木绵。

巩昌旧惟总帅府,僧格特升为宣慰司,以其弟达玛喇塔斯为使,僧格败,惧诛,自杀。敕复为总帅府。

减中外冗官三十七员。

宫城中建葡萄酒室及女工室。

癸丑,罢尚书省,右丞相鄂勒哲以下,并改入中书。

增置户部司计、工部司程,秩正七品。

乙卯,以政事悉委中书,仍布告中外。

丁巳,建白塔二,各高一丈一尺,以居咒师。

元初未有法守,百司断理狱讼,循用《金律》,颇伤严刻。右丞何荣祖世业吏,而荣祖尤所通习,始以公规、治民、御盗、理财等十事辑为一书,名曰《至元新格》,至是奏颁行之。

僧格尝以刘秉忠无子,收其田土。其妻窦氏,言秉忠尝鞠从子兰章为嗣,敕以地百顷还之。

己未,以们达瞻复为御史大夫,行御史台事。

高丽国王王晫,乞以其子源为世子。诏立源为高丽王世子,授特进、上柱国,赐银印。

六月,丁丑朔,禁蒙古人往回回地为商贾者。

乙酉,益江淮行院兵二万,击郴州、桂阳、宝庆、武冈四路盗贼。

〔丙戌〕,宣谕江淮民,恃嘉木扬喇勒智力不输租者,依例征输。

秋,七月,丙申朔,云南省参政齐喇言:“建都地多产金,可置冶,令旁近民炼之以输官。”从之。

庚子,徙江西行枢密院治赣州。

叶李与僧格同事,莫能有所匡正,僧格败,事颇连及同列。久之,李独以疾得请南还。戊申,扬州路学正李淦上书言:“叶李本一黥徒,受皇帝简知,千载一遇,而〔才近天光〕,即以举僧格为第一事。禁近侍言事,以非罪杀参政郭佑、杨居宽,迫御史中丞刘宣自裁,锢治书侍御史陈天祥,罢御史大夫们达瞻、侍御史程文海,杖监察御史;变钞法,拘学粮,征军官俸,减兵士粮,立行司农司、木绵提举司,增盐酒醋税课,官民皆受其祸。尤可痛者,约苏穆尔祸湖广,锡布鼎祸江淮,灭贵里祸福建;又大钩考钱粮,民怨而盗发,天怒而地震,水灾洊至。人皆知僧格用群小之罪,而不知叶李举僧格之罪,宜斩李以谢天下。”

书闻,帝矍然曰:“叶李(介廉)〔廉介〕刚直,朕所素知,宁有是耶?”有旨,驿召淦诣京师。

中书右丞崔彧迁御史中丞,言:“太医院使刘岳臣,尝仕宋,练达政事,请以为翰林学士,俾议朝政。”又言:“行御史台言,建宁路总管马谋,因捕盗延及平民,榜掠多至死者;又俘取人财,迫通处女,受民财积百五十锭。狱未具,会赦。马谋以非罪杀人,不在原例,宜令行台诘问定罪。”又言:“昔行台监察御史周祚,劾尚书省官蒙古岱、嘉珲迪、纳苏喇鼎默埒奸赃,纳苏喇鼎默埒反诬祚以罪,遣人告僧格,僧格暧昧以闻,流祚于北地,妻子家财并没入官。祚至和林,遇乱走还京师,僧格又遣诣云南理算钱谷以赎其罪。今自云南回,臣与省臣阅其伏词,为罪甚微,宜复其妻子。”帝皆从之。

敕:“江南重囚,依旧制奏闻处决。”

庚戌,湖广行省平章政事史格卒。格在湖广,与约苏穆尔共事最久。约苏穆尔恃有奥援,怒詈同列,辨诈鸷刻,势张甚,以格受帝知,不以言色侵之。格数有匡正,虽不能尽行,然宽免者甚众。约苏穆尔败而格已卒,湖广人追念之。

丁巳,僧格伏诛。临刑,吏犹以鄂尔根萨里为问,僧格曰:“我惟不用其言,故致于败,彼何与焉!"帝益信其无罪,诏还所籍财产,仍遣张九思赐以金帛,辞不受。

初,哈都作乱,其民来归者七十馀万,散居云、朔间,僧格议徙之内地就食。尚书左丞马绍持不可,僧格怒曰:"马左丞爱惜汉人,欲令馁死此辈耶?"绍徐曰:"南土地燠,北人居之,虑生疾疫。若恐馁死,曷若计口给羊马之资,俾还本土,则未归者孰不欣慕!言有异同,丞相何以怒为!宜取圣裁。"乃如绍言以闻,帝曰:"马秀才所言是也。"僧格集诸路总管三十人,导之入见,欲以趣办财赋之多寡为殿最,帝曰:"财赋办集,非民力困竭必不能。然朕之府库,岂少此哉!"僧格议增盐课,绍力争山东课不可增;又议增赋,绍曰:"苟不节浮费,虽重敛数倍,亦不足也。"事遂寝。

都城种苜蓿地分给居民,权势因取为己有。以一区授绍,绍独不取,僧格欲奏请赐绍,绍辞曰:"绍以非才居政府,恒忧不能塞责,讵敢邀非分之福以速罪戾!"僧格败,迹其所尝行赂者,索籍阅之,独无绍名,帝曰:"马左丞忠洁可尚,其复旧职。"改中书左丞。

募民耕江南旷土,户不过五顷,官授之券,俾为永业,三年征租。

遣翰萨总兵讨平江南盗贼。

己未,罢淘金提举司。江淮人匠提举司凡五,以其事并隶有司。

雨坏都城,发兵二万人筑之。

八月,乙丑朔,平阳地震,坏民庐舍万馀。

己巳,置中书省检校二员,考核户、工部文案疏缓者。

乙酉,麻苏呼阿萨尔乘传诣云南捕黑虎。

戊子,以婺州水,免田租。

九月,辛丑,命平章政事敏珠尔卜丹商议中书省事,以咱希鲁鼎为平章政事。

乙巳,景州、河间等县霖雨害稼,免田租五万六千馀石。

丙午,立行宣政院,治杭州。

辛亥,安南国王陈日烜,遣使上表贡方物,且谢不朝之罪。

壬子,遣使诏谕瑠求。

瑠求在闽海之东,地小而险,汉、唐以来不通中国,海船副万户杨祥请以兵往伐之。既而闽人吴诖斗,自言熟知海道,先招谕之,不从然后用兵未晚;乃以祥充宣抚使,阮鉴兵部员外郎,诖斗礼部员外郎,往招谕之。明年,祥等不得达而还,诖斗卒于行。初,诖斗尝斥祥诞妄要功,人疑为祥所杀,诏福建行省按问,会赦,不竟其事。

戊午,徙四川行枢密院治成都。

辛酉,免大都今岁田租;保定、河间、平滦三路大水,被灾者全免,收成者半之。

命尚衣局织无缝衣。

冬,十月,己巳,修太庙在真定倾坏者。

壬申,以前缅中行省平章舒苏德济为中书平章政事。

〔癸酉〕,江淮行省言盐课不足,由私鬻者多,请付兵五千巡捕,从之。

塔喇海、张呼逊等,并坐理算钱谷受赃,论诛。

癸未,高丽国饥,给米二十万斛。

罢各处行枢密院事入行省。

行院既置,分兵、民为二,奸人植党自蔽。湖广省平章哈喇哈斯入觐,极陈其不便,帝为罢之。因问曰:"风宪之职,人多言其挠吏治,信乎?"对曰:"朝廷设此以纠奸慝,贪吏疾之,妄为谤耳。"帝然其言。

己丑,敕没入嘉木扬喇勒智、锡布鼎、乌纳尔妻,并遣诣京师。

癸巳,以武平路总管张立道为礼部尚书,使安南。帝怒安南不已,欲再伐之,适陈日烜死,子日燇袭位,博果密曰:"彼山海小夷,以天威临之,宁不震惧!兽穷则噬,势使之然。今若遣使谕之,彼宜无不奉命。"帝从之,以立道尝使安南有功,复使往,征其王入朝。

免卫辉种仙茅户徭役。

从辽阳行省言,以纳颜、哈坦相继叛,给蒙古人内附者及开元、南京、硕达勒达等三万人牛畜、田器。

诏严益都、般阳、泰安、宁海、东平、济宁畋猎之禁,犯者没其家赀之半。

十一月,壬寅,诏:"回回以答纳珠充献及求售者,还之,留其值以济贫者。"

朱清、张瑄请并四府为都漕运万户府二,诏即以清、瑄二人掌其事;其属有千户、百户等官,分为各翼,以督岁运。罢海道运粮镇抚司。

乙卯,监察御史言:"锡布鼎、纳苏喇鼎默埒、乌纳尔、王巨济、嘉木扬喇勒智、锡迪嘉珲迪,皆僧格党与,受赃肆虐,使江淮之民愁怨载路,今或系狱,或释之,臣下所未能喻。"帝曰:"僧格已诛,纳苏喇鼎默埒在狱,唯锡布鼎朕姑释之耳。"

谕中书议增中外官吏俸。

十二月,乙丑,复都水监。

时有言滦河自永平挽舟,逾山而上可至开平,有言卢沟自麻峪可至寻麻林,朝廷遣河渠司副使郭守敬相视,滦河既不可行,卢沟舟亦不通。守敬因陈水利十有一事:其一,"大都运粮河,不用一亩泉旧源,别引北山白浮泉。水自昌平西折而南,经瓮山泊,自西水门入城,环汇于积水潭,复东折而南,出南水门,合入旧运粮河;每十里置一闸,比至通州,凡为闸七。距闸里许,上重置斗门,互为提阏,以过舟止水。"帝览奏喜曰:"当速行之。"于是复置都水监,俾守敬领之,以来春兴役。帝命丞相以下皆亲备锸倡工,待守敬指授而后行事。

丁卯,以大都饥,下其价粜米赈之。

己巳,宣政院言:"宋全太后、瀛国公母子已为僧、尼,有地三百六十顷,乞如例免征其租。"从之。

辛未,御史台言:"钩考钱谷,自中统初至今,逾三十年,更阿哈玛特、僧格当国,设法已极,而其馀党公取贿赂,民不堪命,不如罢之。"诏拟议以闻。

壬申,立河南江北行中书〔省〕,治汴梁。

中书省言:"江南在宋时,其徭役之名七十有馀,归附后一切未征。今诸王岁赐、官吏俸禄多不给,宜令江南依宋时诸名征赋尽输之。"何荣祖言:"宜召各省官任钱谷者诣京师,集议科取之法以闻。"从之。

甲戌,罢钩考钱谷。敕:"应昔年通欠钱谷文卷,聚置一室,非朕命而视之者有罪。仍布告中外。"

庚辰,江北州郡割隶河南江北行中书省,改江淮行省为江浙等处行中书省,治杭州。

丙戌，八番洞官吴金叔等以所部二百五十寨内附，诣阙贡方物。

戊子，诏释天下囚非杀人抵罪者。

辛卯，浚运粮河，筑堤防。

是岁，宣政院上天下寺宇四万二千三百一十八区，僧尼二十一万三千一百四十八人。

辽阳饥，翰林学士承旨唐仁祖，奉诏偕近侍苏格、左丞实都往赈。实都欲如户籍口数大小给之，仁祖曰："不可，昔籍之小口，今已大矣，可均以大口给之。"实都曰："若要善名而陷我于恶耶？"仁祖笑曰："吾二人善恶，众已的知，岂至是而始要名哉！我知为国恤民而已。"卒以大口给之。

至元二十九年 【壬辰，1292】春，正月，甲午朔，日食。有物渐侵入其中，不能既，日体如金环然，左右有珥。免朝贺。

戊戌，以青州饥，就陵州发粟赈之。

庚子，江西行省左丞高兴言："江西、福建汀、漳诸处，连年盗起，百姓入山以避，今次第就平，宜降旨招谕复业。又，福建盐课、酒税、银、铁各立提举司，实为冗滥，请罢去。"诏皆从之。

禁商贾私以金银航海。

甲辰，诏："江南州县学田，其岁入听其自掌，春秋释奠外，以廪师生及士之无告者。贡士庄田，则令核数入官。"

丙午，河南、福建行省上言，请诏用汉语，诏以蒙古语谕河南，汉语谕福建。

癸丑，江西行省巴延、阿喇卜丹言："蒙山课岁银二万五千两，初制，炼银一两免役夫田科五斗，今民力日困，每两拟免一石。"帝曰："重困吾民，民何以生！"从之。

二月，己巳，申禁鞭背国法，不用徒、流、黥、绞之刑，惟杖臀，自十七分等加至百单七而止。然斩剐之刑，则又往往滥用之，至其酷也，或生剥人皮；又有三段铲杀法，未之除也。

庚午，鄂罗斯招附桑州生苗、罗甸国古州等峒酋长三十一，所部民十二万九千馀户，诣阙贡献。

壬申，遣使分行诸路，释死罪以下轻囚。

乙亥，以泉府太卿伊克穆苏、邓州旧军万户史弼、福建行省左丞高兴并为福建行省平章政事，将兵征爪哇，用海船大小五百艘、军士二万人。

戊寅，诏加高丽王王晴太保，仍锡功臣之号。

庚辰，御史大夫伊实特穆尔、中丞崔彧等言："纳苏喇鼎默埒、实都、王巨济，党比僧格，恣为不法，楮币、铨选、盐课、酒税，无不更张变乱。衔命江南理算者，皆严急输期，民至嫁妻卖女，祸及亲邻。维扬、钱塘，受害最惨，无故而陨生者五百馀人。其初犹疑事出国家，近按问首实，乃知皆僧格及其凶党之为，莫不愿食其肉。此三人既已伏辜，宜依条论坐以谢天下。"从之。

又言："河西人锡栋罕，领兵为宣慰，其吏诣廉访司告其三十六事，檄金事簿问事，而锡栋罕率军人禽问者辱之，且夺告者以去。臣议从行台选御史往按问锡栋罕，仍先夺其职。"又言："行台官言，去岁僧格既败，使臣至自上所者，或不持玺书，口传圣旨，纵释有罪，擅籍人家，真伪莫辨。自今凡使臣必降玺书，省、台、院、诸司必给印信文书，以杜奸欺。"帝曰："何人乃敢尔耶？"对曰："耀勒特图、巴延彻尔比尝传旨纵罪人。"帝悉可其奏。

又言冯子振、刘道元指陈僧格同列罪恶,诏省台臣及董文用、留梦炎等议。其一,言:"翰林诸臣撰《僧格辅政碑》者,廉访使阎复近已免官,馀请圣裁。"帝曰:"死者勿论,其存者罚不可恕也。"

戊子,禁杭州放鹰。

是月,叶李南还,至临清,帝遣使召之,俾为平章政事。李上表力辞,未几卒,而李淦至,诏除淦江阴路教授以旌直言,从中丞崔彧请也。

李前后被赐之物甚多,而自奉甚俭,尝戒其子曰:"吾世业儒,甘贫约,惟以忠义结主知,汝曹其清慎自持,勿增吾过。"指所赐物曰:"此终当还官也。"比卒,悉表送官,一毫不以自私。

中丞崔彧言:"鄂州一道,旧有按察司,约苏穆尔恶其害己,令僧格奏罢之。臣观鄂州等九州隶南京,而行台移治建康,其淮东廉访使旧治淮安,今宜移治扬州。"又言:"诸官吏受赇,在朝则诣御史台首告,在外则诣按察司首告,已有成宪。自僧格持国,受赇者不赴台宪司而诣诸司首,故尔反覆牵延,事久不竟。臣谓宜如前制,惟于本台、行台及诸道廉访司首告,诸司无得辄受。又,监察御史塔迪实,言女真人嘉珲迪去岁东征,妄言以米千石饷栋尔特穆尔军万人,奏支钞四百锭,宜令本处廉访究问,与行省追偿议罪。"皆从之。已而中书省请以彧为右丞。帝曰:"崔彧惟可使任言责。"不允。

三月,壬寅,御史大夫伊啰勒等言:"比监察御史商琥,举昔任词垣风宪、时望所属而在外者,如胡祇遹、姚燧、王恽、雷膺、陈天祥、杨恭懿、高道、程文海、陈俨、赵居信十人,宜召置翰林备顾问。"帝曰:"朕未深知,俟召至以闻。"

丁未,诛僧格党默埒、实都、王巨济。初,帝以实都长于理财,欲释之。博果密力争,不可,一日中凡七奏,卒并诛之。

己酉,中书省右丞何荣祖、平章政事敏珠尔卜丹并罢,以大司农特尔格、翰林学士承旨琳沁并为平章政事,兼领旧职。

敏珠尔卜丹尝请复立尚书省,博果密曰:"阿哈玛特、僧格相继误国,身诛家灭,前鉴未远,奈何又欲效之!"事遂寝。至是荣祖以疾,敏珠尔卜丹以久居其任,令免署,惟食其禄,与议中书省事。

特尔格初为司农寺达噜噶齐,从猎巴雅尔之地,猎者射兔,误中骆驼,帝怒,命诛之,特尔格曰:"杀人偿畜,刑太重。"帝曰:"误耶?史官必书,亟释之!"庚人有盗粳,罪应死,特尔格曰:"臣鞫之,其人母病,盗以养母耳,请贷其死。"至是进平章,以病足,听肩舆上殿。

以阿尔为中书右丞,梁德珪为参知政事。

庚戌,帝如上都。

壬子,敕都水监分视黄河堤堰。罢河渡司。

壬戌,给还嘉木扬喇勒智土田、人口之隶僧坊者。时省台诸臣乞正典刑以谢天下,而帝犹贷之死,给还其所籍。

夏,四月,〔丙子〕,弛甘肃、太原酒禁,仍榷其酤。

辛卯,设云南诸路学校,其教官以蜀士充。

五月,丁未,中书省臣言:"佞人冯子振,尝为诗誉僧格,及僧格败,即告词臣撰碑引喻失当,国史编修陈孚发其奸状,乞免所坐遣还家。"帝曰:"词臣何罪!使以誉僧格为罪,则在廷诸臣,谁不誉之!朕亦尝誉之矣。"

诏以郭佑、杨居宽死非其罪,给还其家赀。

六月,戊辰,诏听僧食盐不输课。

壬申,江西省言:"肇庆、德庆二路,封、连二州,宋时隶广东;今隶广西,不便,请复隶广东。"从之。

癸未,以征爪哇,暂禁两浙、广东、福建商贾航海者,俟舟师发后从其便。

湖州、平江、嘉兴、镇江、扬州、宁国、太平七路大水。丁亥,诏免田租一百二十五万七千八百馀石。

闰月,〔壬寅〕,罢福建岁造象牙齿鏧带。

庚戌,回回人呼布穆斯售大珠,帝却之。

知上思州黄胜许,恃其险远,与交趾为表里,聚众二万据忠州。辛亥,诏遣湖广省左丞刘国杰讨之。贼众劲悍,出入岩洞篁竹中如飞鸟,发毒矢,中人无愈者。国杰身率士奋战,贼不能敌,走象山。山近交趾,皆深林,不可入,乃度其出入,列栅围之,徐伐山通道,且战且进。

甲寅,右江岑从毅降。从毅老疾,诏以其子斗荣袭佩虎符,为镇南路军民总管。

广东西路安抚副使谔图鼎等诽谤朝政,锡布鼎复资给之,以风闻三十馀事,妄告省官,帝以有伤政体,捕恶党下吏如法。

是月,诏廉访司巡行,劝课农桑。

礼部尚书张立道使至安南,谓其王陈日燇曰:"昔镇南王不用向导,率众深入,不战自溃,天子亦既知之。汝所恃者,山海之险,瘴疠之恶,而云南、岭南之人,与汝习俗同而技力等,今发而用之,继以北方之劲卒,汝能复抗哉?且前年之师,殊非上意,边将诳汝耳。汝曾不悟,称兵抗拒,逐我使人,今祸且至矣。"日燇泣谢,出奇宝为贿,立道却之,因要其入朝,日燇曰:"贪生畏死,人之常情,诚有诏贷以不死,臣将何辞!"乃先遣其臣阮代之、何维岩随立道上表谢罪,修岁贡之礼如初,且言所以愿朝之意。时有忌立道之功者,言必先朝而后可赦,日燇惧,卒不至。

秋,七月,庚申朔,诏以史弼代伊克穆苏、高兴,将万人征爪哇,仍召三人者至阙。

辛酉,河北河南道廉访司还治汴梁。

壬申,建社稷和义门内,坛各方五丈,〔高五尺〕,白石为主,饰以五方色土。坛南植松一株,北埔瘗坎壝垣,悉仿古制,别为斋庐,门庑三十三楹。

戊寅,黎兵百户邓志愿谋叛,伏诛。

八月,己丑朔,谔图鼎以罪死,馀党杖而(徒)〔徙〕之,仍籍其家。

甲辰,帝至自上都。

丙午,浚通州至大都漕河。

丁未,伊克穆苏请与高兴等同征爪哇,帝曰:"伊克穆苏惟熟海道,海中事当付之,其兵事则委史弼可也。"乃以弼为福建行省平章政事,统领出征军马。

庚戌,高苑人高希允,以非所宜言伏诛。

壬子,诏达春、程鹏飞讨黄胜许,刘国杰驻马军戍守。

戊午，福建行省参政魏天祐献计，发民一万，凿山炼银，岁得万五千两。天祐赋民钞市银输官，而私其一百七十锭。台臣请追其赃而罢炼银事，从之。

改燕南河北廉访使还治真定。

诏征八百媳妇国。

九月，辛酉，湖南道宣慰副使梁曾授吏部尚书，国史院编修官陈孚授礼部郎中，同使安南，诏谕陈日燇，使亲入朝。

癸酉，沙、瓜二州民徙甘州，诏于甘、肃两界画地使耕，无力者则给以牛具、农器。宁夏户口烦多，而土田半艺红花，诏尽种谷麦以补民食。

鄂尔根萨理乞罢政事，并免太史院使，诏以为集贤大学士。司天监丞刘某言："鄂尔根萨理在太史院时，数言国家灾祥事，大不敬，请下吏治。"帝大怒，以为诽谤大臣，当抵罪。鄂尔根萨理顿首谢曰："臣不佞，赖陛下天地含容之德，虽万死莫报。然欲致言者罪，臣恐自是无为陛下言事者。"力争之，乃得释，帝曰："卿真长者！"时虽罢政，或通夕召入论事，知无不言。

诸王明理特穆尔附哈都以叛，诏巴延讨之。巴延兵至阿萨呼图岭，明理特穆尔已据之，矢下如雨。巴延先登陷阵，诸军争奋，大破之。明理特穆尔仅以身免。巴延轻骑追之，军还，遇伏兵，复击败之，斩首二千级，俘其馀众以归。

冬，十月，戊子朔，诏福建廉访司知事张师道赴阙。师道至，请汰内外官府之冗滥者，诏敏珠尔卜丹、何荣祖、马绍、燕公楠等与师道同区别之。数月，授师道翰林直学士。

日本舟至四明，求互市，舟中甲仗皆具，人恐其有异图。诏立都元帅府，令阿喇岱将之，以防海道。

诏浚浙西河道，导水入海。

癸巳，燕公楠言："岁终各行省臣赴阙奏事，亦宜令行台臣赴阙，奏一岁举刺之数。"从之。

十一月，癸未，禁所在私渡，命关津讥察奸宄。

十二月，庚寅，改封皇孙梁王噶玛拉为晋王，镇北边。至元初，王已尝出镇北边，寻复封梁王，移镇云南，至是又改封晋王，镇漠北，统领四大鄂尔多之地。鄂尔多，犹言宫室也。王天性仁厚，御下以恩，民赖以安。

癸巳，中书省言："宁国路民六百户，凿山冶银，岁额二千四百两，皆市银以输官，未尝采之山，请罢之。"从之。

己酉，枢密院言："六卫内领汉军万户，见存者六千户，拨分为三，力足以备车马者二千五户，每甲令备马十五匹，牛车二两。其三千户惟习战斗，不它役之，六千户外则供它役，庶能各勤乃事而兵亦精锐。"诏施行之。

癸丑，右丞相鄂勒哲等言："一岁天下所入，凡二百九十七万八千三百五锭，其中有未至京师而在道者，有就给军旅及织造物料、馆传俸禄者，自春及冬，凡出三百六十三万八千五百四十三锭，数已逾之。今后赐诸近侍，亦宜有节。"帝嘉纳之。

以张珪为江淮行枢密副使。珪时为管军万户，入朝，帝欲用为枢密。知枢密院事伊实特穆尔曰："珪尚少，果欲大用，可俟它日。"帝曰："不然，其家为国灭金、灭宋，尽死力者三世矣，而可吝此乎？"遂有是命。先是言者谓天下事定，行枢密院可罢，江浙行省参知政事张瑄领海道，亦以为言，比珪入对，帝语及之，珪曰："纵使行院可罢，亦非瑄所宜言。"遂得不罢。

珪,弘范子也。

召行台侍御史程文海及胡祗遹等十人赴阙,赐对。以文海为江南湖北道廉访使,兴学明教,吏民畏爱之。

汀、漳剧盗欧狗,久不平,福建行省平章彻尔引兵征之。号令严肃,所过秋毫无犯,有降者,则劳以酒食而慰遣之,曰:"吾意汝岂反者耶!良由官吏污暴所致。今既来归,即为平民,吾安忍罪汝!其返汝耕桑,安汝田里,毋恐。"它栅闻之,悉款附。未几,欧狗为其党缚致,枭首以徇,胁从者不戮一人。汀、漳悉平。

湖广辰州蛮叛,行院副使刘国杰、签书院事索诺木达览往讨之,不利。移文索辰、澧、沅民间弩士三千,行省平章哈喇哈斯以民弗习战,强之徒伤吾民,勿许。右丞图呼鲁曰:"兵贵训练,乃可用也。汉军不习弩,因蛮攻蛮,古人所利。"遂与之。果以此获胜。

湖广平章政事库尔济斯,荐前永州判官乌克逊泽才堪将帅,以行省员外郎从征海南黎。黎人平,军还,上功,授广西两江道宣慰司副使、金都元帅府事。两江荒远瘴疠,与百夷接,不知礼法,泽作司规三十有二章,以渐为教,其民遵守之。又省厫置二十二所以纾民力。岁饥,上言蠲其田租,发象州、贺州官粟三千五百石以赈饥者;既发,乃上其事。时行省平章哈喇哈斯察其心诚爱民,不以专擅罪之。

邕管徼外蛮数为寇,泽循行并徼,得阨塞处,布画远迩,募民伉健者四千六百馀户,置雷留、那扶十屯,列营堡以守之,陂水垦田,筑八堨以节潴泄,得稻田若干顷,岁收谷为军储,边民赖之。

刘国杰拔象山寨,黄胜许挺身走交趾,擒其妻子,杀之。国杰三以书责交趾,竟匿不与。师还,尽取贼巢地为屯田,募度运诸种人耕之,以为两江蔽障。后蛮人谓屯为省地,莫敢犯者,诏遣使即军中以玉带赐之。国杰入朝,帝谓朝臣曰:"湖广重地,惟刘二巴图足以镇此,它人不能也。"命无迁它官。

西僧请以金银币帛祠其神,帝难之。平章政事博果密曰:"彼佛以去贪为宝,奈何为此!"遂弗与。或言京师蒙古人宜与汉人间处以制不虞,博果密曰:"新民乍迁,犹未宁居,若复纷更,必致失业。此盖奸人欲擅货易之利,交给近幸,借为纳忠之说耳!"乃图写国中贵人第宅及民居犬牙相制之状上之而止。

有谮鄂勒哲徇私者,帝以问博果密,对曰:"鄂勒哲与臣俱待罪中书,岂得专行!且备位宰辅,人或发其阴私,宜使面质,明示责降。若内怀猜疑,非人主至公之道也。"言者果屈,帝怒,命左右批其颊而出之。是日,苦寒,解所御黑貂裘以赐。帝每顾侍臣称塞咥逎之能,博果密从容问其故,帝曰:"彼事宪宗,尝阴资朕财用。"博果密曰:"是所谓为人臣怀二心者。今有以内府财物私结亲王,陛下以为若何?"帝急挥以手曰:"卿止,朕失言。"

海北元帅锡齐罕赃利事觉,行省檄乌克逊泽验治。泽驰至雷州,尽发其奸赃,纵所掠男女四百馀口。御史台言:"乌克逊泽,奉使知大体如汲长孺,为将计万全如赵充国,可属大任。"诏擢为海北、海南廉访使。

故例,圭田至秋乃入租,后遂计月受之。泽视事三月,民输租计米五百石,泽曰:"夫子有言:事君者先其事,后其食,吾莅政日浅而受禄四倍,非情所安。"量食而入,馀悉委学官,给诸生以劝业。常曰:"士非俭无以养廉,非廉无以养德。"身一布袍数年,妻子朴素无华,人皆言之,泽不以为意也。

雷州地近海,潮汐啮其东南,陂塘碱,农病之,而西北广衍平衍,宜为陂塘。泽行视城阴曰:"三溪使走海而不能灌溉,此史起所以薄西门豹也。"乃教民浚故湖,筑大堤,塌三溪潴之,为斗门者七,堤碣六,以制其赢耗,酾为渠二十有四,以达其转输。渠皆支别为闸,设守视者,时其启闭,得良田数千顷。濒海广泻,并为膏土。

【译文】

元纪八　起辛卯年(公元 1291 年)四月,止壬辰年(公元 1292 年)十二月,共一年有余。

至元二十八年　(公元 1291 年)

夏季,四月,乙未(二十八日),迁湖广行枢密院治所到鄂州。

五月,戊戌(初二),将嘉木扬喇勒智逮捕下狱。

起初,嘉木扬喇勒智用重金贿赂僧格,发掘宋代陵墓,杀害人命,私自包庇不交纳赋税的平民有二万三千户,并将他们土地据为己有,接受馈赠的美女宝物,而隐瞒未暴露的罪行则更多。到现在才因侵盗官府财物被治罪,妻子、田产没收入官。

迁江淮行省枢密院治所到建康。

甲辰(初八),中书省官员敏珠尔卜丹和崔彧奏言:"僧格执掌朝政四年,朝廷内外官员,很少有不通过贿赂而得到官职的,僧格的兄弟、故旧、妻子家族,都授给重要官职,派往好的地方任职,这些人所做只是欺蒙皇上和剥削百姓。应该命令尚书、中书两省严加考核,凡是他们的党羽,都要淘汰驱逐。派出的使臣和按察司官,凡是收受贿赂的,要按法律论处,还要追收任命的宣敕,将他们削职为民。"又说:"僧格所设衙门,其中闲散不急的官员,白费俸禄,应下令百司集中议论,加以淘汰罢免。从今以后,调任官员应按过去制度,避开他的籍贯,这样就不会因私害公。又有,京城资产多的高门大户,多数为僧格等人所包庇,各种徭役,只叫贫苦百姓承当,从今以后,徭役都应平均摊派,有敢用贿赂求人庇护的要治罪。又有,军站各户口,每年因官吏假借各种名义索取钱财,赋税成倍增加,百姓大多转移流浪到他乡。请对那些并不是奉旨或奉省部命令而敢于私自向百姓征敛财物,和叫军匠服役的人,要按法论处。又有,呼都呼那颜登记户口之后,各个俘虏户、私奴集居的地方不要擅自招集他们,太宗时就已实行。江南百姓的户籍已定,请求依照太宗所推行的为准。"皇帝全都依从。

约苏穆尔在湖广的时候,正月初一,百官在行省会集,都穿着朝服等待他,约苏穆尔却将百官召到自己家里受贺,以后才到省衙按常规仪式庆贺。又暗地召来占卦的人,有不轨的言论。这时就被逮送京师。中书省列举他的罪状公布,共数十件事,皇帝命令将他带上镣铐,押回湖广斩杀。

辛亥(十五日),发布诏书,宣布僧格罪恶,关进监狱审查讯问。

因太原、杭州饥荒,免除今年的田租。

刘因既已去官,重又以集贤学士之名征召他,刘因托病推辞,并给宰相上书,请求想方设法为他保全。皇帝听后说:"古时有所谓不受征召的臣,他大概是这种人的门徒吧!"遂不勉强他来。

免掉江南六提举司今年应交纳的木绵。

巩昌过去只是个总帅府，僧格特别将它升格为宣慰司，任命他弟弟达玛喇塔斯为宣慰使，僧格败露，他弟弟害怕被诛，就自杀了。诏令仍恢复为总帅府。

裁减宫内外多余官员三十七名。

在宫城中建立酿造葡萄酒房子和女工室。

癸丑(十七日)，撤销尚书省，右丞相鄂勒哲以下官员一并改入中书省。

增设户部司计、工部司程两种官职，品级为正七品。

乙卯(十九日)，发布诏书，布告天下：国家政事全部委托中书省处理。

丁巳(二十一日)，营建两个白塔，各高一丈一尺，用于法师居住。

元朝初期未有法令可供遵守，各部门断狱办案，沿用金朝法律，因其过于严酷造成许多弊端。右丞何荣祖世代担任官吏，荣祖尤其通熟律法，便开始将公共法规、治理人民、防御盗贼、整理财粮等十种事项编辑成一本书，名字叫《至元新格》，到这时便上奏颁布施行。

僧格当政时，曾经以刘秉忠没有儿子为借口，没收他土地。刘妻窦氏，上言秉忠曾过继侄子兰章作为自己儿子，皇帝下令还给他家百顷田地。

己未(二十三日)，重新任命们达瞻为御史大夫，执行御史台的事务。

高丽国王王睶，请求封他的儿子源为世子。下诏立王源为高丽王世子，授给特进、上柱国爵位，赐给银印。

六月，丁丑朔(初一)，禁止蒙古人到回回住地经商。

乙酉(十九日)，增派江淮行院军两万人，打击郴州、桂阳、宝庆、武冈四路盗贼。

告谕江淮民众，凡依仗嘉木扬喇智的势力不交纳租税的人，要依过去条例征收交纳。

秋季，七月，丙申朔(初一)，云南省参政齐喇上言：“建都地方多产金子，可以设场冶炼，令附近百姓进行冶炼上交官府。”依准。

庚子(初五)，江西行省枢密院迁移到赣州。

叶李和僧格共事时，对僧格错误没能进行纠正，僧格失败后，很多事牵连到同事。过了好久，叶李一人托病请求回归南方。戊申(十三日)，扬州儒学正李淦上书说：“叶李本是个脸上刺字的罪犯，受到皇帝的知遇，可说是千载一遇，而他却以抬举僧格为第一件事。禁止近侍上奏言事，以不能成立的罪名诛杀参政郭佑、杨居宽，逼迫御史中丞刘宣自尽，禁锢治书侍御史陈天祥，罢免御史大夫们达瞻、侍御史程文海，杖责监察御史，变更钞法，拘禁学粮，征收军官俸禄，削减兵士口粮，设立行司、农司、木绵提举司，增加盐、酒、醋赋税，官员百姓都受祸害。特别叫人痛心的是，约苏穆尔祸害湖广，锡布鼎祸害江淮，灭贵里祸害福建，又大规模地整理清查钱粮，以至百姓怨恨而盗贼蜂起，上天震怒而引起地震，水灾接连不断。人们都知道僧格滥用那些奸佞小人的罪过，却不知叶李抬举僧格的罪过，应将叶李处死以谢罪天下百姓。”

皇帝看了上书，精神矍然，说：“叶李廉介刚直，我平素了解，那能有这些事呢？”传旨派驿使将李淦召到京师。

中书右丞崔彧迁任御史中丞，说：“太医院使刘岳臣，曾在宋室为官，政事上老练通达，请求任用他为翰林学士，参论朝政。”又说：“行御史台曾奏言，建宁路总管马谋，因为捕捉盗匪牵连百姓，多把人拷打致死，又俘取百姓财物，强迫处女通奸，接受别人钱财累积一百五十锭之多。尚未结案,适逢大赦。马谋以不能成立的罪名杀人,不在赦免规定之列,应命令行台审讯定其罪过。"又说:"过去行台监察御史周祚揭发尚书省官员蒙古岱、嘉珲迪、纳苏喇鼎默埒贪赃枉法,纳苏喇鼎默埒反过来诬告周祚有罪,派人告知僧格,僧格向皇上报告时态度暧昧,结果将周祚流放到北方边地,妻儿家产被没收入官。周祚到和林时,遇到变乱走回京都,僧格又派他到云南理算钱粮以赎罪。现在周祚从云南归来,我同省臣看过他的招供之词,犯的罪很轻,应该归还他的妻子。"皇帝都批准了。

敕令:"江南罪行严重的囚犯,依照过去制度上奏批准后处决。"

庚戌(十五日),湖广行省平章政事史格去世。史格在湖广同约苏穆尔一起共事最久。约苏穆尔依仗背后有人支持,怒骂地位相同的官员,辩论中狡诈尖刻,气焰嚣张,因为史格受到皇帝知遇,才没用严厉言色来侵害他。史格多次对其加以纠正,虽然不能完全实行,可被宽恕免罪的不少。约苏穆尔败露时史格已经去世。湖广人十分追念他。

丁巳(二十二日),僧格伏法处决。执刑前,官吏还问他有关鄂尔根萨里的事,僧格说:"我只因不用他的话,才导致今天这个下场,与他有什么相干呢!"皇帝因而越发相信鄂尔根萨里没罪,下诏归还被没收的财产,并派遣张九思赐给他金银丝帛,鄂尔根萨里辞谢而没有接受。

起初,哈都作乱,他的民众来投奔的有七十多万,分散居住在云、朔之间。僧格建议把他们迁到内地就食。尚书左丞马绍持不同意见,僧格大怒说:"马左丞你爱惜的是汉人,打算叫这些人饿死吗?"马绍缓缓地回答:"南部土地热,北边人住那里,我担心他们生病,染上瘟疫。假使怕他们饿死,怎不按人口发给饲养羊马的费用,使他们回归本土,那样,没回去的谁不羡慕!意见有不同,丞相何必发怒,应该听取皇上裁决。"于是将马绍的话告诉皇帝,皇帝说:"马秀才说的正确。"僧格召集各路总管三十人,将他们引导去见皇帝,打算以催促办理财赋的多少区分功绩的上下,皇帝说:"财政赋税的征办收集,不叫民力困乏枯竭必然不能实现,可我的府库里,还缺少这个吗?"僧格建议增加食盐赋税,马绍力争山东的赋税不能增加。又议论增加一般赋税,马绍说:"如不节省多余花费,就是加重几倍敛收,也是不够。"这件事于是停办。

都城种植苜蓿草的土地分给居民,有权势的人趁机据为己有,本打算分一个地区授给马绍,但马绍不要。僧格想奏请皇上赐给马绍,马绍推辞说:"我以并非才能的人位居政府,常担心不能完成职责,怎敢求取这并非分内的福泽来加重我的过错!"僧格败露,考察曾对他行贿的人,索取登记册查寻名单,唯独没有马绍名字,皇帝说:"马左丞忠诚廉洁令人尊重,应该恢复他原职。"改为中书左丞。

招募百姓耕垦江南荒废的土地,每户不超过五顷,由官府授给凭证,使之成为各家永久的产业,三年后征收田租。

派翰萨率兵征讨平定江南盗贼。

己未(二十四日),撤销淘金提举司。江淮人匠提举司共五个,将它所管辖的事项归并到有关部门。

大雨毁坏都城,派兵二万人去修筑。

八月,乙丑朔(初一),平阳发生地震,毁坏百姓房屋一万余所。

己巳(初五),设置中书省检校两员,考核户部和工部办理疏漏迟滞的文案。

乙酉(二十一日),麻苏呼、阿萨尔乘车前往云南传送公文,令捕捉黑虎。

戊子(二十四日),因婺州发生水灾,免除田租。

九月,辛丑(初七),命令平章政事敏珠尔卜丹参与商议中书省政事,任命咱希鲁鼎为平章政事。

乙巳(十一日),景州、河间等县连降大雨毁害庄稼,免除田租五万六千多石。

丙午(十二日),设立行宣政院,管理杭州。

辛亥(十七日),安南国王陈日烜,派使臣上表贡献当地特产,并且对不能亲自来朝见皇帝表示歉意。

壬子(十八日),派使者诏谕琉球。

琉球在福建大海的东面,地方狭小而险恶,汉、唐以来不与中国来往,海船副万户杨祥请求发兵征讨。不久福建人吴志斗说自己熟悉那里海路,请求先去招抚,如不听从再用兵也不晚;于是任命杨祥为宣抚使,阮鉴为兵部员外郎,吴志斗为礼部员外郎,前往招抚。第二年,杨祥等没有到达就归还,志斗死在途中。起初,志斗曾斥责杨祥荒诞妄为,一心想邀功请赏,人们怀疑他是被杨祥害死的,诏令福建行省审查讯问。正赶上大赦,这事就不了了之。

戊午(二十四日),迁四川行枢密院于成都。

辛酉(二十七日),免除大都今年田租。保定、河间、平滦三路发生水灾,凡受灾地区全部免除田租,有收成的地区免去一半田租。

命令尚衣局织造无缝的衣服。

冬季,十月,己巳(初五),修复真定倒塌的太庙。

壬申(初八),任命前缅中行省平章舒苏德济为中书平章政事。

癸酉(初九),江淮行省奏言食盐赋税没有交足,原因在于贩卖私盐的人太多,请求拨兵五千巡察逮捕。依准。

塔喇海、张呼逊等人一起犯了清理钱粮贪赃的罪行,被处死。

癸未(十九日),高丽国发生饥荒,拨给二十万斛米。

撤销各处行枢密院,事务并入行省处理。

行枢密院设置后,将兵、民分为二,奸恶的人培植党羽以庇护自己。湖广省平章哈喇哈斯入朝觐见皇帝,极力陈述它的不便,皇帝为此把它撤销了,顺便问他:"整饬风纪法度这个职务,人们大多说它阻挠官吏办事,你相信吗?"哈喇哈斯回答说:"朝廷设立这个机构用来纠察奸邪,因为贪官污吏恨它,妄加诽谤罢了。"皇帝同意他的说法。

己丑(二十五日),下令将嘉木扬喇勒智、锡布鼎、乌讷尔的妻子没收入官,并遣送到京师。

癸巳(二十九日),任命武平路总管张立道为礼部尚书,出使安南。皇帝对安南气愤难平,想再派兵征伐。正遇上安南国王陈日烜去世,他儿子日㷆继承王位,博果密说:"他们不过是山海中小小蛮夷,如果我们对它施加天威,它能不震动惧怕? 野兽到了穷途就会咬人,形势促使它这样。现在如果派使臣加以晓谕,它应该是无不从命的。"皇帝听从这个意见,因张立道曾出使安南有功,就又派他为使者前去,召安南王来京朝见。

免除卫辉地区种植仙茅人户的徭役。

依从辽阳行省奏言，因为纳颜、哈坦连续叛乱，拨给蒙古归付于内地的人和开元、南京、硕达勒达等三万人牛畜耕具。

诏令严格禁止在益都、般阳、泰安、宁海、东平、济宁狩猎，违犯的人将没收一半家产。

十一月，甲辰（十一日），诏令："答应交纳珍珠充当贡品以及要求出售的回回人，一并遣还，留下其与贡品相等价值的钱财，以救济贫困百姓。"

朱清、张瑄请求将四府合并为两个都漕运万户府，诏令即任命朱清、张瑄二人掌管它的事项，它的下属有千户、百户等官吏，分为各个辅助部门，以督促每年漕运。撤销海道运粮镇抚司。

乙卯（二十二日），监察御史奏言："锡布鼎、纳苏喇鼎默埒、乌纳尔、王巨济、嘉木扬喇勒智、锡迪、嘉珲迪，都是僧格的党羽，贪赃受贿，残虐百姓，使得江淮人民愁怨之声载道。现在或者关在监狱，或者已被释放，我们臣下不知怎么办。"皇帝说："僧格已经处死，纳苏喇鼎默埒关在狱里，唯有锡布鼎，我想暂且把他释放了吧！"

诏谕中书省议论增加朝廷内外官吏的薪俸。

十二月，乙丑（初二），重又设置都水监。

当时有人说滦河从永平牵引船越山而上可以到达开平，有人说卢沟从麻峪可以到达寻麻林，朝廷派河渠司副使郭守敬前去察视，郭认为滦河既不可通行，卢沟也通不了船。郭守敬因此陈述有关水利的事十一件。其中一件是："大都的运粮河，不用一亩泉旧水源，另外引北山的白浮泉，水流从昌平西面折向南面，流经瓮山泊，从西水门进城，环流汇集到积水潭，又东流而折转向南，出了南水门，会合流入旧运粮河。每十里设置一个水闸，由这里到通州，共计设置七个水闸。距每个水闸一里多处的河道上重又设置斗门，两者互为提挡，用以截流过船。"皇帝看了奏章高兴地说："应该赶快去办。"于是重又设置都水监，令郭守敬统领，等到明年春天动工兴建。皇帝命令丞相以下官员都要亲自准备铁锹带头参加，等待守敬指导传授后就动工兴修。

丁卯（初四），因大都闹饥荒，将米价下调，以赈济饥民。

己巳（初六），宣政院奏言宋朝的全太后、瀛国公母子已经当了尼姑和尚，有土地三百六十顷，请求按常例免征田租，皇帝准许。

辛未（初八），御史台奏言："清查考核钱粮，从中统初年到现在，超过三十年，执掌国政的大臣已更换过阿哈玛特、僧格，所设征敛百姓的方法已达到极点，而它们的余党又公开索取贿赂，百姓已承受不了，不如取消它。"诏令议论后再报告皇帝。

壬申（初九），设立河南江北行中书省于汴梁。

中书省上书进言："江南在宋朝时期，劳役名称有七十多种，归附元朝后一切赋税都未征收。现在各王每年的赐给、官吏的薪俸大多供给不上，应下令江南依照宋时的各种名目征收全部赋税。"何荣祖说："应召集各省官中负责钱粮的人到京师，共同商议赋税征收办法，再报告皇上。"依准。

甲戌（十一日），宣布停止清查考核钱粮。下令："将过去拖欠逃漏钱粮的文卷，集中放到一个屋子，没有皇帝命令而查阅的人要治罪，仍布告宫内外。"

庚辰(十七日),江北州郡割归河南江北行中书省管辖,把江淮行省改为江浙等处行中书省,管理杭州。

丙戌(二十三日),八番洞官员吴金叔等人把所统管的各部二百五十个寨归附朝廷,赴朝廷贡献当地土产。

戊子(二十五日),诏令释放天下除杀人抵罪外的一切囚犯。

辛卯(二十八日),疏通运粮河,修筑堤防。

这一年,宣政院上报天下寺庙共计四万二千三百一十八处,有和尚尼姑共二十一万三千一百四十八人。

辽阳发生饥荒,翰林学士承旨唐仁祖,奉皇帝命令同近侍苏格、左丞实都前去赈济。实都打算按户籍上人口数的大小发给,仁祖说:"不可,过去登记的小孩,现在已经长大了,应该都按大人发给。"实都说:"你想求个好名声而把我陷于坏名声吗?"仁祖笑着说:"我们两人好坏,百姓早已清楚,那里是到这里后才开始要名声呢!我只知为国家抚恤百姓罢了。"最终还是采纳了唐仁祖的意见,一律照大人发给救济粮食。

至元二十九年 (公元1292年)

春季,正月,甲午朔(初一),发生日蚀。有个东西逐渐侵入到太阳里面,不能把太阳吃尽,太阳的形状好象金环,左右有珥。免去朝贺。

铜方日晷　元

戊戌(初五),因青州饥荒,令陵州就近散发粮食赈济。

庚子(初七),江西行省左丞高兴上言:"江西和福建汀、漳等地区,连年发生盗贼,百姓到山里去避难,现在逐渐平定,应该降旨招抚晓谕百姓回村生产。另外,福建盐税、酒税以及银、铁分别设置提举司,实在多余,请求撤掉。"这些奏议,都被采纳施行。

禁止商人私自把金银航运到海外。

甲辰(十一日),诏令:"江南州县学田,每年收入听从他们自行掌握,除春秋祭祀孔子外,其余用来供给师生和读书人中困苦而又无人帮助的。贡士的庄田,则令查核亩数收归官府。"

丙午(十三日),河南、福建行省上书奏言,请求发布朝廷诏书时用汉语。下令河南地区须用蒙古语晓谕百姓,福建地区可以用汉语晓谕百姓。

癸丑(二十日),江西行省巴延、阿喇卜丹上言:"蒙山赋税每年二万五千两银,原先规定,冶炼一两银免去役夫田租五斗;现民力日益困乏,每两打算免田租一石。"皇帝说:"征收沉重的租税,困乏我的百姓,让他们怎么生活呢!"于是批准这个主张。

二月,己巳(初六),申令禁用鞭笞背部的法律,废除流放、脸上刺字和绞死的刑罚,只用棍杖打屁股,从十七下分等增加到一百零七下而止。可是斩首和剐刑,则又常常随便使用,刑法极其残酷,甚至还生剥人皮;还有三段划杀法,都没有废除。

庚午(初七),鄂罗斯招抚桑州生苗、罗甸国古州等峒的三十一个酋长,及所统辖百姓十二万九千多户,到朝廷献贡。

壬申(初九),派遣使臣分行各路,释放死罪以下的轻罪囚犯。

乙亥(十二日),任命泉府太卿伊克穆苏、邓州旧军万户史弼、福建行省左丞高兴三人同为福建行省平章政事,领兵征讨爪哇,调用大小海船五百艘,军士两万人。

戊寅(十五日),下令加封高丽王王賰为太保,还赐给功臣称号。

庚辰(十七日),御史大夫伊实特穆尔、中丞崔彧等上言:"纳苏喇鼎默埒、实都、王巨济,依附僧格,放纵不法,将楮币发行管理、官吏选拔、盐税征收等,全都胡乱改变。接受命令在江南进行清理核算的人,对交纳期限都规定得又严又急,逼得百姓甚至出卖妻女,有的家庭还连累亲属邻居。维扬、钱塘受害最为惨重,无故而寻死的有五百多人。开始时他们还怀疑这件事是朝廷决定,最近经过审讯吐露实情,才知都是僧格和他的凶党所做。人们恨得没有不愿吃他肉的。这三个人已经伏罪,应依据条规论述其罪行以向天下人谢罪。"依准。

又上言:"河西人锡栋罕带兵担任宣慰,他手下的官吏到廉访司状告他三十六件事,发文叫金事簿前往查问,而锡栋罕则率领军人将问事者擒拿侮辱,并将告状人夺走。臣等商议从行台选派御史前往提问锡栋罕,仍应先撤掉他的职务。"又说:"行台的官员说,去年僧格败露后,使臣凡是从上面来的,或者不拿盖了玉玺的书文,只是口传圣旨,随便释放有罪的人,擅自没收人的家产,真假难辨。从今以后,凡是使臣,必须带着玺书,省、台、院各司必须给其印信文书,以杜绝奸邪欺诈。"皇帝说:"什么人竟敢这样做?"回答说:"耀勒特图、巴延彻尔,近曾传旨放掉罪人。"皇帝全部同意上奏。

又谈到冯子振、刘道元陈述僧格一行罪恶,诏令省台臣和董文用、留梦炎等人议论。其一说:"翰林院官员参加撰写《僧格辅政碑》的,其中的廉访史闾复最近已经免去官职,其余的人请皇上裁定。"皇帝说:"死去的就不要再说了,活着的人应惩罚,不能宽恕。"

戊子(二十五日),禁止杭州放鹰。

这个月,叶李从南方归还,到了临清,皇帝派使者去宣召,叫他担任平章政事。李上表极力推辞，没多久就死去，而李淦来到，下诏任命李淦为江阴路教授，以表彰他敢于直言，这是听从了中丞崔彧的请求。

叶李前后接受皇帝赏赐的物品很多，可自己要求非常俭朴，曾经告诫他儿子说："我们家世代读书，甘于清贫节约，只以忠义连结圣上知遇，你们应该以清廉谨慎自持，不要增加我的过错。"他指着皇帝赐给的东西说："这些最后应当归还给官府。"等到死去，全都造表登记送归官府，自己一点也不留下。

中丞崔彧上言："鄂州一道，过去设有按察司，约苏穆尔讨厌它对自己不利，叫僧格上奏，将它撤掉。臣下认为鄂州等九个州隶属南京，而行台迁往建康，淮东廉访使过去在淮安，现在应迁移到扬州。"又说："各官吏收受贿赂，在朝廷内的就到御史台自首或告发，在朝外就到按察司自首或告发，这些过去有现成法令。从僧格把持国政，受贿的不到台宪司而去各部门自首或告发，因而反复牵扯拖延，事情很久没结果。臣下认为象以前的制度，只能在本台、行台和各道廉访司自首或告发，其它各部门不得接受。另外，监察御史塔迪实奏言，女真人嘉珲迪去年东征，任意表态用米一千石给栋尔特穆尔一万军人做饷粮，上奏支用四百锭银钞，应下令本处廉访对此追究，同行省一道将粮银追还，议定他罪过。"皇帝都依从了。

不久，中书省请求任命崔彧为右丞。皇帝说："崔彧只可让他担任对皇帝进谏的职务。"没允许。

三月，壬寅（初十），御史大夫伊啰勒等上言："监察御史商琥，举荐过去担任翰林院观风正治、当时众望所归而现在外地的人，如胡祗遹、姚燧、王恽、雷膺、陈天祥、杨恭懿、高道、程文海、陈俨、赵居信十人，应该召来安置在翰林院以供朝廷顾问。"皇帝说："我了解的不深，等召来再报告我。"

丁未（十五日），将僧格的党羽默埒、实都、王巨济处斩。

先时，皇帝认为实都擅长于理财，打算把他放掉，博果密极力相争，认为不可以这样做，一天之内连上七次奏章，最后才将他与默埒、王巨济一齐处死。

己酉（十七日），中书省右丞何荣祖、平章政事敏珠尔卜丹一起被免职，任命大司农特尔格、翰林学士承旨琳沁一起担任平章政事，兼任过去职务。

敏珠尔卜丹曾请求重新设置尚书省，博果密说："阿哈玛特、僧格二人相继误国，身死家灭，前车之鉴不远，为什么又想仿效！"这事才告吹。现在，何荣祖因病，敏珠尔卜丹因任职时间长，便下令免除他们的职务，只保留他们的俸禄，以及参与商议中书省政事的空衔。

特尔格开始担任司农寺达噜噶齐时，跟随皇帝在巴雅尔地方狩猎，打猎的人射兔子，却误中了骆驼，皇帝生气，命令将他杀死，特尔格说："杀死人来赔偿牲畜，刑罚太重。"皇帝说："错误吗？史官一定要写上，赶快将他释放吧！"管仓库的人有的偷了粳稻，按罪应该处死，特尔格说："臣下我审问过，他母亲病了，偷粳稻是为了养母亲，请求宽恕他死罪。"到现在则将特尔格晋升为平章。因为特尔格有病脚，皇帝特许他乘肩舆上殿。

任命阿尔为中书右丞，梁德珪为参知政事。

庚戌（十八日），皇帝到上都。

壬子（二十日），敕令都水监分头巡视黄河堤堰；撤销河渡司。

壬戌（三十日），凡属于僧庙的嘉木扬喇勒智的田地、人口，予以归还。当时省台各臣乞求将嘉木扬喇勒智处死以向天下人道歉,而皇帝还是宽恕他一死,将没收入官的人口财产还给了他。

夏季,四月,丙子(十四日),放松甘肃、太原的造酒禁令,酒依旧实行专卖。

辛卯(二十九日),设立云南各路学校,教师由四川的读书人来担任。

五月,丁未(十六日),中书省官员上言:"奸佞小人冯子振,曾作诗赞美僧格,等到僧格败露,立刻告发词臣撰写碑文引典比喻的失当,国史编修陈孚揭发他奸邪罪状,请求免除这些词臣的罪责,遣送回家。"皇帝说:"词臣有什么罪!如因他们赞美僧格而定为罪,则在朝廷的各官员,那个没有赞誉过他?连我也曾称赞过他呢?"

下诏:因郭佑、杨居宽并不是因罪而被处,将没收家产归还他们。

六月,戊辰(初八),下诏:任凭和尚吃盐,不必交税。

壬申(十二日),江西省奏言:"肇庆、德庆两路,封、连两州,宋朝时隶属广东,现在隶属广西,不方便,请求重新隶属广东。"准奏。

癸未(二十三日),因为征伐爪哇,暂时禁止两浙、广东、福建商人航海,等水师出发后,再听从他们任意往来。

湖州、平江、嘉兴、镇江、扬州、宁国、太平七个路发大水。丁亥(二十七日),下诏免去田租一百二十五万七千八百多石。

闰六月,壬寅(十二日),免除福建每年制造象牙佩带的任务。

庚戌(二十日),回回人呼布穆斯出卖大珠子,皇帝推辞不要。

上思州知州黄胜许,依赖其所处地势险阻路途遥远,与交趾里外勾结,聚合二万人占据忠州。辛亥(二十一日),诏令派遣湖广省左丞刘国杰征讨,贼人刚劲强悍,出入岩洞竹林之中,快捷如同飞鸟,发毒箭,被射中的人没医好的。国杰亲率士兵奋勇作战,贼人不能抵挡,逃入象山。象山靠近交趾,全是森林,没法进入,就揣度他们的出入情况,置栅栏围困他们,慢慢地砍伐山林以打通道路,且战且进。

甲寅(二十四日),右江岑从毅归降,从毅年老多病,诏令任用他儿子斗荣为镇南路军民总管,继承他父亲职务,佩戴虎符。

广东西路安抚副使谭图鼎等人诽谤朝政,锡布鼎又给以资助,用传闻中的三十多件事,没根据地告发省里官员。皇帝认为有伤政体,将恶党逮捕,依法处治。

这个月,诏令各省廉访司出行巡视,到各地劝说督促农桑生产。

礼部尚书张立道作为使者抵达安南,对它的国王陈日燇说:"过去镇南王征伐安南,不用向导引路,率众深入,所以不战自溃,天子也已知道。你所依赖的是山海险阻,瘴气瘟疫为害,而云南、岭南的人,和你们习惯风俗相同而技能体力相等,现在派他们来,再加上北方的强兵,你能再抵抗吗?而且前年出师,并不是皇上意愿,是边将对你进谗言。你曾经不醒悟,派兵抵抗,驱逐我国使者,如今则大祸临头。"日燇哭泣谢罪,拿出奇珍异宝企图贿赂张立道,被立道推辞掉,因而要求他入朝觐见,日燇说:"贪生怕死是人的常情,若真下诏宽恕我不死,为臣的还有什么可说的!"就先派出他的大臣阮代之、何维岩随同立道入朝,向皇帝上表谢罪,表示每年朝贡之礼和先前一样,并且表示自己愿来朝见的心意。当时有妒忌立道功劳的人,说必须先朝见而后才可以赦免,日燇畏惧,始终不敢来朝见皇帝。

秋季，七月，庚申朔（初一），诏令以史弼代替伊克穆苏、高兴，率领万人征讨爪哇，还召宣三人入朝。

辛酉（初二），河北河南道廉访司重又管理汴梁。

壬申（十三日），在和义门内营建祭祀土地神和谷神的社稷坛，祭坛各方五丈，高五尺，以汉白玉石精为主，用五方色土加以装饰，即东方青色，南方赤色，西方白色，北方黑色，土冒以黄土。坛的南边种植一株松树，坛的北边排列着高墙、矮墙，全都仿效古代体制，另外建设供祭祀前清心洁身用的斋庐，斋庐门廊下有三十三间房子。

戊寅（十九日），黎兵百户邓志愿企图叛乱，伏法处斩。

八月，己丑朔（初一），谔图鼎因犯罪被处死，他的余党杖罚后被迁移到外地，还没收其家产。

皇帝从上都回来。

丙午（十八日），疏通通州到大都的运粮河。

丁未（十九日），伊克穆苏请求同高兴等人一起出征爪哇，皇帝说：“伊克穆苏熟悉海道，航海的事应交给他，用兵的事委托史弼就可以了。”于是任命史弼为福建行省平章政事，统率出征军马。

庚戌（二十二日），高苑人高希允因说了不该说的话而获罪被处死。

壬子（二十四日），诏令达春、程鹏飞率兵讨伐黄胜许，刘国杰驻马军戍守。

戊午（三十日），福建行省参政魏天祐献计，征发一万百姓，开山炼银，每年可得到一万五千两银。天祐取民钞买银子交纳官府，自己则侵吞一百七十锭。台臣请求追回他的赃银，停止炼银一事，照准。

燕南河北廉访使依旧设在真定。

皇帝命令征讨八百媳妇国。

九月，辛酉（初三），湖南道宣慰副使梁曾被授予吏部尚书职务，国史院编修官陈孚被授予礼部郎中职务，两人一起出使安南，宣读诏书晓谕陈日燏，叫他亲自入朝。

癸酉（十五日），沙州、瓜州百姓迁移到甘州，诏令在甘、肃两界划出土地，给他们耕种，没劳力的就拨给牛具和农具。宁夏户口繁多，而田地有一半种植红花，诏令全部种植谷麦，以弥补百姓食粮。

鄂尔根萨理请求免除自己政事，并免去太史院使的职务，诏令任命他为集贤大学士。司天监丞刘某上言：“鄂尔根萨理在太史院任职期间，多次说国家的灾祥事情，这是对皇上的大不敬，请将他送交官吏审问治罪。”皇帝大怒，认为这是诽谤大臣，应当以罪抵偿。鄂尔根萨理叩头感谢说：“为臣的没有才能，全靠皇帝有含容天地大德，即使万死也不能报答，但如果要给上言的人治罪，臣下我担心从此以后没有人敢为皇帝陈述事情。”极力相争，刘才得到宽释。皇帝说：“你真是个宽厚长者。”当时虽然免掉他的政事，仍常通宵召他进宫议论政事，而鄂尔根萨理则知无不言。

诸王明理特穆尔叛乱归附哈都，皇帝命令巴延前去征讨。当巴延率兵到达阿萨呼图岭时，明理特穆尔已经抢先将它占据，箭下如雨。巴延率先冲锋陷阵，各军兵士争相奋起，大破叛军。明理特穆尔只身逃走，巴延率轻骑追赶，回来时遇上伏兵，又将其击败，斩首两千级，将其残部俘掳而归来。

冬季,十月,戊子朔(初一),诏令福建廉访司知事张师道进京,师道到京后,请求裁减朝内外官府中多余的人员。诏令敏珠尔卜丹、何荣祖、马绍、燕公楠等人同张师道一起甄别。几个月后,授予张师道翰林直学士职务。

日本的船来到四明,请求作买卖,船里甲胄兵器都齐全,人们担心它有别的图谋。诏令设立都元帅府,命令阿喇岱负责,以加强海上防卫。

下诏疏通浙西河道,将河水引入大海。

癸巳(初六),燕公楠上言,年终各行省大臣到朝廷上言奏事,也应该叫行台官员入朝,上奏一年中检举违法的数目。依准。

十一月,癸未(二十六日),禁止所在各处私自偷渡出境,命令山、海各关口检查缉察坏人。

十二月,庚寅(初三),将皇孙梁王噶玛拉改封为晋王,镇守北部边疆。至元初年,他曾奉命出镇北部边境,不久又封为梁王,迁移镇守云南,到现在又改封为晋王,派去镇守沙漠以北的地方,统一领导四个大的鄂尔多。鄂尔多,犹指宫室。晋王天性仁爱忠厚,用恩德领导下属,百姓依赖他而过着安宁日子。

癸巳(初六),中书省上言:"宁国路有百姓六百户,专门从事凿山冶炼白银,每年交纳官府二千四百两,买银交纳给官府,而他们未曾从山上开采白银,请把它撤销。"依准。

己酉(二十二日),枢密院上言:"六卫内统领的汉军万户,现存者只有六千户,分成三拨:有能力备齐车马的两千零五户,令每一甲备马十五匹,牛车两辆;其中的三千户只练习战斗,不做别的劳役;六千户以外的则供应其它劳役,使他们能够各自努力于自己的事,而军兵也会精锐。"诏令按此施行。

癸丑(二十六日),右丞相鄂勒哲等人上言:"一年全国的收入,共二百九十七万八千三百零五锭银,里而包括:没有送到京师而在途中的,供给军队、织造物料、宾馆客舍、驿站、俸禄等项支的。从春到冬,共支出三百六十三万八千五百四十三锭,支出数字已经超出收入。今后赏赐各近侍人员,也应有所节省。"皇帝嘉奖并采纳。

任命张珪为江淮行枢密副使。珪当时任管军万户,来到朝廷,皇帝想任命他为枢密。知枢密院事伊实特穆尔说:"珪还年轻,如果打算重用,可以等到将来。"皇帝说:"不然,他家为我们国家灭掉金、宋,三代出尽死力,哪能这样吝惜呢?"于是有这个任命。在先,奏言者认为现在天下大事已定,行枢密院可以撤销,江浙行省参知政事张瑄领管海路,也这样认为。等到张珪入朝对问,皇帝谈话中涉及这件事,张珪说:"即使行院可以撤掉,也不是我应该说的。"这样就没有撤掉。珪是张弘范的儿子。

宣召行台侍御史程文海和胡衹遹等十个人入朝,赐以答对。任用程文海为江南湖北道廉访使,兴办学校,倡明教化,官吏和百姓对他都敬而爱之。

汀州、漳州一带的大盗欧狗,长期未能平定。福建行省平章彻尔领兵去征伐。号令严肃,所经过的地方,丝毫不加侵犯。贼盗中有投降的,就用酒食加以慰劳而遣送走,并且说:"在我看来,你们哪里是想谋反呢!这完全是因为贪官污吏的残暴造成。现在你们既然归降,就是平民百姓,我怎能忍心加罪于你们!赶快回去,安心在家乡耕种养蚕,不要害怕。"其他据点的盗贼知道以后,全都降附。没多久,欧狗被他的党羽捆绑送来,被砍头示众,受威胁当盗贼的则一个不杀。汀州、漳州全部平定。

湖广辰州的蛮夷叛乱,行院副使刘国杰、签书院事索诺木达览率兵前去讨伐,战斗不顺利,便发公文要求调辰、澧、沅三地民间的三千名弓箭手增援。行省平章哈喇哈斯认为百姓不熟悉战争,勉强参战只能受到伤害,不允许。右丞图呼鲁说:"兵贵在训练,这些百姓经过训练,是可以用的。汉军不熟悉弩箭,用蛮人攻打蛮人,是古人所用的。"于是同意给三千弓箭手,因此取得胜利。

湖广平章政事库尔济斯举荐前任永州判官乌克逊泽,说他的才能可当将帅,任命为行省员外郎随从征讨海南黎人。平定黎人后,军队返回,因功在上等,授予广西两江道宣慰司副史、金都元帅府事。两江地处荒远,瘴疠流行,南与各蛮夷相连,人们不知礼法,乌克逊泽制定三十二章法规,以此逐步对百姓进行教育,百姓也都能遵守它。又裁减驿站二十二所,以缓解民力。当年发生饥荒,便上奏请求免除田租,拨发泉州、贺州官仓粮食三千五百石赈济饥饿的人。等到赈济粮散发后,才向朝廷报告。当时行省平章哈喇哈斯了解乌克逊泽的心意完全出于爱护民众,就没以专擅的罪名处分他。

邕管边境外的蛮人多次侵掠边境,乌克逊泽巡行时注意查察,找到一个险要的地方,就远近布置谋划,招募强健的平民四千六百多户,在雷留、那扶等地设置十个屯田,列营立堡加以守卫。引陂水开垦田地,建筑八处土堰以调节陂水的蓄泄,开辟稻田若干顷,每年的收成作为军队的储备。住在边境的百姓由于乌克逊泽的上述措施而免受境外蛮人的侵扰。

刘国杰攻占象山寨,黄胜许只身潜往交趾,将他妻子捉住杀掉。刘国杰三次去书信责交趾将黄交出,交趾竟然藏匿不交。军队返回时,把贼人巢穴的土地没收,改为屯田,招募渡运各种人前来耕种,将它作为两江屏障。后来蛮人便把这些屯田看作湖广行省土地,不敢再来侵犯。皇帝下诏派遣使者就在军中将玉带赐给刘国杰。刘国杰入朝时,皇帝对在朝的大臣们说:"湖广这块重要的地方,只有刘二巴图有足够能力镇守它,别人是办不到的。"下令不要调迁他做别的官。

西方来的僧人请求用金银、钱币、丝帛来祭祀他的神,皇帝感到为难。平章政事博果密说:"佛是以去掉贪欲为宝贵,他们怎能提出这种要求!"于是没有给他们。有人说京城蒙古人应该和汉人隔开居住,以防意外。博果密说:"新的百姓刚刚迁来,还没有安宁下来,如果又不断变更,必然造成失业。这种话是奸佞小人想独揽货物交易的好处,交给皇帝身边的人,借此当作献纳忠心的话来说罢!"于是就用图解的方法把京城里达官贵人的住宅和平民房屋犬牙交错的状况上呈皇帝,这种言论才平息。

有人密告鄂勒哲徇私舞弊,皇帝询问博果密,博果密回答说:"鄂勒哲和我都在中书省,哪里能独断专行,而且位居宰辅,如果有人揭发他不可见人的阴私,应该让他当面对质,公开进行责备处罚,如果只是心里猜疑他,这不是做皇帝的无私至公的为政之道。"进谗言的果然理屈词穷,皇帝震怒,命令左右侍者打他耳光,赶了出去。这一天非常寒冷,皇帝解下自己穿的黑貂皮衣赐给了博果密。皇帝常常对着侍从大臣称赞塞咥㖿的才能,博果密不慌不忙地问皇上是什么原因。皇帝说:"他侍奉过宪宗,曾偷偷地资助我钱财费用。"博果密说:"这就是人们所说的当臣子怀有两条心的人。现在如果有人用皇帝内府财物私结亲王,您以为这人怎样？"皇帝赶快挥手说："你不要说了，是我无意中说漏了嘴。"

海北元帅锡齐罕贪赃的事被发觉，行省传令乌克逊泽查验处理。乌克逊泽火急奔赴雷州，全部揭发出他的奸恶及赃物，放走被他抢掠的四百多男女。御史台上言："乌克逊泽奉行使命知晓大体，就像汲长孺；担任将领计谋万全，就像赵充国，可以交给大的任务。"诏令提拔他为海北、海南廉访使。

照过去的体例，卿大夫的祭田入秋才收租，后来就按月收租。乌克逊泽视察政事三个月，百姓交纳田租合计五百石米。乌克逊泽说："孔夫子曾说过：侍奉君王的人先要把事做好，然后再考虑个人食用。我到任时间还很短却受四倍的俸禄，心情是不安静的。"便根据自己食用而领取俸禄，剩余的全都交给学官，分发给诸生以劝勉他们努力学习。他常说："对读书人来说，不节俭无法培养清廉，不清廉无法涵养德性。"他自己一件布袍穿了好几年，他的妻子朴素无华，人们都传说这些事，可乌克逊泽毫不在意。

雷州地近大海，潮汐侵蚀它的东南地区，池塘生碱，危害农事，而西北地区则广阔平坦，适宜做池塘。乌克逊泽巡视到城北时说："三条溪水让它流入大海却没能用来灌溉，这是史起看轻西门豹的原因啊！"于是教百姓疏浚过去的湖泊，修筑大堤，筑土堰把三溪的水储蓄起来，做了七个闸门，六处堤堰，用来调节水量，经过疏导而成为水渠的有二十四条，可以用来灌溉。每个渠都分别设闸，设专门看守的人按时开关，这样，获得良田几千顷，沿海的广阔地区，都成了肥沃土壤。

续资治通鉴卷第一百九十一

【原文】

元纪九　起昭阳大荒落【癸巳】正月，尽阏逢敦牂【甲午】十二月，凡二年。

世祖圣德神功文武皇帝

至元三十年　【癸巳，1293】　春，正月，乙丑，敕福建毋进鹘。

丙寅，汰冗员。凡省内外官府二百五十五所，总六百六十九员。

戊辰，诏："边境无事，令本军屯耕以食。"

甲戌，河南(河)〔江〕北行省平章巴延言："扬州蒙古岱所立屯田，为田四万馀顷，官种外宜听民耕垦。扬州盐转运一司，设三重官府；宜削去盐司，止留管勾。襄阳旧食京兆盐，以水陆难易计之，莫若改食扬州。蔡州去汴梁地远，宜升散府，以颍、息、信阳、光州隶之。"诏皆从其议。

罢尼雅斯拉鼎默埒所立鱼盐局。

乙亥，谥皇太子曰明孝。

淮西道宣慰使昂吉尔，敛军钞六百锭，银四百五十两，马二匹，壬午，敕省台及达噜噶齐鞫问。

是月，前中书右丞相安图薨，年四十九。雨木冰三日。帝震悼，曰："人言丞相病，朕固弗信，果丧予良弼！"诏大臣监护丧事。安图为相，以宗社奠安为己任，以民物阜丰为己责，一政失平，一物失所，惨然不乐，改而后已。公退，府南开一阁，进贤士大夫讲论古今治道，而请谒绝迹。天下倚为重臣，而阨于阿哈玛特、僧格，前后不竟其用。子乌古达，器度弘达，袭长宿卫，父没，凡赗赙之物，一无所受，以素车朴马归葬其先茔。

帝思革僧格之弊，求直士用之，召董士选论议政事，旋以中书左丞往镇浙西，听辟举僚属。士选至部，察病民事，悉以帝意除之。僧格之党以聚敛恣为奸利，事发，得罪且死，诈言所遣舶商海外未至，请留以待之，士选曰："海商至则捕录之，不至则无如何，不系此人之存亡也。苟此人幸存，则无以谢天下。"遂竟其罪。

二月，己丑，从阿喇卜丹、燕公楠之请，以嘉木扬喇勒智子宣政院使温普为江浙行省左丞。寻以南人深怨其父，诏罢之。

高丽国王王睶请改名昛，从之。

减河南、江浙海运米四十万石。

中书省添设检校二员。

免大都今岁公赋。

丙申，却江淮行枢密院官布琳吉岱进（鸾）〔鹰〕，仍敕："自今禁戢军官，无从禽扰民，违者论罪。"

丁酉，回回献大珠，邀价钞数万锭，帝曰："珠何为！当留是钱以赒贫者。"

丁未，帝如上都。

辛亥，复立云南行御史台。

诏沿海置水驿。自耽罗至鸭渌江口，凡十一所，令签书枢密院事洪君祥董之。君祥，俊奇弟也。

癸丑，江西行院页特密实言："江南豪右，多庇匿盗贼。宜诛为首者，馀徙内县。"从之。申严江南兵器之禁。

是月，王恽召至上都，入见，慰谕良久。恽退，上书陈时政，略曰："臣闻自古创业垂统之君，必定制画法，传之子孙，俾遵而守之，以为长世不拔之本。臣请以立法定制为论治之始。

"一曰议宪章以一政体。今国家有天下六十馀年，内而宪台天子之执法，外而廉司、州郡之法吏，徒具可理之官而无所守之法，是有医而无药也。至平刑议断，未免有酌量准拟之差，彼此轻重之异。宜将已定律令，颁为新法，与百姓更始。"

"二曰定制度以抑奢僭。古者，衣服、饮食、舆马、屋庐，皆有恒制。今臣民衣服，逾于公侯，妇女衣著，等于贵戚，以致聘财过于卿相，男女不能婚姻，正以用之无制，僭越暴殄，有不能供亿者。故物价不得不踊而贵，钱币不得不虚而轻，上下困弊，日甚一日。宜一切定夺，大行禁止。"

"三曰节浮费以丰财用。每岁经费患不阜赡者，过有所费也。当量入为出，以过有举作为戒。如冗兵、妄求、浮食、冗费及不在常例者，一切省减。且财非天来，皆自民出，竭泽焚林，其孰御之！力屈财殚，非所以养民而强国也。"

"四曰重名爵以揽威权。古人称官爵，谓之天秩，不轻以付人。今四海一家，权宜假借之举，日渐希阔，正国家收揽威权之时。如近年委任稍重者，罔考平素，即授崇品；激之建功立事，固是驾驭英雄，苟非其人，不无叨窃不安之惧。今中外无事，朝廷宜重而惜之。"

"五曰议廉司以励庶官。比者廉司之设，初气甚张，中外之官，悚然有改过自新之念，大奸巨猾，畏慑而不自安。行无几何，法禁稍宽，使监视者劲挺之气，不息而自敛，奸弊之萌，潜滋而复桀，风俗浇薄，苟免无耻。宜人法并任，精择官僚，优加吏禄，宪纲既行，公道大行，官有作新之气，吏无糊口之虞。我之气既伸，彼安得不振；我之政既肃，彼安得或私！将见风采百倍，有澄清之望矣。"

"六曰讲保举以核名实。方今亲民与参佐官，莫县令、经历为重。若行《品官保举法》，庶得其人，南选尤宜施用此法。何则？江南平定，秋毫无犯，可谓仁义之师。只以前省调官，贿而后放，行省注拟，尤为滥杂，侵渔掊克，惨于兵凶，至盗贼窃发，指此为名。仰赖天恩，幸其无事。今宜委官分拣，其停革人员不至罢黜者，降之边远，边远见职有声迹者，使之内迁，亦激劝一法。"

"七曰设科举以收人材。进士选，历代号取士正科，理有不可废者。若限以岁月而考试之,将见士争力学,人材辈出,可计日而俟也。"

"八曰试吏员以清政务。前代取吏之法,条目甚严。今府州司县应用一切胥吏,多自帖书中来,官无取材,欲望明刑政,识大体,难矣! 莫若合岁贡吏人,以吏员法试之,中选者仍许上贡补充,随朝身役,外州府郡见役者,从廉司以校法试验,庶几激之,积渐肯学。其月请俸给,亦合定夺,能使得糊其口,然后可责以廉。"

"九曰恤军民以固邦本。国家自攻围襄阳以来,签取军役,凡四举矣。物力等户尽充军站,中间抛下,上户其能有几! 军兴百色所须,皆仰供办,急征暴敛,侵渔无法。臣以时属方殷,其代输差税,宜令蠲免。"

"十曰复常平以广蓄积。常平仓设自至元八年,随路收贮,斛粟约八十馀万。今仓廪具存,起运久空,甚非恤民本意。若复实常平,实为古今良法。"

"十一曰广屯田以息远饷。近岁山后流移户多,将见抛地土时,暂借令营屯,及检括冒占,仍招募愿屯者听;已置营屯去处,亦宜差强果为国、尽心有为能臣,重与检勘,其间一切可行未举、已行不尽者,极人为而尽地力。仍将迤南一切置屯见闭户数,并徙边防以救一时,此急于治外之意也。"

"十二曰息远略以抚已有。陛下临御三十馀年,绍丕天之功,三五已来,未有若斯之盛者。愿息远略,抚已有,此四海臣民之愿也。"

"十三曰感和气以消水旱。比年以来,水旱无时,霜灾屡作,山崩地震,变出非常,奸臣柄用,盗贼窃发,百姓嗷嗷,日趋于困。臣尝读中元已来国书诏条,未尝不以生灵为念,弃捐细故,讲信修睦,以用兵为重。此尧、舜好生之德,禹、汤克宽不自满假之仁也。愿陛下为民祈天请命,使黎庶知其无好兵之心,天地鬼神谅其不得已之意,庶几天回哀眷,易乖戾而为和平,变荒歉而为丰稔,天下幸甚!"

"十四曰崇教化以厚风俗。国家以四教为本,曰仁以养之,义以取之,礼以安之,信以行之;而前〔执〕政者,曾不务此,专以威虐肆心,督责为令,取办一时,流毒四海。不知陵迟偏(陂)〔颇〕,有不可救药,至今为厉者,何以责民心之近厚,风俗之淳粹哉! 惟四者本立,而天下悚然有忠厚廉耻之心,所谓父子有亲,君臣有义,不日风恬俗美,将安归乎!"

书奏,帝嘉纳,授翰林学士。

三月,庚申,以同知枢密院事扎萨克知枢密院事。

以平章政事范文虎董疏漕河之役。

雨坏都城,诏发侍卫军三万人完之,仍命给其佣值。

甲子,括天下马十万匹。

初,托克托呼略地金山,获哈都之户三千馀。还至和林,有诏进取奇里济苏。是春,师次欠河,冰行数日,始至其境,尽收其五部之众,屯兵守之。哈都闻取奇里济苏,引兵至欠河;复败之,擒其将博啰察。

夏,四月,己亥,行大司农燕公楠、翰林学士承旨留梦炎言:"杭州、上海、澉浦、温州、庆元、广东、泉州,置市舶司凡七所,唯泉州货物三十取一,馀皆十五抽一,请以泉州为定制。"从之。仍并温州舶司入庆元,杭州舶司入税务。

壬寅,枢密院言:"去年征爪哇军二万,各给钞二锭,其后只以五千人往,宜征元给钞三万锭入官。"帝曰:"非其人不行,乃朕中止之耳。"令勿征。

癸丑,广东廉访司复治广州。

擢同知桂阳路总管府事臧梦解为广西廉访副使。故事,烟瘴之地,行部者多不躬至,梦解独遍历焉。遂按问宾州、藤州两路达噜噶齐及奸墨官吏,置于法者无虑八十馀人,又平反两冤狱,民德之。

〔甲寅〕,敕江南毁诸道观圣祖天尊祠。

是月,前右赞善大夫刘因卒。后赠翰林学士,谥文靖。

史弼等之征爪哇也,以上年十二月合诸军发泉州,风急涛涌,舟掀簸,士卒皆数日不能食。过七洲洋、万里石塘,历交趾、占城界,正月至东董、西董山、牛崎屿,入混沌大洋、橄榄、假里马答、勾阑等山,驻兵伐木,造小舟以入。弼与伊克密实、高兴分军,水陆并进。伊克密实将水军,兴将步军,会于八节涧。

时爪哇与邻国葛郎构怨,爪哇主哈只葛达那加已为葛郎所杀,其婿土罕必阇耶攻葛郎不胜,闻弼等至,遣使以其国山川、户口及葛郎国地图迎降求救。弼与诸将进击,伊克密实邀贼于西南路,不遇;兴击其东南路,杀数百人,馀众奔山谷;东南路贼复至,兴又败之,葛郎主遁归其国。兴言:"爪哇虽降,倘中变,与葛郎合,则孤军悬绝,事不可测。"弼遂分兵三道,与兴及伊克密实各将一道攻葛郎。至答哈城,葛郎兵十馀万迎敌,自旦至午,葛郎兵败,入城自守,葛郎主出降,并取其妻子官属以归。

土罕必阇耶乞归易降表及所藏珍宝入朝,弼与伊克密实许之,兴力言其失计,弗听,遣万户二人以兵护送。土罕必阇耶果于道杀二人以叛,乘军还,夹路攘夺。兴力战以出,弼自断后,且战且行,行三百里,得登舟。行六十八日夜,达泉州,士卒死者三千人,以所得金字表及金银、犀象等进。

五月,癸亥,诏以浙西大水冒田为灾,令富家募佃人疏决水道。

辛未,敕僧寺之邸店,商贾舍止,其货物依例收税。

六月,乙巳,命皇孙特穆尔抚军北边,伊实特穆尔加录军国重事、知枢密院事辅行,宗王、帅臣咸禀命焉,特赐步辇入内。伊实特穆尔请授皇孙以储闱旧玺,从之。

己酉,诏浚太湖。

秋,七月,己未,诏皇曾孙松山出镇云南,以皇孙梁王印赐之。

诏免福建岁输皮货及泉州织作纻丝。

己巳,命刘国杰从诸王伊济勒督诸军征交趾。湖广行省平章哈喇哈斯,戒将吏无扰民,会有夺民鱼菜者,杖其千户,军中肃然。

俄有旨,发湖湘富民万家,屯田广西以图交趾,哈喇哈斯遣使奏曰:"往年远征无功,疮痍未复,今又徙民瘴乡,必将怨叛。"吏初不知其奏,抱卷请署,弗答,吏再请,则曰:"姑缓之。"未几,使还,报罢,民皆感悦。及广西元帅府请募南丹五千户屯田,事上行省。哈喇哈斯曰:"此土著之民,诚为便之,内足以实空地,外足以制交趾之寇,可不烦士卒而馈饷有馀。"即命度地立为五屯,统以屯长,给牛种、农具。

湖南宣慰使张国纪,建言欲按唐、宋末征民间夏税,哈喇哈斯曰:"亡国弊政,失宽大之意,圣朝其可行耶!"奏止其议。

壬申，以伊实彻尔知枢密院事。伊实彻尔，博尔呼之孙也。僧格之败，伊实彻尔潜奏劾之，至是乃有是拜。

丁丑，赐新开漕河名曰通惠，凡役工二百八十五万，用楮币百五十二万锭，粮三万八千七百石，木石等物称是。置闸之处，往往于地中得旧时砖木，人以此服郭守敬之精识。船既通行，公私两便。先是通州至大都五十里，陆挽官粮，岁若干万，民不胜其瘁，至是皆得免。帝自上都还，过积水潭，见舳舻蔽水，大悦。

巴延既降明理特穆尔，因留拒哈都。廷臣有谮巴延与哈都通好，因仍保守，无尺寸之功者，诏以御史大夫伊实特穆尔代之，居巴延于大同，以俟后命。伊实特穆尔未至三驲，会哈都兵复至，巴延遣人语伊实特穆尔曰：“公姑止，待我剪此寇而来，未晚也。”

巴延与哈都兵交，且战且却，凡七日，诸将以为怯，愤曰：“果惧战，何不授军于大夫！”巴延曰：“哈都悬军涉吾地，邀之则遁，诱其深入，一战可擒也。诸君必欲速战，若失哈都，谁任其咎？”诸将曰：“请任之。”即还军击败之，哈都果脱去。乃召伊实特穆尔至军，授以印而行。

皇孙举酒以饯曰：“公去，将何以教我？”巴延举所酌酒曰：“可慎者，惟此与女色耳。军中固当严纪律，而恩德不可偏废。冬夏营驻，循旧为便。”皇孙悉从之。

八月，庚寅，奉使安南国梁曾、陈孚以安南使臣偕来。

初，曾等至安南，其国有三门，陈日燇欲迎诏自旁门入，曾大怒曰：“奉诏不由中门，是辱君命也！”贻书责之，往复者三，卒从中行。且讽之入朝，日燇不从，遣其臣陶子奇、梁文藻偕曾等来贡。曾进所与日燇辨论书，帝大悦，解衣赐之，令坐地上。右丞阿尔意不然，帝怒曰：“梁曾两使外国，以口舌息干戈，尔何敢尔！”时有亲王至自和林，帝命酌酒先赐曾，谓亲王曰：“汝所办者汝事，梁曾所办者吾与汝之事，汝勿以为后也。”或谗曾受安南赂遗，帝以问曾，曾曰：“安南以黄金、器币、奇物遗臣，臣不受，以属陶子奇。”帝曰：“受之亦何不可！”

廷臣以日燇终不入朝，遂拘留子奇于江陵，命刘国杰与诸王伊勒吉岱等整兵聚粮，复议伐之。

九月，癸丑朔，帝至自上都。

冬，十月，戊子，诏修汴堤。

庚寅，彗星入紫微垣，抵斗魁，光芒尺许。帝夜召博果密入禁中，问所以销天变之道，博果密曰：“风雨自天而至，人则栋宇以待之，江河为地之限，人则舟楫以通之；天地有所不能者，人则为之，此人所以与天地参也。且父母怒，人子不敢疾怨，起敬起孝，故《易》曰：‘君子以恐惧修省。’《诗》曰：‘敬天之怒。’三代圣王，克谨天戒，鲜不有终。汉文之世，同日山崩者二十有九，日食、地震，频岁有之。善用此道，天亦悔祸，海内乂安，此前代之龟鉴也。愿陛下法之。”因诵文帝日食求言诏，帝悚然曰：“此言深合朕意。可复诵之。”遂详论款陈，至四鼓乃罢。

甲辰，赦天下。

戊申，僧官总统以下有妻者罢之。

庚戌，造象蹄掌甲。

辛亥，禁江南州郡以乞养良家子转相贩鬻及强将平民略卖者。时北人酷爱江南技艺之人，呼曰“巧儿”，其价甚贵。至于妇人，贵重尤甚，每一人易银二三百两。尤爱童男、童女，处处有人市，价分数等，皆南士女也。父母贪利，货于贩夫，辗转贸易，至有易数十主者。北人得之，虑其遁逃，或以药哑其口，以火烙其足，驱役若禽兽然，故特禁之。

孙民献尝附僧格，助约苏穆尔为恶；及同知上都留守司事，又受赃，减诸从臣粮。〔十一月〕，丁巳，诏籍其家赀、妻孥。后因潭州吕泽诉其刻虐，械送民献至湖广，如泽所诉穷治之。

立海北海南道廉访司，治雷州。

己卯，召河南江北行省平章巴延为中书省平章政事，位特尔格琳沁、博果密上。

十二月，壬辰，中书左丞马绍以疾罢，以詹事丞张九思为左丞。

庚子，史弼、伊克密实、高兴至自征（交趾）〔爪哇〕，献其所俘获，又以没理国所上金字表及金银犀象等物进。朝廷以其亡失多，且纵土罕必阇耶，弼与伊克密实各杖十七，没家资三之一。兴独以谏纵土罕，且功多，赐金五十两。

初，枢密院判官郑制宜迁湖广行省参政，陛辞，帝曰："汝父死王事，赏未汝及。近者约苏穆尔伏诛，已籍没其财产、人畜，汝择其佳者取之。"制宜对曰："彼以赃败，臣复取之，宁无污乎！"帝贤其所守，赐白金五千两。

未几，征拜内台侍御史。安西旧有牧地，围人恃势，冒夺民田十万馀顷，讼于有司，积年不能理。制宜奉诏往，按图籍以正之，讼由是息。是岁，除湖广行枢密副使。湖南地阔远，群寇依险出没，昭、贺二州及庐陵境民常被害。制宜帅偏师徇二州，道经庐陵、永新，获首贼及其党，皆杀之。茶乡谭计龙者，聚恶少年，匿兵器为奸，既捕获，其家纳赂以缓狱事，制宜悉以劳军，斩计龙于市。自是湖以南无复盗贼。

御史中丞崔彧言："大都民食，惟仰客籴，顷缘官括商船载递诸物，致贩鬻者少，米价翔踊，请勿令有司括船为便。"从之。

宝泉提举张简及子奈曼岱，告彧尝受邹道源、许宗师银万五千两，又其子知微讼彧不法十馀事，有旨就辩中书。彧已书简等所告与己宜对者为牍，袖之，视而后对。简父子所告皆无验，并系狱，简瘐死，仍籍其家。奈曼岱、知微，皆坐杖罪除名。

平江路总管府治中王都中，福建行省参政积翁之子也。积翁遇害于海，帝念其功不置，特授都中是职。时年甫十七，僚吏颇易视之，都中遇事剖析，动中肯綮，皆愕然不敢欺。学舍久坏不治，而郡守缺，都中曰："圣人之道，人所共由，何独守得为乎！"乃首募大家合钱，新其礼殿。

至元三十一年 【甲午，1294】 春，正月，壬子朔，帝不豫，免朝贺。

癸亥，知枢密院事巴延至自军中。

庚午，帝大渐；癸酉，崩于紫檀殿。在位三十五年，寿八十。

故事，上有疾，非国人勋旧不得入卧内。博果密以谨厚，日视医药，未尝去左右；彻尔亦自湖广行省驰还京师视医药。及帝崩，博果密与御史大夫伊噜纳颜、知枢密院事巴延受遗诏，留禁中。丞相鄂勒哲至，不得入，伺伊噜纳颜、巴延出，问曰："我年位俱在博果密上，国有大议而不与，何耶？"巴延叹息曰："使丞相有博果密识虑，何至使吾属如是之劳哉！"鄂勒哲不能对，入言于太妃鸿吉哩氏。太妃召三人问之，伊噜纳颜曰："臣受顾命，太妃但观臣等为之，臣若误国，即甘伏诛。宗社大事，非宫中所当预知也。"遂定大策，与亲王、诸大臣发使告哀于皇太孙，巴延总百官以听。

兵马司请日出鸣晨钟,日入鸣昏钟,以防变故,巴延呵之曰:"汝将为贼耶! 其一如平日。"适有盗内府银者,宰执以其幸赦而盗,欲诛之,巴延曰:"何时无盗! 今以谁命而诛之?"人皆服其有识。

乙亥,葬帝于起辇谷。

帝度量恢廓,知人善任使,故能混一区宇,扩前古所未有。惟以亟于财用,中间为阿哈玛特、卢世荣、僧格所蔽,卒能知其罪而正之。立纲陈纪,殷然欲被以文德,规模亦已弘远矣。

御史中丞崔彧得传国玺,献之。

时穆呼哩曾孙索多,已死而贫,其妻出玉玺一鬻之,彧以告或。召御史杨桓辨其文,曰:"'受命于天,既寿永昌',此历代传国玺也。"太妃出以遍示群臣,丞相以下次第上寿,庆曰:"神宝之出,实当宫车晏驾之后,此乃天意属于皇太孙也。"乃遣右丞张九思赍授之。

夏,四月,皇太孙自北边南还,执政皆迎于上都之北。皇太孙至上都,宗室诸王毕会。定策之际,伊实特穆尔谓晋王噶玛拉曰:"宫车晏驾,已逾三月,神器不可久虚,宗祧不可乏主,储闱符玺久有所归,王为宗盟之长,奚俟而不言?"噶玛拉遽曰:"皇帝践阼,当北面事之。"于是宗亲合辞劝进。伊实特穆尔曰:"大事已定,吾死且无憾。"

甲午,皇太孙即位于大安阁。诸王有违言,巴延握剑立殿陛,陈祖宗宝训,宣扬顾命,述所以立皇太孙之意,辞色俱厉,诸王股栗,趋殿下拜。

乃下诏曰:"朕惟太祖圣武皇帝,受天明命,肇造区夏,圣圣相承,光熙前绪,迨我先皇帝,体元居正,然后典章文物,灿然大备。临御三十五年,薄海内外,罔不臣属,弘规远略,厚泽深仁,有以衍皇元万世无疆之祚。我昭考早正储位,德盛功隆,天不假年,四海颙望。顾惟眇质,仰荷先皇帝殊眷,往岁之夏,亲授皇太子宝,付以抚军之任。今春宫车远驭,奄弃臣民,乃有宗藩昆弟之贤,戚畹官僚之旧,谓祖训不可以违,神器不可以旷,体承先皇帝凤昔托付之意,合辞推戴,诚切意坚。朕勉徇所请,于四月十四日即皇帝位。可大赦天下。尚念先朝庶政,悉有成规,惟慎奉行,罔敢失坠。更赖宗亲勋戚、左右忠良,各尽乃诚,以辅台德。布告远迩,咸使闻知。"〔诏〕:"除大都、上都两路差税一年,其馀减丁地税粮十分之三,系官通欠,一切蠲免。民户逃亡者,差税皆除之。"

追尊皇考曰"文惠明孝皇帝",庙号裕宗,祔于太庙;尊太母元妃鸿吉哩氏曰皇太后。改所居旧太子府为"隆福宫"。

丙午,中书右司员外郎王约,上疏言二十二事,曰实京师,放差税,开猎禁,蠲逋负,赈穷独,停冗役,禁鹰房,振风宪,除宿蠹,慰远方,却贡献,询利病,利农民,励学校,立义仓,核税户,重名爵,明赏罚,择守令,汰官属,定律令,革两司;又请中书去烦文,一取信于行省,一责成于六部;帝嘉纳之,调兵部郎中。

五月,壬子,始开醮祠于寿宁宫,祭太阳、太岁、火、土等星于司天台。

戊午,上"圣德神功文武皇帝"尊谥,庙号世祖,国语尊称曰"色辰皇帝"。是日,并上先皇后鸿吉哩氏尊谥曰"昭睿顺圣皇后"。

庚申,祭紫微星于云仙台。

伊实特穆尔进秩太师,赐以上方玉带、宝服,还镇北边。

己巳,诏各处转运司官,欺隐奸诈为人所讼者,听廉访司即时追问,其案牍仍旧例于岁终检之。

壬申,御史台言:"内外官府增置愈多,在京食禄者万人,在外尤众,理宜减并。"命与中书议之。

诏议增官吏禄。

乙亥,以札萨克知枢密院事。

戊寅,封皇姑高丽王王昛妃为安平公主。

以伊啰勒为太师,巴延为太傅,伊彻察喇为太保。

禁诸司豪夺盐船递运官物,僧道、权势之家私匿盐贩。

六月,庚辰朔,日有食之。

辛巳,御史台言:"名分之重,无逾宰相,惟事业显著者可以当之,不可轻授。廉访司官,岁以五月分按所属,次年正月还司。职官犯赃,敕授者听总司议宜授者上闻,其本司声迹不佳者代之,受赂者,依旧例比诸人加重。"帝曰:"其与中书同议。"

壬辰,以特穆尔复为平章政事。

诸王阿济奇部(王)〔玉〕速福屡叛,伏诛。

乙未,以世祖、皇后、裕宗谥号播告天下,免所在本年包银俸钞及内郡地税,江、淮以南夏税之半。

己亥,以乳保劳,封完颜巴延为(翼)〔冀〕国公,妻何氏为冀国夫人。

初,宋端明殿学士、签书枢密院事家铉翁来使,世祖欲官之,不受。遂安置河间,以《春秋》教授弟子,数为诸生谈及宋兴亡之故,辄流涕太息。至是年逾八十,辛丑,诏赐号"处士",放还乡里。锡予金币,皆不受。寻卒。

甲辰,诏翰林国史院修《世祖实录》。以鄂勒哲监修国史。

初,世祖不豫,命翰林学士承旨董文用以其诸子入见,文用辞曰:"臣蒙国厚恩,死无以报,臣之子何能为!"命至再三,终不以见,及崩,太后命文用从帝于上都。既即位,巡狩萨布喇之地,文用曰:"先帝新弃天下,陛下巡狩不以时还,无以慰安元元,宜趋还京师。且臣闻人君犹北辰然,居其所而众星拱之,不在勤远略也。"帝可其奏。

帝每召文用入帐中,问先朝故事,文用亦盛言先帝虚心纳贤、开国经世之务,谈说或至夜半。至是修先帝《实录》,诏除文用知制诰、监修国史。文用于祖宗世系、功德、近戚、将相家世、勋绩,皆记忆贯穿,史馆有所考究、质问,文用应之无遗失焉。

戊申,诏:"宗藩内外官吏人等,咸听丞相鄂勒哲约束。"时巴延以太傅录军国重事,依前知枢密院事,鄂勒哲忌之。巴延语鄂勒哲曰:"幸送我两罂美酒,与诸王饮于宫前,馀非所知也。"

秋,七月,壬戌,诏中外崇奉孔子。

癸亥,行枢密院页特密实、程鹏飞各加平章政事。中书省言枢密之臣不宜重与相衔,帝命以军职尊崇者授之。

辛未,中书省言:"向御史台劾右丞阿尔尝与阿哈玛特同恶,论罪抵死,幸得原免,不当任以执政。臣谓阿尔得罪之后,能自警省,乞令执政如故。"从之。

癸酉,诏新除御史〔陕西〕行省平章博果密仍为中书平章政事。初,世祖崩时,博果密以中书平章得预顾命;丞相鄂勒哲以其年位在下,深忌之,帝知其故,慰劳之曰:"卿先朝腹心,惟朝夕启沃,匡朕不逮,庶无负先皇帝付托之重。"廷议大事,多采其言。太后亦以博果密先朝旧臣,礼貌甚至。

河(南)〔东〕守臣献嘉禾,博果密语之曰:"汝部内所产尽然耶?惟此数茎耶?"曰:"惟此数茎尔。"博果密曰:"若如此,既无益于民,又何足为瑞!"遂罢遣之。

西僧为佛事,请释罪人祈福,谓之"秃鲁麻"。豪民犯法者,皆赂赂之以求免。有杀主、杀夫者,西僧请被以帝后御服,乘黄犊出宫门释之,云可得福。博果密曰:"人伦者,王政之本,风化之基,岂可容其乱法如是!"帝责丞相曰:"朕戒汝毋使博果密知,今闻其言,朕甚愧之。"使人谓博果密曰:"卿且休矣,朕今从卿言。"然自是以为故事。有奴告主者,主被诛,诏即以其所居官与之。博果密言:"若此,必大坏天下之风俗,使人情愈薄,无复上下之分矣。"帝悟,为追废前命。

丞相以下多不合,奏以为陕西行省平章政事。太后闻之,使谓帝曰:"博果密朝廷正人,先皇帝所付托,岂可出之于外耶!"帝复留之。竟以同列多异议,称疾不出。

甲戌,扎噜噶齐言:"诸王之下,有罪者不闻于朝,辄自决遣。"诏禁治之。

八月,戊子,初祀社稷,用堂上乐,岁以为常。

己丑,浚通惠河。

拨军士屯守淀山湖。

太湖为浙西巨浸,上受杭、湖诸山之水潴蓄之,分汇为淀山湖,东流于海。世祖末年,江浙行省参政梁温都尔言:"此湖在宋时,委官差军守之,湖旁馀地,不许侵占,常疏其壅塞,以泄水势。今既无人管领,遂为势豪绝水筑堤,绕湖为田,湖狭不足潴蓄,每遇霖潦,泛溢为害。昨本省官蒙古岱等兴言疏治,因受曹总管金而止。张参议、潘应武等相继建言,臣等议此事可行无疑。"世祖曰:"利益美事,举行已晚,其行之。"既而平章特尔格言:"委官相视,计用夫十二万,百日可毕。昨奏军民共役,今民丁数多,不须调军。"世祖曰:"有损有益,咸令均齐,毋自疑惑,其均科之。"至是特尔格言:"太湖、淀山湖,昨尝奏过先帝,差倩民夫二十万,疏决已毕。今诸港日受两潮,渐致沙涨,若不依宋旧例令军守之,必致坐縻成功。臣等议淀山湖围田,赋粮二万石,就以募民夫四千,调军士四千,与同屯守。立都水防田使司,职掌收捕海贼,修治河渠围田。"诏巴延彻尔暨枢密院议奏。于是枢密院言:"今与殿帅范文虎及朱清、张瑄辈及省官集议,清、瑄俱云:'宋时屯守河道,用手号军,大处千人,小处不下三四百,隶巡检司管领。'文虎谓'差夫四千,非动摇四十万户不可。若令五千军屯守,就委万户一员提调,事属可行。'请立都水巡防万户职名,俾隶行院。"从之。

九月,壬子,圣诞节,帝驻跸三部落,受诸王、百官贺。

丁巳,太白经天。

冬,十月,戊寅,帝至自上都。

辛巳,江浙行省言:"陛下即位之初,诏蠲今岁田租十分之三。然江南与江北异,贫者佃富人之田,岁输其租,今所蠲特及田主,其佃民输租如故,则是恩及富室而不被于贫民也。宜令佃民当输田主者,亦如所蠲之数。"从之。

辽阳行省所属九处大水,民饥,或起为盗贼,命赈恤之。

江西行省言银场岁办万一千两而未尝及数,民不能堪,诏:"自今从实办之,不为额。"

朱清、张瑄从海道岁运粮百万石,乙未,以京畿所储充足,诏止运三十万石。

辛丑,帝谕右丞阿尔、参知政事梁德珪曰:"中书职务,卿等皆怀怠心。朕在上都,令还实迪穆苏已没财产,任莽赉布哈,皆至今未行;又不约束吏曹,使选人留滞。僧格虽奸邪,然僚属惮其威,政事无不立决。卿等其束吏曹,有不事事者笞之。仍以朕意谕右丞相鄂勒哲。"

时议裁久任官,枢密院奏"洪君祥在枢密十六年,为最久",帝曰:"君祥始终一心,可勿迁也。"

壬寅,缅国遣使贡驯象十。

初,黔中诸蛮酋既内附,复叛。又,巴洞何世雄犯澧州,泊崖洞田万顷、楠木洞孟再师犯辰州;朝廷尝讨降之,升泊崖为施溶州,以万顷知州事,已而复叛,攻之不能下。帝即位,大赦,并赦万顷等,亦不降。乃命湖广行枢密副使刘国杰率兵讨之。国杰驰至辰州,进攻明溪,贼鲁万丑拥众自上流而下,千户崔忠、百户马孙儿战死。是月,进兵桑木溪,万丑复以千人拒战,击却之。明日,万丑倍众来攻,国杰鼓之,百户李旺率死士陷阵,众军齐奋,贼败,遂破其巢,焚之。进攻施溶,部将田荣祖请曰:"施溶,万顷之腹心。石农(次)〔坎〕、三羊峰,其左右臂也。宜先断其臂,而后腹心乃可攻。"国杰曰:"甚善!"麾诸军攻石农(次)〔坎〕,贼不能支,弃寨遁,遂拔施溶,禽万顷,斩之。复穷捕其党,攀崖缘木而进,凡千馀里。

十一月,丁未朔,帝朝皇太后于隆福宫,上玉册玉宝。

京师犯赃罪者三百人。(庚戌)〔戊辰〕,命事无疑者,准世祖所定十三等例决之。

辛亥,中书省言:"国赋岁有常数。先帝尝曰:'凡赐与,虽有朕命,中书其斟酌之。'由是岁务节约,常有盈馀。今诸王、藩戚,费耗繁重,存钞止一百十六万二千馀锭,而来会诸王尚多,恐无以给。宜俟其还部,臣等斟酌定拟以闻。"从之。

湖广、江西及江淮行省,以军民不相统一,屡请罢行枢密院。帝以问巴延,时以属疾,张目对曰:"内而省院各置为宜,外而军民分隶不便。"壬子,诏罢三处行枢密院,以其事归行省。

丁巳,以巴延彻尔参议中书省事。其兄巴延言曰:"臣叨平章政事,兄弟宜相避嫌。"帝曰:"兄平章于上,弟参议于下,何所嫌也!"

甲子,以湖南道宣慰使何玮为中书参知政事。时省臣凡十一人。玮言于帝曰:"古者一相,专任贤也。今宰执员冗,政出多门,转相猜忌,请损之。"不从。

罢海北海南市舶提举司。

癸酉,诏改明年为元贞元年。

十二月,太傅、知枢密院事巴延薨。巴延深沈有谋略,善断,将二十万众伐宋,如将一人,诸将仰之若神明。事毕还朝,归装惟衣被而已,未尝言功。及殁,赠太师,追封淮安王,谥忠武。

戊戌,禁侵扰农桑者。

庚子,用帝师奏,释京师大辟三十人,杖以下百人。

【译文】

元纪九　起癸巳年(公元1293年)正月,止甲午年(公元1294年)十二月,共二年。

至元三十年 （公元 1293 年）

春季,正月,乙丑(初八),下令福建不再进献隼鹰。

丙寅(初九),淘汰多余官员。总计裁减中央与地方官府二百五十五所,总计人员六百六十九名。

戊辰(十一日),诏令:"边境无事,令军队屯田耕种,用以自给。"

甲戌(十七日),河南、河北行省平章巴延奏言:"扬州蒙古岱所建立屯田,可耕种的有四万多顷,除官府耕种外,应该叫百姓种垦。扬州盐转运一司,设有三重官府,应该把其中的盐司裁掉,仅留下管勾。襄阳过去吃的是京兆盐,用水旱两路的难易来计算,不如改成吃扬州盐。蔡州离汴梁远,应该将它提升为散府,将颍、息、信阳、光州归它管辖。"诏命全部依从建议。

撤销尼雅斯拉鼎默埒所设立的鱼盐局。

乙亥(十八日),给去世的皇太子以明孝称号。淮西道宣慰使昂吉尔征收军钞六百锭,银四百五十两,马二匹。壬午(二十五日),下令由省御史台和达鲁噶齐对昂吉尔进行审问。

这个月,前任中书右丞相安图去世,终年四十九。雨水降到树木上立即结冰,连续三日。皇帝深为地哀悼说:"人们说丞相生病,我并不相信,现在果然丧失了我的好助手!"诏令大臣对其丧事进行监护。安图当丞相时,时刻将维护国家的安定作为自己责任,把民众富足物产丰富作为个人职责。一件政事失掉公平,一种事物离开它所在,就悲伤不高兴,直到改正为止。从丞相位上退下后,在府南开辟一阁,引进贤士大夫,讲论古今治道,而请求谒见者却绝迹了。尽管天下人倚赖他,将他看作重臣,但受扼于阿哈玛特、僧格,并未始终受到重用。他儿子乌古达气量弘大豁达,承袭宿卫长职务。父死,凡送来治丧的财物一点没有接受,只用不加装饰的朴素车马,将灵柩归葬于祖先墓地。

皇帝想革除僧格的弊端,求取正直的人士使用,便宣召董士选来议论政事,不久就任用他为中书左丞去镇守浙西,任凭他引用荐举同僚或下属。士选到任,检查到有害于百姓的事,均按皇帝旨意予以革除。僧格的一个党羽曾以横征暴敛求取私利,事情暴露,其罪应死,便谎称派到海外经商的船还没回来,请求把自己留下等候。士选说:"海商到就把他逮捕起来录取供词,不来则能怎么样,这同此人的在与不在没有关系。假如叫此人侥幸活下来,我们就没法向天下人交代。"于是穷究他的罪恶。

二月,己丑(初二),依从阿喇卜丹、燕公楠的请求,任用嘉木扬喇勒智的儿子宣政院使温普为江浙行省左丞。不久因南人对其父怨恨很深,诏令罢免。

高丽国王王賰请求改名为昛,依准。

减免河南、江浙海运米四十万石。

中书省增设检查核对官吏两员。

减免大都今年赋税。

丙申(初九),退回江淮行枢密院官布琳吉岱进献的鹰,还下令:"从现在起禁止军官放鹰扰民,违者治罪。"

丁酉(初十),回回进献大珠,要价钞数万锭。皇帝说:"珠子用什么用,应该留下这笔钱用以赈济贫困百姓。"

丁未(二十日)，皇帝到上都。

辛亥(二十四日)，重新设置云南行御史台。

诏令沿海设立水路驿站。从耽罗到鸭绿江口，共设立水路驿站十一所，命签书枢密院事洪君祥监督管理。君祥，俊奇的弟弟。

癸丑(二十六日)，江西行院页特密实奏言："江南豪门大族大多庇护藏匿盗贼，应该处决为首的，其余则迁移到内地各县。"依准。申明严禁江南百姓持有兵器的命令。

这个月，王恽被宣召到上都，进见时，皇帝对他慰谕了好长时间。王恽退下后，便给皇帝上书陈述时政。其大意是："臣下听说自古以来开创大业和传世的君主，必定要制定一定的法制，传给子孙后代，使他们遵守，作为长久不变的根本。臣下请求将立法定制作为论述治理国家的首要问题。

第一，议定典章制度以统一政体。现在我朝得有天下六十多年，朝内有宪台为天子执法，朝外有廉司、州郡的法吏，可仅仅有司理的官员却没有所遵守的法制，就如同有医生而没有医药。以致量刑、论罪，免不了发生彼轻此重的差异。因此，应将已经制定的律令，作为新法颁布，以便与百姓重新开始。

第二，制定制度以抑制奢侈和假冒名位。古代的衣服、饮食、车马、住室都有一定制度。可现在臣民的穿着超越了公侯，妇女的衣着等同于贵戚，以致聘娶财礼超过卿相，男女因之不能成婚。这都是因为没有制度规定，冒名越位糟蹋物品，致使有的人家负担不起。这样物价就不能不上涨而昂贵，钱币就不能不贬值而轻贱，从上到下因此困窘，一天比一天严重。应一切以定制为准，违反定制的加以禁止。

第三，节省浮费以充实财用。每年经费之所以担心不充裕，过失就在于浪费现象。应该量入为出，如有过失即加以举发，以作为大家借鉴。比如多余的兵员，不实际的追求，浮华的饮食，多余的花费，以及常例所没有的，这一切都应节减。何况财物不是从天上降下来，都出自百姓，要是竭泽而渔，焚林而猎，那谁还能够抵御呢？力尽财竭，这不是养育百姓而使国家富强的方法。

第四，重视名位爵号以收揽威权。古代人把官爵称作天秩，即上天给予的品位，是不能轻易授予人的。现在全国统一，权宜的举措、假借的行为一天天减少了，这正是国家收揽威权的时候。比如近些年委任官爵稍为重大者，没有考察他平日表现，就立即授予高位；如以此来激励人们建功立业，固然可以说是为了驾驭英雄，但如果名与实不符，那就难免发生私下窃议而恐惧不安。现在内外平定，朝廷对名爵应当重视而爱惜。

第五，评议廉司以激励众官。近来廉司的建立，开始时气势颇大，朝廷内外官员，心怀恐惧而有改过自新想法，以致奸邪狡猾的大人物，也都害怕而忐忑不安。可是施行不久，法制禁令稍为宽弛，使得监视官员的挺拔刚劲气势，即不熄灭也自行收敛了，奸邪弊端萌芽，暗中滋长而又重新生枝，风俗浅薄轻浮，人们只求苟且免祸而不顾廉耻。应该人和法同时施行，精心地选择官员，给以优厚俸禄。宪纲既已振发，公道自然畅行，当官的有创新的气势，胥吏们没有衣食的顾虑。我们的正气既然伸张，他们怎能不为之奋发；国家的政治既然严肃，他们又哪里还敢营私！这样就会看到百倍的风采，政治的澄清就有希望了。

第六，讲求保举以查核名实是否相符。现在亲近百姓的下层官佐，没有谁比县令、经历重要。如果实行品官保举法，大体可得到应得的人，在南方的人选，尤其应该施行这个方法，为什么？江南平定，秋毫无犯。真可以说是仁义之师。只因以前行省调动官员，往往是先行贿而后放任，各行省输送拟派的官员，尤其杂滥，侵吞攘夺，鱼肉百姓，其惨苛超过战事，以至盗贼借此为名暗中举事。依赖皇帝天恩，侥幸没有发生大事。现在应该委派官员分别拣选，凡停职而不至罢免放逐的官员，必须降职调到边远地区任职，在边远地区任职时如有声望政绩的，应给予晋升并调到内地任职。这也是激励劝勉官吏的一项方法。

第七，设立科举以收集人才。进士的改选，过去朝代都称作取士正科，这有它不可废弃的道理。如果限定一定的岁月，进行考试，就会看到读书互相竞争，努力学习。而人才的成批出现，是可以计日以待了。

第八，考试吏员以清理政务。以前各朝代录取胥吏的方法，条目甚为严格。而现在各府、州、司、县所使用的一切胥吏，大多来自个人书信介绍，而不是选取其才能，这样做，要想刑政清明，顾全大体，难哪！不如下令每年推荐吏员，用吏员法来考试，中选的才可以向上推荐补充，随朝服役，而在地方上的州、府、郡服役的，则由廉访司用校法试验，这样就能激励他们，使他们逐渐肯于学习。他们的月薪，也要根据表现加以决定，总要能让他们有个温饱，而后就可以要求他们廉洁。

第九，抚恤军民以巩固国家根本。国家自从攻打围困襄阳以来，征取当兵服役，一共有四次了。凡有物力的人户全都充实军站，如抛下中间户，还有多少上等户呢？战争时期的各种需要，都依靠他们供应筹办，急迫的征收，残暴的聚敛，非法的侵掠。臣下认为现时正值农作繁忙，他们交纳的赋税和所出差役，应该下令免除。

第十，重新设置常平仓以增加储粮。常平仓从至元八年建立起，从各路收贮粮食，存粮约八十余万斛。现在仓廪都还存在，可存粮早已被起运一空，这实在很不符皇帝体恤百姓的本意。如果重新收贮粮食充实常平仓，实在是古往今来的好办法。

第十一，扩大屯田以就地解决粮饷。这样，就可以避免从远方调运粮饷。近年来山后流动的人户不少，将被抛弃的土地暂时借给他们经营屯住，等到假冒占地检查结束时，仍然听凭招募愿意屯营的人经营，已经设置营屯的地方，也应派强壮果敢、尽心为国、有所作为的干练官员，再加检查核实，其中一切可以实行而没有实行，或已经实行但还不完善的，应极力派人去做，使地力得到充分开发。还应将往南地区一切设屯但已关闭的现有户数，一起迁移到边境屯田，用来补救一时之需，这乃是加紧治理边境的旨意。

第十二，停止经略远方，专心安抚已有之地方。皇帝治国三十多年，继承宏大如天的功业。三皇五帝以来，从未像今天这样兴盛。但愿停止经略远方，安抚已经占有地区，这可是四海臣民的心愿！

第十三，感动自然平和之气，以消除水旱天灾。近年来，水旱不时发生，霜灾断续出现，山崩地震，变化非常，奸臣掌握权柄，盗贼暗中滋生，百姓嗷嗷待哺，一天比一天困苦。臣下曾读中元以来的国书诏令，从没有不把生灵放在心上的。抛弃琐碎小事，讲求信义，与邻国和睦，把用兵看作最重大的事情，这乃是尧舜爱好生灵的伟大品德，夏禹商汤能够宽宏不自满，而借此以表现的仁爱啊！愿皇帝为百姓祈求天命，叫人们知道自己无好兵黩武之心，天地鬼神也会体谅其不得已而用兵之意。这样，上天也许会回转它哀悯眷爱之情，变不协而为平和,改荒芜歉收为丰收年景,天下臣民则甚感幸运。

第十四,推崇教化,借以淳厚风俗。一个国家应以四教为根本。即:以仁爱涵养,以正义求取,以礼仪安心,以信用行事。但前执政并未致力于此,专门以暴虐纵放心意,以督促斥责为法令,取办求于一时,流毒却遍于四海,不知衰颓倾斜,以致有的不可救药,至今还继续为害。这样怎能督责民心接近敦厚,使风俗变得纯粹淳朴呢!只有把四个根本立起,天下就会敬畏而生忠厚廉耻之心,父子之间有亲爱,君臣之间有礼义。这样,如果不说它风俗恬美,那还会归到何处呢!"

书上奏后,皇帝赞赏并加以采纳,授予翰林学士职务。

三月,庚申(初四),任命同知枢密院事札萨克为知枢密院事。

任用平章政事范文虎监督疏通运粮河工程。

大雨毁坏了都城,诏令派三万侍卫军修完,还命令发给他们工钱。

甲子(初八),搜求天下马十万匹。

开始,托克托呼攻略金山,虏获哈都部三千余户。回到和林,诏令他进取奇里济苏。这年春,军队驻扎在欠河,又在冰上行军几天,才到了奇里济苏的境界,将哈都的五部民众全都征服,并驻兵守卫。哈都听到奇里济苏被夺取,便领兵到欠河与托克托呼交战,又被打败,其将领博啰察被擒。

夏季,四月,己亥(十三日),行大司农燕公楠、翰林学士承旨留梦炎上言:"杭州、上海、澉浦、温州、庆元、广东、泉州,设立七所市舶司,只有泉州一所的货物按三十分之一收取赋税,其余都是十五分之一,请求把泉州的税额作为定制。"依准。仍把温州舶司归入庆元,杭州舶司归入税务。

壬寅(十六日),枢密院上言:"去年征讨爪哇的两万军队,每人给钞两锭,以后只派去五千人,应将原来给的钞银三万锭征回入宫。"皇帝说:"不是这些人不去征讨,是我下令让他们中止的。"下令不必征回。

癸丑(二十七日),广东廉访司重又设在广州。

提拔同知桂阳路总管府事臧梦解担任广西廉访副使。

过去成例,凡烟瘴的地区,行部的人大多不愿到那里,唯有臧梦解走遍这些地方。他考察询问宾州、藤州两路的达噜噶齐和奸恶贪污的官吏,被治罪的有八十多人,又平反了两起冤狱,百姓都称颂他。

甲寅(二十八日),下令江南拆毁各道观中的圣祖天尊祠堂。

这个月,前任右赞善大夫刘因去世。后来追赠翰林学士,谥号为文靖。

史弼等人前往征讨爪哇。从去年十二月会合各军从泉州出发。由于风急浪大,船只颠簸,兵士都几天不能吃饭。越过七洲洋、万里石塘,经交趾、占城边界,到正月抵达东董、西董山、牛崎屿,驶入混沌大洋、橄榄、假里马答、勾阑等山,驻兵砍伐树木,制造小船前进。史弼同伊克密实、高兴分兵,水陆并进。伊克密实率领水军,高兴率领步兵,在八节涧会师。

当时爪哇正与邻国葛郎结仇,爪哇的领主哈只葛达那加已经被葛郎杀死,他的女婿土罕必阇耶进攻葛郎未胜,听到史弼等到,就派使臣拿着爪哇国的山川、户口和葛郎国的地图向史弼等求援。史弼同各将领出兵攻击,伊克密实在西南路半途拦截贼寇,没遇上。高兴攻击它东南路,杀死数百人,剩下的人逃奔深山大谷。东南路的贼又重新来到,高兴又将其打败,葛郎的领主逃回他的国家。高兴说:"爪哇虽然投降,假使中途变卦,同葛郎合在一起,那我们就将孤军无援,悬绝于此,事情难以预测。"史弼于是分兵三路,同高兴以及伊克密实三人各自率领一道兵马进攻葛郎。到了答哈城,葛郎聚兵十几万迎战,从早晨战斗到中午,葛郎兵才被打败,退入城中防守,葛郎领主出城投降,元军还虏取他的妻子、官属回归。

爪哇领主的女婿土罕必阇耶乞求归换降表和所藏的珍宝入朝,史弼同伊克密实答应了,高兴极力说这样做失算,史弼等人不听。派万户二人带兵护送,土罕必阇耶果然在途中杀死两个万户而背叛,趁着军队回还,从两边夹路攻击抢夺。高兴奋力争战摆脱出来,史弼亲自断后,一边打一边走,走了三百里,才登上船。航行六十八个昼夜,回到泉州。这次征伐,士卒死亡三千多人。史弼等人将得到的金字表和金银犀角、象牙等进献皇上。

五月,丙寅(十一日),因浙西大水淹没田地造成灾害,诏令富有家庭招募佃农疏通水道。

辛未(十六日),敕令:和尚寺庙中的旅店,凡商人住在那里,他的货物同样照章纳税。

六月,乙巳(二十一日),命令皇孙特穆尔安抚北方边境军兵,伊实特穆尔加封军国重事、知枢密院事辅行,凡宗室诸王、元帅大臣都要接受他的命令,特恩赐他可坐人拉的车子入宫,伊实特穆尔请求授予皇孙使用储闱旧玺,依准。

己酉(二十五日),诏令疏浚太湖。

秋季,七月,己未(初五),诏令皇曾孙松山出镇云南,将皇孙梁王的印赐给他。

诏令免除福建每年交纳皮货和泉州织造的纻丝。

己巳(十五日),命令刘国杰随从诸王伊济勒督率各军征伐交趾。湖广行省平章哈喇哈斯告诫将吏不得侵扰百姓,正好遇上有抢夺百姓鱼菜的士兵,便责打管理他的千户,全军军纪立刻严肃起来。

不久,有圣旨到,命令派出湖湘万户富民,到广西屯田,准备谋取交趾。哈喇哈斯派使者上奏说:"以往远征没有功效,战争创伤还没恢复,现在又迁移百姓到瘴疫发作的地方,人们必然怨恨叛逃。"胥吏开始不知道他已上奏朝廷,抱卷请求批署,不回答,胥吏再次请示,就说:"暂且缓办。"没多久,使者归还,报告撤销原来旨意,百姓都感动欢悦。等到广西元帅府请求招募南丹地方的五千户前去屯田,文书呈到行省,哈喇哈斯说:"这些都是土著的百姓,这样做实属方便,内部足以充实空旷的土地,对外足以牵制交趾贼寇,可以不烦劳兵士而使粮饷自给有余。"随即命令度量田地,设立了五个屯,每屯设屯长统领,发给耕牛、种子、农具。

湖南宣慰使张国纪上书建议:"按照唐、宋末年制度,征收民间夏季的赋税。"哈喇哈斯说:"这是亡国的弊政,失去了宽大的意愿,圣明之朝怎能这么办呢?"奏请停止这个建议。

壬申(十八日),任命伊实彻尔为知枢密院事。

伊实彻尔,博尔呼的孙子。僧格的败露,伊实彻尔暗中上奏弹劾的结果,所以现在才授予这个官职。

丁丑(二十三日),给新开的运河赐名通惠。开河共用工二百八十五万,楮币一百五十二万锭,粮三万八千七百石,及相当数量的木石等物。在需要提供设闸的地方,往往在地里挖到从前的砖石木料,人们因此赞佩郭守敬精到的见识。船既已通行,公私双方都便利。过去,通州到大都五十里,从旱路用车运送官粮,每年用工若干万,百姓难以承受其劳累,到现在都得以免除。皇帝从上都回来，路过积水潭，看到船只遮蔽水面，大为高兴。

巴延既已降伏明理特穆尔，便留下来抗拒哈都，廷臣中有人暗中说他和哈都通好，因此依旧保守，没有立下尺寸之功。皇帝命令御史大夫伊实特穆尔前去代替他，叫巴延住在大同，等待以后命令。伊实特穆尔没到三驲，正赶上哈都的兵又来到，巴延派人告诉伊实特穆尔说："您暂且在这里休息，等我把这贼寇消灭后再前来，为时也不晚。"

巴延同哈都交战，一边打，一边退，前后共七天，各将领以为巴延怯敌，愤愤不满地说："如果害怕作战，为什么不将军队交给御史大夫！"巴延说："哈都孤军出动到我地作战，截击他就跑掉，引诱它深入到我阵地，一战就可将他捉住。诸位一定要求速战，如果跑掉了哈都，这责任谁负？"各将领说："我们请求担负这个责任。"于是回军将其击败，哈都果然跑掉。巴延这才召请伊实特穆尔来军中，将大印交给他后离开。

皇孙举起酒杯为巴延饯行说："你走了，将用什么来教我？"巴延举起所喝的酒说："应当谨慎的，只有这个和女色啊！军队之中固然应当严肃纪律，可恩德不能偏废。冬夏扎营驻防，还是依照旧例方便。"皇孙全都依从了。

八月，庚寅(初七)，奉命出使安南国的梁曾、陈孚，与安南的使臣一同来到。

开始，梁曾等人到安南，其国都有三座门，陈日燇打算从旁门迎接诏书，梁曾大怒说："奉诏不从中门而入，是有辱君主使命！"便写信指责他，反复三次，最后才从中门进入。梁曾还劝告日燇入朝，日燇没答应，只派他的臣下陶子奇、梁文藻随同梁曾等来朝进贡。梁曾把他同日燇辩论的书信送交皇帝，皇帝看后大为高兴，解下衣服赐给他，还叫他坐在地上。右丞阿尔觉得皇帝不必这样做，皇帝生气地说："梁曾两次出使外国，用言语平息战争，你怎么敢这样！"当时有亲王从和林来，皇帝命令斟酒先赐给梁曾，对亲王说："你所办的是你的事，梁曾所办的是我和你的事，你可不要以为这是慢待你呀！"有人陷害梁曾，说他接受了安南的贿赂，皇帝就将这件事问梁曾，梁曾说："安南曾送黄金货币、器物、奇珍给臣，臣不接受，将此交付给陶子奇。"皇帝说："接受了也没什么不可以的！"

朝廷大臣因陈日燇始终没有来朝，就把陶子奇拘留在江陵，命令刘国杰同诸王伊勒吉岱等人整顿军队屯聚粮草，重又议论讨伐安南。

九月，癸丑朔(初一)，皇帝从上都回来。

冬季，十月，戊子(初六)，诏令修建汴梁堤防。

庚寅(初八)，彗星进入北斗边缘，直达七星中的玉衡、开阳、摇光，光芒约一尺多。皇帝于夜间召博果密进入内宫，询问消除天象变化的方法。博果密说："风雨从天而来，人们则建房屋以对待，江河给大地设置限制，人们则造船只以通过。天地有它办不到的，人却能做到，这就是人所以同天地相参也。父母生气，做子女的不敢疾恶怨恨，反而生孝敬之心。所以《易》曰：'做君子的以恐惧来修省身心。'《诗》曰：'对天的发怒要肃敬。'三代的圣王，采取克己谨慎的态度对待天的告诫，因而很少没有结果的。汉文帝时，一天之内，高山崩裂就发生二十九次，日蚀、地震连年发生。如果善于运用这方法，天也会悔祸，海内平安，这是前代的借鉴，希望陛下效法。"因此诵读文帝《日食求言诏》，皇帝肃然起敬，说："这话深合我的心意，可再诵读它。"于是详论恳陈，直到四鼓才结束。

甲辰(二十二日)，赦免天下。

戊申(二十六日),凡总统以下有妻室的僧官均免去职务。

庚戌(二十八日),制造象蹄掌甲。

辛亥(二十九日),禁止江南州郡转手贩卖乞养的良家子女,和抢夺平民贩卖。当时北人特别喜爱江南有技艺的人,称他们为巧儿,价钱很贵。若是妇女,尤其贵重,每个人可换银二三百两;尤其喜爱童男童女。到处都有人市,价钱分成几等,全是南方士女。因为父母贪图财利,把子女卖给人贩,再倒手转卖,以至有的人变换了几十个主子。北人买到后,担心他们逃跑,甚至用药把他们变成哑巴,用火烙他们的腿,打上印记,使用他们就像对待禽兽一样,所以才特地下令加以禁止。

孙民献曾经依附僧格,帮助约苏穆尔作恶,到他担任同知上都留守司事时,又接受赃款,削减各从臣的供粮。丁巳(初六),诏令没收他的妻子家产。后来因为潭州吕泽控告他残虐刻削,便给他带上枷具,押送到湖广,按照吕泽的控告追问治罪。

设立海北、海南道廉访司,治所设在雷州。

己卯(二十八日),召见河南、江北行省平章巴延,任命他担任中书省平章政事,地位在特尔格、琳沁、博果密之上。

十二月,壬辰(十一日),中书左丞马绍因病免职,任用詹事丞张九思为左丞。

庚子(十九日),史弼、伊克密实、高兴征讨爪哇归来,献上战俘,又将没理国奉上的金字表和金、银、犀角、象牙等物品进献。朝廷因为这次征伐阵亡丧失甚多,而且跑掉了土罕必阇耶,因而,史弼和伊克密实分别被杖责十七板,两人家资还被没收三分之一,高兴因对土罕逃跑事先提出告诫,而且功劳多,赐给黄金五十两。

起初,枢密院判官郑制宜迁任为湖广行省参政,辞别皇帝时,皇帝说:"你父亲死于国事,奖赏时你没有分到。近来约苏穆尔伏法被杀,已把他财产、人、畜没收,你可挑选其中好的拿去。"制宜回答说:"他因为受赃身败,臣下又将它取来,哪能没有污秽吗?"皇帝称,赞他洁身自守的贤德,赐给他白银五千两。

没多久,征召拜命为内台侍御史。安西过去有牧地,养马的人依仗权势,抢夺民田十万多顷,这件事诉讼到主管部门,积压一年不能处理,制宜奉诏前往,按照地图标示加以纠正,诉讼从此平息。

这年,撤销湖广行枢密副使。湖南地域辽阔边远,群寇依仗险峻地势出没无常,昭、贺两州和庐陵境内的百姓时常被杀害,制宜统领一部军队巡行于两州,路经庐陵、永新,捉获为首的贼寇和他的党羽,全部杀掉。茶乡一个叫谭计龙的,聚集凶恶少年,藏匿兵器为非作歹,将他捉拿后,他家便向制宜行贿,想以此缓解案情。制宜将其贿赂全部用来慰劳兵士,仍将谭计龙斩首在街市。从这以后,湖南没有再发生盗贼。

御史中丞崔彧奏言:"大都百姓的食粮,全靠外地米商运来贩卖,近因官方搜括商船运送物品,以致卖米的人少,米价飞涨,请求朝廷不要命令主管部门搜括船只。"依准。

宝泉提举张简和他的儿子奈曼岱上告崔彧,说他曾收受邹道源、许宗师白银一万五千两。另外,张简另一个儿子知微告崔彧十多件违法的事。皇帝降旨于中书省辩论。崔彧已经书写了张简的状告和自己应对证的牍文,放在袖里,看了再对答。张简父子所告发的都无法验证,因而被一齐关入监狱。张简死在狱中,还没收他的家产,奈曼岱、知微,都因罪受杖后削除功名。

平江路总管府治中王都中，是福建行省参政王积翁的儿子。积翁在海上遇害，皇帝始终念记着他的功劳，特授予都中这个职务。当时王都中年仅十七，同僚胥吏都有些轻视，都中遇事加以剖析，举措甚为得当，部属都感到惊奇，从而再也不敢欺侮他。学校房屋长久残破而没有治理，可郡守又空缺，没人管这件事。都中说："圣人之道，人们所共同遵循的，怎么只有郡守才能办这件事呢？"于是他带头募款，动员大家捐钱，终于把礼殿修整一新。

至元三十一年 （公元 1294 年）

春季，正月，壬子朔（初一），皇帝身体有病，免去朝贺。

癸亥（十二日），知枢密院事巴延从军中回来。

庚午（十九日），皇帝疾病大大加重。癸酉（二十二日），于紫檀殿去世，共在位三十五年，享年八十。

以往常例，皇帝有病，除非居于国都内有功勋的故旧，其他人不得进入皇帝卧室。博果密因为谨严忠厚，每天看视医生给皇帝施药医治，没有离开皇帝左右。彻尔也从湖广行省飞快回京，看视医生给皇帝施药医治。等到皇帝去世，博果密同御史大夫伊噜纳颜和知枢密院事巴延接受皇帝遗诏，留在宫中。丞相鄂勒哲到宫前，不让进去；等到伊噜纳颜、巴延出来，就问道："我不论年龄地位都在博果密之上，国家有大事商讨却不能参加，这是为什么？"巴延叹息说："假如丞相有博果密那样的识见思虑，哪至于叫我这下属如此劳苦啊！"鄂勒哲无话可答，便对太妃鸿吉哩氏说了。太妃宣召三人询问，伊噜纳颜说："臣下受皇帝顾命，太妃可观察臣下等人所作所为，臣如果延误国事，甘愿伏法而死。国家大事，不是宫中之人所应当预先知晓的。"于是制定大的决策，同亲王和各大臣派出使者向皇太孙报哀，巴延则总领文武百官以听命。

兵马司请求日出时击鸣晨钟，日入之时击鸣昏钟，以防止发生变故，巴延大声斥责说："你将要为贼吗！还是和平时一样。"正巧有偷窃宫内库府银两的，偷盗的人是主管内府的官吏，他因可以幸遇赦免而监守自盗。本打算杀死他，但巴延说："什么时候没盗贼？今天以谁的命令来处死他呢？"人们都佩服巴延有见识。

乙亥（二十四日），将皇帝安葬在起辇谷。

皇帝度量宏伟，知人善任，所以才能统一天下，开扩前古未有的事业。只因急于追求财用，中间曾被阿哈玛特、卢世荣、僧格所蒙蔽，但最终能知道他们的罪恶而纠正之，建树政纲，陈列法纪，殷切地希望给天下传播文德，其规模也够弘大长远了。

御史中丞崔彧得到了传国玉玺，将它献上。

当时穆呼哩的曾孙索多已经死去，家贫，他妻子拿出一块玉玺去卖，有人将此事报告崔彧。崔彧就将它献给朝廷。召来御史杨桓辨认上面的文字，杨桓说："上写的是'受命于天，既寿永昌'，这是历代传国玉玺啊！"太妃拿出来给在场的所有大臣看，丞相以下大臣依照官位高低为上祝寿，庆贺说："神圣宝物的出现，正在皇帝逝世以后，这应是上天之意交付给皇太孙啊！"于是派遣右丞张九思携带玉玺授予皇太孙。

夏季，四月，皇太孙从北部边境南归，当朝的执政大臣全都到士都以北迎接。皇太孙到了上都，皇帝宗室的各王相聚，在决定国策时，伊实特穆尔对晋王噶玛拉说："皇帝去世，已过三月,皇位不能长久空着,国家不可以没有君主,储君玉玺早有所归,晋王您是皇储闱室宗族最年长的,为什么等着不说话?"噶玛拉匆忙说:"皇帝即位,我们当称臣以侍奉。"于是同祖的皇亲联合劝说请新皇进位。伊实特穆尔说:"皇位的大事已经决定,我死了也没遗憾了。"

甲午(十四日),皇太孙即皇位于大安阁,各亲王有违背的言论,巴延手握宝剑站立殿阶,陈述祖宗的训示,宣扬接受先皇遗命,讲明所以立皇太孙的本意,言语表情都十分严厉。各王吓得腿发颤,都走到殿前下拜。

于是宣布诏书说:"朕听命于太祖圣武皇帝,承受上天明确的任命,开始造福于诸夏,圣圣相继,继承并光大祖宗事业。到了我先皇帝,立身正大,然后典章文物鲜明全备。在位三十五年,四海内外,无不归附,远大的规划谋略,深厚的恩泽仁爱,以展延我元朝万代不息的帝位。我过世的父亲早已居于太子的位置,恩德盛大,功业兴隆。可惜上天不给以年寿,令四海失望。不过因有美好的资质,依赖先皇帝的特别爱护,于去年的夏天,亲自把皇太子的印授予我,托付予安抚军队的任务。今年春天,先皇远去,突然丢下了臣民,才有宗室弟兄的贤德,皇亲大臣的旧情,认为先祖的遗训不能违背,皇位不可以空缺,体念秉承先皇过去托付的心意,一起进言推戴,态度诚实坚定。朕只好勉力顺从他们的请求,于四月十四日即皇帝位。可大赦天下罪犯。还念先朝众多政事,都有既成规定,只有慎重奉行,不敢差失。更需依靠皇室宗亲国戚,左右忠良之臣,各尽诚意,以辅助朝廷圣德,布告远近,都使听到知晓。"又发布诏令:"免除大都、上都两路一年差役租税;其余地区人丁、田地的税粮减收十分之三;拖欠官府的,一概免除;逃亡的民户,差役赋税都免除。"

追加亡父尊号文惠明孝皇帝,庙号为裕宗,祔祭于太庙,尊奉母亲元妃鸿吉哩氏为皇太后。把所住的旧太子府改名为隆福宫。

丙午(二十六日),中书省右司员外郎王约,在奏议中谈了二十二件事。谓:充实京师,解脱差税,取消禁猎命令,免除拖欠赋税,赈济穷苦老人,停止额外劳役,禁止设立鹰户,振兴风纪制度,铲除旧有贪官,慰抚远方藩属,免收各方贡献,访问民间利病,便利务农百姓,奖励兴办学校,设立救济粮仓,考核纳税户数,重视名分爵位,分明赏罚,选择郡守县令,淘汰官员属吏,制定法令,改革两司。又请求中书省去掉烦琐文书,一方面取得行省信任,一方面要求六部执行。皇帝称赞并采纳它,将王约调任兵部郎中。

五月,壬子(初三),为禳除灾祟开始在寿宁宫举办道场,在司天台祭祀太阳、木星、火星、土星等星。

戊午(初九),尊奉先皇为圣德神功文武皇帝,庙号世祖,蒙古语尊称为色辰皇帝。这一天,还尊奉先皇后鸿吉哩氏为昭睿顺圣皇后。

庚申(十一日),在云仙台祭祀紫微星。

伊实特穆尔晋封为太师,赐给上方玉带、宝服,返回镇守北部边疆。

己巳(二十日),诏令各地转运司官,凡是因为欺骗隐瞒奸诈之事被人告发的,听从廉访司随时追问,它的文书案卷依照过去惯例在年终审核。

壬申(二十三日),御史台奏言:"朝廷内外增设的官府愈来愈多,在京都吃俸禄的就有一万人,外地人数更多,按理应该合并裁减。"命令同中书省一起商议。

下诏商议增加官吏的俸禄。

乙亥(二十六日),任用札萨克知枢密院事。

戊寅(二十九日),册封皇姑、高丽国王王昛的妃子为安平公主。

任命伊啰勒为太师,巴延为太傅,伊彻察喇为太保。

禁止各级官吏强行夺取盐船运送官家物品,以及和尚道士、有权有势的人家私自藏匿盐贩。

六月,庚辰朔(初一),发生日蚀。

辛巳(初二),御史台奏称:"名分的重大,没有超越宰相的,只有政绩勋业显著的可以担当,不能轻易授给。廉访司官,每年在五月份考察所属官员,第二年正月回到廉访司。命令授任者先听凭总司商议,适宜担任这个职务的再上报朝廷,以代替各司中声迹不好的官员。在职官员贪赃受贿,依照惯例,比普通人加重处治。"皇帝说:"把这事和中书一起论议。"

壬辰(十三日),任命特穆尔重新担任平章政事。

诸王阿济奇部下玉速福屡次叛乱,伏法处死。

乙未(十六日),将世祖、皇后、裕宗死后的称号布告天下,免除所在地区本年的包银、俸钞和内郡的地税,江、淮以南的夏季赋税免去一半。

己亥(二十日),因为乳养护理的功劳,完颜巴延被封为冀国公,妻子何氏封为冀国夫人。

当初,宋朝端明殿的学士、签书枢密院事家铉翁作为使者前来,世祖想把他留下,授予官职,他不接受,遂安置到河间,用《春秋》教授学生,多次对学生谈到宋朝兴亡的原因,每次都流涕叹息。到现在年过八十。辛丑(二十二日),下诏赐给处士称号,放回家乡,赐给金钱,都不领受。不久去世。

甲辰(二十五日),诏令翰林国史院修纂《世祖实录》,令鄂勒哲监督修纂国史。

先初,世祖身体有病,命令翰林学士承旨董文用将他儿子带来进见,文用推辞说:"臣下承蒙国家厚恩,死了也没法报答,臣下的儿子怎么能受这样厚遇!"再三命令,始终未去觐见。等到皇帝去世,太后命令文用跟随皇帝在上都。到了皇帝即位,巡视狩猎到萨布喇的地方,文用奏称:"先帝才离开天下,陛下巡狩不按时回去,就无法安慰百姓,应赶回京师。而且臣闻君主就像斗星,居处他的所在地方众星才拱卫它,而不在于常去远方经略。"皇帝同意他奏言。

皇帝经常宣召文用到帐中,询问先朝的旧事,文用也大谈先帝虚心接纳贤良,和如何开创国家、治理天下的事情,交谈有时到半夜。这时编修先帝《实录》,下诏授予文用知制诰,监督修治国史。文用对祖宗世代的联系、功德、近戚、将相家世、功勋业绩,都从始至终记忆得很清楚,国史馆凡有问题需要考查探究,文用都回答得毫无遗漏。

戊申(二十九日),诏令:"凡宗室、藩属、朝廷内外官吏等人,都要听从丞相鄂勒哲约束。"当时巴延担任太傅记载军国重事,依旧担任知枢密院事,鄂勒哲对他心怀妒忌。巴延对鄂勒哲说:"我只幸运地接受皇上送的两瓶美酒,和诸王在宫前饮尝,其他不是我所要知道的。"

秋季,七月,壬戌(十四日),诏令中外崇奉孔子。

癸亥(十五日),行枢密院页特密实、程鹏飞分别兼任平章政事。中书省奏言:"枢密院的官员不适于再加上丞相官衔。"皇帝便命令以军队上的更高职位授给他们。

辛未(二十三日),中书省奏言:"从前御史台告发右丞阿尔曾和阿哈玛特一同作恶,论罪当死,侥幸得到赦免,不再担任执政。臣等认为阿尔犯罪以后能够自觉警惕反省,请求叫他执政如初。"依准。

癸酉(二十五日),诏令新任陕西行省平章博果密依旧担任中书平章政事。

起初,元世祖去世时,博果密以中书平章职位得以参与共奉遗诏。丞相鄂勒哲因他年龄地位在自己之下,深为妒忌。皇帝知道这个原因,便安慰博果密说:"你是先朝心腹,只有早晚开诚忠告,纠正我的考虑不周,这才不辜负先皇临危托付的重任。"朝廷议定的大事,大多采纳他的建议。太后也因博果密是先朝旧臣,对他的礼貌很是周到。

河东守臣呈献禾中的嘉穗,博果密对他说:"你所管辖的地方所产的都是这样?还是只有这几棵?"回答说:"只有这几棵。"博果密说:"如果是这样,既无益于百姓,又怎么称得上是祥瑞!"于是就把它退回去。

西域和尚做佛事,请求释放罪人以祈祷幸福,称之"秃鲁麻",有势力的平民犯了法都贿赂他们以祈求免罪。有杀害主人、杀害丈夫的人,西域僧人叫披上皇帝皇后的御服,乘坐黄牛犊出宫门释放掉,管这叫得福。博果密说:"人间伦常,是王政根本,风化基础,哪能容许他如此惑乱法度!"皇帝便责怪丞相说:"我告诉你不要叫博果密知道,现在听到他的话,我很感惭愧。"派人对博果密说:"你就不要说了,我依从你的意见。"这事以后就没再发生而成了故事。有奴才告发主子者,主人被处死,诏令以主人所居的官职给以奴才。博果密说:"如果这样做,必然大大败坏天下风俗,以致人之情义愈薄,不再有上下的区分了。"皇帝省悟,就赶忙废除先前命令。

丞相以下官吏大多与博果密不合,便奏请调博果密为陕西行省平章政事。太后听到后,派人对皇帝说:"博果密是先朝正直的人,先皇帝所托付,怎么可以放到朝廷以外呢!"皇帝重又将他留下。博果密终因同僚多有不同议论,称病不上朝。

甲戌(二十六日),扎噜噶齐奏言:"诸王以下的官员,凡有罪过的没有报告朝廷,就擅自处治。"诏令禁止。

八月,戊子(初十),初次祭祀土地之神,演奏堂上乐,每年以为常例。

己丑(十一日),疏通通惠河。

派军士屯守淀山湖。

太湖是浙西巨大河泽,上面有来自杭、湖各山的流水停聚,它分汇为淀山湖,东流到大海。世祖末年,江浙行省参政梁温都尔上言:"这湖在宋朝时期,曾委派官员派军看守,湖边闲置地方,不许侵占,经常派人疏通堵塞,以分泄水势。现在没人管理,豪强断水筑堤,环湖造田,湖面狭窄不足以储蓄从山上流下的水,每遇大雨,湖水便泛滥为灾。过去本省官蒙古岱等建议疏浚治理,后来因为接受曹总管的贿金而中止。张参议、潘应武等相继建议,臣等商议此事,认为可以施行是没有疑问的。"世祖说:"有利有益的好事,现在就进行已经迟了,快去做吧!"不久平章特尔格奏言:"委派官员察视,计划使用民夫二十万,一百天可完工。上次奏请调派军民一起施工,现在民丁人数多,不须调派军士。"世祖说:"有害有利,都应均等,不要自己疑惑,平均分派吧!"到这时,特尔格上言:"太湖、淀山湖,以前曾上奏先皇帝,派遣招请民夫二十万,将两湖疏通完毕。现在各河流入海口每天受到早晚两次海潮的冲击,泥沙逐渐淤积,如不依照宋朝常例派军兵屯守,必然会使前功尽弃。臣等议定在淀山湖围田,以其租税粮二万石,就地招募民夫四千,调遣军四千,一起屯田防守。设置都水防田使司,掌管收捕海贼,修治河渠、围田。"诏令巴延彻尔和枢密院议奏。于是枢密院奏言:"现在同殿帅范文虎和朱清、张瑄等以及省官一同商议,朱清、张瑄都说:'宋时屯守河道,用手号军,大的地方上千人,小的地方不下三四百人,隶属巡检司掌管。'文虎认为'抽派差夫四千人,非牵动四十万户百姓不可,如果命令五千军士屯田驻守,只需委派一员万户率领,这样,这件事还算行得通。'请设置都水巡防万户职名,使它隶属于行院。"皇帝批准枢密院奏议。

九月,壬子(初五),皇帝诞辰,皇帝车驾驻扎在三部落,接受诸王、百官的祝贺。

丁巳(初十),太白金星经过天空。

冬季,十月,戊寅(初二),皇帝从上都回来。

辛巳(初五),江浙行省奏言:"皇帝即位初期,下诏免除今年田租十分之三,但江南和江北不同,贫苦人租佃富人的田地,每年交纳给富人田租,现在所减免的只涉及地主人,佃户依旧交租,这样,皇上的恩德实际上只施给富户却并没有加在贫民头上。应该让交租给主人的佃民也一样享受减免的数字。"依准。

辽阳行省管辖的九个地方闹大水,百姓饥饿,有的开始当盗贼,命令赈济抚恤他们。

江西行省奏言:"炼银场每年生产定额为一万一千两银,而实际上生产不了这么多,从不曾达到这个数目,百姓无法承受。"诏令从今起依据实际生产数交纳,不给以定额。

朱清、张瑄从海路每年运粮一百万石,乙未(十九日),因为京畿储存充足,诏令仅运三十万石。

辛丑(二十五日),皇帝告诉右丞阿尔、参知政事梁德珪说:"中书职务,你们都有慢怠之心。我在上都,下令归还实迪穆尔被没收的财产,任用莽赉布哈,到现在还都没办理;又不约束下面官吏,致使选荐人才工作停滞。僧格虽是奸邪,可僚属都惧怕他的威严,政事没有不立即决定的。你们应约束下属官吏,有不认真办事的就打板子。还要把我的意思告谕右丞相鄂勒哲。"

当时议论裁减长期在任的官员,枢密院奏称洪君祥在枢密院任职十六年,可谓最久。皇帝说:"君祥始终一心,可以不必调动。"

壬寅(二十六日),缅国派使者进贡十只驯象。

先初,黔中各蛮夷酋长已然归附朝廷,重又反叛。又有,巴洞的何世雄侵犯澧州,泊崖洞的田万顷、楠木洞的孟再师侵犯辰州,朝廷曾将他们征讨降服,泊崖升格为施溶州,任用万顷为知州,不久他们重又背叛,派军队前往攻打也没能攻下。等到皇帝即位,大赦天下罪犯,并赦免万顷等人,他依旧不归降。于是命令湖广行枢密副使刘国杰率兵征讨。国杰飞快到达辰州,进攻明溪。贼寇鲁万丑带领众贼从上流而下,千户崔忠、百户马孙儿战死。这个月,进兵桑木溪,鲁万丑又率领千人抗拒,被打退。第二天,万丑增加一倍的人来进攻。国杰亲自击鼓,百户李旺率领不怕牺牲的士兵冲锋陷阵,众军士一起奋战,打败贼寇,乘势攻破贼寇巢穴,并将它烧毁。进攻施溶前,部将田荣祖献策说:"施溶乃万顷的心腹之地,石农坎和三羊峰,是他的左右臂膀。应该首先砍断他的臂膀,而后就可以攻取他的腹心。"国杰说:"很对!"便率领各军攻打石农坎,贼寇支持不住,丢掉寨子逃走,随即攻占施溶,捉住万顷,将他斩首。又穷追不舍，捕捉他的党羽，攀着山崖，缘着树木，追赶残余贼寇，前进了一千多里。

十一月，丁未朔(初一)，皇帝在隆福宫朝拜皇太后，献上玉册玉宝。

京师犯贪赃罪的官员有三百人，戊辰(二十二日)，下令凡是犯罪事实确凿的，依照世祖所定的十三等例判决。

辛亥(初五)，中书省奏言："国家税赋都有一定数目，先帝曾说过：'凡是赐给，虽说有我的命令，中书还是要斟酌而定。'因此每年务求节约，经常盈余。现在诸王、藩戚的费用损耗繁多沉重，库存钞银只有一百一十六万二千余锭，可是前来朝会的诸王还不少，恐怕没有东西可以赐给，应等他们归还其部，我们再斟酌拟定数目报闻圣上再赐予。"依准。

湖广、江西和江淮行省，因为军与民归属不相统一，屡次请求撤销行枢密院。皇帝询问巴延怎么处理，当时巴延久病，睁眼回答说："就中央来说，省与院分别设置是适宜的；就地方而言，军与民分开隶属则不便。"壬子(初六)，下诏撤销上述三个地区的行枢密院，将它事务归附到行省管辖。

丁巳(十一日)，任命巴延彻尔参议中书省事。他的兄长巴延奏言："臣下担任平章政事，兄弟应互相避嫌。"皇帝说："兄长在上面担任平章，弟弟在下面担任参议，有什么嫌疑啊！"

甲子(十八日)，任命湖南道宣慰使何玮为中书参知政事。当时中书省大臣共十一人。何玮奏言于皇帝说："古时候只有一个宰相，专门任用贤能的人担任。现今主宰执政的人多，政见出自多个渠道，相互猜忌，请求减少省臣人数。"皇帝没有同意。

撤销海北海南市舶提举司。

癸酉(十七日)，下诏改明年为元贞元年。

十二月，太傅、知枢密院事巴延去世。巴延深沉而有谋略、善于决断，率领二十万军队征伐宋朝，如同率领一人，各将领敬仰他如神明。灭宋后回朝，归来行装只有衣服被子，不曾谈到自己功劳。等到他去世，赠给太师之位，追封为淮南王，谥号忠武。

戊戌(二十三日)，严禁侵扰耕种田地、种桑养蚕的人。

庚子(二十五日)，采纳皇帝老师的奏请，释放京师死囚三十人，杖责以下的罪犯一百人。

续资治通鉴卷第一百九十二

【原文】

元纪十　起旃蒙协洽【乙未】正月,尽强圉作噩【丁酉】六月,凡二年有奇。

成宗钦明广孝皇帝

讳特穆尔,世祖之孙,裕宗戬珍第三子也,母曰徽仁裕圣皇后鸿吉哩氏,至元二年九月庚子生。二十四年,诸王纳颜反,世祖自将讨平之。其后哈坦复叛,命帝往征之,哈坦败亡。三十年六月乙巳,受皇太子宝,抚军北边。

元贞元年 【乙未,1295】 春,正月,癸丑,以太仆卿济尔哈朗为御史大夫。

壬戌,以国忌,即大圣寿万安寺饭僧七万。

癸亥,诏道家复行金箓科范。

以陨霜杀禾,赈安西王山后民米。

云南行省左丞杨炎龙,召为中书左丞。

以罢行枢密院,赐行中〔书〕省长官虎符,领其军。

庚午,以江浙行省平章阿喇卜丹为参知政事。

壬申,立北庭都元帅府。

罢(爪)〔瓜〕、(汝)〔沙〕等州屯田。

甲戌,有飞书妄言朱清、张瑄有异图,诏慰勉之。

丞相鄂勒哲等言:“往年先帝尝命开真定冶河,已发丁夫人役,值先帝升遐,以聚众罢之。今宜遵旧制,俾卒其役。”从之。

召大司农丞姚燧为翰林学士,修《世祖实录》。初置检阅官,究核故事,燧与侍读高道凝总裁之。

礼部郎中王约,请行赠谥之典以旌忠勋,付《时政记》于史馆以备纂录,立供需府以专供亿,从之。授翰林直学士、同修国史。

帝之即位也,翰林学士王恽献《守成事鉴》,列敬天、法祖、爱民、恤兵等事为目,凡十五篇,所论悉本经旨。至是命同修国史、纂修实录,恽集《世祖圣训》六卷上之。

二月,丁丑,翰林学士承旨留梦炎告老,帝以其在先朝言无所隐,厚赐遣之。

壬午,罢江南茶税,以其数添入江西榷茶都转运使岁额。

丁亥,(江)〔云〕南行省平章额森布哈言:"敢麻鲁有两夷未附,金齿亦叛服不常,请调兵六千,镇抚金齿,置驲入缅。"从之。

庚子,缅国来贡。

丁酉,帝如上都。

癸卯,以吕天麟为参知政事。

立云州银场都提举司。

中书省言:"近者阿哈玛特、僧格,怙势卖官,不别能否,只凭解由,选法由是大坏。宜令廉访司体覆以闻,省台核实,定其殿最,以明黜陟。其廉访司官,亦令省台同选为宜。"从之。

河东山西廉访使程思廉言:"太原岁饲诸王驼马一万四千馀匹,请止饲千匹。平阳诸郡岁输租税于北方,民甚苦之,请改输河东近仓。"从之。

思廉刚正疾恶,言事剀切,喜荐达人物。或讥其好名,思廉曰:"若避好名之讥,人不敢复为善矣。"

三月,乙巳朔,安南世子陈日燇遣使上表慰国哀,又上书谢宽贳恩,并献方物。

壬子,禁来朝官敛所属俸。

戊午,罢福建银场提举司。

中书言:"省臣、枢密院、御史台例应奏举官属,其馀诸司不宜奏请,今皆请之,非便。"诏:"自今已后,专令中书拟奏。"

以东作方殷,罢诸不急营造,惟帝师塔及张法师宫不罢。

壬戌,地震。监察御史滕安上上疏曰:"君失其道,责见于天,其咎在内庭窃干外政,小人显厕君子,名实混淆,刑赏僭差,阳为阴乘,致静者动。宜兢兢祗畏,侧身修行,反昔所为,以尽弭之之道。"执政不以闻,安上遂归。

夏,四月,辛巳,妖人蒙虫僭拟,及其党十三人皆伏诛。

庚寅,封乳母杨氏为赵国安翼夫人。以后列朝封乳母,遂沿为故事。

庚子,立掌谒司,掌皇太后宝,以宦者为之。

癸卯,设各路阴阳教授,仍禁阴阳人不得游于诸王、驸马之门。

闰月,丙午,为皇太后建佛寺于五台山,以前工部尚书尼济为匠作院使,董其役。

己未,罢打捕鹰房总管府及司籍、周用、薄敛等库、徽州路银场、各处盐场,仍免大都今岁田租。

庚申,河南行省亏两淮盐钞〔五〕千锭,遣官往鞫,命随其罪之轻重治之。陕西行省、山东都转运司并有增羡盐钞,各赐衣以旌其能。

南人洪邵学上封事,妄言五运,笞而遣之。南人又有陈利便请搜括田赋者,执政欲从之,参议中书省事王构与平章何荣祖共言其不可,辨之甚力,得不行。

壬戌,塔奇呼、阿萨尔以不法伏诛。

诏禁抽分市舶货而匿其精细者。

是月,兰州上下三百馀里河清三日。

帝以京师米贵,益广世祖之制,设三十肆,发米七万馀石粜之。其后每年增粜,多至四十万石,行之既久,多为豪强巧取。乃令有司籍贫民户数,验口给之,减赈粜之直三分之一,每岁亦不下二十馀万石。

五月,庚辰,诏:"各省止存儒学提学司一,馀悉罢之。"

升江南诸县为州,以户为差,户四万、五万者为下州,五万至十万为中州,下州官五员,中州六员。凡为中州二十八,下州十五。又以连州〔路〕户不及额,降路为州。

辛巳,罢行大司农司。

甲申,诏:"自元贞元年五月以前逋欠钱粮者,皆罢征。"

丙申,以迈迪为签书枢密院事。迈迪,太傅巴延子也。皇太后言巴延尽心王室,欲令代其父知枢密院,帝以其年尚少,故有是命。

六月,戊申,历城县大清河水溢,坏民居。

壬子,诏辽阳省进海东(清)〔青〕鹘,二十四驲,每驲给牛六头,使者食米五石,鹰食羊五口。又狗递十二驲,每户给钞十锭。

甲寅,翰林学士承旨董文用等进《世祖实录》。

乙卯,敕:"凡上封事者,中书省发缄视之,然后以闻。"

癸亥,立蒙古军都元帅府于西川,径隶枢密院。

庚午,立西域亲军都指挥使。

是月,陕西旱、饥,行省右丞许宸议发廪赈之,同列以未经奏请,不可,宸曰:"民为邦本,今饥馁若此,必俟命下,无及矣。擅发之罪,吾当任之。"遂发粟赈贷。

辰、澧地接猺洞,宋尝选民立屯,免其徭役,使御之,在澧者曰隘丁,在辰者曰寨兵,宋亡,皆废。湖广行省平章刘国杰,既平田万顷,乃悉复其制;又经画茶陵、衡、郴、道、桂阳,凡广东、江西盗所出入之地,南北三千里,置戍三十有八,分屯将士以守之。由是东尽交、广,西亘黔中,地周湖广,四境皆有屯戍,制度周密,诸蛮不能复寇,盗贼遂息。是月入朝,赐玉带、锦衣、弓矢。台臣言国杰在军中,每以家资赏将士,帝命倍赏之,部曲有功者各迁官。

秋,七月,乙亥,诏江南地税输钞。

丁丑,御史台言:"内地盗贼窃发者众,皆由国家赦宥所致。请命中书立为条格,督责所属,期至尽灭。"从之。

工部言:"通惠河造闸坝,所费不〔赀〕,全藉主守之人上下修治,请设提领三员,专一巡护。"从之。

乙卯,诏申饬中外:"有儒吏兼通者,各路举之。廉访司每道岁贡二人,台省委官立法考试,所贡不公,罪其举者。"

命:"职官坐赃论断,再犯者加二等;仓库官吏盗所守钱粮,一贯以下笞,至十贯杖之,二十贯加一等,一百二十贯徒一年,每三十贯加半年,二百四十贯徒三年,满三百贯者死。计赃以至元钞为则。"

戊戌,朱永福、边珍裕以妖言伏诛。

壬寅,诏易江南诸路天庆观为玄妙观,毁所奉宋太祖神主。

八月,辛酉,缅国进驯象三。

癸亥，以辽阳水，赈之。

己巳，以驸马纳怀知枢密院事。

九月，甲戌，帝至自上都。

以托克托为上都留守。托克托，穆呼哩曾孙，萨曼之子也。幼失怙，其母笃意教之；稍长，直宿卫，世祖复亲诲导，尤以嗜酒为戒；既冠，喜从儒者游，闻善辄服膺。从世祖征纳颜，擐甲率家奴数十人疾驰击之，敌众披靡，世祖望见之，大加嗟赏，谓近臣曰：“萨曼不幸早死，托克托幼，朕抚而教之，常恐其不立。今能如此，萨曼可谓有子矣！”亲解佩刀及所乘马赐之，由是深加器重，得预闻机密之事。

帝即位以来，宠顾尤笃。常侍禁闱，出入唯谨，退，语家人曰：“我昔亲承先帝训饬，令毋嗜饮，今未能绝也。岂有为人知过而不能改者乎！自今以往，家人有以酒至吾前者，必痛惩之。”帝闻之，喜曰：“集赛中如托克托者无几，今能刚制于酒，真可大用矣！”遂有是命。托克托至上都，政令严肃，克修其职。

乙亥，用帝师奏，释大辟三人，杖以下四十九人。

己卯，罢四川淘金户四千，还其原籍；罪初献言者。

丁亥，爪哇遣使献方物。

史弼既以罪废，至是起同知枢密院事。伊尔噜言：“弼等以五千人渡海二十五万里，入近代未尝至之国，俘其王及谕降旁近小国，宜加矜怜。”遂诏还其所籍家资，拜江西行中书省右丞。

壬辰，湖南司狱郭玘，诉浙西廉访司佥事张孝思多取廪饩，孝思系玘于狱。行台令监察御史杨仁往鞫，而行省平章特穆尔逮孝思至省讯问，又令其属官与仁同鞫玘事，仁不从。行台以闻，诏省台遣官鞫。既引服，皆杖之。

冬，十月，癸卯，有事于太庙。中书省言：“去岁世祖皇帝、裕宗祔庙，以绫代玉册，今玉册玉宝成，请纳诸各室。”帝曰：“亲享之礼，祖宗未尝行之，其奉册以来，朕躬祀之。”命献官迎导入庙。

先是监察御史杨桓，疏陈时务，请亲享太庙，复四时之祭。又请正礼仪以肃宫庭，定官制以省冗员，禁父子骨肉奴婢相告讦者，罢行用官钱营什一之利。帝称善，然一时不能行也。

甲寅，中书省、御史台言：“江浙平章莽赉布哈陈台宪非便事，请自今监察御史、廉访司有所按核，州县官与本路同鞫，路官与宣慰司同鞫，宣慰司官与行省同鞫。”许之。

十一月，甲戌，太白经天。

戊戌，诏江浙行省括隐漏官田及检核富强被役之户。

太师伊实特穆尔，因议边事入朝，两宫赐宴，如家人礼，赐其妻图〔忽鲁〕宴服及他珍宝。是月，以疾卒。后追封广平王，谥贞宪。

十二月，丙辰，荆南僧普（招寺）〔昭等〕伪撰佛书，有不道语，伏诛。

伊苏岱尔之军，因李（毡）〔瓘〕乱去山东，其元驻之地为人所垦，岁久成业，争讼不已。甲子，命别以境内荒田给之，正军五顷，馀丁二顷，已满数者不给。

减海运脚价钞一贯，计每石六贯五百文。著为令。

丁卯,禁诸王辄召有司官吏。

时诸王锡锡等部曲,率恣横扰民,驸马曼济台私杀有罪,有司官吏辄被号召。至是诏:"非奉旨毋辄加罪。"

是岁,立巴约特氏为皇后,驸马托里斯之女也。

集贤学士阎复,上疏言:"京师宜首建宣圣庙、学,定用释奠雅乐。"从之。又言:"曲阜守冢户,昨有司并入民籍,宜复之。"其后诏赐孔林洒扫二十八户,祀田五千亩,皆复之请也。

行台御史及浙西宪司劾江浙行省平章不法者十七事,诏遣侍御史尚文往诘之,左验明著,犹力争不服,文以上闻。平章乃言御史违制取会防镇军数,帝命省台大臣集议,咸曰:"平章勋臣之后,所犯者轻事,宜宥;御史取会军数,当死。"文抗言:"平章罪状明白,不受薄责,无人臣礼,其罪非轻;御史纠事之官,因兵卒争诉,责其帅如旧均役,情无害法,即有罪亦轻。"廷辨数四,帝意始悟,平章、御史各杖遣之。

元贞二年 【丙申,1296】 春,正月,丙子,蠲两都站户和雇、和市。

己卯,诏江南毋捕天鹅。

上思州叛贼黄胜许攻剽水口、思光寨,湖广行省调兵击之,获其党黄法安等,贼遁入上牙六罗。

丙戌,安西王傅特齐托特穆尔等复请立王相府,帝曰:"去岁阿南达已尝面陈,朕以世祖定制谕之。今复奏请,岂欲以四川、京兆悉为彼有也!赋税、军站皆朝廷所司,今姑从汝请,置王相府,惟行王傅事。"

己丑,以御史中丞图齐为御史大夫。

御史台言:"汉人为同寮者,尝为奸人捃摭其罪,由是不敢尽言,请于近侍中择人用之。"帝曰:"安用此曹!其选汉人识达事体者为之。"

乙未,诏:"诸王、驸马,非奉旨毋罪官吏。"

二月,己亥朔,中书省言:"陛下自御极以来,所赐诸王、公主、驸马、勋臣,为数不轻,向之所储,散之殆尽。今继请者尚多,请甄别贫匮及赴边者赐之,其馀宜悉止。"从之。

诏:"奉使及军官殁而子弟未袭职者,其所佩金银符归于官,违者罪之。"

丙午,禁军将擅易侍卫军、蒙古军。以家奴代役者罪之,仍令其奴别入兵籍,以其主资产之半界之。军将敢有纵之者,罢其职。

庚戌,诏:"军卒擅更代及逃归者,死。"

丙辰,诏:"江南道士贸易田者,输田商税。"

庚申,自六盘山至黄河,立屯田,置军万人。

丙寅,以大都留守司达噜噶齐丹津为中书平章政事。

时博果密称疾不出,帝召至便殿,谓曰:"朕知卿疾之故,以卿不能从人,人亦不能从卿也。欲以丹津代卿,如何?"博果密曰:"丹津实胜臣。"乃拜博果密平章军国重事,辞曰:"是职也,国朝惟史天泽尝为之,臣不敢当。"诏去"重"字,而以丹津代为平章政事。

三月,壬申,罢太原、平阳路酿进葡萄酒,其葡萄园,民恃为业者,皆还之。

癸酉,实都言晋王噶玛拉,多尔岱言伊啰勒,皆有异图,诏枢密院鞫之,无验。帝命言晋王者死,言伊啰勒者谪从军自效。

丙子,帝如上都。

丁丑,以完颜邦义、尼雅斯拉鼎、刘季安妄言朝政,杖之,徒二年,籍其家财之半。

夏,四月,绛州、黄岩饥,杭州火,并赈之。

五月,戊辰朔,免两都徭役。

辛未,安西王遣使来告贫乏,帝语之曰:“世祖以分赉之难,尝有圣训,阿南达亦知之矣。若言贫乏,岂独汝耶!去岁赐钞二十万锭,又给以粮。今与,则诸王以为不均;不与,则汝言人多饥死。其给粮万石,择贫者赈之。”

甲戌,诏:“民间马牛羊,百取其一,羊不满百者亦取之;惟色目人及数乃取。”

庚辰,土番叛,杀掠阶州军民,遣托克托会诸王特穆尔不花等合兵讨之。

甲申,禁诸王、驸马招户。

庚寅,罢四川马湖进独本葱。

丁酉,诏:“诸行省非奉旨,毋擅调军。”

是月,〔太原平晋、献州交河〕、莫州、醴陵皆水,〔莫亭、任丘、湖南〕济州螟。

六月,己亥,御史台言:“官吏受赂,初既辞伏,继以审核,而有司徇情,致令异辞者,宜加等论罪。”从之。

诏:“晋王所部衣粮,粮以岁给,衣则三年赐之。”

丙午,安南遣人招诱叛贼黄胜许,胜许遁入其国。

甲寅,降《官吏受赃条格》,凡十有三等。南台御史大夫阿喇卜丹言:“立法贵轻重得宜,使民不至易犯。今所降条格,除枉法外,其不枉法者,自二十两以下,罪与受一分者同科,似轻重少偏。”不听。

丙寅,诏行省、行台:“凡朱清、张瑄有所陈列,毋辄止之。”

是月,大都、真定等路蝗,海南民饥,发粟赈之。

秋,七月,癸酉,诏:“云南、福建官吏满任者,给驿以归。”

壬午,巴延、阿珠、阿尔哈雅等所据江南田及权豪匿隐者,令输租。

增江西、湖南省参政一员,以朱清、张瑄为之。

以虎贲三百人戍应昌。

广西贼陈飞等寇昭、梧、藤、容等州,湖广左丞巴特玛琳沁击平之。

是月,赈平阳等路饥。

八月,丁酉朔,禁舶商毋以金银过海,诸使海外国者不得为商。

壬寅,命江浙行省以船五十艘、水工千三百人沿海巡禁私盐。

乙巳,立捕盗赏格:“诸人能告捕者,强盗一名赏钞五十贯,窃盗半之,应捕者又半之,皆征诸犯人;无可征者,官给之。”

山东西道廉访使陈天祥上疏曰:“盗贼之起,各有所因,除岁凶逮之天时,宜且勿论,它如军旅不息,工役洊兴,厚敛烦刑,皆足致盗,中间保护滋长之者,赦令是也。赦者,小人之幸,君子之不幸。彼强梁之徒,执兵杀人,有司尽力以擒之,朝廷加恩以释之,旦脱系累,暮即行劫,既不感恩,又不畏法。夫凶残悖逆,性已预定,诚非善化所能移,惟严刑以制之可也。"天祥既上疏,乃严督有司追捕,自其所部,南至汉江二千馀里,多就擒者。

九月,辛未,圣诞节,帝驻跸安同泊,受诸王、百官贺。

甲戌,征浙东、福建、湖广夏税,罢民间盐、铁炉灶及淮西诸巡禁打捕人员。

戊寅,元江贼舍资掠边境,梁王命集赛坦讨平之。

甲申,云南省臣额森布哈征奇蓝。拔瓦农、开阳两寨,其党达喇率诸蛮来降,奇蓝悉平,以其地为云远路军民总管府。

辛卯,诸王楚布言"汪总帅等部众贫乏",帝以其久戍,命留五千驻冬,馀悉遣还,至明年四月赴军。

李呼喇齐入觐,授陕西行中书省右丞、议本省公事。寻卒,后谥襄敏。

冬,十月,丁酉,有事于太庙。

壬子,帝至自上都。

诏:"职官坐赃论断,再犯者加本罪三等。"

赣州民刘六十,聚众至万馀,建立名号,朝廷遣将讨之,观望退缩,守令又因以扰良民,盗势益盛。江南行省左丞董士选请自往,即日就道,不求益兵,但率掾吏李霆镇、元明善二人持文书以去,众莫测其所为。至赣境,捕官吏害民者治之,民相告语曰:"不知有官法如此!"进至兴国,距贼营不百里,命择将校,分兵守地待命。察知激乱之人,悉置于法,复诛奸民之为囊橐者。于是民争出自效,不数日,六十就擒,馀众悉散。军中获贼所为文书,具有旁近郡县富人姓名,霆镇、明善请焚之,民心益安。遣使以事平报于朝。博果密召其使谓之曰:"董公上功簿耶?"使者曰:"某且行,左丞授之言曰:'朝廷若以军功为问,但言镇抚无状,得免罪幸甚,何功之可言!'"因出其书,但请黜赃吏数人而已,不言破贼事,时称其不伐。

十一月,己巳,乌图达等进所译《太宗、宪宗、世祖实录》。

辛未,以洪泽、芍陂屯田军万人修大都城。

遣枢密院官整饬江南诸镇戍,凡将校勤怠者,列实以闻。

增海运明年粮为六十万石。

乙酉,枢密院言:"江南近边州县,宜择险要之地合群成为一屯,卒有警急,易于征发。"诏行省图地形、核军实以闻。

增大都巡防汉军。

十二月,戊戌,立彻里军民总管府。

云南行省臣言:"大彻里地与八百媳妇犬牙相错,今大彻里胡念已降,小彻里复占阤地利,多相杀掠。胡念遣其弟胡伦乞别置一司,择通习蛮夷情状者为之帅,招其来附,以为进取之地。"从之。

癸卯,定诸王朝会赐与之数有差。

丁未,诏行省征补逃亡军。

癸亥,释在京囚百人。

增置侍御史二员。

是岁,大都、保定、汴梁、江陵、沔阳、淮安水;金、复州风损禾;太原、开元、河南、芍陂旱。蠲其田租。

初,裕宗即世,世祖欲定皇太子,未知所立。以问鄂尔根萨理,即以帝为对,且言帝仁孝恭俭宜立,于是大计乃决。帝与太后皆莫之知也,数召鄂尔根萨理,不往。帝抚军北边,世祖遣鄂尔根萨理奉皇太子宝于帝,乃一至其邸。及即位,谓鄂尔根萨理曰:"朕在潜邸,谁为不愿事朕者!惟卿虽召不至,今乃知卿真得大臣体。"遂加守司徒、集贤院使、领太史院事。自是召对不名,赐坐,视诸侯王等。尝语左右曰:"若全平章者,真全材也,于今殆无其比。"鄂尔根萨理父别名万全,故以全为氏云。

大德元年 【丁酉,1297】 春,正月,丙戌,锡宝齐等为叛寇所掠,仰食于官,赐以农具、牛种,俾耕种自给。

辛卯,以张斯立为中书参知政事。

给晋王所部屯田农器。

建五福太乙神坛畤。

二月,丙申,蒙阳甸部长纳款,来献方物,且请岁贡银千两及置驿传,诏即其地立通西军民府。

甲辰,诏:"诸军民相讼者,军民官同听之。"

丁未,省打捕鹰房府入东京路。

己未,改福建省为福建、平海等处行中书省,徙治泉州。平章高兴言泉州与琉球相近,或招或取,易得其情,故徙之。

封缅酋为国王,仍戒饬云南等处边将,毋擅兴兵甲。

庚申,诏改元,赦天下,免上都、大都、隆兴差税三年。

召耶律有尚为国子祭酒,以其前在国学能振儒风也。寻除集贤学士,兼其职。

以行徽政院副使王庆端为中书右丞。

奇彻亲军都指挥使托克托呼自北边入朝,拜同知枢密院事,命还北边。行至宣府卒,赠司空,谥武毅。

三月,庚午,以陕西行省平章额森特穆尔为中书平章政事,中书左丞梁得珪为中书右丞。

以彻尔为江南诸道行台御史大夫。

彻(里)〔尔〕之官,谓都事贾钧曰:"国家置御史台,所以肃清庶官,美风俗,举教化也。乃者御史不存大体,按巡以苛为明,征赃以多为功,至有迫子证父、弟证兄、奴讦主者,伤风败教,莫兹为甚!为我语诸御史,毋效尤为也。"帝闻而善之。

丙子,帝如上都。命典瑞少监焦养直进讲《资治通鉴》,养直因陈规谏之言,帝厚赐之。

丁丑,以江西行省左丞巴特玛琳沁为中书左丞。

庚辰,达噜噶齐托尔苏受赂,为其奴所告,毒杀其奴,坐弃市。

丁亥,禁正月至七月捕猎,大都八百里内亦如之。

庚寅,立江淮等处财赋总管府及提举司。

以梁曾为杭州路总管。曾善抚字,户口复者五万馀。上言请禁暮夜鞫囚、游市酷刑,诏著为令。

先是五台山佛寺成，皇太后亲往祈祝。监察御史真定李元礼上书于太后曰："古人有言：'生民之利害，社稷之大计，惟所见闻而不系职司者，独宰相得行之，谏官得言之。'今朝廷不设谏官，御史职当言路，即谏官也，乌可坐视得失，而无一言以裨益圣治万分之一哉！伏见五台山创建寺宇，土木既兴，工匠夫役，不下数万。附近数路州县，供亿烦重，男女废耕织，百物踊贵，民不聊生。今闻太后亲临五台，布施金币，臣谓其不可行者有五：时当盛夏，禾稼方茂，百姓岁计，全仰秋成，扈从经过，不无蹂躏，一也；太后春秋已高，亲劳圣体，往复暑途数千里，不避风日，万一调养失宜，悔将何及！二也；至尊举动，必书简册以贻万世，书而不法，将焉用之！三也；财不天降，皆出于民，今日支持调度，百倍曩时，而又劳民伤财以奉土木，四也；佛以慈悲方便为教，虽穷珍玩供养不为喜，虽无一物为献亦不怒。今太后为苍生祈福，而先劳圣体，使天子旷定省之礼，五也。伏愿中路回辕，端居深宫，俭以养德，静以颐神，上以循先皇后之懿范，次以尽圣天子之孝心，下以慰元元之望，如此，则不祈福而福自至矣。"

台臣不敢以闻，至是侍御史万僧与御史中丞崔彧不合，诣架阁库取前章，封之入奏曰："崔中丞私党汉人，李御史为大言谤佛，谓不宜建寺。"帝大怒，遣近臣赍其章，敕鄂勒哲、博果密鞫问。博果密以国语译而读之，鄂勒哲曰："其意与吾正同。往吾尝以此谏，太后曰：'吾非喜建此寺，盖先尝许为之，非汝所知也。'"博果密曰："他御史惧不敢言，惟一御史敢言，诚可赏也！"鄂勒哲等以其章上闻，帝沉思良久曰："御史之言是也。"乃罢万僧，复元礼职。

归德、徐、邳、汴梁水，免其田租；道州旱，辽阳饥，并赈之。

夏，四月，癸巳朔，日有食之。

丙申，中书省、御史台言："阿喇卜丹及崔彧条陈台宪诸事，请依旧例。御史台不立选，其用人则于常调官选之，惟监察御史、首领官，令御史台自选。各道廉访司，必择蒙古人为使，或缺则以色目世臣子孙为之，其次参以色目、汉人。又，哈喇齐、阿苏各举监察御史非便，亦宜止于常选择人，各省文案，行台差人检核。宿卫近侍，奉特旨令台宪擢用者，必须明奏，然后任之。行台御史秩满而有效绩者，或迁内台，或呈中书省，迁调廉访司亦如之，其不称职，省台择人代之。未历有司者，授以牧民之职，经省台同选者，听御史台自调。中书省或用台察之人，亦宜与御史台同议，各官府宪司官，毋得辄入体察。今拟除转运盐司使外，其馀官府，悉依旧例。"从之。

董文用请致仕。文用自世祖时，每侍燕，与蒙古大臣同列。裕宗尝就榻上赐酒，使毋下拜跪饮。帝在东宫，正旦受贺，于众中见文用，召使前，曰："吾向见至尊，甚称汝贤。"辄亲取酒赐之，眷赉益厚。至是许其归，官一子乡郡侍养。

五月，丙寅，河决汴梁，发民三万人塞之。

戊辰，追收诸位下为商者制书驿券。

建临洮佛寺。

诏："强盗奸伤事主者，首从悉诛。不伤事主，止诛为首；从者刺配，再犯亦诛。"

丁丑，禁民间捕鸉鹰鹞。

各路平准行用库，旧制选部民富有力者为副。庚寅，命自今以常调官为之，隶行省者从行省署用。

上思州叛贼黄胜许,遣其子志宝来降。

漳水溢,损民禾稼。

六月,甲午,诸王额尔罕遣使乘驲祀五岳、四渎,命追其驲券,仍切责之。

以湖广行省参政崔良知廉贫,赐盐课钞十锭。

臧梦解迁江西廉访副使。临江路总管李倜,素狡狯,而又附大臣势以控持省宪,梦解按其赃罪,吏治以澄。

中丞崔彧,居御史台久,又守正不阿,以故人多疾之。丙辰,监察御史鄂啰实喇,劾奏彧兄在先朝尝有罪,还其所籍家产非宜;又买僧寺水碾违制。帝怒其妄言,笞而遣之。

诏:"僧道犯奸盗重罪者,听有司鞫问。"

戊寅,前翰林学士承旨董文用卒。

文用以忠言正论为己任,平居闻朝政有一未善,辄终夜不寐,倚壁叹憾不置曰:"祖宗艰难成立之天下,岂可使贼臣坏之!"故每与朝议,即奋言不顾危祸。阿哈玛特、卢世荣、僧格之党,百计欲杀之,不以为意,曰:"人臣在位,岂爱身苟容,而上负国家,下负生民乎!"好贤乐善出天性,待下士必尽礼,至老不倦。仕宦五十年,卒之日,唯祭器、书册而已。赠少保、寿国公,谥忠穆。

是月,和州历阳县江溢,漂没庐舍万〔八千五百〕馀家。

【译文】

元纪十　起乙未年(公元1295年)正月,止丁酉年(公元1297年)六月,共二年有余。

元成宗名讳特穆尔(铁木耳),元世祖之孙,裕宗珍戬的第三子。母亲为徽仁裕圣皇后鸿吉哩氏,至元二年(公元1265年)九月庚子(初五)出生。二十四年(公元1287年)诸王纳颜反叛,世祖亲自率兵讨平了他。在此之后哈坦接着反叛,世祖命成宗帝前往征讨,哈坦失败逃亡。三十年(公元1293年)六月乙巳(二十一日),接受皇太子印玺,总领北部边境的军队。

元贞元年　(公元1295年)

春季,正月,癸丑(初八),任命太仆卿济尔哈郎为御史大夫。

壬戌(十七日),因为是国家忌日,在大圣寿万安寺发给七万名僧人斋饭。

癸亥(十八日),诏令道家重新实行天帝诏书规定的科目规范。

因降霜毁坏庄稼,赈济安西王山后百姓粮米。

云南行省左丞杨炎龙,被宣召入朝担任中书左丞。

因撤销行枢密院,各行省的军队归行省长官率领,赐给行中书省长官虎形兵符,作为调动军队的凭证。

庚午(二十五日),任命江浙行省平章阿喇卜丹担任参知政事。

壬申(二十七日),设置北庭都元帅府。

撤除瓜州沙州等地屯田。

有匿名书信编造朱清、张瑄有叛离打算,下诏慰勉朱清、张瑄。

丞相鄂勒哲等奏言:"过去先帝曾下令开挖真定地区的冶河,已经征发了壮丁役夫,正值先帝逝世,不准聚众而停工。现应遵照过去规定,完成这项工程。"依准。

宣召大司农丞姚燧为翰林学士,撰写《世祖实录》。开始设立检阅官,研究查考过去典章制度,由姚燧同侍读高道凝总负责。

礼部郎中王约,请求实行追赠谥号的典礼以表彰忠烈功勋,交付时政记录于史馆,用来准备编纂实录,设置供需府专门负责供给。依准。授予王约翰林直学士、同修国史。

元成宗像

皇帝即位时,翰林学士王恽呈献《守成事鉴》,列出敬天、法祖、爱民、恤兵等事项为条目,共十五篇,论述内容都是根据经书的意思。因而现在命令他同修国史,纂修《世祖实录》。王恽编集了《世祖圣训》六卷呈上。

二月,丁丑(初二),翰林学士承旨留梦炎告老,皇帝因他在先帝时奏言无所隐瞒,给以厚重的赏赐,送他回乡。

壬午(初七),免除江南茶税,将这个钱数加在江西茶叶专卖都转运使每年上交的数额里。

丁亥(十二日),云南行省平章额森布哈奏言:"敢麻鲁地区有两处蛮夷还没归付,金齿蛮夷也反复无常,请求调兵六千,镇守并安抚金齿,设置驿站以便进入缅国。"依准。

戊子(十三日),缅国前来进贡。

丁酉(二十二日),皇帝到上都。

癸卯(二十八日),任命吕天麟为参知政事。

设置云州银场都提举司。

中书省奏言:"前些年阿哈玛特、僧格,依仗权势,出卖官爵,不辨贤能,只凭赴任证书,选才法令因此受到很大破坏。应该命令廉访司体察审核并报告朝廷,由省台核实决定其先后次序,以明示升降。廉访司官员也应该命令省、台会同选拔最为适宜。"依准。

河东山西廉访使程思廉奏言:"太原每年给诸王饲养驼马一万四千多匹,请求减少饲养一千匹。平阳各郡每年要到北方来交纳租税,百姓非常劳苦,请求改在河东附近粮仓交纳。"依准。

思廉为人刚直,疾恶如仇,言事确实,喜欢举荐人物。有人讥讽他好名,思廉说:"如果躲避好名的讥讽,那人们就不敢再做好事了。"

三月，乙己朔（初一），安南世子陈日熿派遣使者上表慰问先帝逝世，又上书感谢对其宽大赦免的恩惠，并贡献当地土产。

壬子（初八），禁止来朝官员克扣下属薪俸。

戊午（十四日），撤销福建银场提举司。

中书省奏言："省臣、枢密院、御史台照常例应向皇上荐举官属，其余各司不应奏请，现在各司都奏请，这样做不便利。"诏令："从今以后，专由中书拟定上奏。"

因为农事正繁忙，停止各项不急迫的建设。只有帝师塔和张法师宫不在此限。

壬戌（十八日），发生地震，监察御史滕安上上奏说："国君离开正道，责罚显现于上天。其获罪的原因在于宫廷内有人暗中干预朝廷外政，小人明显置身君子之中，名与实混淆不清，刑与赏虚假差错，阳被阴所欺凌，致使本来静止的发生变动。应该惶恐敬畏，置身于修行，一反过去所为，以尽力消除祸源。"执政者扣压奏议不报，滕安上就回去了。

夏季，四月，辛巳（初七），妖人蒙虫僭越名分，打算称帝。他和党羽十三人都被依法处决。

庚寅（十六日），册封皇帝乳母杨氏为赵国安翼夫人。以后各朝册封乳母，就沿袭这做法而成定例。

庚子（二十六日），设置掌谒司，掌管皇太后宝印，用宦官来担任。

癸卯（二十九日），设置各路阴阳学教授。依旧禁止阴阳家进入诸王和驸马宫门。

闰四月，丙午（初二），在五台山为皇太后建立佛寺。任命前工部尚书尼济为匠作院使，掌管这项工程。

己未（十五日），撤销打捕鹰房总管府和司籍、周用、薄敛等府库以及徽州路银场、各处盐场。依旧免除大都今年田租。

庚申（十六日），河南行省亏欠两淮盐钞五千锭，派官员前去审讯，命令根据其罪责轻重加以处治。陕西行省、山东都转运司都有增余盐钞，分别赏赐衣着以表彰他们才干。

南人洪邵学上密奏，编造五行运行谎言，将其答责后遣送回家。又有南人向朝廷陈述搜括田赋的种种便利，请求实行。执政者打算依照办理，参议中书省事王构同平章何荣祖都认为不可，辩驳甚为有力，这才没有实行。

壬戌（十八日），塔奇呼阿萨尔因不法行为被依法处死。

诏令：在征收、抽取对外贸易货税时，禁止商人藏匿其中精细物品。

这个月，兰州上下三百多里黄河地段河水澄清了三天。

皇帝因为京帅米价昂贵，扩大了世祖时定制，建立三十所店铺，拨发七万多石米出售。以后每年增加销售量，多时达到每年四十万石，实行时间一久，出售的米粮多被豪强用灵巧的办法骗取。因而下令主管部门审核登记贫民户数，按人口发给粮米，减价三分之一赈济出售粮米。这样，每年粮米仍然不少于二十余万石。

五月，庚辰（初七），诏令："各省只保留儒学提举司一个，其余都撤销。"

将江南各县升格为州。根据户数多少划分等级。户数四万、五万的为下州，五万至十万的为中州。下州设置官员五名，中州六名。共计中州二十八个，下州十五个。又因连州路户

4643

数不够定额,降路为州。

辛巳(初八),撤销行大司农司。

甲申(十一日),诏令:"从元贞元年五月以前拖欠的钱粮,一概免予征收。"

丙申(二十三日),任命迈迪为签书枢密院事。迈迪,太傅巴延的儿子。皇太后说巴延尽心于朝廷,打算叫他继承父亲知枢密院职务。皇帝因为他年岁还小,所以就有这个任命。

六月,戊申(初五),历城县大清河水泛滥,冲毁百姓住房。

壬子(初九),诏令辽阳行省进献海东青隼,二十四辆传送车,每车给牛六头,驾车人食用米五石,隼鹰食用的羊五只。又,由狗拖引的传送车十二辆,每户给钞银十锭。

甲寅(十一日),翰林学士承旨董文用等人进上《世祖实录》。

乙卯(十二日),诏书:"凡给皇帝的密奏书,中书省要打开封口察看,然后再报告皇帝。"

癸亥(二十日),设置蒙古军都元帅府于西川,直接隶属枢密院。

庚午(二十七日),设置西域亲军都指挥使。

这个月,陕西干旱饥荒,行省右丞许宸建议,开仓赈济,同僚认为未经奏请,不能这样做。许康说:"百姓是国家根本,现在饥饿到这个程度,必要等待朝廷下令才赈济,那就来不及了。擅自开仓的罪过。我一人承当。"于是开仓散粮赈济。

辰、澧地区连接黎峒,宋朝时曾选派百姓设立屯田,免除他们劳役,使他们防御苗、侗人。这些人在澧州的称为隘丁,在辰州的称为寨兵。宋朝灭亡,制度也都废掉。湖广行省平章刘国杰,平定田万顷后,便全部恢复这种制度。又策划在茶陵、衡、郴、道、桂阳等州郡,凡是广东、江西盗贼出入的地方,南北三千里地带,设立戍所三十八个,分别屯驻将士守卫。从此,东部起自交、广,西面横贯黔中,地遍湖广,四境都有屯戍,制度周密,各蛮夷不能重新侵扰,盗贼于是平息。这个月刘国杰入朝晋见,皇帝赐给玉带、锦衣、弓矢。御史奏言国杰在军中,常用自己资财奖励将士。皇帝命令加倍偿还给他,部属家仆有功的分别升官。

秋季,七月,乙亥(初三),诏令江南地税交纳银钞。

丁丑(初五),御史台奏言:"内地盗贼作案很多,都是因为国家宽恕造成。请命令中书省订立条规,监督责成下属,限期全部剿灭。"依准。

工部奏言:"通惠河建立的闸坝,耗费的钱不可计算,全凭看守人员上下一起修治,请求设置提领三名,专门负责巡察看护。"依准。

己卯(初七),下诏再三告诫朝廷内外:"如有儒学与吏法兼通的人,各路要举荐。廉访司每个道一年推荐两人,台省派官员立法考试,如果推荐的不公正,对举荐者要治罪。"

下令:"在职官员因犯贪赃论罪,再犯的要增加二等。管理仓库的官吏偷盗自己守护的钱粮,一贯以下的笞责,到十贯的杖责,二十贯加一等,一百二十贯判徒刑一年;每增加三十贯钱就增加半年徒刑,二百四十贯判徒刑三年,满三百贯的处死。赃款计算以至元钞为标准。"

戊戌(二十六日),朱永福、边珍裕因制造妖言惑人心被处死。

壬寅(三十日),诏令江南各路的天庆观改名为玄妙观,拆毁所敬奉的宋太祖神主牌位。

八月,辛酉(十九日),缅国进贡三只驯象。

癸亥（二十一日），因辽阳大水，给予赈济。

己巳（二十七日），任用驸马纳怀知枢密院事。

九月，甲戌（初三），皇帝从上都回京。

任命托克托为上都留守。托克托，穆呼哩的曾孙，萨曼的儿子。年幼失去父亲，他的母亲勤恳不倦地教诲他。稍长，担任宿卫，世祖又亲自教导，特别告诫他不要嗜酒。到成年，喜爱跟读书人游历，听到善良事则牢记在心。随从世祖征讨纳颜时，他披挂铠甲率领数十名家奴飞驰进击，敌众溃逃，没人抵挡。世祖看到，大加赞赏，对近臣说："萨曼不幸早死，托克托年幼，我抚育教诲他，时常担心他不能自立，现在能够如此，萨曼可以说有继承人了！"亲自解下佩刀和乘马赐给他，从此更加器重。托克托也因而可参与朝廷机密事务。

中统元宝交钞　元

皇帝即位以来，对托克托宠爱更深。他经常担任皇后、帝妃居所侍卫，出入非常谨慎。回家后，对家人说："我过去亲自承受先帝训教，叫我不要贪杯，现在未能断绝，做人怎能知错而不改正啊！从今以后，家人有送酒到我面前的，一定痛加惩治。"皇帝听了，高兴地说："集赛中象托克托这样的人没有几个，现在能以坚强毅力戒酒，真正可以重用了！"于是有上都留守的任命。托克托到达上都，政令严肃，能很好完成职守。

乙亥（初四），采用帝师的奏议，释放死囚三人，杖以下囚犯四十九人。

己卯（初八），撤掉四川四千户淘金者，叫他们还归原籍；加罪于最初建议淘金的人。

丁亥（十六日），爪哇派遣使臣贡献土特产。

史弼因罪免职后，现又起用为同知枢密院事。伊尔噜奏言："史弼等率领五千人渡海二十五万里，进入近代未曾到过的国家，俘虏它的国王并招谕附近小国降顺，应该加以同情怜悯。"于是下诏退回被抄没家资，任命为江西行中书省右丞。

壬辰（二十一日），湖南司狱郭圮，告发浙西廉访司佥事张孝思多取官府供给粮食，张孝思将郭圮拘押狱中。行台命令监察御史杨仁前往审讯，而行省平章特穆尔却将张孝思逮捕到省里讯问，同时又命令他下属官吏与杨仁一同审问郭圮告发之事，杨仁不依从。行台将此报告朝廷，诏令省台派官审讯。后表示认罪，都受到杖刑。

冬季，十月，癸卯（初三），在太庙举行祭祀活动。中书省奏言："去年世祖皇帝、裕宗祭于祖庙，用素绫代替皇帝祭祀告天的册书，现在玉册、玉宝已经制成，请求将它放到各个殿室。"皇帝说："皇帝亲身祭祀的礼仪，祖宗未曾做过。这次进献玉册以后，我将亲自祭祀。"

命令献祭之官迎导皇帝到太庙祭祀。

起初,监察御史杨桓上疏陈述时务,请求亲自祭祀太庙,恢复四时的祭祀。又请求端正礼仪以严肃宫廷,确定官制以减少多余官员,禁止父子骨肉之间互相告发以及奴婢对主人的揭发控告,停止实用官钱营利十分之一的措施。皇帝认为这些建议不错,但一时不能实行。

甲寅(十四日),中书省、御史台奏言:"江浙平章莽赉布哈陈述中央委派高级官吏驻在各行省并非有利于办事。请求从现在起,监察御史、廉访司有所审讯查核,可先由州县官与本路一同查究,经路官与宣慰司一同查究,最后送宣慰司官与行省一同查究。"准许之。

十一月,甲戌(初四),金星经过天空。

戊戌(二十八日),诏令江浙行省搜查隐瞒遗漏的官田和检查核实被富户豪强役使的户数。

太师伊实特穆尔因商议边防事前来朝廷,两宫赐宴,犹如家中礼节,赏赐给他妻子图〔忽鲁〕宴礼服和其他珍宝。这个月,伊实特穆尔因病去世,后追封为广平王,谥号贞宪。

十二月,丙辰(十七日),荆南僧普〔招等〕撰写假佛书,内有大逆不道的话,伏法处死。

伊苏岱尔的部队,因为李璮叛乱开往山东,其原来的驻地被人们所开垦,年久成为固定产业,因此,争讼不断。甲子(二十五日),命令从别的地方拨荒田给他们,正军户丁五顷,其余男丁两顷,已够这个数目的不再发给。

削减海运脚力价钞一贯,计每石为六贯五百文钱,作为命令颁布。

丁卯(二十八日),禁止诸王擅自征召各部门官吏。

当时诸王锡锡等人的家仆,都放纵蛮横侵扰百姓,驸马曼济台私自杀死有罪的人,有关官吏就立即被喊去。因此诏令:"不是接到圣旨,不许立即加罪于人。"

这一年,立巴约特氏为皇后,她是驸马托里斯的女儿。

集贤学士阎复,上奏章说"京师应首先建立宣圣庙和学校,确定采用祭奠孔子雅乐",依从之。又说"曲阜看守孔氏墓的守冢户,过去被有关部门合并到平民户口中,应该恢复为守冢户"。随后诏令赐给孔林二十八户专门负责清扫,祭祀用田五千亩,这都是由于阎复的请求。

行台御史和浙西宪司弹劾江浙行省平章十七件不法的事,诏令派侍御史尚文前去查究,当时在左右的人都能证明其事,平章还极力争辩不服。尚文将此报告皇帝。平章就奏言御史违犯制令取会防镇军数,皇帝命令省台大臣集合论议,都说:"平章乃是功臣后代,所犯的罪都是小事,应该宽免;御史数次与兵士会面,听取意见,应处死罪。"尚文不服,反驳说:"平章的罪状清楚,如果不受一点责罚,就没有人臣之礼,他的罪并不轻;御史是纠察事务官员,由于兵卒争相诉说,责备他们统帅犹如过去均役一样对待兵士,所以,他做的事,情不害法,即使有罪也是轻的。"朝廷辩论四次,皇帝心里开始觉悟,将平章、御史分别给以杖责,然后遣返。

元贞二年 (公元 1296 年)

春季,正月,丙子(初七),减免两都为驿服役的站户和雇官府的雇佣劳动以及与官府议价购买百姓物品。

己卯(初十),诏令江南不要捕捉天鹅。

上思州叛贼黄胜许攻打剽掠水口、思光寨,湖广行省调兵前往镇压,捉获其党羽黄法安等人,贼寇逃入上牙六罗。

丙戌(十七日),安西王傅特齐、托特穆尔等人重又请求设立王相府。皇帝说:"去年阿南达已经当面向我陈述,我用世祖确定的制度当面晓谕他。现在又奏请,这不是想要把四川、京兆都划归他所有吗!赋税、军站都属朝廷管辖,现在姑且依从你的请求,设立王相府,但只能行使王傅的职事。"

己丑(二十日),任命御史中丞图齐为御史大夫。

御史台奏言:"汉人为同一部门的官员,曾为奸人搜集其罪行,因此商议奸人罪行时,同僚怕泄露不敢把话说尽。请求在近侍中选择人任用。"皇帝说:"怎么能用这些人!可挑选识大体通事理的汉人去做。"

乙未(二十六日),诏令:"诸王、驸马没有接到皇帝命令不得惩处官吏。"

二月,己亥朔(初一),中书省奏言:"皇帝自从登基以来,赐给诸王、公主、驸马、勋臣的财物数量不少,过去的储蓄,散发得快没了。现在继续请求的还很多,请求鉴别那些贫乏和奔赴边塞的人赐给,其余应全部都停止。"依准之。

诏令:"奉命出使的使者和军官死去而子弟尚未继承职务的,他们所佩带的金银符需交还官府,违者治罪。"

丙午(初八),禁军将擅自以家奴代替侍卫军、蒙古军服兵役,违者要加以惩罚。依旧令其家奴另入军籍,将其主人资产的一半送给他们,军将敢有纵容的,撤销职务。

庚戌(十二日),诏令:"军卒擅自更替和逃亡者处死。"

丙辰(十八日),诏令:"江南道士买卖田地的,交纳田地商税。"

庚申(二十二日),从六盘山到黄河一带,设立屯田,安置万名军人。

丙寅(二十八日),任命大都留守司达噜噶齐丹津为中书平章政事。

当时博果密推说有病不出来,皇帝将他召到便殿,对他说:"我知道你称病的原因,只因为你不能够依从他人,他人又不能依从你,我打算用丹津代替你,怎么样?"博果密说:"丹津的确比我强。"于是授予博果密平章军国重事的职务。他推辞说:"这个职务,我朝只有史天泽曾担任过,臣下我不敢担当。"于是诏令去掉"重"字,而后任命丹津代理平章政事。

三月,壬申(初四),免除太原、平阳两路酿制进贡葡萄酒。那些葡萄园,百姓依靠它过日子的,都退还给他们。

癸酉(初五),实都奏言晋王噶玛拉,多尔岱奏言伊啰勒,两人都有不轨图谋。诏令枢密院审讯,结果没有证据。皇帝命令:奏言晋王的处死,奏言伊啰勒的贬官从军,自行效力。

丙子(初八),皇帝到上都。

丁丑(初九),因完颜邦义、尼雅斯拉鼎、刘季安没有根据地评议朝政,给以杖责,并判徒刑二年,没收其家财二分之一。

夏季,四月,绛州、黄岩州饥荒,杭州发生火灾,一并加以赈济。

五月,戊辰朔(初一),免除两都的无偿劳役。

辛未(初四),安西王派使臣前来诉说该地区贫乏。皇帝告诉他说:"世祖因分给赏赐有困难,曾留有圣训,阿南达也知道这件事。如果说到贫乏,哪里只有你一个! 去年赐给银钞二十万锭,又给了粮米。今天再给你,则其他王则以为不均;不给,则你说人会饿死。现给粮一万石,选择贫困者加以赈济。"

甲戌(初七),诏令:"民间的马、牛、羊,一百只取一只;不满一百只的也一只。只限于色目人并且是达到这个数目的才收取。"

庚辰(十三日),吐蕃叛乱,杀掠阶州军民;派遣托克托会同诸王特穆尔不花等人合兵前去征讨。

甲申(十七日),禁止诸王、驸马招收民户。

庚寅(二十三日),撤销四川马湖进贡独株葱。

丁酉(三十日),诏令:"各行省没有接到皇帝命令不得擅自调动军队。"

这个月,〔太原平晋、献州交河〕、莫州、醴陵都闹水灾,〔莫亭、任丘、湖南〕济州蝗虫为灾。

六月,己亥(初二),御史台上言:"官吏受贿,开始既已认罪,接着加以核查,因主管官员徇私,致使所谈前后不一致的,应该加倍论罪。"依从之。

诏令:"晋王下属各部的衣粮,粮米每年发给,衣服则三年赐给一次。"

丙午(初九),安南派人招诱叛贼黄胜许降顺,黄胜许逃往这个国家。

甲寅(十七日),颁布官吏受赃条文规格,共有十三等。南台御史大夫阿喇卜丹奏言:"立法贵在轻重适宜,使百姓不至轻易触犯。现在所颁布的条格,除违法外,其他的人,从二十两以下,其罪责同受贿一分钱的人属于同一等级,这似乎轻重多少有些偏离。"未采纳。

丙寅(二十九日),诏令行省、行台:"凡是朱清、张瑄对朝廷有所陈述,不可擅自扣留。"

这个月,大都、真定等路闹蝗灾,海南百姓饥饿,拨发粮米加以赈济。

秋季,七月,癸酉(初六),诏令:"云南、福建官吏任期届满的,准许驿站车马送他们回乡。"

壬午(十五日),巴延、阿珠、阿尔哈雅等人所占据江南的田地,和权势豪门隐匿的田地,命令他们交纳租税。

增添江西、河南行省参政各一名,任用朱清、张瑄担任。

用虎贲勇士三百人守卫应昌。

广西盗贼陈飞等侵扰昭、梧、藤、容等州,湖广左丞巴特玛琳沁将其击败平定。

这个月,赈济平阳等路的饥民。

八月,丁酉朔(初一),禁止船商将金银带出海外,出使海外各国的官员不得经商。

壬寅(初六),命令江浙行省派船五十艘、水手一千三百人,沿海巡查禁止贩卖私盐的活动。

乙巳(初九),制定捕盗奖赏条文。有人能告发捕获一名强盗的赏钞五十贯,窃贼减半,通缉的再减半,都从犯人手中征收。征收不到的,由官府发给。

山东西道廉访使陈天祥上奏说:"盗贼的出现,原因很多,除了凶年推诿于天时,可以不必论说，其他如战争不断，工役频繁，重敛繁刑，都可导致盗贼发生。其中保护盗贼滋长的就是宽赦的法令。宽赦，是小人的幸福，君子的不幸。这些凶暴之徒，执刀杀人，官府尽力将其擒拿，而朝廷却施恩释放，早晨离开监狱，晚上就进行掠劫，既不感恩，又不畏法。他们凶残悖逆，本性已经养成，实在不是靠感化所能改变的，只有严刑制裁才可以。"陈天祥上呈奏章后，即严加督促有关部门进行追捕，从他所管辖的地方，南到汉江两千多里，不少盗贼被擒获。

九月，辛未(初五)，皇帝诞辰。皇帝车驾停驻在安同泊，接受诸王和百官的朝贺。

甲戌(初八)，征收浙东、福建、湖广的夏税，撤销民间制盐、冶铁的炉灶和淮西各巡禁打捕的人员。

戊寅(十二日)，元江贼冠捨资率众侵掠边境，梁王命令集赛坦将其征讨平定。

甲申(十八日)，云南省臣额森布哈征讨奇蓝，攻克瓦农、开阳两个山寨。其党达喇率领各蛮夷前来降顺。奇蓝全部平定后，将这个地方改为云远路军民总管府。

辛卯(二十五日)，诸王楚布奏言汪总帅等人的部众贫乏。皇帝因其长期卫戍，命令除留下五千人在冬季继续驻守外，其余都遣还回乡，到明年四月再重赴军队。

李呼喇齐朝见皇帝，授予陕西行中书省右丞，参予商议本省公事。不久死去，后谥号襄敏。

冬季，十月，丁酉(初二)，在太庙举行祭祀活动。

壬子(十七日)，皇帝从上都回京。

诏令："在职官员因贪赃论罪，再犯的加本罪三等处罚。"

赣州百姓刘六十，聚众一万多人，建立名号。朝廷派将领前往征讨，但将士观望退缩，不敢前进；地方官又借机骚扰良民，致使盗贼势力越加兴旺。江南行省左丞董士选请求亲自前往，当日上路，不求增兵，只率领文案李霆镇、元明善两个人拿着文书前去。大家猜测不出他想做什么。抵达赣州地界，将害民官吏逮捕惩治，百姓争相传告说："不知道有官员执法如此严明。"进入兴国，离贼营不到百里，命令选择将校，分兵守卫驻地，等待命令。察明激发变乱的人，全都绳之于法，又诛杀奸民中窝藏贼寇的人，于是百姓争相出来效力。没几天，刘六十被捉，其余全部逃散，军中缴获的贼寇文书上，写有附近郡县富人姓名，李霆镇、元明善请求将这些文书焚掉。结果民心更加安定。派使者将平定情况上报朝廷。博果密召见使者，对他说："董公送来功劳簿吗？"使者说："我临行时，左丞对我说：'朝廷要是询问军功，只说镇压安抚没有成绩，能免罪过就是大幸，那有什么功劳可说！'"因而出示董士选的书信，只请求降罚赃吏几人而已，不提破贼的事。当时人们称他有功而不自我夸耀。

十一月，己巳(初四)，乌图达等人进献他们所翻译的《太宗实录》《宪宗实录》《世祖实录》。

辛未(初六)，征调洪泽、芍陂屯田军士万人修建大都城。

派遣枢密院官员去整顿江南各镇的戍所，将校中勤勉或懒怠的，都要列举事实报告朝廷。

明年海路运粮数额增加到六十万石。

乙酉(二十日),枢密院奏言:"江南靠近边境的州县,应选择险要地点建屯,百姓集中居住。这样一旦有紧急警报,容易征发应付。"诏令各行省绘制地形,查核军兵实际情况报告朝廷。

增加大都巡防汉军。

十二月,戊戌(初四),设置彻里军民总管府。

云南行省大臣奏言:"大彻里地区同八百媳妇地区犬牙交错,现在大彻里胡念已然降顺,小彻里重又占据险要地形,多次进行自相杀掠。胡念派其弟胡伦乞求别置一处官署,选熟悉蛮夷情况的人为主将,招集他们归附,作为进取小彻里的根据地。"依从之。

癸卯(初九),确定诸王朝会时赏赐的不同数额。

丁未(十三日),诏令行省征集新军以补充逃亡的军兵。

癸亥(二十九日),释放在京囚犯一百名。

增设侍御史二人。

这一年,大都、保定、汴梁、江陵、沔阳、淮安均发生水灾,金、复州大风损坏庄稼,太原、开元、河南、芍陂干旱,免除上述地区田租。

当初,裕宗已经去世,世祖想立皇太子,不知立谁。询问鄂尔根萨理,当即以现在皇帝来回答,并谈到现在皇帝仁孝恭俭,应立为太子,于是大计才决定。这情况,皇帝同太后都一无所知,多次宣召鄂尔根萨理,不去。皇帝于北部边境安抚军兵,世祖派鄂尔根萨里奉交皇太子宝印给现在的皇帝,于是一同到官邸。等现在皇帝即位,便对鄂尔根萨理说:"我即位前住的官邸,有谁不愿前来侍奉我!唯独你,召见也不来,现在才知道你真正具备大臣风范。"于是加封为守司徒、集贤院使、领太史院事。从此宣召进宫可不报名字,并赐给座位,和诸侯王一样看待。皇帝曾对左右侍从说:"象全平章这样的人,真乃全材,今天没人可和他比。"鄂尔根萨理的父亲别号万全,所以才以全为姓氏。

大德元年 (公元1297年)

春季,正月,丙戌(二十三日),锡宝齐等地被叛寇抢掠一空,吃食依赖官府救济。赐给他们农具、耕牛、种粮,使他们耕种自给。

辛卯(二十八日),任用张斯立为中书参知政事。

拨给晋王管辖各部屯田应用的农器。

建立五福太乙神坛畤,作为祭祀天地、五帝的固定场所。

二月,丙申(初三),蒙阳甸部长归顺朝廷,前来奉献当地土产,并请求每年进贡白银一千两和设立驿站传递。诏令就在该地设置通西军民府。

甲辰(十一日),诏令:"凡军与民相互诉讼者,军与民双方官员同时听取审理。"

丁未(十四日),撤销打捕鹰房府,将它并入东京路。

己未(二十六日),改福建省为福建、平海等处行中书省,迁移泉州。平章高兴奏言:泉州与琉球相近,或招顺或攻取,容易获得它的情报,因而才迁徙到泉州。

赐封缅酋长为国王,又告诫云南等处边境将领,不得擅自用兵。

庚申(二十七日),下诏改变年号,宽赦天下罪犯,免除上都、大都、隆兴三年差役、租税。

召见耶律有尚,任命他担任国子祭酒。由于他以前在学中能振兴儒学,因而授予集贤学士,兼任这个职务。

任命行徽政院副使王庆端为中书右丞。

奇彻亲军都指挥使托克托呼从北方边境前来朝见,授予同知枢密院政事职务,命令返归北部边境守卫。走到宣府便去世了。死后追赠司空,谥号武毅。

三月,庚午(初八),任用陕西行省平章额森特穆尔为中书平章政事,中书左丞梁得珪为中书右丞。

任用彻尔为江南诸道行台御史大夫。

彻尔到任,对都事贾钧说:"国家设置御史台,是为了肃清众官,美化风俗,兴举教化。往日御史不考虑重要义理,察视以严苛为明,追赃以额多为功,以致发生逼迫儿子证实父亲、弟弟证实兄长、奴婢揭发主人的事,伤风败俗,没有比这更严重的!替我转告各御史,不要效法他们。"皇帝听后加以赞许。

丙子(十四日),皇帝到上都,命令典瑞少监焦养直进前讲解《资治通鉴》,养直借此陈述规谏的话,皇帝给以厚重赏赐。

丁丑(十五日),任用江西行省左丞巴特玛琳沁为中书左丞。

庚辰(十八日),达噜噶齐托尔苏接受贿赂,被他家奴告发。托尔苏毒杀其家奴,斩首示众。

丁亥(二十五日),从正月到七月间禁止捕猎,大都八百里内也同样。

庚寅(二十八日),设置江淮等处财赋总管和提举司。

任用梁曾为杭州路总管。梁曾善于治理民政,恢复杭州户口五万多。上书朝廷请求禁止晚上审问囚犯和游市酷刑。下诏将这作为法令颁布。

开初,五台山佛寺建成,皇太后亲自前往祈祷。监察御史真定人李元礼上书给太后说:"古人说'百姓的利害,乃国家的根本大计。只根据自己的所见所闻而不拘于职务限制的事,只有宰相能够去做,谏官可以去说。'现在朝廷不设立谏议官职,御史的职责是向朝廷进言,也就相当古代谏官。他们怎么可以坐视得失,而不进一言,以使圣王之治受益万一呢!

"臣下看见五台山创建庙宇,土木既已兴起,工匠丁夫劳役不下数万。附近几路州县,供给负担非常繁重,以致男女废弃耕织,物价飞涨,百姓难以生活。现在听说太后亲临五台,以金币施舍僧众,臣下认为不能这样做,理由有五条:正处盛夏,禾稼正茂,百姓一年之计,完全仰赖秋季收成,而侍从和护卫人员所经无不蹂躏,这是一。太后年寿已高,劳累圣体,炎热中往返数千里,不避风日,力一调养失当,后悔不及,这是二。至尊一举一动,必定写入简册,遗留子孙万代;书写不符法制的行为,后世将怎么采用!这是三。财物并非从天掉下,全出于百姓。现今开支调度,百倍于过去,而又劳民伤财进献土木,这是四。佛以慈悲方便教导世人,即使珍玩物品全都供奉,他也不会欢喜;虽没一物献祭,他也不会生气。现在太后为给苍生祈求幸福,而先劳累圣体,使天子旷缺每日定省的礼节,这是五。臣下伏地请求太后于中途回转车驾,端居于深宫之内,用节俭以涵养德性,凭安静以颐养心神;上可以承接先皇后的良好楷模,次可以尽到圣天子孝心,下可以安慰百姓的期望。如此,则不用祈求幸福而幸福

4651

将自行到来!"

台臣对李元礼这封上书不敢上报皇帝。这时侍御史万僧与御史中丞崔彧不合,便到架阁库取来先前李元礼的奏章,密封后奏说:"崔中丞私自以汉人为党羽,李御史夸大言辞诽谤我佛,认为不应修建寺庙。"皇帝大怒,派近臣携带这个奏章,令鄂勒哲、博果密审问。博果密把奏章翻译成蒙古语朗读。鄂勒哲说:"奏章的意思正与我相同,过去我曾为这件事进谏过,太后说:'我并非喜欢建立寺庙,因为曾许下愿,这不是你们所知道的。'"博果密说:"其他御史都惧怕而不敢说,只有一个御史敢说,实在可以奖赏啊!"鄂勒哲等将奏章告知皇帝,皇帝沉思良久才说:"御史的话是正确的。"于是罢免万僧,恢复李元礼职务。

归德、徐、邳、汴梁发生水灾,免除田租。道州旱灾,辽阳饥荒,一并加以赈济。

夏季,四月,癸巳朔(初一),发生日蚀。

丙申(初四),中书省、御史台奏言:"阿喇卜丹和崔彧陈述御史台委派驻扎在各行省官员有关事项,请求依照常例。御史台不立即选派,它所用的人就在正常调任的官员中挑选,只有监察御史、首领官,听御史台自己选择。各道的廉访司,必须选择蒙古人出任,如缺蒙古人则用色目人世代为臣的子孙担当。廉访司的副职可以参用色目人、汉人。另外,哈喇齐、阿苏各自举荐监察御史并非有利,也应只限于常例选择人。各省文案,行台要派遣

元上都遗址

人员检查考核。宿卫、近侍,凡奉有特旨命令台宪提拔使用的,必须明确奏请,然后加以委任。行台御史年限已满而有明显成绩的,或迁至内台,或送到中书省,升迁调动廉访司官员也应该这样;有不称职的,省台可选择人员代替他。未曾担任官职而被授予治理民政职务的官员,经过省台同时选任的,听凭御史台自行调动。中书省或有使用台察的人,也应和御史台一起商议。各官府的朝廷委任的高级官员,不能擅自进行考核审察。现在打算除转运盐司使这个职务外,其余官府,全部依照过去的条例办理。"依准之。

董文用请求辞职还归乡里。董文用从世祖时起,每逢侍宴,就和蒙古大臣同一班列。裕宗曾靠在榻上赐酒给他,叫他不必拜跪在地上喝。皇帝在东宫时,正月初一接受百官朝贺,在众多的人群中看见董文用,便召到跟前,对他说:"我过去见到天子,甚是称赞你的贤德。"立即亲自取酒赏赐给他喝,对他的宠爱赏赐越发深厚。这时允许他辞归,封他一个儿子乡郡侍养的官职,在家侍奉他。

五月,丙寅(初五),黄河在汴梁地段决口,拨民发工三万前去堵塞。

戊辰(初七),追查没收各位官吏下属经商而使用的皇帝发给的文书和驿站车马的凭证。在临洮建立佛寺。

诏令:"强盗奸伤事主的,首恶和从犯全部处死,没有伤害事主的,则只杀死为首,从犯在脸上刺字发配,如以后再犯也要处死。"

丁丑(十六日),禁止民间捕捉和出卖鹰鹘。

各路均输平准行用库,过去的制度规定选择部民中富而有力的人担任副职;庚寅(二十九日),下命从现在起用常调官担任,隶属行省的听从行省任用。

上思州叛贼黄胜许,派遣他儿子黄志宝前来投降。

漳水泛滥,冲毁民田庄稼。

六月,甲午(初三),诸王额尔罕派使者乘坐驿站传送车祭祀五岳四渎,下命追收他使用驿车的证券,又严厉地责备他。

因为湖广行省参政崔良知为政清廉,生活贫困,赐给他盐税钞一千锭。

臧梦解迁任江西廉访副使。临江路总管李偶,平日为人狡猾,而又依附大臣权势来控制行省法制。梦解检举他的贪赃罪行,吏治才得以澄清。

中丞崔彧,居官御史台时间很久,又正直不偏袒,因此人们大多憎恨他,丙辰(二十五日),监察御史鄂啰实喇上奏,揭发崔彧兄长在先朝曾有罪,归还没收的家产不应该;又违犯制令购买佛寺水碾。皇帝因为他奏言不实而发怒,下令笞责后遣送走。

诏令:"僧人、道士犯有奸盗重罪的,听从官府审问。"

戊寅(疑误),前翰林学士承旨董文用去世。文用以进忠言持正论作为自己责任,平时听到朝政一事不完美,就整夜不眠,倚靠墙壁不停地叹息,遗憾地说:"祖宗艰难成立的天下,怎能叫乱臣贼子们毁坏掉!"所以每参与朝廷议政,就大胆地发言,不顾个人危祸。阿哈玛特、卢世荣、僧格的党羽,千方百计想除掉他,但他却不以为意地说:"作为人臣,既在其位,怎能爱惜自己生命而苟且求容,上有负国家,下有负百姓呢!"他爱好贤能,乐于为善,是出于天性。他对待下士,也必定尽到礼节,到老都是这样。为官五十年,死时只有祭器、书册而已。追赠少保、寿国公,谥号忠穆。

这个月,和州历阳县江水泛滥,冲走淹没房舍一万八千五百余户。

续资治通鉴卷第一百九十三

【原文】

元纪十一　起强圉作噩【丁酉】七月,尽上章困敦【庚子】十二月,凡三年有奇。

成宗钦明广孝皇帝

大德元年　【丁酉,1297】　秋,七月,丁亥,河决杞县蒲口,命廉访司尚文相度形势,为久利之策。文还,言:"河自陈留抵睢,东西百有馀里,南岸高于水六七尺或四五尺,北岸故堤,其水视田高三四尺或高下不等。大较南高于北约八九尺,堤安得不坏,水安得不北也!蒲口今决千有馀步,东走旧淩,行二百里,至归德横堤之下,复合正流。或强遏之,上决下溃,功不可成。揆今之计,河北郡县,宜顺水性,筑长堤以御泛溢。归德、徐、邳之民,任择所便,避其冲突。被害民户,量给河南退滩地以为业。异时决他所亦如之,亦一时救患之良策也。蒲口不塞便。"帝从之。会河朔郡县及山东宪部,争言不塞则河北桑田尽化鱼鳖之区,塞之便,帝复从之。明年,蒲口复决,障塞之役,无岁无之。是后水北入,复河故道,竟如文言。

是月,衡州之酃县大水、山崩,溺死三百馀人。

八月,丁未,命诸王阿济吉,自今出猎,悉自供具,毋伤民力。

丁巳,妖星出奎。九月,辛酉朔,妖星复犯奎。集贤学士阎复,上疏言定律令,颁封赠,增俸给,通调内外官,且曰:"古者刑不上大夫,今郡守以征租受杖,非所以厉廉隅。江南田公(租)〔租〕重,宜减以贷贫民。"后多采用。

甲子,八百媳妇叛,寇彻尔;遣额森布哈将兵讨之。

丙寅,诏恤诸郡水旱疾疫之家。

罢括两淮民田。

壬午,帝至自上都。

己丑,增海漕为六十五万石。

以彻尔为浙江行省平章政事。

江浙税粮甲天下,平江、嘉兴、湖州三郡,当江、浙十六七,而其地极下,水钟为震泽。震泽由吴淞江入海,岁久,江淤塞,豪民利之,封土为田,水无所泄,由是浸淫泛溢,败诸郡禾稼。朝廷命行省疏导之,发卒数万人,彻尔董其役,凡四阅月毕工。

冬,十月,辛丑,温州陈空崖等,以妖言伏诛。

乙卯,爪哇遣使奉表来降。

戊午，增吏部尚书一员，以吴元珪为之。时选曹铨注，多有私其乡人者，元珪曰："此风不可长，蜀党、朔党之兴，宋之所由衰也。"自视事后，请谒悉皆谢绝。

是月，奇彻都指挥使绰和尔攻破巴林之地，还击哈都军，败走之。巴林之地，时为哈都军所据，绰和尔帅师逾金山，进攻之。其将达兰台，阻达鲁噶河而军，伐木栅岸以自庇，士皆下马跪坐，持弓矢以待。绰和尔奋师驰击，大破之，尽得人马庐帐。还，次阿噜河，与哈都援将巴拜遇，绰和尔麾军渡河蹙之，巴拜败走，仅以身免。

十一月，壬戌，禁权豪、僧道及各位下擅据矿炭山场。

戊辰，增太庙牲，用马。

丁丑，封高丽国王王昛为"逸寿王"，以其世子源为高丽国王，从所请也。

御史台言："大都路总管赫迪，盗支官钱及受赃，计五千三百缗，准律当杖百七不叙，以故臣予从轻论。"而帝欲止权停其职，中丞崔彧与大夫济尔哈朗执不可。帝曰："卿等与中书省臣戒之，若后复然，则置死地矣。"已而御史奏彧任中丞且十年，非所宜，彧遂以病辞。帝谕之曰："卿辞退诚是，然勉为朕少留之。"

戊子，太白经天。

十二月，戊戌，中书省言："世祖抚定江南，沿江上下置戍兵三十一翼，今无一二，惧有不虞。"帝曰："与枢密议之。"

禁诸王、驸马并权豪毋夺民田，其献田者有刑。

复立芍陂、洪泽屯田。

闰月，壬戌，诏："军户卖田者，由所隶官给文券。"

甲子，福建平章高兴，言漳州漳浦县大梁山产水晶，请割民百户采之，帝曰："不劳民则可，劳民勿取。"

奇尔济苏，汪古部人爱布哈之子也。性勇毅，习武事，尤笃于儒术；筑万卷堂，日与诸儒讨论经、史、性理、阴阳、术数，靡不该贯。尚公主，从世祖讨叛王额尔罕有功，帝即位，封高唐王。西北不安，请于帝，愿往平之；再三请，帝乃许。及行，且誓曰："若不平西北，吾马首不南！"是岁，遇敌于巴牙斯之地，众谓当俟大军毕至，与战未晚，奇尔济苏曰："大丈夫报国而待人耶！"即整众鼓噪以进，大败之，擒其将卒百数以献。诏赐世祖所服貂裘、宝鞍及缯锦、介胄、弓矢。

时初建南郊，翰林国史院检阅官袁桷进十议。曰："天无二日，天既不得有二，五帝不得谓之天，作《昊天五帝议》；祭天岁或为九，或为二，作《祭天名数议》；圜丘不见于《五经》，郊不见于《周官》，作《圜丘非郊议》；后土，社也，作《后土即社议》；三岁一郊，非古也，作《祭天无间岁议》；燔柴见于古经，《周官》以禋祀为天，其义各有旨，作《燔柴泰坛议》；祭天之牛角茧栗，用牲于郊，牛二，合配而言之，增群祀而合祠，非周公之制矣，作《郊不当立从祀议》；郊质而尊之义也，明堂文而亲之义也，作《郊明堂礼仪异制议》；郊用辛，鲁礼也，卜不得常为辛，作《郊非辛日议》；北郊不见于《三礼》，尊地而遵北郊，郑玄之说也，作《北郊议》。"礼官推其博，多采用之。桷，庆元人也。

云南民岁输金银，近中庆城邑户口，则诡称逃亡。甸寨远者，季秋例遣官领兵往征，人马、刍粮，往返之费，岁以万计。所差官必重赂省臣乃得遣，征收金银之数必十加二，而折阅之数又如之。其送迎、馈赆，亦如纳官之数，所遣者又以铜杂银中纳官。云南行省左丞刘正，首疏其弊，给官称，俾土官身诣官输纳，其弊始革。

时有献西域称法者，左司都事张思明斥其惑众，不用。

大德二年 【戊戌，1298】 春，正月，壬辰，诏以水旱减郡县田租十分之三，伤甚者尽免之，老病单弱者，差税并免三年。

禁诸王、公主、驸马受人呈献公私田地及擅招户者。

辛丑，御史台言："诸转运司案牍，例以岁终检覆。金谷事繁，稽照难尽，其未终者，宜听宪司于明年检覆。"从之。

己酉，遣所俘琉球人归，谕其国使之效顺。

以翰林王恽、阎复、王构、赵与票、王之纲、杨文郁、王德渊，集贤王容、宋渤、卢挚、耶律有尚、李泰、郝采、杨麟，皆耆德旧臣，清贫守职，特赐钞二千馀锭。

二月，乙丑，立浙西都水营田司，专主水利。

以中书右丞张九思为平章政事，与中书省事。

丁卯，改泉州为泉宁府。

丙子，帝谕中书省臣曰："每岁天下金银钞币，所入几何？诸王、驸马赐与及一切营建，所出几何？其会计以闻。"鄂勒哲言："岁入之数，金一万九千两，银六万两，钞三百六十万锭，然犹不足于用，又于至元钞本中借二十万锭。自今敢以节用为请。"帝嘉纳焉，罢中外土木之役。

癸未，诏："诸王、驸马毋擅祀岳、镇、海、渎。"

乙酉，帝如上都。

罢建康金银铜冶转运司；还淘金户于元籍，岁办金专责有司。

诏廉访司作成人材以备选举。

中书平章政事崔彧与御史大夫图齐言："世祖圣训，凡在籍儒人，皆复其家。今岁月滋久，老者已矣，少者不学。宜遵先制，俾廉访司常加勉励。"帝深然之，命彧与博果密、鄂尔根萨理同翰林、集贤议降条例，故有是诏。

减行省平章为二员。

丙(子)〔戌〕，以梁德珪为中书平章政事，杨炎龙为中书右丞。

三月，戊子，诏："僧人犯奸盗、诈伪，听有司专决，轻者与僧官约断，约不至者罪之。"

庚寅，命："各万户出征者，其印命副贰掌之，不得付其子弟，违法行事。"

壬(子)〔辰〕，御史台言："道州路达噜噶齐阿林布哈、总管周克敬，虚申麦熟，不赈饥民，虽经赦宥，宜降职一等。"从之。

壬子，诏："加封东镇沂山为'元德东安王'，南镇会稽山为'昭德顺应王'，西镇吴山为'成德永靖王'，北镇医巫闾山为'贞德广宁王'，岁时与岳渎同祀，著为令。"

夏，四月，江南、山东、浙江、两淮、燕南属县多蝗。

帝欲开铁幡竿渠，召知太史院事郭守敬议之，守敬奏山水频年暴下，非大为渠堰，广五七十步不可，时议不尽以为然。守敬尝起水浑莲、浑天漏，大小机轮凡二十有五，皆以刻木为冲牙，转为拨击，上为浑象，点画周天星度，日月二环，斜络其上，象则随天左旋，日月二环各依行度,退而右转。见者服其精。

五月,壬辰,以中书右丞何荣祖为平章政事,与中书省事;湖广左丞巴图玛逊为中书右丞。

己酉,抚州崇仁县星陨为石。

六月,庚申,御史台言:"江南宋时行两税法,自阿尔哈雅改为门摊,增课钱至五万锭。今宣慰张国纪请复科夏税,与门摊并征,以图升进,湖、湘重罹其害。"帝命中书趣罢之。

南台侍御史托欢,以受赂不法罢。

禁诸王擅行令旨,其越礼开读者,并所遣使拘执以闻。

秋,七月,癸巳,汴梁等处大雨;河决,坏堤防,漂没归德数县禾稼庐舍,免其田租一年。遣尚书那瑰、御史刘赓等塞之,自蒲口首事,凡筑九十六所。

壬寅,诏:"诸王、驸马及诸近侍,自今奏事不经中书,辄传旨付外者,罪之。"

诏遣中书右丞杨炎龙、签枢密院事洪君祥召高丽国王王源入侍。时有言源僭设司空、司徒等官,而又擅杀其臣金吕者,故召源入侍,因留不遣,复以其父逸寿王昛为高丽国王。

九月,己丑,交趾、爪哇、金齿国各贡方物。

丙申,帝至自上都。

癸卯,枢密副使塔喇呼岱犯赃罪,命御史台鞫之。

庚戌,减中外冗员。

是月,平章政事崔彧卒,赠太傅,谥忠肃。

冬,十月,甲寅朔,增海漕米为七十万石。

十一月,丙申,罢云南行御史台,置廉访司。

壬寅,以中书右丞王庆端为平章政事。

十二月,戊午,太白经天。

乙丑,括诸路马,除牝孕携驹者,齿三岁以上并拘之。

辛未,增置各路推官,专掌刑狱,上路二员,下路一员。

江浙行省平章政事达喇罕升左丞相。

甲戌,彗出子孙星下。

辛巳,命廉访司岁举所部廉干者各二人。

诏:"和市价值随给其主,违者罪之。"

定诸税钱三十取一,岁额之上勿增。

是岁,北边诸王都哇、彻彻图等潜师袭和尔哈图之地。其地亦有山甚高,敌兵据之,绰和尔选勇而善步者持挺刃四面上,奋击,尽覆其军。

西北诸王将帅共议防边,咸曰:"敌往岁不冬出,即可休兵于境。"奇尔济苏曰:"不然。今秋候骑来者甚少,所谓鸷鸟将击,必匿其形,备不可缓也。"众不以为然,奇尔济苏独严兵以待之。是冬,敌兵果大至,三战三克。奇尔济苏乘胜逐北,深入险地,后兵不继,马蹶,遂为所执。敌诱使降,正言不屈;又欲以女妻之,奇尔济苏毅然曰:"我,帝婿也,非帝、后面命而再娶,可乎?"敌不敢逼。帝尝遣其家臣阿锡斯特使敌境,见于人众中,奇尔济苏一见,辄问:"两宫安否?"次问:"嗣子何如?"言未毕,左右即引去。明日,遣使者还,不复再见,竟不屈,死焉。追封赵王,谥忠宪。

皇曾孙梁王松山,出镇云南,廷议求旧臣可为辅行者,遂以陕西行台侍御史张立道为云南行省参政,视事期月,卒于官。立道凡二使安南,官云南最久,颇得土人之心,为立庙于鄯善城西。

签淮西、江北道廉访司事申屠致远行部至和州,得疾卒。致远清修苦节,耻事权贵,聚书万卷,名曰"墨庄"。既殁,家无馀产。

大德三年 【己亥,1299】春,正月,己丑,中书省臣言:"天变屡见,大臣宜依故事引咎避位。"帝曰:"此汉人曲说耳,岂可一一听从耶!卿但择可者任之。"

庚寅,诏遣使问民疾苦,除本年内郡包银俸钞,免江南夏税十分之三,增给小吏俸米。置各路惠民局,择良医主之。

时遣张珪巡行川、陕,珪恤孤贫,罢冗员,黜贪吏,以称职闻。还,擢江南行台侍御史。

命中书省:"自今后、妃、诸王所需,非奉旨弗给;各位擅置官府,紊乱选法者,戒饬之。"

辛卯,浙西廉访使王遇犯赃罪,托权幸规免,命御史台鞫治之。

壬辰,中书省言:"比年公帑所费,动辄巨万,岁入之数,不支半岁,自馀皆借及别支,臣恐理财失宜,钞法亦坏。"帝嘉纳之,仍令谕伊齐彻尔等:"自今一切赐与皆勿奏。"

癸巳,以江浙行省左丞相哈喇哈斯为中书左丞相。

帝问阎复曰:"中书左相难其人,卿试举所知,谁可任者?"复以哈喇哈斯对。时视政江浙才七日,遂被征。哈喇哈斯既拜命,斥言利之徒,一以节用爱民为务,有大政事,必引儒臣杂议。京师久阙孔子庙,而国学寓他署,乃奏建庙学,选名儒为学官,采近臣子弟入学。又集群议建南郊,为一代定制。

乙巳,太白经天。

二月,癸丑朔,帝如柳林。

丁巳,鄂勒哲等请铨定省部官,以次引见,帝允之。仍谕六部官曰:"汝等事多稽误,朕昔未知其人为谁。今既阅视,且知姓名,其洗心涤虑,各钦乃职。复蹈前失,罪不汝贷。"

罢四川、福建等处行中书省,陕西行御史台,江东、荆南、淮西三道宣慰司;置四川、福建宣慰司、都元帅府及陕西、汉中道肃政廉访司。

广和林、甘州城。

诏:"缙山县民户为势家所蔽者,悉还县定籍。"

壬申,金齿国来贡方物。

庚辰,帝如上都。

三月,癸巳,命江浙释教总统补陀僧一山赍诏使日本。诏曰:"向者世祖皇帝尝遣补陀禅僧如智及王积翁等两奉玺书,通好日本,咸以中途有阻而还。自朕临御以来,绥怀诸国,薄海内外,靡有遐(遣)〔遗〕,日本之好,宜复通问。今如智已老,补陀僧一山,道行素高,可令往谕,附商舶以行,庶可必达,盖欲成先帝遗意。至于惇好息民之事,王其审图之。"

先是浙江平章伊苏特尔劝帝用兵日本,帝曰:"今非其时。"因其俗奉佛,遂遣一山赍诏往使,而日本竟不至。

甲午,命何荣祖等更定律令。帝谕荣祖曰:"律令,良法也,宜早定之。"既而书成,上之,且言：“臣所释者三百八十条，一条有该三四事者。”帝以古今异宜，不必相沿，诏元老大臣聚听之。未及颁行而荣祖卒，追封赵国公，谥文宪。

诏：“军官受赃，罪重者罢职，轻者降其散官或决罚就职，停俸期年，许令自效。”

乙巳，行御史台劾平章嘉珲受财三万馀锭，嘉珲复言平章迪里布哈领财赋时盗钞三十万锭，及行台中丞张闾受李元善钞百锭，敕俱勿问。

自崔彧卒后，帝命昭文馆大学士、平章军国事博果密行御史中丞事。有因父官受贿赂，御史必欲归罪其父，博果密曰：“风俗之司，以宣政化、励风俗为先。若使子证父，何以兴孝！”枢密臣受人玉带，征赃不叙，御史言法太轻，博果密曰：“礼，大臣贪墨，惟曰簠簋不饬。若加笞辱，非刑不上大夫之意也。”

戊申，减江南诸道行台御史大夫一员。

召杨桓为国子司业，未赴，卒。

夏，四月，辛未，禁和林戍军窜名它籍。

通州至两淮漕河，置巡防捕盗司凡十九所。

己卯，以礼部尚书伊噜布哈为中书左丞。

五月，壬午，罢江南诸路释教总统所。

庚子，复立征东行中书省。高丽国王王昛既复位，而使臣自其国还者，言昛不能服其众，乃复立征东行省，以福建都元帅奇尔济苏为平章政事，共理之。

是月，以鄂、岳诸州旱，免其酒课、夏税；江陵路旱、蝗，弛其湖泊之禁，并以粮赈之。

六月，癸丑，罢大名路所献黄河故道田输租。

戊午，申禁海商以人马兵杖往诸蕃贸易者。

铁幡竿渠之开也，执政吝于工费，以郭守敬所言为过，缩其广三之一。是夏大雨，山水注下，渠不能容，漂没人畜庐帐，几犯行殿。帝谓宰臣曰：“郭太史，神人也，惜其言不用耳！”

秋，七月，庚辰，中书省言：“江南诸寺佃户五十馀万，本皆编民，自嘉木扬喇勒智冒入寺籍，宜加厘正。”从之。

八月，己酉朔，太史言是日巳时当日食二分有奇，至期不食，众惧。保章正齐履谦曰：“当食不食，自古有之。矧巳时近午，阳盛阴微，故当食不食。”遂考唐开元以来当食不食者凡十事以闻。

吴元珪迁工部尚书。时河朔连年水旱，五谷不登，元珪言：“《春秋》之义，以养民为本，凡用民力者必书。盖民力息则生养遂，生养遂则教化行，而风俗美。”宰相嘉其言，土木之工稍为之息。

九月，庚寅，置河东铁冶提举司。

壬辰，流星色赤，尾长丈馀，其光烛地，起自河鼓，没于牵牛之西，有声如雷。张珪上疏，极言天人之际，灾异之故。其目有修德行、广言路、进君子、退小人、信赏、必罚、减冗官、节浮费，以法祖宗成宪，累数百言，劾大臣之不法者，并及近侍之荧惑者，不报。珪遂谢病归。

癸巳，罢括宋手号军。

己亥，帝至自上都。

扬州、淮安旱，免其田租。

冬,十月,戊申朔,有事于太庙。

壬子,册皇后巴约特氏。

甲寅,复立海北海南肃政廉访司。

山东转运使阿尔津等增课钞四万馀锭,各赐锦衣。

十一月,庚辰,置浙西、平江河渠闸堰,凡七十八所。

丁酉,浚太湖及淀山湖。

十二月,丙寅,诏:"各省戍军轮次放还,二年供役。"

癸酉,诏中书省:"货财出纳,自今无券记者勿与。"

以集贤院使、领太史院事鄂尔根萨理为中书平章政事。

是岁,命兄子哈尚镇漠北。哈尚,帝兄达尔玛巴拉之长子,帝以宁远王库库楚总兵北边,怠于备御,命哈尚即军中代之。

省民出公田租。时公田为民害,而荆湖尤甚,部内实无田,随民所输租取之,户无大小,皆出公田租,虽水旱不免。荆湖宣慰使列智理威,上民所不便十馀事于朝,而言公田尤切,廷议遣使理之。会有诏,凡官无公田者,始给以俸,民力少苏焉。

浙江盐官州海塘崩,都省遣礼部郎中游中顺诣本省官相视,因虚沙复涨,难于施力而止。

朝议以江浙行省地大人众,非世臣有重望者,不足以镇之,帝乃以虎贲卫亲军都指挥使托克托为江浙行省平章政事。始至,严饬左右毋预公家事,且戒其掾属曰:"仆从有私属者,慎勿听。若军民诸事有关于利害者则言之。当言而不言,尔之责也,言而不听,我之咎也。"有豪民白昼杀人者,托克托立命有司按法诛之。自是豪猾屏息,民赖以安。

大德四年 【庚子,1300】 春,正月,丙申,申严京师恶少不法之禁;犯者黥刺,杖七十,拘役。

癸卯,复淮东漕渠。

二月,丁未朔,日有食之。

丙辰,皇太后鸿吉哩氏崩。

后性孝谨,侍昭睿顺圣皇后,不离左右,至溷厕所用纸,亦以面擦令柔软以进,世祖每称之为贤德媳妇。一日,裕宗有病,世祖往视,见床上设织金卧褥,愠而语之曰:"我尝以汝为贤,何乃至此!"后对曰:"常时不敢用,今为太子病,恐有湿气。故用之。"即时撤去。

及尊为太后,置徽政院,掌其财赋。院官有受献浙西田七百顷者,籍为院田,后曰:"我寡居妇人,衣食自有馀,况江南率土皆为国家有,曷敢私之!"即命还之,而黜院官之受献者。后之弟欲因后求官,后拒之曰:"勿以累我也!"其后弟果被黜,人皆服其先见。

后崩之明日,袝葬诸陵,谥"徽仁裕圣皇后"。

甲戌,赈湖北饥民,仍弛山泽之禁。

乙亥,帝如上都。

置西京太和岭屯田。

立乌撒、乌蒙等郡县。

丙子,命李庭训练各卫军士。

三月,乙未,宁国、太平旱,赈之。

夏,四月,戊午,参政张颐孙及其弟珪等伏诛于隆兴寺。颐孙初为新淦富人胡制机养子,后制机自生子而死,颐孙利其赀,与珪谋杀之,赂郡县吏获免。其仆胡忠诉主之冤于官,乃诛之,其赀悉还胡氏。

以中书省断事官布埒齐为平章政事。

五月,癸未,左丞相达喇罕遣使来言,横费不节,府库渐虚,诏:"自今诸位下事关钱谷者,毋辄以闻。"

帝谕集贤大学士鄂尔根萨理曰:"集贤、翰林,乃养老之地,自今诸老满秩者升之,勿令辄去,或有去者,罪将及汝。其谕中书知之。"

六月,丙辰,以太傅伊彻察喇为太师,鄂勒哲为太傅,皆赐之印。

丁巳,昭文馆大学士、平章军国事、行御史中丞事博果密卒。初,病作,帝遣医治之,不效,卒年四十六。帝闻之惊悼,士大夫皆哭失声。

博果密素贫穷,自爨汲,妻织纴以养母;后因使还而母已卒,号痛呕血几不起。平居服儒素,不尚华饰,禄赐有馀,即散施亲旧。明于知人,多所荐拔,丞相哈喇哈斯、达喇罕,亦其所荐也。其学先躬行而后文艺,居则简默,及帝前论事,吐辞弘畅,以天下之重自任,知无不言。世祖尝语之曰:"太祖有言,人主理天下,如右手持物,必资左手承之,然后能固。卿实朕之左手也。"每侍燕间,必陈(设)〔说〕古今治安,世祖每拊髀叹曰:"憾卿生晚,不得早闻此言,然亦吾子孙之福。"临崩,以白璧遗之曰:"它日持此以见朕也。"

博果密既卒,贫无以葬,帝赐钞五百锭赙之。后赠太傅,追封鲁国公,谥文贞。

甲子,诏:"各省自今非奉命毋擅役军。"

缅人(赠)〔僧〕哥伦作乱,缅王之弟阿散哥也乃率其党囚王于豕牢,因弑之。王次子奔诉京师,诏遣色辰额埒等率行省兵二千讨之。

秋,七月,杭州路贫民乏食,以粮万石减其直粜之。

八月,癸卯朔,更定《荫叙格》:正一品子为正五,从五品子为从九,中间正从以是为差;蒙古、色目人特优一级。

置广东盐课提举司。

庚申,缅国阿散吉牙等昆弟赴阙,自言杀主之罪,罢征缅兵。

闰月,庚子,帝至自上都。以中书右丞贺仁杰为平章政事。

赐晋王所部粮七万石。

九月,壬戌,广东英德州达鲁噶齐托欢彻尔招降群盗;升英德州为路,立三县,以托欢彻尔兼万户以(赈)〔镇〕之。

甲子,建康、常州、江陵饥,赈之。

冬,十月,癸酉,有事于太庙。

十一月,壬寅朔,诏颁宽令。

十二月,云南行省左丞刘深倡议,言:"世祖以神武一海内,功盖万世。今上嗣大历服,未有武功以彰休烈,西南夷有八百媳妇国未奉正朔,请往征之。"鄂勒哲劝帝用其言,哈喇哈斯曰:"山峤小夷,辽绝万里,可谕之使来,不足以烦中国。"不听。癸巳,发兵二万,命刘深及哈喇岱将之,征八百媳妇。帝用兵意甚坚,在廷无敢谏者,御史中丞董士选率同列言之。奏事殿中毕,同列皆起,士选乃独言:"刘深出师,以有用之民而取无用之地,就令当取,亦必遣使谕之;谕之不从,然后聚粮选兵,视时而动,岂得信一人妄言而置百万生灵于死地!"帝色变,士选犹辩不止,侍从皆为之战慄。帝曰:"事已成,卿勿复言。"士选曰:"以言受罪,臣之所当。它日以不言罪臣,臣死何益!"帝麾之出。

御史台奏枢密院经历察罕签湖南宪司事,中书省又奏为武昌路治中,丞相哈喇哈斯曰:"察罕廉洁,固宜居风宪。然武昌大郡,非斯人不可治。"竟除武昌。广西妖贼高仙道,以左道惑众,平民讹误者以数千计。既败,湖广行省命察罕与宪司杂治之,鞠得其情,议诛首恶数人,馀悉纵遣,且焚其籍。众难之,察罕曰:"吾独当其责,诸君无累也。"以治最闻,擢河南省郎中。察罕,西域人也。

帝尝弗豫,召同知宣徽院使图沁布哈入侍疾,一食一饮,必尝乃进。帝体既安,赐钱,不受,解衣赐之。尝以巡幸,禁中卫士感奋,有所欲言,帝命进而问之,皆曰:"臣等宿卫有年矣,日膳充给、岁赐以时者,诚荷陛下厚恩,亦由宣徽有能官;图沁布哈其人也。"帝悦,赐珠袍,超拜宣徽使。辞曰:"先臣服勤于兹三世矣,位不过签佐,臣何敢有加于先臣乎!"帝嘉其退让,乃允其请。

河南行省右丞马绍卒。

杭州路总管梁曹丁内艰。先是丁忧之制未行,曹上言请如礼,从之。

时江淮屯戍军二十馀万,亲王分镇扬州,皆以两淮民税给之,不足则漕于湖广、江西。是岁,会计两淮,仅少三十万石。河南左右司郎中颍昌谢让,请以淮盐三十万引鬻之,收其价钞,以给军食,不劳远运,公私便之。

赈建康、浙东、平江饥。

【译文】

元纪十一　起丁酉年(公元 1297 年)七月,止庚子年(公元 1300 年)十二月,共三年有余。

大德元年　(公元 1297 年)

秋季,七月,丁亥(二十六日),河南杞县蒲口黄河决口,命廉访司尚文去实地考察,以便找到一个长治久安的办法。尚文回来说:"黄河从陈留到睢州一段,东西长一百多里,南岸地势比水面高六七尺或四五尺,北岸是旧堤,黄河水位比堤内田地高三四尺,高低不一致。大体上南岸比北岸高八九尺,这样,堤怎么能不坏,水怎么不往北流!现在蒲口决口有一千多步,水循着旧河道向东走,经过二百里,到归德横坝之下,又汇入主流。若是强行阻挡,上会决口,下会溃堤,功必不成。考虑目前的办法,河北各郡县,可以顺水性,修一道长堤防止泛滥。归德、徐、邳的百姓,各自选择方便之处,避开大水势头。受灾的民户,可按人口分配河南的退滩地,使其安家立业。他日别的地方决口也这样做,也是一时救急的好办法。蒲口不堵为好。"皇帝同意他的意见。没几天,河朔各郡县和山东省宪部纷纷提出意见,认为不堵蒲口,河北的大批良田都将成为鱼鳖之区,还是以堵为好。皇帝又采纳了这种意见。第二年,蒲口又决口,劳师堵防的工程,无一年没有。后来,水还是突入北岸,重走黄河故道,竟应验了尚文的话。

本月,衡州酃县发大水,山崩,淹死三百多人。

八月,丁未(十七日),命令诸王阿济吉,今后出行打猎,一应器具供奉概由自己备办,不可滥用地方人力物力。

丁巳(二十七日),灾星移出奎宿星官所在天区。九月,辛酉朔(初一),灾星又侵犯奎宿天区。集贤学士阎复上书,请求制定法令,颁发封赏,增加薪俸,迁调内外官员,而且说:"古时刑不上大夫,而今地方长官竟因征租的事受杖刑,这不是勉励廉洁的办法。江南官田租税过重,应适当减轻,用这部分税粮贷放给贫民。"后来这些意见大多被采用。

甲子(初四),云南八百媳妇地区叛乱,侵犯彻尔,皇帝派额森布哈领兵征讨。

丙寅(初六),皇帝诏令对各郡遭受水灾、旱灾和有病疫的人家予以抚恤。

停止扩占两淮民田为官田。

壬午(二十二日),皇帝由上都回到大都。

己丑(二十九日),将海道运粮数增加到六十五万石。

任命彻尔为江浙行省平章政事。

江浙行省征收的税粮居全国第一,平江、嘉兴、湖州三郡又占江浙十之六七,但这一带地势低洼,水汇聚而成为震泽。震泽由吴淞江入海,年代一久,江道淤塞,豪富人家趁机占用,堆土为田,水无处排泄,于是浸漫泛滥,淹没周围各郡的庄稼。朝廷命令行省疏浚河道,派差役数万人,由彻尔负责整个工程,经四个月完工。

冬季,十月,辛丑(十二日),温州陈空崖等人因妖言惑众处死。

乙卯(二十六日),爪哇国派使臣奉国书来归降。

戊午(二十九日),增设吏部尚书一员,由吴元珪担任。当时,选官机构多有顾念同乡私谊的事,吴元珪说:"这种风气不可滋长,蜀党、朔党之兴起,是宋室所以衰落的根由。"吴元珪自接任后,对请托求见一概谢绝。

本月,奇彻都指挥使绰和尔攻破巴林之地,对哈都的军队进行还击,哈都军败走。巴林一带,当时被哈都的军队所据,绰和尔带领大军越过金山,进攻巴林。哈都部将达兰台,在达鲁噶河险要处驻防,用树木在沿岸立起栅栏作为掩蔽,兵士都下马曲腿跪着,手执弓箭准备迎战。绰和尔率领全军跃马攻杀,大破敌军,尽获人马和毡帐。归途中,在阿噜河畔停宿时,与哈都援将巴拜相遇,绰和尔挥师渡河,紧逼敌军,巴拜败走,仅他一人侥幸脱逃。

十一月,壬戌(初三),禁止权门豪族、僧道和各位下擅自霸占矿炭山场。

戊辰(初九),增加太庙祭祀用家畜,用马充当。

丁丑(十八日),封高丽国王王昛为"逸寿王",封他的嫡长子王源为高丽国王,这是应国王本人的请求。

御史台说:"大都路总管赫迪,盗用公款和受贿,计钱五千三百串,按照法律应受杖刑一百七下,除名,因他是旧臣,可予以从轻论处。"而皇帝意思,只是暂停赫迪的职务,中丞崔彧和大夫济尔哈朗坚持认为不行。皇帝说:"卿等和中书省可警告他,如果他以后再这样,那就死路一条了。"不久,御史上奏,说崔彧任中丞将近十年,不大合适,崔彧便以有病为由提出辞职。皇帝对他说:"卿退下来是对的,但尽可为我稍再留任一段时间。"

戊子(二十九日),太白星自东向西绕行天空。

十二月,戊戌(初九),中书省说:"世祖平定江南,沿长江上下设驻军三十一翼,现在所剩不到一二,恐有意外事情。"皇帝说:"可与枢密院议一议。"

严禁诸王、驸马和权门豪族占夺民田,对冒献民田的人要判刑。

恢复芍陂、洪泽两地的屯田。

闰十二月,壬戌(初四),皇帝诏令:"军户要卖田的,由其所隶属的官员发给证书。"

甲子(初六),福建平章高兴,说漳州漳浦县大梁山产水晶,建议划出民户一百家去开采,皇帝说:"不劳则可采,劳民则不采。"

奇尔济苏,是汪古部人爱布哈的儿子,生性勇猛坚强,熟习武功,对儒家学说尤其专心致志。他家建有一座万卷堂,每日与诸儒生讨论经、史、性理、阴阳、术数,无不通晓。他娶公主为妻,因追随世祖讨伐叛王额尔罕有功,皇上即位时被封为高唐王。西北一度不稳定,他向皇上请求愿去平叛;经再三请求,皇上才答应。临行时,他还发誓说:"若不平西北,就永不南归!"这年,与敌军相遇于巴牙斯地区,众人认为等大军到齐,再战不晚,奇尔济苏说:"大丈夫报国还要等别人吗?"立刻整好队伍,呐喊挺进,大败敌军,俘获敌军将卒约百余人,解来献给皇上。皇帝下诏,把世祖服用的貂裘、宝鞍及缯锦、披甲、弓箭赐给奇尔济苏。

当时开始建筑南郊圜丘,翰林国史院检阅官袁桷向皇帝进奏"十议"。"十议"中说,"天无二日。既然天不能有二,就不能称五帝为天,于是作《昊天五帝议》;祭天年份要逢九,或逢二,于是作《祭天名数议》。祭天的坛圜丘不见于《五经》,祭天礼仪的'郊',不见于《周官》,于是作《圜丘非郊议》;后土亦指社,于是作《后土即社议》;三年祭一次天,不是古时的传统,于是作《祭天无间岁议》;古代典籍中载有焚烧柴禾的内容,《周官》中把烧柴生烟,再将牲体及玉帛加在柴上焚烧作为祭天礼仪,两者其义各有所指,于是作《燔柴泰坛议》;祭天用牛角、茧、栗,将家畜用于祭天时,用两头牛,这取合配之意,至于后增祭神祇、圣贤、祖先而为合祠,就不合周公的礼制了,于是作《郊不立坛从祀议》;郊的原意是质朴而尊重,天子行礼的明堂有文华而亲近的含意,于是作《郊明堂礼仪异制议》;以辛日祭天,是鲁国的礼制,先民占卜祭天的日子,未必总是辛日,于是作《郊非辛日议》;《三礼》中没有关于北郊大祭的记载,祭土地沿用北郊大祭,只是郑玄的说法于是作《北郊议》。"礼官赞许袁桷的知识渊博,大多采用了他的意见。袁桷是庆元人。

云南百姓每年用金银缴纳税赋,靠近中庆城邑的户口,则往往谎报逃亡他乡。边远地区的村寨,每年秋季例派官员带兵前往征收,人马粮草,往返费用,每年需花上万两银子。所差官员必须用重金向省臣行贿才能谋得这个差使,征收金银之数必十加二成,而亏蚀的金银数也相当于两成。其送往迎来,路仪礼品的开销也相当于缴纳官府的数字,所派的官员又以铜混杂在银中缴纳官府。云南行省左丞刘正,是第一个向朝廷指陈这些弊端的人,后来给地方设置官职,让土官亲自到官府缴纳,这才革除了这些弊端。

当时有人向朝廷进献西域懂法术的人,左司都事张思明斥责他是蛊惑人心,没有留使。

大德二年 (公元 1298 年)

春季,正月,壬辰(初五),下诏,因水旱灾害,郡县田租减征十分之三,重灾区全部免征,老病单弱户,免差役租税三年。

禁止诸王、公主、驸马接受他人呈献的公私田地和擅自招收佃户。

辛丑(十四日)，御史台说："各转运司文书，按规定为年终查点批复完毕。由于钱粮事务千头万绪，核查对照一时难尽，有未了事项可由宪司于明年查复。"皇帝同意。

己酉(二十二日)，将俘虏的琉球人遣返回国，谕示其国使其归顺。

鉴于翰林王恽、阎复、王构、赵与票、王之纲、杨文郁、王德渊，集贤王容、宋渤、卢挚、耶律有尚、李泰、郝采、杨麟，都是年高德劭的前朝旧臣，为官清贫，忠于职守，特赐钞二千余锭。

二月，乙丑(初八)，设置浙西都水营田司，专门主管水利。

任命中书右丞张九思为平章政事，参决中书省事。

丁卯(初十)，改泉州为泉宁府。

丙子(十九日)，皇帝问中书省官员："每年国家金银钞币收入多少？给诸王、驸马的赏赐和所有营建费用，支出多少？核计一下把结果告诉我。"鄂勒哲回答说："每年国家收入数字，金一万九千两，银六万两，钞三百六十万锭，但还是不够用，因此又在至元钞准备金中透支二十万锭。自今而后，臣冒昧请求要节制用度。"皇帝表示赞许并采纳了他的意见，撤销中央及地方的营建工程。

癸未(二十六日)，皇帝下诏："诸王、驸马不可擅自祭祀岳、镇、海、渎。"

乙酉(二十八日)，皇帝赴上都。

撤销建康的金银铜冶转运司；将淘金户遣返原籍，每年采购金子责成专职官员办理。

皇帝下诏，廉访司培养人才，为推选贤能做好准备。

中书平章政事崔彧和御史大夫图齐说："世祖圣训，凡登录在籍的儒生，都要复其家，现在年代长久，老的老了，年轻的不学。应遵照前朝制度，使廉访司常加勉励。"皇帝深表同意，命崔彧和博果密、鄂尔根萨理同翰林、集贤一起研究订出条例，因此才有这一道诏旨。

将行省平章减为二员。

丙戌(二十九日)，任命梁德珪为中书平章政事，杨炎龙为中书右丞。

三月，戊子(初二)，诏令："僧人犯奸盗、诈骗罪，由有司决断；罪轻的，与僧官会同决断，僧官约而不至，处分僧官。"

庚寅(初四)，命令："各路统军万户出征时，其印章命副职执掌，不得交给本人子弟，违法行事。"

壬辰(初六)，御史台说："道州路总管府达噜噶齐阿林布哈、总管周克敬，虚报麦子有收成，不赈济灾民，虽经减罪宽宥，应降职一等。"皇帝同意。

壬子(二十六日)，皇帝下诏："加封东镇沂山为'元德东安王'，南镇会稽山为'昭德顺应王'，西镇吴山为'成德永靖王'，北镇医巫闾山为'贞德广宁王'，每年按时与岳、渎一起祭祀，即此命令。"

夏季，四月，江南、山东、江浙、两淮、燕南所属各县发现大量蝗虫。

皇帝想开凿铁幡竿渠，召见知太史院事郭守敬前来商议。郭守敬奏称，连年山洪暴下，非造大渠堰，使堰宽五七十步不可。当时不是所有人都同意他的意见。郭守敬曾制造水浑莲、浑天漏，大小机轮共二十五个，都以木头刻作齿轮，旋转时相互拨动碰击，上面是浑天仪，标画着周天星象位置，表示日、月的两个环，斜套在浑天仪上，星象随着浑天仪向左旋，日、月两环按各自轨迹，退而右转。观看的人，对其制作之精巧莫不佩服。

五月,壬辰(初七),任中书右丞何荣祖为平章政事,参决中书省事;湖广左丞巴图玛逊为中书右丞。

己酉(二十四日),抚州崇仁县有星坠落,成为陨石。

六月,庚申(初五),御史台说:"江南宋朝时实行征收秋税和夏税的两税法,自从阿尔哈雅改为按户摊派,课税钱增加五万锭。现在宣慰张国纪请求恢复夏税,和按户摊派一并征收,希图邀功进升,湖、湘两地重受其害。"皇帝命中书促令停止执行。

南台侍御史托欢,因受贿违法被罢官。

禁止诸王擅自行使令旨,有违反礼制进行宣读的,要连同所派遣的使者一起扣押上报。

秋季,七月,癸巳(初九),汴梁等地方大雨,黄河决口,冲塌堤防,淹没归德几个县的庄稼、房屋,免征这几个县的田租一年。派遣尚书那瑰、御史刘赓等堵防,自蒲口开始,总共筑堤九十六处。

壬寅(十八日),皇帝降旨:"诸王、驸马和诸近侍,自今日起,奏事不经过中书,便向外传达命令者,要加以惩处。"

皇帝下诏,遣中书右丞杨炎龙、签枢密院事洪君祥出使高丽,宣召高丽国王王源入朝。当时因有传言,王源冒用朝廷法度,设置司空、司徒等官职,又擅自杀害大臣金吕,所以才宣召王源入朝,就此将他扣留不放回去,重新由他父亲逸寿王王昛当高丽国王。

九月,己丑(初五),交趾、爪哇、金齿国各自进贡土产。

丙申(十二日),皇帝由上都回到大都。

癸卯(十九日),枢密副使塔喇呼岱犯贪赃罪,命御史台对他进行审讯。

庚戌(疑误),精减中央和地方机关的闲散人员。

本月,平章政事崔彧去世,追赠太傅,赐谥忠肃。

冬季,十月,甲寅朔(初一),将海道运粮数增加到七十万石。

十一月,丙申(十三日),撤销云南行御史台,设立廉访司。

壬寅(十九日),任命中书右丞王庆端为平章政事。

十二月,戊午(初五),太白星自东向西绕行天空。

乙丑(十二日),清查各路马匹,除母马怀孕及带两岁以下幼马者外,三岁以上马一起拘送。

辛未(十八日),增设各路推官,主管刑狱,上路二员,下路一员。

江浙行省平章政事达喇罕升任左丞相。

甲戌(二十一日),彗星出现在井宿天区的子星、孙星下方。

辛巳(二十八日),命令诸道廉访司每年保举所治城邑内廉慎干练者二人。

皇帝颁诏:"官府向民间购物的价值随即给予货主,违反者要加以惩处。"

规定各种商税三十分取一,已定的年征额不予增加。

本年,北边诸王都哇、彻彻图等秘密发兵偷袭和尔哈图地区。那里也有很高的山,被敌兵据守,绰和尔选有胆量而善行走的兵丁执锋利兵器四面合围而上,奋力击杀,歼灭了全部敌军。

西北诸王、将帅共同商议边防军事,都说:"敌人往年冬天不出来,可以让士兵在境上休整。"奇尔济苏说："不行。今秋敌人侦察骑兵很少出现,所谓凶猛的鸟准备攻击时,必不露其形迹,战备工作松懈不得。"大家都不以为然,只有奇尔济苏对军队进行严密部署备战。这年冬天,敌军果然大规模来袭,奇尔济苏三战三捷,乘胜北追,深入险地,终因后援断绝,马失前蹄,被敌人所擒。敌人劝他投降,他严词拒绝;敌人又欲以女儿许配他,奇尔济苏毅然说:"我乃皇帝之婿,无皇帝皇后面命而再娶,行吗?"敌不敢相强。皇帝曾派遣家臣阿锡斯特去敌人境内探询消息,遇奇尔济苏于人群中,奇尔济苏一见,即问"皇帝和皇后好吗?"接着问:"我儿子情况如何?"言犹未完,左右的人即把他带走。次日,遣使者回国,不再相见,终于不屈而死。追封赵王,赐谥忠宪。

皇曾孙梁王松山,出镇云南,在朝廷上讨论时有人建议在旧臣中找一位可辅佐梁王一起去的人,于是任命陕西行台侍御史张立道为云南行省参政。张立道上任一个月,死于任上。张立道曾两次出使安南,在云南做官时间最长,颇得土著人心,因而为他在鄯善城西立庙祭祀。

签淮西、江北道廉访司事申屠致远巡视所部到和州时,得病去世。申屠致远清修苦节,耻于侍奉权贵,集书万卷,取名为"墨庄"。死后,家无余产。

大德三年 （公元1299年）

春季,正月,己丑(初七),中书省臣说:"天象变异屡次出现,大臣应按旧例承担罪责,引避去位。"皇帝说:"这不过是汉人歪曲之说,岂可一一听从! 你等只管选择称职者使用。"

庚寅(初八),皇帝下诏派使者了解百姓的生活疾苦,除免本年度山东、山西、河北等地包银、俸钞外,免江南夏税十分之三,增加下级官员俸米。设各路惠民药局,择良医主持。

其时,派遣张珪巡察川、陕,张珪抚恤孤寡贫民,减除多余吏员,贬黜贪官污吏,因而有官称其职而闻名,归来,晋升为江南行台侍御史。

命令中书省:"自今日起,皇后、妃、诸王所需一切,没有皇帝降旨不给;各位下私自设立官府,扰乱选举制度者,予以告诫。"

辛卯(初九),浙西廉访使王遇犯贪赃罪,托权贵近臣设法免罪,命御史台审问惩处。

壬辰(初十),中书省说:"近年公款钱财支出,每每动即巨万,国家一年收入,不足半年用度,此外皆借自钞本和别行措办,臣恐怕财政管理不能量入为出,纸钞信誉也受损害。"皇帝称赞并采纳了他的意见,还命令伊齐彻尔等人:"自今日起,一切赏赐,停止奏请。"

癸巳(十一日),任命江浙行省左丞相哈喇哈斯为中书左丞相。

皇帝问阎复说:"中书左丞相人选难找,卿试举所了解的人,谁可担任这一职务?"阎复答以哈喇哈斯。其时哈喇哈斯出任江浙左相才七日,即被征召。他接受任命后,即斥责言利之徒,而专以节用爱民为要务,遇有重要政治大事,必召请有学问的大臣共议。京师长期以来没有孔子庙,而国学也借用别人的官署,于是奏请建立孔庙和国子监,选名儒任学官,吸收近臣子弟入学。又集群臣意见建南郊圜丘,成为一代定制。

乙巳(二十三日),太白星自东向西绕行天空。

二月,癸丑朔(初一),皇帝到柳林。

丁巳(初五),鄂勒哲等奏请对中书省所属六部官员进行考核鉴定,依次引见给皇帝,皇帝允可。因而谕示六部官说:"你等办事大多拖拉,朕以前不知其人是谁。今既见了,且知姓名,你等当去除杂念,恪尽职守,若重犯过失,定不饶恕。"

撤销四川、福建等处行中书省,陕西行御史台,江东、荆南、淮西三道宣慰司;设置四川、福建宣慰司、都元帅府及陕西、汉中道肃政廉访司。

扩建和林、甘州城。

诏令:"缙山县民户为权势之家所隐匿者,全部返回原县编入户籍。"

壬申(二十日),金齿国来进贡土产。

庚辰(二十八日),皇帝去上都。

三月,癸巳(十二日),命江浙释教总统补陀寺和尚一山携带诏书出使日本。诏书说:"从前世祖皇帝曾遣补陀寺和尚如智和王积翁等两次带着玺书,与日本通使结好,均因中途受阻而还。自朕登基以来,安抚诸国,四海内外,无有远遗,其于日本,宜再遣使通好。现今如智已老,补陀和尚一山,道行向称高深,可令他前往传达旨意,随同商船出行,一定可以到达,这是因要实现先帝遗愿。至于敦睦邦交、停息纷争之事,国主当加以慎重考虑。"

在此之前,江浙平章伊苏特尔曾劝皇帝发兵征讨日本,皇帝说:"现在不是时候。"因为日本民俗信奉佛教,于是派遣一山持诏书出使日本,但日本竟然不来。

甲午(十三日),命何荣祖等修订法令。皇帝对何荣祖说:"律令,乃良好的法制,宜早日制定。"不久律书修成,呈送给皇帝,并且说:"臣所择释者共三百八十条,一条有包括三四事者。"皇帝认为古今情况不同,不必沿用前人成法,便诏令元老大臣一起来听讲。但律书未及颁行而何荣祖去世,皇帝追封何荣祖为赵国公,赐谥文宪。

皇帝降旨:"军官受赃,罪重者免职,轻者降为散官或惩罚就职,停俸一年,期满许其戴罪效力。"

乙巳(二十四日),行御史台揭发平章嘉珲受人钱财三万余锭,嘉珲又说平章迪里布哈领财赋时盗钞三十万锭,以及行台中丞张间接受李元善钞一百锭,皇帝敕命都不予追究。

自崔彧死后,皇帝任命昭文馆大学士、平章军国事博果密兼任御史中丞。有一个因父亲缘故的官员受贿,御史一定要归罪于这个官员的父亲,博果密说:"纠察风纪的官署,应以传播政令教化、弘扬风尚习俗为先。如果让儿子来证实父亲罪过,还如何倡导孝行!"枢密院一个官员受人玉带,追没赃物,除名,御史认为执法太轻,博果密说:"按礼制,大臣贪图财利,只能说他'食器不整饬'。如果施加杖刑来侮辱他,就不是古时所谓刑不上大夫的原意了。"

戊申(二十七日),减少江南各道行台御史大夫一员。

召聘杨桓为国子司业,未赴任,去世。

夏季,四月,辛未(二十一日),禁止和林边防军窜改姓名,编入其他户籍。

通州到两淮的漕运河道,设立巡防捕盗司共十九所。

己卯(二十九日),任命礼部尚书伊噜布哈为中书左丞。

五月,壬午(初二),撤销江南各路释教总统所。

庚子(二十日),重新设立征东行中书省。高丽国王王昛已经复位,但从高丽国回来的使臣,说王昛不能使下面的人顺服,因此重新设立征东行省,任福建都元帅奇尔济苏为平章政事,共同管理高丽。

本月,因鄂、岳各州遭受旱灾,免除该地酒税、夏税;江陵路遭受旱灾、蝗害,放松该地不准百姓经营湖泊的禁令,并向该地发放救济粮。

六月,癸丑(初四),免除大名路以黄河故道田名目输纳的田租。

戊午(初九),重申禁止海商以人马、兵器去诸番国贸易。

当初开凿铁幡竿渠时,当政者吝惜人工费用,认为郭守敬的说法过于夸大了,于是把渠堰宽度缩减三分之一。本年夏天大雨,山洪下注,渠容纳不下,冲走淹没人、畜、毡帐,几乎漫入行宫。皇帝告宰臣说:"郭太史,真是神人,可惜他的话没有人听!"

秋季,七月,庚辰(初二),中书省说:"江南各寺观佃户五十余万,本来都是在籍民户,自打嘉木扬喇勒智为江南释教总统时起都假充入了寺籍,应予改正。"皇帝同意了。

八月,己酉朔(初一),太史讲今日巳时该有日食,食二分多一点,可到时候并没有发生日食,大家感到害怕。太史院保章正齐履谦说:"应该食而不食,这样例子自古就有。况且巳时接近午时,阳盛阴微,所以当食不食。"于是查出唐朝开元以来当食不食的事例共十起上报皇帝。

吴元珪升工部尚书。当时河朔连年发生水旱灾,谷物没有收成,吴元珪说:"《春秋》之义,是以人民之休养生息为本,凡耗用民力的事必有记载。因人民得以休息则生活遂心,生活遂心则教化得以传布,且风俗也会臻于完美。"宰相赞许他的说法,大兴土木之风也稍稍得到遏制。

九月,庚寅(十二日),设立河东铁冶提举司。

壬辰(十四日),有颗赤色流星,尾长丈余,光芒照耀大地,起自河鼓星所在处,消失于牵牛星之西,有声如雷。张珪上奏章,极力强调天与人的相互关系,自然灾害和天象变异的原因。其奏章中的条目有修德行,广言路,进君子,退小人,严明赏罚,减冗员,节制虚立名目的费用,以效法祖宗的成规,连篇数百言,其中有弹劾大臣的不法行为,以至左右侍臣混淆是非的事。奏章没有上报皇帝。张珪于是托病退职还家。

癸巳(十五日),停止收编亡宋的手号军。

己亥(二十一日),皇帝由上都回到大都。

扬州、淮安旱灾,免征两地的田租。

冬季,十月,戊申朔(初一),有事于太庙。

壬子(初五),册立巴约特氏为皇后。

甲寅(初七),重新设立海北海南道肃政廉访司。

山东转运使阿尔津等增加税收入钞四万余锭,各赐锦衣。

十一月,庚辰(初三),设置浙西、平江河渠闸堰,共七十八处。

丁西(二十日),疏浚太湖和淀山湖。

十二月,丙寅(十九日),皇帝诏令:"各省边防兵士轮次放还,服役期二年。"

癸酉(二十六日),诏令中书省:"财物出纳,自今日起无凭证印记者不给。"

任命集贤院使、领太史院事鄂尔根萨理为中书平章政事。

本年,命皇侄哈尚镇漠北。哈尚,皇帝兄长达尔玛巴拉之长子。皇帝因宁远王库库楚统领北边军务,战备防御懈怠,所以命哈尚即在军营中代替他。

减少百姓出公田租。其时公田租成为民害,荆湖地区为害更甚,治区内实际无官田,也要随着百姓输租征收,民户不分大小,都得出公田租,即使发生水旱灾也不能豁免。荆湖宣慰使列智理威将百姓有意见的十余件事上奏朝廷,在谈到公田时言辞尤为恳切,朝廷议决派使者调查这个问题。这时,恰好皇帝下诏,凡官无公田者,开始给官员俸米,于是民力才得以稍稍复苏。

江浙盐官州海塘堤岸崩坍,中书省派礼部郎中游中顺与本省官员一起视察,因浮沙又涨,难于施工而止。

朝廷议事,认为江浙行省地大人众,非资深望重的老臣,不足以镇守,皇帝于是命虎贲卫亲军都指挥使托克托出任江浙行省平章政事。托克托刚一到任,即严厉告诫左右不得干预公家事务,并且警告办理文书的属员说:"仆从有私下请托者,切勿依从。若军事民事涉及利害关系的可以直说。当言而不言,是你等的责任,言而不听,是我的过错。"当时有个豪门子弟白昼杀人,托克托立即命令司法部门按照法律处死。从此强横狡猾而且无法纪的人怕得大气都不敢出,百姓得以安宁。

大德四年　(公元 1300 年)

春季,正月,丙申(十九日),申明严禁京师恶少年不法行为,犯者脸上刺字,杖刑七十,拘禁服劳役。

癸卯(二十六日),修复淮东漕运河道。

二月,丁未朔(初一),日偏食。

丙辰(初十),皇太后鸿吉哩氏去世。

皇太后生性孝顺谨慎,侍奉昭睿顺圣皇后,不离左右,甚至厕所用纸,也要用面部擦软了才送上去。世祖皇帝常称她为贤德媳妇。一天,裕宗有病,世祖前去探视,见床上铺着织金褥子,不禁含怒说她:"我一直以为你德行好,怎么竟是这样!"后回答说:"平时不敢用,今因太子患病,恐有湿气,所以使用。"说完就把褥子撤了。

及至被尊为太后,设立徽政院,掌管徽政院的钱财田赋。院官中有人接受进献浙西田七百顷,归作徽政院田产,太后说:"我是寡居妇人,衣食丰足有余,况且江南从陆地到海滨皆为国家所有,怎能据为私有!"立即命令退还

《西厢记》插图

献田,并且贬罢这个接受献田的院官。太后的弟弟想借太后之尊要求官职,太后拒绝说:"不要拿这事牵累我!"后来弟弟果然受贬,大家都佩服太后有先见之明。

太后死后第二天,祔葬诸陵,尊谥徽仁裕圣皇后。

甲戌(二十八日),赈济湖北饥民,解除不准百姓经营山场湖泊的禁令。

乙亥(二十九日),皇帝去上都。

设置西京太和岭屯田。

设立乌撒、乌蒙等郡县。

丙子(三十日),命李庭训练各宿卫军军士。

三月,乙未(十九日),宁国、太平旱灾,发粮赈济。

夏季,四月,戊午(十三日),参知政事张颐孙与弟张珪于隆兴寺伏诛。张颐孙原为新淦富人胡制机的养子,后来胡制机自己有了儿子后死去,张颐孙贪图胡家资产,与张珪设谋害死胡制机儿子,贿赂郡县官吏得以免罪。胡家仆人胡忠到官府为主申冤,于是将他们处决,资产全数归还胡氏。

任命中书省断事官布埒齐为平章政事。

五月,癸未(初九),左丞相达喇罕派人来禀告,非正途的开销不见减省,府库的积蓄逐渐空虚,皇帝下诏:"自今日起,诸位下有关钱粮事,不要随即奏闻。"

皇帝告诉集贤大学士鄂尔根萨理说:"集贤院、翰林院,是天子给公卿大夫养老的地方,自今日起,诸老臣任期届满者升官,不要即令解退,如有解退的,你要负责。谕示中书省知道。"

六月,丙辰(十二日),任命太傅伊彻察喇为太师,任命鄂勒哲为太傅,皆赐官印。

丁巳(十三日),昭文馆大学士、平章军国事、行御史中丞事博果密去世。起初,博果密犯病,皇帝派御医为他治病,医治无效,终年四十六岁。皇帝听到消息深为震惊悲伤,士大夫们都痛哭失声。

博果密家境素来贫穷,自己汲水烧火煮饭,靠妻子织布奉养老母;后因出差归来而母亲已死,悲痛呕血几至卧床不起。平时衣着朴素如学者,不追求浮华装饰,俸禄赐赠有节余,即分送给亲戚故旧。善于发现人才,且多有推荐提拔,丞相哈喇哈斯、达喇罕,也是他向皇帝推荐的。在治学上,必先身体力行而后讲求文章技艺,平时不喜出头露面,但在皇帝面前议论国事时,谈吐恢宏通畅,以天下之责为己任,知无不言。世祖皇帝曾向他说:"太祖有言,君主治理天下,如右手持物,必借助左手扶之,而后才能稳固。卿实是朕之左手啊!"每当皇帝闲暇时召博果密入宫陪侍,博果密必陈说古今治安之道,世祖皇帝常用手拍腿叹息说:"遗憾的是卿出生晚,朕不得早闻此言,然而也是吾子孙之福。"世祖皇帝临终时,拿一块白璧赠给博果密说:"将来你拿着这块白璧来见朕吧。"

博果密死后,家里穷得无法安葬,皇帝赐钞五百锭给他家办丧事。后赠博果密太傅,追封鲁国公,赐谥文贞。

甲子(二十日),皇帝降诏:"各省自今日起没有奉命不得擅自差拨军人充役。"

缅国人僧哥伦作乱,缅王之弟阿散哥也率领党羽将缅王囚禁于猪圈,借故杀死缅王。缅王次子逃奔京师哭诉,皇帝卜诏派色辰额垆等率领行省兵二千人征讨阿散哥。

秋季,七月,杭州路贫民缺乏粮食,以粮万石减价售给贫民。

八月,癸卯(初一),改定荫叙格:正一品官员之子许承荫为正五品官,从五品官员之子许承荫为从九品官,中间的正、从品官荫叙办法依此递减;蒙古、色目人比汉人优一等受荫。

设立广东盐课提举司。

庚申(十八日),缅国阿散吉牙等兄弟入朝;自认杀主之罪,皇帝下令撤回征讨缅国军队。

闰八月,庚子(二十八日),皇帝由上都回到大都。任命中书右丞贺仁杰为平章政事。

赐晋王部队粮七万石。

九月,壬戌(二十日),广东英德州达鲁噶齐托欢彻尔招降群盗,升英德州为路,设置三个县,命托欢彻尔兼任统军万户镇守。

甲子(二十二日),建康、常州、江陵饥荒,发粮赈济。

冬季,十月,癸酉(初一),有事于太庙。

十一月,壬寅朔(初一),皇帝下宽免之令。

十二月,云南行省左丞刘深倡议,说:"世祖皇帝以旷世军事奇才统一天下,功盖万世。现今皇上即位已经三年,未有武功以显扬德业,西南夷族有八百媳妇国,不遵守本朝颁行的历法,请派兵征讨。"鄂勒哲劝皇帝采纳刘深意见,哈喇哈斯说:"山尖小夷,远隔万里,可传旨令其遣使来朝,不值得朝廷兴师动众。"哈喇哈斯的话没有被采纳。癸巳(二十二日),发兵二万,命刘深和哈喇岱统领,征讨八百媳妇国。皇帝决定出兵,意志坚决,朝廷上无人敢谏,御史中丞董士选带领同僚陈述意见。在殿中奏事完毕,同僚皆跪起,董士选这才一个人说:"刘深出师,是以有用之民而取无用之地,即使是应该征讨,也必先派使者告谕,告之而不听,然后聚粮选兵,待条件成熟再行动,岂能听信一人之妄言而置百万生灵于死地!"皇帝勃然变色,董士选仍争辩不休,侍从都替他胆战心惊。皇帝说:"事情已定,卿不必再说。"董士选说:"因说话而受罪,是臣之责所当然。他日因不说话而加罪于臣,臣即使死,也于事无益!"皇帝挥手叫他出去。

御史台奏选枢密院经历察罕为签湖南宪司事,中书省又奏选察罕为武昌路治中,丞相哈喇哈斯说:"察罕廉洁,本来就适宜职司监察。然而武昌是个大郡,非此人不可治。"终于授职武昌。广西妖贼高仙道,以邪道惑众,平民受连累者以数千计。事情败露后,湖广行省命令察罕与宪司都可予以惩治,察罕查得案情始末,建议只诛杀首恶数人,其余人全部放还,而且烧毁他们的名籍。大家认为不妥,察罕说:"我一人承当责任,不会连累大家。"察罕以治绩优等被上报朝廷,因而提升为河南省郎中。察罕原籍西域。

皇帝一度身体欠安,召唤同知宣徽院使图沁布哈入宫侍疾,一食一饮,图沁布哈必先亲尝才送给皇帝。皇帝病愈,赐钱,图沁布哈不要,皇帝解下自己的衣服赐给他。图沁布哈曾跟随皇帝巡行各地,禁中卫士感动奋发,像有什么话要说,皇帝命他们进来问有什么事,都说:"臣等在宫中值宿警卫多年了,日常膳食能充分供给,年度赏赐能及时发下,固然是蒙陛下厚恩,但也因宣徽院有能官;图沁布哈就是这样的人。"皇帝大悦,赐图沁布哈珠袍,破格提拔为宣徽使。图沁布哈辞谢说:"臣先辈服勤于宣徽院已历三代,位不过签佐,臣怎敢超过先辈的职位!"皇帝赞许他的谦让,允准他的请求。

河南行省右丞马绍去世。

杭州路总管梁曹守母丧。在此之前,官员遇祖父母、父母丧葬许给假期的制度尚未实行,梁曹奏请遵从礼制,皇帝答允了。

当时江淮屯聚驻防军二十余万人,亲王分镇扬州,都用两淮民间税粮给养军队,不足部分则从水道由湖广、江西运粮。本年,合计两淮军饷,仅缺三十万石。河南左右司郎中颍昌人谢让,建议卖掉淮盐三十万引,收取盐引价钱,以充军饷,不劳远运,于公于私都方便。

赈济建康、浙东、平江饥民。

续资治通鉴卷第一百九十四

【原文】

元纪十二　起重光赤奋若【辛丑】正月,尽昭阳单阏【癸卯】十二月,凡三年。

成宗钦明广孝皇帝

大德五年　【辛丑,1301】　春,正月,庚戌,给征八百媳妇军钞,总计九万二千馀锭。

壬子,奉安昭睿顺圣皇后御容于护国仁王寺。

御史台言:"官吏犯赃及盗官钱,事觉避罪逃匿者,宜候狱成,虽经原免,亦加降黜,庶奸伪可革。"从之。

先是,征东行省奇尔济苏,言高丽王擅署官府及借用天子礼仪、器物,况官冗民稀,刑罚不一,若止依本俗从事,实难抚治,帝遣刑部尚书王泰亨等往釐正之。既而高丽王跙言设行省监制其国不便,帝亦以奇尔济苏不能和辑高丽,遂罢征东行省,征奇尔济苏还。

二月,己卯,以刘深、哈喇岱并为中书右丞,郑佑为参知政事,皆佩虎符。

罢福建织绣提举司。

丁亥,立征八百媳妇万户府二,设万户四员,发四川、云南囚徒从军。

乙未,诏廉访司:"官非亲丧、迁葬及以病给告者,不得离职;或以地远职卑受任不赴者,台宪勿复用。"

丁酉,帝如上都。

减内外诸司官千五百十四员。

己亥,令:"凡军士杀人奸盗者,令军民官同鞫。"

三月,丁卯,荧惑犯填星;己巳,荧惑、填星相合;戒饬中外官吏。

夏,四月,壬午,以晋王所部贫乏,赐以钞。

调云南军征八百媳妇。

湖北廉访司佥事郭贯言:"今四省军马以数万计,征八百媳妇国,深入烟瘴万里不毛之地,无益于国。"不听。

癸未,禁和林酿酒。

五月,商州陨霜杀麦。

壬戌,云南土官宋隆济叛。时刘深将兵由顺元入云南,云南右丞伊噜纳调民供馈。隆济因绐其众曰:"官军征发汝等,将尽剪发、黥面为兵,身死行阵,妻子为俘。"众惑其言,遂叛。

丙寅,诏云南行省:"自愿征八百媳妇者二千人,人给贝子六十索。"

六月,丙戌,宋隆济率猫猡、紫江诸蛮四千人攻杨黄寨,杀掠甚众。壬辰,攻贵州,知州张怀德战死,遂围刘深于穷谷中;梁王遣云南行省平章绰和尔、参政布埒齐将兵救之,杀贼酋(撒)〔撒〕月,斩首五百级,深始得出。

秋,七月,戊戌朔,昼晦,暴风起东北,雨雹兼发,江湖泛溢;东起通、泰、崇明,西尽真州,民被灾死者不可胜计。浙西廉访司佥事赵弘伟,以润、常民乏食,将发廪以赈,有司以未得报为辞,弘伟曰:"民旦暮且死,擅发有罪,我先坐。"遂发廪。既而诏以米八万七千馀石赈之。

乙巳,大(兴)〔宁〕路水,赈以粮。

丁未,诏:"军官受赃与民官同例,量罪大小殿黜。"

癸丑,浙西积雨泛溢,大伤民田。诏役民夫二千人疏导水路。

命云南省分蒙古射士征八百媳妇。

癸亥,哈坦之孙托欢自北境来归,其父母妻子皆遭杀掠,赐钞一千四百锭。

八月,己巳,平滦路霖雨,滦、漆、泟、汝河溢,民死者众,免其今年田租,仍赈粟三万石。

上都久雨,夜,闻城西北有声如战鼓,拱卫直都指挥使王伯胜率卫卒出视之,乃大水暴至。伯胜立具畚锸,集土石毡罽以塞,分决濠隍以杀其势,至旦始定,而民弗知。丞相鄂勒哲以闻,帝嘉之。伯胜,文安人也。

甲戌,遣色辰额埒等将兵征金齿诸国。时征缅师还,为金齿所遮,士多战死。金齿地连八百媳妇,诸蛮相效,不输税赋,贼杀官吏,故皆征之。

庚辰,诏遣官分道赈恤。凡狱囚禁系累年疑不能决者,令廉访司具其疑状,申呈省台详谳,仍为定例;各路被灾重者,免其差税一年,贫乏之家,计口赈恤,尤甚者优给之;小吏犯赃者,并罢不叙。

皇子哈尚之抚军北鄙也,宿卫哈喇托克托从,至是朝议,北师少怠,纪律不严,命太师、枢密宣徽使伊彻察喇副哈尚以督之。未几,哈都及都尔斡入寇,大军分为五队,伊彻察喇将其一。锋既交,颇不利,伊彻察喇怒,被甲持矛,身先陷阵,一军随之。哈尚锐欲出战,哈喇托克托执辔力谏,哈尚怒,挥鞭抶其手,不退,乃止。已而进击,托克托手斫一士之首,连背髀以献,哈尚壮之。

哈都兵越金山而南,止于铁坚古山,因高以自保,奇彻亲军都指挥使绰和尔急引兵败之,复与都尔斡相持于和勒图之地。绰和尔以精锐驰其阵,伊彻察喇攻敌之背,五军合击,所杀不可胜计。哈都旋死,都尔斡之兵几尽。哈尚亲视其战,乃叹曰:"绰和尔何其壮耶!力战未有如此者。"论功,以绰和尔为第一,帝出御衣,遣使临赐之。

自是月庚辰,彗出井,历紫微垣及天市垣,至九月癸丑乃灭,凡四十六日。

色辰额埒等攻阿萨尔。布哈引还,言:"贼降在旦夕,高庆受其赂,首倡为还计,是以无功。"诏遣官鞫之,得色辰额埒以下将校受赂状,诏诛庆及察罕布哈、色辰额埒等。遇赦,夺官爵为庶人。

冬,十月,丙寅朔,以畿内岁饥,增明年海运粮为百二十万石。

壬午,帝至自上都。

丙戌,以岁饥,禁酿酒,弛山泽之禁,听民捕猎。

丁亥，遣使就调云南、四川、福建、广东、广西官。

谕百司：“凡事关中书省者，毋得辄奏。权豪势要之家，佃户借粮者，听于来岁秋收还之。”

十一月，己亥，诏：“近因禁酒，闻年老需酒之人有预市而储之者，其无酿具者勿问。”

罗鬼女子蛇节反。乌（撒）〔撒〕、乌蒙、东川、芒部诸蛮从之，皆叛，陷贵州。丁未，命湖广行省平章刘国杰率师讨之。时刘深兵败，帝始悔不用哈喇哈斯及董士选之言，乃遣国杰及杨赛音布哈等率云南、四川、湖广各省兵分道进讨诸蛮，梁王提兵应之，军中机务一听国杰处分。贼兵劲锐，且多健马，官军战失利。国杰令人持一盾，布钉其上，俟阵合，即弃盾伪遁，贼果逐之，马奋不能止，遇盾皆倒，国杰鼓之，大败。既而复合众请战，国杰弗应。数日，度其气衰，一鼓破走之，追战数十里。

减直粜米赈京师贫民，设肆三十六所，其老幼单弱不能自存者，廪给五月。

选六御汉军习武事，仍禁万户以下毋令私代，犯者断罪有差。

戊申，猺人蓝赖率丹阳三十六洞来降，授赖等官。

十二月，甲戌，给安西王所部军士食，令各运其家，候春调遣。

是岁，曲阜修文宣王庙成，衍圣公孔治遣子思诚入谢。敕中书赐田五千亩，供祭祀，复户二十人，供洒扫之役。

大德六年 【壬寅，1302】　春，正月，乙巳，中书省言：“广东宣慰副使托欢彻尔收捕盗贼，屡有劳绩，近廉访使劾其私置兵仗、擅杀土寇等事，遣官鞫问，实无私罪，宜加奖谕。”命赐衣二袭。

晋王噶玛喇薨。王为世祖嫡长孙，让位于帝，退居藩邸，以仁慈见称。属官有年老请以子代者，内史为之言，王曰：“惟天子所命。”其自守如此。帝闻其薨，命收王印及内史印，既而命其长子伊苏特穆尔嗣封晋王。

朱清、张瑄，父子致位显要，宗戚皆累大官，田园馆舍遍天下，巨艘大舶交诸番中，车马填塞门巷，仆从佩金虎符为千户、万户者数十人。江南僧石祖进，撼其不法十事上闻。时中书省亦言朱清、张瑄屡致人言，宜罢其职，徙其子孙官江南者于京，帝从之，仍诏御史台诘问。二人竟伏诛。

（丁未）〔庚戌〕，帝语台臣曰：“朕闻江南富户侵占民田，以致贫者流离转徙，卿等尝闻之否？”台臣言曰：“富民多乞护持玺书，依倚以欺贫民，官府不能诘治，宜即追收为便。”命即行之，毋越三日。

诏：“自今僧官、僧人犯罪，御史台与内外宣政院同鞫；宣政院官徇情不公者，听御史台治之。”

乙卯，筑浑河堤，长八十里。仍禁豪家毋侵旧河，令屯田军及民耕种。

增刘国杰等军，仍令屯戍险要，俟秋进师。

命萨图尔岱、阿尔等整治江南影占税民田土者。

中书省言：“御史台、廉访司，体察、体覆，前后不同。初立台时，止从体察；后立按察司，事无大小，一皆体覆；由是宪司之事，积不能行。请自今，除水旱灾伤体覆，馀依旧例体察为宜。”从之。

4675

诏:"军官除边远出征,其馀遇祖父母、父母丧,依民官例立限奔赴。"

禁畜养鹰、犬、马、驼等人扰民。

己未,以诸王珍图诬告济南王,谪置刘国杰军中自效。

宋隆济累攻围贵州,不解,刘深等粮尽,道梗不通,遂引兵还,隆济复率众遮之,委弃辎重,士卒杀伤殆尽。

南台御史中丞陈天祥上书谏曰:"八百媳妇乃荒裔小夷,取之不足以为利,不取不足以为害。而刘深欺上罔下,率兵伐之,经过八番,纵横自恣,中途变生,所在皆叛。既不能制乱,反为乱众所制,食尽计穷,仓皇退走,丧师十八九,弃地千馀里。朝廷再发四省之兵,使刘二巴图总管以图收复,湖南、湖北大发运粮丁夫,众至二十馀万。正当农时,驱此愁苦之人,往回数千里中,何事不有!比闻从征败卒言,西南诸夷皆重山复岭,陡涧深林,其窄隘处仅容一人一骑,上如登高,下如入井,贼若乘险邀击,我军虽众,亦难施为。或诸蛮远遁,阻隘以老我师,进不得前,旁无所掠,将不战自困矣!且自征伐倭国、占城、交、缅诸夷以来,近三十年,未尝有尺土一民之益,计其所费,可胜言哉!去岁西征,及今此举,何以异之!请早正深罪,仍下明诏招谕,彼必自相归顺,不须远劳王师,与小丑争一旦之胜负也。为今之计,宜驻兵近境,多市军粮,内安外固,渐次服之,此王者之师,万全之利也。苟谓业已如此,欲罢不能,亦当详审成败,算定而行。彼诸蛮皆乌合之众,必无久能同心捍我之理。但急之则相救,缓之则相疑,以计使之互相仇怨,待彼有可乘之隙,我有可动之时,徐命诸军数道俱进,服从者怀之以仁,抗敌者威之以武,恩威兼济,功乃易成。若复舍恩任威,深蹈覆辙,恐他日之患,有甚于今日者也。"不报,遂谢病去。

二月,丙(申)〔戌〕,遣陕西省平章伊苏岱尔、参政汪惟勤将川陕军,湖广平章刘国杰将湖广军,征八番、顺元诸蛮,一切军务,并听伊苏岱尔、刘国杰节制。

罢征八百媳妇右丞刘深等官,收其符印。

癸巳,帝有疾,释京师重囚三十八人,命侍御史王寿奉香江南,遍祀岳镇海渎,密察去岁风水为灾,百姓艰食,凡所经过,采听以对。使还,具奏:"民之利害,系于官吏善恶。宜选公廉材干、存心爱物者专抚字,刚方正大、深识治体者居风宪。天灾代有,赈济以时,无劳圣虑。惟是(蒙古)〔豪右〕之家,仍据权要,当罢其职,处之京师以保全之,此长久之道也。"

初,寿与台臣奏:"宰相内统百官,外均四海,位尊任重,不可轻假非人。三代以降,国之兴衰,民之休戚,未有不由相臣之贤否也。世祖初置中书省,以呼图布哈、塔齐尔、安图、巴(颜)〔延〕等为丞相,史天泽、刘秉忠、廉希宪、许衡、姚枢等实左右之,当时称治,比唐贞观之盛。迨至阿哈玛特、郝祯、耿仁、卢世荣、僧格、实都等,坏法黩货,流毒亿兆。近者阿固台、巴颜、巴特玛琳沁、阿尔等专政,煽惑中禁,几摇神器。君子小人已试之验,较然如此。臣愿推爱君思治之心,邪正互陈,成败对举,庶几上悟天衷,惩其既往,知所进退,天下之事可从而理也。"

三月,丁酉,以旱、溢为灾,诏赦天下。平滦被灾尤甚,免其差税三年;其馀灾伤之地,已经赈恤者免一年。今年内郡包银俸钞,江淮以南夏税,诸路乡村人户散办门摊课程,并蠲免之。

甲寅,合祭昊天上帝、皇地祇于南郊。遣中书左丞相达喇罕、哈喇哈斯摄事。

乌撒、乌蒙、东川、芒部及武定、威远、普安诸蛮因蛇节之乱,皆以供输烦劳为辞,乘衅起兵,攻掠州县,焚烧堡砦,遣伊苏岱尔等将兵会刘国杰讨之。时国杰方讨顺元蛮,不及来会。伊苏岱尔等率师分道并进,次第平之。

夏,四月,乙亥,浚永清县南河。

庚辰,上都大水,赈其饥民。

戊子,帝如上都。

修卢沟上流石径山河堤。

释重囚。

五月,戊申,太庙寝殿灾。

癸丑,谪和林溃军征云南。

丁巳,赈福州路饥。

六月,癸亥朔,日有食之。

是日,时加戌,依历法,日食五十七(抄)〔秒〕。太史院官以涉交既浅,且复近浊,欲匿不报,保章正齐履谦曰:"吾所掌者,常数也,其食与否,则系于天。"独以状闻。及其时,果食。太史院以失于推策,诏中书议罪,众尝争没日不能决,履谦曰:"气本十五日,而间有十六日者,馀分之积也。故历法以所积之日命为没日,不出本气者为是。"众服其议。

甲子,建文宣王庙于京师。

辛未,飨于太庙。

乙亥,安南国贡驯象。

赈湖州等路饥。

秋,七月,辛酉,以浙江行省参知政事呼图布鼎为中书右丞。

赈建康饥。

八月,甲子,诏御史台:"凡有婚姻、土田文案,遇赦依例检覆。"

九月,己酉,龙兴民讹言括童男女,至有杀其子者,命捕为首者三人诛之,始息。

冬,十月,甲子,改浙东宣慰使为宣慰司都元帅府,徙治庆元,镇遏水道。

初,浙西廉访使张珪,劾罢长吏以下三十馀人,府史、胥徒数百,征赃巨万计。珪得监司奸利事,将发之,事干行省。有内不自安者,至是赂南人林都邻告珪收藏禁书及推算帝五行,江浙运使哈喇齐言珪阻挠盐法。命省、台官杂治之,得行省大小吏及盐官欺罔状,皆伏罪。召珪,拜签枢密院事,赐济逊冠服侍宴;又命买宅以赐,辞不受。

丙子,帝至自上都。

平章政事加人司徒张九思薨。

十一月,甲午,刘国杰裨将宋(元)〔光〕率兵大败蛇节,赐衣二袭,仍授以金符。

辛亥,以同知枢密院哈达知枢密院事。

诏:"江南寺观,凡续置民田及民以施入为名者,并输租充役。"

己未,诏:"诸驿使辄枉道者,罪之。"

十二月,辛酉,御史台言:"自大德元年以来,数有星变及风水之灾,民间乏食。陛下敬天爱民之心,无所不尽,理宜转灾为福。而今春霜杀麦,秋雨伤稼,五月太庙灾,尤古今重事。

得非荷陛下重任者,不能奉行圣意,以致如此? 若不更新,后难为力。请令中书省与老臣识达治体者共图之。"复请禁诸路酿酒,减免差税,赈济饥民。帝皆嘉纳,命即议行之。

云南地震。

甲子,衡州袁舜一等诱集二千馀人,侵掠郴州。湖南宣慰司发兵讨之,获舜一及其党,命诛首谋者三人,馀配洪泽、芍陂屯田,其胁从者招谕复业。

戊辰,云南地复震。

丙子,刘国杰、伊苏呼图鲁来献蛇节、罗鬼等捷。

庚辰,赈保定等路饥。

命中书省更定略卖良人罪例。

大都路总管兼大兴府尹姚天福卒。天福为京尹三年,畿甸大治。后之尹京者,以天福称首。

布垀达实哩者,北庭人也。幼熟辉和尔及西天书,长能贯通三藏暨诸国语,至是奉旨,从帝师受戒于广寒殿,代帝出家。

是岁,断大辟三人。

大德七年 【癸卯,1303】 春,正月,己酉,以岁不登,禁河北、甘肃、陕西等郡酿酒。益都诸处牧马之地,为民所垦者,亩输租一斗太重,减为四升。弛饥荒所在山泽、河泊之禁一年。

壬子,罢归德府括田。

乙卯,诏:"凡匿名书辞语重者诛之,轻者流配,首告人赏钞有差,皆籍没其妻子充赏。"

命御史台、宗正府委官遣发朱清、张瑄妻子来京师,仍封籍家赀,拘收其军器、海舶等物。

丁巳,令枢密院选军士习农业者十人,教军前屯田。

二月,壬(辰)〔戌〕,诏中书省汰冗员。中书省自左、右丞相而下,平章政事二员,左、右丞各一员,参知政事二员,定为八府。仍谕枢密院,除出征将帅外,掌署院事者定其员数以闻。

辛未,以平章政事、上都留守茂巴尔斯、陕西行省平章阿喇卜丹并为中书平章政事,江南行台御史中丞尚文为中书左丞,江浙行省参知政事董士珍为中书参知政事;召陈天祥为集贤大学士,商议中书省事。

壬申,诏:"枢密院、宗正府等,自今每事与中书共议,然后奏闻。诸司不得擅奏迁调;官员虽经特用而于例未允者,亦听覆奏。"

甲戌,减杭州税课提举司冗员。

己卯,以侍御史都多达为中书省参知政事。

御史台言:"江浙行省平章阿尔、左丞高羲、安祐、签省张祐等,诡名买盐万五千引,增价转市于人,请遣省、台官按问。"从之。

命尽除内郡饥荒所在差税,仍令河南省抚恤流民,赈太原、大同、平滦路饥。

庚辰,监察御史杜肯构等言右丞相鄂勒哲受朱清、张瑄贿赂事,不报。

壬午,帝语中书省臣曰:"凡有以岁课增羡希求爵赏者,此非搭克于民,何从而出! 自今除元额外,勿以增羡作正数。"

罢江南财赋总管司及提举司。

禁诸人非奉旨毋得以宝货进献。

赈真定及保定路饥。

三月,庚寅,诏遣奉使宣抚循行诸道。以郝天挺、达春往江南、江北,石珪往燕南、山东,耶律希逸、刘赓往河东、陕西,特尔托里欢、戎益往两浙、江东,赵仁荣、(丘)〔岳〕叔谟往河南、湖广,茂巴尔斯、陈英往江西、福建,达实哈雅、刘敏中往山北、辽东,并给(三)〔二〕品银印,仍降诏戒饬之。

江浙行省平章托克托发遣朱清、张瑄家属,其家以金珠重赂之,托克托以闻,帝谕之曰:"朕以江南任卿,卿果能尔,真男子事也! 其益恪勤乃事。"赐以黄金五十两。

都城火。

诏以甘肃行省供军钱粮多弊,徙廉访司于甘州。

壬辰,以河间禾稼不登,罢修僧寺工役。

乙未,中书平章巴延、梁德珪、丹津、阿尔振萨彻尔,右丞巴特玛琳沁,左丞伊图布哈,参政密勒和卓、张斯立等,受朱清、张瑄贿赂,治罪有差,籍其家。

以洪君祥为中书右丞。监察御史言其囊居宥密,以贪贿罢黜,宜别选贤能代之,不报。

甲辰,诏定赃罪为十二章。京朝官月俸外,增给禄米;外任官无公田者,亦量给之。

乙巳,以征八百媳妇丧师,诛刘深,笞哈喇岱、郑祐,罢云南征缅分省。时有司以遇赦,议释刘深罪,哈喇哈斯曰:"徼名召衅,丧师辱国,非常罪比,不诛之无以谢天下。"遂诛之。

戊申,岳铉等进《大元大一统志》,赐赉有差。

癸丑,枢密院及监察御史,言中丞董士选贷朱清、张瑄钞非义,帝曰:"台臣称贷,不必问也。若言者不已,便当杖之。"

甲寅,帝如上都。

赈辽阳等路饥。

京畿漕运司言:"岁漕米百万,全藉船坝夫力。今岁水涨,冲决坝堤六十馀处,虽已修毕,恐霖雨冲圮,走泄运水;河堤浅涩低薄去处,请加修理。"从之。至夏末始毕工,用役万二百馀人。

夏,四月,庚午,以中书文移太繁,其二品诸司当呈省者,命止关六部。

中书左丞达喇罕言:"僧人修佛事毕,必释重囚,有杀人及妻妾杀夫者,皆指名释之。生者苟免,死者负冤,于福何有!"帝嘉纳之。

辛未,流朱清、张瑄子孙于远方,仍给行赀。

庚辰,蛇节降,宋隆济遁去。丁亥,诛蛇节。

济南路陨霜杀麦。

五月,己丑朔,开大都、上都酒禁。

丁未,(和绰)〔绰和〕尔入朝,帝谕之曰:"卿镇北边,累建大功,虽以黄金周饰卿身,犹不足以尽朕意。"赐以衣冠、金珠等甚厚,拜枢密院副使,仍给其所隶诸军钞。

辛亥,奉使宣抚耶律希逸、刘赓言:"平阳僧彻哩威,犯法非一,有司惮其豪强,不敢诘问;闻臣等至,潜逃京师。"中书省言:"宜捕送其所,令省、台、宣政院遣官杂治。"从之。

甲寅,浚上都滦河。

乙卯,诏:"中外官吏无职田者,验俸给米有差;其上都、甘肃、和林非产米地,给其价。"

禁诸王、驸马毋辄杖州、县官吏,违者罪王府官。

般阳路陨霜。

闰月,戊午朔,日有食之。

壬戌,诏禁犯曲阜林、庙者。

己巳,中书右丞相、加太(保)〔傅〕、录军国重事鄂勒哲薨,谥忠献。元贞以来,朝廷恪守成宪,诏书屡下,散财发粟,不惜巨万以颁赐百姓,皆鄂勒哲赞襄之功。帝倚任甚重,而能处之以安静,不急于功利,人益称其贤。

复以特穆格为中书平章政事。

初,特穆格乞解机务,诏仍以平章议中书省事。时诸王朝见,未有知典故者,帝曰:"惟特穆(尔)〔格〕谙之。"凡赐予诸王礼节,悉命掌行。至是遂复以前官授之。

庚辰,云南行省平章伊苏岱尔入朝,以所获军中金五百为献,帝曰:"是金卿效死所获者。"赐钞千锭。

辛巳,诏:"僧人与民均当差役。"

癸未,各道奉使宣抚言:"去岁被灾人户未经赈济者,宜免其差役。"从之。

命江浙行省右丞董士选,发所籍朱清、张瑄货财至京师,其海外未还商舶,至则依例籍没。

甘肃行省平章哈萨等侵盗官钱、盐引,命省台官征之。

丙戌,罢营田提举司。

以奈曼岱为镇北行省右丞。

旧制,募民中粮以饷边。是岁,中者三十万石,用事者挟私为市,杀其数为十万,民进退失措。奈曼岱请于朝,凡所输者悉受之,以为下年之数。民感其德。奈曼岱,穆呼哩五世孙也。

六月,己丑,御史台言:"瓜、沙二州,自昔为边镇重地,今大军屯驻甘州,使官民反居边外,非宜。请以蒙古军万人分镇险隘,立屯田以供军实。"从之。

庚子,西京道宣慰使帕哈哩鼎,以瑟瑟二千五百馀斤鬻于官,为钞一万一千九百馀锭。有旨,除御榻所用外,馀未用者悉还之。

癸卯,诏:"凡官军子弟年及二十者,与民官子孙同傲直一年,方许袭职;万户于枢密院,千户于行省,百户于本万户。"

乙巳,罢行省签省。

命甘肃行省修阿合潭、曲尤濠以通漕运。

瓮山看闸提领言:"自闰五月末,昼夜雨不止,六月初旬夜半,山水暴涨,漫流堤上,冲决水口。"遂命都水监修白浮、瓮山河堤。白浮、瓮山,即通惠河上源之所出也。

台州风、水大作,宁海二县死者五百五十人。

秋,七月,〔壬戌〕,御史台言:"前河问路达噜噶齐呼赛音,转运使(木)〔术〕甲德寿,皆坐赃罢。今呼赛音以献鹰犬,复除大宁路达噜噶齐,术甲德寿以迪里密实妄奏其被诬,复除福宁知州,并宜改正不叙,以儆奸贪。"从之。

禁僧人以修建寺宇为名,赍诸王令旨,乘传扰民。

丙寅,以哈喇哈斯为中书右丞相、知枢密院事。

丁丑,中书省言:"大同税课,比奉旨赐乳母杨氏。其家掊敛过数,扰民尤甚。"敕赐钞五百锭,其税课依例输官。

都尔斡既败,聚其属议曰:"昔我太祖,艰难以成帝业,奄有天下,我子孙乃弗克靖,共以安享其成,连年构兵以相残杀,是自瘵祖宗之业也。今抚军镇边者,皆世祖之嫡孙也,吾与谁争哉!且前与托克托(呼)战,既弗能胜,今与其子绰和尔战又无功,惟天惟祖宗意亦可见。不若遣使请命罢兵,通一家之好,使吾士民老者得以养,少者得以长,伤残疲惫者得以休息,则亦无负太祖之所望于我子孙者矣。"使至,伊彻察喇会诸王将帅议曰:"都尔斡乞降,为我大利,固当待命于上。然往返再阅月,必失事机,为国大患,无有已时。都尔斡之妻,我弟玛古哈喇之妹也,宜遣报使,许其臣附。"众以为然,乃遣使以闻。帝嘉之,诏饬军士安置驿传以俟。自是诸王叛者相继来降。

八月,〔己丑〕,罢护国仁王寺原设江南营田提举司。

辛卯,夜,地震。平阳、太原尤甚,村堡移徙,地裂成渠,人民压死不可胜计。遣使分道赈济,为钞九万六千五百馀锭;仍免太原、平阳今年差税,山场、河泊听民采捕。

诏问致灾之由,保章正齐履谦言:"地为阴而主静,妻道也,臣道也,子道也;三者失其道,则地为之不宁。弭之之道,大臣当反躬责己,去专制之威以答天变,不可徒为祈禳也。"时帝寝疾,宰臣及中宫专政,故履谦言及之。集贤大学士陈天祥,亦上书极陈阴阳不和、天地不位为时政之弊,言尤切直,执政者恶之,抑不以闻。

初,晋宁郇保山移,所过居民庐舍,皆摧压倾圯。将近李忠家,忽分而复合,忠家独完。忠幼孤,事母至孝,人以为孝感所致云。

江南行台中丞张珪上疏,极言天人之际,灾异之故,其目有修德行,广言路,进君子,退小人,信赏必罚,减冗官,节浮费,以法祖宗成宪,累数百言。劾大官之不法者,并及近侍之荧惑者。不报,珪谢病归。

庚子,中书省言:"帕哈哩鼎输运和林军粮,其负欠计二十五万馀石,近监察御史亦言其侵匿官钱十三万馀锭,请遣官征之,不足则籍没其财产。"从之。

九月,戊午,帝至自上都。

丙寅,以太原、平阳地震,禁诸王所部扰民,仍减太原岁饲马之半。

遣刑部尚书塔齐尔、翰林直学士王约使高丽。

时高丽国王王昛既复位,又罢征东行省监制,昛乃复厚敛淫刑,国人群诉于朝,因得其相国吴祈专权、离间王父子状。诏遣约谕之曰:"天地间至亲者父子,至重者君臣;彼小人知有利,宁肯为汝家国地耶?"昛泣谢罪,且请子源还国,奸人党与悉从约治。遂征祈赴阙,鞫之,流安西。

丙子,罢僧官有妻者。

壬午,复以茂巴尔斯为平章政事。

以国子司业畅师文为陕西行省理问官。先是,师文签山南道廉访司事,松滋、枝江有水患,岁发民防水,往返数百里,苦于供给,师文以江水安流,悉罢其役;驸马家人怙势不法,师文治其甚恶,流之;至陕西,决滞狱,不少阿徇。顷之,以疾去官。

冬,十月,丁亥,太白经天。

御史台劾浙江行省平章阿尔不法。帝曰:"阿尔,朕所信任。台臣屡以为言,非所以劝大臣也;后有言者,朕当不恕。"

戊子,以浙江年谷不登,减海运粮四十万石。

辛卯,复立陕西行御史台。

癸巳,御史台臣及诸道奉使,言行省官久任,与所隶编氓联姻害政,诏互迁之。

商议中书事张孔孙,言曲阜孔庙宜给洒扫户,诏给大都文宣王庙洒扫户五。

己未,发云南叛蛮馀党未革心者来京师,留蛇节养子阿阙于本境,以抚其民。

庚子,改普定府为路,隶曲靖宣慰司;以故知府容苴之妻为总管,佩虎符。

庚戌,翰林国史院进太祖、太宗、定宗、睿宗、宪宗五朝《实录》。

辛亥,诏:"军户贫乏者,存恤六年。"

增蒙古国子生百员。

中书省言于帝曰:"翰林学士赵与票,事世祖皇帝,迄今凡三十年,敦确清谨,卒于七月,家贫,无以归葬。"帝命有司赙钞五十贯,给舟车还葬。

十一月,甲寅朔,命鹰师围猎毋得扰民。

以顺元隶湖广省。并海道运粮万户为海道都转运万户。

丁巳,诏大同等路运粮五万石入和林。

己未,太白经天。

甲子,命依《十二章》断僧官罪。

十二月,甲申朔,诏:"内郡比岁不登,其民已免差者,并蠲其田租。"

乙酉,弛京师酒课。

丙戌,太白经天。

戊子,以平宋隆济功,增诸将秩,赐银钞等物有差;其军士各赐钞十锭放归,存恤一年。

辛丑,诏:"招抚顺元诸司,免其民间通税。"

丁未,以转输军饷劳,免思、播二州及衡、永等路税粮有差。

七道奉使宣抚所罢赃污官吏凡一万八千四百七十三人,赃四万五千八百六十五锭,审冤狱五千一百七十六事。

元贞初,图呼鲁迁江浙右丞,适岁旱,方至而雨,民心大悦。未几,平章博果密卒,帝思之,问近侍曰:"群臣孰有似博果密者?"对曰:"图呼鲁其人也,且先帝所知。"遂驿召还,赐雕鞍、弓矢。俄迁枢密副使。是岁卒,谥文肃。

大都路总管兼大兴府尹齐诺,驭吏治民有方,以暇日正街衢,表里巷,国学兴工,尤尽其力。俄进同签枢密院事,上疏言:"蒙古军在山东、河南者,往戍甘肃,动涉万里,装橐、鞍马之资,皆其自办,每行必鬻田产,甚则卖妻子。戍者未归,代者当发,前后相仍,困苦日甚。今边陲无事而虚殚兵力,诚为非计。请以近甘肃之兵戍之,而山东、河东前戍者,官为出钱赎其田产、妻子。"从之。未几,迁参议中书省事,赞决机务,精练明敏,凡干禄之人由它途进者,一切不用,时论翕然称焉。

何玮为御史中丞,陈当世要务十条,帝嘉纳之。京师孔子庙成,玮言:"唐、虞、三代,国都闾巷莫不有学,今孔庙既成,宜建国学于其侧。"从之。

赛音谔德齐、巴都高等还自贬所,复相位;玮言奸党不可复用,宜选正人以居庙堂,帝深然之。监察御史郭章劾郎中哈喇哈斯受赃,具伏,而哈喇哈斯密结权要,以枉问诬章;玮率台臣入奏,辨论剀切,章遂得释。

诏:"内外官七十者并听致仕。"独郭守敬以先朝旧德,朝政多谘之,累请谢事,不许。自是凡翰林、太史官不许致仕,著为令。

商议中书省事张孔孙累疏言:"凡七十致仕者,宜加一官;丁忧服阕者,宜特起复;宿卫冒滥者,必当革;州郡之职,必当遴选;久任达噜噶齐,宜量加迁转。又宜增给官吏俸禄,相位宜参用儒臣,不可专任文史。"孔孙所言,多切时弊,顾一时不尽施行。

【译文】

元纪十二　起辛丑年(公元1301年)正月,止癸卯年(公元1303年)十二月,共三年。
大德五年　（公元1301年）

春季,正月,庚戌(初九),给予征伐八百媳妇国的军队钱钞总计九万二千余锭。

壬子(十一日),安放昭睿顺圣皇后画像于护国仁王寺。

御史台进言:"官吏犯赃及盗窃公款,事发避罪逃匿者,应等审理结案。虽经赦免,也要降级或撤职,这样才可清除奸伪。"皇帝应允。

此前,征东行省奇尔济苏上言:高丽王擅自设置官府,任用官吏,并冒用天子礼仪、器物,况且官多民少,刑罚不一,若只依本土风俗从事,实难抚治。皇帝派刑部尚书王泰亨等前去纠正。过后,高丽王王昛说,设行省监管其国不便于行事,皇帝也认为奇尔济苏不能与高丽友好和睦,便撤销征东行省,召奇尔济苏回国。

二月,己卯(初九),任命刘深、哈喇岱同为中书右丞,郑佑为参知政事,都佩带调兵遣将的虎符。

撤销福建织绣提举司。

丁亥(十七日),设置征八百媳妇万户府两个,设万户四员,发四川、云南囚徒从军。

乙未(二十五日),诏令廉访司:"官员不是亲丧、迁葬和因病给予休假者,不得离职;或是以地僻远、官职低授任而不到职者,台宪勿再任用。"

丁酉(二十七日),皇帝去上都。

裁减中央和地方各司官员一千五百·十四员。

己亥(二十九日),令:"凡军士杀人奸盗者,令军官与民官共同审讯。"

三月,丁卯(二十七日),火星运行到土星所在星区;己巳(二十九日),火星与土星相合。告诫内外官吏谨慎行事。

夏季,四月,壬午(十三日),因晋王边军贫乏,赐给钱钞。

调云南军征讨八百媳妇国。

湖北廉访司佥事郭贯上言:"今四省军马以数万计,征八百媳妇国,深入瘴气万里不毛之地,无益于国家。"皇帝不听。

癸未(十四日),禁止和林地区酿酒。

五月,商州霜冻,小麦受灾。

壬戌(二十四日),云南土官宋隆济反叛。当时因刘深率军由顺元进入云南,云南右丞伊噜纳命调民户供给饭食。宋隆济借此欺骗部众说:"官军征调你们,你们都要剪去头发,脸上刺字去当兵,身死行阵,老婆孩子当俘虏。"部众被他说的话煽动迷惑,就起来造反。

丙寅(二十八日),诏令云南行省:"自愿出征八百媳妇国者二千人,每人给贝币六十索。"

六月,丙戌(十八日),宋隆济带领猫猡、紫江诸蛮四千人攻陷杨黄寨,杀死很多人,抢走很多东西。壬辰(二十四日),攻打贵州,知州张怀德战死,于是将刘深包围在荒凉山谷中。梁王派云南行省平章绰和尔、参政布埒齐领兵去救他,杀了叛众首领撒月,斩敌人首级五百个,刘深才得出来。

秋季,七月,戊戌朔(初一),白天天色昏暗,暴风从东北方来,雨雹齐下,江湖泛滥;东起通州、泰州、崇明,西到真州,百姓受灾死亡人数不可胜计。浙西廉访司金事赵弘伟,以润州、常州百姓吃不上饭,打算开仓发米赈济,主管粮食官员以未得到上级通知为借口,赵弘伟说:"百姓眼看就要饿死,如擅自发粮有罪,由我来顶。"即开仓发粮。不久,皇帝诏令拨米八万七千余石赈济灾民。

乙巳(初八),大宁路水灾,发粮赈济。

丁未(初十),皇帝降诏:"军官受赃与民官同例,量罪大小殿前决定贬斥。"

癸丑(十六日),浙西积雨泛滥,大伤民田。诏令役夫和民夫二千人疏导水路。

命云南省调蒙古射士征讨八百媳妇国。

癸亥(二十六日)哈坦之孙托欢自北边归来,他的父母妻子儿女皆遭杀掠,皇帝赐托欢钞一千四百锭。

八月,己巳(初三),平滦路连绵大雨,滦、漆、湿、汝河水泛滥,百姓死亡甚多,免除平滦路今年田租,又发粟三万石赈济。

上都久雨,夜间,听到城西北角有声如战鼓,拱卫值都指挥使王伯胜带领卫卒出去观察,原来是洪水骤至。王伯胜立即准备畚箕铁锹,聚集土石和毛毡片来阻挡,将护城河壕沟挖开几个口子以减弱大水的势头,到天亮才安定下来,而百姓都不知道。丞相鄂勒哲把这件事报告皇帝,皇帝表扬了他。王伯胜,是文安人。

甲戌(初八),派色辰额埒等率军征讨金齿诸国。当时征讨缅国的军队归来,被金齿国拦截,兵士大多战死。金齿国地连八百媳妇国,诸蛮相互仿效,不纳税赋,杀害官吏,所以都派兵征讨。

庚辰(十四日),皇帝降旨,派官员分赴各道进行赈济和抚恤。凡狱囚关押多年案情有疑问而不能判决者,令廉访司陈述可疑之处,申报省台请示审判定案,是为定例。各路受灾重者,免除差税一年,贫乏之家,按人口赈济,特别贫困的从优放给。小吏犯贪赃罪,一律撤职除名。

皇子哈尚出镇北边时,宿卫哈喇托克托一直跟着他。至此朝中议论,北军出现懈怠情绪,纪律不严,皇帝命太师、枢密宣徽使伊彻察喇辅佐哈尚督察军队。没有多久,哈都和都尔翰前来侵犯,边军分为五队,伊彻察喇率领其中一队。两军前锋一交战,边军很不利,伊彻察喇大怒,披甲执矛,身先士卒冲入敌阵,全军跟随而进。哈尚急欲出战,哈喇托克托拉住马缰绳竭力谏阻,哈尚发怒,用鞭子抽打他的手,哈喇托克托不松手,于是就没出去。过后在追击敌人时,托克托亲手砍下一敌兵首级,连着脊背上的骨头拿来献给哈尚,哈尚夸赞他的胆量。

哈都军队越过金山南进,停留在铁坚古山,据高以自保。奇彻亲军都指挥使绰和尔急忙引领队伍将哈都军打败,又与都尔翰相持于和勒图地区。绰和尔用精锐部队骑马冲入敌阵,伊彻察喇攻打敌军背部,五军合击,杀敌不可胜计。哈都不久即死去,都尔翰的队伍几乎伤亡殆尽。哈尚目睹这次战役,不禁赞叹说:"绰和尔何等勇敢啊! 奋力拼杀还未有过像他这样的人。"评论功劳时,以绰和尔为第一,皇帝拿出御衣,派使者到绰和尔那里赐给他。

由本月庚辰(十四日)起,彗星出井宿星官所在天区,经过紫微垣星官和天市垣星官所在天区,到九月乙丑(十七日)才消失,共计四十六天。

色辰额埒等攻打阿萨尔,布哈劝他退兵,说是贼众早晚就会归降。高庆接受敌人贿赂,首先提出退师计谋,所以证讨无功。皇帝诏令派官员审问,取得色辰额埒以下将校受贿实情。皇帝降旨处死高庆和察罕布哈、色辰额埒等,后遇大赦,夺其官爵,削职为民。

冬季,十月,丙寅朔(初一),因京师附近地区今年闹饥荒,增加明年海运粮为一百二十万石。

壬午(十七日),皇帝从上都回到大都。

丙戌(二十一日),因全年饥荒,禁止酿酒,放松山泽之禁,听任百姓捕猎。

丁亥(二十二日),派使者就便迁调云南、四川、福建、广东、广西的官员。

谕令百司:"凡事关中书省的,不得即奏。权贵豪门势要之家,佃户借粮食,听任其来年秋收归还。"

十一月,己亥(初四),皇帝下诏:"近因禁酒,听说年老需酒的人有事先购买而储存的,其中家无造酒工具的不予追究。"

罗鬼女子蛇节谋反。乌撒、乌蒙、东川、芒部诸蛮,都随蛇节叛乱,攻破贵州。丁未(十二日),命湖广行省平章刘国杰率军征讨蛇节。当时刘深兵败,皇帝方始后悔没有采纳哈喇哈斯和董士选的意见,于是派遣刘国杰和杨赛音布哈等率领云南、四川、湖广各省兵分道征讨诸蛮,梁王率军接应,军中重要事情一律听从刘国杰处置。贼兵强盛,且多健马,官军作战失利。刘国杰命令每个兵士拿一个盾牌,上面钉满钉子,待两军阵前交锋,即扔掉盾牌假装逃遁,贼兵果然追来,马奋跑不能制止,遇盾皆倒,刘国杰击鼓使进,贼兵大败。过后贼兵又集合部众前来挑战,刘国杰不理。几天后,推测贼兵士气衰落,一鼓作气即大败贼兵,追战数十里。

减价出售粮米救济京师贫民,设店铺三十六所,老幼孤弱不能靠自己养活的,官府发给粮米五个月。

选六卫内汉军学习军事,又禁万户以下不得有私自袭替之事,违者判罪给予不同的惩处。

戊申(十三日),徭人蓝赖带领丹阳三十六峒归降朝廷,授蓝赖等官职。

十二月，甲戌(初九)，赐给安西王所部军士粮食，令各人运回家中，听候明春调遣。

本年，曲阜文宣王庙修缮完毕，衍圣公孔治派儿子孔思诚入朝谢恩。皇帝命令中书赐田五千亩，供祭祀之用，免除徭役户二十人，以供洒扫之役。

大德六年　(公元1302年)

春季，正月，乙巳(初十)，中书省上言："广东宣慰副使托欢彻尔搜捕盗贼，屡有劳绩。最近廉访使弹劾托欢彻尔私自购置兵器、擅杀土寇等事。中书省派官审问，实无非法行为，宜加褒奖。"皇帝命赐给衣服两套。

晋王噶玛喇去世。晋王是世祖皇帝嫡长孙，他让位给成宗皇帝，自己退居藩王府邸，以为人仁慈著称。其属官中有因年老而请求让儿子接替者，内史在晋王前替他说话，晋王说："一切都听从皇帝的命令。"安守本分到如此程度。皇帝听到晋王去世，命收王印和内史府印。不久命晋王长子伊苏特穆尔继承晋王爵位和封地。

朱清、张瑄父子位极显要，同族亲戚皆历任大官，田园馆舍遍于天下，大船巨轮出入于海外诸番，车马填塞门巷，仆从佩带金牌、虎符充任千户、万户者数十人。江南和尚石祖进，收集他俩不法行为十条上报朝廷。当时中书省也说朱清、张瑄屡招别人议论，宜罢免他们的职务，把他们在江南做官的子孙迁移到京师。皇帝同意了，还命令御史台诘问。两人终于罪有应得被处死。

庚戌(十五日)，皇帝对御史台官员说："朕听说江南富户侵占民田，以致贫者流离逃亡，卿等是否曾听说过此事？"御史台官员说道："富民多乞求玺书来保护自己，依仗此书以欺贫民，官府不能查办，宜即追收才好。"皇帝命令立即办理，不得超过三日。

皇帝降旨："自今日起，僧官、僧人犯罪，御史台与内外宣政院一起审理。宣政院官员徇情不公者，听从御史台发落。"

乙卯(二十日)，修筑浑河堤防，长八十里。还禁止势豪之家不得侵占旧河，让屯田军和百姓耕种。

增加刘国杰等军队人员，仍令屯兵驻守险要之地，等待秋天进军。

命萨图尔岱、阿尔等整治江南隐占纳税农民田土者。

中书省上言："御史台、廉访司，体察、体覆，前后不同。初立御史台时，只采取体察；后立按察司，事无大小，一律皆须体覆；由此宪司之事，堆积得无法处理。请自今日起，除水旱灾伤察验复命外，其余依旧例体察为宜。"皇帝同意。

皇帝诏书："军官除守边出征外，其余遇祖父母、父母丧葬，依照民官例，规定期限奔赴。"

禁止畜养鹰、犬、马、驼等人户骚扰百姓。

己未(二十四日)，因诸王珍图诬告济南王，贬谪到刘国杰军中立功赎罪。

宋隆济屡次攻打包围贵州，不肯离去。刘深等粮尽，道路阻塞不通，于是领兵回来。宋隆济又率领部众拦截，刘深军队丢弃车马营帐粮草，士卒死伤殆尽。

南台御史中丞陈天祥上书奏谏："八百媳妇乃荒外小夷，取之不足以为利，不取不足以为害。而刘深欺上罔下，率兵征讨，经过八番地区时，骄横肆行，中途变生，八番各族皆起而叛乱。刘深既不能治乱，反为乱众所制，粮尽计穷，仓皇退走，损失兵马十之八九，弃地千余里。朝廷又发四省之兵，遣使刘二巴图总管，以图收复。湖南、湖北大规模征发运粮民夫，人数多达二十余万。正当农时,驱使这批愁苦之人,往返数千里地,什么事情不能发生!近来听到出征回来的败兵说,西南诸夷之地皆重山复岭,陡涧深林,其中狭窄险要之处只能容行一人一马,上如登山,下如入井,贼兵若乘险拦击,我军人数虽多,也难施展。若诸蛮远避,驻兵隘口以困死我军,我军进不得前,旁无可夺取之地,将不战而自陷于困境了。而且自从征讨倭国、占城、交趾、缅国诸夷以来,近三十年,未曾获有尺土一民之益,计算其所耗费,能数得尽吗?去年西征,以及此番兴兵,有什么不同!请陛下及早治刘深之罪,公开降一诏书招抚,对方一定会自己来归顺,不须远劳王师,与丑类争一日之胜负。为今之计,应当驻兵近境,多购买军粮,内安外固,使他们渐次顺服,这是以仁义治天下者的军队,有万全之利。如果说业已如此,欲罢不能,也应详细了解成功与失败的情况,筹谋完备而后行。那些蛮人皆乌合之众,必无久能同心御我之理。但操之过急,他们即互相援救,而缓军以待他们必互相猜疑,用计使他们互相仇怨,待对方有可乘之隙,我有可动之时,逐步命令各军分道齐进,服从者以仁慈安抚他,抗拒者以武力相威慑,恩威并施,才容易成功。如果还是不施以恩而仅知用威,深蹈复辙,恐将来之祸害,定会超过今日。"奏书没有上报皇帝,陈天祥即托病辞职而去。

二月,丙戌(二十二日),派陕西省平章伊苏岱尔、参政汪惟勤率领川陕军,湖广平章刘国杰率领湖广军,征讨八番、顺元诸蛮,一切军务,听从伊苏岱尔、刘国杰指挥。

免去征讨八百媳妇右丞刘深等官职,收回兵符印章。

癸巳(二十九日),皇帝有病,释放京师重罪囚犯三十八人,命侍御史王寿到江南进香,遍祭各处岳、镇、海、渎,密察去年风、水造成的灾害,百姓吃粮困难的情况,凡所经之处,搜集听闻以便向皇帝汇报。王寿出使回来,向皇帝一一陈述:"百姓的祸福,决定于官吏的善恶。应选公正廉洁具有才干、实心爱护百姓的人掌管民政,刚正不阿、深识治理之道的人担任监察。天灾历代皆有,只要赈济及时,便可不劳圣上担心。只是豪门大族仍然持有权势,应当免去他们的官职,放到京师以保全他们的身家性命,这是长久的办法。"

起初,王寿和御史台官员上奏:"宰相对内统率百官,对外调和四海,位尊任重,不可轻易把宰相职位给予不称职的人。夏、商、周以来,国之兴衰,百姓的喜乐和忧虑,没有不同相臣的贤明与否有关。世祖皇帝初设中书省,用呼图布哈、塔齐尔、安图、巴延等为丞相,而史天泽、刘秉忠、廉希宪、许衡、姚枢等实际上在影响他们。当时号称治世,可比作唐代贞观之盛。及至阿哈玛特、郝祯、耿仁、卢世荣、僧格、实都等,败坏法度贪污受贿,贻害民众。近者如阿固台、巴颜、巴特玛琳沁、阿尔等专权,煽惑宫廷,几乎动摇帝位。君子小人经过检验,已经如此显然。臣愿向皇上表明爱君思治之心,邪正两面都奏,成败相互对照,期望能使皇上心里明白,以过去为鉴戒,知道该用什么人不用什么人,天下之事便可随之而得到治理。"

三月,丁酉(初三),因干旱和河道泛滥成灾,皇帝降旨大赦天下。平滦地区受灾尤为严重,免除差税三年。其余受灾地区,已经赈济抚恤的,免除差税一年。今年京师附近地区包银、俸钞,江淮以南夏税,各路乡村人户按户等摊派的税课,一起免除。

甲寅(二十日),合祭昊天上帝、皇地神于南郊。委派中书左丞相达喇罕、哈喇哈斯代祀天地。

乌撒、乌蒙、东川、芒部及武定、威远、普安诸蛮因蛇节之乱,都借口供应和运输任务烦苦,乘衅起兵,攻掠州县,焚烧城堡村寨,皇帝派伊苏岱尔等率军会合刘国杰前往征讨。当时刘国杰正在征讨顺元蛮族,来不及会集。伊苏岱尔等率领军队分道并进,一个个予以平定。

夏季,四月,乙亥(十一日),疏浚永清县南河。

庚辰(十六日),上都发生大水,发粮赈济灾民。

戊子(二十四日),皇帝去上都。

修卢沟河上游石径山河堤。

释放重罪囚犯。

五月,戊申(十五日),太庙寝殿火灾。

癸丑(二十日),发配和林溃兵征云南。

丁巳(二十四日),发粮赈济福州路灾荒。

六月,癸亥朔(初一),日食。

此日,推定日食时辰为傍晚七时至九时,依新历,日食五十七秒。太史院官员认为日被食历时很短,而且又接近天浊星官所在天区,想隐瞒不报,保章正齐履谦说:"我所掌管的,是不变的自然之理,食与不食,则决定于天。"他独自给朝廷写了奏章。届时,果然日被食。太史院因没有尽到推定的责任,皇帝令中书议罪。太史院官员曾争论没日而不能取得一致意见,齐履谦说:"节气本是十五日,而在一定时间内有十六日的,是没限以上积余的时间,故历法以所积之日称为没日,这一日应该是不出本节气的才算。"大家佩服他的意见。

甲子(初二),建文宣王庙于京师。

辛未(初九),祭献于太庙。

乙亥(十三日),安南国进贡驯象。

发粮赈济湖州等路灾荒。

秋季,七月,辛酉(二十九日),任命浙江行省参知政事呼图布鼎为中书右丞。

赈济建康灾荒。

八月,甲子(初三),诏令御史台:"凡有婚姻、土田公文案卷,如遇赦令仍依例查复。"

九月,己酉(十九日),龙兴百姓谣传强征童男童女,以至有杀死自己儿子的人。命令提拿为首者三人处死,谣言方始平息。

冬季,十月,甲子(初四),改浙东宣慰使为宣慰司都元帅府,官署迁到庆元,用以保证押运粮船的水道通畅。

起初,浙西廉访使张珪,参劾罢免长吏以下三十余人,府史、役使数百,追还赃款数万计。张珪侦得监司有以非法手段谋利的事,准备揭发,事情牵涉到行省。有内心不得自安者,于是贿通南人林都邻告张珪收藏禁书和用巫术推算皇帝五行,江浙运使哈喇齐说张珪阻挠盐法。皇帝命中书省、御史台官员共同审理,取得行省大小吏员和盐官欺骗蒙蔽的实情,皆都伏罪。

皇帝召见张珪,拜授签枢密院事,赐内廷大宴时穿戴的冠服侍宴;又命令购买宅第赐给张珪,张珪辞谢不受。

丙子(十六日),皇帝从上都回到大都。

平章政事加大司徒位号张九思去世。

十一月,甲午(初五),刘国杰副将宋光率军大败蛇节,皇帝赐给衣服两套,还授给金牌兵符。

辛亥(二十二日),任命同知枢密院哈达为知枢密院事。

皇帝诏令:"江南寺院道观,凡继续购置民田和百姓以捐赠为名者,都应纳租充役。"

己未(三十日),皇帝诏令:"诸驿使不按规定驿道行走者,加以惩处。"

十二月,辛酉(初二),御史台上言:"自大德元年以来,屡有天象变异和风水之灾,民间缺粮。陛下敬天爱民之心,无所不尽,理应转灾为福。而今春霜冻摧残麦子,秋雨又为害庄稼;五月太庙火灾,更是古今之重大事件。难道不是承受陛下重用的臣子,不能奉行圣意,以致如此?若不革新,以后就很难补救。请皇上命令中书省与老臣中通晓政务、见识宽广者共同研究对策。"同时还请求禁止各路酿酒,减免差税,赈济饥民。皇帝都加赞许并全部采纳,命令立即研究办理。

云南地震。

甲子(初五),衡州袁舜一等人引诱聚集二千余人,侵掠郴州。湖南宣慰司发兵讨伐,抓获袁舜一及其余党。命令处死首谋者三人,其余党发配至洪泽、苟陂开荒,胁从者谕示招安复业。

戊辰(初九),云南又发生地震。

丙子(十七日),刘国杰、伊苏呼图鲁进献征蛇节、罗鬼等所获战利品。

庚辰(二十一日),赈济保定等路灾荒。

命中书省改定拐卖良民罪例。

大都路总管兼大兴府尹姚天福去世。姚天福任京师行政长官三年,京师城郊社会秩序大治。以后担任京师长官的人,都以姚天福为楷模。

布埒达实哩,北庭人氏,自幼熟习辉和尔和天竺文字,成年后能贯通佛教经典和蒙古语,如今奉旨追随帝师受佛戒于广寒殿,代皇帝出家。

本年,判决死刑三人。

大德七年 (公元1303年)

春季,正月,己酉(二十日),因一年农事没有收成,禁止河北、甘肃、陕西等郡酿酒。益都各处牧马的土地,属于百姓开垦的,一亩交租一斗太重,减为四升。解除饥荒地区不准百姓在山泽、河泊捕猎的禁令一年。

壬子(二十三日),停止归德府扩占田土。

乙卯(二十六日),皇帝下诏:"凡匿名书有过激言论者处死,轻者流放;首告人按等发给赏金,被告人妻子和儿子都收官充赏。"

命御史台、宗正府委派官员遣送朱清、张瑄妻子和儿子来京师,同时查封其家产,没收其军器、海船等物。

丁巳(二十八日),命令枢密院选军士中通晓农业者十人,到军队中指导屯田。

二月,壬戌(初四),诏令中书省裁减多余人员。中书省自左、右丞相以下,设平章政事二员,左、右丞各一员,参知政事二员,定为八府。复谕告枢密院,除出征将帅外,对有权署理院事者定出人员数额上报朝廷。

辛未(十三日),任命平章政事、上都留守茂巴尔斯、陕西行省平章阿喇卜丹,同为中书平

4689

章政事,江南行台御史中丞尚文为中书左丞,江浙行省参知政事董士珍为中书参知政事。召陈天祥为集贤大学士,商议中书省事。

壬申(十四日),皇帝降旨:"枢密院、宗正府等,自今日起,遇事须与中书省共议,然后奏报。诸衙门不得擅自奏请迁调。官员虽有特令任命而为定制所不许可者,也允许复奏。"

甲戌(十六日),裁减杭州税课提举司多余人员。

己卯(二十一日),任命侍御史都多达为中书省参知政事。

御史台上言:"江浙行省平章阿尔、左丞高翥、安祐、签省张祐等,诡称买盐一万五千引,加价转卖他人,请派省、台官查究。"皇帝同意。

命令全部免除中书省直辖地区受饥荒州县差税,同时命令河南省抚恤流亡百姓,赈济太原、大同、平滦路灾民。

庚辰(二十二日),监察御史杜肯构等告右丞相鄂勒哲受朱清、张瑄贿赂事,朝廷置之不理。

壬午(二十四日),皇帝对中书省官员说:"凡有以年度赋税增收或盈余希求加官和领赏的,若不是从百姓头上搜刮,盈余从何而来!自今日起,除原来规定税额外,不以增余作常课计算。"

撤销江南财赋总管司和提举司。

禁止诸色人等非奉旨不得进献奇珍异物。

赈济真定和保定路饥民。

三月,庚寅(初二),诏令奉使宣抚的朝臣巡行诸道。命郝天挺、达春往江南、江北,石珪往燕南、山东、耶律希逸、刘赓往河东、陕西,特尔托里欢、戎益往两浙、江东,赵仁荣、岳叔谟往河南、湖广,茂巴尔斯、陈英往江西、福建,达实哈雅、刘敏中往山北、辽东。都给二品银印,又下诏书告诫谨慎行事。

江浙行省平章托克托办理遣送朱清、张瑄家属事,朱清、张瑄家属用金银珠宝向托克托大量行贿,托克托报告了朝廷。皇帝诏告托克托说:"朕以江南重任托付于卿,卿果然胜任,不愧为男子汉做事!希望再谨慎勤勉任事。"皇帝赐给托克托黄金五十两。

都城火灾。

皇帝下诏,因甘肃行省供应军队的钱粮屡有弊端,将廉访司迁到甘州。

壬辰(初四),因河间五谷不登,停征修僧寺徭役。

乙未(初七),中书平章巴延、梁德珪、丹津、阿尔振萨彻尔、右丞巴特玛琳沁、左丞伊图布哈、参政密勒和卓、张斯立等受朱清、张瑄贿赂,分别加以惩处,查封家产。

任命洪君祥为中书右丞。监察御史说他以前担任枢密院官职时,因贪赃被罢职,应另选贤能代替。朝廷置之不理。

甲辰(十六日),皇帝诏书颁定《赃罪条例十二章》。京师随朝官员月俸外,增给俸米;路府州县官吏无公田者,也酌量加给俸米。

乙巳(十七日),因征八百媳妇丧师,处斩刘深,处哈喇岱、郑祐杖刑,撤销云南征缅分省。

当时刑部以适逢大赦的原因,提议宽免刘深罪,哈喇哈斯说:"行险求名,妄生事端,丧师辱国,非比常罪,不杀之无以告天下。"于是杀了刘深。

戊申(二十日),岳铉等进献《大元一统志》,皇帝分别给以赏赐。

癸丑(二十五日),枢密院和监察御史说:"中丞董士选借朱清、张瑄钱钞不是正道。"皇帝说:"台臣向人告贷,不必追究。若再有议论的,便当杖责。"

甲寅(二十六日),皇帝往上都。

发粮救济辽阳等路饥荒。

京畿漕运司上言:"每年由运河漕运至京的米百万石,全靠船夫和脚夫的力量。今年水涨,冲决坝堤六十余处,虽已修毕,但恐连绵大雨冲塌,造成运河之水外泄,因此在河道过浅难以行舟和堤坝低薄的地方,请加修理。"皇帝同意。到夏末方始完工,使用役夫一万二百余人。

夏季,四月,庚午(十二日),鉴于中书省在办理文牍中移文太繁,以后二品衙门所属各官署当呈报中书省的,命令只关文六部。

中书左丞达喇罕上言:"僧人做完佛事,必随之释放重囚犯,其中有杀人和妻妾杀夫者,都指名释放。生者幸免,死者含冤,这哪里是造福!"皇帝表示赞许并采纳了他的意见。

辛未(十三日),发配朱清、张瑄子孙到边远地方服劳役,同时给予路上费用。

庚辰(二十二日),蛇节投降,宋隆济逃走。丁亥(二十九日),斩蛇节。

济南路霜冻,小麦受灾。

五月,己丑(初二),放开大都、上都酒禁。

丁未(二十日),绰和尔入朝,皇帝向他说:"卿镇守北边,累建大功,即使用黄金把你整个身子都装饰起来,还是不足以表达我的心意。"皇帝赐以衣冠、金珠等,赏赐甚重,授枢密院副使,又给其所部诸军钱钞。

辛亥(二十四日),奉使宣抚耶律希逸、刘赓上书说:"平阳僧人彻哩威干犯法的事不是一起两起了,官衙怕他横不讲理,不敢查究;他听说臣等到来,潜逃京师。"中书省上言:"应捉拿押送原籍,令省、台、宣政院派官员共同处置。"皇帝同意。

甲寅(二十七日),疏浚上都滦河。

乙卯(二十八日),皇帝降诏:"内外官吏无职田者,按俸银多少加给俸米。上都、甘肃、和林等处,非产米之地,按时价给钱。"

禁止诸王、驸马不得随意杖打州县官吏,违者归罪王府官。

般阳路霜冻。

闰五月,戊午朔(初一),有日食。

壬戌(初五),皇帝降旨,严禁侵犯曲阜林庙。

己巳(十二日),中书右丞相加太傅、录军国重事鄂勒哲去世,赐谥忠献。成宗元贞以来,朝廷恪守先朝定制,屡下诏书,散财发粟,不惜巨万以颁赐百姓,皆鄂勒哲辅佐之功。皇帝对鄂勒哲深为信赖,而鄂勒哲对待皇帝给予的信任能安分守己,不贪求功利,大家愈加称赞他的德行。

再次任命特穆格为中书平章政事。

起初,特穆格请求解除掌管国家机要的中书平章政事职务,皇帝同意了,但仍授以平章议中书省事职位。当时诸王朝见,朝中没有了解世祖旧制的人,皇帝说:"只有特穆格知道。"

凡赐予诸王的礼节事,全部交给特穆格掌行。及到此时,就又授给以前的官职。

庚辰(二十三日),云南行省平章伊苏岱尔入朝,把从俘虏军那里获得的五百两黄金作为献礼,皇帝说:"这黄金是卿以死相拼所获得的。"赐伊苏岱尔钞一千锭。

辛巳(二十四日),皇帝诏令寺院僧人与百姓一样服差役。

癸未(二十六日),各道奉使宣抚上言:"去年受灾人户未加赈济者,应免除其差役。"皇帝同意。

命令江浙行省右丞董士选运送查封的朱清、张瑄财物到京师,他们在海外未归的商船,一回来就依例没收。

甘肃行省平章哈萨等侵吞盗用公款、盐引,命省台官追还赃款。

丙戌(二十九日),撤销营田提举司。

任命奈曼岱为镇北行省右丞。

旧制,官府召商贩运粮食到边塞以充实边饷。本年,输边粮食三十万石,办事人员想私下收买,压低购粮数为十万石,商人进退两难。奈曼岱向朝廷请示,凡所输粮食全部收下,作为下年之数,百姓感激他做了好事。奈曼岱,是穆呼哩五世孙。

六月,己丑(初三),御史台上言:"瓜、沙二州,自古为边镇重地,今大军屯驻甘州,使官府和百姓反而处在边外,这样做不合适。请调蒙古军一万人分头镇守险要关口,同时建立屯田以供军用。"皇帝同意。

庚子(十四日),西京道宣慰使帕哈哩鼎,以名为"瑟瑟"的珍珠二千五百余斤卖给官府,计钞一万一千九百余锭。不久,内廷传旨,除御床所用外,余未用者全数退还。

癸卯(十七日),皇帝降旨:"凡官军子弟年满二十者,与民官子孙一样见习一年,并不支俸,日满方许袭职。万户当值于枢密院,千户于行省,百户于本万户。"

乙巳(十九日),裁撤行省参知政事下签省职位。

命甘肃行省修阿合潭、曲尤濠以通漕运。

瓮山看闸提领说,"自闰五月末以来,日夜下雨不停,六月初旬夜半,山水暴涨,漫流堤上,冲决河谷。"于是命令都水监修白浮、瓮山河堤。白浮、瓮山,即通惠河上游的源头。

台州风灾水患大发作,宁海等二县死者五百五十人。

秋季,七月,壬戌(初六),御史台上言:"前河间路达噜噶齐呼赛音、转运使术甲德寿,皆因贪赃罪免职。现今呼赛音以进献鹰犬,复授官大宁路达噜噶齐,术甲德寿因迪里密实所奏不实被诬告,复授官福宁知州,应都加以纠正不用,以便使奸贪之徒知所收敛。"皇帝同意。

禁止僧人以修建寺庙为名,持诸王令旨,乘驿站的传车骚扰百姓。

丙寅(初十),任命哈喇哈斯为中书右丞相、知枢密院事。

丁丑(二十一日),中书省上言:"大同税课,近来奉旨赐给乳母杨氏。杨家聚敛过度,侵扰百姓尤为严重。"皇帝下诏赐钞五百锭,大同税课依例缴纳官府。

都尔斡战败后,召集他的亲属计议说:"从前我太祖皇帝,历尽艰难以成帝业,统率天下,我辈子孙却不能安定,一同来安享其成,连年动兵以相残杀,实在是自毁祖宗之功业。现今统兵镇守边关者,皆世祖皇帝之嫡孙,吾与谁家争战?况且以前与托克托作战,既不能胜,今与其子绰和尔战又无功效,天与祖宗之意愿也于此可见。不如遣使请命罢兵,通一家之好,使吾士民老者得其养,少者得其长,伤残疲惫者得以休息,则亦无负于太祖皇帝所望于我辈子孙的了。"都尔斡派遣的使者来到,伊彻察喇会合诸王将帅计议说:"都尔斡乞求投降,是朝廷的大好事,按理应等待朝廷的命令,但往返两个月,必会失去事机,这又将是国家之大患,没有了结的时候。都尔斡之妻,是我弟玛古哈喇之妹,可派遣玛古哈喇去答复,允许他称臣归附。"大家认为可以,于是派使者上报朝廷。皇帝称赞这样做法,命令军士安置驿站等候。从此叛乱的诸王相继来降。

八月,己丑(初四),撤销护国仁王寺原设江南营田提举司。

辛卯(初六)夜,地震,平阳、太原尤为严重,村寨移位,地裂成渠,百姓压死不可胜计。派使者分道赈济,计钞九万六千五百余锭;再免除太原、平阳今年差税;山场、河泊任由百姓采捕。

皇帝降诏询问招致灾害的原因,保章正齐履谦说:"地为阴而掌管静,也就是做妻子的道理,做臣子的道理,做儿子的道理。三者违反正道,那么地就因此而不安宁。消祸弭灾之道,大臣应当回头责问自己,丢却专制的权势以对天变,不可仅以祈祷消灾。"当时皇帝卧病在床,宰相和皇后专政,所以齐履谦话里有所指。集贤大学士陈天祥,也上书极力陈述阴阳不和、天地错位,是时政的毛病,其言辞尤为恳切直率,执政者讨厌他,故意压制而不上报。

当初,晋宁郇保山挪动,所过之处,居民庐舍皆摧毁倾塌。将近李忠家,忽分而复合,李忠家独完好。李忠幼年丧父,事母至孝,众人认为是李忠因孝感动天,所以才如此。

江南行台中丞张珪上书,极力强调天与人之间的关系,是自然灾害与天象变异的原因。其奏章条目有修德行,广言路,进君子,退小人,赏罚严明,减冗员,节制虚立名目的费用,以效法祖宗定制。洋洋数百言,其中有弹劾大臣的违法乱纪,兼及左右侍臣混淆视听者。奏章被压不报,张珪于是托病请辞还乡。

庚子(十五日),中书省上言:"帕哈哩鼎解运和林之军粮,亏欠计二十五万余石,最近监察御史也谈及帕哈哩鼎侵吞公款十三万余锭,请派官员追还赃欠,不足则查封没收其财产。"皇帝同意。

九月,戊午(初四),皇帝从上都回到大都。

丙寅(十二日),鉴于太原、平阳地震,严禁诸王部下骚扰百姓,同时减去太原一年饲养马的半数。

派刑部尚书塔齐尔、翰林直学士王约出使高丽。

当时高丽国王王昛既已复位,且又撤销了征东行省监制,王昛于是又开始大量搜刮和滥施刑罚,高丽百姓纷纷来朝廷申诉,从而了解高丽相国吴祈专权并挑拨高丽国王父子关系的情况。皇帝命王约告诉王昛:"天地间至亲者父子,至重者君臣;像吴祈那样的小人但知有利,难道肯为你的家国着想吗?"王昛哭泣谢罪,并请求让他儿子王源回国,奸臣及其同党全都听从王约惩处。于是召吴祈来朝廷,对他进行审讯,流放安西。

丙子(二十二日),罢免有家室的僧官职位。

壬午(二十八日),重新任命茂巴尔斯为平章政事。

任命国子司业畅师文为陕西行省理问官。在此之前,畅师文出任山南道廉访司佥事,当时松滋、枝江有水患,每年征发百姓防水,往返数百里,常常供给不上,畅师文认为长江水流平稳,全部停止防水工程的差役。驸马家人仗势不法,畅师文惩治其中首恶者,将他流放。畅师文到陕西,审理积案,决不奉迎徇私。不多久,因病离职。

冬季,十月,丁亥(初三),太白星自东向西绕行天空。

御史台弹劾江浙行省平章阿尔违法乱纪,皇帝说:"阿尔,我所信任的人。台臣多次提他,这不是劝勉大臣的样子。以后再有言者,朕决不宽恕。"

戊子(初四),因江浙今年稻谷没有收成,减少海道运粮四十万石。

辛卯(初七),重新设置陕西行御史台。

癸巳(初九),御史台官员和诸道奉使说,行省官久任一地,与下面老百姓联姻,有害公事。皇帝诏令互相迁调。

商议中书省事张孔孙说,曲阜孔庙应给予洒扫户。皇帝诏令给大都文宣王庙洒扫户五户。

乙未(十一日),押发云南叛蛮余党未能悔过自新者来京师,留蛇节养子阿阙于本地以安抚其百姓。

庚子(十六日),升普定府为路,隶属曲靖宣慰司;任命原知府容苴的妻子为总管,准佩虎符。

庚戌(二十六日),翰林国史院进呈太祖、太宗、定宗、睿宗、宪宗《五朝实录》。

辛亥(二十七日),皇帝下诏:"军户贫乏者,救济抚恤六年。"

增加蒙古国子监生员一百名。

中书省向皇帝说:"翰林学士赵与𤤽,侍奉世祖皇帝,到现在计三十年,敦厚刚强,清廉谨慎,于七月去世,家贫,无以归葬。"皇帝命有司资助丧葬费钞五十贯,给舟车回籍安葬。

十一月,甲寅朔(初一),命令鹰师围猎不得骚扰百姓。

将顺元划归湖广省。将海道运粮万户府合并为海道都转运万户府。

丁巳(初四),诏令大同等路运粮五万石入和林。

己未(初六),太白星自东向西绕行天空。

甲子(十一日),命令依照《赃罪条例十二章》定僧官贪赃罪。

十二月,甲申朔(初一),皇帝诏书:"内郡连年欠收,百姓已免差者,并免除其田租。"

乙酉(初二),放宽京师酒税。

丙戌(初三),太白星自东向西绕行天空。

戊子(初五),因讨平宋隆济有功,增加诸将俸禄,赐银钞等物不等;军士各赐钞十锭放送还家,慰问抚恤一年。

辛丑(十八日),皇帝降旨:"招抚顺元诸司,免其民间欠税。"

丁未(二十四日),因转运军饷劳苦,减免思、播二州和衡、永等路税粮不等。

七道奉使宣抚所罢免赃官污吏共一万八千四百七十三人;没收赃款四万五千八百六十五锭;审理冤案五千一百七十六件。

成宗元贞初年,图呼鲁调任江浙右丞,适逢岁旱,图呼鲁一到任即下大雨,民心大喜。未几,平章博果密去世,皇帝想念他,问近侍说:"群臣中有谁似博果密一样?"近侍回答说:"图呼鲁是这样的人,而且为世祖皇帝所赏识。"于是遣驿使将他召还,赐给雕鞍、弓矢。不久升枢密副使。本年去世,赐谥文肃。

大都路总管兼大兴府尹齐诺,统领属官和治理百姓有方,利用空闲日子修整市街道路,标识乡里巷道,国子监兴工,尤为尽力。不久,晋升同签枢密院事,上奏章说:"蒙古军驻守在山东、河南的兵将,调防甘肃,动即跋涉万里,服装行囊、鞍马之费,皆由自办,每次行动必卖田产,甚至卖妻鬻子。往戍者未归,接替者又该出发,先后交相轮换,困苦日甚。现今边陲无事而虚耗兵力,确是不切实际的做法。请换靠近甘肃之兵驻防,而山东、河南之前戍边者,官府代为出钱赎回其田产妻儿。"皇帝依允。未几,齐诺升迁参议中书省事,参赞军国大事,他为人精明练达,凡求禄位的人由其他门道推荐的,一律不用,当时的论者都一致称赞。

何玮任御史中丞,上疏陈述当世要务十条,皇帝称许并采纳了。京师孔子庙落成,何玮上言:"唐、虞、三代,国都街巷莫不有学,今孔庙既成,应建国学于庙侧。"皇帝同意。

赛音谔德齐、巴都高等从被贬放的地方回来,恢复宰相职位。何玮说,奸党不可复用,应选品行端正的人来执掌议事的庙堂,皇帝深表同意。监察御史郭章弹劾郎中哈喇哈斯受赃,罪状明白,而哈喇哈斯密结权要,以违法曲断诬陷郭章。何玮率领御史台官员入奏,辩白论说切中事理,郭章终于得到释放。

皇帝降旨:"内外官员年七十者,概听其辞官。"唯独郭守敬为先朝有德望的老臣,朝廷政事多向他谘询,他几次请求告退,皇帝不许。从此凡翰林、太史官不许辞官,定为诏令。

商议中书省事张孔孙多次上疏说:"凡年七十辞官者,宜递升一官。逢父母之丧,三年丧满者,应特令起复。宿卫买嘱承充,违例补用者,必当革除。州郡之职,必当遴选。久任达噜噶齐,宜酌情升迁。还应增给官吏俸禄。宰臣职位宜参用儒臣,不可专任文职官吏。"张孔孙所言,多切中时弊,但一时不能完全施行。

续资治通鉴卷第一百九十五

【原文】

元纪十三　起阏逢执徐【甲辰】正月,尽强圉协洽【丁未】十二月,凡四年。

成宗钦明广孝皇帝

大德八年　【甲辰,1304】　春,正月,己未,以灾异故,诏天下恤民隐,省刑罚。平阳、太原免差税三年;江南佃户租太重,以十分为率减二分,永为定例;仍弛山场、河泊之禁,听民采捕。

庚申,以云南顺元同知宣抚事宋阿重,生获其叔隆济来献,升其官,赐衣一袭。

癸亥,禁锢朱清、张瑄族属。

丙寅,以御史(大夫)〔中丞〕、太仆卿塔斯布哈为中书右丞,江南行台中丞赵仁荣为中书参知政事。

陈天祥自被召还京,至是且一岁,未尝得见帝,输忠无地,常郁郁不自释,遂移疾谢去。至通州,中书遣使追留,不还。帝闻之,赐钞给传,天祥辞所赐钞而行。

升教坊司三品。

辛巳,诏诸王、驸马往辽东捕海东鹘者,毋给驿。

自荥泽至睢州,筑河防十有八所,给其夫钞人十贯。

是月,平阳地震不止,已修民屋复坏。皇后召平章政事阿锡叶问曰:"灾异如此,殆下民所致耶?"阿锡叶曰:"天地示警,民何与焉!"

御史中丞何玮疏言地震咎在大臣,于是右丞洪君祥等俱罢。

命大都留守郑制宜赴平阳存恤。制宜惧缓不及事,昼夜兼行,至则亲人里巷,抚疮痍,给粟帛,存者赖之。

二月,丙戌,增置国子生二百员,遴宿卫大臣子孙充之。

甲午,诏父子兄弟有才者,许并居风宪。

徙江东建康道廉访司治于宁国,其建康路簿书,命监察御史钩考。

甲辰,翰林学士承旨萨里曼进金书《世祖实录节文》《汉字实录》。

减宿卫繁冗者。

丙午,帝如上都。

敕:"军人奸盗诈伪,悉归有司。"

平章政事、商议枢密院事李庭蔑,追封益国公,谥武毅。

湖广行省平章政事刘国杰久行边,患瘴,自入觐还镇,疾笃。僚属问之,国杰曰:"交贼不臣,若病幸小愈,得灭此贼,死无憾矣。"问以家事,不言。卒年七十二。

国杰善推诚,得士心,故所至立功。性雄猛,视死如归,尝语人曰:"吾为国宣力,虽身弃草野不恨,何必马革裹尸还葬哉!"讣闻,赠齐国公,谥武宣。

三月,丁巳,诏:"军民官已除,以地远官卑不赴者,夺其官不叙;军官擅离所部者,悉遣还翼,违者论如律;军人不告〔所〕部私归者,杖而还之。"

乙丑,彗星灭。自去岁十二月〔庚戌〕始见,约盈尺,在室十一度,入紫微垣,至是灭,凡七十四日。

戊辰,中书左丞尚文以疾辞,不允。

诏:"诸王、驸马所分郡邑,达噜噶齐惟用蒙古人,三年依例迁代;其汉人、女真、契丹名为蒙古者,皆罢之。"

敕:"军民逃奴,有获者即付其主;主在它所者,赴所在官司给之,仍追逃奴钞充获者赏;逃及诱匿者,论罪有差。"

诏:"诸路牧羊及百,至三十者官取其一,不及数者勿取。"

中书省言:"自内降旨除官者,果为近侍宿卫,践履年深,依已除叙;尝宿卫未官者,视散官叙。始历一考,准为初阶;无资滥进,降官二级。官高者,量降各位下;再任者,从所隶用;三任之上,听入常调。蒙古人不在此限。"从之。

庚辰,〔命凡为衙兵者,皆半隶屯田,仍〕谕〔各卫屯官及〕屯田〔者〕以勤惰为赏罚。

滦城、济阳等县陨霜杀桑。

夏,四月,丙戌,置千户所戍定海,以防岁至倭船。

命僧、道为商者输税。

甲午,诏:"诸王、驸马进捕鹰鹘,皆有定户,自今非鹰师而乘传冒进者,罪之。"

丁未,以国子生分教于上都。

集贤学士兼国子祭酒耶律有尚,以葬父还乡,已而朝廷思用老儒,以安车召之。累辞,不允,复起为昭文馆大学士兼国子祭酒。有尚前后五居国学,其教法一遵许衡之旧,而勤谨有加。诸生知趋正学,尊经术,尚躬行;宗仰有尚,犹旧时之宗仰许衡也。

五月,(己未)〔壬子〕朔,日有食之。

壬申,中书省言:"吴江、松江,实海口故道,潮水久淤,凡湮塞良田百有馀里,况海运亦由是而出,宜于租户役万五千人浚治,岁免租人十五石,仍设行都水(司)〔监〕以董其程。"从之。

罢福建都转运盐使司,以其岁课并隶宣慰司。

庚辰,以去岁平阳、太原地震,宫观摧圮者千四百馀区,道士死伤者千馀人,命赈恤之。

是月,〔蔚州之灵仙,太原之阳曲,隆兴之天城、怀安,大同之白登〕大风,雨雹;开封之祥符、太康、阳武,卫辉之获嘉,河溢。

泾水暴涨,毁堰塞渠,陕西行省命屯田府总管瓜勒佳巴延特穆尔及泾阳尹王琚疏导之。

六月,丁酉,汝宁妖人李曹驴等妄言〔得〕天书惑众,事觉,伏诛。

是月，翰林学士致仕王恽卒。恽有材干，操履端方，好学，善属文，居官数进说言。赠翰林学士承旨，追封太原郡公，谥文定。

秋，七月，辛酉，罢江淮等处财赋总管府。

癸酉，以顺德、恩州去岁霖雨，免其民租。

八月，太原之交城、阳曲、管州、岚州，大同之怀仁，雨雹、陨霜杀禾；杭州火，发粟赈之。以大名、高唐去岁霖雨，免其田税。

九月，癸丑，帝至自上都。

庚申，巴延、梁德珪并复为中书平章政事，巴特玛琳沁复为中书右丞，密勒和卓复为中书参知政事；以江浙行省平章阿尔为中书平章政事。庚午，御史杜肯构等言："巴延等树党受赇，谪戍远方，道路相庆。方经数月，遽闻召复相位，又与原鞫之人列坐朝堂。天下之人，目巴延、梁德珪、巴特玛琳沁为三凶，三凶不诛，无以谢天下；又况密勒和卓、阿尔等，与之同恶相济，浊乱朝纲，是以比年灾异屡见。虽朝廷存恤之诏屡颁，而祸乱之源未塞，上失其政，民受其殃。请将群凶或斥或诛，明正其罪。"御史中丞何玮亦以为言。前后章数十上，皆不报。

梁德珪自湖广复入见，帝问："卿安在？"德珪涕泣不能语。赐酒馔，使往拜其母。因以气疾乞骸骨，旋卒。

癸酉，潮州飓风起，海溢，漂民庐舍，溺死者众，给被灾户粮两月。

冬，十月，辛卯，有事于太庙。

辛巳，以宣徽使、大都护长寿为中书右丞，陕西行省右丞托欢为中书参知政事。

丁亥，安南遣使入贡。

诏诸王、驸马毋乘驿以猎。

庚寅，封皇侄哈尚为怀宁王，赐金印，仍割瑞州户六万五千隶之。

十一月，壬子，诏："内郡、江南人凡为盗黥三次者，谪戍辽阳；诸色人及高丽二次，免黥，谪戍湖广。盗禁御马者，初犯谪戍，再犯者死。"

诏问弭灾之道。商议中书省事张孔孙条对八事，其略曰："蛮夷诸国，不可穷兵远讨；滥官放遣，不可复加任用；赏善罚恶，不可数赐赦宥；献鬻宝货，不可不为禁绝；供佛无益，不可虚费财用；上下豪侈，不可不从俭约；官冗吏繁，不可不为裁减；太庙神主，不可不备祭飨。"帝嘉纳之，赐以钞。

丁卯，复免僧人租。

壬申，诏："凡僧奸盗杀人者，听有司专决。"

十二月，庚子，复立益都淘金总管府。

始定国子生，蒙古、色目、汉人三岁各贡一人。

召程文海为翰林学士、商议中书省事。

云南行省平章政事伊苏岱尔上言："所领云南，地居徼外，历世所不能臣。世祖皇帝天戈一麾，无思不服，今其民衣被皇麻，同于方夏。点苍山旧尝驻跸，请纪圣功，刻石其上，使臣民瞻仰。"帝命程文海撰文，勒碑云南。

中书右司郎中伊赫特雅尔鼎尝与同列共议狱，有异其说者，伊赫特雅尔鼎曰："公等读律，苟不变通以适事宜，譬之医者，虽熟于方论，而不能切脉用药，于疾痛奚益哉！"是岁肆赦，廷议,官吏因事受赇者不预。伊赫特雅尔鼎曰:"不可。恩如雨露,万物均被,赃吏固可疾,比之盗贼则有间矣。宥盗而不宥吏,何耶?"刑部尝有狱事上谳,既论决,已而丞相知其失,以谴右司主者。伊赫特雅尔鼎初未尝署其案,因取成案阅之,窃署其名于下。或谓之曰:"兹狱之失,公实不与,丞相方谴怒,而公反追署其案,何也?"伊赫特雅尔鼎曰:"吾偶不署此案耳,岂有与诸君同事而独幸免哉!"丞相闻而贤之,同列因以获免。伊赫特雅尔鼎,回回人也。

大德九年　【乙巳,1305】　春,正月,戊午,以帝师〔辇真监藏〕卒,赐金银币帛,仍建塔寺。

以畅师文为陕西汉中道廉访副使,仍以疾不赴。

二月,癸未,中书省言:"近侍自内传旨,凡除授赏罚,皆无文记,惧有差违,请自今传旨者悉以文记付中书。"从之。

甲午,免天下道士赋税。

乙未,建大天寿万宁寺。中塑秘密佛像,其形丑怪,皇后幸寺见之,恶焉,以帕障其面而过,寻敕毁之。

庚子,命中书议行郊祀礼。

辛丑,赦天下。令御史台、翰林、集贤院、六部于五品以上各举廉能识治体者三人,行省、行台、宣慰司、廉访司各举五人。

三月,丁未朔,帝如上都。

先是省、院、台臣请上尊号,帝不允。及帝在上都,皇后自请之,帝曰:"我病日久,国家大事,多废不举,宁尚理此等事耶!"事遂寝。

戊午,以枢密副使高兴为平章政事,仍枢密副使。

上都留守贺仁杰请老。仁杰居官五十馀年,为留守者居半,车驾春秋行幸,出入供亿,未尝致上怒。其妻刘殁,世祖欲为娶贵族,固辞;乃娶民间女,已而丧明,夫妻相敬有加。帝雅重之,晋平章政事,商议陕西行省事,赐金币归第。以其子胜代为上都留守。

夏,四月,乙酉,大同路地震,有声如雷,坏官民庐舍五千馀间,压死二千馀人;怀仁县地裂二所,涌水尽黑,漂出松柏朽木。遣使以钞四千锭、米二万五千馀石赈之,是年租赋、税课、徭役,一切除免。

先是中书省臣言:"前代郊祀,皆以祖宗配享。今始行郊礼,请专祀天地为宜。"从之。壬辰,始定郊祀礼。

元初,用国俗,拜天于日月山。郊祀之事,自平宋后犹未举行。至是,哈喇哈斯等言:"祈天保民之事,有天子亲祀者三:曰天,曰祖宗,曰社稷;而祭天尤国之大事也。陛下虽未及亲祀,宜如宗庙、社稷,岁时遣官摄行之。"制下翰林、集贤、太常及中书议之。以为:"《周礼》冬至圜丘礼天,夏至方泽礼地;西汉元始间,始合祭天地;历东汉至宋,千有馀年,分祭合祭,迄无定议。然时既不同,礼乐亦异,王莽之制,何可法也!今当循三代之典,祀天南郊,而方泽之礼,续议以闻。又按周作坛壝三成,近代坛四成,以广天文从祀之位。今宜去其一成,以合阳、奇之数;每成高八尺一寸,以合数之九九;坛设丙巳之地,以就阳位。又,古者器用陶匏,席用藁秸,以祀天;汉唐而后,礼乐玉帛,日益繁缛,宋、金多循唐礼;今宜取唐制损益而行之。"既而太常复议尊祖配天之仪,省臣曰:"自古汉人有天下,率尊祖以配天。宗庙已有时飧,郊止祭天为宜。"中丞何玮曰:"严父配天,不易之制也。"不从。

五月,戊申,诏求山林间有德行文学识治道者。征原任陕西儒学提举萧㪃赴阙,且曰:"或不乐于仕,可试一来与朕语,当即遣归。"令有司给以安车。

㪃初为府史,与上官语不合,即引退,读书南山者三十年。于是博极群书,及门受业者甚众。乡人有暮行遇盗者,诡曰:"我萧先生也。"盗惊愕,释去。世祖时,辟为陕西儒学提举,不赴;后累授集贤直学士、国子司业,改集贤侍读学士,皆不赴。省宪大臣即其家具宴为贺,使一从史先诣㪃舍。㪃方汲水灌园,从史至,不知其为㪃也,使饮其马,即应之不拒。及冠带迎宾,从史见之有惧色,㪃殊不为意。

戊午,改各道肃政廉访司为详刑观察使,听省、台辟人用之。

癸亥,以地震,改平阳为晋宁,太原为冀宁。

复立洪泽、芍陂屯田,令河南行省平章阿萨尔领其事。

召陈天祥为中书右丞,议枢密院事,提调诸卫屯田;以年老固辞。

六月,庚子,立子德寿为皇太子,诏告天下。赐高年帛。流窜远方之人,量移内地。

甲午,潼川霖雨,江溢,漂没居民,溺死者众。敕有司给粮一月,免其田租。

秋,七月,辛亥,筑郊坛于丽正、文明门之南丙位;设郊祀署,令、丞各一员,太祝三员,奉礼郎二员,协律郎一员,法物库官二员。

甲寅,太白经天。

壬戌,以金银钞厚赐兴圣太后及宿卫臣,出居怀州,复置怀宁王府官。

八月,丁丑,复给曲阜林庙洒扫户,以尚珍署田五十顷供岁祀。

丙戌,海商以珍宝来献,议以钞六万锭酬其直。或谓左丞尚文曰:"此所谓雅库特珠也,六十万酬之不为过。"文问:"何所用之?"答曰:"含之可不渴,熨面可使目有光。"文曰:"一人含之,千人不渴,则诚宝也;若一珠止济一人,则用已微矣。吾之所谓宝者,米粟是也,一日不食则饥,三日则疾,七日则死,有则百姓安,无则天下乱,以功用较之,岂不愈于珠哉!"

癸巳,复立制用院。

是月,归德、陈州河溢。

九月,庚申,帝至自上都。

冬,十月,丙戌,太白经天。

乙未,帝谕中书省、枢密院、御史台臣曰:"省中政事,听右丞相哈喇哈斯总裁,自今用人,非与议者悉罢之。"

戊戌,诏:"芍陂、洪泽等屯田为豪右占据者,悉令输租。"

辛丑,复以详刑观察司为肃政廉访司。

括两淮地为豪民所占者输租赋。

北方奇噜伦部大雪。同知宣徽院事图沁布哈请买驼马,补其死缺;出衣币于内府,身往给之,全活数万人。其还也,帝赐以七宝笠。

是月,帝不豫,皇后巴约特氏秉政。诏遣阿裕尔巴里巴特喇,就其母鸿吉哩氏居怀州。

阿裕尔巴里巴特喇,怀宁王哈尚之母弟也。

江浙行省平章彻尔召人为中书平章政事,是月薨。家赀不满二百缗,人服其廉。追封徐国公,谥忠肃。

十一月,丁未,黄胜许遣其属来献方物,请复其子官。帝不(充)〔允〕,曰:"胜许反侧不足信,如其悔罪自至,则官可得。"命赐衣服遣之。

旧制,凡遇享祀,司天虽掌时刻,无钟鼓更漏,往往至旦始行事。至是将郊祀,齐履谦摄司天台官,言于宰执,请用钟鼓更漏,俾早晏有节,从之。

庚午,祀昊天上帝于南郊,牲用马一,苍犊一,羊、豕、鹿各九。其文舞曰《崇德之舞》,武舞曰《定功之舞》。以摄太尉、右丞相哈喇哈斯、左丞相阿固岱、御史大夫特们德尔为三献官。

壬申,太白经天。

拱卫直都指挥使王伯胜,自帝有疾,晨夕入侍;安西王忌之,出为大宁路总管。

十二月,丙子,地震。

庚寅,皇太子德寿薨。皇后遣人问西僧丹巴曰:"我夫妇崇信佛法,以师事汝,止有一子,宁不能延其寿也?"对曰:"佛法如灯笼,风雨至则可蔽,若烛尽,则无如之何也。"一时称其敏给。

大德十年 【丙午,1306】 春,正月,甲辰,诏询访庄圣皇后、昭睿顺圣皇后、徽仁裕圣皇后仪范中外之政,以备纪录。

丙午,浚吴松江等处漕河。

庚戌,浚真、扬等州漕河;令盐商每引输钞二贯,以为佣工之费。

戊午,罢江南白云宗都僧录司,汰其民归州县,僧归(名)〔各〕寺,田悉令输租。初,南台御史言:"江南寺观田亩,历年诏免租赋,上亏公额,下侵民利。其所隶民户,或罹饥窘,为其徒者,坐视不恤。请于秋成之时,验其顷亩,减半征之,以备凶岁推赈其民,庶几利害稍均。"从之。

壬戌,发河南民十万筑河防。

丁卯,命近侍无辄驿召外郡官。

营国子学于文宣〔王〕庙西。

中书左丞尚文,以老疾告归;复召为中书右丞,商议中书省事,不起。

闰月,晋宁、冀宁地震不止。

二月,辛亥,中书省言:"近侍传旨以文记至省者,凡一百五十馀人,令臣擢用,其中犯法妄进者实多,宜加遴选。"许之。

己未,江西、福建奉使宣抚塔布岱坐赃;遇赦,释其罪,终身不叙。

'戊辰,帝如上都。

是月,大同路暴风,大雪,坏民庐舍;雨沙阴霾,马牛多毙,人亦有死者。

三月,乙未,道州营道等处暴雨,江溢,山裂,漂荡民庐,溺死者众;复其田租。

夏,四月,庚子朔,诏:"凡匿鹰犬者,没家赀之半,笞三十;来献者给之以赏。"

壬戌,云南(罹)〔罗〕雄州、普定路诸蛮为寇。右丞汪惟能进讨,贼退据越州,谕之不服,遣平章伊苏岱尔率兵万人往捕之;兵至曲靖,与惟能合兵压贼境,获其渠,斩之,馀众皆溃。命伊苏岱尔留军二千戍之。

癸亥,置昆山、嘉定等处水军上万户府。

甲子，倭商有庆等抵庆元贸易，以金铠甲为献。命浙江行省平章阿喇卜丹等备之。

是月，郑州暴风雨雹，大若鸡卵，积厚五寸，麦及桑枣皆损；蠲今年田租。

五月，癸未，诏："西番僧往还者，不许驰驿，给以舟车。"

禁御史台、宣慰司、廉访司官毋买盐引。

乙酉，遣高丽国王王昛还国，仍置征东行省镇抚之。

丁亥，诏右丞相哈喇哈斯、达喇罕、左丞相阿固台等整饬庶务；凡铨选钱谷等事，一听中书裁决，百司勤怠者，悉以名闻。

六月，癸卯，御史台言："江南行台监察御史嘉珲，劾江浙行省宣使李元不法。行省亦遣人摭拾嘉珲不令检核案牍。"中书省复言嘉珲等不循法度，擅遣军士守卫其门，榜掠（其）〔李〕元，诬指行省等官不法事。诏省、台及额尔克达噜噶齐同讯之。

壬戌，来安（府）〔路〕总管岑雄叛，湖广行省遣宣慰副使呼图鲁特穆尔招谕之。雄令其子世坚来降，赐衣物遣之。

秋，七月，辛巳，宣德等处雨雹害稼。大同之浑源陨霜杀禾。平江大风海溢，漂民庐舍。

八月，壬寅，开成路地震，王宫及官民庐舍皆坏，压死故秦王妃等五千馀人；以钞万三千六百馀锭、粮四万四千馀石赈之。

先是，命江浙行省制造宣圣庙乐器，以宋旧乐工施德仲审校应律，运至京师。丁巳，京师文宣〔王〕庙成，行释奠礼，牲用太牢，乐用登歌，制法服三袭；（召）〔命〕翰林院定乐名、乐章。

是秋，辽阳行省右丞洪万罢，以其叔君祥代之。君祥请于朝，宜新省治，增巡兵，置儒学提举官、都镇抚等员，以兴文教，修武备。既而事不果行。

陕西饥，省、台议请赈于朝，安西路总管赵世延曰："救荒如救火，愿先发廪以赈。朝廷若不允，世延当倾财若身以偿。"省、台从之，所活者众。

世延娴习官政，其始除总管也，前政壅滞者三千牍，世延既至，不三月，剖决殆尽。

冬，十月，丁未，有事于太庙。

丁卯，安南遣使贡方物。

青山叛蛮来附。

吴江洲大水，民乏食，发米万石赈之。

十一月，己巳，帝至自上都。

十二月，乙卯，帝寝疾，禁天下屠宰四十二日。

内侍李邦宁，钱塘人，宋故小黄门也，宋亡，从瀛国公入见，世祖命给侍内庭。警敏称上意，令学国书及诸番语，即通解，遂见亲任。帝即位，进太医院使。自帝初得疾至此，不离左右者十馀月。

癸亥，琼州临高县那篷洞主王文何等作乱，伏诛。

阿裕尔巴里巴特喇至怀州，所过郡县供帐华侈，悉令撤去，严饬扈从毋扰民，民皆感悦。

是岁，大都留守郑制宜卒。帝遇制宜特厚，每侍宴，辄不敢饮，终日无（隋）〔惰〕容。帝察其忠勤，屡赐内酝，辄持以奉母。帝闻之，特封其母苏氏为潞国夫人。及制宜殁，追封泽国公，谥忠宣。

大德十一年　【丁未，1307】　春，正月，丙辰朔，帝大渐，免朝贺；癸酉，崩于玉德殿，国语称鄂勒哲图皇帝。

帝承世祖混一之后，善于守成；惟末年连岁寝疾，凡国家政事，内则决于宫壸，外则委于宰臣，幸去世祖未远，守其成宪，不至废坠。

乙亥，灵驾发引，葬起辇谷，从诸帝陵。

皇后巴约特氏，以己尝谋出阿裕尔巴里巴特喇及其母居怀州，至是恐其兄怀宁王哈尚立，必报前怨，乃命召安西王阿南达入京师，欲立之。左丞相阿固岱、平章赛音谔德齐、巴特玛琳沁、巴延及诸王莽赖特穆尔阴左右之，谋断哈尚归路，奉皇后垂帘听政，立安西王辅之。于是，阿固岱以祔庙及摄位事集廷臣议之，太常卿田忠良、御史中丞何玮皆执不可，阿固岱变色曰："制自天降耶？公等不畏死，敢沮大事！"玮曰："死畏不义尔；苟死于义，何畏！"议遂寝。

右丞相哈喇哈斯收百司符印，封府库，称疾，守宿掖门，内旨日数至，皆不听。众欲害之，未敢发。怀宁王适遣哈喇托克托计事京师，哈喇哈斯令急还报，复遣使南迎阿裕尔巴里巴特喇于怀州。

使至怀州，阿裕尔巴里巴特喇疑未行，其傅李孟曰："支子不嗣，世祖之典训也。今宫车晏驾，大太子远在万里，宗庙社稷危疑之秋，殿下当奉大母急还宫庭，以折奸谋，安人心；不然，国家安危，未可保也。"阿裕尔巴里巴特喇犹豫未决，孟复进曰："邪谋得成，以一纸书召还，则殿下母子且不自保，岂暇论宗族乎！"阿裕尔巴里巴特喇大悟，乃奉其母行。

先遣孟趋哈喇哈斯所觇之。适皇后使问疾哈喇哈斯所，孟入，长揖，引其手诊之，众谓孟医也，不疑之。既而知安西王即位有日，还告曰："事急矣，先发者制人，后发者制于人，不可不早图之。"左右之人皆不能决，或曰："皇后深居九重，八玺在手，四卫之士，一呼而应者累万。安西王府中，从者如林，殿下侍（御）〔卫〕单寡，不过数十人，兵仗不备，奋赤手而往，事未必济。不如静守，以待大太子之至，然后图之，未晚也。"孟曰："群邪违弃祖训，党附中宫，欲立庶子，天命人心，必皆弗与。殿下入造内廷，以大义责之，则凡知君臣之义者，无不舍彼为殿下用，何求而弗获！克清官禁，以迎大兄之至，不亦可乎？且安西既正位号，纵大太子至，彼安肯两手进玺，退就藩国，必将斗于国中，生民涂炭，宗社危矣。且危身以及其亲，非孝也；遗祸（艰）〔难〕于大兄，非弟也；得时弗为，非智也；临机不断，非勇也；仗义而动，事必万全。"阿裕尔巴里巴特喇曰："当以卜决之。"命召卜人。有儒服持囊游于市者，召之至，孟出迎，语之曰："大事待汝而决，但言其吉。"乃入筮，遇《乾》之《暌》，立而献卦曰："卦大吉。乾，刚也；暌，外也；以刚处外，乃定内也。君子乾乾，行事也；飞龙在天，上治也；舆曳牛，掣其人，形且劓，内兑废也；厥宗噬肤，往必济也；大君外至，明相丽也；乾而不乾，事乃暌也；刚运善断，无惑疑也。"孟曰："筮不违人，是谓大同，时不可以失。"阿裕尔巴里巴特喇喜，振袖而起。众翼之登骑，诸臣皆步从。

至卫辉，经比干墓，顾左右曰："纣内荒于色，毒痡四海，比干谏，纣刳其心，遂失天下。"令祀比干墓，为后世劝。至漳水，值大风雪，田叟有以盂粥进者，近侍却不受，阿裕尔巴里巴特喇曰："汉光武尝为寇兵所迫，食豆粥。大丈夫不备尝艰阻，往往不知稼穑〔艰难〕，以致骄惰。"命取食之。赐叟绫一匹，慰遣之。

二月，辛亥，阿裕尔巴里巴特喇至大都，与母鸿吉哩氏入内，哭尽哀，复出居旧邸。

安西之党见阿裕尔巴里巴特喇既至,遂谋以三月三日伪贺其生辰,因以举事。阿实克布哈知之,言于哈喇哈斯,且曰:“先人者胜,后人者败。后一垂帘听政,我等皆受制于人矣,不若先事而起。”哈喇哈斯曰:“善!”夜,遣人启阿裕尔巴里巴特喇曰:“怀宁王远,不能速至,恐变生不测,当先事而发。”

阿裕尔巴里巴特喇复遣都万户囊嘉特诣诸王图喇定计,囊嘉特力赞之,乃先二日,以三月丙寅率卫士入内,称怀宁王遣使召安西王计事。至即并诸王莽赉特穆尔执之,鞫问,辞服,械送上都。收阿固岱、巴特玛琳沁、赛音谔德齐、巴延等,诛之。

诸王库库楚、伊克图进曰:“今罪人斯得,太子实世祖之孙,宜早正大位。”阿裕尔巴里巴特喇曰:“王何为出此言也!彼恶人潜结宫壸,乱我家法,故诛之,岂欲作威福以觊望神器耶!怀宁王,吾兄也,宜正大位,已遣使奉玺北迎之矣。”遂自称监国,与哈喇哈斯日夜居禁中以备变。

监国命李孟参知政事。孟损益庶务,裁抑侥幸,群小皆不乐。既而曰:“执政大臣,当自天子亲用,今銮舆在道,孟未见颜色,诚不敢冒大任。”固辞,弗许,遂逃去,不知所之。

监国命杨多尔济讥察禁卫。多尔济,宁夏人,早侍藩邸,见倚重。李孟之使京师也,多尔济从行,至是密致警备,监国赖焉。

是月,道州营道县暴雨,山裂一百三十馀处。

夏,五月,乙丑,怀宁王哈尚至上都。初,哈尚闻帝崩,自阿勒台山至和林。诸王勋戚合辞劝进,王曰:“吾母及弟在大都,俟宗亲毕会议之。”

时内难既平,鸿吉娌妃以两子星命,令阴阳家推算所宜立者,曰:“重光大荒落有灾,旃蒙作噩长久。”重光为哈尚年干,旃蒙为阿裕尔巴里巴特喇年干也。妃惑其言,遣近臣告哈尚曰:“汝兄弟二人,皆我所生,岂有亲疏,阴阳家所言,运祚修短,不容不思。”哈尚语托克托曰:“我捍边陲十年,又嗣次居长,星命之言,茫昧难信。设我即位后,所行上合天心,下副民望,则虽一日之短,亦足垂名万年,何可以阴阳家言而乖祖宗之托哉!此殆用事之臣擅权专杀,恐他日或治其罪,故为是奸谋耳。汝为我往察事机,疾归报我。”乃亲率大军由西道,诸王昂辉由中道,绰和尔由东道,各以劲卒一万,而迟回不进。

托克托驰至大都,具道哈尚言,妃愕然曰:“修短之说,虽出术家,为太子周思远虑,乃出我深爱。今大憝已除,诸王大臣议已定,太子不速来何为!汝所致言,殆有(才)〔谗〕间。汝归,为我弥缝之而趣其来。”先是,妃以怀宁王不至,复遣阿实克布哈迎之,备道安西谋变始末及太弟监国与诸王群臣推戴之意。至是托克托继往,行至中道,怀宁王舆中望见之,趣使同载。托克托备述妃言,怀宁王大感悟,及是至上都,以阿实克布哈为平章政事,遣还报两宫。阿裕尔巴里巴特喇即侍其母来会于上都,废皇后巴约特氏,〔出〕居东安〔州〕,杀之。诛(西安)〔安西〕王阿南达及诸王莽赉特穆尔。

甲申,怀宁王即皇帝位。诏曰:“昔我太祖皇帝以武功定天下,世祖皇帝以文德洽海内,列圣相承,丕衍无疆之祚。朕自先朝,肃将天威,抚军朔方,殆将十年;亲御甲胄,力战却敌者屡矣。方诸蕃内附,边事以宁,遽闻宫车晏驾。乃有宗室、诸王、贵戚、元勋,相与定策于和林,咸以朕为世祖曾孙之嫡,裕宗正派之传,〔以功以贤〕,宜膺大宝。朕谦让未遑,至于再三。还至上都,宗亲、大臣复请于朕。间者奸臣乘隙,谋为不轨,赖祖宗之灵,母弟阿裕尔巴里巴特喇禀命太后,恭行天罚。内难既平,神器不可久虚,宗祧不可乏祀,合词劝进,朕勉徇舆情,于五月二十一日即皇帝位。其与民更始,可大赦天下。"

是日,追尊考曰顺宗皇帝,母元妃鸿吉哩氏曰皇太后。

壬辰,加知枢密院事托多尔海太傅,中书右丞相哈喇哈斯、(答)〔达〕喇罕太保,并录军国重事;知枢密〔院〕事塔喇海为中书左丞相,预枢密院、宣徽院事;同知徽政院事绰和尔、额尔克达噜噶齐阿实克布哈、江浙行省平章政事莽赉布哈并为中书平章政事;江浙行省左丞刘正为中书左丞,中书右丞、行御史中丞塔斯布哈为御史大夫。

是月,建州大雨雹。

六月,癸巳朔,诏立母弟阿裕尔巴里巴特喇为皇太子,受金宝。

甲午,建中都,立宫阙。

遣使四方旁求经籍,识以玉刻印章,命近侍掌之。有进《大学衍义》者,命王约等节而译之。皇太子曰:"治天下,此一书足矣。"因命与《图像孝经》《列女传》并刊行,赐臣下。

翰林学士阎复陈三事,曰:惜名器,明赏罚,择人材,言皆剀切。未几,遥授平章政事。复力辞,不许;上疏乞骸骨,诏从其请。

丁酉,中书右丞相哈喇哈斯、左丞相塔喇海言:"臣等与翰林、集贤、太常老臣集议,皇帝嗣登宝位,诏追尊皇考为皇帝。皇考,大行皇帝同母兄也;大行皇帝祔庙之礼尚未举行,二帝神主,依兄弟次第祔庙为宜。今(据)〔拟〕请谥皇考昭圣衍孝皇帝,庙号顺宗;大行皇帝曰钦明广孝皇帝,庙号成宗。太祖之室居中,睿宗西第一室,世祖西第二室,裕宗西第三室,顺宗东第一室,成宗东第二室。先元妃鸿吉哩氏宜谥曰真慈静懿皇后,祔成宗庙(堂)〔室〕。"制可之。

初,累朝皇后既崩者,犹以名称,未有谥号。礼部主事曹元用言:"后为天下母,岂可直称其名! 宜加徽号,以彰懿德。"至是皇后上谥,用元用之言也。

壬寅,塔喇海加太保、录军国重事、太子太师。

癸卯,置詹事院。

乙巳,中书省言:"中书宰臣十四员,御史大夫四员,前制所无。"诏与翰林、集贤诸老臣议拟以闻。

壬子,封皇妹为鲁国大长公主,驸马珊阿布喇为鲁王。

甲寅,敕内郡、江南、高丽、四川、云南诸寺僧诵《藏经》,为三宫祈福。

〔丙辰〕,御史大夫塔斯布哈言:"旧制,内外风宪官有所弹劾,诸人勿预;而近有受赃为监察御史所劾者,狱具,夤缘奏请,托言事入觐以避其罪。臣等以为今后有罪者,勿听至京,待其对辨事竟,果有所言,方许奏陈。"从之。

戊午,进封高丽国王王昛为沈阳王,加太子太傅。

秋,七月,癸亥朔,封诸王图喇为越王。

初,皇太子入定内难,阿固岱有勇力,人莫能近,诸王图喇实手缚之,故有是命。哈喇哈斯力争,以为:"旧制,非亲王不得加一字之封。图喇疏属,岂可以一日之功,废万世之制!"帝不听。图喇因潛于帝曰:"安西谋干大统时,丞相亦曾署其牍。"未几,罢为和林左丞相。

哈喇哈斯至镇,(为斩)〔斩为〕盗者一人,分遣使者赈贷降民,奏出钞帛,易牛羊以给之;

近水者教取鱼鳖为食。〔会大雪〕，命诸部置传车，相去各三百里，凡十传转米数万石，以饷饥民。又度地置仓廪，积粟以待来者。求古渠浚之，溉田数千顷。治称海屯田，令部民杂耕其间，岁得米二十馀万，北边大治。

甲子，以中书参知政事赵仁荣为太子詹事。

以阿保功，授莽赉大司徒，封其妻为顺国夫人。

己巳，置宫师府，设太子太师、少师、太（传）〔傅〕、少（传）〔傅〕、太保、少保、宾客、左右谕德、赞善、庶子、洗马、率更令丞、司经令丞、中允、文学、通事舍人、校书、正字等官。

召张养浩为司经。养浩，济南人，先为堂邑县尹，毁淫祠三十馀所，罢旧盗之朔望参者，曰：“彼皆良民，饥寒所迫，不得已而为盗耳。既加之以刑，犹以盗目之，是绝其自新之路也。”众盗感泣，相戒曰：“毋负张公！”有李虎者，尝杀人，其党暴戾为害，民不堪命，旧尹莫敢诘。养浩至，尽置诸法，民快之。去官十年，犹为立碑颂德。至是召用，未至，改文学，旋拜监察御史。

丁丑，以中书左丞相塔喇海为中书右丞相，监修国史；御史大夫塔斯布哈为中书左丞相。

辛巳，加封至圣文宣王为大成至圣文宣王。遣使阙里，祀以太牢。

塔喇海、塔斯布哈言：“中书庶务，同僚往往有不俟公议，即以上闻。今后事无大小，请共议而后奏。”帝曰：“卿等言是，自今庶务非公议者勿奏。”

以江浙行省左丞郝天挺为中书右丞。

天挺英爽刚直，有志略，受业于元好问。以勋臣子，世祖召见，嘉其容止，令备宿卫东宫。裕宗遇之甚厚，累官陕西行御史台中丞。至是迁江浙行省左丞，不赴，拜中书左丞。与宰相论事，有不合辄面斥之。一日，以奏事敷陈明允，特赐黄金百两，不受。帝曰：“非利汝也，第旌汝肯言耳。”

丙戌，御史大夫伊啰勒言：“旧制，中书省、枢密院、御史台、宣政院许得自选其人，它司悉从中书铨择，近臣不得辄奏，如此则纪纲不紊。”帝嘉纳之。

辛卯，发卒二千人为晋王伊苏特穆尔筑邸舍。

是月，江浙、湖广、江西、河南、两淮属郡饥，于盐、茶课钞内折粟，遣官赈之。诏富家能以私粟赈贷者，量授以官。

礼部尚书吴鼎，奉命赈山东诸郡饥，朝议发粟四万石，钞折米一万石。鼎谓同使者曰：“民得钞何从易米？”同使者曰：“朝议已定，恐不可复得。”鼎曰：“人命岂不重于米耶！”言于朝，卒从其请。

都指挥使茂穆苏以角抵屡胜，遥授中书平章政事。伶官实迪等授平章，仍领玉宸乐院使。未几，乐工有犯法者，刑部逮之。实迪以玉宸与刑部秩皆三品，官皆荣禄大夫，留不遣，中书以闻。帝曰：“凡诸司视其资级，授之散官，不可超越。其间冗职名品高者，宜遵旧制降之。”

八月，甲午，中书省言：“内降旨与官者八百八十馀人，已除三百，未除者犹五百馀。请自今，越奏者勿与。又外任官多带相衔，非制。”御史台亦言：“御史、廉访使官，宜从本台公选，不当从诸臣所请，降内旨用之。”帝曰：“〔凡〕若此者，卿等皆当执勿与。”未几，省臣复言：“比有应入常调者，夤缘骤选，或未入仕及已尝废黜，亦复请自内降。计奉诏禁革之后，所降内旨,复有百馀。中书政务,他人辄得干请,责以整饬,其效实难。自今铨选、钱谷之事,请如前制,不由中书议者,不得奏闻。”从之。

辛亥,中书(左)〔右〕丞博啰特穆尔以国字译《孝经》进,诏曰:“此乃孔子之微言,自王公达于庶民,皆当由是而行。其命中书省刻板模印,诸王而下皆赐之。”

戊午,冀宁路地震。

九月,甲子,帝至自上都。

壬申,上皇考及大行皇帝尊谥、庙号;又上先元妃鸿吉哩氏尊谥,祔于成宗庙室。

丙子,塔喇海言:“比蒙圣恩,赐臣江南田百顷。今诸王、公主、驸马赐田还官,臣等请还所赐。”从之,仍谕诸人赐田悉令还官。

丁丑,中书省言:“比议省臣员数,奉旨,依旧制定为十二员。右丞相塔喇海、左丞相塔斯布哈、平章绰和尔、奇塔特布济克如故,〔馀令臣等议〕。请以阿实克布哈、塔斯哈雅为平章政事,博啰达实、刘正为右丞,郝天挺、额森特穆尔为左丞,于璋为参知政事。其诸司冗员,并宜拣(退)〔汰〕。”从之。

甲申,诏立尚书省,分理财用,命塔喇海、塔斯布哈仍领中书,以托克托、嘉珲、帕哈哩鼎任尚书省,(仍)〔俾〕自举官属。命铸尚书省印。

丙戌,皇太子建佛寺,请买民地益之,给钞万七百锭有奇。

辛卯,御史台言:“至元中,阿哈玛特综理财用,立尚书省,三载并入中书;其后僧格用事,复立尚书省,事败又并入中书。粤自大德五年以来,四方地震、水灾,岁仍不登,百姓重困。顷又闻为综理财用立尚书省,如是则必增置所司,滥设官吏,殆非益民之事也。且综理财用,在人为之,若止命中书整饬,未见不可。”帝曰:“卿言良是。但此三臣愿任其事,姑听其行。”

冬,十月,庚子,中书省言:“前置中书省时,裕宗为中书令,尝至省署敕。其后僧格迁立尚书省,不四载而罢。今复迁中书于旧省,请徙中书令位,仍请皇太子一至中书。”从之。

乙巳,敕方士、日者勿游诸王、驸马之门。

丙辰,中书省言:“常岁,海漕粮百四十五万石;今江浙岁俭,不能如数。请仍旧例,湖广、江西各输五十万石,并由海道达京师。”从之。

先是都水监言:“巡视白浮、瓮山河堤,崩三十馀里,宜编荆笆为水口,以泄水势。”夏初兴役,至是月工竣。

十一月,丙寅,帝朝隆福宫,上皇太后玉册、玉宝。

太后性聪慧,教宫中侍女皆执治女功。然不自检饬,自正位东朝,淫恣日甚,内则赫噜谟、伊勒色巴用事,外则幸臣实勒们、耨埒及宣徽使特们德尔相率为奸,以至浊乱朝政焉。

辛未,以塔喇海领中政院事。

乙亥,中书省言:“大都路供亿浩繁,概于属郡取之。其军站、鹰坊、控鹤等户,恃其杂徭无与,冒占编氓。请降玺书,依祖宗旧制,悉令均当,或辄奏请者,亦宜禁止。”制可。

皇太子言:“近蒙恩以安西、吉州、平江为分地,租税悉以赐臣。臣恐宗亲昆弟援例,自五户丝外,馀请输之内帑。其陕西运司岁办盐十万引,向给(西安)〔安西〕王,以此钱斟酌与臣,惟陛下裁之。”帝曰:“太子所思甚善,岁以十万锭给之,不足则再赐。”

己卯,以皇太子受册礼成,帝御大明殿,受诸王百官朝贺。

杭州、平江等处大饥。丁亥,发粟赈之。

庚寅,赐太师伊彻察喇江南田四十顷。时赐田悉夺还官,中书省以为言。诏:"伊彻察(尔)〔喇〕自世祖时积有勋劳,非馀人比,宜以前后所赐合百顷与之。"

十二月,壬辰朔,中书省言:"旧制,金虎符及金银符,典瑞院掌之,给则由中书,事已则复归典瑞院。今出入多不由中书,下至商人,结托近侍奏请,以致泛溢,出而无归。自后除官及奉使应给者,非由中书省勿给。"从之。

乙未,齐塔察尔等扰(擅)〔檀〕州民,强取米粟六百馀石,诏官讯之。

癸卯,命留守司以来岁正月十五日,起灯山于大明殿后、延春阁前。

丁巳,以中书省言,国用浩穰,民贫岁歉,诏宣政院并省佛事。

中书省言:"刑法者,譬之权衡,不可偏重。世祖已有定制,自元贞以来,以作(法)〔佛〕事之故,放释有罪,失于太宽,有司无所遵守。今请凡内外犯法之人,悉归有司依法裁决。又,各处民饥,除行宫外,工役请悉罢停。"从之。

庚申,诏改大德十二年为至大元年。

敕:"内廷作佛事毋释重囚,以轻囚释之。"

是岁,征萧㪍为太子右谕德,扶病至京师,入觐东宫,书《酒诰》为献,以朝廷时尚酒故也。寻以病请解职,或问之,则曰:"礼,东宫东面,师傅西面,此礼今可行乎?"俄擢集贤学士、国子祭酒,依前右谕德。疾作,固辞而归,卒,谥贞敏。㪍致行甚高,践履笃实,关辅之士,翕然宗之。

起王利用为太子宾客。疏言时政,曰:"寡欲养身,酒宜节饮,财宜节用,杜绝(才)〔谗〕言,求纳直谏,官司量材而授,工役相时而动。"帝及太子嘉纳。皇后闻之,命录副本以进。

利用寻以老疾不能朝,帝遣医诊视之。利用语其弟曰:"吾受国厚恩,愧不能报,死生有命,药不能为也。"遂卒。后赠平章政事,谥文贞。

中书平章政事鄂尔根萨理卒。后赠太师,追封赵国公,谥文定。

江浙行省平章政事托克托卒。帝以托克托善为治,吏民安之,久不及召还。至是卒,年才四十四。

【译文】

元纪十三 起甲辰年(公元 1304 年)正月,止丁未年(公元 1307 年)十二月,共四年。

大德八年 (公元 1304 年)

春季,正月,己未(初七),因自然灾害和天象变异,诏告天下体恤百姓疾苦,减少刑罚。平阳、太原免除差税三年。江南佃户田租太重,减十分之二,永为定例;继续解除山场、河泊之禁,任民采捕。

庚申(初八),云南顺元同知宣抚事宋阿重,生擒其叔父宋隆济来朝请功,升宋阿重官职,赐给衣服一套。

癸亥(十一日),禁锢朱清、张瑄同族亲属。

丙寅(十四日),御史中丞、太仆卿塔斯布哈改授中书右丞,江南行台中丞赵仁荣改授中书参知政事。

陈天祥自从被召回到京师后，至今将近一年，还没有能见到皇帝，无处献纳忠心，常郁郁不能自解，于是称病辞官而去。至通州，中书遣使追留，陈天祥不回去。皇帝听说后，赐给钱钞，命驿传官传送，陈天祥辞谢所赐钱钞而去。

升教坊司为三品衙门。

辛巳（二十九），皇帝降旨，诸王、驸马往辽东捕猎海东鹘者，地方官不得给驿车。

从荥泽到睢州，修筑黄河堤防十八处，给役夫钱钞每人十贯。

本月，平阳地震不止，已修复的民房又震坏。皇后召见平章政事阿锡叶询问说："灾异如此不息，大概是下面百姓招致的吧？"阿锡叶说："天地示警，与百姓有什么关系！"

御史中丞何玮上疏论说地震应归罪大臣，于是右丞洪君祥等俱被免职。

命令大都留守郑制宜去平阳慰问救济。郑制宜怕去晚了误事，昼夜兼程，到达后，亲自串街走巷，抚慰受伤百姓，给粮给布，幸存者有了依靠。

二月，丙戌（初四），增设国子生名额二百员，遴选宿卫、大臣之子弟入学。

甲午（十二日），皇帝降旨，父子兄弟都有才能的，允许同时在监察部门任职。

迁移江东建康道廉访司官署于宁国，原建康路官署的文书表册，命监察御史钩正考核。

甲辰（二十二日），翰林学士承旨萨里曼进呈金书《世祖实录节文》《汉字实录》。

裁减宿卫冗员。

丙午（二十四日），皇帝去上都。

皇帝下令："军人奸盗欺诈，全部归有司处理。"

平章政事、商议枢密院事李庭去世，追封益国公，赐谥武毅。

湖广行省平章政事刘国杰长期巡视边防，得疟疾，自入朝觐见皇帝回到驻地，病情加重。下属官吏去问候，刘国杰说："交趾贼不归降，若病情能稍稍好转，能灭此贼，我也就死而无憾了。"问及家事，刘国杰不语。终年七十二岁。

刘国杰善于推诚相见，得军心，故所到之处旗开得胜。性雄猛，视死如归，曾向人说："我为国效力，虽身弃荒野无悔，为什么非要马革裹尸还葬呢！"死讯报告到朝廷，追封齐国公，赐谥武宣。

三月，丁巳（初五），皇帝下诏："军官和民官已拜官授职，因为地远官卑而不赴任者，削去官职不叙用；军官擅离所部者，全部遣返原翼，违者依法论处；军人不告所部私归者，杖刑遣返。"

乙丑（十三日），彗星消失。自去年十二月庚戌（二十七日）开始出现，圆径尺余，处于室宿星官十一度，入紫微垣天区，至此消失，共七十四日。

戊辰（十六日），中书左丞尚文因病请辞去职务，皇帝没有同意。

皇帝降旨："诸王、驸马所分郡邑，达噜噶齐只用蒙古人，三年依例迁代；凡汉人、女真、契丹名为蒙古者，皆予免职。"

皇帝下令："军民逃奴，有人抓获即交给他的主人；主人在外地者，交给所在地的官府，同时追征逃奴钱钞，以充抓获人赏金；逃奴和拐骗隐匿者，分别治罪。"

皇帝下诏："诸路牧羊已达一百头，羊群到三十头抽分一头给官府，不及三十者免抽。"

中书省上言："由内廷降旨授与官职者，确系近侍宿卫，履职年久，依已授官品叙用；曾值宿卫而未仕者,比照散官议叙。始任满三十个月,抵算为一阶。不是按照资历而滥行补注者,降官二级。官高者,酌降;再任用者,听从任用;三任之上,可听任本人转归朝廷迁调。蒙古人不在此限。"皇帝表示同意。

庚辰(二十八日),命令凡是衙兵,都一半隶属屯田,并晓谕各卫屯官及屯田者视其勤惰以为赏罚。

滦城、济阳等县霜冻冻坏桑树。

夏季,四月,丙戌(初五),设置千户所,驻守定海,以防每年都来的倭船。

命令僧、道经商者纳税。

甲午(十三日)皇帝下诏:捕捉鹰鹘献给诸王、驸马,都有规定的捕户,自今日起不是专门鹰师而乘驿车冒进的,论罪。"

丁未(二十六日),国子学蒙古、色目、汉人生员分斋教习于上都。

集贤学士兼国子祭酒耶律有尚,因安葬父亲还乡,不久朝廷思用老儒,用小车接他。耶律有尚多次辞谢,朝廷不许,重又起用为昭文馆大学士兼国子祭酒。耶律有尚前后五次出任国学,他的教学方法完全遵循许衡的传统,而治学的勤勉谨慎有过之无不及。诸生员自觉归附正学,尊经术,尚躬行;崇敬耶律有尚,犹如过去人们对许衡的敬仰。

五月,壬子朔(初一),日食。

壬申(二十一日),中书省上言:"吴江、松江,本是海口故道,潮水长期不流通,淤塞良田计百有余里,况海运也由此而出,应当从租户中派役一万五千人浚治,每人每年免除田租十五石,同时设置行都水监管理工程。"皇帝同意。

撤销福建都转运盐使司,将每年盐课归并给宣慰司管理。

庚辰(二十九日),因去年乎阳、太原地震,宫观摧毁坍塌一千四百多处,道士死伤者千余人,命加以救济抚恤。

本月,蔚州之灵仙,太原之阳曲,隆兴之天城、怀安,大同之白登刮大风,降冰雹;开封之祥符、太康、阳武,卫辉之获嘉,黄河泛滥。

泾水暴涨,冲毁拦河堰堵塞渠道,陕西行省命令屯田府总管瓜勒佳巴延特穆尔和泾阳尹王琚进行疏导。

六月,丁酉(十六日),汝宁妖人李曹驴等妄言得到天书蛊惑民众,事发,被处死刑。

本月,原翰林学士王恽去世。王恽有才干,品行端正,好学,善写文章,在任时多次直言进谏。赠翰林学士承旨,追封太原郡公,赐谥文定。

秋季,七月,辛酉(十一日),撤销江淮等处财赋总管府。

癸亥(十三日),因顺德、恩州去年连绵大雨,免除百姓租税。

八月,太原之交城、阳曲、管州、岚州,大同之怀仁因降冰雹、霜冻使谷子受灾。杭州火灾,发粟赈济。因大名、高唐去年连绵大雨,免除百姓田税。

九月,癸丑(初四),皇帝从上都回到大都。

庚申(十一日),巴延、梁德珪同复原职中书平章政事,巴特玛琳沁复任中书右丞,密勒和卓复任中书参知政事;江浙行省平章阿尔升中书平章政事。庚午(二十一日),御史杜肯构等上言:"巴延等人结党受贿,被流放远方,沿途百姓拍手称快。方经数月,忽然听说官复原职,又与原来审讯他们的人列坐朝堂。天下之人，视巴延、梁德珪、巴特玛琳沁为三凶，三凶不除，没法向天下人交代；再说密勒和卓、阿尔等，又和他们朋比为奸，紊乱朝纲，所以这几年才不断出现灾异。虽然朝廷慰问抚恤的诏书屡次颁布，但祸乱之源没有杜绝，上面执政的人倒行逆施，百姓连带遭殃。请将群凶或贬或杀，使他们得到应有的惩处。"御史中丞何玮也为此而进言。前后奏章达数十份，皇帝都置之不理。

元大都城遗址

梁德珪从湖广回来觐见皇帝，皇帝问："你在何处？"梁德珪哭得说不出话来。皇帝赐酒食，让他去拜见母亲。接着以哮喘病而自请退休，不久即去世。

癸酉(二十四日)，潮州飓风成灾，海水往里灌，淹没百姓房屋，溺死者很多，给受灾户两个月粮。

冬季，十月，辛卯(十三日)，到太庙祭祀。

辛巳(初三)，宣徽使、大都护长寿改授中书右丞，陕西行省右丞托欢改授中书参知政事。

丁亥(初九)，安南派使者进贡。

皇帝降旨，诸王、驸马不得乘驿车去打猎。

庚寅(十二日)，封皇侄哈尚为怀宁王，赐金印，同时划分瑞州民户六万五千户隶属于他。

十一月，壬子(初四)，皇帝下诏："内郡汉人、江南人犯窃盗罪，刺字三次者，流放辽阳；诸色人及高丽人犯此罪两次的，免刺字，流放湖广。偷盗禁苑御马者，初犯的流徙，再犯者处死。"

皇帝下诏书询问消除灾祸的方法。商议中书省事张孔孙分条陈述八件事以回答皇帝询问，其对策如下："蛮夷诸国，不可穷竭兵力长途远征；贪官贬斥流放，不可再加任用；赏善罚恶，不可频加赦免；以进献为名出售宝货，不可不予禁绝；供佛无益，不可虚费财物；上下铺张浪费，不可不从俭节约；官冗吏繁，不可不予裁减；太庙神主，不可不备祭献。"皇帝表示赞许并采纳了，并赐给钱钞。

丁卯(十九日)，重新免除僧人租税。

壬申(二十四日)，皇帝下诏："凡僧人奸盗杀人者，听从有司判决。"

十二月，庚子(二十三日)，重新设置益都淘金总管府。

首次规定国子生蒙古、色目、汉人每三年各荐举一人。

征召程文海为翰林学士，商议中书省事。

云南行省平章政事伊苏岱尔上言："所管辖的云南省，地处边外，历代不能使之臣服。世祖皇帝天戈一挥，无不归服。现今云南百姓受惠于朝廷荫庇，同在华夏之邦。点苍山世祖皇帝曾停留暂驻，请记录圣功，刻石其上，使臣民瞻仰。"皇帝命程文海撰文，立碑云南。

中书右司郎中伊赫特雅尔鼎曾与同事共同讨论罪案,有不同意他的观点的,伊赫特雅尔鼎说:"诸公阅读刑律,若不变通以适合具体事情,就好比医生,虽熟于医方,而不能切脉用药,于病痛又有何益!"本年大赦,朝廷议定,官吏因事受贿者不在赦免之列。伊赫特雅尔鼎说:"不可,皇恩如雨露,万物同覆,贪官污吏固然可恨,与盗贼相比还是有差别。宽赦盗贼而不宽赦官吏,这是为什么?"刑部曾有讼事报中书审议定案,已做出定论,不久丞相觉察论断有误,归罪于右司主事者。伊赫特雅尔鼎当时没有在案卷上签字,此时取出成案观看,暗中在下面签上自己名字。有人因此对他说:"这桩讼案归断失当,与阁下实不相干,丞相正在责备,而阁下反而在案卷上补上自己名字,这是为什么?"伊赫特雅尔鼎说:"我不过是偶尔没有参与这件事罢了,岂有与诸君同事而独自幸免的道理!"丞相听说后称赞他德行好,同僚因此而得以免于追究。伊赫特雅尔鼎,是回回人。

大德九年 (公元1305年)

春季,正月,戊午(十一日),喇嘛教首领、帝师辇真监藏去世,赐金银币帛,仍建塔寺。

任命畅师文为陕西汉中道廉访副使,畅师文仍然以有病而不赴任。

二月,癸未(初七),中书省上言:"近侍从内廷传旨,凡拜官授职和行赏罚,皆无文字记录,怕有差错,请自今日起,传旨者都以文字记录交中书。"皇帝表示同意。

甲午(十八日),免除天下道士赋税。

乙未(十九日),建大天寿万宁寺。寺内塑有秘密佛像,其形丑怪,皇后临幸大天寿万宁寺时见到佛像,感到厌恶,走过时用手帕遮着脸,不久皇帝命令拆除。

庚子(二十四日),命令中书商议举行在郊外祭祀天地的礼仪。

辛丑(二十五日),大赦天下。命御史台、翰林、集贤院、六部在五品以上官员中各荐举廉正能干、熟悉政务者三人,行省、行台、宣慰司、廉访司各荐举五人。

三月,丁未朔(初一),皇帝去上都。

在此之前,省、院、台臣请求给皇帝上尊号,皇帝不允许。等到皇帝在上都时,皇后又亲自请求,皇帝说:"我病日久,国家大事,很多应该施行而未能旋行,难道还顾及这种事情!"此事情就此作罢。

戊午(十二日),枢密副使高兴授平章政事,仍兼枢密副使。

上都留守贺仁杰请求退休养老。贺仁杰为官五十余年,有一半时间任留守,皇帝春秋两季出外巡行,出入供给,从未使皇帝着恼。其妻刘氏去世,世祖皇帝想给他说一门贵族亲事,贺仁杰坚持不要;于是娶一民间女子,不久失明,夫妻相敬如宾。皇帝很器重他,升平章政事,商议陕西行省事,赐金币还家,以其子贺胜代为上都留守。

夏季,四月,乙酉(初十),大同路地震,有声如雷,毁坏官民房舍五千余间,压死二千余人;怀仁县地裂两处,涌出的水尽为黑色,漂出松柏朽木。派使者用钞四千锭、米二万五千余石进行救济,本年租赋、税课、徭役,一律免除。

在此之前,中书省臣上言:"前代在郊外祭祀天地,皆以祖宗祔祭。现今开始举行郊祀的礼仪,请专祀天地为好。"皇帝同意。壬辰(十七日),方始制定郊祀之礼。

元代初期,沿用蒙古风俗,拜天于日月山。郊祀的事,自平定宋朝后还未举行过。至此,哈喇哈斯等上言:"在祈天保民的礼仪中,有天子亲自祭祀的三项:祭天,祭祖,祭社稷;而祭天尤其是国家大事。陛下虽未及亲自祭祀,可依照祭宗庙、社稷那样,每年依时派官员代行祭祀之礼。"皇帝将郊祀事宜交翰林、集贤、太常和中书讨论。他们认为:"按《周礼》冬至于地上之圜丘祭天,夏至于地上之方泽祭地;西汉元始年间,开始合祭天地;历东汉至宋代,千有余年,分祭合祭,迄无定论。然而时代既不同,礼、乐也随之而异,王莽的制度,有什么值得效法的!如今应当遵循夏、商、周的制度,祀天于南郊,而祀地之礼,容继续讨论再上报朝廷。又按周代筑坛墠三层,近代坛四层,以扩大五方帝、日月星辰从祀的地方。如今宜减去一层,以合三为阳、为奇之数;每层高八尺一寸,以合九九之数;坛设于丽正门东南丙位之地,以就阳位。又,古代献酒饮具用陶制葫芦,铺垫用藁席,以祀天;汉唐而后,礼乐玉帛,日益富丽繁琐,宋、金两代大多沿用唐代礼制;如今可根据唐制补充修改来办。"不久太常寺官员复议尊祖配天的仪式,中书省官员说:"自古汉人有天下,其祖宗皆配天享祭。宗庙已有依时祭享,郊祀也以专事祭天为宜。"中丞何玮说:"尊敬父亲配天享祭,是不可改变的制度。"皇上没有同意。

　　五月,戊申(初三),皇帝命令寻访隐居山林有德行、有文学修养和懂治国之道的人。征召原任陕西儒学提举萧㪉来朝廷,并且说:"也许不乐意做官,可以试着来与我谈一次话,当即送归。"命令有司给安排小车。

　　萧㪉最初担任府史,与上司意见不合,即引退,在南山读书三十年。于是博览群书,登门受业的弟子很多。同乡有人傍晚出行遇到强盗,假称:"我是萧先生。"强盗惊愕,把他放走。世祖皇帝时,征召为陕西儒学提举,不去;后多次授予集贤直学士、国子司业,改集贤侍读学士,都不去。行省大臣就在他家为他摆宴庆贺,派一文书先去萧㪉住处。萧㪉正在汲水浇园子,文书到他家,不知道他就是萧㪉,让萧㪉给他饮马,萧㪉按照他的要求做了。等到萧㪉穿戴整齐迎接宾客时,文书见到他心里害怕,而萧㪉丝毫没有把这件事放在心中。

　　戊午(十三日),改各道肃政廉访使为详刑观察使,听任省、台征召适当人选充任。

　　癸亥(十八日),由于地震,改平阳为晋宁,太原为冀宁。

　　再建洪泽、芍陂屯田,令河南行省平章阿萨尔管理此事。

　　征召陈天祥为中书右丞,议枢密院事,提调诸卫屯田;陈天祥以年老坚决推辞。

　　六月庚辰(初五),立皇子德寿为皇太子,诏告天下。赐老年人帛。放逐边远地方的人,根据情况准许移居内地。

　　甲午(十九日),潼川连绵大雨,江水泛滥,卷走居民,溺死者甚多。命令官府给粮一月,免除田租。

　　秋季,七月,辛亥(初七),筑祭天圜丘于丽正、文明门之南丙位;设置郊祀署,设官令、丞各一员,太祝三员,奉礼郎二员,协律郎一员,法物库官二员。

　　甲寅(初十),太白星自东向西绕行天空。

　　壬戌(十八日),以金银钞重重赏赐兴圣太后和宿卫侍臣,太后迁居怀州,重新设置怀宁王府官。

　　八月,丁丑(初三),再次给曲阜孔子林庙分配洒扫户,划出尚珍署田五十顷以供岁时祭祀之用。

　　丙戌(十二日),海商以珍宝来献,执事者商定用钞六万锭支付其价值。有人向左丞尚文说:"此即所谓'雅库特珠',给他六十万不算多。"尚文问:"有什么用途?"回答说:"含着它可以不感到渴,贴在脸上可使双目明亮。"尚文说:"一个人含着,千人不渴,那确实是宝物;若一珠只有益于一人,那功用就太小了。我认为可称为宝的,就是米粟,一日不食则饥,三日则病,七日则死,有则百姓安,无则天下乱。拿功用相比较,岂不超过珠子!"

癸巳(十九日),重新设置制用院。

本月,归德、陈州黄河泛滥。

九月,庚申(十七日),皇帝从上都回到大都。

冬季,十月,丙戌(十三日),太白星自东向西绕行天空。

乙未(二十二日),皇帝告谕中书省、枢密院、御史台官员说:"中书省人有关施政的一切事务,听由右丞相哈喇哈斯总裁,自今日起,所任官员未经哈喇哈斯议定的全部免职。"

戊戌(二十五日),皇帝下诏:"芍陂、洪泽等屯田被豪门大族占据的,全部责令纳租。"

辛丑(二十八日),复改详刑观察司为肃政廉访司。

清查两淮豪民所占田地,令纳租赋。

北方奇噜伦部下大雪。同知宣徽院事图沁布哈请示买驼马,添补驼马死亡缺额;拨出内府衣服币帛,亲自前去发放,使数万难民得以继续生存。图沁布哈回来时,皇帝赐给七宝笠帽。

本月,皇帝身体不适,皇后巴约特氏执掌政权。命令遣送阿裕尔巴里巴特喇去侍奉他母亲鸿吉哩氏住到怀州。阿裕尔巴里巴特喇是怀宁王哈尚同母所生的弟弟。

江浙行省平章彻尔应召入朝任中书平章政事,本月去世。家产不满二百贯,人们钦佩他的清廉。追封徐国公,赐谥忠肃。

十一月,丁未(初五),黄胜许派遣部下来献土产,请求恢复儿子官职。皇帝不许,说:"黄胜许反复无常,不足为信,若他悔罪自来,则可得官。"命赐衣服打发来者回去。

旧制,凡遇祭献,司天虽掌时刻,但无钟鼓和滴漏计时,往往到天明才开始行事。至此将举行郊祀,齐履谦代理司天台官,向相臣谈了这种情况,请求用钟鼓更漏,以便早晚有序,中书省同意了。

庚午(二十八日),祭祀昊天上帝于南郊,牺牲用马一匹,苍犊一头,羊、猪、鹿各九头。郊祀所用文舞为《崇德之舞》,武舞为《定功之舞》。以摄太尉、右丞相哈喇哈斯,左丞相阿固岱,御史大夫特们德尔为三献官。

壬申(三十日),太白星自东向西绕行天空。

拱卫直都指挥使王伯胜,自从皇帝有病,早晚入内侍候;安西王嫉妒他,排挤他出来担任大宁路总管。

十二月,丙子(初四),地震。

庚寅(十八日),皇太子德寿去世。皇后派人质问吐蕃僧人丹巴说:"我夫妇崇信佛法,以帝师礼节待你,就这一个儿子,难道你不能延长他的寿命吧?"应巴回答说:"佛法如灯笼,风雨来时可用以遮挡,若烛燃尽,那就没有办法了。"当时人们称扬他应对敏捷。

　　大德十年　(公元1306年)

春季,正月,甲辰(初三),命令询访庄圣皇后、昭睿顺圣皇后、徽仁裕圣皇后足以为中外表率的事绩,以备记录。

丙午(初五),疏浚吴松江等处漕运河道。

庚戌(初九),疏浚真、扬等州漕运河道,令盐商每引盐纳钞二贯,作为所雇人工费用。

戊午(十七日),撤销江南白云宗都僧录司,将所属民户归籍州县,僧人归籍各寺,田产全部依例纳租。起初,南台御史上言:"江南寺观田亩,历年诏免租赋,上亏官府收入,下侵民利。其所隶民户,如遭受饥寒,寺观徒众,坐视不救。请于秋收之时,清查寺观田亩,减半征租,以备荒年拿来赈济寺观民户,才能使利害均等。"皇帝同意。

壬戌(二十一日),征发河南百姓十万人修筑黄河堤防。

丁卯(二十六日),命近侍不得随意用驿车召唤外郡官员。

建造国子学于文宣王庙的西面。

中书左丞尚文,以年老多病告归故里,又征召为中书右丞,商议中书省事,尚文不出任。

闰一月,晋宁、冀宁地震不止。

二月,辛亥(十一日),中书省上言:"近侍传旨以制书奏记报中书省者,计一百五十余人,令臣予以晋级使用,其中违法乱进者实在很多,宜加挑选。"皇帝同意。

己未(十九日),江西、福建奉使宣抚塔布岱犯贪污罪;遇大赦,免其罪,终身不叙用。

戊辰(二十八日),皇帝去上都。

此月,大同路暴风,大雪,毁坏百姓房舍;雨雪风沙,天气阴霾,马牛多倒毙,人也有死的。

三月,乙未(二十五日),道州营道等处下暴雨,江水泛滥,山裂,淹没民舍,溺死者甚多;免除灾区田租。

夏季,四月,庚子朔(初一),皇帝下诏:"凡藏匿鹰犬者,没收家产一半,鞭三十;献鹰犬者给赏。"

壬戌(二十三日),云南罗雄州、普定路诸蛮作乱。右丞汪惟能前往征讨,贼寇退据越州,不听朝廷诏谕,派平章伊苏岱尔率兵一万名前去捉拿。大军到达曲靖,与汪惟能合兵紧逼贼寇据点,擒获贼寇魁首,将他斩首,余众皆溃逃。命伊苏岱尔留军队二千人在原地驻防。

癸亥(二十四日),设置昆山、嘉定等处水军上万户府。

甲子(二十五日),日本商人有庆等抵达庆元进行贸易,以金铠甲作为献礼。命江浙行省平章阿喇卜丹等加以防备。

本月,郑州暴风雨,冰雹大如鸡蛋,地面积雹厚达五寸,麦苗和桑、枣尽遭摧残;免除郑州今年田租。

五月,癸未(十四日),皇帝下诏:"吐蕃佛教僧人来回往返,不许驿站供应快马兼程而进,可给予舟车。"

禁止御史台、宣慰司、廉访司官员购买盐引。

乙酉(十六日),遣送高丽国王王昛回国,仍设征东行省,以镇定抚持其国。

丁亥(十八日),命令右丞相哈喇哈斯达喇罕、左丞相阿固台等整饬庶务;凡选补官缺、钱粮等事,一概听从中书裁决,百官勤怠,都要造册上报。

六月,癸卯(初五),御史台上言:"江南行台监察御史嘉珲,弹劾江浙行省宣使李元有不法行为。行省也派人检举,嘉珲不许他核查文书。"中书省又说嘉珲等不遵守法度,擅自派军士守卫门户,鞭笞拷打李元,诬告行省等官员违法乱纪。皇帝命令省、台和额尔克达噜噶齐共同审理此案。

壬戌(二十四日),来安路总管岑雄叛变,湖广行省派宣慰副使呼图鲁特穆尔去劝其归顺。岑雄令儿子岑世坚来投降,朝廷赐衣物让他回去。

秋季,七月,辛巳(十三日),宣德等处下冰雹使庄稼受灾。大同之浑源霜冻,使麦子受灾。平江大风、海水泛滥,淹没百姓房舍。

八月,壬寅(初四),开成路地震,王宫和官民房舍皆毁坏,压死已故秦王的妃子等五千余人,用钞一万三千六百余锭、粮四万四千余石进行赈济。

在此之前,朝廷命江浙行省制造宣圣庙乐器,命令宋朝原乐工施德仲慎重校定音律,运到京师。丁巳(十九日),京师文宣王庙落成,举行祭奠先圣礼,牲用牛,乐用登歌,制法服三套,命翰林院定乐名、乐章。

这年秋天,罢免辽阳行省右丞洪万,以他的叔叔洪君祥代替他。洪君祥向朝廷请求,应当用新办法治理行省,增加巡防兵力,设置儒学提举官,都镇抚等官员,以兴盛文教,加强武力防范,以后这些事没有实现。

陕西灾荒,省、台商议向朝廷请求赈济,安西路总管赵世延说:"救荒如救火,希望先发粮仓的米用来赈济。朝廷若不允许,世延将拿出全部家财作抵偿。"省、台同意他的做法,救活了很多人。

赵世延熟悉政务,他开始当总管时,前任主事者积压的文书达三千件,赵世延到任后,不到三个月,处理完毕。

冬季,十月,丁未(初十),到太庙祭祀。

丁卯(二十日),安南派遣使者进贡土产。

青山叛乱的蛮部前来归附。

吴江州发大水,百姓缺乏粮食,发米一万石赈济灾民。

十一月,己巳(初二),皇帝从上都回到大都。

十二月,乙卯(十九日),皇帝卧病不起,禁天下屠宰四十二日。

内侍李邦宁,钱塘人,本是宋朝的小宦官,宋亡,随瀛国公入朝觐见皇帝,世祖皇帝命李邦宁侍奉内廷。李邦宁机警灵敏,颇合皇帝心意,命他学蒙古文和诸番语言。一学就会,于是逐渐得到世祖亲近和信任。成宗即位,升太医院使。自从皇帝开始得病至今,不离左右长达十多个月。

癸亥(二十七日),琼州临高县那蓬洞主王文何等作乱,处以死刑。

阿裕尔巴里巴特喇到怀州,所过郡县陈设帷帐酒席,浮华奢侈,阿裕尔巴里巴特喇命令都撤去,严厉申诫随从人员不得骚扰百姓,百姓都大为感激。

本年,大都留守郑制宜去世。皇帝对郑制宜特别看重,每次入内侍宴,郑制宜不敢饮,终日没有倦色。皇帝知道他忠勤,多次赐给内府酿造的酒,但郑制宜每次都拿去供奉母亲。皇帝听说,特封其母苏氏为潞国夫人。郑制宜死后,被追封泽国公,赐谥忠宣。

大德十一年 (公元1307年)

春季,正月,丙寅朔(初一),皇帝病势加剧,免除朝会贺拜礼节;癸酉(初八),于玉德殿逝世,蒙古语称之为鄂勒哲图皇帝。

皇帝继承帝位于世祖统一之后,善于保持先朝已有的成就和功业;只是晚年连年卧病在床,凡国家政事,内则决定于皇后,外则委托给丞相,所幸的是离世祖统治时期不远,恪守世祖政事成规,还不至于荒废坠落。

乙亥(初十),灵柩车出发,送葬者执绋前导,安葬于起辇谷,靠近诸帝陵墓。

皇后巴约特氏,由于自己曾谋划将阿裕尔巴里巴特和他母亲从京师赶到怀州居住,如今唯恐阿裕尔巴里巴特喇的兄长怀宁王哈尚即位,必报前怨,于是命令召安西王阿南达来京师,想要立他为皇帝。左丞相阿固岱、平章赛音谔德齐、巴特玛琳沁、巴延和诸王莽赖特穆尔暗地里帮助她,商量断绝哈尚的归路,奉皇后垂帘听政,立安西王辅佐皇后。于是阿固岱以成宗皇帝祔祭于太庙和代理皇位事召集朝廷大臣商议,太常卿田忠良、御史中丞何玮都坚持不同意,阿固岱变脸说:"制度是从天而降的吗? 诸公不怕死,竟敢败坏大事!"何玮说:"死怕死得不义;若死于义,怕什么!"于是就没有再议论下去。

右丞相哈喇哈斯收缴京城各衙门符印,封存官府库房,称病,把守和住宿在宫殿边门,皇后懿旨一日数次发来,皆置之不理。许多人想害他,但不敢下手。怀宁王这时恰好派哈喇托克托来京师商量事情,哈喇哈斯令他赶快回去报告。同时派使者去南边接阿裕尔巴里巴特喇于怀州。

使者到怀州,阿裕尔巴里巴特喇犹疑未行,其师李孟说:"次子不继承帝位,是世祖皇帝的明训。现今皇帝初崩,大太子远在万里,宗庙社稷危急存亡之际,殿下当陪同母亲急返宫廷,以挫败奸谋,安定人心;不然,国家安危,未可保证。"阿裕尔巴里巴特喇犹豫不决,李孟又进一步说:"若奸谋得逞,以一纸命令召唤前去,则殿下母子尚且不能自保,还谈得上什么宗族!"阿裕尔巴里巴特喇大悟,于是侍奉母亲出发。

阿裕尔巴里巴特喇先派李孟去哈喇哈斯住所窥视,适逢皇后使臣在住所探问哈喇哈斯病情,李孟入内,拱手长揖,牵出哈喇哈斯手把脉,大家以为李孟是医生,没有怀疑他。过后知安西王即位已有定日,李孟回来告诉说:"情况严重了,先发者制人,后发者制于人,不可不早想办法。"左右之人都拿不定主意,也有人说:"皇后深居皇宫,八玺在手,四卫之士,一呼而应者成万。安西王府中,从者如林,殿下侍卫人少,不过数十人,兵器不足,赤手空拳,事未必成。不如静守,以待大太子到来,然后谋取,为时未晚。"李孟说:"这些奸邪小人,违弃祖宗训示,结成朋党依附皇后,欲立庶子,天命人心,必然都不答应。殿下去往内廷,以大义相责,则凡知君臣之义者,无不离开他而听殿下指挥,什么事情不能办到! 整肃宫廷,以迎接大哥到来,难道不是好事? 且安西王既正位号,纵然大太子到来,他怎么肯拱手让出玉玺,退居藩王地位,必将争斗于国中,让百姓处于极端困苦境地,宗庙和社稷就危险了。而且危及自己父母,是不孝;留下祸根于大哥,是不敬爱兄长;时机成熟而不为,是不明智;临机不断,是不勇敢。仗义而动,事必万全。"阿裕尔巴里巴特喇说:"应该用占卜来决定。"命令召唤卜人。有穿着书生衣服手持占卜口袋行走于市的人,应召而来,李孟出门迎接,告诉他说:"大事全仗你来决定,你只能说事情吉利。"于是入内占卜,得卦《乾》之《暌》,卜人即时解释卦象说:"卦大吉。乾,是刚;暌,是外,用刚来对付外,就是定内。君子刚,可以行事;龙飞于天,是腾升之象,驭牛车者欲退其车,从后拉之,而牛则掣而前进,其人黥额且割鼻,是因为宫中有人进谗而遭放黜。宴飨于宗庙,此去必有利。大君自外至,是因为有贤明的宰相可以依附。应当刚强而不刚强,事情就不济了;果敢善断,则疑惑不生。"李孟说:"占卦不避人,是谓大同,机不可失。"阿裕尔巴里巴特喇心中喜悦,振袖而起。众人簇拥着他跨上了马,诸臣都步行跟从。

到卫辉,经过比干墓,回头向左右的人说:"商纣荒淫女色,残害四海生灵,比干劝阻,纣剖开了他的心,于是失去了天下。"命令祭祀比干墓,以勉励后世。到漳水,适逢大风雪,田野老叟有拿一盆粥来相送的,近侍推却不要,阿裕尔巴里巴特喇说:"汉光武曾为寇兵所迫,食豆粥。大丈夫不备尝艰辛困苦,往往不知种庄稼的辛苦,以致骄惰。"命令拿来吃了。赐给老叟绫一匹,表示慰问后送他回去。

二月,辛亥(十六日),阿裕尔巴里巴特喇到达大都,与母亲鸿吉哩氏入大内,痛哭尽哀,然后走出来仍旧住到旧时官邸。

安西王党羽见阿裕尔巴里巴特喇已然来到,遂谋划在三月三日伪称祝贺他的生日,借此行动。阿实克布哈得知消息,告诉了哈喇哈斯,并说:"先动手为强,后于人者要失败,皇后一垂帘听政,我等皆受制于人了,不如先起事。"哈喇哈斯说:"好!"入夜,派人报告阿裕尔巴里巴特喇说:"怀宁王离此太远,不能很快到达,恐有不测,应当先行下手。"

阿裕尔巴里巴特喇又派都万户囊嘉特前往诸王图喇那里商量,囊嘉特极力赞助,于是抢先两日,于三月丙寅(初二)率领卫士入内廷,称怀宁王派使者召请安西王议事。安西王一到,即连同诸王莽赍特穆尔一起逮捕,进行审讯,画了口供,械送上都;逮捕阿固岱、巴特玛琳沁、赛音谞德齐、巴延等,处以死刑。

诸王库库楚、伊克图进言:"如今罪人全部落网,太子是世祖皇帝之孙,应当早正大位。"阿裕尔巴里巴特喇说:"诸王怎么说的话!坏人暗自连结皇后,乱我家法,故杀之,岂是作威福觊觎帝位啊!怀宁王,是我长兄,应当正大位,我已派使者捧玉玺去北边迎接他了。"于是自称监国,与哈喇哈斯日夜居宫中以防不测。

监国任命李孟为参知政事。李孟兴革庶务,裁抑希图邀功幸进的人,一群小人皆不高兴。过后李孟说:"执政大臣,当由天子亲自任命,现今銮驾在道,我还未见天子的容貌,实不敢冒此重任。"坚决请辞,不许,遂逃官而去,不知所往。

监国命杨多尔济巡查禁卫。杨多尔济,宁夏人,早年侍奉王府,受重用。李孟被派往京师时,杨多尔济随行,进行严密警备,监国有了倚靠。

本月,道州营道县暴雨,山裂一百三十余处。

夏季,五月,乙丑(初二),怀宁王哈尚到上都。起初,哈尚听到皇帝去世,从阿勒台山到达和林,诸王勋戚众口同声劝即帝位,哈尚说:"母亲和弟弟在大都,有待宗亲会集后共同商议。"

当时内患已经扫清,鸿吉哩妃以两个儿子的气数命运,命算命的推测谁适宜当皇上,算命的推算结果是:"重光大荒落有灾,旃蒙作噩长久。"重光是哈尚的年干,旃蒙是阿裕尔巴里巴特喇的年干。鸿吉哩妃受到此言蛊惑,派近臣告诉哈尚说:"你兄弟二人,皆我所生,岂有亲疏之分,阴阳家所言,福气命运,不能不考虑。"哈尚向托克托说:"我捍卫边境十年,在继承

的排位上又居于长子,气数命运的说法,渺茫难信。假若我即位后,所做的上合天意,下副民望,则虽一日之短,也是垂名万年,怎么能因为阴阳家这么说而背离祖宗的托付呢?这多半

是办事的臣子专权擅杀,恐将来可能治他的罪,因而出此奸谋。你替我去察看成事的机会,速回来报我。"于是亲自率领大军由西道,诸王昂辉由中道,绰和尔由东道,各领强兵一万人,徘徊不进,以待时机。

托克托骑马飞奔到大都,详细报告了哈尚的话,鸿吉哩妃惊讶地说:"命运长短的说法,虽出自阴阳家之口,我为太子深思远虑,乃出自我爱子之心。现今大奸已除,诸王大臣计议已定,太子不速来是什么道理!听你所说的话,多半有人进谗离间。你回去,为我消除隔阂和催促太子回来。"在此前,鸿吉哩妃因怀宁王没来,已派了阿实克布哈去半途迎接,详说安西王谋变事情始末和弟弟监国以及诸王群臣拥戴的心意。至此托克托又接着前去,行到中途,怀宁王在车中看到了他,邀他一起坐车走。托克托将鸿吉哩妃的话从头到尾说了一遍,怀宁王大为感悟。这时到了上都,哈尚命阿实克布哈为平章政事,派他回去报告太后和监国。阿裕尔巴里巴特喇即刻陪同母亲来上都相会,废皇后巴约特氏,出居东安,将她杀了。又处死安西王阿南达和诸王莽赉特穆尔。

甲申(二十一日),怀宁王即皇帝位,降诏书说:"从前我太祖皇帝以武功定天下,世祖皇帝以文德融洽海内,列祖相承,绵延万年之世运。我自先朝,秉承天威,在北方统率军队,差不多将十年;亲自披挂甲胄,力战退敌已经多次了。正值诸藩归附朝廷,边事得以安定,骤闻皇帝驾崩。于是有宗室、诸王、贵戚、元勋,共同在和林定策,都认为朕是世祖之嫡曾孙,裕宗皇帝正派之传,无论是论功绩还是论品德,都应该受大宝。朕谦让再三,回到上都,宗亲、大臣又向朕请求。前时,奸臣乘隙,谋为不轨,赖祖宗之灵,同胞弟阿裕尔巴里巴特喇受命太后,恭行天罚。内患既除,皇位不可久虚,宗庙不可无人祭祀,联名劝进,朕勉从众情,于五月二十一日即皇帝位。与民更始,可大赦天下。"

此日,给父亲上尊号为顺宗皇帝,母元妃鸿吉哩氏尊为皇太后。

壬辰(二十九日),加知枢密事托多尔海位号太傅,加中书右丞相哈喇哈斯达喇罕号位太保,共同总领军国重事。知枢密院事塔喇海为中书左丞相,参预枢密院、宣徽院事;同知徽政院事绰和尔、额尔克达噜噶齐阿实克布哈、江浙行省平章政事莽赉布哈,并为中书平章政事;江浙行省左丞刘正为中书左丞,中书右丞、行御史中丞塔斯布哈为御史大夫。

本月,建州大雨降冰雹。

六月,癸巳朔(初一),诏立同母弟阿裕尔巴里巴特喇为皇太子,授金宝。

甲午(初二),建中都,立宫门。

遣使四方广求经籍,盖玉刻印章为标识,命近侍掌管。有进献《大学衍义》者,命王约等加以节译。皇太子说:"治天下,此一书足够了。"因而命与《图像孝经》《列女传》一起刊行,赐给臣下。

翰林学士阎复条陈三事,为:爱惜车服等礼仪制度和爵号;严明赏罚;慎择人才。所言皆切中事理。不久,遥授阎复平章政事,阎复力辞,不许,上疏以年老自请退休,皇帝颁布诏书答应他的请求。

丁酉(初五),中书右丞相哈喇哈斯、右丞相塔喇海上言:"臣等与翰林、集贤、太常老臣聚集商议,皇帝继承宝位,应颁诏追尊皇父为皇帝。皇父,是才去世的皇帝同母兄长;大行皇帝祔祀太庙之礼尚未举行,两位皇帝的神主,依兄弟次第祔庙为宜。今拟请追尊皇父为昭圣衍孝皇帝,庙号顺宗;尊大行皇帝为钦明广孝皇帝,庙号成宗。太祖皇帝之室居中,睿宗居西第一室,世祖居西第二室,裕宗居西第三室;顺宗居东第一室,成宗居东第二室。先元妃鸿吉哩氏宜上尊号为真慈静懿皇后,祔成宗庙室。"皇帝命令可照此办理。

初时,历朝皇后虽已去世,还是以名称呼未有谥号。礼部主事曹元用上言:"皇后为天下之母,岂可直称其名!宜加徽号,以发扬懿德。"现在皇后上尊号,是采用曹元用的意见。

壬寅(初十),塔喇海加太保、总领军国重事、太子太师。

癸卯(十一日),设置詹事院。

乙巳(十三日),中书省上言:"中书省宰相、副相十四员,御史大夫四员,是前朝制度所没有的。"皇帝命令会同翰林、集贤诸老臣商议后提出可行方案。

壬子(二十日),封皇妹为鲁国大长公主。驸马琱阿布喇为鲁王。

甲寅(二十二日),命令内郡、江南、高丽、四川、云南各寺院僧人诵《藏经》,为皇太后、皇帝、皇后祈福。

丙辰(二十四日),御史大夫塔斯布哈上言:"旧制,内外监察部门官员有所弹劾,其他人不得干预;近来有受赃被监察御史弹劾者,案情清楚,而攀附权要奏请,伪托有公事入见皇帝以避其罪。臣等以为今后有罪者,不让他随便来京师,等到他对质了结,如果确实有所言,方许奏陈。"皇帝表示同意。

戊午(二十六日),进封高丽国王王昛为沈阳王,加位号太子太傅。

秋季,七月,癸亥朔(初一),封诸王图喇为越王。

起初,皇太子阿裕尔巴里巴特喇入大都清除内患,阿固岱有勇力,人莫能近,是诸王图喇亲手用绳将他捆住,故而才有上述的命令。哈喇哈斯极力反对,他认为:"旧制非王不得加封正一品王位。图喇属于远支,岂可以一日之功,废万世之制!"皇帝不听。图喇因此而向皇帝进谗言:"安西图谋篡位时,丞相也曾在他文件上署过名。"不久,哈喇哈斯被免职,改授和林左丞相。

哈喇哈斯到镇守地后,把一名强盗斩首,分头派遣使者赈贷降附的百姓,奏请朝廷拿出钞帛,换取牛羊来给他们;对靠近湖泊的百姓,教他们以捕捉鱼鳖为食。正遇大雪,命令诸部置办传车,相距各三百里,共十传转运米数万石,以供给饥民粮食。又按距离设置仓廪,储备粮食以待来者。寻访古旧废渠加以疏浚,灌溉耕地数千顷。整治称海屯田,令百姓在屯田共同耕作,年可得米二十余万石,北边社会秩序大为安定。

丙寅(初四),中书参知政事赵仁荣任太子詹事。

因为保护养育有功,授莽贲大司徒,封其妻为顺国夫人。

己巳(初七),设置宫师府,设太子太师、少师、太傅、少傅、太保、少保、宾客、左右谕德、赞善、庶子、洗马、率更令承、司经令承、中允、文学、通事舍人、校书、正字等官。

征召张养浩为司经。张养浩,济南人,先为堂邑县尹,拆除滥设的祠庙三十余所,免去曾做过盗贼的人初一、十五来参拜,他说:"他们都是良民,饥寒所迫,不得已才为盗。既然已对他们施行刑罚,还把他们看作强盗,是绝他们自新之路。"众盗感激流涕,相互告诫说:"不要背弃张公!"有李虎者,曾经杀人,他的团伙残暴凶狠,百姓不堪忍受,前任县尹没有一个敢究办,张养浩到任,都处之以法,百姓大快。不当官后十年,还有为之立碑颂德的。而今召用,未至,改授文学,不久拜官监察御史。

丁丑(十五日),中书左丞相塔喇海改授中书右丞相、监修国史;御史大夫塔斯布哈任中书左丞相。

辛巳(十九日),加封至圣文宣王为大成至圣文宣王。派使者至阙里,用牛祭祀。

塔喇海、塔斯布哈上言:"中书省各种事务,同僚往往不等待公议,即向朝廷奏请。今后事无大小,要求公议而后奏。"皇帝说:"卿言极是,自今日起,各种事务非公议者勿奏。"

江浙行省左丞郝天挺升中书右丞。

郝天挺英姿爽朗,为人刚直,有志向谋略,受业于元好问。因为是勋臣子弟,世祖皇帝召见,称许他的仪容举止,命他充当东宫宿卫。裕宗很器重他,累官陕西行御史台中丞,又迁调为江浙行省左丞,郝天挺不赴任,改授中书右丞,与宰相论事,意见不合即当面指斥。一天,由于奏事明白公允,特赐黄金一百两,郝天挺不要。皇帝说:"不是给你什么好处,只是表扬你肯说罢了。"

丙戌(二十四日),御史大夫伊啰勒说:"按旧制,中书省、枢密院、御史台、宣政院允许由自己选用人员,其他衙门全部听从中书铨选,近臣不得随便奏请,这样,纲纪就不至于紊乱。"皇帝表示赞许并采纳了。

辛卯(二十九日),征发差役二千人为晋王伊苏特穆尔修官邸。

本月,江浙、湖广、江西、河南、两淮属郡灾荒,于盐、茶课钞内折粟,派官员赈济。下诏说富家能出私粟赈贷者,适当授以官职。

礼部尚书吴鼎,奉命赈济山东各郡灾荒,朝廷拟议发粟四万石,钞折米一万石。吴鼎跟同去的使者说:"百姓拿到钱钞哪儿去换米?"同去的使者说:"朝议已定,恐怕不能再要求。"吴鼎说:"人命难道不重于米吗?"他向朝廷汇报了情况,最终还是答应了他的请求。

都指挥使茂穆苏因摔跤屡屡获胜,遥授中书平章政事。伶官实迪等授平章,仍领玉宸乐院使。不久,乐工有犯法者,刑部要逮捕他,实迪认为玉宸与刑部都是三品衙门,官都是荣禄大夫,留而不放,中书把这件事报告了皇帝。皇帝说:"凡各官署,要看其资历品级,授以散官,不可超越。其间闲散的职位,爵号官品高者,应遵旧制降下来。"

八月,甲午(初二),中书省上言:"由内廷降旨注授官职者有八百八十余人,已授三百人,未授者尚有五百余人。请自今日起,越级奏请者不给官。又外任官多带相衔,不合制度。"御史台也说:"御史、廉访司官员,应从本台公选,不应依从诸臣所请,由内廷降旨使用。"皇帝说:"凡属这种情况的,卿等都应当坚持不给官。"不久,中书省臣又上言:"近来有应归常调者,攀附权要奏选,或未登仕途及已被废黜的人员,也复请求自内降旨。自奉皇上命令加以禁止和清除之后,所降内旨,共计又有百余人。中书政务,他人能干预,皇上责成臣等整饬,实难收效。自今日起,凡官员选授补缺、钱粮之事,请依照旧制,不通过中书议定者,不得奏闻。"皇帝同意了。

辛亥(十九日),中书右丞博啰特穆尔以蒙古文字译《孝经》进献,皇帝下诏说:"此孔子含义深远精微的言辞,自王公以至庶民,皆应遵此而行。命中书省刻板模印,诸王以下皆赐之。"

戊午(二十六日),冀宁路地震。

九月，甲子(初三)，皇帝从上都回到大都。

壬申(十一日)，给皇父和大行皇帝上尊号、庙号；又给先元妃鸿吉哩氏上尊号，祔于成宗庙室。

丙子(十五日)，塔喇海上言："近蒙圣恩，赐臣江南田百顷。今诸王、公主、驸马都将赐田归还官府，臣等也请求将所赐田归还官府。"皇帝同意了，仍告谕诸人的赐田，全都交还官府。

丁丑(十六日)，中书省上言："近来商讨省臣定员数，奉旨，依旧制定为十二员。右丞相塔喇海、左丞相塔斯布哈、平章绰和尔、奇布济克如旧。请任命阿实克布哈、塔斯哈雅为平章政事，博啰达实、刘正为右丞，郝天挺、额森特穆尔为左丞，于璋为参知政事。诸衙闲散人员，应一并裁撤。"皇帝表示同意。

甲申(二十三日)，皇帝命令设置尚书省，分理钱财用度，命塔喇海、塔斯布哈仍领中书，以托克托、嘉珲、帕哈哩鼎任尚书省，使其自举官属。命铸尚书省印。

丙戌(二十五日)，皇太子建佛寺，请买民地赠给佛寺，给钞一万零七百余锭。

辛卯(三十日)，御史台上言："至元中期，阿哈玛特总理财用，立尚书省，三年后并入中书；其后僧格执政，复立尚书省，僧格犯事后又并入中书。自大德五年以来，四方地震、水灾，累年农事没有收成，百姓穷困。眼下又听说为综理财用立尚书省，这样就必然要增设专职官署，滥设官吏，恐怕不是有益于百姓的事情。且综理财用，在于人为，如果只命中书整饬，也不是不能做到的。"皇帝说："卿说得很对。但此三臣愿任其事，姑且听由他们去。"

冬季，十月，庚子(初九)，中书省上言："从前设置中书省时，裕宗为中书令，曾到中书省签发敕令。其后僧格改立尚书省，不到四年撤销。现今复迁中书于旧省，请迁中书令居处，仍请皇太子到中书。"皇帝同意。

乙巳(十四日)，皇帝降旨，道士、占卜者勿出入诸王、驸马之门。

丙辰(二十五日)，中书省上言："常年，海漕运粮一百四十五万石；今浙江年成歉收，不能如数。请依旧例，湖广、江西各输五十万石，一起由海道至京师。"皇帝同意。

在此之前，都水监上言："巡视白浮、瓮山河堤，崩塌三十余里，应编荆条篱笆为水口，以减弱水势。"夏初开始动工，到本月工程结束。

十一月，丙寅(初五)，皇帝驾临隆福宫，上皇太后玉册、玉宝。

太后禀性聪慧，教宫中侍女都学会女工。然而不能自我检点，自从正位太后，日益放纵，内则赫噜谟、伊勒色巴用事，外则宠臣实勒们、耨垎和宣徽使特们德尔相率为奸，以至紊乱朝政。

辛未(初十)，以塔喇海领中政院事。

乙亥(十四日)，中书省上言："大都路供给浩繁，都从属郡收取。其中军站、鹰坊、控鹤等户，依仗官府对其不征发杂项徭役，侵占有编籍的民户。请降玺书，依祖宗旧制，责令平均承担，若有随便奏请者，也应禁止。"皇帝表示可以。

皇太子上言："近蒙恩以安西、吉州、平江为分地，租税全数赐臣。臣恐宗亲兄弟以此为例，除五户丝外，其余请输纳国库。陕西运司岁办盐十万引，过去给安西王，用这项收入斟酌给臣，请陛下裁定。"皇帝说："太子想法很好，每年赐给十万锭，不足则再赐。"

己卯(十七日),以皇太子受册礼告成,皇帝驾临大明殿,受诸王百官朝贺。

杭州、平江等处大灾荒,丁亥(二十六日),发粟赈济。

庚寅(二十九日),赐太师伊彻察喇江南田四十顷。当时赐田全数收缴官府,中书省因而有意见。皇帝降旨:"伊彻察喇自世祖皇帝时累建功劳,非他人所能比,可以拿前后所赐合田百顷给他。"

十二月,壬辰朔(初一),中书省上言:"按旧制,金虎符和金银符由典瑞院执掌,由中书发给,用毕则再归还典瑞院。如今出入多不经过中书,下至商人,结托近侍奏请,以致泛滥,拿出去就拿不回来。自今以后,授官和奉使应给者,不经过中书省者不给。"皇帝同意。

乙未(初四),齐塔察尔等骚扰檀州百姓,强取米粟六百多石,皇帝命令官府审讯。

癸卯(十二日),命留守司于来年正月十五日,构筑灯山于大明殿后、延春阁前。

丁巳(二十六日),因中书省上言,国用浩繁,百姓贫穷收成不好,命令宣政院一并免除做佛事。

中书省上言:"刑法,譬如权衡,不可偏重。世祖已有定制,自元贞以来,以作法事之故,释放罪人,失于太宽,有司无所遵循。今请凡内外犯法之人,全部归有司依法裁决。又,各处百姓饥荒,除行宫外,营造工程请全部停止。"皇帝同意。

庚申(二十九日),皇帝诏书,改大德十二年为至大元年。

皇帝敕令:"内廷做佛事不得释放重刑犯,选轻刑犯释放。"

本年,征召萧㪍为太子右谕德,萧㪍带病到京入东宫,书写《酒诰》作献礼,原因是朝廷当时崇尚酒。不久因病请求解除职务,有人问他,则回答说:"按礼,东宫东面,师傅西面,这样的礼制如今能施行吗?"不久,擢升集贤学士、国子祭酒,仍兼右谕德。病发作,固辞而归,去世,赐谥贞敏。萧㪍品行高洁,做事踏实,关辅之士都以他为宗师。

起用王利用为太子宾客,王利用上书议论时政,内容为:"寡欲养身,酒宜节饮,财宜节用,杜绝逸言,求纳直谏,官职量才而授,工役相时而动。"皇帝和太子表示称许并接受了。皇后听说后,命录副本给她。

王利用不久以年老多病不能上朝,皇帝派医生给他看病。王利用对他弟弟说:"吾受国厚恩,愧不能报,死生有命,药也无能为力。"随后去世。追赠平章政事,赐谥文贞。

中书平章政事鄂尔根萨理去世,追赠太师,追封赵国公,赐谥文定。

江浙行省平章政事托克托去世。皇帝因托克托治理有方,官吏和百姓在他的治下都感到安适,长期未能召还。现今去世,终年才四十四岁。

续资治通鉴卷第一百九十六

【原文】

元纪十四　起著雍涒滩【戊申】正月,尽屠维作噩【己酉】十二月,凡二年。

武宗仁惠宣孝皇帝

讳哈尚,顺宗达尔玛巴拉之长子,母曰兴圣皇太后鸿吉哩氏。至元十八年七月十九日生。成宗大德三年,总兵北边。八年,封怀宁王,赐金印。十一年春,成宗崩,帝自阿勒台山至于和林,诸王勋戚皆劝进。五月,遂即位于上都。

至大元年　【戊申,1308】　春,正月,辛酉朔,曲赦御史台见系犯赃官吏,罪止征赃罢职。

帝之在潜邸也,知枢密院济尔哈图有不逊语,至是将置之法。托克托谏曰:"陛下新正位,大信未立而辄行诛戮,知者以为彼自有罪,不知者以为报仇,恐人人自危。况济尔(呼)〔哈〕图习于先朝典故,今固不可少也。"乃宥之。

甲子,以阿实克布哈为右丞相,行御史大夫。

初,阿实克布哈见帝容色日瘁,乘间进曰:"陛下八珍之味不知御,万金之身不知爱,而惟麹蘖是耽,嫔妃是好,是犹两斧伐孤树,未有不颠仆者。陛下纵不自爱,独不思祖宗付托之重、天下仰望之切乎?"帝大悦,曰:"非卿,孰为朕言!"因命进酒。阿实克布哈顿首谢曰:"臣方欲陛下节饮,而反劝之,是臣之言不信于陛下也,臣不敢奉诏。"左右皆贺帝得直臣,遂有是命。帝尝观近臣蹴踘,命出钞十五贯赐之。阿实克布哈顿首言曰:"以蹴踘而受上赏,则奇伎淫巧之人日进而贤者日退矣,将如国家何? 臣死不敢奉诏。"乃止。

己巳,绍兴、台州、庆元、广德、建康、镇江六路饥,死者甚众,饥户四十六万有奇。诏户月给米六斗,以没入朱清、张瑄财产赈之。时浙东宣慰同知托欢彻尔议行劝贷之令,敛富民钱一百五十馀万,以二十五万属宁海县主簿胡长孺藏之。长孺察其有乾没意,悉散于民。既而果索其钱,长孺抱成案进曰:"钱在是。"托劝彻尔虽怒,不敢问也。长孺,婺州人,其在宁海,发奸摘伏,明断若神。

特授乳母夫寿国公杨燕嘉努开府仪同三司。自是因乳母推恩及其夫,沿为故事,名器益滥矣。

甲(午)〔戌〕,中书省言:"进海东青鹘者,常乘驿马五百不敷,应重括民间车马。兵部请以各驿马陆续而进,勿括为便。"从之。

戊子,皇太子请以阿实克布哈复入中书,托克托复入御史台。

己丑，中书省言："阿实特穆尔请诣河西地采玉，役人千馀，需马四十馀匹。以不急之务劳民，宜罢之。"又言："近百姓艰食，盗贼充斥，苟不严治，将至滋蔓。宜遣使巡行，遇有罪囚，即行决遣；与随处官吏共议弭盗方略，明立赏罚；或匿盗不闻，或期会不至，及逾期不获者，官吏连坐。江浙行省海贼出没，杀虏军民，其已获者，例合结案待报，会官审录无冤，弃之于市，自首者原罪给粟，能擒其党者加赏。"帝曰："弭盗安民，事为至重，宜即议行之。"

西番僧在上都者，强市民薪，民诉于留守李璧。璧方询其由，僧率其党持白梃突入公府，隔案引璧发，捽诸地，棰扑交下，拽归，闭诸空室，久乃得脱，奔诉于朝；僧竟遇赦免。未几，其徒龚柯等与诸王妃争道，拉妃堕车，殴之，语侵上；事闻，亦释不问。时宣政院方奉诏言殴西僧者断其手，詈者截其舌。皇太子亟上言："此法昔所未有。"乃寝其令。

二月，癸巳，立鹰坊为仁虞院，秩正一品。以右丞相托克托、遥授左丞相图喇特穆尔、额克达噜噶齐伊勒齐并为仁虞院使。

乙未，中书省言："陛下登极以来，赐赏诸王，恤军力，赈百姓，及殊恩泛赐，帑藏空竭。请权支钞本以周急用，不急之费姑缓之。"帝曰："卿等言是。泛赐者，不问何人，毋得蒙蔽奏请。"

壬寅，从皇太子请，改詹事院使为詹事，副詹事为少詹事，院判为丞。

太子近侍有以俳优进者，典收太监王结言："昔唐庄宗好此，卒致祸败。殿下方育德春宫，视听宜谨。"太子优纳之。

中书省言："陕西开成路前者地震，民力重困，已免赋二年，请再免今年。"从之。

甲辰，发军士千五百人修五台山佛寺。

命有司市邸舍一区，赐丞相特因特穆尔。

己未，以皇太子建佛寺，立营缮署。

三月，庚申朔，中书省言："郐王彻图南人户散失，诏有司括索。昔阿济奇括索所失人户，成宗虑其为例，不许。今若括索，未免扰民，且诸王多必援例。请寝其事。"从之。

时庄圣皇后及诸王呼托克托人户散入他郡，哈都齐托欢辄降玺书括索。陕西行省及真定等路省臣复言："百姓均在国家版籍，今所遣使，辄夺军、驿、编民等户，非宜。"帝曰："彼奏误也，卿等速追以还。"

丁卯，建兴圣宫。

遣使祀五岳、四渎、名山、大川。

戊寅，帝如上都。

建佛寺于大都城南。

己卯，命翰林国史院纂修《顺宗实录》。

是春，绍兴、庆元、台州大疫，死者二万六千馀人。

夏，四月，戊戌，中书省言："请依元降诏敕，勿超越授官，泛滥赐赉。"帝曰："朕累有旨止之，又复蒙蔽以请。自今纵有旨，卿等其覆奏，罪之。"

辛亥，枢密院言："诸王各用其印符乘驿，使臣旁午，驿户困乏。宜准旧制，量其马数，降以玺书。"奏可。

丙辰，高丽国王王昛言："陛下令臣还国，复设官行征东行省事。高丽岁数不登，百姓乏食；又数百人仰食其土，民不胜其困，且非世祖旧制。”帝曰：“先请立者以卿言，今请罢亦以卿言，其准世祖旧制，速遣使往罢之。”

五月，丁卯，御史台言：“成宗朝建国子监学，迄今未成，皇太子请毕其功。”制可。

召吴澄为国子监丞。国学自许衡后，渐失其旧法。澄至，旦然烛堂上，诸生以次受业；日昃，退燕居之室，执经问难者接踵而至。澄各因其材质，反覆训诱之，每至夜分，虽寒暑不易。

己巳，管城县大雨雹，深一尺，无麦禾。

丙子，以诸王及西番僧从驾上都，途中扰民，禁之。

禁白莲社，毁其祠宇，以其人还隶民籍。

御史台言：“比奉旨罢不急之役，今复为各官营私宅。请俟行宫及大都、五台寺毕工，然后从事为宜。”诏除佤头、三宝努所居，馀悉罢之。

辛巳，中书省言：“旧制，枢密院、御史台、宣政院得自选官，诸官府必中书省奏闻迁调，宜申严告谕。”从之。

六月，丁酉，陇西宁远县地震。云南乌撒、乌蒙三日之中，地大震者六。

帝欲以宦者李邦宁为江浙平章，邦宁辞曰：“臣以阉腐馀命，前朝赦而用之，使承乏中官，荣宠过甚。今陛下复欲置臣宰辅，臣闻宰相者，佐天子治天下者也，奈何辱以寺人？陛下纵不臣惜，如天下后世何！臣不敢奉诏。”帝大悦。戊戌，加邦宁大司徒，遥授左丞相，仍领太医院事。

辛丑，以没人朱清、张瑄田产隶中宫，立江浙财赋总管府提举司。

是月，以江淮大饥，免今年常赋及夏税。益都水，民饥，采草根树皮以食，有父食其子者；诏免今岁差徭，仍发粟赈之。

秋，七月，庚申，流星起自句陈，南行，圆若车轮，微有锐，经贯索灭。

敕：“以金银岁入数少，自今勿问何人，以金银为请奏及托之奏者，皆抵罪。又，各处宣慰使等官，多以结托来京师，今后非奉朝命毋赴阙。”

皇太子谕詹事库春曰：“汝旧事吾，其与同僚协议，务遵法度，凡世祖所未尝行及典故所无者，慎毋行。”

壬戌，皇子和实拉请立总管府，括河南归德、汝宁濒河荒地，约六万馀顷，岁收其租。中书省言：“濒河之地，出没无常，近有伊玛罕者，妄称省委，括地蚕食其民，以有主之田指为荒地，所至骚动。被害之民六百馀人，相率来诉，方议其罪，遇赦获免；今乃妄以其地献于皇子。且河南连岁凶荒，人方缺食，若从所请，为害非细。”帝曰：“安用多言，其止勿行。”

筑呼鹰台于漷州泽中，发军千五百人助其役。

中都行宫成，立留守司兼开宁路都总管府。

己巳，真定水溢，赈之。

癸酉，诏谕安南国。

癸未，枢密院言：“世祖时枢密臣六员。成宗时增至十三员。今署事者三十二员，宜汰之。”敕罢塔斯岱等十一人。

甲申，太师淇阳王伊彻察喇请置王傅；中书省谓异姓王无置傅例，不许。

乙酉，以豢虎人彻尔集斯为监察御史。

是月,以左丞相塔斯布哈为中书右丞相,太保奇塔特布济克为中书左丞相。〔敕〕:"内外大小事务,并听中书省区处,诸王、公主、驸马、势要人等,毋得搅扰沮坏。近侍臣员及内外诸衙门,毋得隔越闻奏。各处行省、宣慰司及在外诸衙门官,非奉旨及中书省明文,毋得擅自乘驿赴京,营干私事。"

八月,丙申,御史台言:"奉敕逮监察御史萨都鼎赴上都。按世祖、成宗迄于陛下,累有明旨,监察御史乃朝廷耳目,中外臣僚作奸犯科,有不职者,听其纠劾,治事之际,诸人勿得与焉。迩者鞫问刑部尚书乌喇实赃罪,蒙诏奖谕,诸御史皆被赐赍,台纲益振。今萨都鼎被逮,同列皆惧,所系非小,宜寝其命,申明宪台之制,诸人勿得与闻。"制可。

九月,丙辰,以内郡岁不登,诸部人马之入都城者,减十之五。

中书省言:"夏秋之间,巩昌地震,归德暴风雨,济宁、泰安、真定大水,民居荡析。江浙饥荒之馀,疫疠大作,死者相枕藉;父鬻其子,夫离其妻,哭声震野,所不忍闻。是皆臣等不才,猥当大任,以致政事乖违,阴阳失序,害及百姓,愿退位以避贤路。"帝曰:"灾害事有由来,非尔等所致也,但当慎所行耳。"

高丽国王王昛卒。

召山东宣慰司刘敏中为翰林学士承旨。时灾异荐臻,帝召公卿集议弭灾之道。敏中疏列七事,帝嘉纳之。未几,以疾还乡里,敏中义不苟进,进必有所匡救,每以时事为忧,或郁而勿申,则戚形于色。尝与同侪各言志,曰:"自幼至老,相见而无愧色,是吾志也。"

壬戌,太尉托克托奏:"泉州大商进异木沈檀可构宫室者。"敕江浙行省驿致之。未几,泉州商复进珍异及宝带、西域马。

丙寅,蒲县地震。

乙亥,帝至自上都。

帝尝奉皇太后燕大安阁,阁中有故篋,指以问内侍李邦宁,对曰:"此世祖贮裘带者。臣闻圣训曰:'藏此以遗子孙,使见吾朴俭,可为华侈之戒。'"帝命发篋视之,叹曰:"非卿言,朕安知之!"时有宗王在侧,遽曰:"世祖虽神圣,然啬于财。"邦宁曰:"不然。世祖一言无不为后世法,一予夺无不当功罪。且天下所入虽富,苟用不节,必致匮乏。自先朝以来,岁赋已不足用,又数会宗亲,资费无算,旦暮不(及)〔给〕,必将横敛掊怨,岂美事耶?"太后及帝深然其言。

庚辰,以高丽国王王璋嗣高丽王。

冬,十月,癸巳,蒲县、陵县地震。

甲午,以阿实克布哈知枢密院事。

(癸卯)〔甲辰〕,以西蕃僧嘉勒斡巴勒为翰林学士承旨。

中书省请以湖广米十万石贮于扬州,分江西、江浙海漕五万石贮朱汪、利津二仓,以济山东饥民,从之。

敕:"凡持内降文记买河间盐,及以诸王、驸马之言至运司者,一切禁之。持内降文记不由中书者,听运司以闻。"

十一月,己未,中书省言:"世祖时,自中书以下诸司,官有定员。迩者诸司递升一级,一司多至二三十员,事不改旧而官日增。请如大德十年员数,冗滥者悉汰之。又,今中都筑城,大都建寺,及为诸贵近营造私第,军民困敝,仓廪空虚,而用度日广,每赐一人,动至巨万,恐将不继,宜暂节缩。"又言:"百司之事,每与中书有干预者,请申禁之。"帝曰:"尝令诸人勿干中书之政,他日或有乘朕忽忘,持内降文记至中书者,其执之以来,朕加之罪。"

己巳,以奇塔特布济克为右丞相,托克托为左丞相。既又从托克托言,以塔斯布哈与奇塔特布济克俱为右丞相。

中书省言:"国用不给,请沙汰宣徽、太府、利用等院籍,定应给人数。其在上都、行省者,委官裁省。又,行泉院专以守宝货为任,宜禁私献宝货者。又,天下屯田所,由所用者多非其人,以致废弛;除四川、甘州、应昌府、云南为地绝远,馀当选习农务者往,与行省宣慰司亲至其地,可兴者兴,可废者废,各具籍以闻。"并从之。

癸未,皇太后造寺五台山,摘军六千五百人供其役。时太后欲幸五台,言者请开保定五回岭以取捷径,遣使偕总管吴鼎视地形,计工费。鼎言:"荒山陡人,人迹久绝,非乘舆所宜往。"还报,太后为寝其役。

宣徽使特们(特)〔德〕尔,出为江西平章政事,旋拜云南行省左丞相。时特们德尔犹未用事也。

闰月,乙丑,以大都米贵,发廪,减其价以粜赈贫民。民有鬻子者,命有司赎之。

乙未,厚恤故丞相鄂勒哲之家。

丙申,罢江南进沙糖;止富民输粟赈饥补官。

丁酉,禁江西、湖广、汴梁私捕驾鹅。

乙巳,中书言:"回回商人,持玺书,佩虎符,乘驿马,各求珍异,既而以一豹上献,复邀回赐,似此甚众。虎符,国之信器,驿马,使臣所需,今以畀诸商人,诚非所宜,请一概追之。"制可。

罢顺德、广平铁冶提举司,听民自便,有司税之如旧。

甲寅,太傅哈喇哈斯薨。

哈喇哈斯之在和林也,帝赐以大帐,如诸王、诸藩礼。及寝疾,语其属曰:"吾不复能佐理国事矣。行省之务,汝曹勉之,毋贻朝廷忧!"帝闻其殁,惊悼曰:"丧我贤相!"诏归葬昌平,赠太师,追封顺德王,谥忠献。

是岁,太师伊彻察喇言:"察巴尔诸王之在边境者,素无悛心,倘诸部合谋,必为国患。请抚安都尔斡之子库春及处诸部来归者于金山之阳,遣军屯田山北,脱彼有谋,吾已捣其腹心矣。"帝称善,趣进军攻之。察巴尔等果欲奔库春,库春不纳,遂相率来降,漠北悉平。

至大二年 【己酉,1309】 春,正月,乙丑,从皇太子请,罢宫师府,设宾客、谕德、赞善如故。太子知礼部尚书王约之贤,乞以自辅,帝以约为詹事府丞。

庚寅,越王图喇有罪赐死。

图喇居常快快,有怨望意。去年秋,帝幸凉亭,将御舟,图喇前止之,言涉不逊,帝由是衔之。及御万岁山,图喇醉,起,解腰带掷地,瞋目谓帝曰:"尔与我者止此耳!"帝疑其有异志,命省臣鞫之,辞服,遂伏其辜。

禁日者、方士出入诸王、公主、近侍及诸官之门。

辛卯,皇太子、诸王、百官上尊号曰"统天继圣钦文英武大章孝皇帝"。

乙未，恭谢太庙。太庙旧尝遣官行事，至是复欲如之，李邦宁谏曰："先朝非不欲亲致享祀，但以疾废礼耳。陛下继（承）〔成〕之初，正宜开彰孝道以率先天下，躬祀太室以成一代之典。循习故弊，非臣所知也。"帝称善，即日备法驾，宿斋宫，且命邦宁为大礼使。亲飨太庙自此始。

丙申，诏天下弛山泽之禁，恤流移，毋令见户包纳差税。

己亥，封知枢密院容国公绰和尔为句容郡王。

初，帝在海上，绰和尔请急归定大业，帝纳其言。及即位，封为公。至是入朝，晋封王。帝曰："世祖征大理时所御武帐及所服珠衣，今以赐卿，其勿辞。"翌日，又以世祖所御安舆赐之，且曰："以卿有足疾，故赐此。"绰和尔叩头涕泣固辞曰："世祖所御，非臣所敢当也。"帝顾左右曰："他人不知辞此。"命有司别置马轿赐之，俾乘至殿门下。

乙巳，塔思布哈、奇塔特布济克言："诸人恃恩径奏，玺书不由中书，直下翰林院给与者，今核其数，自大德六年至大元年所出，凡六千三百餘道，皆干田土、户口、金银铁冶、增餘课程、进贡奇货、钱谷、选法、词讼、造作等事，害及于民，请尽追夺之。今后有不由中书者，（切）〔乞〕勿与。"制可。

丙午，定制：大成至圣文宣王春、秋二丁释奠用太牢。

二月，戊午，赈真定路饥。

癸亥，皇太子如五台佛寺，以王约从。既至，约谏不可久留，太子然之，即还上京。

罢行泉府院，以市舶归之行省。

乙丑，以和林屯田有收，给赏官吏军士有差。

壬申，令各卫董屯田官三年一易。

甲戌，弛中都酒禁。

三月，己丑，辽阳行省右丞洪万诉高丽国王王璋不奉国法、恣暴等事，中书省请令洪万与璋辩对。敕中书毋令辩对，令璋从太后之五台山。

以梁王在云南有风疾，命诸王娄都尔代镇云南。

庚寅，帝如上都。御史台言："京师工役繁兴，加之岁旱民饥，狂愚易惑，今乘舆行幸，请命丞相一人留守京师，著为令。"从之。

甲辰，中书省言："国家岁赋有常，顷以岁俭，所入曾不及半，而去岁所支，钞至千万锭，粮三百万石。陛下尝命汰其求刍粟者，而宣徽院勃克逊竟不能行，视去岁反多三十万石，请用知钱谷者二三员于宣徽院佐理之。又，中书省断事官，大德十年四十三员，今皇太子位增二员，诸王库库楚等亦各增一员，非旧制。臣等以为皇太子位所增宜存，诸王者宜罢。"并从之。

乙巳，中书省言："中书为白司之首，宜先汰冗员。"帝曰："百司所汰，卿等宜定议；省臣去留，朕自筹之。"

夏，四月，甲寅，中书省言："江浙杭州驿，半岁之间，使人过者千二百餘；有桑乌保赫鼎等进狮、豹、鸦、鹘，留二十有七日，人畜食肉千三百餘斤。请自今远方以奇兽异宝来者，依驿递；其商人因有所献者，令自备资力。"从之。

辛酉，立兴圣官江淮财赋总管府。

4729

癸亥，摘汉军五千，给田十万顷，于直沽沿海口屯粮。

壬午，诏中都创皇城角楼。中书省言："农事正殷，蝗蝝遍野，百姓艰食，请依前旨罢其役。"帝曰："皇城若无角楼，何以壮观！先毕其功，馀者缓之。"

以建新寺，铸提调、监造三品银印。

益都诸路蝗。

五月，丁酉，以阴阳家言，自今至圣诞节不宜兴土，权停新寺工役。

六月，癸亥，选官督捕蝗。

从皇太子言，禁诸赐田者驰驿征租扰民。

庚午，中书省言："奉旨即停新寺工役，其亭苑鹰坊诸役，请并罢。又，太医院遣使取药材于陕西、四川、云南，费公帑，劳驿传。臣等议，事干钱粮，隔越中书径行，宜禁止。"并从之。

以大都隶儒籍者四十户充文庙乐工。

从皇太子请，改典乐司提点、大使等官为卿、少卿、丞。

甲戌，以宿卫之士比多冗杂，遵旧制，存蒙古、色目之有阀阅者，馀皆革去。

皇太子言："宣政院文案不检核，于宪章有碍，遵旧制为宜。"从之。

安西王阿南达既以谋逆诛，国除，其秦中版赋入詹事院。至是大臣请封其子复国，太子以问王约，约曰："安西以何罪诛？今复之，何以惩后！"议遂寝。

乙亥，中书省言："宣政院奏免僧道田租；臣等议，田有租，商有税，乃祖宗成法，不当免。"诏依旧制征之。

秋，七月，癸未，河决归德府境。

己亥，河决汴梁之封丘。

四川肃政廉访使赵世延修都江堰，民便之。蒙古军士科差繁重，而军士就成往来者多害人，军官或抑良为奴。世延悉正其罪，除其弊。

八月，癸酉，复置尚书省。

初，帝从托克托、嘉珲、帕合哩鼎言，欲复置尚书省，分理财用。至是约苏言钞法大坏，请更之，令工役画新钞式以进，又与保巴议立尚书省，帝命与塔斯布哈集议。保巴言："政事得失，皆前日中书省臣所为。今欲举正，彼惧有累，孰愿行者！臣请旧事从中书，新政从尚书。其尚书省官，请以奇塔特布济克、托克托为丞相，三宝努、约苏为平章，保巴为右丞，王罴参知政事。以画新钞式者为印钞库大使。"并从之。塔斯布哈言："此大事，遽尔更张，乞与老臣更议之。"帝不从。三宝努言："尚书省既立，更新庶政，变易钞法，用官六十四员，其中宿卫之士有之，品秩未至者有之，未历仕者有之。此皆素习于事，既已任之，宜勿拘例，授以宣敕。"制可，仍改各行中书省为行尚书省，条画颁示天下，敢有阻挠者罪之。

己未，置太子右卫率府，命左丞相托克托、御史大夫布琳尼敦领府事，取河南蒙古军万馀人隶之。

王约曰："左卫率府，旧制有之，今置右府何为？诸公深思之，不可以累储宫也。"太子又命取安西军器给宿卫士，约谓詹事鄂勒哲曰："詹事移文千里取兵器，人必惊疑。主上闻之奈何？"鄂勒哲愧谢曰："实虑不及此。"又命福建取绣工童男女六人，约言曰："福建去京师六七千里，使人父子相离，有司承风动扰，岂美事耶？"太子即命止之，称善再三。家令薛居言陕西分地五事，命往理之，约不为署行，语之曰："太子，潜龙也，当勿用之时，为飞龙之事，可乎？"

遂止。太子喜，谕群下曰："事未经王彦博议者，勿启。"一日约方启事，一宦官侍侧，太子问曰："自古宦官坏人家国，有诸?"对曰："宦官善恶皆有之，但恐处置失宜耳。"太子深然其言。彦博，约字也。

是月，司徒、加平章政事石天麟薨。

天麟在世祖时，以忠直见称。江南道观偶藏宋主遗像，有僧素与交恶，发其事，将置之极刑。世祖以问天麟，对曰："辽国主、后铜像在西京者，今尚有之，未闻有禁令也。"事遂寝。世祖尝以所御金龙头杖赐之，曰："卿年老，出入宫掖，杖此可也。"殁年九十二。追封冀国公，谥忠宣。

九月，庚辰朔，诏："朝廷得失，军民利害，有上言者，皆得实封以闻，在外者赴所属转达。各处人民，饥荒转徙复业者，逋欠并行蠲免，仍除差税三年。田野死亡，遗骸暴露，官为收拾。"

颁行至大银钞，诏曰："昔我世祖皇帝，始造中统交钞以便民用，岁久法濫，亦既更〔张〕，印造至元宝钞。逮今又二十三年，物重钞轻，不能无弊，乃循旧典，改造至大银钞，颁行天下。至大银钞一两，准至元钞五贯，白银一两，赤金一钱。随路立平准行用库，买卖金银，倒换昏钞；或民间丝绵布帛，赴库回易，依验时估给价。随处路府州县，设立常平仓以权物价，丰年收籴菽麦米谷，青黄不接之时，比附时估，减价出粜，以遏沸涌。金银私相买卖及海舶兴贩金、银、铜钱、丝绵、布帛下海者，并禁之。中统交钞，诏书到日，限一百日尽数赴库倒换；诸色课程，如收至大银钞，以一当五颁行。至大银钞二两至一厘，定为一十三等，以便民用。"元之钞法，至是凡三变云。

监察御史张养浩言立尚书省不便；既立，又言变法乱政，将祸天下；台臣抑而不闻。养浩曰："昔僧格用事，台臣不言，后几不免。今御史既言，又不以闻，台将安用!"

江南治书侍御史敬俨，以议立尚书省不便忤宰臣意，适两淮盐法久坏，乃左迁俨为(左)〔转〕运使，欲陷之。俨至，黜贪厘弊，课役增羡至二十五万引。河南省臣来会盐(荚)〔筴〕，欲以所增羡为岁人常额。俨以民罢已甚，以羡为额，是病民以为己也，不可。乃止。

癸未，尚书省言："古者设官分职，各有攸司。方今地大民众，事益繁冗。若使省臣总挈纲领，庶官各尽厥职，其事岂有不治! 顷岁省务壅塞，朝夕惟署押文案，事皆废弛。天灾民困，职此之由。请自今省部一切皆令从宜处置，大事或须上请，得旨即行，用成至治；上顺天道，下安民心。"又言："国家地广民众，古所未有。累朝格例，前后不一，执法之吏，轻重任意，请自太祖以来所行政令九(十)〔千〕馀条，删除烦冗，使归于一，编为定制。"并从之。

以大都城南建佛寺，立行工部，领行工部事三人，行工部尚书二人，仍令尚书左丞相托克托兼领之。

丙戌，帝至自上都。

诏访求先朝旧臣，特除耶律希亮翰林学士承旨。希亮，铸之子也，先事世祖为符宝郎，累迁吏部尚书，屡进谠言，为世祖所嘉纳，以足疾谢事，家居二十馀年，至是复召用。寻命知制诰兼修国史。希亮以职在史官，乃类次世祖嘉言善行以进。

癸巳，以薪价贵，禁权豪畜鹰犬之家不得占据山场，听民樵采。

丙申，御史台言："顷年岁凶民疫，陛下哀矜赈之，获济者众。今山东大饥，流民转徙，请以本台没入赃钞万锭赈救之。"制可。又言:"比者近侍为人奏请,赐江南田一千二百三十顷,为租五十万石,请拘还官。"从之。

己亥,始制钱。先是行钞法,虽皆以钱为文,而废钱弗铸。至是始于大都立资国院,山东、河南、辽阳、江淮、湖广、四川立泉货监六,产铜之地立提举司十九,铸钱。曰至大通宝者,每一文准银钞一厘,曰大元通宝者,准至大钱十文,与历代钱通用。其当五、当三、折二,并以旧数用之。既而御史台言:"至大银钞始行,品目繁多,民犹未悟,而又兼行铜钱,虑有相妨。今民间拘收铜器甚急,民殊不便,请与省臣调议。"不报。

尚书省言:"三宫内降之旨,曩中书奏请勿行,臣等谓宜仍旧行之。倘于大事有害,则复奏请。中书之务,请以尽归臣等。至元二十四年,凡宣敕亦以尚书省掌之,今臣等议,宜从尚书省任人,而以宣敕散官委之中书。"从之。

詹事院启太子,金州献瑟瑟洞,请遣使采之。太子曰:"所宝维贤,瑟瑟何用焉!若是者,后勿复(问)〔闻〕。"先是近侍言贾人有献美珠者,太子曰:"吾服御雅不喜饰以珠玑,生民膏血,不可轻耗。汝等当广进贤才,以恭俭爱人相规,不可导以奢靡蠹财也。"

丁未,三宝努言养豹者害民为甚,诏禁之,有复犯者,虽贵幸亦加罪。

冬,十月,庚戌朔,以皇太子为尚书令。

初,帝从塔特布济等言,凡中书宣敕,皆以尚书掌之。至是太子言:"旧制,百官宣敕皆归中书,以臣为中书令故也。自今敕牒宜令尚书省给降,宣命仍委中书。"从之。

以郝彬为参知政事。彬见尚书省诸同列生事要功,杀无罪之人,务积诚意相开引,或从或违,横不可制。旋命兼大司徒,不拜。彬见皇太子,恳辞至力,因称疾笃,遂得归。

丙辰,约苏言:"江南平垂四十年,其民止输地税、商税,馀皆无与。其富室有蔽占王民,奴使之者,动辄百千家,有多至万家者。请自今有岁收粮五万石以上者,令石输二升于官,仍质一子于军;所输之粮,半入京师以养卫士,半留于彼以备凶年。富国安民,无善于此。"诏如其言行之。

辛酉,弛酒禁,立酒课提举司。

尚书省以钱谷繁剧,增户部侍郎、员外郎各一员;又增礼部侍郎、郎中各一员,凡言时政者属之。

立太庙廪牺署,设令、丞各一员。

乙丑,以皇太后有疾,诏释天下大辟百人。

癸酉,尚书省言:"比年拣汰冗官之故,百官俸至今未给,请如大德十年所设员数给之,馀弗给。"从之。

加知枢密院事图呼鲁左丞相。

戊寅,御史台言:"常平仓本以益民,然岁不登,遽立之必反害民,罢之便。"又言:"岁凶乏食,不宜遽弛酒禁。"诏与省臣议。

是月,右丞相阿实克布哈薨。

阿实克布哈忠直廉介,尝命出太府金分赐诸王、贵戚及近侍。方出朝,见一人仓皇若有所惧状,曰:"此必盗金者。"召诘之,果得黄金五十两、白金百两,以闻;就以金赐之,命诛盗者,辞曰:"盗诛固当,金非臣所宜得,愿还金以赎盗死。"帝悦而从之。有以左道惑众者,大室多信之,捕置于法。后追封顺宁王,谥忠烈。

十一月,庚辰朔,以徐、邳连年大水,悉免今岁差税;又以东平、济宁荐饥,免差税之半,下户悉免之。

增吏部郎中、员外郎、主事各一员,令考功以行黜陟。

八百媳妇及大小彻里诸蛮作乱,诏遣云南右丞索勒济尔威往招谕之。比至,为贼所掳,复肆攻掠,遂以败还,命严鞫之。

乙酉,尚书省及太常礼仪院言:"郊祀者,国之大典。今南郊之礼已行而未备。北郊之礼,尚未举行。今年冬至祀天南郊,请以太祖配;明年夏至祀地北郊,请以世祖配。"制可。

辛丑,尚书省言:"国之粮储,岁费浸广,而所入不足。今岁江南颇熟,欲遣和籴,恐米价倍增,请以至大钞二千锭分之江浙、河南、江西、湖广四省,于来岁诸色应支粮者,视时直予以钞,可得百万;不给则足以各省钱。"从之。

丁未,择卫士子弟充国子学生。

十二月,乙卯,帝亲祫太庙,上太祖圣武皇帝谥、庙号及光献皇后谥,又上睿宗景襄皇帝谥、庙号及庄圣皇后谥。

武昌妇人刘氏,诣御史台诉三宝努夺其所进亡宋玉玺一,金椅一,夜明珠二。诏尚书省臣及御史中丞杂问。乃三宝努谪武昌时与刘往来,及三宝努贵,刘托以追逃婢来京师,至三宝努家,见逃婢所窃物,以问,三宝努不答,刘忿,诉于台。狱成,以刘氏为妄,杖之归籍。时三宝努已晋太保,而素行不孚于众如此。

丙辰,并中书省左右司。

遣使往诸路分拣逋负:合征者征之,合免者免之。

辛酉,申禁汉人执弓矢、兵仗。

壬戌,阳曲县地震,有声如雷。

丁丑,诏:"封赠内外百官,三品以上者许请谥。凡请谥者,许其家具本官平日勋劳、政绩、德业、艺能,经由所在官司保勘,与本家所供相同,转申吏部考覆呈都省,都省准拟,令太常礼仪院验事迹定谥。若勋戚大臣奉旨赐谥者,不在此例。"

商议辽阳行中书省事洪君祥卒。君祥自少受知世祖,许为远大之器。从南伐,战功较多,及退居,则绝口不言时事。

浦江郑文嗣家,十世同居,凡二百四十馀年,一钱尺帛,无敢私者。文嗣卒,从弟大和继主家事,益严而有恩,家庭中凛如官府,子弟稍有过,颁白者犹鞭之。每遇岁时,大和坐堂上,群从子侄皆盛衣冠雁行立左序下,以次进拜跪,奉觞上寿毕,皆肃容拱手,自右趋出,足武相衔,无敢参差者。见者嗟慕,谓有三代遗风。有司以状闻,诏表其门,复其役。

大和方正,不奉浮屠、老子教,冠婚丧葬,必稽朱熹《家礼》而行,执亲丧,三年不御酒肉。子孙从化,皆孝谨,虽尝仕宦,不敢一毫有违家法。诸妇惟事女工,不使预家政。宗族、闾里,皆怀之以恩。家蓄两马,一出则一为之不食,人以为孝义所感。

初,李孟既逃去,有谮于帝者曰:"内难初定时,孟尝劝皇太子自取。"帝弗之信。一日,太子侍夜宴,饮半,忽戚然改容,帝曰:"吾弟何不乐?"太子从容起谢曰:"赖天地、祖宗神灵,神器有归。然成今日母子、兄弟之欢者,李道复之功为多。适有所思,不自知其变于色耳。"道

4733

复,孟之字也。帝感其言,即命访孟,得之许昌陉山,遣使召之。

【译文】

元纪十四 起戊申年(公元1308年)正月,止己酉年(公元1309年)十二月,共二年。

元武宗名讳哈尚,元顺宗达尔玛巴拉的长子,母亲是兴圣皇太后鸿吉哩氏。至元十八年(公元1281年)七月十九日生。元成宗大德三年(公元1299年),在北部边境总领军队。八年(公元1304年),封为怀宁王,赐给金印。十一年(公元1307年)春季,元成宗去世,武宗帝由阿勒台山赶到和林,诸王勋戚都劝他登基。五月,于是在上都即皇帝位。

至大元年 (公元1308年)

春季,正月,辛酉朔(初一),下令赦免御史台关押的犯贪赃罪的部分官吏,仅止于收缴赃款和罢免官职的惩罚。

皇帝还未登基之前,知枢密院济尔哈图曾有过不恭的言语,现在将要对其进行惩处。托克托劝谏说:"陛下刚刚登上大位,威信尚未建立就开始进行诛杀,知情者认为他罪有应得,不知情者却会认为是报私仇。恐怕就会人人自危。况且济尔哈图了解先朝典故,是现在不可缺少的人才。"于是皇帝宽宥了济尔哈图。

甲子(初四),任命阿实克布哈为右丞相,兼御史大夫。

起初,阿实克布哈看到皇帝脸色日益憔悴,就找机会进谏说:"陛下不知道品尝八珍之味,不知道爱惜万金之身,却耽于饮酒之乐,溺于妃嫔之色,这像是两把斧头砍伐孤树,没有不倒的。陛下纵然不爱惜自己,难道不想想祖宗付托的重任和天下臣民深切的敬仰与希望吗?"武宗大为高兴,说:"要不是你,谁肯为朕说这些道理!"于是命令为他进酒。阿实克布哈磕头谢绝道:"臣刚刚想让陛下节制饮酒,反而劝臣饮酒,这是臣的劝说没有被陛下相信。臣不敢奉命。"左右随从都恭贺皇帝得到了一个忠诚正直的大臣,于是有了这个任命。

元武帝像

武宗曾经观看左右近臣踢球,命拿出十五贯钱赏赐他们。阿实克布哈磕头上谏道:"因为踢球而受皇上赏赐,那么依仗奇巧而无益的技艺的人就日益涌进朝廷,而贤者就日益退出了,国家将怎么办?臣至死不敢奉命。"皇帝于是才停止了这一赏赐。

己巳(初九),绍兴、台州、庆元、广德、建康、镇江六路发生饥荒,饿死者甚多,挨饿的户数达四十六万多。皇帝降旨每户每日发给六斗米,以没收的朱清、张瑄两家财产进行赈济。当时浙东宣慰同知托欢彻尔主张实行劝贷令,敛聚富裕之民的钱一百五十余万,将其中二十五万委托宁海县主簿胡长孺藏起来。胡长孺觉察到他有贪污之意,就全部散赈给百姓。不久,托欢彻尔果然来索要那笔钱,胡长孺抱起散赈案卷奉上道:"钱在这里。"托欢彻尔虽然愤恨,但也不敢向他问罪。胡长孺是婺州人,他在宁海任职期间,揭露隐蔽的坏人坏事,清察明审,果断如神。

特授皇帝乳母的丈夫寿国公杨燕嘉努开府仪同三司。从此由乳母推恩到其丈夫,被沿袭为常例,朝廷的名号和车服仪制更漫无准则了。

甲戌(十四日),中书省上奏说:"进贡海东青鹘者,常乘骑驿站马匹,五百匹也不足使用,应大量搜聚民间车马。兵部请求用各驿站马匹陆续进用,不要搜聚为稳便。"武宗听从了。

戊子(二十八日),皇太子请求让阿实克布哈再入中书省供职,托克托又入御史台。

己丑(二十九日),中书省上奏:"阿实特穆尔请求到河西地区采玉,役使千余人,需要马匹四十余匹。因并不急需之事而劳民,应当制止。"又说:"近期百姓吃粮困难,盗贼众多。如不严厉惩办,祸患将会滋生扩大。应当派遣官员巡察,遇有罪犯立即审判发落。与所到之处的官吏共同商议制止盗窃的方略,明确赏罚标准。如有隐匿盗贼案情不上报,或者约期聚集而不到,以及过了期限不能捕盗的,官吏连带受惩罚。江浙行省海盗出没,杀掳军民,已经捕获的,一概应结案等候批复。聚合官吏审讯无冤,即在街头斩首示众;自首者宽赦并发给米粟;能够擒捕其同党者加以奖赏。"武宗说:"止盗安民,极其重要,应当立即议定执行。"

西番僧人在上都者,强买百姓柴薪,百姓诉之于留守李璧。李璧刚刚开始询问缘由,僧人带领同党手持白棍闯入官府,隔着案桌拖住李璧的头发,将他摔到地上,一阵乱棍殴打。又将他拖回僧舍,关在空房里,好一段时间才得脱身。李璧跑到朝廷告状,僧人最后竟然得到赦免。不久,僧人的徒弟龚柯等人与诸王妃抢道,把王妃拉下马车后殴打,言语中冒犯皇帝。事情上报后,也放置一边,不予问罪。当时宣政院刚接到命令,说殴打西番僧人者断其手,骂西僧者截其舌。皇太子急忙上言:"这种刑法前所未有。"皇帝这才收回这个命令。

二月,癸巳(初三),将鹰坊升级为仁虞院,级别为正一品。任命右丞相托克托、遥授左丞相图喇特穆尔、额克达噜噶齐、伊勒齐一起为仁虞院使。

乙未(初五),中书省上奏:"陛下登基以来,赐赏诸王,体恤爱护军队,赈济百姓。特别的恩宠也广泛地赏赐,以致国库空虚。请暂且支取发行纸币的准备金以周济急用,不是急需的费用暂时缓一缓。"武宗说:"你们说得对。普遍赏赐的,不论什么人不得掩盖真相上奏请求。"

壬寅(十二日),听从皇太子的请求,改詹事院使为詹事,副詹事为少詹事,院判为丞。

皇太子的亲近侍从中有人引荐俳优艺人,典收大监王结说:"以前唐庄宗喜好此事,最终招致灾祸与失败。殿下正在太子宫培养德性,视听应当谨慎。"太子嘉奖他并采纳了他的劝言。

中书省上奏:"陕西开成路以前地震,民力很困乏,已经免赋两年,请再免掉今年赋税。"武宗听从了。

甲辰(十四日),调遣军士一千五百人修缮五台山佛寺。

命令官吏购买一处府第,赐给丞相特因特穆尔。

己未(二十九日),因皇太子建造佛寺,设立营缮署。

三月,庚申朔(初一),中书省建议:"郐王彻图南所领民户散失,下令官吏搜索。过去阿济奇搜索失散的民户,成宗担心这成为常例,没有准许。现在如果搜索,未免骚扰百姓,而且诸王大多一定引用成例而行。请制止此事。"武宗听从了。

当时庄圣皇后及诸王呼托克托所领民户散入其他各郡,哈都齐托欢于是下玺书搜索。陕西行省及真定等路省臣又上奏:"百姓都在国家户籍之中,现在所派遣的使者,动辄强取军户、驿户、编民等户,这种做法不应该。"武宗说:"他们上奏有误,你们赶快追回这些民户。"

丁卯(初八),建造兴圣宫。

派遣使者祭祀五岳、四渎、名山、大川。

戊寅(十九日),皇帝到上都。

在大都城南建造佛寺。

己卯(三十日),命令翰林国史院搜集整理《顺宗实录》。

这年春天,绍兴、庆元、台州流行瘟疫,死亡二万六千余人。

夏季,四月,戊戌(初十),中书省上奏:"请按照原来所下诏命,不要越级授官,随便赏赐。"皇帝说:"我多次有旨制止这种做法,却有人反复掩盖真相来请求。从今以后,即使有旨命,你们再上奏请求,要惩罚你们。"

辛亥(二十三日),枢密院上奏:"诸王各用自己的印符骑乘驿马,使臣交错,使驿户疲乏。应当依照旧制,计算他们马匹的数量而下文书。"奏章获准。

丙辰(二十八日),高丽国王王昛上奏:"陛下让臣回国,再设官署兼摄征东行省职务。高丽多年歉收,百姓缺粮;多几百人在那里吃粮,百姓无法承受,而且也不是世祖所遗旧制。"武宗说:"以前设立时是根据你说的,现在撤销也是根据你说的,就按照世祖所遗旧制,赶快派人前往撤销这个官署。"

五月,丁卯(初九),御史台建言:"成宗朝设立国子监学,至今未能完成,皇太子请求完成这件工作。"皇帝下令批准。

召命吴澄为国子监丞。

国子监自许衡离任后,逐渐废弃了旧制度。吴澄到任后,早晨在正厅点燃蜡烛,诸生按顺序从师学习。太阳偏西返回闲居的房屋,持经问难者还接连到来;吴澄分别按照他们的天资、禀赋,反复进行训导教育,经常讲到夜半,即使严寒酷暑也不改变。

己巳(十一日),管城县降大雨冰雹,水深至一尺,麦禾无存。

丙子(十八日),诸王和西番僧跟随皇帝车驾至上都,这些人途中骚扰百姓,武宗禁止了他们这些行为。

查禁白莲社,毁坏其祠堂,将这些人遣回所隶属民籍。

御史台上奏:"从前奉旨停止不急之劳役,现在又为各官营造私宅。请等行宫及大都、五台佛寺完工,然后再进行为妥。"皇帝命令除孤头、三宝努所建宅第外,其余一概停工。

辛巳(二十三日),中书省建言:"以前的制度,枢密院、御史台、宣政院可以自己选拔官吏,其他各官府必须由中书省向皇帝报告才能调动,应当申令严格执行,晓谕各地。"武宗听从了。

六月,丁酉(初十),陇西宁远县发生地震。云南乌撒、乌蒙三天之中发生大地震六次。

武宗想任命宦官李邦宁为江浙平章,李邦宁推辞说:"臣以阉腐余生,得到前朝皇上的宽宥起用,在宫内充数,君王给予的优遇宠幸本已很多。现在陛下更想任命臣为宰相,臣听说宰相是辅佐天子治理天下的职位,怎么能用阉人使它受玷辱?陛下纵然不怕非议,怎么向天下后世交代呢?我不敢听命。"武宗大喜。戊戌(十一日),让李邦宁担任大司徒,遥授左丞相,又兼任太医院职事。

辛丑(十四日),把没收的朱清、张瑄两家田产隶属皇宫,设立江浙财赋总管府、提举司。

这个月,因为江淮一带发生大饥荒,免除今年固定的赋税和夏季税赋。益都水灾,百姓饥饿,采草根树皮为食物,甚至有父亲吃掉儿子的现象。皇帝下令免除今年的徭役,还调拨粮食进行赈济。

秋季,七月,庚申(初四),有流星从勾陈星座出现,向南驰去;圆如车轮,稍露尖角,经过贯索星座后逝灭。

皇帝下令因为金银年收入数量减少,从今以后不论什么人,以金银为请奏和委托别人请奏者都抵罪。另外,各处宣慰使等官员,大多凭借交结、依托而来到京师,今后非接到朝命不许赴京。

皇太子晓谕詹事库春说:"你过去就事奉我,与同僚协议,务必要遵守法度,凡是世祖未曾施行过的以及历朝典制所没有的,要小心谨慎不随便施行。"

壬戌(初六),皇子和实拉请求设立总管府,登记河南归德、汝宁靠近黄河的荒地,约有六万余顷,每年收其租赋。中书省上奏:"靠近黄河的土地,隐没突现没有规律。最近有一个名叫伊玛罕的人,假称受行省委派,丈量田亩,检查漏赋情况,蚕食百姓,将有主的田地指为荒地,所到之处骚动不安。被坑害的百姓达六百余人,相继前来告状,刚刚议定其罪,遇赦得到免罪,现在却非法以这些田地赐给皇子。而且河南连年灾荒歉收,百姓正缺少粮食,如果听从皇子所请,为害不小。"武宗说:"岂须多说,一定制止,不要实施此事!"

在潮州的沼泽之中修筑呼鹰台,调遣一千五百名军士帮助筑建这个工程。

中都行宫建成,设置留守司兼开宁路都总管府。

己巳(十三日),真定发生水灾,朝廷进行赈济。

癸酉(十七日),皇帝用诏书晓谕安南国。

癸未(二十七日),枢密院上奏:"世祖时枢密官员只有六人,成宗时增至十三人。现在理事者有三十二人,应当裁汰一些。"皇帝下令罢免塔斯岱等十一人。

甲申(二十八日),太师淇阳王伊彻察喇请求设置王傅一职。中书省说异姓王没有设置工傅的先例,不准所请。

乙酉(二十九日),任命养虎人彻尔集斯为监察御史。

这个月,任命左丞相塔斯布哈为中书右丞相,太保奇塔特布济克为中书左丞相。内外大小事务,均听从中书省处理,诸王、公主、驸马及有权势居要职的人等,不得搅扰、破坏。近侍官员及宫内外各衙门,不得越过中书省上奏。各处行省、宣慰司及在外地的各衙门官吏,没有接到圣旨和中书省明文,不得擅自骑乘驿站马匹赶赴京师,办理私事。

八月,丙申(初十),御史台上奏:"奉皇帝命令逮捕监察御史萨都鼎赴上都。世祖、成宗至陛下,多次有明旨,监察御史是朝廷耳目,朝廷内外群臣百官作奸犯科、不称职者,听凭监察御史举发弹劾。治理事务之时,众人不得干预。最近查问刑部尚书乌喇实贪赃之罪,承蒙皇上下诏褒奖表彰,众御史都受到赏赐,朝廷的纲纪更显扬。现在萨都鼎被逮捕,同僚都心怀恐惧,关系不小,应当停止执行那道命令,申明御台的规定,众人不得参与其事并得知内情。"武宗下令批准这个建议。

九月,丙辰(初一),因为靠近帝都多粟米之郡的年成不好,各部人马进入都城的,减去十分之五。

中书省上奏:"夏秋之间,巩昌发生地震,归德出现暴风雨,济宁、泰安、真定大水灾,民房被毁坏。江浙饥荒之后,瘟疫大作,死者相互枕藉。父卖其子,夫离其妻,哭声震于野外,人所不忍听闻。这都是由于臣等没有才能,承蒙陛下让臣等担当大任,以至于国家的管理工作失误,阴阳失去常规,危害到了百姓。臣等愿退位以给贤人仕进让路。"武宗说:"灾害的发生自有原因,并非你们所招致,只是应该慎重行事罢了。"

高丽国王王昛逝世。

下令召山东宣慰司刘敏中为翰林学士承旨。

当时灾异频繁而至,武宗召集公卿大臣共同商议消灾的办法。刘敏中上疏列举七项措施,皇帝赞许并采纳了。不久,刘敏中因病归还故乡。

刘敏中心怀正义,不以不正当的手段谋求升官,每晋级必有所匡救之举。常常以时事为忧。有时因阻滞而不能表明,则愁容见于脸色。曾经与同僚各抒己志,说:"自幼至老,与诸君相见而无愧色,就是我的志向。"

壬戌(初七),太尉托克托上奏:"泉州大商人进贡特殊木材沉香檀木可以做建构宫室之用。"皇帝命令江浙行省通过驿站运来。不久,泉州商人又进贡奇珍异宝以及宝带、西域马。

丙寅(十一日),蒲县发生地震。

乙亥(二十日),武宗从上都返回京师。

武宗曾经侍奉皇太后在大安阁宴饮。阁中存有旧箱,武宗指着旧箱询问内侍李邦宁,李邦宁回答说:"这是世祖储存皮衣腰带用的,我听说世祖留下训诫说:'储藏这个箱子留给子孙后代,使他们看到我的俭朴,可以作为浮华奢侈的禁戒。'"武宗命令打开箱子来看,赞叹道:"要不是你说,我怎么知道这些!"当时有个宗王在旁边,不觉脱口说:"世祖虽然神武圣明,但在钱财方面太吝啬了。"李邦宁说:"并不是这样。世祖每一句话都可以作为后世效法的准则,他的一赏一罚无不与被赏罚者的功罪相当。况且天下所敛聚的财物虽然丰富,如果使用没有节制,必然招致匮乏。从先朝以来,每年赋税已不足使用,又数次大会宗亲,耗费了无数财物;早晚不能满足供给,必将横征暴敛而招怨,难道是好事吗?"皇太后及皇帝都认为他的话很对。

庚辰(二十五日),让高丽国王王璋继承高丽王位。

冬季,十月,癸巳(初八),蒲县、陵县发生地震。

甲午(初九),任命阿实克布哈为知枢密院事。

甲辰(十九日),任命西蕃僧人嘉勒斡巴勒为翰林学士承旨。

中书省申请以湖广所收十万石大米贮藏于扬州,分出江西、江浙应由海运至京的五万石粮米贮藏于朱汪、利津两仓,用以赈济山东饥民。武宗批准了。

武宗下令:"凡持宫内直接发出的文书购买河间的盐以及凭诸王、驸马的话到转运司的,一概禁止。持宫内直接发出的文书而不通过中书省的,听任转运司上奏于皇帝。"

十一月,己未(初四),中书省上奏说:"世祖在位时,自中书省以下各司,官职有定员限制。近期各司递升一级,一个司多达二三十人,所管理的事务并未改变而官员人数日益增多。请按照大德十年所定各司人数,过分庞杂而没有必要的都淘汰掉。另外,现在中都构筑城池,大都建造寺庙,以及为贵族近臣营造私宅,使军队和百姓都力困财乏,仓库也空竭,开支却一天天增多。每赏赐一个人,往往多到万锭。恐怕以后难以为继,应当暂时紧缩开支。"又说:"各官府所行之事,常与中书省有矛盾的,请求宣布禁止。"武宗说:"曾经下令众人不得干预中书省政事,以后也许有趁朕忘记,持宫内直接发出的文书到中书省来的,要拘捕他送到宫里来,朕将对他们进行惩罚。"

己巳(十四日),任命奇塔特布济克为右丞相,托克托为左丞相。不久又听从托克托的建议,任命塔斯布哈与奇塔特布济克一起为右丞相。

中书省建议:"国家的经费供给不足,请淘汰宣徽、太府、利用等院所属人员,限定供给的人数。那些在上都、各行省的,请皇帝减削。另外,行泉院专以看守宝物为职责,应当禁止私献宝物的行为。再有,国家各屯田所,由于所任用的人多不称职,以至于荒废。除四川、甘州、应昌府、云南地方距离太远,其余地方应当选拔熟习农务者前往,与行省、宣慰司亲自到屯田所勘察,可以办好的办好,应该废除的废除。各自登记上报。"武宗都采纳了。

癸未(二十八日),皇太后在五台山建造佛寺,选调军士六千五百人供其役使。当时太后想去五台山,有人说可以开辟保定五回岭以取近路,派遣使者与总管吴鼎观察地形,计算工费。吴鼎说:"荒山陡峭,人迹久绝,不是太后车驾所适宜前往的。"使者返回禀报,太后因此而取消了这项工程。

宣徽使特穆德尔,调出朝廷担任江西平章政事,不久又被任命为云南行省左丞相。当时特穆德尔还没有当权。

闰十一月,己丑(初四),因大都米价上涨,朝廷打开粮仓,减价出售以赈济贫民。百姓有卖儿卖女的,命令官吏为他们赎回。

乙未(初十),优厚抚恤已故丞相鄂勒哲的家属。

丙申(十一日),停止江南进贡砂糖;禁止富民靠拿出粮食赈济饥民而补官。

丁酉(十二日),禁止江西、湖广、汴梁偷捕鸿雁。

乙巳(二十日),中书省上奏说:"回回商人,拿着诏书,佩带虎符,乘骑驿站马匹,各自寻找奇珍异宝。不久以一只豹子上献皇宫,又求赏赐,像这样的非常多。虎符是国家作为凭证的重要物件,驿马是使臣所需要的工具,现在把它们赐给商人,确实不是适宜的。请求一概追回。"武宗同意了。

撤销顺德、广平铁冶提举司,听任百姓自由行动,官吏照旧例

甲寅(二十九日),太傅哈喇哈斯逝世。

哈喇哈斯在和林时,武宗依照赏赐诸王、诸藩的礼仪,以大帐赏赐给他。到卧病时,他对自己的部下说:"我不再能协助治理国家的政事了。行省的事务,你们尽力为之,不要使朝廷

忧虑!"武宗听到他逝世的消息,非常震惊。哀悼说:"丧我贤相!"降旨把他的尸体运回故乡昌平安葬,赐给他太师职衔,遣封为顺德王,谥号为忠献。

这一年,太师伊彻察喇上言:"察巴尔诸王处在边境地区的,向来没有悔过之心。倘若各部合谋,一定会成为国家的祸患。请求抚恤安慰都尔斡的儿子库春,将降附归来的各部安置在金山之南。再派遣军队在金山之北屯田,如果他们有什么图谋,则我军已经直捣其腹心之地了。"武宗称赞这是个好办法,催促进军攻击他们。察巴尔等果真想投奔库春,库春不接纳,于是只好相继来投降。漠北地区全部平定。

至大二年　（公元1309年）

春季,正月,己丑（初五）,听从皇太子的请求,罢免宫师府,仍和从前一样设宾客、谕德、赞善。皇太子知道礼部尚书王约是个贤德之人,请求让他作为自己的辅弼。武宗任命王约为詹事府丞。

庚寅（初六）,越王图喇有罪赐死。

图喇常常快快不乐心怀不满。去年秋天,武宗去凉亭,将要登船,图喇上前制止,出言不逊,武宗因此对他很不满。待武宗去万岁山,图喇在宴会上喝醉了,起身解下腰带扔在地上,怒气冲冲瞪大眼睛对武宗说:"你给我的只是这些而已!"武宗怀疑他有叛变之意,命令省臣进行审问,他招认了,于是被判死罪。

禁止占卜之人、方士出入诸王、公主、近侍及诸官人家。

辛卯（初七）,皇太子、诸王、百官给武宗上尊号叫统天继圣钦文英武大章孝皇帝。

乙未（十一日）,恭敬地告谢太庙。过去太庙有祭祀活动时,皇帝曾派遣官员代行其事,武宗这时又想这样做,李邦宁进谏说:"先帝不是不想亲自到太庙祭祀,只是因为有病才废此礼。陛下继成大位之初,正应该开始彰显孝道来率先天下,亲自祭祀太庙,以成一代的典礼。循习过去不好的做法,不是臣所知道的。"武宗称赞他说得好,马上准备车驾,住进了斋宫,并且命令李邦宁为大礼使。皇帝亲自祭祀太庙从此开始。

丙申（十二日）,下诏解除国家山泽禁令,抚恤流移各地的百姓,不得让现存的人户包纳差役税收。

己亥（十五日）,封知枢密院事容国公绰和尔为句容郡王。

当初,武宗在海上,绰和尔请求他赶快回来决定天下大事,武宗采纳了他的意见。等到即皇帝位,封他为容国公。到这时入朝觐见,又晋封为句容郡王。武宗说:"世祖征讨大理时所使用过的武帐以及所穿过的珠衣,现在就赐予你,不要推辞。"第二天,又将世祖乘坐过的小车赐给他,并且说:"因为你脚有病,所以才赐予你这个。"绰和尔叩头流泪,坚决推辞说:"世祖所使用过的这些器物,不是臣所敢使用的。"武宗对左右的人说:"其他人不知道推辞接受这些器物啊。"命令有关部门另外置办马拉小车赐给他,使他能乘车至直殿门之下。

乙巳（二十一日）,塔思布哈、奇塔特布济克上言:"诸人仰仗圣恩直接奏请,诏书不经由中书而直接下到翰林院下发的,现在详细核查其数,从大德六年到至大元年所发出的,共有六千三百余道,都是关于田土、户口、金银铁冶、增加赋税、进贡奇货、钱谷、官员选举、词讼、修造等事,祸害涉及百姓,请求全部予以追夺。从今以后有不经由中书的,请求不要发给。"武宗同意了。

丙午(二十二日)，定制大成至圣文宣王春秋季二丁日的释奠用太牢之礼。

二月，戊午(初四)，救济真定路的饥荒。

癸亥(初九)，皇太子去五台山佛寺，以王约作为随从。到达五台山之后，王约进谏不可久留此地，太子赞成他的话，很快回到上都。

罢免行泉府院，将市舶归行省。

乙丑(十一日)，因和林屯田有很好的收成，给予官吏军士以不同的赏赐。

壬申(十八日)，命令各卫管理屯田的官员三年更换一次。

甲戌(二十日)，解除中都的酒禁。

三月，己丑(初六)，辽阳行省右丞洪万诉告高丽国王王璋不奉行国法，恣行凶暴。中书省请求命令洪万与王璋当庭辩论对质。敕令中书不得令其辩论对质，命令王璋随从皇太后去五台山。

因梁王在云南患有风疾之症，命令诸王娄都尔代替梁王镇守云南。

庚寅(初七)，武宗去上都。御史台上言："京师工役不断兴起，再加上连年旱灾百姓饥饿，狂愚之民易被惑乱，现在圣上去上都，请求命令丞相一人留守京师，著为格令。"得到许可。

甲辰(二十一日)，中书省上言："国家每年的田租收入都有一定数额，近因年景歉收，所收入的还不及原来的一半，而去年所支出的，钞已达千万锭，粮食三百万石。陛下曾经命令减汰那些求要粮草的，而宣徽院勃克逊竟不能执行，相比去年反而多支三十万石，请求选用懂得钱谷事务的二三名官员到宣徽院帮助管理。又，中书省的断事官，大德十年为四十三员，现在皇太子位增加二员，诸王库库楚等也各增加一员，这不符合原来的制度。臣等认为皇太子位增加的应该保存，诸王增加的应该罢免。"一并得到同意。

乙巳(二十二日)，中书省上言："中书为百司之首，应该率先减汰冗员。"武宗说："百司所要减汰的人员，卿等应该讨论决定；至于省臣的去留，由朕亲自谋划。"

夏季，四月，甲寅(初二)，中书省上言："江浙杭州驿站，在半年的时间内，经过的使者达一千二百余人，有桑乌、保赫鼎等进献狮、豹、鸦、鹊，竟停留二十七天，人畜吃肉一千三百余斤。请求从今以后远方有用奇兽异宝来献的，由驿站递送；那些商人因有所贡献而来的，令其自备资金物力。"武宗同意了。

辛酉(初九)，设立兴圣宫江淮财赋总管府。

癸亥(十一日)，抽调汉军五千人，拨给田十万顷，在直沽沿海口屯垦种田。

壬午(三十日)，诏命中都创建皇城角楼。中书省上言："现在正是农忙时节，蝗虫又遍地发生，百姓生活十分艰难，请求依照从前的旨意罢免这项工程。"武宗说："皇城若没有角楼，怎么会壮观呢？先完成这项工程，其余的工程可以缓办。"

因为建了新寺，铸造提调、监造三品银印。

益都等路发生蝗灾。

五月，丁酉(十五日)，因阴阳家说从现在到圣上生日七月十九日不宜兴工动土，暂时停止新建寺庙的工程。

六月，癸亥(十二日)，选派官员督促捕捉蝗虫。

听从皇太子的建议,禁止各有赐田的人骑乘驿马前往征收田租,骚扰百姓。

庚午(十九日),中书省上言:"奉圣上旨意已停止建新寺工程,那些亭苑鹰坊等各种工程,请求一并停罢。又,太医院派遣使者前雀陕西、四川、云南取药材,耗费国库钱财,又劳苦驿传。臣等讨论,事关钱粮,而又隔越中书径直采取行动,应该禁止。"一并得到许可。

将大都隶属于儒籍的四十户充当文庙乐工。

听从皇太子的请求,改典乐司提点、大使等官为卿、少卿、丞。

甲戌(二十三日),因为宿卫军士近年多冗杂,遵照过去的制度,除了保存出自蒙古、色目功臣之家的以外,其余全都革去。

皇太子进言:"宣政院文书案卷不进行查验,有碍于法规典章的执行,应遵照原来的制度办理为宜。"得到同意。

安西王阿南达已经因谋乱被处死,封地被革除,其秦中户籍赋税归入詹事院。这时有大臣请求封他的儿子并恢复封地,太子以此事问王约,王约说:"安西王是因什么罪被处死的?现在恢复其封地,又怎么能够惩戒后来者?"这个提议于是被阻止。

乙亥(二十四日),中书省上言:"宣政院奏请免除僧、道等的田租。臣等议定,种田交租,经商纳税,这是祖宗成法,不应当免除。"诏命依照原来的制度征收。

秋季,七月,癸未(初三),黄河在归德府境内决口。

己亥(十九日),黄河在汴梁的封丘决口。

四川肃政廉访使赵世延修整都江堰,百姓感到很便利。蒙古军士科税差役繁重,而军士到戍守之地往来之时多祸害人,有的军官逼迫良家人做奴隶,赵世延均定其罪,革除这些弊端。

八月,癸丑(初三),又设置尚书省。

当初,武宗听从托克托、嘉珲、帕合哩鼎的建议,想再次设置尚书省,分管财用。这时约苏进言钞法大遭破坏,请求更定钞法,令工役人员画出新钞的式样呈进,又与保巴建议设立尚书省,武宗命令他们与塔斯布哈等聚议。保巴进言:"国家政事的得失,都是前些时日中书省臣干的,现在要有所举动更正,他们怕有连累,有谁愿意实行呢!臣等请求原来的政事归中书,新政归尚书。至于尚书省的官员,请求以奇塔特布济克、托克托为丞相;三宝努、约苏为平章,保巴为右丞,王罴为参知政事。以画新钞式样的为印钞库大使。"一并得到同意。塔斯布哈进言:"这样重大的事情,急忙进行更张,请求与老臣们再加谋议。"武宗不同意。三宝努进言,尚书省已经建立,要更新政务,变换钞法,用官六十四员,其中有的是宿卫之士,有的官级品秩还不够,有的没有做过官,但这些人都是素来熟练事务的,既然已经任命,就应该不拘泥于常例,给予授命的宣命敕令。"制书同意。仍改各行中书省为行尚书省,将条令计策颁示天下,敢有阻挠的判罪惩治。

己未(初九),设置太子右卫率府,命左丞相托克托、御史大夫布琳尼敦领府事,挑选河南蒙古军一万余人隶属府下。

王约说:"左卫率府,按原来的制度是有的,现在设置右卫率府干什么呢?诸位要加以深思,不可因此而连累储宫啊。"皇太子又命令取来安西王处的军器发给宿卫军士。王约对詹事鄂勒哲说:"詹事行文千里去取兵器,人们一定会惊疑。皇上知道了这件事,怎么办?"鄂勒哲惭愧地表示谢意说:"实在没有考虑到这些。"又命令福建招取绣工童男童女六人,王约进言说:"福建离京师六七千里,使人家父子相离,地方官接着这股风动扰百姓,难道是好事情吗?"太子立即下命令停止行动,并再三称赞。家令薛居敬上言陕西分地的五件事,命令他前往处理,王约不为他签名放行,并对他说:"太子,是潜龙,当未执政之时,就干飞龙的事情,可以吗?"于是停止启行。皇太子很高兴,晓谕群臣说:"事情未经王彦博谋议的,不得陈启。"有一天王约刚陈述事情,一个宦官侍奉在一边,皇太子问:"自古以来宦官毁坏人国家,有这样的事吗?"王约对答说:"宦官有好人也有坏人,只怕的是君主处置失当啊。"太子非常赞成他的话。彦博是王约的字。

这个月,司徒、加平章政事石天麟去世。

石天麟在世祖时,以忠直见称。江南的一个道观偶然藏有宋国主的遗像,有僧人素来与道士关系很坏,就揭发了这件事,将对道士处以极刑。世祖就此事问石天麟,对答说:"辽朝国主、皇后的铜像供在西京的,现在还有,也没听说有禁令啊。"此事于是停止。世祖曾将自己使用过的金龙头拐杖赐给他,说:"卿年纪老了,出入宫中,拄着这个拐杖就可以了。"去世时九十二岁。追封为冀国公,谥号忠宣。

九月,庚辰朔(初一),诏命:"朝廷政事的得失,事关军民利害,有上书言事的,都可以实封奏闻,在外地的到所属官府转达。全国各处人民,因遭饥荒转移各地又复业的,过去的拖欠一并予以蠲免,仍免除三年的差役税赋。死在田野里的,遗体暴露,由官府收拾埋葬。"

颁行至大银钞,诏书云:"从前我世祖皇帝,开始印造中统交钞以便利百姓使用,岁长年久钞法毁坏,也就加以更张,印造了至元宝钞。及至现在又有二十三年了,形成了物重钞轻的局面,不能不产生弊端,这才遵循原来的典制,改造至大银钞,颁行天下。至大银钞一两,等于至元钞五贯,白银一两,纯金一钱。各路设立平准行用库,用来买卖金银,更换旧钞。或有民间丝绵布帛赴库兑换银钞,依验当时货物价格给价。各处路府州县设立常平仓,以平衡物价,丰收年收购豆麦米谷,到青黄不接时,比附当时货物价格,降价出售,以遏制物价上涨。私自互相买卖金银以及海船贩卖金、银、铜、钱、丝绵、布帛出海的,一并加以禁止。中统交钞,从诏书到达之日起,限在一百天内全部赴库倒换。各种税钱,如果收至大银钞,以一当五。颁行的至大银钞从二两到一厘,定为十三等,以便百姓使用。"元代的钞法,到这时共改变了三次。

监察御史张养浩进言设立尚书省不便;尚书省设立之后,又进言其变更法度混乱朝政,将会祸及天下。御史台大臣予以压制而不上奏。张养浩说:"过去僧格当政,御史台大臣不进言,最后几乎都不能幸免。现在御史既已进言,又不予以上奏,御史台又有什么用处!"

江南治书侍御史敬俨,因议论设立尚书省不便而抵触了宰相之意,正遇上两淮盐法长期破坏,就将敬俨降职为转运使,想以此来陷害他。敬俨到任后,废黜贪官厘正弊端,使盐税增盈到二十五万引。河南省大臣来统计盐册,想将所增盈之数算入每年的常额之中,敬俨认为百姓已经很疲惫,将盈余部分作为常额,这是害苦百姓来为自己,不同意这样做。此事这才停止。

癸未(初四),尚书省上言:"自古以来设官分职,各有所司。如今我国地方广大百姓众多,事情更加繁冗。如果由省臣总持纲领,百官各尽其职,事情怎么会治理不好呢!然而近年来省中政务壅塞,一天到晚只知道署押文书案卷,事情全都废弛。发生天灾百姓穷困,原因就在于此。请求从今以后省部的一切政务都令其从宜办理,重大事情有的须要上报请示的,得到旨意后立即执行,以促成大治,实现上顺天道,下安民心的目标。"又上言:"现在国家土地广大百姓众多,是自古以来所没有的。然而历朝的格令条例,前后不够统一,造成执法的官吏可以任意从轻或从重断案,请求将从太祖以来所实行的九千余条政令,删除烦冗部分,使之归于统一,编为一朝定制。"一并得到许可。

因在大都城南修建佛寺,特设立行工部,设领行工部事三人,行工部尚书二人,仍令尚书左丞相托克托兼领其事。

丙戌(初七),武宗从上都回到大都。

诏命访求先朝旧臣,特拜命耶律希亮为翰林学士承旨。耶律希亮是耶律铸的儿子,从前曾侍奉世祖为符宝郎,屡次迁官至吏部尚书,多次进讲正直之言,受到世祖的称赞和采纳。后来因脚有病辞职,在家居住二十多年,到现在又予以召用。不久任命为知制诰兼修国史。耶律希亮因任职为史官,就将世祖的言行加以归类编次来呈进。

癸巳(十四日),因柴草价钱很贵,禁止畜养鹰犬的权贵豪强之家不得占据山场,听由百姓砍柴打草。

丙申(十七日),御史台进言:"近些年来灾年不断百姓又流行疾病,陛下怜悯百姓加以救济,获得周济的人很多。现在山东又闹大饥荒,百姓流移转徙,请求将本台没收的赃钞一万锭用作救济灾民。"制书许可。又上言:"近来近侍人员为人奏请,因而赐予江南田一千二百三十顷,收田租达五十万石,请拘收归还官府。"得到许可。

己亥(二十日),开始铸制铜钱。

从前实行钞法,虽然钞面文字记的是钱数,但却废弃铜钱不再铸造。到此时开始在大都设立资国院,在山东、河东、辽阳、江淮、湖广、川汉设六个泉货监,在产铜的地区设立十九个提举司,开始铸造铜钱。所铸铜钱,叫至大通宝的,每一枚钱合银钞一厘,叫大元通宝的,每一枚合至大钱十枚。历代铜钱允许通用,其当五、当三、折二,一并按原来的数额行用。不久,御史台上言:"至大银钞刚开始实行不久,品种数目繁多,百姓还不是很明白,而现在又兼行用铜钱,恐怕会有所妨碍。现在民间拘收铜器又很紧急,百姓很觉不便,请求和省臣研究讨论。"不答复。

尚书省上言:"从三宫内降下的旨意,过去中书省奏请不要施行,臣等认为应该仍旧予以实行。倘若是对重大事情有妨害的,则再行奏请。中书省的政务,请将其全部归臣等处理。至元二十四年,凡是宣命敕令也由尚书省执掌,现在臣等讨论,凡是宣命敕令任用的官员,应听从尚书省任用选举人员,而以宣命敕令授予的散官可委任中书省办理。"得到许可。

詹事院启奏太子,金州献出宝石洞,请求派遣使臣前往开采。太子说:"所宝贵的只有贤才,宝石有什么用呢!类似这类的事情,以后不得再奏闻。"先前,近侍人员说商人有献售美珠的,太子说:"我的穿戴素来不喜欢戴饰什么珠玑,人民的膏血不可轻易耗费。你们应当广进贤才,以恭俭爱人相互规劝,不可引导别人搞奢靡耗财的事。"

丁未(二十八日),三宝努进言养豹的扰害百姓很严重,诏命禁止,有再犯的,虽是贵幸之人也要加罪。

冬季,十月,庚戌朔(初一),命皇太子为尚书令。

当初,武宗听从塔特布济等的话,凡是由中书执掌的宣命敕令,都归尚书省执掌。这时太子进言:"按原来的制度,百官的宣命敕令都归中书,是因为臣当中书令的缘故。从今以后敕牒应该令尚书省给降,宣命则仍委任中书。"得到许可。

任命郝彬为参知政事。郝彬见尚书省各同僚生事邀功,以至滥杀无罪的人,就竭尽诚意加以开导引诱,或听从或违拗,骄横不能制约。不久又命兼任大司徒,不接受。郝彬觐见皇太子,极力恳请辞职,就称病重,于是得以归家居住。

丙辰(初七),约苏上言:"江南平定之后已经四十年,那里的百姓只交纳地税、商税,其余都不负担,而那些富家巨室有的荫蔽侵占国家编籍的百姓,把这些百姓当作奴仆使用,动不动就成百上千家,还有多至上万家的。请求从今以后那些每年收粮五万石以上的,令其每石向官府交纳二升,并要有一个儿子参军作为人质。所交纳的粮食,一半运到京师以供养卫士,一半留在当地以备灾年使用。使国家富强百姓安定,没有比这个办法更好的了。"诏命按约苏进言的施行。

辛酉(十二日),解除酒禁,设立酒课提举司。

尚书省因钱谷事务极其繁重,增加户部侍郎、员外郎各一员;又增加礼部侍郎、郎中各一员,凡是进言时政的均交付其处理。

设立太庙廪牺署,设令、丞各一员。

乙丑(十六日),因皇太后有病,诏命释放全国判死刑的一百人。

癸酉(二十四日),尚书省进言:"近年来因拣选淘汰冗官的缘故,百官的俸禄至今未发放,请求按照大德十年所设定的官员数额发给俸禄,其余的不给。"得到许可。

加封知枢密院事图呼鲁为左丞相。

戊寅(二十九日),御史台上奏说:"设立常平仓本来对百姓有益,但年成不好,仓促设立反而对百姓有害,请停止设立。"又说:"年头不好,缺乏粮食,不应当仓促解除酒禁。"武宗下令御史台与尚书省官员进行商议。

这个月,右丞相阿实克布哈逝世。

阿实克布哈,忠诚正直、清廉耿介,武宗曾命令他拿出太府的金银分别赏赐诸王、贵戚及近侍。刚出朝,看到一个人神色仓皇,象有所恐惧的样子,他说:"这一定是盗金贼。"召唤过来审问,果然搜出黄金五十两,银子一百两。把这事上报,武宗立即以所获的金银赏赐给他,命令诛杀盗金的人。阿实克布哈推辞说:"诛杀盗贼本来应当,金银却不是臣所应得,愿意退还金银以赎盗贼的死罪。"武宗高兴地答应了。有用邪门旁道惑众的人,世家大族大多相信他的邪术,阿实克布哈把他逮捕并将其依法处置。后来阿实克布哈被追封为顺宁王,赠谥号为忠烈。

十一月,庚辰朔(初一),因为徐州、下邳连年发生水灾,全部免除今年的赋税。又因为东平、济宁一再遭饥荒,免除赋税的一半,贫困户全部免除。

增加吏部郎中、员外郎、主事各一员,命令吏部考核官员功绩进行升降。

八百媳妇和大小彻里各土著部落发生暴乱。皇帝下诏派遣云南右丞索勒济尔威前往进行招抚。到达那里后,被叛乱的人贿赂,又大肆袭击抢夺,终于战败返回。皇帝命令严厉审问他。

乙酉(初六),尚书省和太常礼仪院上奏说:"郊祀是国家重大祭典。现在南郊祭礼已经进行但不完善,北郊祭礼还没有举行。今年冬至日祭天于南郊,请祔祭太祖;明年夏至日祭地于北郊,请祔祭世祖。"武宗表示同意。

辛丑(二十二日),尚书省上奏说:"国家的粮食储备,一年的费用逐渐增多,而收进的不充足。今年江南很有收成,想派人议价收购,恐怕米价成倍增涨。请把二千锭至大纸币分到江浙、河南、江西、湖广四省,对明年各种应予支付的粮食,比照当时的价格给以纸币,可得到一百万石;纸币不足则以各省的铜钱补足。"武宗听从了。

丁未(二十八日),选择皇宫卫士的子弟充当国子监的学生。

十二月,乙卯(初六),武宗亲自到太庙合祭祖先,为太祖圣武皇帝上谥号、庙号和为光献皇后上谥号,又为睿宗景襄皇帝上谥号、庙号和为庄圣皇后上谥号。

武昌妇女刘氏,到御史台控诉三宝努抢夺她所进献的故宋朝玉玺一枚、金椅一把、夜明珠两颗。武宗命令尚书省官员和御史中丞联合问案。原来三宝努贬谪武昌时与刘氏有往来,三宝努显贵后,刘氏托词追赶逃婢来京师。到三宝努家后,发现逃婢偷窃的宝物,以此询问,三宝努不回答,刘氏非常生气,控诉到御史台。案件审理完毕,以刘氏为诬告,杖罚后解回原籍。当时三宝努已经晋升为太保,但平素品行如此,不为众人信服。

丙辰(初七),合并中书省左右司。

派遣使者前往各路区分拖欠赋税,应该征收的征收,应该免除的免除。

辛酉(十二日),宣布禁止汉族人持弓矢、兵器。

壬戌(十三日),阳曲县发生地震,有声响如同打雷一样。

丁丑(二十八日),皇帝降旨:"将官爵授予朝廷和地方各级官员的父母,三品以上的准许申请谥号。凡申请谥号的,准许其家开列该官员平时的功勋、政绩、德行、技能,经由该官员所属官府核查勘定、担保,与自己的家所提供的相同,转报吏部查核后呈尚书省,尚书省批准后,由太常礼仪院考察其生平事迹确定谥号。如果是有功勋的皇亲国戚奉圣旨赐谥号的,不在此例。"

担任商议辽阳行中书省事的洪君祥逝世。

洪君祥从年轻时就受世祖赏识,称赞他是前程远大能成大器的人。跟随世祖南征,所立战功比别人多。等到退居回家,则闭口不谈当时的政事。

浦江郑文嗣家,十代同住一处,总共二百四十多年,一文钱一尺帛,都不敢占为己有。郑文嗣死后,堂弟郑大和继他主持家庭事务,更加严格而有情爱。家庭中严肃如同官府,子弟稍有过失,年长者还要鞭打他们。每逢年节,郑大和坐在正堂上,众多子侄都衣冠整齐地排成行列依次站在左边,按次序进见拜跪,捧酒杯敬酒,祝颂长寿,行礼完毕,都恭敬地拱手以示敬意,从右边快速退出,脚步相接,不敢失误。看见的人都嗟叹羡慕,称赞说有上古三代的遗风。官吏把此情形上报皇帝,武宗下诏书表彰他们家族,免除他家的劳役。

郑大和行为、品性正直无邪,不信奉浮屠、老子两教,遇到冠礼、婚礼、丧葬等事,一定要查朱熹的《家礼》而后照书行事,为父母守孝,三年不饮酒吃肉。子孙顺从归化,都孝顺恭谨。即使曾经做过官的,也不敢一丝一毫违背家法。妇女们只从事纺织、刺绣、缝纫等活计,不使她们参与家庭事务的管理工作。宗族、乡里,都待他当作亲人那样怀念。他家里畜养了两匹马,一匹外出,另一匹则因为思念同伴而不吃草料,别人认为是被家庭中的孝义所感化的。

当初,李孟已经逃离,有人到武宗面前进谗言说:"内乱刚平定时,李孟曾劝皇太子自取大位。"武宗不相信他的话。一天,太子陪从夜间饮宴,酒喝到一半时,忽然忧伤地改变了仪容。武宗问:"我弟为什么不高兴?"太子不慌不忙地站起身感激地说:"仰赖天地、祖宗圣明,国家政权有了归宿。但成全今天母子、兄弟欢聚的,李道复的功劳最大。刚才有所思念,不知道自己神色有变化。"道复是李孟的字。武宗为太子的话所感动,立即命令寻访李孟。在许昌陉山找到了李孟,派遣使者前往召回了他。

续资治通鉴卷第一百九十七

【原文】

元纪十五　起上章掩茂【庚戌】正月,尽重光大渊献【辛亥】十二月,凡二年。

武宗仁惠宣孝皇帝

至大三年　【庚戌,1310】　春,正月,癸未,省中书官吏,自客省使而下一百八十一员。

李孟入见于玉德殿,帝指孟谓宰执大臣曰:"此皇祖姒命为朕宾师者,宜速任之。"乙酉,特授孟荣禄大夫、平章政事、集贤大学士、同知徽政院事。'

戊子,禁近侍诸人外增课额及进他物有妨经制。

丁亥,白虹贯日。

营五台寺,役工匠千四百人,军三千五百人。

辛卯,立皇后鸿吉哩氏。

乙未,定锐课法。诸色课程,并系大德十一年考校,定旧额、元增总为正额,折至元钞作数。自至大三年为始,馀止以十分为率,增及三分以上为下酬,五分以上为中酬,七分以上为上酬,增及九分为最,不及三分为殿。所设资品官员,以二周岁为满。

癸卯,改太子少詹事为副詹事,擢詹事丞王约为之。

约尝谏太子节饮,词意恳切,太子嘉纳。一日,太子如西园观角觝戏,命取缯帛赐之。约入,遥见,问曰:"汝何为来?"太子遽止之。又欲观俳优,事已集而约至,即命罢去。其见敬礼如此。

乙巳,令中书省官吏,如安图居中书事时例存设,其已汰者,尚书省迁叙。

二月,癸未,浚会通河,给钞四千八百锭、粮二万一千石以募民。

乙丑,尚书省言:"官阶差等,已有定制,近奉圣旨、懿旨、令旨要索官阶者,率多躐等,愿依世祖旧制,次第给之。"制可。

丁卯,尚书省言:"至元钞初行,即以中统钞本供亿及销其板。今既行至大银钞,宜以至元钞输万亿库,销毁其板,止以至大钞与铜钱相权通行为便。"从之。

己巳,宁王库库楚,与越王图喇子喇特纳实哩谋为不轨,事觉,下库库楚狱,窜喇特纳实哩于漠北,磔西僧特哩等二十四人于市。遂欲诛库库楚,平章政事特尔格独辨其诬,诏释之,流于高丽。

三宝努赐号达喇罕,以库库楚食邑清州赐之,自达噜噶齐而下,并听举用。

壬申，约苏加尚书左丞相、行平章政事，封齐国公。

三月，庚寅，尚书省言："初，世祖以哈都叛，积其分地五户丝为币帛，俟其来降赐之，藏二十馀年。今其子彻伯尔感慕德化，归觐朝廷，请以赐之。"帝曰："世祖谋虑深远若是，待诸王朝会，颁赏既毕，卿等备述其故，然后与之，使彼知所愧。"

壬辰，帝如上都。

夏，四月，辛未，赐角觝者阿尔银千两，钞四百锭。

丙子，增国子生为三百员。

五月，癸巳，赈东平饥。

六月，丁未朔，诏尚书右丞相托克托、左丞相三宝努总治百司庶务，并从尚书省奏行。

三宝努等劝帝立皇子为皇太子。托克托方猎于柳林，亟召之还。三保努曰："建储议急，故相召耳。"托克托惊曰："何谓也？"曰："皇子寖长，圣体近日倦勤，储副所宜早定。"托克托曰："国家大计，不可不慎。曩者太弟躬定大事，功在宗社，位居东宫，已有定命。自是兄弟叔侄世世相承，孰敢紊其序者！"三宝努曰："今日兄已授弟，后日叔当授侄，能保之乎？"托克托曰："在我不可渝。彼失其信，天实鉴之。"三宝努莫能夺其议。

己酉，立上都、中都等处银冶提举司。尚书省言："拜都噜斯云，云州、潮河等处产银，令往试之，得银六百五十两。"诏以拜都噜斯为银冶提举司达噜噶齐。

壬申，以西北诸王彻伯尔等来朝，告祀太庙，特设宴于大廷。故事，凡大宴，必命近臣敬宣王度，以为告戒。托克托荐济尔哈呼，具其言以进，果称旨。帝叹曰："博勒呼、博尔济，前朝人杰，托克托今世人杰也！"即以所进之言授托克托。及诸王大臣被宴就列，托克托即席陈西北诸藩始离终合之由，去逆效顺之义，词旨明畅，听者倾服。

赐托克托及三宝努珠衣，又封三宝努为楚国公，以常州路为分地。

是月，荆门州大水，山崩，坏官廨民居二万馀间，死者二千馀人。汝州、六安州俱大水。

秋，七月，丙戌，循州大水，漂没庐舍。

癸巳，给亲民长吏考功印历，令监治官岁终验其行迹，书而上之，廉访司、御史台、尚书礼部考校以为升黜。

己亥，禁权要商贩挟圣旨、懿旨、令旨阻碍会通河民船者。

八月，甲寅，白虹贯日。

丙辰，以行用铜钱诏谕中外。

己巳，尚书省言："今岁颁赍已多，凡各位下奏圣旨、懿旨、令旨赐财物者，请分汰。"帝曰："卿等但具名以进，朕自分汰之。"

九月，丙戌，帝至自上都。

壬辰，皇太子言："司徒刘夔，乘驿省亲江南，大扰平民，二年不归。"诏罢之。

监察御史张养浩上时政书。其略曰："自古国家之难，多伏于治平无事之日。为人臣者欲及未然而言，则恐无实迹，人主忽焉而莫之信；欲俟已然而言，又恐事成不救，贻人主无可奈何之忧。世徒知听言者难，而不知进言者之为尤难也。"

"陛下龙飞之始，诏中外一遵世祖皇帝旧制；而近年以来，稽厥庙谟，无一不与世祖异者。岂陛下欲自成一代之典，以祖宗为不必法欤？将臣下工为佞词，阴变之而陛下不知也？世祖时,官外者有田,今乃假禄米以夺之;世祖时,江南无质子,今乃入泉谷以诱之;世祖时,用人必循格,今乃破宪法以爵之;世祖时,守令三载一迁,今则限九年以困之;世祖时,楮币有常数,今则随所费以造之;世祖时,台省各异选,今则侵其官而代之;世祖时,墨敕在所禁,今则开幸门以纳之;世祖时,课额未尝添,今则设苛禁以括之;世祖时,言事者无罪,今则务锻炼以杀之。当国者奸谋诡计,谬论诈忠,以荧惑朝廷,欺天罔人,惟己是利,陛下信彼方深,任彼方笃。今天下藩镇无有,外敌无有,大盗窃发者无有,宦官作福者无有,女谒乱政者无有,然而所以未极于治者,良由任事之臣惟知曲意迎合,而不知进逆耳之忠言,惟务一切更张,而不知绳武祖宗,足以为法。今则姑举害政之太甚者十事为陛下言之:

"一曰赏赐太侈。货财非经天降,皆世祖铢累寸积而致之,百姓罢精殚力而奉之。四方万里之外,穷乡陋邑,疫魂嫠妇,发鹤于耕,手龟于织;采玉者蹈不测之渊,煎卤者抱无涯之苦。比至积微成巨,改朴以文,为功几许,为费几何,然后得入于官。水舸陆舆,兵民警卫,没则责偿于见官,坏则倍征于来者。其在下者有如是之难,苟因一笑之欢,一醉之适,不论有功无功,纷纭赐予,岂不灰民心,糜国力哉?"

"二曰刑禁太疏。法者,天下公器,将以威奸弼教也。比见近年臣有赃败,各以左右贿赂而免;民有贼杀,多以好事赦宥而原。加以三年之中,未尝一岁无赦。杀人者固已幸矣,其无辜而死者,冤孰伸耶?臣尝官县,见诏赦之后,罪囚之出,大或仇害事主,小或攘夺编氓,有朝蒙恩而夕被执,且出禁而暮杀人,数四发之,未尝一正厥罪者;又有始焉鼠偷,终成狼虎之噬,远引虚攀,根连株逮,故蔓其狱,未及期岁,又复宥之。古之赦令出人不意;今诏稿未脱,奸民已群然诵之,乘隙投机,何事不有!以致为官者不知所畏,罪露则逃;为民者不知所忧,衅祸益炽;甚非导民以善之义。"

"三曰名爵太轻。陛下正位宸极,皇太子册号东宫以来,由大事初定,喜激于中,故左右之人,往往爵之太高,禄之太重,微至优伶、屠沽、僧道,有授左丞、平章、参政者。其他因修造而进秩,以技艺而得官,曰国公,曰司徒,曰丞相者,相望于朝。自有国以来,名器之滥,无甚今日。夫爵禄,人君所以厉世磨钝。因一时之欢,加以极品之贵,则有功者必曰:'吾艰苦如此而得之,彼优游如此而得之!'自今孰肯赴汤蹈火以徇国家之急哉!"

"四曰台纲太弱。御史台乃国家耳目所在,近年纲纪法度,废无一存。昔在先朝,虽掾吏之微,省亦未尝敢预其选;今台阁之官,皆从尚书省调之。夫选尉,所以捕盗也,尉虽不职,而使盗自选之,可乎?自古奸臣欲固结恩宠,移夺威权者,必先使台谏默然,乃行其志,臣不容不言于未然也。"

"五曰土木太盛。累年山东、河南诸郡,蝗、旱洊臻,郊关之外,十室九空,民之扶老携幼就食他所者,络绎道路,其他父子、兄弟、夫妇至相与鬻为食者,比比皆是。当此灾异之时,朝廷宜减膳、彻乐、去几、缓刑,停一应不切之役。今创城中都,崇建南寺,外则有五台增修之扰,内则有养老宫殿营造之劳,括匠调军,旁午州郡,或度辽伐木,或济江取材,蒙犯毒瘴,崩沦压溺而死者,无日无之;粮不实腹,衣不覆体,万目睽睽,无所控告,以致道上物故者,在所难免。以此疲氓,使佛见之,陛下知之,虽一日之工,亦所不忍。彼董役者惟知鞭扑趣成,邀功倖赏,因而盗匿公费,奚暇问国家之财诎,生民之力殚哉!"

"六曰号令太浮。近年朝廷用人,不察其行,不求诸公,纵意调罢,有若弈棋,其立法举政,亦莫不尔。虽制诰之下,未尝有旬月、期年而不变者;甚则朝出而夕改,甫行而即止,一人昉仕,而代者踵随,不惟取笑于一时,又贻口实于后世。庙堂之上,举措如此,则外方诸郡,事体可知。原其所以致此者,盖由执政偏心自用,恃宠大言,或急于迎合之私,或牵于好恶之过,轻率无谋,而徒为是纷扰也。"

"七曰倖门太多。比见天下邪巫、淫僧、庸医、谬卜、游食、末作,及因事亡命无赖之徒,往往依庇诸侯王、驸马为其腹心羽翼,无位者因之以求进,有罪者以之而祈免,出则假其势以凌人,更因其众以结党;入则离间宗戚,造构事端。(陷)〔啗〕以甘言,中以诡计,中材以下,鲜不为其所惑。近如库库楚,赖发觉之早,未及生变,岂可不为之寒心也哉!"

"八曰风俗太靡。风俗者,国家之元气也。方今之俗,以伪相高,以华相尚,以冰蘗为沽誉,以脂韦为达时,以吹毛求疵为异能,以走势趋炎为合变,顺己者虽跅、踦而必用,逆己者虽夷、惠而莫容;自非确然有守,不顾一世非笑者出而正之,则未易善其后也。"

"九曰异端太横。今释、老二氏之徒,畜妻育子,饮醇啖腴,萃逋逃游惰之民,为暖衣饱食之计,使吾民日羸月瘠,曾不得糠粃以实腹,褴缕以盖体。今日诵《藏经》,明日排好事,今年造某殿,明岁构某宫,凡天下人迹所到,精蓝胜观,栋宇相望,使吾民穴居露处,曾不得茎芽撮土以覆顶托足。昔世祖尝欲沙汰天下僧道有室者,籍而民之,后夺于众多之口,寻复中止。臣尝略会国家经费,三分为率,僧居二焉。近者至大二年十一月,昊天寺无因而火,天意较然,可为明鉴。望自今谕诸省臣,凡天下有夫、有室、僧、尼、道士、女冠之流,移文括会,并勒为民,以竟世祖欲行未及之意。"

"十曰取相之术太宽。比闻中外皆曰,朝廷近年命相,多结宠入状以自求进。自古岂有入状而为宰相之理!望自今有大除拜,宜下群臣会议,惟人是论,毋以己所好恶、上所爱憎者以私去取。"

养浩言切直,当国者不能容,遂除翰林待制,复构以罪,罢之,戒省台勿复用。养浩恐祸及,乃变姓名遁去。

冬,十月,甲辰朔,太白经天。

戊申,帝率皇太子、诸王、群臣朝兴圣宫,上皇太后尊号册宝曰"仪天兴圣慈仁昭懿寿元皇太后"。

御史台言:"江浙省平章乌讷尔,遣人从使臣萧智密鼎枉道驰驿,取赃吏绍兴狱中释之。"敕台臣遣官往鞫,勿徇私情。

以吴鼎同知中政院事。

两浙财赋隶中政者钜万计,前任率多取其赢,鼎治之,一无私焉。朱清、张瑄既籍没,而民间贷券之已偿者亦入于官,官惟验券征理,民不能堪。鼎力为辨白,始获免。

丁巳,尚书省言:"宣徽院廪给日增,储待虽广,亦不能给,宜加分减。"帝曰:"比见后宫饮膳,与朕无异,其核实减之。"

庚申,谕曰:"尚书省事繁重,诸司有才识明达者,并从尚书省选任,枢密院、御史台及诸司毋辄奏用,违者论罪。"

辛酉,以皇太后受尊号,赦天下。

三宝努言省(都)〔部〕官不肯勤恪署事,敕:"自今晨集暮退,苟或怠弛,不必以闻,便宜罪之。其到任者或一再月辞以病者,杖罢不叙。"又言:"故丞相和尔果斯时,参议府左右司断事官、六部官日具一膳,今则无以为资,乞各赐钞一百锭规运,取其息钱以为食。"制可。

壬申,晋王伊苏特穆尔言:"世祖以张特穆尔所献地土、金银、铜冶赐臣,后以成宗拘收诸王所占地土〔民户〕,例输县官,乞回赐。"从之,仍赐钞赈其部贫民。

江浙省言:"曩者朱清、张瑄海漕米岁四五十万至百十万,时船多粮少,顾直均平;比岁赋敛横出,漕户困乏,颇有逃亡;今岁运三百万,漕舟不足,遣人于浙东、福建等处和顾,百姓骚动。本省左丞锡布鼎言其弟哈巴密及玛哈们坦实等皆有舟,且深知漕事,请以为海道运粮都漕万户府官,各以己力输运官粮,万户、千户并如军官例承袭,宽恤漕户,增给顾直,庶有成效。"尚书省以闻,请以玛哈们坦实为遥授右丞、海外诸藩宣慰使、都元帅、领海道运粮都漕万户府事,设千户所十,每所设达噜噶齐一、千户三、副千户二、百户四,制可。

云南省左丞相特穆德尔,擅离职守,赴都,有旨诘问。以皇太后旨贷免,令复职。

诏谕大司农司劝课农桑。

十一月,庚辰,河南水。死者给槥,漂庐舍者给钞,验口赈粮两月。免今年租赋。

自立尚书省,赐予无节,迁叙无法,财用日耗,名爵日滥。托克托进言曰:"爵赏者,帝王所以用人也。今爵给否德,赏给罔功,缓急之际,何所赖乎?中书所掌钱粮、工役、选法十有二事,若从臣言,恪遵旧制,则臣愿与诸贤黾勉从事。不然,用臣何补!"诏:"滥受宣敕者,赴所属缴纳。"由是奔竞之风稍衰。

辛巳,加托克托为太师、录军国重事,封义国公。

戊子,以朱清子虎、张瑄子文龙往治海漕,以所籍宅一区、田百顷给之。

尚书省言:"昔世祖命皇子托欢为镇南王,居扬州。今其子老章出入导卫,僭窃上仪。"敕遣官诘问,有验,召老章赴阙,仍以所僭仪物来上。

敕城中都,以牛车运土,令各部卫士助之。

丙申,有事于南郊,以太祖配享;从三宝努及司徒田忠良之言也。三宝努等惮皇太子英明,谋摇动东宫,以托克托之言而止。李邦宁揣知三宝努之意,言于帝曰:"陛下富于春秋,皇子渐长。父作子述,古之道也,未闻有子而立弟者。"帝不悦曰:"朕志已定,汝自往东宫言之。"邦宁惭惧而退。

己亥,尚书省以武卫亲军都指挥使郑阿尔斯兰与兄郑荣祖、段叔仁等图为不轨,置狱鞫之,皆诬服,十七人并弃市,籍没其家,中外冤之。

十二月,戊申,冀宁路地震。

河南江北行省平章事何玮卒,赠太傅,谥文正。

是岁,太常礼仪院判官张升,出知汝宁府。民有告寄束书于其家者,逾三年取阅,有禁书一编,且记里中大家姓名于上。升呕呼吏焚其书曰:"妄言诬人;且再更赦矣,勿论。"同列惧,皆引起。既而事闻,廷议谓升脱奸宄,遣使鞫问,卒无迹可指,乃诘以擅焚书状,升对曰:"事固类奸宄;然升备位郡守,为民父母,今斥诬诉,免冤滥,虽重得罪,不避也。"乃坐夺俸二月。升,平州人也。

4752　**至大四年**　【辛亥,1311】　春,正月,癸酉,帝不豫,免朝贺,大赦天下。

庚辰,帝崩于玉德殿,在位五年,寿三十一。壬午,葬起辇谷。

帝承世祖、成宗承平之业,慨然欲创制改法;而封爵太盛,多遥授之官,锡赉太优,泛赏无节。至元、大德之政,于是乎变。

皇太子哀恸不已,家令察罕进曰:"庶民修短,尚云有数,圣人天命,夫岂偶然!今天下重器,悬于殿下,纵自苦,如宗庙、太后何!"太子辍泣曰:"曩者大丧必命浮屠,何益!吾欲发府库以赈鳏寡,何如?"曰:"发政施仁,文王所以圣也。殿下行之,幸甚!"

皇太子令罢尚书省,托克托、三宝努、约苏、宝巴、王罴等皆伏诛。

初,太子以托克托等变乱旧章,流毒百姓,凡误国者,欲悉按诛之。延庆使杨多尔济谏曰:"为政而首尚杀,非帝王之治也。"太子感其言,特诛其尤者。既而御史台言:"托克托等既正典刑,而党附之徒布在百司,若博啰、孟克、特穆尔、奇尔济苏、乌讷尔等奸贪害政,今中书方欲用为行省平章、参政等官,宜加罢黜。"遂流孟克等于海南,寻复以行尚书省为行中书省,百司庶务,复归中书。

壬子,罢城中都。

召前平章程鹏飞、董士选,太子少傅李谦,少保章律,右丞陈天祥、尚文、刘正,左丞郝天挺,中丞董士珍,太子宾客萧㪃,参政刘敏中、王思廉、韩从益,侍御史赵君信,廉访使程钜夫,杭州路达噜噶齐阿哈特,给传诣阙。

乙未,禁百官役军人营造及守护私第。

丁酉,以云南行省左丞相特们德尔为中书右丞相,太子詹事鄂勒哲、集贤大学士李孟并为平章政事。太子用鄂勒哲、李孟,方欲更张庶务,而皇太后在兴圣宫已有旨召特们德尔赴阙,因遂相之。

戊戌,以塔斯布哈(为)〔及〕徽政院使〔沙沙并为御史大夫〕。

庚子,停各处营造。

壬寅,敕中书,凡传旨非亲奉者勿行。

禁鹰坊驰驿扰民。

二月,乙巳,命和林、江浙行省依前设左丞相,馀省唯置平章二员;遥授(执)〔职〕事勿与。

戊申,罢运江南所印《佛经》。

辛亥,罢阿喇卜丹买卖浙盐,供中政食羊;禁宣政院违制度僧。

甲寅,还中都所占民田。

司徒萧珍以城中都徽功毒民,命追夺其符印,令有司禁锢之。

甲子,命平章政事李孟领国子监学,谕之曰:"学校人才所自出,卿等宜数诣国学课试诸生,勉其德业。"

敕:"诸司擅奏除官者,毋给宣敕。"

御史台言:"白云宗总摄所统江南为僧之有发者,不养父母,避役损民,请追收所授玺书银印,勒还民籍。"从之。

罢福建绣匠、河南鱼课两提举司。

丁卯,命西番僧非奉玺书驿券及无西番宣慰司文牒者,勿辄至京师,仍戒黄河津吏验问禁止。

罢总统所及各处僧录、僧正、都纲司,凡僧人诉讼,悉归有司。

罢仁虞院,复置鹰坊总管府。

庚午,立淮安忠武王巴延庙于杭州,仍给田供祀事。

罢中书左丞相哈喇托克托为江浙行省左丞相。托克托下车,进父老,问民间利病。或谓:"杭城旧有便河通江浒,湮废已久,若疏凿以通舟楫,物价必平。"僚佐或难之,托克托曰:"吾陛辞之日,许以便宜行事,民以为便,行之可也。"俄有诏禁作土功,托克托曰:"敬天莫如勤民,民蒙其利,则灾沴自弭,土功何尤焉!"不一月,河成。

三月,庚寅,皇太子即皇帝位。时皇太后欲用阴阳家言,令太子即位隆福宫,御史中丞张珪言当御大明殿。御史大夫止之曰:"议已定,虽百奏无益。"珪曰:"未始一奏,讵知无益!"遂奏之。太子副詹事王约亦言于太保齐苏曰:"正名定分,当御大内。"齐苏入奏,帝悟,移仗大明殿即位,受诸王百官朝贺。

诏曰:"惟昔先帝,事皇太后,抚朕眇躬,孝友天至。由朕得托顺考遗体,重以母弟之嫡,加有削平内难之功,于其践阼曾未逾月,授以皇太子宝,领中书令、枢密使,百揆机务,听所总裁,于今五年。先帝奄弃天下,勋戚元老咸谓大宝之承,既有成命,非与前圣宾天而始征集宗亲议所〔宜〕立者比;当稽周、汉、晋、唐故事,正位宸极。朕以国恤方新,诚有未忍,是用经时。今则上奉皇太后勉进之命,下徇诸王劝戴之勤,三月十八日,于大都大明殿即皇帝位。凡尚书省误国之臣,先已伏诛,同恶之徒,亦已放殛,百(官)〔司〕庶政,悉归中书,命丞相特们德尔、平章政事李孟等从新整治。可大赦天下,敢以赦前事相告言者,罪以其罪。诸衙门及近侍人等,毋隔越中书奏事;诸上事陈言者,量加旌擢。其侥幸献地土并山场、窑冶及奇宝之人并禁止〔之〕。诸王、驸马经过州郡,不得非理需索,应和顾、和卖,随即(结)〔给〕价,毋困吾民。"

辛卯,禁民间制金箔、销金、织金。

丁酉,敕:"百司改升品级者,悉复至元旧制。"

己亥,宁夏路地震。

是月,帝谕省臣曰:"卿等裒集中统、至元以来条章,择晓法律老臣,斟酌重轻,折衷归一,颁行天下,俾有司遵行,则抵罪者庶无冤抑。"又谕太府监曰:"财用足,则可以养万民,给军旅。自今虽一缯之微,不言于朕,毋辄与人。"

遣宦者李邦宁释奠于孔子。邦宁既受命行礼,方就位,大风起,殿上及两庑烛尽灭,烛台底铁鐏入地尺许,无不拔者。邦宁悚息伏地,诸执事者皆伏,良久风息,乃成礼。邦宁因惭悔累日。帝初即位,左右咸谓邦宁尝持异议,劝先帝自立皇子,请诛之,帝曰:"帝王历数,自有天命,其言何足介怀!"加邦宁开府仪同三司,为集贤院大学士,寻卒。

赐大都路民年九十者二千三百馀人,人帛二匹;八十者八千三百馀人,人帛一匹。

小云石哈雅,为皇子说书秀才,宿卫禁中,上疏条六事:"一曰释边成以修文德,二曰教太子以正国本,三曰设谏官以辅圣德,四曰表姓氏以旌勋胄,五曰定服色以变风俗,六曰举贤才以恢至道。"书凡万馀言,未报,拜翰林侍读学士、知制诰、同修国史。

夏,四月,丁未,以太子少保章律为江浙行省平章,戒之曰:"以汝先朝旧人,故命汝往。民为邦本,无民何以为国! 汝其上体朕心,下爱斯民。"

丁巳,罢中政院。

辛酉,敕:"国子监师儒之职,有才德者,不拘品级,虽布衣亦选用。"

丁卯,罢行至大银钞、铜钱。诏曰:"我世祖皇帝,参酌古今,立中统、至元钞法,天下流行,公私蒙利,五十年于兹矣。比者尚书省不究利病,辄意变更,既创至大银钞,又铸大元至大铜钱。钞以倍数太多,轻重失宜;钱以鼓铸弗给,新旧恣用;曾未再期,其弊滋甚。爰咨廷议,允协舆言,皆愿变通以复旧制。其罢资国院及各处泉货监提举司,买卖铜器,听民自便。应尚书省已发各处至大钞本及至大铜钱,截日封贮,民间(使行)〔行使〕者,赴行用库倒换。"杨多尔济曰:"法有便否,不当视立法之人为废置。铜钱与楮币相权为用,古之道也。钱何可遽废耶!"言虽不用,时论是之。

帝御便殿,李孟曰:"陛下御极,物价顿减,方知圣人神化之速,敢以为贺。"帝蹙然曰:"卿等能尽力赞襄,使兆民乂安,庶几天心克享。至于秋成,尚未敢必。今朕践阼曾未逾月,宁有物价顿减之理!朕托卿甚重,兹言非所赖也。"孟愧谢。

帝谕集贤学士呼图鲁都尔密色曰:"向召老臣十人,所言治政,汝其详译以进,仍谕中书悉心举行。"

初,尚书省用建言者(习)〔冒〕献河汴官民地为无主,奏立田粮府,岁输数万石。帝即位,诏罢之,窜建言人于海外,令河南行省复其旧业。行省方并缘为奸,田犹未给;及太子副詹事王约出为河南右丞,至则立期檄郡县厘正如诏。

会更钱钞法,且令天下税尽收至大钞。约度河南岁用钞七万锭,不致上供不给,乃下诸州,凡至大、至元钞相半。众以方诏命为言,约曰:"吾岂不知!第岁终诸事不集,责亦匪轻。"丞相布琳济岱赞之,曰:"善。"遣使白中书省,遂遍行天下。

帝如上都。

五月,癸酉,遣兵击八百媳妇。陕西侍御史赵世延谏曰:"蛮夷事在羁縻,先朝用兵不已,致亡失军旅,诛戮省臣。今第当选重臣知治体者,付以边寄,兵且勿用也。"不听。命云南王及阿固岱率众讨之。

丙子,命翰林国史院纂修先帝实录及累朝皇后、功臣列传。

甲午,复太常礼仪院为太常寺。

是月,禁民捕驾鹅。

六月,癸卯,敕宣政院:"凡西番军务,必移文枢密院同议以闻。"

丁巳,敕:"翰林国史院春秋致祭太祖、太宗、睿宗御容,岁以为常。"

大同路宣宁县民家产犊而死,颇类麒麟,车载以献,左右曰:"古所谓瑞物也。"帝曰:"五谷丰熟,百姓安业,乃为瑞耳。"

庚申,敕:"自今诸司白事,须殿中侍御史在侧。"

甲子,上仁惠宣孝皇帝尊谥,庙号武宗,国语曰库鲁克皇帝。

己巳,卫王阿珠格入见。帝谕省臣曰:"朕与阿珠格同父而异母,朕不抚育,彼将谁赖!其赐钞二万锭,他(物)〔勿〕援例。"

帝览《贞观政要》,谕翰林侍讲阿林特穆尔曰:"此书有益于国家,其译以国语刊行,俾蒙古、色目人诵习之。"

秋,七月,癸未,甘州地震,大风,有声如雷。

己亥,诏谕省臣曰:"朕前戒近侍毋辄传旨中书,自今敢有犯者,不须奏闻,直捕其人付刑部究治。"

是月,大宁等路陨霜。

闰月,辛丑,命国子祭酒刘赓诣曲阜,以太牢祠孔子。

甲辰,帝将还大都,太后以秋稼方盛,勿以鹰坊、驼人、卫士先往,庶免害稼扰民。敕禁止之。

枢密院言:"居庸关古道四十有三,军吏防守之处仅十有三;旧置千户,位轻责重,请置隆镇万户府,俾严守备。"制可。

丙午,奉武宗神主祔于太庙。

戊申,封李孟秦国公。孟感帝知遇,以国事为己任,见当时赐予太广,名爵太滥,风俗太侈,僭拟无章,劝帝以"人君之柄在刑与赏,刑不足惩,赏不足劝,何以为治!"帝在怀州,深见吏弊,既即位,欲痛铲除之。孟曰:"吏亦当有贤者,在激厉之而已。"帝曰:"卿儒者,宜与此曹气类不合,而曲为保护如此,真长者之言也。"孟尝乘间请罢政权,避贤路。帝谓之曰:"朕在位,必卿为中书,朕与卿相与终始。自今其勿复言。"因图其像,命词臣为之赞,及御书"秋谷"二字赐之。入见,必赐坐,语移时,称其字而不名。

己未,诏谕省臣曰:"昔世祖注意国学,如博果密等皆蒙古人,而教以成材。朕今亲定国子生额为三百人,仍增陪堂生二十人,通一经者,以次补伴读,著为定式。"

甲子,宁夏地震。

丁卯,鄂勒哲、李孟等言:"方今进用儒者,老成日已凋谢,四方儒士有成材者,请擢任国学、翰林、秘书、太常或儒学提举等职,俾学者有所激劝。"诏:"自今勿限资格,果才而贤,虽白身亦任之。"

禁医人非选试及著籍者,毋行医药。

大同宣宁县雨雹,积五寸,苗稼尽损。

八月,己巳朔,裁京朝诸司员数,并依至元三十年旧额。

以近侍库勒实为户部尚书。

九月,丙子,安南国王陈益稷入见,言:"自世祖朝来归,妻子皆为其国人所害,朝廷因遥授湖广平章,仍与王爵,赐汉阳田五百顷,俾自赡。今臣年几七十,而有司拘所授田,就食无所。"帝谓省臣曰:"益稷来归,宜厚赐以怀远人,其进勋爵,授田如故。"

壬子,诏改明年元曰皇庆。

都水监传旨,给驿往取杭州所造龙舟,省臣谏曰:"陛下践阼,诞告天下,凡非宣索,毋得擅进。诚取此舟,有乖前诏。"诏止之。

是月,江陵路水,漂民居,有溺死者。

冬,十月,己巳,敕绘武宗御容,奉安大崇恩福元寺,月四上祭。

辛未,赐大普庆寺金千两,银五千两,钞万锭,西锦、彩缎、纱、罗、布帛万端,田八百亩,邸舍四百间。

丁丑,禁诸僧寺毋得冒侵民田。

辛巳,罢宣政院理问僧人词讼。

壬辰,诏收至大银钞。

十一月,辛丑,李孟言:"世祖朝量入为出,恒务撙节,故仓库充牣。今每岁支钞六百馀万锭,又土木营缮百馀处,计用数百万锭,内降旨赏赐复用三百馀万锭,北边军需又六七百馀万锭;今帑藏见贮止十一万馀锭,若此安能周给!自今不急浮费,宜悉停罢。"帝纳其言,凡营缮悉罢之。

戊午,禁汉人、回回术者出入诸王、驸马及大臣家。

甲子,敕增置京城米肆十所,日平粜八百石以赈贫民。

十二月,辛卯,遣官监视焚至大银钞。

乙未,中书省言:"世祖立选法升降,以示激劝。今官未及考,或无故更代,或躐等进阶,僭受国公、丞相等职,诸司已裁而复置者有之。今春以来,内降旨除官千馀人,其中欺伪,岂能悉知!坏乱选法,莫此为甚。"帝曰:"自今凡内降者,一切勿行。"

命李孟整饬国子监学。

遣礼部尚书奈玛台等赍诏往谕安南,颁皇庆元年历日。

是月,太白屡经天。

是岁,遣官至江浙议海运事。时江东宁国、池、饶、建康等处运粮,率令海船从扬子江逆流而上,江水湍急,又多石矶,走沙涨浅,粮船岁有损坏。又湖广、江南粮运至真州泊入海船,船大底小,亦非江中所宜。于是以嘉兴、松江秋粮并江淮、江浙财赋府岁办粮充海运。

初,海运之道,自平江刘家港入海,经扬州路通州海门县黄连沙头、万里长滩开洋,沿山屿而行,抵淮安路盐城县,历西海州、海宁府东海县、密州、胶州界,放灵山洋,投东北路,多浅沙,行月馀始抵成山。计其水程,自上海至杨邨码头,凡一万三千三百五十里。至元二十九年,朱清等言:"其路险恶,复开生路,自刘家(洋)〔港〕开洋,至撑脚沙转沙觜,至三沙、扬子江,过匾担沙、大洪,又过万里长滩,放大洋至清水洋,又经黑水洋至成山,过刘家岛,至之罘、沙门二岛,放莱州大洋,抵界河口,其道差为径直。"明年,千户殷明略又开新道,从刘家港入海,至崇明三沙放洋,向东行,入黑水大洋,取成山,转西至刘家岛,又至登州沙门岛,于莱州大洋入界河。当舟行风信有时,自浙西至京师,不过旬日而已,视前二道为最便云。然风涛不测,粮船漂溺者,无岁无之。间亦有船坏而弃其米者,后乃责偿于运官;人船俱溺者始免。然视河漕之费,则其所得盖多矣。

【译文】

元纪十五　起庚戌年(公元 1310 年)正月,止辛亥年(公元 1311 年)十二月,共二年。

至大三年　(公元 1310 年)

春季,正月,癸未(初五),裁减中书省官员,从客省使以下减去一百八十一人。

李孟觐见武宗于玉德殿,武宗指着李孟对宰执大臣说:"这是先皇祖母指名为我师傅的人,应当尽快委任官职。"乙酉(初七),特授李孟为荣禄大夫、平章政事、集贤大学士、同知徽政院事。

戊子(初十),禁止近侍等人额外增加税额和进献其他财物而有妨常制。

丁亥(初九),白虹横贯天日。

营建五台寺,役使工匠一千四百人,军士三千五百人。

辛卯(十三日),册立鸿吉哩氏为皇后。

乙未(十七日),制定税课法。各种税收项目,比照大德十一年所征税额,在旧定额基础上,加上原增部分作为正额折合至元钞计算。从至大三年开始,岁课正额外的税收以十分为标准,增加三分以上为下酬,五分以上为中酬,七分以上为上酬,增加九分为最高,不到三分为最低。所设有资品税收官,以两周年为考满。

癸卯(二十五日),改太子少詹事为副詹事,提升詹事丞王约担任此职。

王约曾经规劝太子节制饮酒,辞意恳切,太子表示称许并采纳了。一天,太子到西园观看摔跤游戏,命令拿出缯帛进行赏赐。王约进入西园,远远望见,质问去取缯帛的人说:"你干什么?"太子急忙喝止了取货人。太子又想观看优伶演戏,事情已经准备完毕而王约来了,立即传命撤去。王约就是这样受尊敬礼遇。

乙巳(二十七日),命令中书省官吏按安图在中书省时的定例设置,官员被裁汰的,由尚书省另行调迁。

二月,己未(十一日),疏浚会通河,批给银钞四千八百锭,粮食二万一千石用来招募百姓。

乙丑(十七日),尚书省上言:"官阶等级,已有定制,最近奉圣旨、懿旨、令旨来要求官阶的,大多超越递升顺序。希望按照世祖时的制度,依次给予提升。"武宗同意了。

丁卯(十九日),尚书省上言:"至元钞刚发行时,即用中统钞本供给,并将印制中统钞的雕版销毁。现在既然发行至大银钞,应将至元钞送到万亿库,销毁其印制雕版,只以至大钞与铜钱相与通行为便。"武宗听从了。

己巳(二十一日),宁王库库楚与越王图喇的儿子喇特纳实哩图谋不轨,事情被发觉,将库库楚逮捕入狱,发配喇特纳实哩到漠北,车裂西蕃僧人特哩等二十四人于闹市。接着要诛杀库库楚,唯独平章政事特尔格出来为其辩解冤情。武宗下诏饶库库楚死罪,将其流放到高丽。

三宝努被赐予达喇罕的称号,将库库楚的食邑清州赏赐给他,从达噜噶齐以下的官员全部听任他保举任命。

壬申(二十四日),约苏被授予尚书左丞相、行平章政事,封为齐国公。

三月,庚寅(十二日),尚书省上言:"当初,世祖因为哈都叛变,把他所属领地的五户丝折合为币帛存起来,等待他来归降时赏赐给他,贮藏了二十多年。现在他的儿子彻伯尔感慕朝廷仁德,归降觐见朝廷,请以所积赏赐他。"武宗说:"世祖谋虑深远到这个程度,等待诸王朝会时,颁赏完毕后,你们讲述其中全部经过,然后给彻伯尔,使他知道应感到愧疚。"

壬辰(十四日),武宗到上都。

夏季,四月,辛未(二十四日),赏赐摔跤手阿尔银子一千两,钞四百锭。

丙子(二十九日),增加国子监学生至三百人。

五月,癸巳(十七日),赈济东平饥荒。

六月,丁未朔(初一),下诏命令尚书右丞相托克托、左丞相三宝努统理各官府事务,并听从尚书省议奏执行。

三宝努等人劝武宗改立皇子为皇太子。托克托当时正在柳林打猎,被急忙召还京师。三宝努说:"册立储君的计议急切,所以召你回来。"托克托吃惊地说:"说什么啊?"回答说:"皇子渐渐长大了,皇上身体近些日子疲劳于政事,储君应当早日决定。"托克托说:"国家大计,不可不慎重。以前皇太弟亲自平定大局,有功于宗庙社稷,位居于东宫太子,早已有成命。从此兄弟叔侄世世相承,哪个敢打乱这个顺序!"三宝努说:"今天哥哥将皇位授给弟弟,以后叔叔将皇位传给侄儿,这能保证吗?"托克托说:"做臣子的不可违背。他失信义,有上天明鉴。"三宝努不能迫使他改变意见。

己酉(初三),设立上都、中都等处银冶提举司。尚书省上奏说:"拜都噜斯说云州、潮河等地方出产白银,命令他前往试验开采,获得白银六百五十两。"下诏任命拜都噜斯为银冶提举司达噜噶齐。

壬申(二十六日),因西北诸王彻伯尔等人前来朝见,告祭太庙,特在大廷设宴。按以前旧例,凡有大宴,必定命令亲信大臣恭敬地宣读皇帝的诏令,以此作为告诫。托克托推荐济尔哈呼草拟这种诏令进呈武宗,果然十分合武宗心意。武宗赞叹道:"博勒呼、博尔济,是前朝的人杰,托克托是今世的人杰!"就以这个诏令交给托克托去宣读。等诸王、大臣被邀请赴宴排列就绪,托克托即席陈述西北诸藩王开始时与朝廷离心离德而最后归附的历史原因,和不再叛逆效忠朝廷的道义,词意明畅,听众十分佩服。

赏赐托克托和三宝努珠衣,又封三宝努为楚国公,以常州路作为分封给他的领地。

此月,荆门州发大水,发生山崩,毁坏官署民房二万多间,死了二千多人。汝州、六安州也都发生大水灾。

秋季,七月,丙戌(十一日),循州发洪水,淹没许多房屋。

癸巳(十八日),发给直接接触民事的长吏考绩印历,命令主管监察的官署每年年终检查其行为、政绩,写成文书上报。廉访司、御史台、尚书省礼部加以考核以作为升降的依据。

己亥(二十四日),禁止有权势的商贩挟持圣旨、懿旨、令旨阻碍会通河往来民船。

八月,甲寅(初十),白虹横贯天日。

丙辰(十二日),因通行使用铜钱下诏告知全国。

己巳(二十五自),尚书省上奏说:"今年颁发的赏赐已经很多,凡各位奏请圣旨、懿旨、令旨赏赐财物的,请进行区分裁免。"武宗说:"你们只需写出名单呈上来,朕自己加以区分裁免。"

九月,丙戌(十二日),武宗从上都回到京师。

壬辰(十八日),皇太子上奏说:"司徒刘夔乘坐驿站车马回江南探亲,大肆骚扰平民百姓,两年还不回朝。"武宗下诏罢免了他的官职。

监察御史张养浩上呈关于时政的奏章,其大略说:

"自古国家的灾难,大多潜伏于局势安定无事的时期。做臣子的想要议论还没有发生的事,往往害怕没有真凭实据,皇帝忽视,也无法相信。想等到已经发生时上言,又恐怕于事无补,徒然增加皇上无可奈何的忧虑。世人只知道皇帝倾听臣子的言语建议很难,而不知道进言的人实际更难。"

"陛下登基之初，下令全国一律遵奉世祖皇帝旧时的制度。但近几年来，查验朝廷的策略措施，无一不与世祖相异。难道陛下想独自创立一代典章制度，认为祖宗是不必效法的吗？大臣精于作谄媚之词，暗中改变制度而陛下不知道。世祖时，在京城外面做官的人有职田，现在假借有俸禄粮米而削去了。世祖时，江南没有入质子孙的制度，现在却要民家输纳钱谷以换取人质。世祖时，任用官员必遵循迁转法，现在却破坏大法而封官许爵。世祖时，太守县令三年升迁一次，现在却限定九年而困住他们。世祖时，纸币有定数，现在却随便为要用钱而制造。世祖时，御史台、中书省各有不同选拔方式，现在则侵夺他们的职权而越俎代庖。世祖时，皇上亲自任命官吏不由中书盖印都被禁止，现在则轻开权贵亲幸授以官职之门。世祖时，岁课有定额而未尝添加，现在则立苛法以事搜刮。世祖时，上书言事者无罪，现在则讲求陷人于罪并杀之。执政者使用阴谋诡计，颠倒是非伪装忠诚，以迷惑朝廷，欺天罔人，只为自己私利着想，而陛下对他们日见信任，越加倚任，现在全国没有藩镇之患，没有外敌，没有大盗暗地起事的，没有宦官作威作福的，没有女人在内廷干预政事的，但之所以未能达到理想的治理局面，确实是由于所委任的大臣只知曲意迎合，而不知进逆耳之忠言，只从事改换一切规章，而不知道恪守祖宗成宪，足以为法。现在姑且列举对政事大有危害的十件事为陛下说一说：

"一是赏赐太多太滥。财物不是从天而降，都是世祖一铢一寸地积累，百姓竭尽精力地奉献所成。四方万里之外，穷乡鄙城，病夫寡妇，为耕作而头发斑白，为织布而双手龟裂，采玉的人涉足不测深渊，煮盐的人怀着无边的苦楚。等到积少成多，把质朴加工成华美花了多少工夫，费了多少钱财，然后才得缴纳进官府。水上船运，陆路车载，军士百姓戒备保护，丢失则责成官员赔偿，损坏则向后来交货的人加倍征收。在下层的人有这样多的困难，如果因为一时的高兴欢笑，一刻的酒醉适意，不论有功无功，纷纷赏赐，岂不是使百姓灰心，浪费国家财力吗？"

"二是刑禁太疏。法律，是天下维护公平的工具，是用来威慑奸邪、辅助政教的。考查近几年来，臣子因犯贪赃罪被逮捕，都得以贿赂皇上左右的亲信而免罪；百姓中有做贼杀人的，大多得以朝廷做佛事而被赦免。加上三年之中，没有一年无大赦。杀人犯当然是幸运，无辜被杀死的人，谁给申冤！臣下曾当过县官，看到过诏书下令赦免之后，罪犯放出来，大者或仇害事主，小者或抢夺良民，有的罪犯早晨蒙恩放出，傍晚又犯罪被捉，早晨出牢房而傍晚杀人，多次犯案被捉，却没有一次惩治其罪恶。又有的人开始时小偷小摸，最后成为狼虎般凶狠的大盗，审问时胡乱攀连他人，根连株及，故意蔓延案情，还没等到一年，又逢再次宽赦。古代的大赦令出于人们意料之外，现在却诏令的草稿还未写完，奸民已经到处传诵，钻空子投机取巧，什么事没有！以致做官的人不知道有所畏惧，罪行败露就逃跑；做百姓的不知道有所忧恐，寻衅闹事愈演愈烈，这不是用法引导人们向善的原义。"

"三是赐授官品、爵号太轻率。陛下登上至高宝座、皇太子册立封号位居东宫以来，由于大事才刚刚确定，欣喜之情激动于心中，所以左右追随的人，往往给予官爵名位太高，俸禄品级太贵重。卑贱至于优伶、屠夫、酒户、和尚道士，有授官职为左丞、平章、参政的。其他因为修造工程而晋升官秩、因有雕虫小技而得官职。称国公、称司徒、称丞相者，朝廷中到处可以看到。自从开国以来，车服爵号赐授之滥，没有超过今天的。爵位俸禄，是人君用来励精图

缂丝仪凤图

治的。因为一时的高兴,赐以最高爵品的贵显地位,则有功劳的人必定说:'我这样历尽艰难困苦而得到的,他却那样优哉游哉地得到了。'从今以后谁还肯赴汤蹈火而为国家的急难殉职!"

"四是御史台纲纪太弱。御史台是国家耳目所在,近年来纲纪法度,废弃无存。过去在先朝,虽然像掾曹这样的微职,中书省也未尝敢干预其选拔。现在御史台、内阁的官员,都听从尚书省调迁。选拔县尉,是用来捕捉盗贼的,县尉虽然不是高职,但使盗贼自己选拔,可以吗?自古奸臣企图巩固恩宠、窃取大权的,必定首先使御史台的谏劝悄无声息,才能肆行所欲,臣不得不在未发生这些事时预先说出来。"

"五是土木工程太多。几年来山东、河南各郡,蝗灾、旱灾相继而至,城郊之外,十室九空,百姓扶老携幼到别的地方寻食物的,道路上络绎不绝,其他如父子、兄弟、夫妇落到互相卖掉求食的惨状,到处都是。在这样的自然灾害、天象变异频频出现的时候,朝廷应当节减膳食、撤去音乐,去危机、缓刑罚,停止全部不急切的工程。现在在中都建城墙,大建南寺,外面则有五台山增修佛寺的骚扰;京师里则有养老宫殿营造的劳役,搜寻工匠、调遣军士,纷繁打扰地方州郡,或者远渡辽河砍伐树木,或者远涉大江搜聚材料,蒙受酷烈的瘴气、遭山崩压死、被江河淹死人的事,没有一天不发生。粮食不足以果腹,衣服不能遮盖全身,万众侧目而视,而欲诉无门,以至于路上死去的,在所不免。用这样工程来劳累百姓,假使佛祖看见、陛下知道,即使是一天的工程,也心中有所不忍。那些主管工程的官吏只知道鞭打工役以求快速完成,好邀功请赏,因而偷窃隐瞒公费,哪里顾得上国家财政困难,百姓人力使尽呢!"

"六是号令太轻率。近年朝廷任用官员,不考察他的品行,不讲求公平,随意调升罢免,如同下棋一样。而制订条例、处理政务,也没有不是这样的。虽然形成诰文诏令,也未尝有十天、一月、满一年而不变的,甚至命令早晨发生,晚上就更改,才开始实行又立即停止。一个官员退职,准备替代的人接踵而至,不但一时之间被人取笑,而且给后世留下可作笑料的口实。朝廷之上，举止措施是这个样子，则外面各州郡，事体也就可想而知。推究其到这个地步的缘由，是由于执政大臣心胸偏狭又刚愎自用，仗恃皇上恩宠而乱说大话，或者急于迎合私意，或牵扯进个人好恶之心，轻率从事，毫无谋略，所以徒然造成这些纷扰。"

"七是权贵亲幸之门太多。最近可以看到全国的邪巫、淫僧、庸医、谬卜，游手好闲的食客，有微末技艺的人，以及因为犯事亡命在逃的无赖之徒，往往依附托庇于诸侯王、驸马而做了他们的心腹羽翼，没有官职的因此以求进身，有罪的因此而祈求得到宽免，出外则依仗权贵的势力而欺凌百姓，又互相攀援而结成团伙，在朝廷里面离间宗室贵戚，制造、挑起事端，拣好听的话来说，暗中又使诡计，中等才智的人，很少不被他们所迷惑。最近如库库楚的事幸赖发现得早，没有等到酿成事变，难道还不为之寒心吗？"

"八是风俗太奢靡。风气习惯，是国家的元气，现在的风气，以作伪来互比高明，以浮华来竞相效尤，以甘于饮冰食蘖的清贫生活沽名钓誉，以能搜括财富为懂时务，以吹毛求疵为有特殊才能，以趋炎附势为能顺应时势变化，依顺自己的，虽然是盗跖、庄跷一类的人也一定任用，反对自己的，虽然是伯夷、柳下惠一类的贤人也不能相容。如果没有确实具有操守，能够不顾世人讥笑的人出来纠正这种风气，则很难使以后的风气变好。"

"九是异端邪说大肆横行。现在佛教、道教之徒，娶妻养子，喝酒吃肉。这批人多为亡命、懒惰的人，出于暖衣饱食的考虑而从教。而百姓日益贫弱，甚至得不到糠秕来充实肚子、破烂衣服来遮盖身体。这些人今天诵读《藏经》，明天安排佛事，今年建造某某佛殿，明年构筑某某道宫，凡天下人迹所能到的地方，精美的佛寺、华丽的道观，到处都可以看到，而百姓住在洞穴或露宿无遮，甚至得不到寸土以安身。过去世祖曾经想裁汰全国有家室的和尚道士，归籍为民户，后来由于众多人反对而改变了主意，不久就中止了。我曾经粗略计算国家的经费，如果分成三份，和尚占了二分。不久前至大二年十一月，昊天寺无故起火，天意昭然，可以作为明显的证明。希望从今以后晓谕尚书省各位官吏，全国凡有丈夫、有家室的和尚、尼姑、道士、女道士之流，下达文书进行全面统计，一并勒令还俗为民，以完成世祖想干而没有干成的心愿。"

"十是任用宰相的方法太宽。最近听到朝廷内外都这样议论，朝廷最近几年任命宰相，大多是得帝王宠爱者自述行状来求晋升。自古哪里有自呈行状而为宰相的道理！希望从今以后有重要职务的任命，应当下交大臣们聚会商议，只看本人的才能品质，而不以自己好恶，皇上爱憎而定取舍"。

张养浩的奏章语言恳切率直，掌握国家大权的人不能容忍，于是改授翰林待制。过后又构织罪名，罢免了他，告诫尚书省、御史台不要再任用他。张养浩担心灾祸及身，于是改换姓名逃走了。

冬季，十月，甲辰朔（初一），太白星经过天空。

戊申（初五），武宗率领皇太子、诸王、群臣朝拜兴圣宫，奉上皇太后尊号册书、印信，尊号为仪天兴圣慈仁昭懿寿元皇太后。

御史台上奏："江浙省平章乌讷尔，派人跟从使臣萧智密鼎德用驿车绕道急行，从绍兴监狱中取出赃吏释放。"下令御史台派遣官员前往收捕审问，不得依从私情。

任命吴鼎为同知中政院事。

两浙财赋隶属中政院的以巨万计,前任官员大多私取其盈余部分。吴鼎管理这些财赋,一毫没有私取。朱清、张瑄已经没收家产入官,但民间贷款借券中已经偿还的也抄入官府,官府仅凭借券核收清理,百姓不堪忍受。吴鼎竭力为百姓辩白,才得免除。

丁巳(十四日),尚书省上奏说:"宣徽院的供给日益增多,储备虽然很多,也不能保障供给,应当分别裁减。"武宗说:"最近看到后宫饮食,与朕没有差别,对照核实后进行裁减。"

庚申(十七日),武宗下令:"尚书省事务繁重,各官署有才识精明练达的人,都听从尚书省选拔任用。枢密院、御史台及各官署不要随便谏阻任用,违反者论罪。"

辛酉(十八日),因皇太后接受尊号,大赦天下囚犯。

三宝努上奏说尚书省和六部的官员不肯勤恳处理政事,武宗下令:"从现在起早晨到府理事,晚上离府回家,如果有谁懒惰松懈,不必让我知道,就可处罚他。到任的官员如果以疾病为由告假一两个月者,处以杖刑,不再任用。"三宝努又说:"已故丞相和尔果斯在时,参议府左右司断事官、六部官每日准备有一餐饭,现在则没有资金,请赐省部钞各一百锭设法运用,拿它的息钱买食物。"武宗诏令许可。

壬申(二十九日),晋王伊苏特穆尔上言:"世祖将张特穆尔所献的土地、金银、铜冶赐给臣,后来因成宗拘留没收诸王所占土地民户,按例交给官府,请求赐还。"武宗表示同意,复赐钱钞赈济晋王治区的贫民。

江浙省上言说:"从前朱清、张瑄海道运米每年四五十万至一百万石。那时船多粮少,所以雇佣价钱公平。近年税收名目繁多,漕户困乏,有许多人逃亡。今年运输三百万石,漕运船只不足,派人到浙东、福建等地雇佣,百姓发生骚动。本省左丞锡布鼎说,他的弟弟哈巴密和玛哈们坦实等人都有船,而且很熟悉漕运之事,请任用他们为海道运粮都漕万户,各用自己的力量输运官粮。万户、千户都依军官例承袭,宽厚体恤漕户,增加雇佣工钱,可能会有成效。"尚书省上报皇帝,请求任命玛哈们坦实为遥授右丞、海外诸藩宣慰使、都元帅、领海道运粮都漕万户府事。设十个千户所,每所设一个达噜噶齐、三个千户、两个副千户、四个百户,皇帝诏令许可。

云南省左丞相特穆德尔擅离职守,跑到京都,朝廷下旨查问。因皇太后旨意给以宽免,恢复原职。

皇帝下诏,令大司农司鼓励百姓按时耕作。

十一月,庚辰(初七),河南发生大水灾。朝廷下令,死者给棺材,房舍淹没的给钱,按人口救济粮食两个月。免除今年赋税。

自从成立尚书省,赏赐东西没有节制,调职升官没有规范,财物日益耗尽,官爵日益泛滥。托克托进言说:"赏赐爵位,是帝王用人的手段。现在爵位给予没有德行的人,赏赐给予无功之人,到了事局紧迫之际,依靠什么呢?中书省掌管钱粮、工役、选法等十二个门类,如果依从臣之意见,严格遵守旧制,那么臣愿和诸贤一起勤勉从事。不然,用臣有什么用!"武宗下诏:"凡不按制度接受敕授,宣授官职的人,到所属官府交回任命书。"于是奔走权门之风稍减。

辛巳(初八),任命托克托为太师、录军国重事,封为义国公。

戊子(十五日),任用朱清儿子朱虎、张瑄儿子张文龙去治理海漕,以所没收的房宅一区、田百顷赐给他们。

尚书省上言："从前世祖任命皇子托欢为镇南王,驻扎扬州。现今他的儿子老章出入有卫士开道,冒用皇帝礼仪。"皇帝下令派官去诘问,确有其事。于是召老章入京,将冒用的仪仗物器上缴。

皇帝命令建中都城墙,用牛车运土,命令各部的卫士协助他们。

丙申(二十三日),皇帝在南郊祭祀,以太祖配祭。这是听从了三宝努和司徒田忠良的建议。

三宝努等人畏惧皇太子英明,密谋动摇他的太子地位,因为托克托的话而停止了。李邦宁猜知三宝努的意思,对武宗说:"陛下年富力强,皇子又渐渐长大。父创业子继承,是自古以来的道理,没有听说过有儿子却立弟弟为储君的。"皇帝不高兴地说:"朕的心意已定,你的意见你自己到东宫去说。"李邦宁惭愧而害怕地退下。

己亥(二十六日),尚书省认为武卫亲军都指挥使郑阿尔斯兰与其兄郑荣祖、段叔仁等人图谋不轨,关在狱中审问他们,都无辜服罪。十七人一起处死刑,没收其家产入官,朝中朝外都认为冤枉。

十二月,戊申(初五),冀宁路发生地震。

河南江北行省平章事何玮逝世,追赠太傅,赐谥文正。

此年,太常礼仪院判官张升,出任汝宁知府,百姓告发有人寄存一捆书在他家中,过了三年取出翻阅,其中有一本禁书,并且在书中记载了里中大家族的姓氏。张升马上叫小吏把书烧了,并说:"乱说话诬陷人,而且又经过赦免,不要再说了。"同僚们害怕,都避开这事。不久事情被知道了,朝廷议论张升开脱违法的人,派人审问他,最后没什么把柄可以指责,便审问他擅自焚书的情况,张升回答说:"事情固然像违法作乱,然而我作为郡守,是百姓的父母官,现在斥责诬告,避免冤案泛滥,即使被治重罪,也不回避。"于是以免去二个月的俸禄作为惩罚。张升是平州人。

至大四年 (公元 1311 年)

春季,正月,癸酉朔(初一),皇帝身体欠佳,免去朝贺,大赦天下罪人。

庚辰(初八),皇帝驾崩于玉德殿,在位五年,享年三十一岁。壬午(初十),葬于起辇谷。

武宗皇帝继承世祖、成宗相对安定的大业,慨然想要创制改法,然而分封爵位太多,多遥授之官,赏赐太优厚,且广泛而无节制,至元、大德的政事因此而大变。

皇太子哀恸不已,家令察罕劝说:"普通百姓寿命长短尚且说是有定数,圣人天命,又怎么会是偶然! 现在天下大任,系在殿下身上。纵使自己痛苦,宗庙、太后怎么办?"太子停止哭泣说:"以前大丧必用和尚,有什么益处! 我要启开府库以救济年老而贫苦无靠者,怎么样?"察罕说:"施行仁政,是文王所以为圣人的原因。殿下这样做,很好!"

皇太子命令撤销尚书省,托克托、三宝努、约苏、宝巴、王罴等人均被诛杀。

开始,皇太子因托克托等人变乱旧法,毒害百姓,所以凡是变法误国的人,想全部杀掉。延庆使杨多尔济上书谏阻说:"治理政要而首先就要杀人,不是帝王统治的办法。"太子为他的话所感化,只杀那些最过分的人。不久御史台说:"托克托等人既已被处决,然而结党附从的人分布在各司。象博啰、孟克、特穆尔、奇尔济苏、乌讷尔等人,奸诈、贪污妨害政事,现在中书省正准备任用为行省平章、参政等官职,应该加以罢黜。"于是将孟克等人流放到海南。不久,又将行尚书省改为行中书省,各司事务重归中书省管理。

壬辰(二十日),停止建中都城墙。

召集前平章程鹏飞、董士选,太子少傅李谦,少保章律,右丞陈天祥、尚文、刘正,左丞郝天挺,中丞董士珍,太子宾客萧㚤,参政刘敏中、王思廉、韩从益,侍御史赵君信,廉访使程巨夫、杭州路达噜噶齐阿哈特,给专车来朝廷。

乙未(二十三日),禁止百官差使军人营造以及守护私人宅第。

丁酉(二十五日),任命云南行省左丞相特们德尔为中书右丞相,太子詹事鄂勒哲、集贤大学士李孟同为平章政事。太子任用鄂勒哲、李孟,正想重行安排政事,而皇太后在兴圣宫已有旨意召特们德尔进宫,因此便以他为宰相。

戊戌(二十六日),任命塔斯布哈及徽政院使沙沙同为御史大夫。

庚子(二十八日),停止各处营造工程。

壬寅(三十日),下令中书省,不是亲奉的人所传的圣旨,都不要执行。

禁止鹰坊的人乘坐驿车骚扰百姓。

二月,乙巳(初三),命和林、江浙行省依照前例设左丞相,其余各省只设置平章二人。遥授职事不再授予。

戊申(初六),停运江南所印佛经。

辛亥(初九),停止让阿喇卜丹买卖浙盐以供中政院的羊食用,禁止宣政院违制剃度僧人。

甲寅(十二日),归还中都所占的民田。

司徒萧珍因建中都城墙居功荼毒百姓,诏令追回他的官印,命有关官府限制他不准做官。

甲子(二十二日),命平章政事李孟领国子监学,告谕他说:"学校是培养人才的地方,你们应当多到国学检查考试诸生,勉励他们进德修业。"

皇太子下令:"各司擅自奏请授官者,不得按制书宣授。"

御史台上言:"自云宗总摄所管领的江南僧人中有带发修行者,不赡养父母,逃避劳役损害百姓。请追回所授予的玺书银印,勒令归还民籍。"皇太子同意了。

撤销福建绣匠、河南鱼课两个提举司。

丁卯(二十五日),下令西番佛教僧人没有玺书驿券以及没有西番宣慰司文牒的,不准随便到京师,同时下令管理黄河渡口的官吏检查执行禁令。

撤销总统所和各处僧录、僧正、都纲司,凡属僧人诉讼事,全部归有关官府审理。

撤销仁虞院,重置鹰坊总管府。

庚午(二十八日),在杭州建立淮安忠武王巴延庙,同时给予田产以供祭祀。

免去哈喇托克托中书左丞相职务,改授浙江行省左丞相。托克托到任后,命人引见长者,询问民间的利与弊。有人说:"杭州城旧有便河通江浒,阻塞废弃已很久了,若加疏浚开凿使之通航,物价必趋平稳。"同僚们有感到不好办的,托克托说:"我离开朝廷的时候,皇帝准许我因利乘便行事。百姓以为便利,就那么做好了。"不久有诏令禁止土建工程,托克托说："恭敬上天不如帮助百姓，百姓蒙受其利，则灾祸自然消失，土建工程又有什么过失！"不到一个月，河道便凿成。

三月，庚寅(十八日)，皇太子即皇帝位。当时皇太后想采纳阴阳家说法，命太子在隆福宫即位。御史中丞张珪说应当在大明殿即位，御史大夫制止他说："议论已定，即使上奏一百次也没用。"张珪说："还没有上奏一次，又怎知没用呢？"于是上奏。太子副詹事王约也对太保齐苏说："辨正名分，应当在大内即位。"齐苏入宫上奏，仁宗醒悟，移仪仗到大明殿即位，授受诸王百官朝拜庆贺。

皇帝诏令："从前先帝事奉皇太后，亲自扶养弱小的我，孝顺友爱到极点。由于我是皇考顺宗的儿子，又是大行皇帝同母弟弟，加上有平定内乱的功劳，在先帝即位还未过一个月，便授予我皇太子尊位，领中书令、枢密使之职，众多机密事务，委任我处理，到现在已经五年。先帝忽然弃天下而逝世，勋戚元老都说国家神器的继承既然已有成命，自不可与前圣去世才开始征集宗亲意见该立何人相比。当稽考周、汉、晋、唐旧例，居正君位。我因国家正遭大丧，于心不忍，因此拖延至今。而现在上奉皇太后劝勉登位的命令，下徇诸王拥戴的诚意，三月十八日，于大都大明殿即皇帝位。凡尚书省误国之臣，在此之前已予正法，一同为恶的人，也已加诛杀流放，各官府事务，都归于中书省，命丞相特们德尔、平章政事李孟等人从新治理。可以大赦天下罪人，有敢以大赦前的事相告请者，依所告的罪名处罚。各衙门及近侍人员，不得越过中书省奏事；各上疏言事的人，酌情加以表扬提拔。有心怀侥幸献土地、山场、窑冶及奇宝的人，一概禁止。诸王、驸马经过州郡，不许提出无理的索取要求；官府雇佣、买卖，应随即给钱，不得困扰百姓。"

辛卯(十九日)，禁止民间制金箔、销金、织金。

丁酉(二十五日)，皇帝降旨："官府机关改变和提高品级的，都回复到至元时所定品级。"

己亥(二十七日)，宁夏路发生地震。

此月，仁宗告谕省臣："你们聚集中统、至元以来所定的条例，挑选懂法律的老臣，斟酌轻重，折衷统一，颁布于天下，使有关官府得以遵行，那样抵罪的人可能不至于冤屈。"又下谕给太府监说："财物足，便可以养活万民、供应军队。从现在起，即使微小到只是一匹布，不向朕请示，就不得随便给人。"

派宦官李邦宁祭奠孔子，李邦宁在受命行礼后，刚就位，刮起大风，殿上及两边走廊上蜡烛都熄灭了，作烛台底的铁鳟虽入地有一尺左右，也全被风拔起。李邦宁害怕屏息伏地，各执事人员都伏在地上，很久风才停息，才得以完成礼仪。李邦宁因而惭愧悔恨了许多天。

仁宗即位之初，左右的人都说李邦宁曾经有异议，劝先帝立自己的皇子，要求杀他，仁宗说："帝王继承的次第，自有天命，他说的话有什么需要介意呢！"加封李邦宁开府仪同三司，任集贤院大学士，不久死去。

赏赐大都路百姓中九十岁的老人二千三百多人，每人帛二匹；八十岁的老人八千三百多人，每人帛一匹。

小云石哈雅是皇子说书秀才，在宫中轮值宿卫，上疏条陈六件事：一是解散边戍之兵以修文德，二是教导太子以巩固国家根本，三是设立谏官以辅佐皇上德政，四是公布姓氏名录以表彰功勋门第，五是统一服色以改变风俗，六是选贤才以恢复最好的统治方式。上书共万余言，没有答复，授予翰林侍读学士、知制诰、同修国史官职。

夏季，四月，丁未（初六），任命太子少保章律为江浙行省平章。仁宗告诫他说："因为你是前朝旧人，所以命令你去。百姓是国家之本，没有百姓何以成为国家！你一定要向上体谅朕心，向下爱惜百姓。"

丁巳（十六日），撤销中政院。

辛酉（二十日），皇帝诏令："国子监师儒的职务，有才德的人，不拘品级，虽是平民也可选用。"

丁卯（二十六日），废除流通至大银钞、铜钱。下诏说："我朝世祖皇帝，参照古今，建立中统、至元钞法，发行于全国，公私都蒙受其利，至今已经有五十年了。近来尚书省不考虑利弊，随意变更，既发行至大银钞，又铸造大元、至大铜钱。银钞因与物价相差倍数太多，轻重失宜；铜钱因铸造跟不上，新旧夹杂使用；不到二年，它的弊病越来越多。咨询朝廷意见，倾听舆论，都希望不拘常规以恢复旧制，现在撤销资国院以及各处泉货监提举司。买卖铜器，听任百姓自便。所有尚书省已发各处的至大钞本和至大铜钱，从即日起封存，民间使用的，到行用库倒换。"杨多尔济说："法令有便利与否，不应当以立法之人的好坏来考虑废除和设置。铜钱和纸币相权而行，是自古以来的道理。钱怎么可以马上废掉呢？"他的话虽然没被采用，当时的舆论却认为他是正确的。

仁宗到便殿，李孟说："陛下登极，物价顿时降低，这才知道圣人变化之妙，臣冒昧向陛下祝贺"。仁宗颦眉说："你们能够尽力辅佐，使百姓太平无事，这样也许能上合天意。至于天下大治，还不一定。现在朕即位未超过一个月，哪有物价顿减的道理！我对你寄托很重，而这话不是我所需要的。"李孟惭愧地谢退。

仁宗下谕给集贤学士呼图鲁都尔密色说："曾经召集老臣十人，他们所说的治理政事的意见，你们一定要详细研究奏报于朕，告诉中书省尽心实行。"

当初，尚书省因上书的人胡乱将河汴官民土地作为没有主人的地上献，奏请设立田粮府，每年输粮数万石。仁宗即位后，下诏撤销，放逐上书人到海外，命令河南行省恢复当地官民的旧业。行省却一起作奸犯科，仍然没将田地发还。及至太子副詹事王约出任河南右丞，一到任就马上令郡县按照诏书纠正发还。

其时，适逢改变钱钞法，命令天下税收都收至大银钞。王约考虑河南每年用钞七万锭，不至于上供不足，于是下令给各州，收至大、至元钞各一半。众人以有违皇帝诏令劝说他，王约说："我怎么不知道！但年终诸事不完成，责任也不轻。"丞相布琳济岱称赞他做得好，派使者告诉中书省，于是普遍推广于全国。

仁宗前往上都。

五月，癸酉（初二），派兵攻打八百媳妇。陕西侍御史赵世延规劝说："治理蛮夷的方法在于笼络，使不生异心，先朝不停地用兵，致使军队损失，诛杀省臣。现在应当选拔熟知治理事体的重臣，托付以边防之事，暂时不要用兵。"仁宗不听。命令云南王和阿固岱带兵讨伐。

丙子（初五），下令翰林国史院纂修武宗实录以及各朝皇后、功臣列传。

甲午（二十三日），将太常礼仪院恢复为太常寺。

此月，禁止百姓捕野鹅。

六月，癸卯（初三），下令给宣政院："凡是西番军务，必须移文枢密院共同讨论上报。"

丁巳（十七日），皇帝降旨："翰林国史院春秋二季祭祀太祖、太宗、睿宗御容，永为定例。"

大同路宣宁县有一百姓家一头牛犊出生后就死了，很像麒麟，用车载着进献皇帝，左右的人说："这是古代所说的吉祥物。"仁宗说："五谷丰收，百姓安居乐业，才是吉祥。"

庚申（二十日），皇帝降旨："从现在起各官府上奏事情，必须有殿中侍御史在旁边。"

甲子（二十四日），上仁惠宣孝皇帝尊谥，庙号为武宗，蒙古语为库鲁克皇帝。

己巳（二十九日），卫王阿珠格觐见皇上。仁宗下谕给中书省官员说："我与阿珠格同父异母，我不抚育他，他将依赖谁？赐他银钞二万锭，其他人不要援引此例。"

皇帝阅读《贞观政要》，下谕给翰林侍讲阿林特穆尔说："这本书对国家有益，要用蒙古语翻译刊行，以便使蒙古、色目人能阅读学习。"

秋季，七月，癸未（十三日），甘州发生地震，刮大风，声音如雷。

己亥（二十九日），下诏给中书省官员说："我以前禁止近侍不得随便传旨意给中书省。从现在起有敢于违犯的人，不须上奏给我知道，直接逮捕那人交付刑部治罪。"

此月，大宁等路下霜。

闰七月，辛丑（初二），命令国子祭酒刘赓到曲阜，用太牢之礼祭祀孔子。

甲辰（初五），仁宗将要回到大都，太后认为秋天庄稼正茂盛，不要让鹰坊、驼人、卫士先行，以免损害庄稼扰乱百姓。仁宗同意下令禁止。

枢密院上言："居庸关有古道四十三条，有军吏防守之处仅仅十三处，以前设有千户，官位轻而责任重，请设置隆镇万户府，以便加强防备。"仁宗诏令同意。

丙午（初七），尊奉武宗神主祔祭于太庙。

戊申（初九），封李孟为秦国公。李孟感激仁宗知遇之恩，把国事作为自己的使命。他看到当时赏赐太广，名爵太滥，风俗太奢侈，僭越模仿没有章法，规劝仁宗说："君主的权力在刑罚与赏赐，如果刑罚不足以惩戒，赏赐不足以奖励，用什么来治理国家呢！"仁宗在怀州时，深深了解吏员的弊病，即位后，准备彻底铲除。李孟说："吏员中也有贤人。关键在激发奖励他们而已。"仁宗说："你是一个儒者，应当与这种人气味不合，然而如此曲意维护他们，真是一个长者的心胸。"李孟曾经寻机请求解除职务，以避让给贤人。仁宗告诉他说："我在位，一定要你做中书，我和你一起有始有终。从今后不要再说这样的话了。"并为他画像，命词臣为画像写赞文，还亲笔写了"秋谷"两个字赐给他。李孟晋见皇上，一定给赐座，交谈甚久，交谈中只称呼他的字而不称他的名讳。

己未（二十日），诏令中书省官员说："过去世祖注意国学，比如博果密等人都是蒙古人，却被教育成材。我现在亲自规定国子生员额为三百人，增陪堂生二十人，通晓一经的人，按次序候补伴读，永为定制。"

甲子（二十五日），宁夏发生地震。

丁卯（二十八日），鄂勒哲、李孟等上言："现在进用儒者，老成之人日益凋谢稀少。各地儒士有成材的人，请提拔任命为国学、翰林、秘书、太常或儒学提举等官职，以鼓励好学上进的人。"仁宗下诏说:"从现在起不限资格,果真有才能又贤明的人,即使是平民也任用他。"

下令医生没有经过选拔考试及登记的,不准行医。

大同宣宁县下冰雹,深达五寸,庄稼全部被毁。

八月,己巳朔(初一),裁减京师朝廷各官府人员,一律依照至元三十年的原员额配置。

任命近侍库勒实为户部尚书。

九月,丙子(初八),安南国王陈益稷觐见皇帝,说:"我从世祖时就归附了,妻儿皆被国中百姓所杀害,朝廷因而遥授我湖广平章之职,又赐予我王爵,赐给我汉阳田五百顷,以备自给。现在我已年近七十岁,然而有关官府扣留授给我的田,我没有地方吃饭了。"皇帝对中书省官员说:"陈益稷归附我朝,应该重重赏赐来安抚远方的人。晋爵、授田,一如旧例。"

下诏更换明年年号为皇庆。

都水监传圣旨,供给驿马到杭州去取所造的龙舟,中书省官员谏阻说:"陛下登基,曾宣告天下,凡不是应当的需要,不要擅自进奉。如果去取这龙舟,那么会违背以前诏令的意思。"仁宗下诏制止。

此月,江陵路发生大水灾,冲走了民房,有人溺死。

冬季,十月,己巳(初二),仁宗下令画武宗像,放置在大崇恩福元寺,每月四次举行祭祀。

辛未(初四),赐给大普庆寺黄金千两,银五千两,钞一万锭,西锦、彩缎、纱、罗、布帛一万匹,田八百亩,房舍四百间。

丁丑(初十),下令禁止各僧寺不得冒占民田。

辛巳(十四日),免除宣政院受理僧人诉讼之职权。

壬辰(二十五日),下令回收至大银钞。

十一月,辛丑(初四),李孟上言:"世祖时量入为出,平常总是要求节约,所以仓库充实。现在每年支出银钞六百多万锭,又兴土木营造、修缮百多处,总计用钞数百万锭,宫内降旨赏赐又用三百多万锭,北边军需又是六七百万锭。现在库藏只有十一万多锭,像这样怎么能保证全部供给。从现在起不急需的多余费用,应该全部免除。"仁宗采纳了他的意见,所有营造修缮之事一概停止。

戊午(二十一日),禁止汉人、回回术士在诸王、驸马及大臣家出入。

甲子(二十七日),命令在京城增设米店十处,每日平价卖米八百石以赈济贫民。

十二月,辛卯(二十五日),派遣官员监视销毁至大银钞。

乙未(二十九日),中书省上言:"世祖立选法和升降条例,以此来激励劝勉百官。现在百官未等考满,有的无故更换替代,有的超级升官,僭越制度而授国公、丞相等职位,各官府已被裁汰却又重新设置的也有。今年春天以来,大内降旨授官千余人,其中的欺诈虚假,怎么可能都知道?从来败坏紊乱选法,没有超过现在这种做法的。"仁宗说:"从今天起凡是宫内降旨授官的,一概不要执行。"

命令李孟整顿国子监学。

派遣礼部尚书奈玛台等人带诏书前往晓谕安南国,颁皇庆元年历日。

此月,太白星多次经过天空。

此年,派遣官员到江浙计议海运事务。

当时江东宁国、池、饶、建康等地运粮，都令海船从扬子江逆流而上，江水湍急，岩石又多，流沙泛滥，江水时涨时落，粮船每年都有损坏。另外，湖广、江西粮食运到真州停泊搬上海船，船体大而船底小，也不是长江航行所适合的。于是以嘉兴、松江的秋粮和江淮、江浙财赋府每年所办粮食充作海运。

当初，海运的遭路，从平江府刘家港入海，途经扬州路通州海门县黄连沙头、万里长滩出海，沿着海岸山屿而航行，到达淮安路盐城县，历经西海州、海宁府东海县、密州、胶州地界，渡过灵山洋，向东北方走，航线多是浅沙，行驶一个多月才到达成山。总计其水上的路程，从上海到杨村码头，共一万三千三百五十里。至元二十九年，朱清等人上奏说：“这条道路险恶难行，应再开辟新路，从刘家港出海，到撑脚沙转向沙觜，到三沙、扬子江，经过扁担沙、大洪，又经过万里长滩，渡过大洋至清水洋，又经过黑水洋到成山，经过刘家岛，到之罘、沙门二岛，渡过莱州大洋，到达界河口，这条路比较平直。”第二年，千户殷明略又开辟新路，从刘家港入海，到崇明岛三沙渡过大洋，向东行进，进入黑水大洋，取道成山，转向西行到刘家岛，又到登州沙门岛，在莱州大海进入界河。当船在风信季节行驶时，从浙西到京师，不过十天罢了，比较前二条路线为最方便。然而风涛难料，粮船漂走淹没的，没有哪一年没有。间或也有因船只损坏而把米丢弃的，后来便责成运输官员赔偿。人船都淹没的才免予赔偿。但比起河道运粮的耗费，那么它的优点要多得多。

续资治通鉴卷第一百九十八

【原文】

元纪十六、起玄黓困敦【壬子】正月,尽旃蒙单阏【乙卯】三月,凡三年有奇。

仁宗圣文钦孝皇帝

讳阿裕尔巴里巴特喇,顺宗次子,武宗母弟也。至元二十二年三月丙子生。大德九年与太后出居怀州。十一年正月成宗崩,帝与太后入大都,平内难,遣使迎武宗。武宗至上都,帝与太后往会之。武宗即位,诏立帝为皇太子。

皇庆元年 【壬子,1312】 春,正月,庚子,帝谕御史大夫塔斯布哈曰:"凡大臣不法,卿等劾奏勿避。"

癸卯,敕:"诸僧犯奸盗、诈伪、斗讼,仍令有司专治之。"

戊午,制诸王设王傅六员,其次设官四员。

壬戌,升国史院秩从一品。帝谕省臣曰:"翰林、集贤儒臣,朕自选用,汝等毋辄拟进。人言御史台任重,朕谓国史院尤重;御史台是一时公论,国史院实万世公论也。"

帝尝命道士为醮事,近侍分其所用金币,道士讼之御史台。近侍谮道士于帝,当杀者六人。中丞张珪力辨道士无死罪,帝怒曰:"汝以台纲胁我耶?"珪曰:"御史台陛下之台,则台纲乃陛下之纲也,陛下奈何欲自坏其纲乎?"帝怒未解,顾左右扶出。明日,珪复谏曰:"陛下必欲用谮言杀无罪,臣请先死。"帝为宽道士罪,亲解衣以赐珪。既而帝语近臣曰:"张中丞乃张忠臣,非官中丞也。"召慰之曰:"朕欲厚赐卿,非无宝玉,如非卿心何!"因以御巾拭面额,纳珪怀曰:"朕泽之所存,朕心之所存也,其服膺勿失。"

二月,丁卯朔,徙大都路学所置周宣王石鼓于国子监。

燕京之始平也,宣抚使王楫以金枢密院为宣圣庙,春秋率诸生行释菜礼,仍取石鼓列庑下。及国子监立,以其庙为大都路学。至是复徙石鼓于国子监。

辛未,改安西路为奉元路,吉州路为吉安路。

壬申,以霸州文安县屯田水患,遣官疏决之。

甲戌,制定封赠名爵等级。

改和林省为岭北省。

赐晋王伊苏特穆尔及世祖诸皇子等民户有差,使食其岁赋。

己卯,八百媳妇献驯象二。

庚寅,敕岭北省赈阙食流民;两淮民种荒田者,如例纳税。

赈通、潮州饥。

诏勉励学校。以国子监虞集言,升监丞吴澄为司业,与齐履谦同日并命,时号得人。

澄用程颢《学校奏疏》,胡安国《六学教法》,朱熹《学校贡举私议》,约之为教法四条:一曰经学,二曰行实,三曰文艺,四曰治事。未及行而履谦以迁去。澄亦移病归,诸生有不谒告而从之南者。俄拜集贤直学士,授奉议大夫,俾乘驿至京师;及真州,疾作而还,学制稍为之废。

三月,丁酉朔,罢诸王、大臣私第营缮。

己亥,以生日为天寿节。

戊申,以前河南行省平章政事达实哈雅为御史大夫。

庚申,简汰大明宫、兴圣宫宿卫。

甲子,遣户部尚书玛尔经理河南屯田。

乙丑,命河南省建故丞相阿珠祠堂。

初,帝元日临朝,谓中书省臣曰:"汴省王右丞可即召之。"至是约至,召见,慰劳,特拜集贤大学士。约首言:"河南行省丞〔相〕布琳吉岱,勋阀旧臣,不宜久外。"召至,封河南王。约又疏荐国子博士姚登孙、应奉翰林文字揭傒斯、成都儒士杨静,请起复中山知府致仕辅惟良、前尚书参议李源、右司员外郎曹元用,皆除擢有差。

夏,四月,丁卯,简汰控鹤还本籍。

以都水监隶大司农寺。

庚午,命浙东都元帅郑祐同浙江军官教练水军。

辛未,给钞万锭修香山永安寺。

癸酉,帝如上都。

庚寅,太白经天。

五月,丙申朔,以中书平章哈克缴为中书左丞相,江浙行省平章章律为中书平章政事。

壬寅,改和林路为和宁路。

诸王托克斯哈密实以农时出猎扰民,敕禁止之,自今十月方许出猎。

六月,乙丑朔,日有食之。

丁卯,天雨毛。

己巳,敕李孟博选中外才学之士任翰林。

丁亥,敕罢封赠,诚左右守法度,勤职业,勿妄侥幸加官。时封拜繁多,群臣无功而受公王之爵者,前后相继,故有是敕。

秋,七月,丙午,升大司农秩从一品。帝谕司农曰:"农桑衣食之本,汝等举谙知农事者用之。"

中书参知政事贾钧以病请告,赐钞,给安车还乡。

八月,己卯,以吏部尚书许师敬为中书参知政事。

庚辰,帝至自上都。

辛卯,敕云南省右丞阿固岱等,率蒙古兵从云南王讨八百媳妇。

以张珪为枢密副使。

旧制，中州军士镇江南者，逾岭以戍，率二年而代，遭犯瘴疠，十无一还。珪曰："是徒置之死地耳，请屯置近边。其岭表要害，因其土人以戍，前死者，官给槥传还家。"从之。

徽政院使实勒们，请以洪城军隶兴圣宫而己领之，以上旨移文枢密院，众恐惧承命。张珪曰："徽政有左右都卫两军，足备工役，又欲此将何为？"因不署，事得寝。实勒们由是怨珪。

是月，滨州旱，泾县水，赈之。

九月，丁酉，增江浙海漕粮二十万石。

戊戌，罢征八百媳妇、大小彻里蛮，以玺书招谕之；寻献驯象及方物。

甲辰，以参议中书省事阿布哈雅为参知政事。

壬戌，琼州黎贼啸聚，遣官招谕。

冬，十月，甲子，有事于太庙。

云南行省右丞索勒济尔威有罪，国师请释之，帝斥之曰："僧人宜诵佛书，吏事岂当与耶！"

癸未，以中书参知政事察罕为平章政事，商议中书省事。

戊子，翰林学士承旨伊埒齐布哈等进顺宗、成宗、武宗《实录》。

辛卯，赦天下。

赐李孟潞州田二十顷。

十一月，甲辰，捕沧州群盗阿实达等，擒之，支解以徇。

丙午，谕六部官毋隔越中书奏事。

庚申，占城献犀象；缅国遣使来朝。

中书平章政事李孟请归葬其父母，帝劳饯之，曰："事讫宜速还，勿久留，孤朕所望。"十二月，孟入朝，帝大悦。孟因请谢事，优诏不允；请益坚，癸亥，乃命孟以平章政事议中书省事、承旨翰林。

癸酉，遣使分道决囚。

庚辰，知枢密院事达实曼罢。

鹰坊请往河南、湖广括取孔雀、珍禽，帝以扰民，不允。

丁亥，中书省言："中书职在总挈纲维，比者行省六部诸司应决不决者，往往作疑容呈，以致文繁事弊。"诏体世祖立中书初意，定拟成式以闻。

是岁，以左司郎中张思明为两江盐运使，岁课充赢，僚属请上增数，思明叹曰："赢缩不常，万一以增为额，是我希一己之荣，遗百世之害也。"

以梁曾为先朝旧臣，特起昭文馆大学士。曾累章乞致仕，不允。复起为集贤侍讲学士，国有大政，必命与诸老议之。

前翰林学士承旨姚燧卒，谥曰文。

燧少学于许衡，其为文宗韩愈。衡赏其辞，且戒之曰："弓矢为物，以待盗也，使盗得之，亦将待之。文章固发闻士子之利器，然先有能一世之名，将何以应人之见役者哉！非其人而与之与非其人而拒之，钧罪也，非周身入世之道也。"燧自是反躬实践，为世名儒。当世争求其文，词无溢美。高丽沈王欲求燧诗文，燧不与，奉诏乃与之。王赠谢币帛、金玉、名画五十筐,燧即时分散于人,一无所取。或问之,燧曰:"彼藩邦小国,唯以货利为重,吾能轻之,使知大朝不以是为意。"其器识过人类如此。

皇庆二年 【癸丑,1313】 春,正月,丁未,以太府卿图呼鲁为中书右丞相;时特们德尔以病去职,故以图呼鲁代之。枢密副使张珪为中书平章政事,以代李孟也。

己未,置辽阳行省儒学提举司。

召河南行省右丞郝天挺为御史中丞。

天挺入见,首陈纪纲之要,以猎为喻,曰:"御史职在击奸,犹鹰扬焉。禽之弱者易获也,其力大者必借人力;不然,不惟失其前禽,仍或有伤鹰之患矣。"帝嘉其言。

二月,壬戌,改典内院为中政院,秩正二品。

己卯,免征益都饥民所贷官粮二十万石。

各寺修佛事,日用羊九千四百四十,敕遵旧制,易以蔬食。

命张珪纲领国子学。

辛巳,诏以钱粮、造作、诉讼等事悉归有司,以清中书之务;从张珪之请也。

丁亥,敕:"外任官应有公田而无者,皆以至元钞给之。"

功德使策琳沁等以佛事奏释重囚,不允。

帝谕左右曰:"回回以宝玉鬻于官。朕思此物何足为宝,惟善人乃可为宝。善人用则百姓安,兹国家所宜宝也。"

三月,丙午,册立皇后鸿吉哩氏。

壬子,图呼鲁言:"臣等职专燮理,去秋至春亢旱,民间乏食,而又阴霜雨毛,天文示变,皆由臣等不能宣上恩泽,致兹灾异,乞黜臣等以答天谴。"帝曰:"事岂关汝,其勿复言。"

教坊使曹耀珠得幸,命为礼部尚书。张珪谏曰:"伶人为大宗伯,何以示后世?"帝曰:"姑听其至部而去之。"珪力言不可,乃止。

皇太后命以特们德尔为太师,以(太师)万户博实参知行省政事。张珪言于帝曰:"太师辅上道德,特们德尔非其人。万户无功,不得为外执政。"帝然之。太后闻而怒甚,于是实勒们之谮得行。

御史中丞郝天挺上疏论时政,其略曰:"先帝即位之初,大事方定,故于左右三五有功之人,爵之太高,遂使近幸之臣,因而相袭,王公师保,接迹于朝。比者虽令裁罢,曾未经岁,又复纷然。昔人有言:"服之不衷,身之灾也。"是则朝廷名器重,则升斗之禄足以鼓舞豪杰,滥则日拜卿相而人不劝矣。"

又言:"国初设官,在内须三十月,在外须三周岁,考其殿最以为黜陟。比者省院台部之臣,久者一二岁,少者三五月,甚有旬日之间而屡迁数易者,奔走往来之不暇,何暇宣风布化,参理机务哉!请自今,惟大臣可急遴选授,其馀内外大小官属,必候任满方许超迁,以免朝除夕改,启幸长奸之弊。"

寻出为河南行省平章。时河南王布琳济达为丞相,待以师礼,由是政化大行。未几卒,谥文定。

丙辰,帝以亢旱既久,于宫中焚香默祷,遣官分祷诸祠。

诏敦谕劝课农桑。

夏,四月,乙亥,帝如上都。

丙子,高丽国王王璋辞位,以其世子王焘为征东行省左丞相,封高丽国王。时朝廷欲璋归国,璋无以为词,请传位于其子。

甲申,诏遴选贤士,纂修国史。

乙酉,御史台言:"富人夤缘特旨,滥受官爵;徽政、宣徽用人,率多罪废之流;内侍托为贫乏,互奏恩赏。而西僧以作佛事之故,累释重囚。外任之官,身犯刑宪,辄营求内旨以免罪。诸王、驸马、寺观土田每岁征租,扰民尤甚。请悉革其弊。"制可。

真定、保定、大宁路饥,并免今年田租之三。

安南国贡方物。

五月,中书平章政事张珪罢。

时太后多宠幸,恶张珪持正,幸臣实勒们等尤嫉之,以帝遇之厚,未敢遽发。至是帝由居庸巡上都,乃以中旨召珪,至宫门下,数以违懿旨之罪,杖之。珪创甚,舆归京师,明日出国门。珪子景元掌符玺,不得一日去宿卫,至是以父病笃告,遽归。帝惊曰:"朕来时,卿父无病。"景元顿首涕泣不敢言。帝不怿,遣人赐珪酒,遂拜大司徒。畦谢病家居。

辛丑,以中书右丞哲伯都拉为平章政事,左丞巴喇托音为右丞,参知政事阿布哈雅为左丞,参议中书省事图鲁哈特穆尔为参知政事。

顺德、冀宁饥,原州水,赈之。

六月,己未,京师地震。癸亥,图呼鲁等以灾异乞赐放黜,不允。

丙寅,京师地又震。

己卯,河东廉访使赵简,请选方正博洽之士任翰林侍读学士,讲明治道以广圣听,从之。

御史台言:"比年廉访司多不悉心奉职,宜令监察御史检核名实而黜陟之。广海及甘肃、云南地远,迁调者惮勿肯往,请今后加一等官之。"制可。

壬午,命监察御史检察监学官,考其殿最。

甲申,建崇文阁于国子监。

以宋儒周敦颐、程颢、程颐、张载、邵雍、司马光、朱熹、张栻、吕祖谦及故中书左丞许衡从祀孔子庙廷。

河决陈、亳、睢州及开封之陈留县,没民田庐。先是命官沿河相视,上治河之议而竟未施行,故有此患。

秋,七月,癸巳,以作佛事,释囚徒二十九人。

甲午,置榷茶批验所并茶田局官。

庚子,立长秋寺,掌武宗皇后宫政。

壬寅,京师地震。

己酉,改淮东、淮西道宣慰司为淮东宣慰司,以淮西三路隶河南省。

敕:"守令劝课农桑,勤者升迁,怠者黜降。著为令。"

丁巳,太白经天。

八月,戊午朔,扬州路崇明州大风,海潮泛滥,漂没民居。

丁卯,帝至自上都。

庚午，以侍御史薛居敬为中书参知政事。

九月，癸巳，以宣徽院使鄂勒哲知枢密院事。

戊申，敕镇江路建银山寺，勿徙寺旁茔冢。

京师大旱。帝问弭灾之道，翰林学士承旨程钜夫举桑林六事以对，忤时宰意。帝遣近侍赐上尊劳之曰："中书集议，惟卿所言甚当，后临事其极言之。"

陕西行台治书侍御史尉迟德诚亦上言："西僧作佛事，疏放罪囚，以为祈福。奴婢杀主，妻妾杀夫，皆获夤缘以免，实紊典常。必欲修政以答天谴，无有先于此者。"不报。

初，世祖、成宗皆尝议定科举制而未及行，至是帝与李孟论用人之方，孟曰："人材所出，固非一途。然汉、唐、宋、金，科举得人为盛。今欲兴天下之贤能，如以科举取之，犹胜于多门而进。然必先德行经术而后文辞，乃可得真材也。"帝深然其言，决意行之。冬，十月，丁卯，敕中书省议行科举。

辛未，徙昆山州治于太仓，昌平县治于新店。

癸未，以辽阳路之懿州隶辽阳行省；复置蒙阴县，隶莒州。

乙酉，旌表高州民萧义妻赵氏贞节，免其家科差。

壬寅，汉人、南人、高丽人宿卫，分司上都，勿给弓矢。

甲辰，行科举。帝使程钜夫及李孟、许师敬议其事。钜夫建言："经学当主程颐、朱熹《传》《注》，文章宜革唐、宋宿弊。"于是命钜夫草诏行之。令天下以皇庆三年八月，郡县兴其贤者、能者，充贡有司，次年二月，会试京师，中选者亲试于廷，赐及第、出身有差。自后率三岁一开科。蒙古、色目人与汉人、南人各命题。蒙古、色目人愿试汉人、南人科目，中选者加一等注授。

帝谓侍臣曰："朕所愿者，安百姓以图至治，然匪用儒士，何以致此！设科取士，庶几得真儒之用，而治道可兴也。"集贤修撰虞集，独谓当治其源，因会议学校，乃上议曰："师道立则善人多。学校者，士之所受教，以至于成德达材者也。今天下学官猥以资格授，强加之诸生之上而名之曰师尔，有司弗信之，生徒弗信之，于学校无益也。如此而望师道之立，可乎？下州小邑之士，无所见闻，父兄所以导其子弟，初无必为学问之实意，师友之游从，亦莫辨其邪正，然则所谓贤材者，非白天降地出，岂有可望之理哉！为今之计，莫若使守令求经明行修者，身自师尊之，至诚恳恻以求之，俟其德化之成，庶几有所观感也；其次则求操履近正而不为诡异骇俗者，确守先儒经议师说而不敢妄为奇论者，众所敬服而非乡愚之徒者，延致之日，诚诵其书，使学者习之，入耳著心以正其本，则他日亦当有所发也；其次则取乡贡至京师罢归者，其议论文艺犹足以耸动乎人，非若泛泛莫知根柢者矣。"

十二月，丙子，定百官致仕资格。

京师以久旱，民多疾疫。帝曰："此皆朕之责也，赤子何罪！"明日，大雪。

广东采珠之人，悬绠于腰，沉入海中，良久得珠，撼其绳，舶上人引出之。葬于鼋鼍蛟龙之腹者，比比而有，有司名曰乌蜑户。至是特旨放免。江西行省参知政事敬俨，俾掾吏具乌蜑户姓名，置册申解，同列皆曰："中书咨文无是，可不必也。"俨曰："万一申明旧典，庶不害及良民。"未几，皇太后中使至，人咸服俨先见之明。

4776

延祐元年 【甲寅，1314】 春，正月，丁亥，以中书右丞刘正为平章政事。

帝初政风动天下，正与诸老臣陈赞之力居多，累乞致仕，不许，遂有是命。时议经理河南、淮、浙、江西民田，增茶、盐课额。正极言不可，弗从。岁大旱，野无麦谷，种不入土，台臣言燮理非其人，奸邪蒙蔽，民多冤抑，感伤和气所致，诏会议。平章李孟曰："燮理之责，儒臣独孟一人，请避贤路。"平章呼图布鼎曰："台臣不能明察奸邪，臧否时政，可还诘之。"正言："台省一体，当同心献替，择善而行，岂容分异耶！"竟如呼图布鼎言。

庚子，敕各省平章为首者及汉人省臣一员，专意访求遗逸，先以名闻，而后致之。

以江浙行省左丞高昉为中书参知政事。

丁未，诏改元延祐。

庚戌，中书省臣图古勒等以灾变乞罢，不允。

二月，戊辰，大宁路地震。

中书省言："比奉诏，汉人参政宜用儒者。侍御史赵世延其人也。"帝曰："世延诚可用，然永古特氏非汉人，其署宜居右。"甲戌，拜世延参知政事。

壬午，以哈克缴为中书右丞相，与平章李孟监修国史。以揭傒斯为国史编修官。傒斯，富州人，程钜夫、卢挚先后为湖南宪长，咸器重之。至是以钜夫荐充编修官。李孟读其所撰《功臣列传》，叹曰："是书方可名史笔。若他人所为，直誉吏牍耳。"

癸未，以参知政事高昉为集贤学士。

三月，戊戌，真定、保定、河间民饥，给粮两月。

癸卯，暹罗入贡。

乙巳，以僧人作佛事，擅释狱囚，命中书审察。

戊寅，帝如上都。

己酉，敕："奸民宫其子为阉宦，谋避徭役者，罪之。"

辛亥，命参知政事赵世延纲领国子学。

癸丑，中书平章察罕致仕。

察罕暮年居德安白云山别墅，以白云自号。尝入见，帝目逆之曰："白云先生来也！"初以病请告，暨还朝，与李孟入谢，帝曰："白云病愈耶？"顿首对曰："荷陛下哀矜，放归田里，不觉沉疴去体耳。"帝顾李孟曰："知止不辱，今见其人。"察罕天性孝友，田宅在河中者，悉分与诸昆弟，昆弟贫来归者，复分与田宅；奴婢纵放为民者甚众。既致仕，优游八年，以寿终。

晋宁民侯喜儿昆弟五人，并坐法当死，帝叹曰："一家不幸而有是事，其择情轻者一人杖之，俾养父母，毋绝其祀。"

闰月，甲寅朔，敕减枢密知院冗员。

辛酉，罢咒僧月给俸。

遣人视大都至上都驻跸之地，有侵民田者，计亩给直。

丁丑，畿内饥，赈之。济（地）〔宁〕等路陨霜杀桑果禾苗，归州饥，出粟平粜。

马八儿国来贡。

夏，四月，甲申朔，大宁路地震，有声如雷。

己酉，以特们德尔录军国重事，监修国史。

右丞相哈克缴言："臣非世勋族姓，幸逢陛下为宰相，如丞相特们德尔练达政体，且尝监修国史,请授之印,俾领翰林、国史院,军国重事,悉令议之。"帝然其言,令启皇太后,与之印。

敕:"郡县官勤职者加赐币帛。"

立回回国子监。

帝以《资治通鉴》载前代兴亡治乱,命集贤学士呼图噜都尔密实及李孟择其切要者译写以进。

五月,丁卯,赐李孟孝感县地二十八顷。

禁诸王支属径取分地租赋以扰民。

敕岭北行省瘗陈没遗骸。

戊寅,京兆为故儒臣许衡立鲁斋书院,降玺书旌之。

武陵县霖雨,水溢,溺死居民,漂没庐舍禾稼;肤施县大风雹,损禾并伤畜。

六月,戊子,敕:"内侍今后止授中官,勿畀文阶。"

置云南行省儒学提举司。

甲辰,敕:"诸王、戚里入觐者,宜趁夏时刍牧至上都,勿辄入京师,有事遣使奏禀。"

赈衡州等路饥。

秋,七月,庚午,命中书省议复封赠。

赐晋王伊苏特穆尔部钞千锭。

诏开下蕃市舶之禁。

乙亥,会福院越制奏旨除官。敕:"自今举人,听中书可否以闻。"

浑河堤决,淹没民田,发廪赈之。

八月,戊子,帝至自上都。

癸卯,升太常寺为太常礼仪院,秩正二品。

丁未,冀宁、汴梁及武安、涉县地震,坏官民庐舍,死者三百馀人。

河南行省言:"黄河涸露,旧水泊污池,多为势家所据,骤遇泛溢,水无所归,遂致为害。由此观之,非河犯人,人自犯之耳。拟差知水利都水监官与行省廉访司同相视,可以疏辟堤障,未及泛溢,先加修治,用力少而成功多。又,汴梁路睢州诸处,决破河口数十,内开封县小黄村计会月堤一道,都水分监修筑障水堤堰,所拟不一,宜委官按验,从长讲议。"于是命太常丞郭奉政、前都水监丞边承务、都水监卿多尔济等、上自河阴,下至陈州,与该州县官沿河相视。开封县小黄村河口,测量比旧浅减六尺,陈留、通许、太康旧有蒲苇之地,后因闭塞西河、塔河诸水口,以便种莳,故他处连年溃决。

各官议以为:"治水之道,惟当顺其性之自然。大河东北入海,历年既久,迁徙不常,每岁泛溢,两岸时有冲决,强为闭塞,正及农忙,科桩梢,发丁夫,动至数万,所费不可胜计。郡县嗷嗷,民不聊生。盖黄河善迁徙,惟宜顺下疏泄。今相视上(至)〔自〕河阴、下抵归德,经夏水涨,甚于常年,以小黄口分泄之故,并无冲决,此其明验也。陈州最为低洼,濒河之地,今岁麦禾未收,民饥特甚,欲为拯救,奈下流无可疏之处。若将小黄村河口闭塞,必移患邻郡,决上流南岸,则汴梁被害,决下流北岸,则山东可忧,势难两全,当遗小就大。如免陈村差税,赈其饥民,陈留、通许、太康县被灾之家,依例取勘赈恤。其小黄村河口,仍就通流外,当修筑月堤并障水堤。"于是以汴梁路所辖州县河堤,或已修治及当疏通与补筑者,条列奏上,不果行。

九月,己巳,复以特们德尔为中书右丞相,哈克缴为左丞相。

特们德尔言:"比闻近侍隔越奏旨者众,倘非禁止,致治实难。请敕诸司,自今中书政务,毋辄干预。又,往时富民往诸蕃商贩,率获厚利,商者益众,中国物轻,蕃货反重。今请以江浙右丞曹立领其事,发舟十纲,给牒以往,归则征税如制,私往者没其货。又,经用不给,苟不预为规画,必至愆误。臣等集诸老议,皆谓动钞本则钞法愈虚,加赋税则毒流黎庶,增课额则比国初已倍五十矣;唯预买山东、河间运司来岁盐引及各冶铁货,庶可以足今岁之用。又,江南田粮,往岁虽尝经理,多未核实,可始自江浙以及江东、西,宜先事严限格,信罪赏,令田主手实顷亩状入官,诸王、驸马、学校、寺观亦令如之。仍禁私匿民田,贵戚势家毋得阻挠。请敕台臣协力以成,则国用足矣。"

罢陕西诸道行御史台。

冬,十月,乙未,敕:"吏人转官,止从七品,在选者降等注授。"

申饬内侍及诸司隔越中书奏请之禁,及下蕃商贩给牒征税;遣官括淮民所佃闲田不输税者,从特们德尔请也。

庚戌,监察御史言:"请命枢密院设法教练士卒,应军官袭职者,试以武事而后任之。"制可。

十一月,壬子,升司天台为司天监,秩正三品,赐银印。

戊辰,以通政院使萧拜珠为中书右丞。

癸酉,敕:"吏人贼行者黥其面。"

大宁路地震,有声如雷。

戊寅,特们德尔言:"比者僚属及六部诸臣,皆晚至早退,政务废弛。今后有如此者,视其轻重杖责之。臣或自惰,亦令诸人陈奏。"帝曰:"如更不悛,即罢不叙。"

以前中书右丞相图呼鲁知枢密院事。

诏检核浙西、江东、江西田税。章律言:"经理之法,世祖已行,但其间多欺蔽。"遂遣章律等往三省行之,限民四十日以所有田自实于官。期限猝迫,贪刻用事,富民黠吏,并缘为奸。枢密副使吴元珪言:"江南之平,几四十年,户有定籍,田有定亩,今经理之法,务以增多为能,加之有司头会箕敛,元元困苦日甚,臣恐变生不测,非国之福。"帝曰:"凡尔军士之田,悉遵旧制。"时有司以峻法相绳,民多虚报以塞命。其后田税无所于征,民多逃窜流移者。汴梁路总管达哈言其弊于朝,由是省民间虚粮二十二万。

十二月,辛卯,禁诸王、驸马、权势之人增价鬻盐。

壬辰,定官民车服制度。帝以市人靡丽相尚,僭礼费财,命中书省定其等第;惟蒙古及集赛诸色人不禁,然亦不许服龙凤文。

己亥,敕中书省定议孔子五十三代孙当袭封衍圣公者以名闻。及元明善为礼部尚书,正孔氏宗法,以宣圣五十(五)〔四〕代孙思晦当袭封衍圣公,奏上,帝亲取孔氏谱牒按之,曰:"以嫡应袭封者,思晦也。复奚疑!"特授中议大夫,袭封衍圣公,月俸百缗,加至五百缗。

庚子,遣官浚扬州、淮安等处运河。

以翰林学士承旨李孟复为中书平章政事。

孟宇量弘朗,材略过人,三入中书,民间利害知无不言,引古证今,务归至当;士无贵贱,苟有贤者,不进不止。朝廷赖之。

乙巳,敕经界诸卫屯田。

是岁,复以齐履谦为国子司业。

履谦酌旧制,立升斋积分之法,每季考其学行,以次第升。既升上斋,又必逾再岁始与私试,词理俱优者一分,词平理优者为半分,岁终积至八分者为高等。礼部、集贤岁选六人以贡,三年不通一经者,黜之。帝从其议,自是人人励志,多文学之士。

特们德尔专政,一日,召刑曹官属问曰:"西僧讼某之罪,何以久弗治?"众莫敢对。刑部侍郎曹伯启从容言曰:"事在赦前。"竟莫能夺其议。宛平尹盗官钱,特们德尔欲并诛守者,伯启执不可,杖遣之。伯启,砀山人也。

延率占二年 【乙卯,1315】 春,正月,戊午,赈怀孟、卫辉饥。

丙寅,霖雨坏浑河堤堰,没民田,发卒补之。

禁民炼铁。

发卒浚漷州漕河。

已巳,置大圣寿万安寺都总管府,秩正三品。

庚午,立行用库于江阴州。

敕以江南行台赃罚钞赈恤饥民。

乙亥,诏遣宣抚使分十二道问民疾苦,黜陟官吏,并给银印。

特们德尔言:"天下庶务虽统于中书,而旧制省臣亦分领之。请以钱帛、钞法、刑名委平章李孟、左丞阿博哈雅、参政赵世延等领之;其粮储、选法、造作、驿传委平章章律、右丞萧拜珠、参政曹从革等领之。"诏皆如所请。

禁南人典质妻子商贩为奴。

御史台言:"比年地震、水旱、民流、盗起,皆风宪顾忌,失于纠察,宰臣燮理有所未至。或近侍蒙蔽,赏罚未当,或狱有冤滥,赋役繁重,以致乖和。宜与老臣共议所由。"诏明言其事当行者以闻。

二月,己卯朔,会试进士,命中书平章政事李孟、礼部侍郎张养浩知贡举,吴澄、杨刚中、元明善皆与焉,于是得人为多。进士诣谒,养浩皆不纳,但使人戒之曰:"诸君子但思报效,奚劳谢为!"

癸巳,太白经天。

甲午,诏禁民转鬻养子。

壬寅,辰、沅洞蛮吴干道为寇,敕调兵捕之。

丙午,太白经天。

三月,乙卯,廷试进士,赐呼图克岱尔、张起严等五十六人及第、出身。分进士为两榜,蒙古、色目人为右,汉人、南人为左。第一名从六品,第二名以下及第二甲皆七品,第三甲正八品。

庚午,帝率诸王、百官奉玉册、玉宝,加上皇太后尊号,蠲天下通欠税课。

丁丑,以中书平章事章律为江浙行省平章政事。

章律以妻病,谒告归江南,夺民河渡地。御史杨多尔济劾之,故调外。多尔济正色立朝,帝为改容。

【译文】

元纪十六 起壬子年(公元 1312 年)正月,止乙卯年(公元 1315 年)三月,共三年有余。

元仁宗名讳阿裕尔巴里巴特喇,元顺宗的次子,元武宗同母弟。至元二十二年(公元 1285 年)三月丙子(初四)出生。大德九年(公元 1305 年)与太后鸿吉哩氏同被遣送出京居住怀州。十一年(公元 1307 年)正月成宗逝世,仁宗帝与太后回到大都,平息内难,派遣使者迎接武宗哈尚。武宗到达上都,仁宗与太后前往会见他。武宗即皇帝位,诏命立仁宗为皇太子。

皇庆元年 (公元 1312 年)

春季,正月,庚子(初四),皇帝告谕御史大夫塔斯布哈说:"凡是大臣作不法的事,你们必须弹劾,不要回避。"

癸卯(初七),敕令僧人犯奸盗、诈伪、斗讼罪行的,仍然令有司专门处理。

戊午(二十二日),规定诸王设王傅六人,比诸王地位低的设官员四人。

壬戌(二十六日),晋升国史院官秩为从一品,皇帝谕示省臣说:"翰林、集贤院的儒臣,由我亲自来选用,你们不必再立议拟进。人们说御史台责任重大,我说国史院更重要;御史台是一时的公论,而国史院实在是万世的公论啊。"

元仁宗像

皇帝曾经命令道士作醮事,而朝廷近侍们却私分了作醮事所用的金币,道士们上诉到御史台。近侍在皇帝面前进谮言诋毁道士,道士被判死罪的有六个人。中丞张珪竭力辩说道士没有犯死罪。皇帝发怒说:"你以台纲来挟制我吗?"张珪说:"御史台是陛下之台,那么台纲是陛下的台纲,陛下怎么想自己毁坏其纲纪呢?"皇帝怒气还没有平息,对左右示意将他扶出去。第二天,张珪又进谏说:"陛下一定要相信谮言杀无罪的人,臣下我请求先死。"皇帝为此宽恕道士的罪罚,亲自解下自己的衣服赐给张珪。过后皇帝对近臣说:"张中丞是张忠臣,不是官中丞。"召见并抚慰他说:"我本想重重地赏赐你,不是我没有宝玉,无奈何的是违背了你的心意!"随即用御巾擦拭面额,将它放在张珪的怀里说:"我的恩泽的所在,是我的心意的所在,你谨放在胸前不要丢失。"

二月,丁卯朔(初一),把大都路学馆所放置的周宣王石鼓迁移安置到国子监。

燕京平定初期,宣抚使王楫以金代枢密院作为宣圣庙,春秋二季率领诸生在此行释菜礼,于是取来石鼓放在廊庑下。等到国子监设立后,以这个庙为大都路学馆。到此时又把石鼓迁置在国子监。

辛未(初五),将安西路改为奉元路,将吉州路改为吉安路。

壬申(初六),因为霸州文安县屯田发生水灾,派官员去组织疏通河道。

甲戌(初八),制定封赠名爵的等级。

将和林省改为岭北省。

赏赐给晋王伊苏特穆尔和世祖诸皇子等人民户不等,使他们食用民户交纳的岁赋。

己卯(十三日),八百媳妇国奉献二头驯象。

庚寅(二十四日),敕令岭北省赈济缺少粮食的流民。两淮的百姓耕种荒田的,按规定交纳田税。

赈济通、漷州饥民。

下诏勉励办学校。用国子监虞集的建议,提升监丞吴澄为司业,与齐履谦同一天受命,当时舆论认为得人。

吴澄根据程颢《学校奏疏》、胡安国《六学教法》、朱熹《学校贡举私议》三部书,总结出四条教法:一为经学,二为行实,三为文艺,四为治事。还没来得及实行,而齐履谦另调,吴澄也因病归故里,学生中有不经报告就私自跟他南行的。不久他被任命为集贤直学士,授予奉议大夫,让他乘驿站车马到京师;走到真州,因发病而回,学校制度因而慢慢废弃。

三月,丁酉朔(初一),停止诸王、大臣私第修缮。

己亥(初三),以皇帝生日作为天寿节。

戊申(十二日),任命前任河南行省平章政事达实哈雅为御史大夫。

庚申(二十四日),精简淘汰大明宫、兴圣宫的宿卫。

甲子(二十八日),派遣户部尚书玛尔经营管理河南屯田。

乙丑(二十九日),命令河南行省建造已故丞相阿珠的祠堂。

起先,皇帝元日临朝,对中书省臣说:"可以马上召见汴省王右丞。"现在王约到了,皇帝召见并慰劳他,特地拜他为集贤大学士。王约首先进言说:"河南行省丞相布琳吉岱是勋阀旧臣,不宜长期外任。"皇帝召布琳吉岱,封他为河南王。王约又上疏推荐国子博士姚登孙、应奉翰林文字揭傒斯、成都儒士杨静,请求重新起用已退休的中山知府辅惟良、前任尚书参议李源、右司员外郎曹元用,都程度不同的授予或提升官职。

夏季,四月,丁卯(初二),精简裁汰控鹤使其回原籍。

将都水监隶属于大司农寺。

庚午(初五),命令浙东都元帅郑祐同江浙军官教练水军。

辛未(初六),拨万锭银钞修缮香山永安寺。

癸酉(初八),皇帝到上都。

庚寅(二十五日),太白星经过天空。

五月,丙申朔(初一),任命中书平章哈克缴为中书左丞相、江浙行省平章章律为中书平章政事。

壬寅(初七),将和林路改为和宁路。

诸王托克斯哈密实因为农忙时出外打猎骚扰百姓,而被敕令禁止,规定从今年十月份起才允许出外打猎。

六月,乙丑朔(初一),发生日食。

丁卯(初三),天下毛雨。

己巳(初五),敕令李孟广泛地挑选朝廷内外才学之士任翰林。

丁亥(二十三日),敕令停止封赠,告诫左右侍臣要遵守法度,勤劳工作,不要妄想侥幸升官。当时封拜特别多,群臣们没有功劳而受封公王名爵的接二连三,所以有这个敕令。

秋季,七月,丙午(十二日),晋升大司农官秩为从一品。皇帝告谕司农说:"农桑是衣食之本,你们要举荐熟知农事的人担任。"

中书参知政事贾钧因病请求告老还乡,赏赐给他钱钞,派小车送他还乡。

八月,己卯(十六日),任命吏部尚书许师敬为中书参知政事。

庚辰(十七日),皇帝从上都回来。

辛卯(二十八日),敕令云南省右丞阿固岱等率领蒙古军队随从云南王讨伐八百媳妇国。

任用张珪为枢密副使。

按旧制,中州的军士镇守江南的,凡是过岭到南疆戍边,大致二年轮换。因士卒染上瘴疬,十个人没有一个人能回来的。张珪说:"这是白白地将他们置于死地啊,请求让他们在近边屯置。南疆要害地区,可以用当地人戍守,以前死的军士,官府给棺木装殓运送回家。"皇帝听从了。

徽政院使实勒们请求将洪城军隶属兴圣宫而由自己率领,以皇上的圣旨移文到枢密院,大家恐惧地受命。张珪说:"徽政院有左、右都卫两军,足以应付工役,又想要这样做将要干什么?"因此不给签署命令,这事才停止。实勒们因此事而怨恨张珪。

这个月,滨州旱灾,泾县水灾。赈济上述灾区。

九月,丁酉(初五),增加江浙海运漕粮二十万石。

戊戌(初六),停止征伐八百媳妇国、大小彻里蛮,用玺书招谕他们;不久他们贡献驯象和当地特产。

甲辰(十二日),任用参议中书省事阿布哈雅为参知政事。

壬戌(三十日),琼州黎族盗贼啸聚,派遣官员招谕。

冬季,十月,甲子(初二),在太庙举行祭祀仪式。

云南行省右丞索勒济尔威犯罪,国师请求释放他,皇帝驳斥他说:"僧人应该诵读佛书,吏事岂是你该参与的!"

癸未(二十一日),任命中书参知政事察罕为中书平章政事,参与商议中书省的事情。

戊子(二十六日),翰林学士承旨伊辇齐布哈等进献《顺宗实录》《成宗实录》《武宗实录》。

辛卯(二十九日),大赦天下。

赐予李孟潞州田地二十顷。

十一月,甲辰(十三日),捕获沧州群匪阿实达等,把他们肢解以示众。

丙午(十五日),告谕六部官员不要超越中书省上书奏事。

庚申(二十九日),占城国贡献犀牛大象;缅国派使者来朝觐。

中书平章政事李孟请求归乡安葬其父母,皇帝慰劳他,为他饯行,说:"事情办完后应该赶快回来,不要久留,我期待你回来。"十二月,李孟入朝,皇帝非常高兴。李孟顺势请求退休,皇上特诏命不允许;他请求退休的态度更坚决。癸亥(初二),于是任命李孟为平章政事议中书省事、承旨翰林。

癸酉(十二日),派遣使者分道判决囚犯。

庚辰(十九日),知枢密院事达实曼被罢免。

鹰坊请求到河南、湖广去搜括孔雀、珍禽,皇帝认为这样扰民,不允许。

丁亥(二十六日),中书省上言:"中书省的职责在于总挈纲维,近来行省六部诸司应该处理而没有处理的事情,往往作为疑难问题呈报中书省咨问,以致文件繁多,扰乱中书省处理大事。"皇上下诏按世祖设立中书省的本意,拟定出条规上奏。

这一年,任命左司郎中张思明为两江盐运使,每年征收的盐税充盈。僚属们请求上交增加的税额,思明感叹地说:"盐税充盈缩减没有定数,万一朝廷今后以增加的数额为定额,是我希求一己的荣耀而留下百世的祸害啊。"

因为梁曾是先朝的旧臣,特别起用他为昭文馆大学士。梁曾屡次上章乞求退休,都没被允许。又被起用为集贤院侍讲学士,国家遇有重大政事,必定命他与诸老臣一起议论。

前翰林学士承旨姚燧去世,谥号文。

姚燧年少时师从许衡学习,他写文章宗从韩愈。许衡赏识他的文笔,而且告诫他说:"弓矢的作用在于对付盗匪,让盗匪得到了,也将用来对付他的敌人。文章固然是使士子们出名的利器,然而如果先有一世才子的名气,将拿什么来应付别人的役使啊!如果你遇到的是与你心志不同的人,那么无论你答应或是拒绝为他效力,都会招来罪责,那不是全身入世的方法。"姚燧从此以后反躬实践,终成一世名儒。当代的人都争求他的文章,而他为文没有溢美的辞藻。高丽沈王想得到姚燧的诗文,遭到姚燧的拒绝,接到诏令后才给他。高丽沈王赠送币帛、金玉、名画五十筐感谢他,姚燧立即将赠物散发给别人,自己不取一物。有人问他,姚燧说:"他们藩邦小国,只以货利为重,我能够轻视这些,是要让他们知道我们大朝不把这些财宝放在心上。"他的器识就是如此过人。

皇庆二年　　(公元1313年)

春季,正月,丁未(十七日),任命太府卿图呼鲁为中书右丞相。当时特们德尔因病离职,所以由图呼鲁代理。枢密副使张珪为中书平章政事,以代替李孟。

己未(二十九日),设置辽阳行省儒学提举司。

召见河南行省右丞郝天挺,任命他为御史中丞。

天挺入朝晋见后,首先陈述纲纪的重要性,他以打猎做比喻,说:"御史的职责在于打击奸佞,好象鹰飞扬起来,力量弱的禽兽容易抓获,但力量大的禽兽要抓获就必须借助于人力;不然的话,不仅会失掉眼前的禽兽,或许还会有鹰受伤的忧虑。"皇帝赞赏他的说法。

二月,壬戌(初二),将典内院改为中政院,官秩为正二品。

己卯(十九日),免征益都饥民所贷的官粮二十万石。

各寺都修佛事,每天用羊九千四百四十只。敕令他们遵守旧制,改用素食。

命令张珪管理国子学。

辛巳(二十一日),下诏将钱粮、造作、诉讼等事情全部划归有关部门管理,以明确中书省的任务,这是听从了张珪的请求。

丁亥(二十七日),敕令:"外任官员应该有公田而没有得到的,都给予至元银钞。"

功德使策琳沁等人以佛事为由奏请释放重囚犯,没被允许。

皇帝告谕左右侍臣说:"回回用宝玉可以买到官职。我想这东西怎么能成为宝贝,只有好人才可以成为宝贝。任用好人则百姓安宁,这就是国家应该把好人当作宝贝的原因。"

三月,丙午(十六日),册立鸿吉哩氏为皇后。

壬子(二十二日),图呼鲁上言:"我们这些人的职责是调理阴阳,去年秋季到今年春干旱严重,老百姓缺少食粮,而且又降霜下毛雨,天文昭示变化,都是由于我们不能广布皇上恩泽,致使灾异出现,乞求罢黜我们以回应天谴。"皇帝说:"这些事怎么会与你们有关,请不要再说了。"

教坊使曹耀珠受宠幸,被任命为礼部尚书。张琏进谏说:"演戏的人做大宗伯,怎么来昭示后代?"皇帝说:"姑且让他到任后再罢免他。"张珪竭力上言说不能这样做,于是此事才作罢。

皇太后命令以特们德尔为太师,以万户博实为参知行省政事。张珪对皇帝说:"太师是以道辅佐皇上的,特们德尔不是这样的人。万户博实没有功绩,不能够担任地方上的执政官。"皇帝同意了。太后听说后非常愤怒,于是实勒们的谮言得以发挥作用。

御史中丞郝天挺上疏议论时政,大意是说:"先帝刚即位的时候,大事刚刚定下来,所以给他左右三五个有功劳的人很高爵位,于是近幸之臣,因而相袭,王公师保络绎不绝于朝。近来虽命令裁罢名爵,还不到一年,又纷纷恢复。过去有人说:'衣服穿的与自己的身份不符,会给自身带来灾难。'所以,朝廷如果看重名器,那么升斗之俸禄也足以鼓舞豪杰;如果名器泛滥的话,即使是每天拜卿相,大家也不会勤勉啊。"

他又说:"建国之初设立官职,在内廷的须三十个月,在外地的须三年,考其优劣,作为黜升的标准。近来省院台部的官员,久的一二年,短的三五个月,有的甚至十天之间而屡次得到升迁的,数次变更官职,往来奔走都来不及,哪有时间来宣扬传播教化、参理机务呢!请求从现在起,只有大臣可以极快地遴选授任,其余的朝廷内外大小官员,必须等任期满后才允许升迁,以免早晨任用,晚上改任,开启侥幸心理、助长奸诈之心的弊端发生。"

不久他出任河南行省平章。当时河南王布琳济达为丞相,以老师之礼待他,因此政治教化大行。没有多久他就死了,谥号为文定。

丙辰(二十六日),皇帝因为大旱很久了,在宫中焚香默默祈祷,派官员分别到各祠庙去祷告。

下诏敦促各地官员劝课农桑。

夏季,四月,乙亥(十六日),皇帝到上都。

丙子(十七日),高丽国王王璋辞位,以他的嫡子王焘为征东行省左丞相,封为高丽国王。当时朝廷想要王璋回国,王璋没有借口可以推脱,就请求传位给他的儿子。

甲申(二十五日),下诏遴选贤能之士,纂修国史。

乙酉(二十六日),御史台上言:"富裕的人拉关系求特旨,滥受官爵。徽政院、宣徽院用人,大多是有罪和废弃之辈。内侍借口人才贫乏,互相奏请恩赏。而西僧们以作佛事为由,屡次要求释放重囚犯。外任的官员,一旦身犯刑法,就营求内旨以免罪。诸王、驸马、寺观的田土每年征收田租,骚扰百姓尤其厉害。请全部革除这些弊端。"皇上同意。

真定、保定、大宁路灾荒,一并免除今年田租十分之三。

安南国贡献地方特产。

五月,中书平章政事张珪被罢免。

当时太后有很多宠幸之人,他们讨厌张珪主持正义,宠臣实勒们等人尤其嫉恨他,因为皇帝对张珪厚爱,不敢猝然发难。到此时皇帝由居庸关巡幸上都,于是以太后旨召张珪。张珪到宫门下,他们历数张珪违犯太后旨意的罪过,杖打张珪。张珪伤得很厉害,用舆车拉回京师,第二天就出都门了。张珪的儿子张景元掌管符玺,一天都不能够离开宿卫,到此时,以父亲病重奏告,才回来。皇帝惊讶地说:"我来的时候,你父亲没有生病。"张景元叩头哭泣,不敢说明真实情况。皇帝不高兴,派人赐酒给张珪,于是拜为大司徒。张珪托病辞谢住在家里。

辛丑(十二日),任命中书右丞哲伯都拉为平章政事,左丞巴喇托音为右丞,参知政事阿布哈雅为左丞,参议中书省事图鲁哈特穆尔为参知政事。

顺德、冀宁灾荒,辰州水灾。赈济上述三个地区的灾荒。

六月,己未(初一),京师发生地震。癸亥(初五),图呼鲁等以灾异为由乞求皇上罢黜自己,没被允许。

丙寅(初八),京师又发生地震。

己卯(二十一日),河东廉访使赵简请求选用品行端正、博学多才的人任翰林侍读学士,讲明治国之道以开阔皇上的视听。皇上听从了。

御史台奏言:"近年廉访司很多都不尽心奉职,应该命令监察御史检查核对名实而黜罢驱逐那些名不符实的人。广海及甘肃、云南地处偏远,迁调去的人害怕路途遥远而不肯赴任,请求从今以后给赴任者加官一等。"皇上同意。

壬午(二十四日),命令监察御史检察监学官考察其政绩。

甲申(二十六日),在国子监建立崇文阁。

在孔子庙廷从祀宋代儒家周敦颐、程颢、程颐、张载、邵雍、司马光、朱熹、张栻、吕祖谦及已故中书左丞许衡。

黄河在陈、亳、睢州以及开封的陈留县决口,淹没了百姓的田地房屋。以前曾命官员沿黄河视察,上治理黄河的奏议而终究未施行,所以有这个灾害发生。

秋季,七月,癸巳(初五),以作佛事为由,释放二十九个囚徒。

甲午(初六),设置专卖茶叶的批验所和茶田局官。

庚子(十二日),设立长秋寺,掌管武宗皇后的宫政。

壬寅(十四日),京师发生地震。

己酉(二十一日),将淮东、淮西道宣慰司改为淮东宣慰司,将淮西三路划归河南省管辖。

敕令:"守令必须劝课农桑,勤劳的升迁,懒怠的罢免或降职。即作为法令。"

丁巳(二十九日),太白星经过天空。

八月,戊午朔(初一),扬州路崇明州刮大风,海潮泛滥,冲没毁坏百姓房屋。

丁卯(初十),皇帝从上都回来。

庚午(十三日),任命侍御史薛居正为中书参知政事。

九月,癸巳(初六),任命宣徽院使鄂勒哲为知枢密院事。

戊申(二十一日),敕令镇江路修建银山寺,不要迁徙寺旁的坟冢。

京师大旱,皇帝询问消弭灾祸的方法,翰林学士承旨程钜夫列举桑林六事回答,忤逆了当时宰相的意志。皇帝派近侍赐给他醇酒并慰劳他说:"中书省集议,只有你所说的很对,以后遇事要尽量多发言。"

陕西行台治书侍御史尉迟德诚也上言:"西僧做佛事,释放罪囚,作为祈福。奴婢们杀死主人,妻妾们杀死丈夫,皆可借这个机会而免罪,实在是扰乱了法制典章。一定要修明政事以回应天谴,没有比这个重要的。"没有答复。

当初,世祖、成宗都曾经议定科举制度而没有来得及实行,到这时皇帝与李孟议论用人的方法,李孟说:"人才的出现,固然不是只有一条途径,然而汉、唐、宋、金以科举得人才而兴盛。现在想要兴举天下的贤能之士,如果以科举制度选取,还是要胜过通过多种途径举荐。但是实行科举取士,必须先看德行经术而后看文彩,才可以得到真才。"皇帝非常同意他的意见,下决心实行科举制。冬季,十月,丁卯(十一日),敕令中书省议论实行科举制。

辛未(十五日),将昆山州署迁到太仓,昌平县署迁到新店。

癸未(二十七日),将辽阳路的懿州划归辽阳行省管辖;又设置蒙阴县,隶属莒州。

乙酉(二十九日),表彰高州百姓萧义之妻赵氏贞节,免除他家的科课差役。

十一月,壬寅(十六日),汉人、南人、高丽人宿卫,分别守卫上都,不给予弓箭。

甲辰(十八日),实行科举制度。

皇帝派程钜夫及李孟、许师敬议论科举事。程钜夫建议说:"经学应当以程颐、朱熹的《传》《注》为主,文章应当革除唐、宋的旧弊。"于是命令程钜夫草拟诏书颁行。命令天下在皇庆三年八月,由郡县推选出贤能者,荐举给有司。第二年二月,在京师会试,中选的人由皇帝亲自殿试,赐予及第、出身不等。从此后三年开科考试一次。蒙古、色目人与汉人、南人分别命题。蒙古、色目人愿意考试汉人、南人的科目,中选的加一等授予官职。

皇帝对侍臣说:"我所希冀的是安抚百姓以图求大治,然而不任用儒士,怎么可以做到这一点呢!设立科目取士,大概可以得到真正可用的儒士,而治理之道可以兴起。"独有集贤院修撰虞集说应当治理其根源,正碰上商议学校事,于是上奏说:"师道建立则好人多。学校是儒士们接受教育以至于成为有道德和才能者的地方。现在天下的学官,很多是因其资格而授予的,把他们强加在诸生之上而称他们作老师,有司不相信他,学生们不相信他,对学校没有好处。这样搞而希望师道建立,可能吗? 小州小邑的儒士,没有什么见闻,父兄所以教导他们的子弟,起先并没有一定要他们做学问的实意。师友们游学从师,也不能分辨正邪。但是所谓贤良之材,并非是从天而降、随地而出的,岂能有可望人才出现的道理! 为现在考虑,不如让守令寻找明了经书和品行美好的人,亲自尊他们为老师,非常真诚恳切向他求教,等到德行教化已成后,或许会有些成就。其次,可寻求操行比较端正、不做诡异骇俗之事的人,确守先代儒家们的经议师说而不敢妄作奇论的人,众人都尊敬信服他而又不是乡愚之人,延聘他来的那天,诚恳地诵读他的书,使学习的人学习他的书,让他们听入耳中学在心里以正其本,那么以后也应该有所启发。再其次则是选取乡贡入京师被免职回来的人,他们的议论文艺也还足以打动别人,不像那些泛泛而不知根底的人。"

十二月,丙子(二十一日),制定百官退休的资格。

京师因为干旱已久,很多百姓患疾疫。皇帝说:"这都是我的罪责啊,百姓有什么罪!"第二天,下大雪。

广东采珠的人,在腰间悬挂粗绳,潜入水中,很久以后得到珍珠,则摇动粗绳,由船上的人将他拉上来。死于鼋鼍蛟龙腹中的比比皆是,管理的官员称他们为乌蜑户。这时皇帝发布命令放免他们。

江西行省参知政事敬俨,让掾吏写下乌蜑户姓名,具册申送朝廷,同僚都说:"中书省咨文中没有这一条,可不必这样。"敬俨说:"万一有一天朝廷申明旧典章,那不就会危害良民吗。"没有多久,皇太后派使者来,人们都佩服敬俨有先见之明。

延祐元年　(公元1314年)

春季,正月,丁亥(初二),任命中书右丞刘正为平章政事。

皇帝当政初期风动天下,刘正与各位老臣筹划赞助之力居多。他累次乞求退休,没被批准,于是有这次任用。当时议论经营管理河南、淮、浙、江西百姓田地,增加茶、盐的税额。刘正竭力反对,没被采纳。天大旱,田野里的麦子和稻谷全都枯死,种子也没法播种。台臣们说是调理阴阳的人不好,奸邪蒙蔽皇帝,百姓冤抑很多,感伤了和气造成的。下诏开会议论。平章李孟说:"调理阴阳责任,儒臣中就我李孟一人,请求让我离职给贤能者让路。"平章呼图布鼎说:"台臣们不能辨明奸邪的人,评议时政,可以回去后责问自己。"刘正说:"台、省是一体,应当同心协力,互相补充,择善而从,怎能允许分彼此呢!"皇上竟然听从了呼图布鼎的奏言。

庚子(十五日),敕令各省首席平章和一个任省臣的汉人,专心致意寻访民间的遗逸贤人,先将他们的名字报上,然后再罗致他们。

任命江浙行省左丞高昉为中书参知政事。

丁未(二十二日),下诏改年号为延祐。

庚戌(二十五日),中书省臣图古勒等人以灾害为由请求罢免。没被允许。

二月,戊辰(十四日),大宁路发生地震。

中书省奏言:"近来奉诏书,汉人参政的应该用儒士,侍御史赵世延是合适人选。"皇帝说:"世延诚然可以任用,然而永古特氏不是汉人,他适宜担任正职。"甲戌(二十日),任命世延为参知政事。

壬午(二十八日),任命哈克缵为中书右丞相,与平章李孟一道监修国史;任命揭傒斯为国史编修官。

揭傒斯是富州人;程钜夫、卢挚先后担任湖南宪长,都器重他。这时,因为程钜夫推荐充任编修官。李孟读他所撰写的《功臣列传》,叹道:"这书才可以称之为史笔。若是别人来写,只不过是誊抄吏员所做的文牍而已。"

癸未(二十九日),任命参知政事高昉为集贤院学士。

三月,戊戌(十四日),真定、保定、河间百姓饥荒。发给两个月的食粮。

癸卯(十九日),暹罗国入朝进贡。

乙巳(二十一日),因为僧人用佛事,要选择释放一些在押囚犯,命令中书省审察。

戊申(二十四日),皇帝到上都。

己酉(二十五日),皇帝发布命令,将那些为谋求逃避徭役而阉割自己儿子的生殖器、使其为宦官的奸民定罪。

辛亥(二十七日),命令参知政事赵世延总领国子学。

癸丑(二十九日),中书平章察罕退休。

察罕晚年居住在德安白云山别墅,自号白云。曾经入朝晋见,皇帝以目光迎视着他说:"白云先生来了。"先是以病为由告退,不说:"仰仗陛下哀怜我,放我还归田里村居,不知不觉中疾病已经好了。"皇帝看着李孟说:"知道急流勇退的人不受侮辱,今天看到了这样的人。"察罕天性孝顺友爱,在河中的田地房产,全都分给他的兄弟,兄弟贫穷后再来投奔的,又分给田地房产。给许多奴婢自由,使他们成为一般的平民百姓。退休以后,在民间优游了八年,因为寿满而去世。

晋宁百姓侯喜儿兄弟五个人,都犯死罪,皇帝叹道:"一家不幸而有这种事情,从中选择犯罪情节较轻的,杖打后使他奉养父母,不要断绝他家的香火。"

闰三月,甲寅朔(初一),敕令裁减枢密知院的多余无用的人员。

辛酉(初八),停发咒僧每月的俸禄。

派人视察大都至上都间皇帝巡行时暂时的住所和休息地,有侵占百姓田地的,计算田亩数量给予补偿。

丁丑(二十四日),京畿内饥荒,赈济饥民。济宁等路因下霜冻死桑、果和禾苗;归州饥荒,拿出粟粮平价出卖。

马八儿国入朝进贡。

夏季,四月,甲申朔(初一),大宁路发生地震,发出像雷鸣般的响声。

己酉(二十六日),命令特们德尔记录军国重要事情,监修国史。

右丞相哈克缴说:"我不是世勋门第、高贵族姓出身,幸亏陛下知遇而担任宰相,象丞相特们德尔对政体很熟悉,而且又曾监修国史,请授印给他,使他总领翰林、国史院,军国的重大事情,也全都令他参议。"皇帝同意他的话,命令向皇太后奏明,给他印鉴。

敕令:"对勤于职守的郡县官加赐钱钞和丝帛。"

设立回回国子监。

皇帝因为《资治通鉴》记载前代兴亡治乱的事情,命令集贤学士呼图噜都尔密实和李孟选择其中重要的翻译成蒙文后抄写进献。

五月,丁卯(十四日),赐给李孟孝感县田地二十八顷。

禁止诸王的旁支径自收取分地的租赋以骚扰百姓。

敕令岭北行省掩埋阵亡战士的遗骸。

戊寅(二十五日),京兆为死去的儒臣许衡设立鲁斋书院,皇上降玺书表彰他。

武陵县连下大雨,河水泛滥,淹死当地居民,冲走房屋和淹没庄稼。肤施县刮大风下冰雹,损坏庄稼并且打伤牲畜。

六月,戊子(初六),敕令:"内侍今后只授予中官,不给予文官等级。"

设置云南行省儒学提举司。

甲辰(二十二日),敕令:"诸王、亲戚们入朝觐见的,应该趁夏季放牧时到上都,不要立即到京师,有事可派使者上奏禀告。"

赈济闹饥荒的衡州等路。

秋季,七月,庚午(十八日),命令中书省议论恢复封赠制度问题。

赐银钞一千锭给晋王伊苏特穆尔部。

下诏撤销到海外做生意的禁令。

乙亥(二十三日),会福院越制上奏,请求授官。敕令:"从今以后推荐人,听中书省认定后再上报。"

浑河决堤,淹没百姓田地。发放库藏赈济灾民。

八月,戊子(初七),皇帝从上都回来。

癸卯(二十二日),将太常寺升格为太常礼仪院,官秩为正二品。

丁未(二十六日),冀宁、汴梁及武安、涉县发生地震,毁坏官府百姓的房屋,死了三百多人。

河南行省奏言:"黄河干涸露底,旧的水泊污池,多被有势力的人家占据,如果突然碰上河水泛滥,河水没有地方流泄,就会导致灾害。从这里看,不是黄河害人,而是人自己害自己啊。打算派遣知晓水利的都水监官员与行省廉访司共同前往视察,可以疏浚开通河堤水路障碍,不要等到河水泛滥,而要提前加以修治,这样做,费力少而成效大。另外,汴梁路睢州各地,黄河的缺口有数十处,其中开封县小黄村盘算修筑月堤一道,都水分监主张修筑防水的堤堰,所拟的方案不统一,应该委派官吏视察勘验,从长计议。"于是命令太常丞郭奉政、前都水监丞边务、都水监卿多尔济等人,上从河阴、下到陈州,与该州县官沿着黄河视察。开封县小黄村的河口,经测量比过去浅了六尺;陈留、通许、太康各县过去有芦苇的地方,后来为了便于种莳,把西河、塔河的各水口都堵塞,所以其他地方连年发生溃决。

各官经过议论后认为:"治水的道理,只应当顺应水的自然之性。黄河在东北处入海,经历很多年了,河水的迁徙没有定规,每年河水泛滥溢出,两岸时常发生决堤。如果强行堵封决口,现在正赶上农忙,征取桩梢,征发丁夫,一动工就需数万人,所花费的更不可胜计。这样做,郡县嗷嗷叫苦,百姓无法生活。黄河善于迁徙,只应该顺其流而加以疏泄。现在视察了上从河阴、下到归德的黄河水势,发现整个夏季黄河涨水比往年更厉害,这是由于小黄口分流排泄的缘故,并无决堤现象,这是个明证。陈州地势最为低洼,濒临黄河的地方,今年的麦稻没有收成,百姓饥荒特别严重,想要拯救他们,无奈下游没有可以疏泄的地方。如果将小黄村河口堵塞,肯定会把灾患转移到邻郡;如果决开上游的南岸,则汴梁受害;如果决开下游北岸,则山东让人担心,其势难于两全,应当成全大的而牺牲小的。例如免除陈村的差税,赈济其饥饿的百姓。陈留、通许、太康县受灾百姓,依旧例验明灾情后赈济抚恤。小黄村处黄河决口,除仍然让它通流外,还应当修筑月堤一起保障水堤。"于是将汴梁路所管辖州县的黄河堤岸或已经修治或应当疏浚与补修的地方,一条条拟好上奏。结果没有实行。

九月,己巳(十八日),又任用特们德尔为中书右丞相,哈克缴为左丞相。

特们德尔上奏:"常听说近侍们越级上奏的很多,这情况如果不予禁止,国家得到治理实在是很难。请敕令诸有司,从今以后中书省的政务,不要加以干预。又,过去富绅们到诸蕃做生意,全都获取丰厚的利润,于是经商的人更加增多,中国的货物便宜,蕃货反而贵重。现在请任用江浙右丞曹立总领其事,发运货物十批,发给证件,让他们去做生意;回来时则按制度征税,私自去的没收他们的货物。又,经费不足,如果不预先做好规划,肯定会发生衍误。我们征集各位老臣的意见,都说动用钞本则钞法更加空虚,增加赋税则伤害平民百姓,增加课税额则现在税额已比刚建国时高出五十倍了。只有预售山东、河间运司明年的盐引及各冶所的铁货,或许可以满足今年的用度。又,江南的田粮,往年虽曾清理过,但多数还没核实,可以首先从江浙以及江东、江西开始,应当事先严格限定规格,信守罪罚赏赐,命令田主们将田亩的实际数量上报官府,命令诸王、驸马、学校、寺院庙观也按此办理。仍然禁止私自隐匿百姓田亩,贵戚势家不得加以阻挠。请敕令台臣们协力相助以促其成功,那么国家的用度就充足了。"

罢免陕西诸道的行御史台。

冬季,十月,乙未(十五日),敕令:"胥吏转为官员的,最高阶位只限于从七品,在选的人降一等授官。"

申明敕令:禁止内侍及诸有司超越中书省上奏请事,及去蕃国的商贩给予证件文书并征税;派遣官吏搜括两淮百姓佃种闲田而不纳税的人。这是听从了特们德尔的奏请。

庚戌(三十日),监察御史上言:"请命令枢密院设法教练士兵,凡继承军官职务的请进行武事考试后再任用他。"皇上同意并颁布敕令。

十一月,壬子(初二),将司天台升格为司天监,官秩为正三品,赐给银印。

戊辰(十八日),任命通政院使萧拜珠为中书右丞。

癸酉(二十三日),敕令:"对有盗窃行为的胥吏实行黥面处罚。"

大宁路发生地震,发出雷鸣般的响声。

戊寅(二十八日),特们德尔说:"近来僚属和六部的诸臣,都迟到早退,政务废弛。今后有这样的情况视其情节轻重杖责他。官员中有懈怠的,也令各人陈述上奏。"皇帝说:"如果还不改过,立即罢免其官职而不叙用。"

任命前中书右丞相图呼鲁为知枢密院事。

下诏检查复核浙西、江东、江西的田税。章律上言:"经理的法制,世祖时已施行,但中间有很多欺蔽的事。"于是派遣章律等人到三省视察,限定百姓在四十天之内将田地的实际情况报告官府。由于期限仓促紧迫,官府行事贪婪苛刻,富绅和狡黠官吏狼狈为奸。枢密副使吴元珪上言:"江南平定几乎四十年了,户口有定籍,田地有定亩。现在的经理之法,一定要以增加田地为能事,加上官吏们在征收租税时横征暴敛,老百姓们日益困苦,我担心会发生不测的变乱,这并不是国家的福气。"皇帝说:"凡是军士的田地,全都按照旧的制度。"当时有司们以严刑峻法相威胁,很多百姓只好虚增数额报官以塞命。过后田税却无法征收,许多

4791

百姓只好逃窜流亡。汴梁路总管达哈向朝廷述说此事的弊端,于是减去民间虚报的粮食二十二万石。

十二月,辛卯(十二日),禁止诸王、驸马和有权势的人增加盐价销售。

壬辰(十三日),制定官员百姓的车服制度。皇帝因为市民以奢侈相尚,违反礼制花费钱财置办车服,命令中书省确定他们的等级;只有蒙古和集赛诸色人不受限制,但也不允许他们使用龙凤花纹的服饰。

己亥(二十日),敕令中书省议定孔子五十三代孙应当袭封衍圣公的人并将名字报上。等到元明善担任礼部尚书时,辨别孔氏宗法,确定宣圣五十四代孙孔思晦应该袭封衍圣公,奏折上后,皇帝亲自取孔氏谱牒考查核对,说:"以嫡长子袭封的人是孔思晦,还怀疑什么!"特授予孔思晦中议大夫,袭封衍圣公,每月俸禄从百缗加到五百缗。

庚子(二十一日),派官员疏浚扬州、淮安等地的运河。

任命翰林学士承旨李孟复为中书平章政事。

李孟气量弘阔开朗,才气智略过人,三次进入中书省,民间的利弊知无不言,引古证今,务必使政事纳入最适当的轨道上。士人无论贵贱,如果有贤能的人,一定竭力荐举提拔。朝廷信赖他。

乙巳(二十六日),敕令划分诸卫屯田的地界。

这一年,又任用齐履谦为国子司业。

齐履谦斟酌旧制,设立升斋积分的办法,每个学季考试学生的学识德行,按次序升迁。已经升到上斋后,又必须过一年才开始私试,文辞道理都优的一分,文辞一般道理优良的半分,到年终积满八分的为高等。礼部、集贤院每年选六个人贡进,三年没有读通一经的就罢黜。皇帝听从他的建议,从此以后,人人都励志进取,培养了许多文学之士。

特们德尔专政,一天,召集刑曹官吏们问道:"西僧诉讼某人有罪,为什么这么久了还不治罪。"大家都不敢回答。刑部侍郎曹伯启从从容容地说:"这件事发生在大赦之前。"竟没有谁能改变他的意见。宛平县尹盗用官钱,特们德尔想将守钱者一起诛杀,曹伯启执意不同意,只是把守钱者杖打后遣走。曹伯启是砀山人。

延祐二年 (公元1315年)

春季,正月,戊午(初九),赈济怀孟、卫辉的饥荒。

丙寅(十七日),大雨冲坏浑河的堤堰,淹没百姓田地,调发士卒前去修补堤堰。

禁止百姓炼铁。

调动士卒疏浚潞州的漕河。

己巳(二十日),设置大圣寿万安寺都总管府,官秩为正三品。

庚午(二十一日),在江阴州建立行用库。

敕令用江南行台没收的赃款和罚款赈济抚恤饥饿百姓。

乙亥(二十六日),下诏派遣宣抚使分十二道去访问民间疾苦,罢黜官吏,并发给所有的宣抚使银印。

特们德尔上言:"天下的事务虽然由中书省统管,便按旧制规定,省臣也各分管一部分。请求将钱帛、钞法、刑名委任给平章李孟、左丞阿博哈雅、参政赵世延等领管;粮储、选法、造作、驿传委任平章章律、右丞萧拜珠、参政曹从革等领管。"皇帝同意他的请求并发布诏书。

禁止南人把妻子典质给商贩当奴仆。

御史台上言:"近年来地震、水旱灾害,百姓流亡,盗匪蜂起,都是因御史台官员有所畏忌,失于纠察,宰相调理有不周到的地方。有的近侍蒙蔽圣上,赏罚不当;有的监狱受冤屈的人比比皆是,赋役繁重,以致阴阳失和。最好与老臣们共同议论其原因。"下诏命令他具体说明应当做的事再上奏。

二月,己卯朔(初一),举行进士会试,命令中书平章政事李孟、礼部侍郎张养浩为贡举,吴澄、杨刚中、元明善都参与其事。于是得到很多人才。进士来谒见,张养浩都不接待,只派人告诫他们说:"各位君子只要考虑报效皇上就可,何须来谢我!"

癸巳(十五日),太白星经过天空。

甲午(十六日),下诏禁止百姓转卖养子。

壬寅(二十四日),辰沅峒蛮人吴干道作乱,敕令调派军队捕讨。

丙午(二十八日),太白星经过天空。

三月,乙卯(初七),皇上廷试进士,赐予呼图克岱尔、张起严等五十六人及第、出身。将进士分为两榜:蒙古、色目人为右榜,汉人、南人为左榜。第一名为从六品,第二名以下及第二甲都为七品,第三甲为正八品。

庚午(二十二日),皇帝率领诸王、百官奉玉册、玉宝,给皇太后册封尊号,下令蠲免天下拖欠的税课。

丁丑(二十九日),任命中书平章政事章律为江浙行省平章政事。

章律以妻子生病为由,谒告皇上后回到江南,强夺百姓的河渡地。御史杨多尔济弹劾他,所以才被调为外任官。杨多尔济神情严肃地立于朝廷,皇帝为之改容。

续资治通鉴卷第一百九十九

【原文】

元纪十七　起旃蒙单阏【乙卯】四月,尽著雍敦牂【戊午】十二月,凡三年有奇。

仁宗圣文钦孝皇帝

延祐元年　【乙卯,1315】　夏,四月,戊寅朔,日有食之。

辛巳,赐进士恩荣宴于翰林院。

辛丑,赐会试下第举人七十以上,从七流官致仕;六十以上,府、州教授;馀并授山长、学正;后勿援例。

敕:"诸王分地,仍以流官为达噜噶齐,各位所辟为副达噜噶齐。"

命李孟等类集本朝条格,俟成书,闻奏颁行。

乙巳,帝如上都。

宣徽院以供尚膳,遣人猎于归德,敕以其扰民,罢之。

自特们德尔定括田之议,遣人分行各省,苛急烦扰,江西为甚。是月,赣州民蔡五九聚众作乱,远近骚动。

五月,戊申朔,改给各道廉访司银印。

复立陕西诸道行御史台。

乙丑,秦州成纪县山移。是夜,疾风电雹,北山南移至夕河川,次日再移;平地突出土阜,高者二三丈,陷没民居。敕遣官核验赈恤。

监察御史马祖常言:"山,不动之物,今之动者,由在野有当用不用之贤,在官有当言不言之佞,故致然耳。"

甲戌,加授宦者中尚卿续元晖昭文馆大学士。

六月,戊戌,河决郑州。

辛丑,以济宁、益都亢旱,汰省卫士刍粟。

赣州贼蔡五九围宁都,焚四关,戕赵同知,分掠郡邑。秋,七月,乙卯,遣兵捕讨蔡五九。

甲子,江南、湖广道奉使温迪罕,言廉访使公田多取民租,宜复旧制,从之。

　癸酉,命特们德尔总宣政院事。

是月,畿内大雨,潞州、昌平、香河、宝坻等县水,没民田庐。

八月，丙戌，官军击蔡五九，宁都围解。五九益修攻具，招集失业之民，势益张，遂陷汀州宁化县，僭称王号；遣江浙行省平章章律等率兵讨之。

己丑，帝至自上都。

乙未，台臣言：“蔡五九之变，皆由囊智密鼎经理田粮，与郡县横加酷暴，逼抑至此；新丰一县，撤民庐千九百区，夷墓扬骨，虚张顷亩，流毒居民。请罢经理及冒括田租。”时台臣不敢斥言特们德尔建议之非，但言有司奉行不善，帝悟其弊，命罢其役。诏下，民大悦，由是五九之势渐衰。

壬寅，增国子生百员，岁贡伴读四员。

诏江浙行省印《农桑辑要》万部，颁降有司遵守劝课。

旌表贵州达噜噶齐相(元)〔兀〕孙妻死节。

监察御史纳琳言事忤旨，帝怒叵测，中丞杨多尔济救之，一日至八九奏，曰：“臣非爱纳琳，诚不愿陛下有杀御史之名。”帝曰：“为卿宥之，可左迁昌平令。”多尔济曰：“以御史宰京邑，无不可者。但以言事而得左迁，恐后之来者用是为戒，不肯复言矣。”帝不允。后数日，帝读《贞观政要》，多尔济侍侧，帝顾谓曰：“魏征，古之遗直也，朕安得用之？”对曰：“直由太宗。太宗不听，征虽直，将焉用之！”帝笑曰：“卿意在纳琳耶？当赦之以成尔直。”有上书论朝政阙失，面触宰相；宰相怒，将取旨杀之。多尔济曰：“诏书云‘言虽不当，无罪。’今若此，何以示信天下！果诛之，臣亦负其职矣。”帝悟，释之，于是特加昭文馆大学士、荣禄大夫，以旌其直。

时位一品者，多乘间邀王爵，赠先世，或谓多尔济可援例以请，多尔济曰：“家世寒微，幸际遇至此，已惧弗称，尚敢多求乎！且我为之，何以风励侥幸者乎？”

九月，丁未，章律以括田逼死九人，敕吏部尚书王居仁等鞫之。

壬戌，蔡五九众溃，伏诛，馀党悉平。赏军士讨捕功，并官死事者子孙。

参知政事赵世延，居中书二十月，迁御史中丞，诏省臣自平章以下相率送之官，其礼前所无有。由是为权臣所忌，乃用皇太后旨，出世延为云南行省右丞。陛辞，帝特命仍还台为中丞。

冬，十月，庚辰，以淮西廉访使郭贯为中书参知政事。

乙未，授白云宗主沈明仁荣禄大夫、司空。

丁酉，加授特们德尔太师。

十一月，丙午，客星变为彗，犯紫微垣，历轸至壁十五宿。辛未，以星变，赦天下，减免各路差税有差。丞相哈克缴等乞避位，帝曰：“此朕之愆，岂卿等所致！其复乃职。苟政有过差，毋惮于改。又，凡可以安百姓者，当悉言之，庶上下交修，大变可弭也。”

辽东肃政廉访使尉迟德诚上疏言事，其略曰：“劳诸王以怀其心，防出入以严宫禁，正谏官以远谗佞，崇科目以求人才，立常平以备荒年，汰僧、道以宽民力，举贤良以励忠孝，抑奢侈以厚风俗”，及拯钞法、裁冗官等事，不报。德诚寻卒。

甲戌，封武宗子和实拉为周王，出镇云南。

初，武宗立帝为太子，命以次传位于和实拉。已而丞相三宝努复劝武宗立其子，既乃以哈喇托克托言而止。至是议立太子，特们德尔欲固位取宠，乃请立皇子硕迪巴拉，又与太后幸臣实勒们谮和实拉于两宫，遂有是命。

又谮哈喇托克托为武（帝）〔宗〕旧臣，诏逮至京师。居数日，绰和尔、实勒们传两宫旨谕托克托曰："初疑汝亲于所事，故召汝。今察汝无他，其复还镇。"托克托入谢太后曰："臣虽被先帝知遇，而受太后及今上恩不为不深，岂敢昧所自乎！"未几，迁江西行省左丞相。

十二月，庚寅，增置平江路行用库。

癸巳，命省臣定拟封赠通例，俾高下适宜以闻。

旌表汀州宁化县民赖禄孙孝行。

蔡五九之乱，禄孙负其母，挈其妻，随众入山避之。盗至，众散走，禄孙守母不去。盗将刃其母，禄孙以身翼蔽曰："宁杀我，勿伤吾母。"时母病，渴，觅水不得，禄孙含唾煦之，盗相顾骇叹，不忍害，反取水与之。有掠其妻去者，众责之曰："奈何辱孝子妇！"使归之。事闻，赐旌表。

朝廷以吏多滞事，责曹案不如程者。令下刑部，尚书谢让曰："刑狱非钱谷、铨选之比，宽以岁月，尚虑失实，岂可律以常法乎！"乃入白宰相，由是刑曹独得不责稽迟。

延祐三年 【丙辰，1316】 春，正月，乙巳，赈汉阳路饥。

丙午，增置晋王府属官。

以真定、保定洊饥，禁畋猎。

改直沽为海津镇。

二月，丁丑，调海口屯储汉军隶临清运粮万户府，以供转漕。

戊寅，赈河间等处饥。

庚寅，彗灭。自去年十一月丙午始见，至是乃灭，凡百有五日。

壬子，敕卫辉、昌平守臣修殷比干、唐狄仁杰祠，岁时致祭。

三月，甲寅，敕中书右丞萧拜珠及陕西四川省臣各一员，护送周王和实拉之云南。置周王常侍府官属，以遥授中书左丞相图古勒、大司徒鄂尔多、中政使尚（家）〔嘉〕努、山北、辽阳等路蒙古军万户博啰、翰林侍讲学士嘉珲等并常侍，中卫亲军都指挥使唐古、兵部尚书赛罕巴图鲁为中尉，仍置谘议、记室各二员，遣就镇。

癸亥，帝如上都。

壬申，鹰坊博啰等扰民于大同，敕拘还所奉玺书。

禁天下春时田猎。初议犯者抵死，左司郎中韩若愚曰："齐宣王之囿方四十里，杀其麋鹿者如杀人之罪，孟子非之。"众以为然，遂减其刑。

太史令郭守敬卒于位，年八十六。

守敬历数、仪象之学，并为时用，其尤济时者为水利之学。决金口以下西山之筏，而京师财用饶；复三白渠以溉泾河之地，而灵夏军储足；引汶、泗以接江、淮之派，而燕、吴漕运通；建斗闸以开白浮之源，而公私陆费省。其在西夏，尝挽舟溯流而上究所谓河源者；又尝自孟门以东，循黄河故道，纵广数百里间，皆为测量地平，或可以分杀河势，或可以灌溉田土，具有图志；又尝以海面较京师至汴梁地形高下之差，或汴梁之水去海甚远，其流峻，而京师之水去海至近,其流甚缓。其言皆有征验,论者惜其未尽见用云。

夏,四月,癸酉朔,以河南流民群聚渡江,所过扰害,命行台、廉访使以见贮赃钞赈之。

横州猺蛮为寇,命湖广省发兵讨捕。

己亥,以淮东廉访司签事苗好谦善课民农桑,赐衣一袭。

庚子,命中书省与御史台、翰林、集贤院集议封赠通制,著为令。

赈辽阳、盖州及南丰州饥。

是月,前集贤大学士、商议中书省事陈天祥卒于家,年八十,谥文忠。

五月,庚申,以大都留守拜特穆尔为中书平章政事。擢中书右丞萧拜(住)〔珠〕为平章政事,左丞阿尔哈雅为右丞,郭贯为左丞,参议布哈为参知政事。时特们德尔恃势贪虐,凶秽愈甚,于是进拜珠为平章,稍牵制之。

庚午,置甘肃儒学提举司,辽阳金银铁冶提举司。

赈衡、永等路饥。

六月,乙亥,制封孟轲父为邾国公,母为邾国(宜)〔宣〕献夫人。

丙子,融、宾、柳州猺蛮叛,命湖广行省遣官督兵捕之。

丁丑,敕:“凡鞫囚,非强盗毋加酷刑。”

丁酉,河决汴梁,没民居,发粮赈之。

秋,七月,壬子,命御史大夫巴图托欢整治台纲,仍降诏宣谕中外。

丙寅,复以雅克特穆尔知枢密院事。

八月,癸酉,以兵部尚书奇达为中书参知政事。

己卯,帝至自上都。

戊戌,置织佛像工匠提调所。

九月,辛丑,以中书左丞郭贯为集贤大学士,集贤大学士王毅为左丞。毅旋出为江浙行省左丞。

庚戌,升缙山县为龙庆州,以帝生是县故也。

己未,冀宁、晋宁路地震。

丙寅,太白经天。

冬,十月,辛未,以江南行省侍御史高昉为中书参知政事。

壬申,有事于太庙。

壬午,河南路地震。

(甲中)〔庚寅〕,敕五台灵鹫寺置铁冶提举司。

(乙未)〔丁酉〕,禁民有父在者不得私贷人钱及鬻墓木。

是月,周王和实拉次延安,图古勒、尚(家)〔嘉〕努、博啰及武宗旧臣哩日、锡布鼎、哈巴勒图等皆来会。嘉珲谋曰:“天下者,我武皇之天下也。出镇之事,本非上意,由左右构斗致然。请以其故白行省,俾闻之朝廷,庶可杜塞离间;不然,事变叵测。”遂与数骑驰去。

先是哈斯罕为太师,特们德尔夺其位,出之,为陕西行省左丞相。及嘉珲等至,即与平章政事塔齐尔、行台御史大夫图鲁布、中丞托欢悉发关中兵,分道自潼关、河中府入。已而塔齐尔、托欢〔中悔,袭杀〕阿斯罕、嘉珲(会)于河中,周王遂西行至北边金山。西北诸王察克台等闻周王至,咸率众来附。周王至其部,与定约束,十餘年间,边境宁谧。

初,宣德府人武恪,以神童游学江南。吴澄为江西儒学副提举,荐入国学肄业,选为亲王和实拉说书秀才。及以周王出镇,恪在行,王欲起兵陕西,恪谏曰:“太子此行,于国有君命,于家有叔父之命,今若向京师发一箭,史官必书太子反。”左右恶恪言,乃曰:“武秀才有母在京,合遣归。”恪遂还大都,居陋巷,教训子弟。

十一月,壬寅,命监察御史监治岭北,钩校钱粮,半岁而代。

大万宁寺僧以所佩国公印移文有司,紊乱官政,敕禁止之。

十二月,庚午,以知枢密院事图古勒为陕西行省左丞相。

丁亥,立皇子硕迪巴拉为皇太子,兼中书令、枢密使,皇后鸿吉哩氏所生也。帝以嫡子,欲立之,硕迪巴拉入谒皇太后,固辞,曰:“臣幼无能,且有兄,宜立兄,以臣辅之。”太后不许,遂立为太子,授金宝,开府,置官属。

监察御史马祖常上言:“皇太子天赋美姿,急宜招延天下硕德雅望、文采博通之士,朝夕起居以侍左右,辅养懿美,薰陶冲和。《传》云:‘成王始为太子也,太公为师,周公为辅,召公为保。伯禽、唐叔与游,目不睹淫艳,耳不闻优笑,居不近庸邪。及为君也,血气既定,游习既成,虽有放心,不能夺已成之性。’今皇太子春秋鼎盛,请建立宫寮,核求名实相副,调护羽翼储闱之才;臣仆亦宜精择,不可杂以商贾冗琐之流。天下休戚之源,实在于此。”御史段辅、太子詹事郭实等并请近贤人、择师傅,帝嘉纳之。

是岁,翰林学士承旨(陈)〔程〕钜夫以病乞骸骨,归田里,不允。命尚医给药物,官其子大本郊祀署令,以便侍养,时令近臣抚视,且劳之曰:“卿,世祖旧臣,惟忠惟贞,其勉加餐粥,少留京师,以副朕心。”钜夫请益坚,特授光禄大夫,赐上尊,命群臣饮饯于齐化门外,给驿南还,敕行省及有司常加存问。

集贤学士赵孟頫,以钜夫荐起家,帝眷顾甚厚,以字呼之而不名,至是擢孟頫为翰林学士承旨。帝尝与侍臣论文学之士,以孟頫比唐李白、宋苏轼。又尝称孟頫操履纯正,博学多闻,书画绝伦,旁通佛、老之旨,皆人所不及,有不悦者间之,帝初若不闻者。又有上书者,言《国史》所载,不宜使孟頫与闻,帝乃曰:“赵子昂,世祖所简拔,朕特优以礼貌,置于馆阁,典司述作,传之后世,此辈呶呶何也!”俄赐钞五百锭。孟頫尝累月不至宫中,帝以问左右,皆谓其年老畏寒,敕御府赐貂鼠衣。

皇庆中,命西僧必兰纳识里翻绎诸梵经典,至是特赐银印,授光禄大夫。

延祐四年 【丁巳,1317】 春,正月,庚子,帝谓左右曰:“中书比奏百姓乏食,宜加赈恤。朕思民饥若此,岂政有过差以致然欤?向诏百司务遵世祖成宪,宜勉力奉行,辅朕不逮,惟当省刑薄赋,庶使百姓各遂其生也。”

乙卯,诸王托克托驻云南,扰害军民,以昂辉代之。丙辰,以知枢密院事鄂勒哲为云南行省平章政事。

壬戌,冀宁路地震。

闰月,丙戌,以立皇太子诏天下,赐鳏寡孤独钞,减免各路租税有差。

辛卯，封拜特穆尔为汾阳王。

壬辰，赈汴梁等路饥。

二月，甲辰，敕郡县各社复置义仓。

戊申，授近侍鄂勒哲布哈翰林侍读学士、知制诰、同修国史。

乙丑，升蒙古国子监秩正三品，赐银印。

三月，丁卯，帝如上都。

夏，四月，己亥，德安旱，免屯田租。

戊申，达哈逊寇边，吴王多勒达等败之，赐赉有差。

乙丑，帝夜坐，忧旱，谓侍臣曰："雨旸不时，奈何？"萧拜珠曰："宰相之过也。"帝曰："卿不在中省耶？"萧拜珠惶愧。顷之，帝露香默祷。既而大雨，左右以雨衣进，帝曰："朕为民祈雨，何避焉！"

翰林学士承旨图古勒都尔密实、刘赓等译《大学衍义》以进，帝览之，谓群臣曰："《大学衍义》议论甚嘉，其令翰林学士阿琳特穆尔编译之。"

五月，戊寅，改太子卫率府为中翊府。

壬午，黄州、高邮、真州、建宁等处，流民群聚，持兵抄掠，敕所在有司："其伤人及盗者罪之，馀并给粮遣归。"

以翰林学士承旨齐勤特穆尔为中书平章政事；以平章乌拜都拉为集贤大学士。己丑，擢左丞阿尔哈雅为平章政事，参政奇塔为右丞，高昉为左丞。

己丑，以参议中书省事完珠、张思明为参知政事。

浮屠妙总统有宠，敕中书官其弟五品，思明执不可。帝大怒，召见，切责之，对曰："选法，天下公器。径路一开，来者杂遝，故宁违旨获戾，不忍隳祖宗成宪，使四方得窥陛下浅深也。"帝心然其言而业已许之，曰："卿可姑与之，后勿为例。"乃以为万亿库提举，不与散官。

六月，戊申，中书右丞相特们德尔罢，以左丞相哈克缜为右丞相。

特们德尔贪虐日甚，中外切齿，群臣不知所为，中丞杨多尔济慨然以纠正其罪为己任。上都富民张弼，杀人系狱，特们德尔使家奴胁留守贺胜使出之，胜不可。而多尔济已廉得其赃巨万，乃与萧拜珠及胜奏发其事，内外御史共劾奏其"桀黠奸贪，欺上罔下；占据晋王田及卫兵牧地；窃食郊庙供祀马；受人珠宝之贿，动以万计。且既位极人臣，又领宣政院事，以其子巴尔济苏为之使，诸子无功于国，尽居贵显，纵家奴凌虐官府，为害百端。以致阴阳不和，山移地震，灾异数见，百姓流亡；己乃恬然略无省悔。私家之富，又在阿哈玛特、僧格之上。四海疾怨已久，愿早加显戮以示天下。"奏上，帝震怒，诏逮问，特们德尔逃匿兴圣近侍家。帝为不御酒数日以待决狱，诛其大奴同恶数人，特们德尔终不能得。多尔济持之急，徽政近臣以太后旨，召多尔济至宫门责之，对曰："待罪御史，奉行祖宗法，非敢违太后旨也。"帝不忍伤太后意，但罢其相位，而迁多尔济为集贤学士。

己酉，乌拜都拉复为中书平章政事。

参知政事张思明，持法峭直，近臣疾之，日构谗间，迁工部尚书。帝顾左右曰："张士瞻居工部，得毋怏怏乎？"对曰："勤职如初。"帝嘉叹之，旋授宣徽院副使。士瞻，思明之字也。

壬子，以工部尚书王桂为中书参知政事。

癸亥，禁总摄沈明仁所佩司空印，毋移文有司。

秋，七月，乙亥，中书平章政事李孟罢。

孟以衰病，乞解政权归田里，帝不得已，从所请。复为翰林学士，入侍宴闲，礼遇尤厚。

以江浙行省左丞王毅为中书平章政事。

己丑，成纪县山崩，土石溃徙，坏田稼庐舍，压死居民。

辛卯，冀宁路地震。

帝谕省臣曰："比闻蒙古诸部困乏，往往鬻子女于民家为婢，其命有司赎之还各部。"

帝出，见卫士有敝衣者，驻马问之，对曰："戍守边镇逾十五年，故贫耳。"帝曰："此辈久劳于外，留守臣未尝以闻，非朕亲见，何由知之！自今有类此者，必言于朕。"因命赐之钱帛。

八月，丙申，帝至自上都。

庚申，哈克缴奏事毕，帝问曰："卿等日所行者何事？"哈克缴对曰："臣等第奉行诏旨而已。"帝曰："卿等何曾奉行朕旨！虽祖宗遗训，朝廷法令，皆不遵守。夫法者，所以辨上下，定民志，自古及今，未有法不立而天下治者。使人君制法，宰相能守而勿失，则下民知所畏避，纪纲可立，风俗可厚。其或法弛民慢，怨言并兴，欲求治安，岂不难哉！"

帝在御已久，犹居东宫，而饮酒无度，监察御史马祖常上言："天子承天继统，当极保爱。玉食之御，犹必审五味之宜；酒醴之供，可不思百拜之义！大内正衙朝贺之地，虽陛下不忘东宫之旧，窃虑起民间观听之疑。且国家百年，朝仪尚阙，诚使群臣奏对之际，御史执简，史官执笔，则虽有怀奸利乞官赏者，不敢出诸其口。乞令中书集议，或三日、二日，常出视朝，则治道昭明，生民之福也。"

九月，丙寅，右丞相哈克缴言："故事，丞相必用蒙古勋臣；臣西域人，不厌人望。"遂恳辞相位。制以宣徽院使遥授左丞相巴达锡为中书右丞相，哈克缴仍左丞相。

壬辰，岭北地震，凡三日。

冬，十月，甲午，有事于太庙。

(戊戌)〔壬寅〕，遣御史大夫巴图、参知政事王桂祭陕西岳镇、名山；赈恤秦州被灾之民。

癸酉，监察御史言："官吏丁忧起复，人情惊惑，请禁止以绝侥幸。惟朝廷耆旧特旨起复者，不在禁例。"制可。

十一月，己卯，复浚扬州运河。

壬辰，谕诸宿卫："入直各居其次，非有旨不得上殿，阑入禁中者坐罪。大臣许从二人，他官一人，门者讥其出入。"

十二月，丁酉，复广州采金、银、珠子都提举司。

饶州路大饥，米价翔踊，总管王都中以官仓之米定其价为三等，言于江浙行省，以为须粜以下等价，民乃可得食，未报，辄于下等减价十之二，使民就粜。行省怒其专擅，都中曰："饶去杭几二千里，比议定往还，非半月不可。人七日不食则死，安能忍死以待乎！"其民相与言曰："公为我辈减米价，公果得罪，我辈当鬻妻子以代公偿。"会行省左右司都事王克敬言于其丞相曰："鄱阳去此甚远，比待报，民且死。彼为仁，而吾属顾为不仁乎？"都中乃得免。郡岁贡金,而金户贫富不常,都中考得其实,乃更定之;包银之法,户不过二两,而州县征之加十倍,都中责之一以诏书从事。

江浙行省遣王克敬往四明监倭人互市。

先是往监者惧有叵测,必严兵自卫,如待大敌。克敬至,悉去之,抚以恩意,皆帖然无敢哗者。吴人从军征日本陷于倭者,及是从至中国,诉于克敬,愿还本乡。或恐为祸阶,克敬曰:"岂有军士怀恩德来归而不之纳耶?脱有衅,吾当坐。"事闻,朝廷嘉之。

延祐五年 【戊午,1318】 春,正月,甲戌,懿州地震。

丙子,安南来贡。

乙酉,敕:"诸王位下民在大都者,与民均役。"

丁亥,会试进士。

是月,召前中书右丞尚文为太子詹事。

河北、河南道廉访副使鄂啰言:"近年河决杞县小黄村口,滔滔南流,莫能御遏;陈、颍濒河膏腴之地浸没,百姓流散。今水迫汴城,远无数里,倘值霖雨水溢,仓猝何以防御!方今农隙,宜为讲究,使水归故道,达于江、淮,不惟陈、颍之民得遂其生,而汴城亦可恃以无患。"诏都水监与汴梁路分监修治。以二月兴工,至三月而毕。

以真定路总管曹伯启为司农丞,命至江浙议盐法。伯启既至,罢检校官,置六仓于浙东、西,设运盐官;输运有期,出纳有次,船户、仓吏资卖漏失者有罚。归报,著为令。

二月,癸巳朔,日有食之。

和宁路地震。

丁酉,秦州秦安县山崩。

戊申,建鹿顶殿于文德殿后。

辛亥,敕杭州守臣,春、秋祭淮安忠武王巴延祠。

乙卯,命中书省汰不急之役。

敕上都诸寺、权豪商贩货物并输税课。

戊午,给书西天字《维摩经》金三千两。

初,宣徽院使岁会内廷佛事之费,以斤数者,面四十万九千五百,油七万九千,酥蜜共五万馀。盖自至元三十年间,醮祠佛事之目仅百有二;大德七年,再立功德使司,增至五百馀;至是僧徒冒利无厌,岁费滋甚,较之大德,又不知几倍矣。

三月,辛酉,尚文入见,年八十二矣。帝顾太保库春而目之曰:"此自世祖皇帝效力,洁净人也。"徐谕曰:"汝知古今,识道理,练大务,皇太子托汝善辅之,有言勿吝善教,此朕意也。"文见太子,首以念祖宗、孝两宫、养德性、辩邪正陈之,太子异其言。

戊辰,廷试进士,赐呼图达勒、霍希贤以下五十人及第、出身。

癸未,命晋王伊苏特穆尔赈辽东贫民。

给金九百两,银百五十两,书金字《藏经》。

乙酉,御史台言诸司近侍隔越中书闻奏者,请如旧制论罪,从之。

曹伯启擢南台治书侍御史,上言:"扬清激浊,属在台宪。诸被枉赴诉者,实则直之,妄则加论可也。今诉冤一切不问,岂风纪定制乎!"伯启俄去位。

夏,四月,乙亥,眈罗捕猎户成金等为寇,敕征东行省督兵捕之。

庚戌,免怀孟、河南南阳居民所输陕西盐课。时解州盐池为水所坏,命怀孟等处食陕西红盐。后以地远,改食沧盐,而仍输课陕西,民不堪命,故免之。

甲寅,以侍御史敬俨为中书参知政事。

俨初为侍御史,台臣有劾去而复职者,御史复劾之。章再上,命丞相、枢密共决之。俨曰:"如是则台事去矣。"遂即帝前奏黜之,因伏殿上,叩头请代,帝曰:"事非由汝,其复位。"至是拜参政。台臣复奏留之,俨亦陛辞,不允,赐《大学衍义》及所服犀带。旧制,诸院及寺监得奏除其僚属,岁久多冒滥,富民或以赂进,有至大官者。俨以名爵当慎惜,会台臣亦以为言,乃奏悉追夺之,著为令。

戊午,帝如上都。

五月,丁卯,以御史中丞伊拉齐为中书右丞。

壬申,监察御史言:"比年名爵冒滥,太尉、司徒、国公,接迹于朝。昔奉诏裁罢,中外莫不欣悦;近闻礼部奉旨铸太尉、司徒、司空等印二十有六,此辈无功于国,载在史册,贻笑将来。请自今,门阀贵重、勋业昭著者,存留一二,馀并革去。"从之。

癸酉,遣官分道减杖笞以下罪。

己卯,德庆路地震。

巩昌陇西县大雨,南土山崩,压死居民;给粮赈之。

太子詹事尚文,以年老不受俸,帝慰留之,仍谕其尽言教太子。寻谢病归。

六月,辛卯,御史台言:"昔遣章律等经理江浙、江西、河南田粮,虚增粮数,流毒生民,已尝奉旨俟三年征租。今及其期,若江浙、江西当如例输之,其河南请视旧例减半征之。"

乙巳,术者赵子玉等七人伏诛。时(卫)〔魏〕王阿穆尔克以罪贬高丽,子玉言于王傅司马曹图卜台等曰:"阿穆尔克名应图谶。"于是潜谋备兵器、衣甲、旗鼓,航海往高丽取阿穆尔克至大都,俟时而发。行次利津县,事觉,诛之。

西番土寇作乱,敕甘肃省调兵捕之。

以宣政院副使张思明为西京宣慰使。岭北戍士多贫者,岁凶相挺为变。思明威惠并行,边境乃安,因条上和林运粮不便十二事。帝劳以端砚、上尊。

秋,七月,壬申,御史中丞赵简言:"皇太子春秋鼎盛,宜选耆儒敷陈道义。今李铨侍东宫说书,未谙经史,请别求硕学,分进讲读,实宗社无疆之福。"制可之。

诸王布里雅敦之叛,诸王额森、实列吉及卫士多岱、巴图坐持两端,不助官军进讨,敕流额森江西,实列吉湖广,多岱衡州,巴图潭州。

癸酉,拘(卫)〔魏〕王阿穆尔克王傅印。

壬午,罢河南行省左丞陈英等所括民田,止如旧例输税。

戊子,巩昌路宁远县山崩。

加封楚三闾大夫屈原为忠节清烈公。

八月,庚子,帝至自上都。

是月,伏羌县山崩;秦州成纪县暴雨,山崩,朽壤坟起,覆没畜产。

九月,癸亥,大司农迈珠进司农丞苗好谦所撰《栽桑图说》,帝命刊印千帙,散之民间。

丁卯,以中书右丞伊拉齐为中书平章政事,左丞高昉为右丞,参知政事完珠为左丞,吏部尚书雅济格为参知政事。

甲戌,以作佛事,释重囚三人,轻囚五十三人。

己卯,以江浙行省所印《大学衍义》五十部赐朝臣。

丁亥,立行宣政院于杭州,设官八员。

大同路金城县大雨雹。

先是,播州南宁长官洛么作乱,思州守臣招谕之。冬,十月,己丑,洛么遣人以方物入贡。

癸巳,改中翊府为羽林亲军都指挥使司。

甲午,有事于太庙。

癸丑,赣州路雩都县里胥刘景周,以有司征括田新租,聚众作乱;敕免征新租,招谕之。

十一月,丁卯,用监察御史奈曼台等言,追夺建康富民王训等白身滥受宣敕;仍禁冒籍贯宿卫及巧受远方职官、不赴任求别调者,隐匿不自首者罪之。

癸未,敕增江西茶运司茶课。

初,世祖时,置榷茶都转运司于江州,总江南及两淮茶税,寻改江西。其税自二万四千锭以渐增至一十九万二千八百锭,至是又因江西茶副帕合哩鼎言,立减引增课之法,敕以二十五万锭为额,复增至二十八万九千馀锭。郡县所输,竭山谷之产,不能充其半,馀皆酷取民间,岁以为常。时转运使得以专制有司,凡五品以下官皆杖决,州县莫敢谁何。江南佥事邓文原请罢其司,俾郡县领之,不报。

十二月,辛亥,置重庆路江津、巴县屯田,省成都岁漕万二千石。

是岁,中书平章政事、商议枢密院事齐诺乞致仕,许之,仍给半俸,终其身。

齐诺退居濮上,筑先圣燕居祠堂于历山之下,聚书万卷,延名师教其乡里子弟,出私田百亩以供养之。有司以闻,赐额历山书院。家居七年而卒,年七十一,谥景宪。

【译文】

元纪十七　起乙卯年(公元 1315 年)四月,止戊午年(公元 1318 年)十二月,共三年有余。

延祐二年　(公元 1315 年)

夏季,四月,戊寅朔(初一),天上出现日食。

辛巳(初四),赐进士在翰林院举行恩荣宴会。

辛丑(二十四日),赐予年满七十以上的会试落第举人以从七品官职退休,赐予年满六十以上的为各府、州的儒学教授,其余的全被授予山长和学正的职务。并规定以后不得援用此例。

皇帝诏令:"诸王的分封地,仍然以流官为达噜噶齐,各位所征辟者为副达噜噶齐。

命令李孟等人按类汇集本朝的条例法规,等其成书后,上奏给皇帝,然后再颁布。

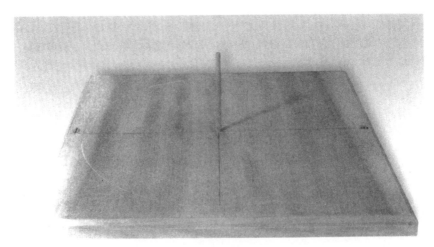

土晷 元

乙巳(二十八日),仁宗皇帝到上都。

宣徽院以供应皇帝御膳为名,派人到归德打猎。皇帝因他们骚扰民众,令其停止。

自从特们德尔定括田之议以后,朝廷派遣官员分别去各省催办,苛急烦扰,以江西为甚。这个月,赣州平民蔡五九聚众作乱,远近骚动不安。

五月,戊申朔(初一),改授给各道廉访司银印。

又建立了陕西各道行御史台。

乙丑(十八日),秦州成纪县发生山移。这天晚上,狂风大作,电闪雷鸣,冰雹肆虐,北山向南移至夕河川,第二天再次移动。平地上突出些小土阜,高者有二三丈,将民居陷没。仁宗皇帝下诏派遣官员验明灾情后,赈济抚恤灾民。

监察御史马祖常说:"山是不动的东西,现在它却移动了,其原因在于民间有应当起用而没有起用的贤者,在官有应该直谏进言而不直谏进言的奸佞之人,所以发生了这样的事情。"

甲戌(二十七日),加授宦官中尚卿续元晖为昭文馆大学士。

六月,戊戌(二十二日),黄河郑州段决堤。

辛丑(二十五日),因济宁、益都严重干旱,大幅度减省卫士坐骑的饲料。

赣州反民蔡五九率兵围攻宁都,焚烧宁都四关,戕杀赵同知,然后分兵劫掠郡邑。秋季,七月,乙卯(初九),朝廷派兵捕捉讨伐蔡五九。

甲子(十八日),江南湖广道奉使温迪罕上奏,说廉访使公田大多收取民租,最好是恢复旧制。仁宗皇帝听从了他的建议。

癸酉(二十七日),仁宗皇帝命令特们德尔总管宣政院事务。

这个月,京城辖区内大雨,漷州、昌平、香河、宝坻等县发大水,淹没了百姓的田地和住宅。

八月,丙戌(初十),官军对蔡五九发起攻击,宁都之围遂解。蔡五九加紧修造攻城器具,招集失业的百姓,声势更加嚣张,于是攻陷汀州宁化县,僭越本位称王。朝廷派遣江浙行省平章章律等率军队讨伐蔡五九。

己丑(十三日),仁宗皇帝从上都来。

乙未(十九日),台臣上言:"蔡五九事变,都是由于鼐智密鼎查核清算田地钱粮,与各郡县官吏横征暴敛、逼迫压制而引起的。新丰一个县,在查核清算田地、钱粮中,就撤毁百姓房屋一千九百所,夷平百姓墓地、暴尸扬骨,虚报田亩数量,毒害当地居民。请停止查核清算和冒括田租。"当时台臣们不敢直斥特们德尔括田建议的不当,只敢说是地方官员执行得不好。仁宗皇帝觉察到括田的弊端,下命停止括田。诏令颁布后,百姓们非常高兴,于是蔡五九的声势逐渐衰落。

壬寅(二十六日),增加国子生一百人,每年荐举伴读四人。

下诏命令江浙行省刊印《农桑辑要》一万部,颁发给官吏们,使他们遵照其要求劝课农桑。

表彰贵州达噜噶齐相兀孙的妻子以死殉节。

监察御史纳琳上奏言事时忤逆了圣旨,仁宗皇帝震怒叵测。中丞杨多尔济为了挽救他,一天之内上奏至八九次之多,他说:"我不是爱惜纳琳,确实是不想让陛下背上个杀御史之名。"仁宗皇帝说:"看在你的面子上宽恕他,但要把他降为昌平令。"多尔济说:"用御史来做京邑长官并不是不可以,但是因为上奏言事而招致降职,恐怕以后的人会以此事为鉴,再也不肯秉公直言了。"仁宗皇帝不允其请。过了几天后,仁宗皇帝读《贞观政要》,多尔济在一旁侍候。仁宗皇帝回过头来对他说:"魏征,古代的直谏之臣,我如何才能任用到这种人才呢?"多尔济回答说:"魏征之直在于唐太宗。太宗假如不能纳谏,魏征虽然敢于直谏,又怎么能够得到任用啊!"仁宗皇帝笑着说:"你的意思不就是指纳琳吗?我应当赦免他以成全你的刚直。"

有人上书谏论朝政的缺失,当面触犯了宰相;宰相发怒,将要取圣旨杀死上书者。多尔济说:"诏书说:'言语虽然不当,无罪。'如果像现在这样做,何以示信用于天下呢!如果杀了他,我也辜负了我的职责。"皇帝醒悟,释放上书者,并且特加多尔济为昭文馆大学士、荣禄大夫,以表彰他的刚直。

当时位居一品的官员,很多都乘间要求授王爵、赠先世,有人说多尔济也可以援例请求爵位,多尔济说:"我家世贫寒,幸亏际遇好,才有了现在的地位,我已经唯恐不称职了,哪敢有其他要求啊!况且我如果那样做,又怎么能够去感化勉励那些心存侥幸的人呢?"

九月,丁未(初二),章律以括田的名义逼死九人。皇帝下令吏部尚书王居仁等审讯他。

壬戌(十七日),蔡五九部溃散,蔡五九伏法被诛,他的余党被全部平息。赏赐讨捕有功的军士们及死难官吏的子孙。

参知政事赵世延位居中书官二十个月后,升为御史中丞,诏令省臣自平章以下各官员相率送他赴任,其礼遇前所未有。因此,赵世延遭到权臣忌恨,他们乃用皇太后的旨意,外放赵世延为云南行省右丞。赵世延向皇帝辞行时,皇上特命他仍返御史台为中丞。

冬季,十月,庚辰(初五),任用淮西廉访使郭贯为中书参知政事。

授白云宗主沈明仁为荣禄大夫、司空。

丁酉(二十二日),加授特们德尔为太师。

4805

十一月,丙午(初二),客星变为彗星,侵犯紫微垣,历轸星至壁十五宿。辛未(二十七日），因为星变，大赦天下，减免各路差税不等。丞相哈克缴等乞求避位消灾，皇上说："这是我的罪愆，岂是你们所致的！你们仍然安于本职。假如政治上有过失，不要害怕改正错误。又，凡是可以安定百姓的办法，应当全部说出来，希望上下都注意整治，天变是可以消弭的。"

辽东肃政廉访使尉迟德诚上疏论事，其疏的大意是慰劳诸王以使他们怀忠上之心，谨防皇宫出入紊乱以严宫禁，选择正直的谏官以疏远进谗言的奸佞之徒，重视科举考试以寻求人才，建立常平仓以防备荒年歉收，裁汰僧尼、道士以宽缓民力，推举贤良之士以鼓励忠孝，抑制奢侈浮华以淳厚风俗，及拯治钞法、裁减冗官等事，没有答复。不久尉迟德诚就死了。

甲戌（三十日），封武宗的儿子和实拉为周王，派其镇守云南。

起初，武宗立皇上为太子，命令他依次传位给和实拉。过后，丞相三宝努又劝武宗立自己的儿子和实拉为太子，随即因哈喇托克托劝阻而止。到现在议立太子，特们德尔想巩固自己的地位并取得皇上的宠幸，于是，请立皇子硕迪巴拉为太子，又与太后宠幸的大臣实勒们在两宫那里诋毁和实拉，于是才有这道命令。

他们又诋毁哈喇托克托为武帝旧臣，下诏将其押至京师。居京师数日后，绰和尔、实勒们传两宫旨，告诉托克托说："以前怀疑你亲近于武宗，所以召见你。现在观察你没有其他事，所以你还是回镇所去吧。"托克托入宫谢太后说："先帝对我虽有知遇的恩情，但太后及如今皇上对我的恩遇也不为不深，岂能不知自己该如何做吗！"没有多久，托克托就迁为江西行省左丞相。

十二月，庚寅（十六日），增设平江路行用库。

癸巳（十九日），命令省臣拟定封赠通例，使封赠标准高下适宜时再上奏。

表彰汀州宁化县百姓赖禄孙的孝行。蔡五九作乱，禄孙背着母亲，牵着妻子，随众人进山避乱。盗匪来到时，众人都散乱逃走，禄孙守着母亲不走。盗匪挥刀要杀他母亲时，禄孙以自己的身体翼蔽母亲，对盗匪说："宁可杀我，不要伤害我的母亲。"当时母亲生病口渴，水又找不到，禄孙则以自己的唾液喂母亲，盗匪面面相觑，惊叹不已，不忍加害于他，反而取来水给他。有人要抢掠其妻子，众匪责怪那人说："怎么可以侮辱孝子之妻！"让他归还禄孙。他的事迹皇上知道后，赏赐旌表予以表彰。

朝廷因为官吏太多办案速度太慢，责令追究不能如期办案者。命令下达后，刑部尚书谢让说："刑狱不能与收钱谷、铨选官吏相比，即使是给予宽裕的时间，尚且担心失实，岂可按照常法来要求。"于是入见宰相讲明道理。因此只有刑曹可不因办案迟缓而受到责怪。

延祐三年　（公元 1316 年）

春季，正月，乙巳（初二），赈济汉阳路饥民。

丙午（初三），增设晋王府属官。

皇上因真定、保定又一次发生饥荒，禁止打猎。

改直沽为海津镇。

二月，丁丑（初四），调遣海口屯储的汉军隶属临清运粮万户府管理，以供漕运粮食之用。

戊寅（初五），赈济河间等处的饥民。

庚寅（十七日），彗星熄灭，自从去年十一月丙午（初二）开始出现，到现在才熄灭，共有一百零五天之久。

壬子(疑误)，敕令卫辉、昌平守臣修建殷代比干、唐代狄仁杰的祠庙，每年按时进行祭祀。

三月，甲寅(十二日)，敕令中书右丞萧拜珠及陕西四川省臣各一人，护送周王和实拉去云南。设置周王常侍府官属，以遥授中书左丞相图古勒、大司徒鄂尔多、中政使尚嘉努、山北、辽阳等路蒙古军万户博啰、翰林侍讲学士嘉珲等同为常侍，中卫亲军都指挥使唐古、兵部尚书赛罕巴图鲁为中尉，仍然设置谘议、记事官各二人，派遣他们到镇守之地。

癸亥(二十一日)，帝到上都。

壬申(三十日)，鹰坊博啰等在大同骚扰百姓，皇上下令拘捕他并收回他所奉的玺书。

禁止天下人春季在田野上狩猎。

起初，议定违犯禁令者处以死罪，左司郎中韩若愚不同意，他说："齐宣王的园苑方圆四十里，规定凡杀死园中麋鹿的人其罪如同杀人一样，孟子对此做法进行了批评。"大家都认为他说得对，于是减轻了刑罚。

太史令郭守敬逝世于岗位上，终年八十六岁。

郭守敬的历数、仪象之学，都为当时所采用，对于当时最为有用的是他的水利之学。他指挥挖开金口以方便西山的木筏顺流而下，而使京师财用富饶；修复太白渠、中白渠、南白渠以灌溉渭河沿岸的土地，从而使灵夏军备储存充足；引汶河、泗河的水入运河，使其与长江、淮河的水相连接，从而使河北、江苏一带的运河能畅通无阻地运送漕米；建造斗闸以开通白浮河的水源，从而使公家、私人能够节省陆上的旅差费用。他在西夏时，曾经用手牵引着船只逆流而上行，以探求所谓黄河的源头；又曾经从孟门出发向东循着黄河的故道，在纵横数百里地之间跋涉，全都是为了测量地平线，发现有可以分散黄河水势的地方，或可以灌溉田土的地方，都

郭守敬像

在地图上做出标志。他又曾经用海面的高低来比较京师到汴梁之间地形高下的差别，断定汴梁之水离海很远，所以流速快；而京师之水离海很近，它的流速很缓慢。它的说法都得到了验证，论者都惋惜他的这些成就未被全部采用。

夏季，四月，癸酉朔(初一)，因为河南流亡的百姓群聚渡江，所经过的地方都受扰害，皇上命令行御史台、廉访使用过去没收而保存起来的赃钞赈济流民。

横州瑶蛮作乱，皇上命湖广省发兵讨伐捕捉。

己亥(二十七日)，以淮东廉访司签事苗好谦善于勉励农耕、养蚕和征收赋税，赐给他衣服一套。

庚子(二十八日),命令中书省与御史台、翰林、集贤院一起商议封赠通制,商定后即作为法令颁布。

赈济辽阳、盖州和南丰州的饥民。

这个月,前集贤大学士、商议中书省事陈天祥在家里去世,终年八十岁,谥号为文忠。

五月,庚申(十九日),任用大都留守拜特穆尔为中书平章政事。提拔中书右丞萧拜珠为平章政事、左丞阿尔哈雅为右丞、郭贯为左丞、参议布哈为参知政事。当时特们德尔仗势贪赃肆虐,凶残淫乱越来越严重,于是晋升拜珠为平章,稍微牵制他。

庚午(二十九日),设置甘肃儒学提举司、辽阳金银铁冶提举司。

赈济衡、永等路的饥民。

六月,乙亥(初五),皇上封孟轲的父亲为邾国公,母亲为邾国宣献夫人。

丙子(初六),融、宾、柳州瑶蛮叛乱,皇上命令湖广行省派官督兵捕捉叛军。

丁丑(初七),敕令:"凡审讯囚徒时,不是强盗的不要加酷刑。"

丁酉(二十七日),汴梁段黄河决堤,淹没了百姓的住房。发粮赈济灾民。

秋季,七月,壬子(十二日),命令御史大夫巴图托欢整顿治理御史纲纪,而且下诏宣告全国各地。

丙寅(二十六日),又任用雅克特穆尔为知枢密院事。

八月,癸酉(初三),任命兵部尚书奇达为中书参知政事。

己卯(初九),皇帝从上都来。

戊戌(二十八日),设置织佛像工匠提调所。

九月,辛丑(初二),任命中书左丞郭贯为集贤大学士,任命集贤大学士王毅为左丞。王毅随即出任江浙行省左丞。

庚戌(十一日),缙山县升格为龙庆州,因皇帝出生于这个县的缘故。

己未(二十日),冀宁、晋宁路发生地震。

丙寅(二十七日),太白金星经过天空。

冬季,十月,辛未(初二),任命江南行省侍御史高昉为中书参知政事。

壬申(初三),在太庙举行祭祀活动。

壬午(十三日),河南路发生地震。

庚寅(二十一日),皇帝下令:五台灵鹫寺设置铁冶提举司。

丁酉(二十八日),禁止百姓在父亲还在世时私自贷钱给别人及出卖墓木。

这个月,周王和实拉住在延安,图古勒、尚嘉努、博啰及武宗旧臣哩日、锡布鼎、哈巴勒图等都来拜会。嘉珲献计说:"天下是我武皇的天下,出外镇守的事,本来不是皇上的本意,是由其左右设计陷害造成的。请把此事的真实情况告诉行省,使其上报朝廷,这样也许可以杜塞离间;不然的话,事情发生变化,祸福就难测。"于是与数骑驰马而去。

在这之前,哈斯罕为太师,特们德尔奇削去他的职位,外放为陕西行省左丞相。等嘉珲等人到后,就与平章政事塔齐尔、行台御史大夫图鲁布、中丞托欢尽发关中军队,分道从潼关、河中府入关。不久塔齐尔、托欢中途反悔,袭杀阿斯罕、嘉珲于河中。周王于是往西走到北边的金山。西北诸王察克台等人听说周王到了，都率领部众来依附。周王到他们的部所，与他们商定约束部众。所以，十多年间，边境安宁静谧。

起初，宣德府人武恪，以神童的名分到江南游学，吴澄任江西儒学副提举，推荐武恪入国学读书，后被选为亲王和实拉的说书秀才。等到周王被外放出镇时，武恪随行，周王想在陕西起兵，武恪谏阻说："太子此行，对于国家来说，是秉承君命的；对于家庭来说，是秉承叔父的命令，今天如果向京师射发一支箭，史官必在史书上写太子造反。"左右的人讨厌武恪的话，于是说："武秀才有母亲在京师，理当遣送他归都。"武恪于是回大都，居住在简陋狭小的巷子里，教育自己的子弟。

十一月，壬寅（初三），命令监察御史监督治理岭北，检查核对钱币和粮食，半年后替换。

大万宁寺和尚用所佩国公印移文官府，扰乱官府的政务。皇上下令禁止他的这种做法。

十二月，庚午（初二），任命知枢密院事图古勒为陕西行省左丞相。

丁亥（十九日），立皇帝儿子硕迪巴拉为皇太子，并兼任中书令、枢密使，他是皇后鸿吉哩氏所生。皇帝因为他是嫡子，想立他为太子，硕迪巴拉入宫谒见皇太后，极力推辞，他说："我年幼无能，而且有兄长，应该立兄长为太子，以我辅助他。"太后不同意，于是硕迪巴拉被立为太子，授予金宝，开太子府，设置官属。

监察御史马祖常上奏说："皇太子上天赋予美好的资质，应该赶快招聘天下德高望重、知识渊博、才华横溢的人，早晚在太子身旁侍候，以辅佐培养太子的懿美的品质，熏陶太子的谦和的气质。《传》说：'周成王刚刚立为太子时，姜太公当他的太师，周公当他的太辅，召公当他的太保，伯禽、唐叔同他交游，眼睛不看淫艳的东西，耳朵不听乐人戏子的笑声，不与平庸邪恶的人相处。等他当国君时，他的血气已经稳定，交游的习惯已经养成，虽然有时候也放松警觉，但已经不能改变他已养成的习性了。'现在皇太子的年龄正值人生鼎盛时期，请建立宫寮，核求名实相副的、能够照料辅助太子的人才；太子的臣仆也应该精加选择，不可以在其中夹杂商贾冗琐一流的人。天下祸福的根源，实在就在这一点上。"御史段辅、太子詹事郭实等人一起请求太子亲近贤良之人，选择良师。皇帝很高兴地采纳了。

这一年，翰林学士承旨程钜夫因病请求退休回到老家过田园生活。皇帝不允其请，命令医生给药医治，封他儿子大本为郊祀署令，以便于侍候奉养，时常命令近臣们前去探视抚问，而且慰问他说："你，世祖的旧臣，忠心耿耿，坚贞不渝，请尽量多吃些东西，暂时留在京师，以稍稍让我放心一些。"程钜夫请求退隐的态度更加坚决，皇上特地授他为光禄大夫，赐予上等醇酒，命令群臣在齐化门外设宴为他饯行，用驿站车马送他回南方，并命令行省及官员们时常去慰问。集贤学士赵孟頫因为程钜夫推荐起家，皇帝非常看重他，平时称他的字而不呼其名，到此时提升赵孟頫为翰林学士承旨。皇帝曾经与侍臣们议论文学之士，将赵孟頫比做唐代的李白、宋代的苏轼。又曾经称赞赵孟頫操守纯贞正直，博学多才，书法绘画绝伦，而且旁通佛学、道学的要旨，这些都是别人赶不上的。有不喜欢赵孟頫的人上言离间皇上与赵孟頫的关系，起初皇帝置若罔闻。又有人上书说，《国史》所载的东西，不应当让赵孟頫知道。皇帝于是说："赵子昂，世祖时所提拔的，所以我对他优礼有加，将他安排在馆阁工作，专门从事述作，以便传之于后世，你们为何老是嘀嘀咕咕！"不久，赐给赵孟頫钱钞五百锭。赵孟頫曾经累月不到皇宫中来,皇帝因此询问左右随从,都说赵孟頫年龄大了畏怕寒冷,皇帝命令御府赏赐他貂鼠衣御寒。

皇庆中,命令西方来的僧人必兰纳识里翻译各种梵文经典,到这时候,皇帝才特地赏赐他银印,授予他光禄大夫的官职。

延祐四年 （公元 1317 年）

春季,正月,庚子(初二),皇帝对左右侍臣说:"中书屡次上奏说百姓缺乏粮食,应该加以赈济抚恤。我想到百姓饥饿成这个样子难道是政令有过错造成的吗？我一向就要求各级官员务必遵循世祖制定的法令,应该尽心尽力地执行,以辅佐我没有做到的地方,应当减省刑罚,减轻赋税,以便使百姓能顺利地生活。"

乙卯(十七日),诸王托克托驻守云南,骚扰残害军民。皇上用昂辉代替他。丙辰(十八日),派知枢密院事鄂勒哲为云南行省平章政事。

壬戌(二十四日),冀宁路发生地震。

闰一月,丙戌(十八日),将立皇太子的事诏告天下,赏赐给鳏寡孤独的人钱钞,程度不同地减免各路的租税。

辛卯(二十三日),封拜特穆尔为汾阳王。

壬辰(二十四日),赈济汴梁等路饥民。

二月,甲辰(初七),皇帝下令郡县里的各社重新设置义仓。

戊申(十一日),授予近侍鄂勒哲布哈翰林侍读学士、知制诰、同修国史的官职。

乙丑(二十八日),提升蒙古国子监的品级为正三品,赐给银印。

三月,辛卯(二十五日),皇上到上都。

夏季,四月,己亥(初三),德安旱灾,免除当地屯田租。

戊申(十二日),达哈逊侵犯边疆,吴王多勒达等人击败他。皇上多少不等地赏赐给他们财物。

乙丑(二十九日),皇上晚上坐着,忧虑旱灾,对侍臣们说:"下雨天晴不合时节,怎么办？"萧拜珠说:"这是宰相有过错造成的。"皇上说:"你不也在中书省吗？"萧拜珠闻言惶恐且羞愧。过了不久,皇上在露天烧香默默祈祷,过一会儿大雨,左右侍臣拿雨衣进献给皇上遮雨,皇上说:"我为百姓祈求下雨,为何要避雨呢！"

翰林学士承旨图古勒都尔密实、刘赓等翻译《大学衍义》进献,皇上阅读后,对群臣们说:"《大学衍义》议论非常好,下令翰林学士阿琳特穆尔编译它。"

五月,戊寅(十三日),将太子卫率府改为中翊府。

壬午(十七日),黄州、高邮、真州、建宁等地,流亡的民众聚集在一起,拿着兵器抢劫财物粮食。皇上指示所在地的官吏:"对其中伤人及盗窃者处罪,其余的人都发给粮食,遣送回家。"

任命翰林学士承旨齐勒特穆尔为中书平章政事官。以平章乌拜都拉为集贤大学士。己丑(二十四日),晋升左丞阿尔哈雅为平章政事,晋升参政奇塔为右丞、晋升高昉为左丞。

任命参议中书省事完珠、张思明为参知政事。

僧人妙总统受皇上宠爱。皇上命令中书省授其弟五品官，张思明执意不同意，皇帝大怒，召见他，严词责备他。张思明回答说："选官的法制，是衡量天下所有人的共同器物。如果小路一开，来的人就纷杂繁多。所以我宁愿违反圣旨而获罪，也不忍心毁坏祖宗制定的制度，而让各方都能窥探到皇上的深浅。"皇上虽从心底里赞同他所说的话，但是已经答应给妙总统弟弟授官因而只得说："这次你姑且授予，下不为例。"于是任命妙总统的弟弟为万亿库提举，但不授他散官。

六月，戊申(十四日)，中书右丞相特们德尔被罢免，任命左丞相哈克缴为右丞相。

特们德尔贪婪暴虐日益猖獗，朝廷内外对他切齿痛恨，大臣们不知道该如何办，中丞杨多尔济慨然以纠正他的罪过为自己的责任。上都富民张弼因杀人被囚禁起来，特们德尔派家奴去威胁留守贺胜，要他释放张弼，贺胜不同意。而多尔济已察访到特们德尔贪赃巨万，于是与萧拜珠和贺胜上奏揭露这些事，内外御史一起弹劾特们德尔"桀黠奸猾贪婪，欺上罔下；霸占晋王的田地及卫兵的牧地；偷吃郊庙供祭祀用的马匹；接受人贿赂的珠宝动辄以万计。而且已经位极人臣，又领管宣政院的职事，以他的儿子巴尔济苏为宣政院使，他的儿子们对国家没有功劳，却全都成为显贵。纵容家奴们凌辱欺虐官府，做了数不尽的坏事。以至于阴阳不调和，山移地震，灾害怪异的事时常发生，百姓流离失所；他自己却恬然自安，毫无反省悔改之意。他家里的富裕程度又在阿哈玛特、僧格之上。天下百姓对他厌恶怨恨已久，希望早日将其处死以昭示天下。"奏折上后，皇帝勃然大怒，下诏逮捕审问他。特们德尔逃匿在兴圣地方的一个亲近的侍臣家。皇上为此数日没有喝酒，等待处置他，诛杀了与他共同作恶的奴仆数人，特们德尔终究没有抓到。多尔济非常急迫地追捕他，徽政院的近臣以太后的圣旨召多尔济到宫门责备他，多尔济回答说："我这个待罪的御史奉行的是祖宗定下的法律，不是敢违背太后的旨意。"皇帝不忍心伤太后的心，只罢免特们德尔的相位，而提升多尔济为集贤学士。

己酉(十五日)，乌拜都拉又为中书省平章政事。

参知政事张思明执法严峻正直，近臣们嫉恨他，每天在皇上面前进谗言构陷他，因而被贬为工部尚书。皇上问身边的人："张士瞻到工部后，有没有神情不快？"回答说："他勤勤恳恳，忠于职守，同以前一样。"皇上又赞赏又感叹，不久又授予他宣徽院副使的职务。士瞻是张思明的字。

壬子(十八日)，任命工部尚书王桂为中书参知政事。

癸亥(二十九日)，禁止总摄沈明仁使用所佩带的司空印移文各级官府。

秋季，七月，乙亥(十一日)，中书平章政事李孟被罢免。李孟因为体衰多病，乞求解除职务回归田园居里，皇帝不得已允许他的请求。后又聘他为翰林学士，入朝侍奉皇上，生活闲适安逸，皇上对他礼遇尤厚。

任用江浙行省左丞王毅为中书平章政事。

己丑(二十五日)，成纪县发生山崩，土石崩溃移动，毁坏田里的庄稼和房屋，压死居住在里面的百姓。

辛卯(二十七日)，冀宁路发生地震。

皇帝诏谕省臣们说："我屡次听说蒙古各部困苦贫乏,往往把子女卖给百姓家作奴婢,命令官吏们为他们赎身并送还蒙古各部。"

皇帝出巡,看到卫士中有穿破烂衣服的,停下马来问他们,卫士回答说："我们戍守边境关镇超过十五年,所以很贫穷。"皇帝说："这些人长期在外戍边劳累,留守的大臣们从来没有对我说过,如果不是我亲眼所见,又怎么能够知道!从今天起有这样的事情,一定要告诉我。"于是命令赏赐钱帛给卫士。

八月,丙申(初三),皇帝从上都来。

庚申(二十七日),哈克缴奏完事以后,皇帝问他说："你们每天所做的是什么事?"哈克缴回答说："我们所做的是奉行皇上的命令而已。"皇帝说："你们这些人什么时候奉行过我的命令!即使是祖宗的遗规,朝廷的法令,都不遵守。所谓法则,就是用来区别上下,安定民心,从古到今,没有法制不建立而天下能治理好的。假设人君制定法律,宰相能遵守而不违犯它,则下面的百姓知道该害怕什么和躲避什么,朝廷的纪纲就可以建立,风俗就可以变得淳厚。倘若是法纪松弛,百姓怠慢,怨言到处兴起,想要使天下得到治理和安定,难道不是很难吗!"

皇上临政很久了,还是居住在东宫,而且饮酒没有节制。监察御史马祖常上奏说："天子承接天的意旨继承法统,应当极力爱护身体。即算是很精美的饮食,烹制还必须考虑五种味道的调和;酒醴的供应,怎可以不考虑百拜之义呢!皇宫的正衙才是朝贺的地方,虽然陛下不能忘记东宫旧居,我恐怕这样会引起民间视听的疑虑。况且国家才百年,朝廷礼仪还缺少,假如能够使群臣在奏对的时候,有御史手执竹简,史官手执毛笔,在那里倾听记录,那么虽然有心怀奸计、贪图私利和乞求赏赐的官员,他们也不敢开口。乞求皇上命令中书集议,或者三天,或者二天,经常出来视朝,那么治理国家的方法昭明,这是天下百姓的福气啊。"

九月,丙寅(初三),右丞相哈克缴说："按以前的规矩,丞相一定要任用蒙古功臣;我是西域人,难孚众望。"于是诚恳地辞去相位。皇上下令宣徽院使遥授左丞相巴达锡为中书右丞相,哈克缴仍然任左丞相。

壬辰(二十九日),岭北发生地震,共三天。

冬季,十月,甲午(初一),在太庙举行祭祀仪式。

壬寅(初九),派遣御史大夫巴图、参知政事王桂祭祀陕西的岳镇和名山,赈济抚恤秦州遭灾的百姓。

己酉(十六日),监察御史说："官吏们因父母去世而回家奔丧,守制还未满期而重被起用,搞得人心惶惶,请下令禁止,以断绝他们的侥幸心理。只有朝廷的元老旧臣,可以特旨起用,而不在禁例之中。"皇上同意。

十一月,己卯(十六日),又疏浚扬州运河。

壬辰(二十九日),命令各宿卫:"入朝廷值勤各居其位,不是有旨宣召不得上宫殿,擅自入皇宫的犯罪。大臣允许带随从二人,其他官员带一个人,守卫宫门的要查问他们的进出。"

十二月,丁酉(初五),恢复设置管理广州采金采银、采珠子的都提举司。

饶州路发生大饥荒,米价飞涨,总管王都中将官仓中的米定为三种价格,告诉江浙行省,以为必须以下等价粜粮，百姓才能够得到粮食，还没有正式报告，就在下等价的基础上减价十分之二，把米卖给百姓。行省对他擅作主张感到震怒，王都中说："饶州相距杭州将近两千里，等议定后往返，没有半个月下不来。人七天不吃东西就会死，怎么能忍心看着百姓饿死而等待批文呢！"当地百姓奔走相告说："他为我们这些人降低米价，如果他因此得罪，我们应当卖妻子儿女来代他还债。"正巧行省左右司都事王克敬对行省丞相说："鄱阳离开这里很远，等到报批，百姓将会饿死。他做仁德的事，而我们这些人难道要做不仁的事吗？"王都中于是得以免祸。州郡每年贡奉金子给上面，而金户间贫富参差不齐，王都中考察出真实情况，于是更改了交金数目。按包银之法，每户不过二两，而州县征收时加十倍，王都中责令一律按诏书规定行事。

江浙行省派遣王克敬到四明监察与日本人的互市。

以前前去监察的人怕有不测之祸，一定要派重兵以自卫，如临大敌。王克敬到后，全部撤走卫兵，而以恩泽抚慰日本人，他们都安定顺从，没有敢喧哗的。吴人有从军征伐日本而陷落在日本的，到这时也跟从来到中国，他们告诉王克敬，愿意返回故乡。有些人怕因此召来祸患，王克敬说："怎么能够有军士怀恩德而还归故土而不予接纳呢？假如因此而生事，我愿意承当罪责。"事情被传上去后，朝廷嘉奖他。

延祐五年　（公元1318年）

春季，正月，甲戌（十二日），懿州发生地震。

丙子（十四日），安南来朝贡。

乙酉（二十三日），敕令："诸王位下属民在大都的，与百姓一样服役。"

丁亥（二十五日），举行进士会试。

这个月，征召前中书右丞尚文任太子詹事。

河北、河南道廉访副使鄂啰说："近年黄河在杞县小黄村决堤，河水滔滔向南流，没有什么东西可阻挡。陈、颍两地沿河的肥沃土地被水淹没，百姓流离失所。现在水已经逼近汴州城，没有几里路远了，假如又遇到连绵的大雨，水溢而出，仓促之间拿什么去防御！现在正是农闲时节，应该加以规划，使水流归故道，流入长江、淮河之中，不仅陈、颍的百姓能得以生存，而且汴州城亦可以仗此而无灾患。"皇上下令都水监和汴梁路分别监督修治。从二月份动工，到三月份完工。

任命真定路总管曹伯启为司农丞，命令他到江浙地区议定盐法。曹伯启到任后，罢免检校官，在浙东、浙西设置六个官仓，设运盐官员；按一定的日期输运，按一定的次序出进船户、守仓官员有资卖漏失的给予处罚。曹伯启回来奏报后，就把这一做法作为法令颁布。

二月，癸巳朔（初一），出现日食。

和宁路发生地震。

丁酉（初五），秦州秦安县发生山崩。

戊申（十六日），在文德殿后建造鹿顶殿。

辛亥（十九日），皇帝命令杭州守臣在春、秋二季祭祀淮安忠武王巴延祠庙。

乙卯（二十三日），命令中书省裁汰不急需的差役。

皇帝命令上都各寺院、权豪商人们贩运货物都要输纳税课。

戊午(二十六日),拨给书写梵文《维摩经》所用的三千两金子。

先前,宣徽院派人核算内廷每年用于佛事的费用总数,按斤来计算,耗费面四十万九千五百,油七万九千,酥、蜜共五万多。大概在至元三十年间,醮祠佛事的名目仅一百零二;大德七年,又设立功德使司,增加到五百多。到现在僧徒们冒利贪财不知满足,每年花费大幅度增加,比起大德年间,又不知增加了多少倍。

三月,辛酉(疑误),尚文入宫朝见皇帝,已经八十二岁了。皇上看着太保库春,目示他说:"此人从世祖皇帝效力,是纯正廉洁的人。"接着缓缓对尚文说:"你知会古今,懂道理,识大务,委托你好好地辅导皇太子,教导他要不吝口舌,这是我的意愿。"尚文见到太子后,首先用追念祖宗、孝敬两宫、培养自己的德性、辨别邪正来教导他,太子觉得他说的话很特别。

戊辰(初七),廷试进士,赐予呼图达勒、霍希贤以下五十人为进士及第、出身。

癸未(二十二日),命令晋王伊苏特穆尔赈济辽东的贫苦百姓。

拨给九百两金子、一百五十两银子,供书写金字《藏经》使用。

乙酉(二十四日),御史台说,官吏及皇帝的近臣、侍从超越中书省直接上奏的,请按过去的制度论罪。皇上听从了。

曹伯启提升为南台治书侍御史,他上奏说:"扬清激浊,主要依靠御史台官员。许多被冤屈而上诉的,符合事实的则为他申冤,不符合事实的则加重论罪可以了。今诉冤的一律不加过问,怎么可以风励纪纲、维护法度啊!"不久曹伯启离职。

夏季,四月,己亥(初九),耽罗的打猎户成金等人做强盗。皇帝命令征东行省监督军队去捕捉他们。

庚戌(二十日),免除怀孟、河南南阳居民所应交纳的陕西盐课。

当时解州盐池被水冲坏,命令怀孟等地的百姓吃陕西红盐。后因为路途遥远,改吃沧盐,但仍交纳陕西盐税。百姓苦得无法生活,所以才免除。

甲寅(二十四日),任用侍御史敬俨为中书参知政事。

敬俨刚担任侍御史时,台臣们有被弹劾去职而又复职的,御史又再弹劾。奏章再次呈上后,皇帝命令丞相、枢密院一起议决。敬俨说:"如果这样做,那么台臣事就失去了。"于是就在皇帝面前奏请罢黜他,随便即伏在宫殿上,叩头请求替代。皇帝说:"事情不是由你引起,你回到你的位置上去。"到这时被封为参政。台臣们又奏请皇上挽留他,敬俨又在皇帝面前请求辞职。皇上不允许他的请求。赐给他《大学衍义》及自己穿用的犀带。按过去的制度,各院及寺监可以奏请皇帝封其僚属官职,年久后出现很多假冒和滥封的现象,有的富人以赂贿取得官职,有的还担任了大官。敬俨以为名爵应该慎重爱惜,正巧台臣也这样认为,于是奏请皇上将冒滥封赠的名爵全部追夺,并将它作为法令颁布。

戊午(二十八日),皇帝到上都。

五月,丁卯(初七),任命御史中丞伊拉齐为中书右丞。

壬申(十二日),监察御史上书说:"近年来名爵假冒浮滥,太尉、司徒、国公在朝廷上络绎不绝。过去奉诏书裁罢名爵,中外没有不欢欣鼓舞的。近来听说礼部奉旨铸造太尉、司徒、司空等印章二十六枚，这些人对国家无功，如果将此事记载在史册上，将会贻笑于后世。请求从现在起，除门第高贵、功勋昭著的，保留一二名外，其余的一并革除。"皇上听从了。

癸酉(十三日)，派遣官吏们分道减汰杖笞刑以下的罪犯。

己卯(十九日)，德庆路发生地震。

巩昌陇西县下大雨，南土山崩，压死当地居民，官府给粮食赈济。

太子詹事尚文，因为年老不愿受俸禄，皇帝抚慰并挽留他，仍然要他尽心教导太子。不久因病而归故里。

六月，辛卯(初二)，御史台上书说："过去派遣章律等人去经理江浙、江西、河南的田粮，他们虚增粮食数量，伤害了当地百姓。已曾奉圣旨等三年后征收田租，现在已到期，如果江浙、江西应当按例输纳田租的话，那河南请按旧例减半征收田租。"

乙巳(十六日)，方术之士赵子玉等七人被处死。

当时魏王阿穆尔克因犯罪被贬往高丽，赵子玉对王傅司马曹图卜台等说："阿穆尔克的名字与图谶相应验。"于是他们秘密谋划，准备兵器、衣甲、旗鼓，航海到高丽接阿穆尔克到大都，等候时机发难。走到利津县，事情暴露而被诛杀。

西番土匪作乱，皇上命令甘肃省调动军队前往捕捉匪徒。

任用宣政院副使张思明为西京宣慰使。岭北的戍守军士很多人贫困，岁凶收成不好，他们相继铤而走险，发动军变。张思明恩威并行，边境才安定下来。他随即整理并奏上和林运粮不便的十二件事。皇上以端砚、醇酒慰劳他。

秋季，七月，壬申(十四日)，御史中丞赵简上书说："皇太子年龄正处鼎盛时期，应当挑选硕儒给他讲解道义。现在李铨侍候东宫说书，不熟悉经史，请求另外寻求饱学儒士，分别给太子讲课，这实在是宗社无边的福气。"皇上同意他的意见。

诸王布里雅敦叛乱，诸王额森、实列吉及卫士多岱、巴图首鼠两端，不帮助官军进讨布里雅敦。皇上命令将额森流放到江西、实列吉流放到湖广、多岱流放到衡州、巴图流放到潭州。

癸酉(十五日)，拘收魏王阿穆尔克王傅官印。

壬午(二十四日)，免除河南行省左丞陈英等人所括民田，百姓只按旧例交纳租税。

戊子(三十日)，巩昌路宁远县发生山崩。

加封楚国三闾大夫屈原为忠节清烈公。

八月，庚子(十二日)，皇帝从上都来。

这一天，伏羌县发生山崩。秦州成纪县下暴雨，发生山崩，肥沃的土壤隆起，埋没了牲畜财产。

九月，癸亥(初六)，大司农边珠进献司农丞苗好谦所撰写的《栽桑图说》，皇帝命令刊印千册，散发民间。

丁卯(初十)，任命中书右丞伊拉齐为中书平章政事，左丞高昉为右丞，参知政事完珠为左丞，吏部尚书雅济格为参知政事。

甲戌(十七日)，因为要做佛事，释放重罪犯三人、轻罪犯五十三人。

己卯(二十二日)，将江浙行省所刊印的《大学衍义》五十部赏赐给朝臣。

丁亥(三十日),在杭州设立行宣政院,设官吏八个人。

大同路金城县下大雨冰雹。

首先是播州南宁长官洛么作乱,思州守臣招降劝谕他。冬季,十月,己丑(初二),洛么派人以地方特产进贡。

癸巳(初六),将中翊府改为羽林亲军都指挥使司。

甲午(初七),在太庙举行祭祀仪式。

癸丑(二十六日),赣州路雩都县里胥刘景周,因为官吏征收括田新租而聚集众人作乱,皇上下令免征新租,招降劝谕他们。

十一月,丁卯(十一日),采用监察御史奈曼台等人的意见,追回并削去建康富民王训等人以平民百姓身份滥受的宣敕,还禁止假冒籍贯的宿卫以及靠投机取巧的手段授远方职官而不赴任又请求调到别处的人,隐匿不自首的人,以罪论处。

癸未(二十七日),下令增加江西茶运司的茶税。当初,世祖之时,在江州设置榷茶都转运司,总管江南及两淮的茶税,不久又改在江西,其税从二万四千锭而增加到十九万二千八百锭。到这时,又因为听江西茶副帕合哩鼎的话,创立减引增课之法,敕令以二十五万锭为限额,后又增加到二十八万九千多锭。郡县为输纳税课,把山谷里的产品都交纳了,也不足税课的一半,剩下的都从民间榨取,每年都这样。当时转运使有制裁地方官的权力,凡是五品以下的官员都可处以杖刑,所以,州县官对他们无可奈何。江南佥事邓文原请求撤销茶运司,由郡县来管理茶课。没有得到答复。

十二月,辛亥(二十五日),设置重庆路江津、巴县屯田,每年节省成都漕粮一万二千石。

这一年,中书平章政事、商议枢密院事齐诺乞求退休,被允许,仍然给他一半俸禄,一直到他去世为止。

齐诺退休后居住在濮上,在历山下修筑先圣燕居祠堂,收集万卷书,请名师教育他乡里的子弟,献出私田百亩作办学的经费。有关官府报告皇上后,赐予历山书院的匾额。他在家居住七年后去世,终年七十一岁,谥号为景宪。

续资治通鉴卷第二百

【原文】

元纪十八　起屠维协洽【己未】正月,尽上章涒滩【庚申】十二月,凡二年。

仁宗圣文钦孝皇帝

延祐六年　【己未,1319】　春,正月,丁巳朔,暹罗来贡方物。

丁卯,敕:"福建、两广、云南、甘肃、四川军官致仕还家,官给驿传如民官例。"

戊辰,赈晋王部贫民。

甲戌,监察御史富珠哩翀等言:"皇太子位正东宫,既立詹事院以总家政,宜择年德老成、道义厚重者为师保宾赞,俾尽心辅导,以广缉熙之学。"翀尝以御史巡按淮东,淮东宪司惟尚刑,多致狱具。翀曰:"国家所以立风纪,盖将肃清天下,初不尚刑也。"取其狱具焚之。

时凡以吏进者,例降二等,从七品以上不得用。翀言:"科举未立,人才多以吏进,若一概屈抑,恐非持平之议。请以吏进者,宜止于五品。"诏复旧制,其犯赃者止从七品,著为令。

己卯,广东南思、新州猛贼龙郎庚等为寇,命江西行省发兵捕之。

帝谓达噜噶齐玛噜曰:"凡人命所系,其详阅狱词;事无大小,必谋诸同僚,疑不能决者,与省台臣集议以闻。"又顾谓侍臣曰:"卿等以朕居帝位为安耶?朕惟太祖创业艰难,世祖混一疆宇,兢业守成,恒惧不能当天心,绳祖武,使万方百姓乐得其所,念虑在兹,卿等固不知也。"

二月,丁亥朔,日有食之。改释奠于中丁,祀社稷于中戊。

丁酉,云南阇里爱俄、永昌蒲蛮阿八剌等并为寇,命云南省从宜剿捕。

乙巳,敕:"诸司不由中书奏官而辄署事者罢之。"

三月,丁巳,以天寿节,释重囚一人。

辛酉,以御史中丞图图哈为御史大夫,谕之曰:"御史大夫职任至重,以卿勋旧之裔,故特授汝。当思乃祖乃父忠勤王室,仍以古名臣为法,否则坠汝家声,负朕委任之意矣。"

己巳,敕:"诸王、驸马、宗姻,诸事依旧制。领于内八府,勿径移文中书。"

免大都、上都、兴和、大同今岁租税。

夏,四月,壬辰,中书省言:"云南土官病故,子侄兄弟袭之,无则妻承夫位。远方蛮夷,顽犷难制,必任土人,可以集事。今或阙员,宜从本俗。"制可之。

庚子,帝如上都。

4817

以前中书右丞相特们德尔为太子太师。内外监察御史四十馀人,劾其逞私蠹政,难居师保之任,帝以皇太后故,终不用其言。又尝以台事问集贤学士杨多尔济,对曰:"非臣职事,臣不敢与问。所念者(德)〔特〕们德尔虽去君侧,反得为东宫师傅,在太子左右,恐售其奸,则祸有不可胜言者。"帝亦不能用。

五月,扬州火,毁官民庐舍二万三千三百馀区。

六月,辛丑,置河南田赋总管府,隶内史府。

戊申,置勇校署,以角觝者隶之。

庚戌,大同县雨雹,大如鸡卵。

诏以驼马牛羊分给朔方蒙古民戍守边徼者,俾牧养蕃息以自赡,仍议兴屯田。

癸丑,以羽林亲军万人隶东宫。

丁丑,以济宁等路大水,遣官阅视,其民之贫者赈之;仍开河泊禁,听民采食。

秋,七月,丙辰,缅国遣人来觐。

来安路总管岑世兴叛,据唐兴州,赐玺书招谕之。

壬戌,东宫增军万人,置右卫率府。

丁卯,谕江西官吏豪民勿阻挠茶课。

甲戌,皇姊大长公主作佛事,释全宁府重囚二十七人。帝闻之怒,敕按问全宁守臣阿纵不法,仍追所释囚还狱。

八月,甲申,以河东、山西道宣慰使张思明为中书参知政事。

先是左丞相哈克缴辞职,帝不允,其请益坚。帝诘之曰:"朕任卿未专耶?"曰:"非也。""近臣有挠政者耶?"曰:"无有。""然则何为而辞?"对曰:"臣自揆才薄,恐误陛下国事。若必欲任臣,愿荐一人为助。"帝问为谁,哈克缴再拜曰:"臣愿得张思明。"即日召用之。

庚子,帝至自上都,张思明谒见于道。帝曰:"卿向不负朕注委,故因哈克缴言复起用汝。"

是月,伏羌县山崩。

闰月,甲子,浚会通河。

癸酉,敕:"诸司有受命不之官及避烦剧托故去职者,夺其宣敕。"

九月,甲申,以奇彻尔为中书参知政事。

癸巳,以作佛事,释大辟囚七人,流以下囚六人。

戊戌,增海漕十万石。

癸卯,御史台言:"比者官以幸求,罪以赂免。请凡内外官非勋旧有资望者,不许骤升;诸犯赃罪已款伏及当鞫而幸免者,悉付原问官以竟其罪;其贪污受刑,夺职不叙者,夤缘近侍,出入内庭,觊幸名爵,宜斥逐之。"帝皆纳其言。

诏:"四宿卫尝受刑者,勿令造内庭。"

浚镇江练湖,以围田日多,致水泛溢也。

赈济宁等路饥。

冬,十月,乙卯,中书省言:"白云宗统摄沈明仁,强夺民田二万顷,诳诱愚俗十万人,私赂近侍,妄受名爵,已奉旨追夺,请汰其徒,还所夺民田。其诸不法事,宜令核问。"帝曰:"朕知沈明仁奸恶,其严鞠之。"

戊午,授皇太子玉册。

辛酉,以达噜噶齐特穆尔布哈为御史大夫。

癸亥,上都民饥,发官粟万石减价赈粜。

己卯,浚通(会)〔惠〕河。

十一月,辛卯,木邦路带邦为寇,敕云南省招捕之。

庚子,中书省言:"曩赐诸王阿济吉钞三万锭,使营子钱以给畋猎廪膳,毋取诸民。今其部阿噜呼等出猎,恣索于民,且为奸事,宜令宗正府、刑部讯鞠之,以正典刑。"制可之。

禁民匿蒙古军亡奴。

帝谕台臣曰:"有国家者,以民为本。比闻百姓疾苦衔冤者众,其令监察御史、廉访司审察以闻。"

翰林学士承旨赵孟頫,乞致仕南归,帝遣使赐衣币,促之还朝,以疾辞,不起。

赈河间饥。

十二月,壬戌,命皇太子参决国政。

太子谓中书省臣曰:"至尊委我以天下事,日夜寅畏,惟恐弗堪。卿等亦当洗心涤虑,恪勤乃职,勿有隳坏,以贻君父忧也。"

帝亦语左右曰:"前代皆有太上皇之号。今太子且长,可居大位,朕欲为太上皇,与若等游观西山,以终天年。"群臣皆称善。右司郎中鲁特穆尔曰:"臣闻昔所谓太上皇,若唐玄宗、宋徽宗,皆当祸乱,不得已而为之。愿陛下正天位,保无疆之业。前代虚名,何足慕哉!"

壬申,平章政事王毅,以亲〔老〕辞职;从之,仍赐其父币帛。

癸酉,夜,风雪甚寒,帝谓侍臣曰:"朕与卿等居暖室,宗戚、昆弟远戍边陲,曷胜其苦!岁赐币帛,可不遍及耶!"

是月,封宋儒周(惇)〔敦〕颐为道国公。

帝尝谓左右曰:"儒者皆用矣,惟虞伯生未显擢耳。"遂以集为翰林待制兼国史院编修,集寻以忧归。伯生,集之字也。

延祐七年 【庚申,1320】 春,正月,辛巳朔,日有食之。帝斋居损膳,辍朝贺。

壬午,御史台言:"比赐布尔罕鼎山场,鄂勒哲布哈海舶税,会计其钞,皆数十万锭;诸王军民贫乏者,所赐未尝若是,苟不撙节,渐至帑藏虚竭,民益困矣。"中书省臣进曰:"台臣所言良是,若非振理朝纲,法度愈坏。臣等乞赐罢黜,选任贤者。"帝曰:"卿等不必言,其各共乃事。"

辛卯,江浙行省丞相赫噜言:"白云僧沈明仁,擅度僧四千八百馀人,获钞四万馀锭,既已辞伏,今遣其徒沈崇胜潜赴京师行贿求援,请逮赴江浙并治其罪。"从之。

丁亥,帝不豫。皇太子忧形于色,夜则焚香祈告于天曰:"至尊以仁慈御世,庶绩顺成,四海清晏,天何遽降大厉! 不如罚殛我身,使至尊永为民主。"辛丑,帝崩于光天宫,年三十六。太子哀毁过礼,素服寝于地,日啜一粥。癸卯,葬起辇谷。

帝天性恭俭,通达儒术,兼晓释典,每曰:"明心见性,佛教为深;修身治国,儒道为大。"在位七年,不事游畋,不喜征伐,尊贤重士,待宗戚勋旧,始终有礼。有司奏大辟,每惨恻移时。

其孜孜为治,一遵世祖成宪云。

甲辰,中书右丞相巴达锡罢。太子太师特们德尔以皇太后命,复入中书为右丞相。

参议中书省事韩若愚,廉勤称职,特们德尔初为相时,以其不附己,欲罗织以事而不得遂,至是复相,乃诬若愚以罪,请杀之,皇太子不从。复奏夺其官,除名,归乡里。

丙午,遣使分谳内外刑狱。

戊申,汰知枢密院四员。

禁巫、祝、日者交通宗戚、大官。

二月,壬子,罢造永福寺。

赈大同、丰州诸驿饥。

以江浙行省左丞相赫噜为中书平章政事。

戊午,祭社稷。

建御容殿于永福寺。

汰富民窜名宿卫者,给役蒙古诸驿。

辛酉,中书平章政事齐勒特穆尔、御史大夫托欢并罢,为集贤大学士。

甲子,特们德尔、阿克繖请捕逮四川行省平章政事赵世延赴京。特们德尔以世延尝劾奏其罪恶十三事,锐意报复,属其党何志道诱世延从弟索哈尔哈呼诬告世延罪,逮世延置对;且使讽世延,啖以美官,令告引同时异己者,世延不肯从。行至夔州,遇赦,以疾抵荆门就医。特们德尔遣使督追至京师,俾其党锻炼成狱,会有旨,事经赦原者勿复问,乃已。

参议中书省事奇勒监,坐鬻官,刑部以法当杖,太后命笞之,太子曰:“不可,法者天下之公,徇私而轻重之,非示天下以公也。”卒正其罪。

丙寅,以陕西行省平章政事赵世荣为中书平章政事,江西行省右丞穆布喇为中书右丞,参知政事张思明为中书左丞,中书左丞完珠罢为岭北行省右丞。

白云宗〔统〕摄沈明仁以不法坐罪,诏籍江南冒为白云僧者为民。

己巳,修镇雷佛事于京城四门。

辛未,括民间系官山场、河泊、窑冶、庐舍。

癸酉,括勘崇祥院地,其冒以官地献者追其直,以民地献者归其主。

丙子,定京城环卫更番法,准五卫汉军岁例。

丁丑,特们德尔以李孟初不附己,夺其秦国爵及前后制命,仆其先墓碑。

戊寅,中书平章政事乌巴都拉罢,为甘肃行省平章政事;阿(里)〔尔〕哈雅罢,为湖广行省平章政事。

特们德尔怨集贤学士杨多尔济前为中丞时发其奸赃、专制等罪,而平章政事萧拜珠在中书牵制其所为,于是矫皇太后旨,召多尔济、萧拜珠至徽政院,与徽政使实勒们、御史大夫图勒哈杂问之,责以前违太后旨之罪。多尔济曰:“中丞之职,恨不即斩汝以谢天下!果违太后旨,汝岂有今日耶?”特们德尔请杀之,皇太子曰:“人命至重,刑杀非轻,不宜仓卒。二人罪状未明,当白太后,使详谳之,诛之未晚也。”特们德尔乃引同时为御史者二人证成其狱。多尔济顾二人唾之曰:“汝等尝得备风宪,乃为是犬彘事耶?”坐者皆惭,俯首。即起入奏,未几,称旨执多尔济,载诣国门之外,与萧拜珠俱见杀。是日,风沙晦冥,都人惆惧,道路相视以目。

后又欲夺多尔济妻刘氏与人,刘剪发毁容自誓,乃免。萧拜珠之死,有吴仲者,潜守其尸,三日不去,竟收葬之。

时特们德尔日思报复仇怨,诛戮不已,张思明谓曰:"山陵甫毕,新君未立,丞相恣行杀戮,人皆谓丞相阴有不臣之心,万一诸王、驸马疑而不至,奈何?"特们德尔乃止。

徽政院使实勒们,以皇太后命请更朝官,皇太子曰:"此岂除官时耶? 且先帝旧臣,岂宜轻动! 俟予即位,议于宗亲、元老,贤者任之,邪者黜之,可也。"司农卿鄂勒哲布哈,言先帝以土田颁赐诸臣者,宜悉归之官,太子问曰:"所赐为谁?"对曰:"左丞相哈克缴所得为多。"太子曰:"予尝谕卿等,当以公心辅弼。卿于先朝尝请海舶之税,以哈克缴奏而止。今卿所言,乃复私憾耳,非公议也,岂辅弼之道耶!"遂出鄂勒哲布哈为湖南宣慰使。

三月,辛巳,以中书礼部领教坊司。

壬午,赈陈州、嘉定州饥。

爪哇入贡。

戊子,征诸王、驸马流窜者,给侍从,遣就分邑。

庚寅,皇太子即皇帝位,诏赦天下,尊皇太后为太皇太后。

壬辰,太皇太后受百官朝贺于兴圣宫。特们德尔进开府仪同三司、上柱国、太师。

初,太皇太后以周王和实拉少时有英气,而帝稍柔懦,诸群小亦以立和实拉必不利于己,遂定策。帝既即位,太皇太后来贺,帝毅然见于色。太后退而悔曰:"我不拟养此儿耶!"

敕:"群臣超授散官,朝会毋越班。"

戊戌,汰上都留守司留守五员。

定吏员秩止从七品如前制。

辛丑,禁擅奏玺书。

壬寅,降前中书平章政事李孟为集贤侍讲学士。特们德尔欲因其不就,阴中之,孟拜命欣然。帝谓特们德尔子巴尔济苏曰:"尔辈谓孟不肯为是官,今何如?"由是谗不得行。

御史台请诏谕百司以肃台纲,帝曰:"卿等但守职尽言,善则朕当服行,否亦不汝罪也。"

甲辰,诏中外毋沮议特们德尔。

敕罢医、卜、工匠任子,其艺精绝者择用之。

丙午,有事于南郊;夏,四月,庚戌,有事于太庙,告即位也。

罢行中书省丞相。河南、湖广、辽阳并降为平章政事,惟征东行省丞相高丽王不降。

乙卯,罢回回国子监。

戊午,祀社稷。

己未,绍庆路峒蛮为寇,命四川行省捕之。

祭遁甲神于香山。

命平章政事王毅等征理在京诸仓库钱谷,亏耗者七十八万石,及诸路岁贡币帛稍纰谬者,俱责偿所司。程督严刻,怨讟并作矣。

以太常礼仪院使拜珠为中书平章政事。

拜珠,安图孙也,阔远端亮,有祖风,袭宿卫长。延祐中,拜太常礼仪院使,每议大政,必问曰:"合典故否?"同官有异见者曰:"大朝止说典故耶?"拜珠微笑曰:"公试言之,国朝何事不合典故?”同官不能对。太常事简,每退食,必延儒士,谘访古今礼乐刑政,治乱得失,尽日不倦,尝曰:“人之仕宦,随所职司,事皆可习。至于学问有本,施于事业,此儒者之能事,宰相之资也。”帝在东宫,问宿卫之臣于左右,咸称拜珠贤,遣使召之,欲与语,拜珠谓使者曰:“嫌疑之际,君子所慎。我长天子宿卫,而与东宫私相往来,我固得罪,亦岂太子福耶!”竟不往。及即位,遂有是命。

壬戌,特们德尔请参决政务,禁诸臣毋隔越擅奏,从之。

乙丑,大行皇帝丧卒哭,作佛事七日。

丙寅,周王和实拉长子托欢特穆尔生。

戊辰,帝如上都。

初,太庙九室,合飨于一殿。及仁宗崩,无室可祔,乃权结彩殿于武宗室前,以奉神主。帝召礼官集议,太常礼仪院经历曹元用言:“古者宗庙,有寝有室,宜以今室为寝,当更营大殿于前,为十五室。”帝嘉其议,授翰林待制。

戊寅,有献七宝带者,因近臣以进,帝曰:“朕登大位,不闻卿等进贤而为人进带,是诱朕也。其还之。”

五月,己卯朔,禁僧驰驿,仍收元给玺书。

庚辰,杀上都留守贺胜。

胜与特们德尔居同巷,恶其奸恶,且帷薄不修,绝不通问,复与杨多尔济发其赃罪。特们德尔恚甚,乃奏其便服迎诏为大不敬,弃市,籍其家。胜死之日,百姓争持纸钱哭于尸旁甚哀。

己丑,中书左丞相阿克繖罢为岭北行省平章政事。以拜珠为左丞相,鼐喇呼、达斯哈雅并为中书平章政事,济尔哈朗为参知政事。

特们德尔恃其权宠,乘间肆毒,睚眦之私,无不报复。帝觉其所谮毁者皆先帝旧人,滋不悦其所为,乃以拜珠为左丞相,委以心腹,特们德尔渐见疏外矣。

辛卯,中书参知政事奇彻罢,为集贤学士。

遣使榷广东番货。

壬辰,和林民阎海,瘗殍死者三千馀人,旌其门。

乙未,上圣文钦孝皇帝尊谥,庙号仁宗,国语曰布延图皇帝。

戊戌,有告岭北平章政事阿克繖、中书平章政事赫噜及御史大夫图卜台、徽政使实勒们等与故约苏穆尔妻伊埒萨巴谋废立者,帝御穆清阁,召拜珠谋之。对曰:“此辈擅权乱政久矣,今犹不惩,阴结党与,谋危社稷。宜速施天威,以正祖宗法度。”帝动容曰:“此朕志也!”命率卫士擒斩之,籍其家,馀党皆伏诛。

先是近侍传旨,以姓名赴中书铨注者六七百员,选曹为之壅滞,拜珠奏阁之,注授一依选格次第,吏无容奸。刑曹事有情可矜者,宽恕之,贪暴不法,必不少容。帝尝谕左右曰:“汝辈慎之,苟陷国法,我虽曲赦,拜珠不汝恕也。”

追封陇西公汪世显为陇右王。

辛丑,以知枢密院事特穆尔托为中书平章政事。

壬寅,监察御史请罢僧、道、工、伶滥爵及建寺、豢兽之费。

甲辰,以诛阿克缴、赫噜、贺胜等诏天下。胜死非其罪,而诏书与诸逆并言,时犹为特们德尔所蔽也。

丙午,捕伊呀萨巴子江浙平章玛噜,仍籍其家。

丁未,封汪沁为云南王,往镇其地。

以贺胜、实勒们、阿克缴家赀、田宅赐特们德尔等。

六月,己酉,流徽政院使密锡实于金刚山。

以托实哈、实勒们所夺人畜产归其主。

甲寅,前太子詹事绰和尔伏诛。

京师疫,作佛事于万寿山。

戊午,罢徽政院。

广东采珠提举司罢,以有司领其事。

庚申,赐角觗者百二十人钞各千贯。

壬戌,敕:"诸使入京者,大事五日,小事三日遣还。"

是夜,月食既。

乙丑,新作太祖幄殿。

时僧徒横甚,有司无敢诘难者。螯屋僧圆明以烧香受戒私相煽惑,从者日众,遂自称皇帝,众呼万岁,约以孟秋五日攻奉元路。秋,七月,丁丑朔,陕西参政多尔济以兵捕之,圆明遁去;逾月,始就擒,斩之。

甲申,车驾将北幸,调左右翊军赴北边浚井。

以知枢密院事玛噜、哈坦并为辽阳行省平章政事。

壬辰,遣扈从诸营还大都,禁践民禾。

安南内附人陈岩,言其国贡使多为觇伺,敕湖广行省汰遣之。

丙申,中书平章政事鼐喇呼罢。

禁献珍宝制衮冕。

庚子,以江南行御史台中丞廉恂为中书平章政事。恂,希宪之子也。

辛丑,晋王伊苏特穆尔遣使以地七千顷归朝廷,请有司征其租,岁给粮钞;从之。

是月,汴梁路言:"荥泽县河决塔海庄堤十步馀,横堤两重复决数处;又,开封县苏村及七里寺决二处。"诏本路及都水监官并工修筑。

八月,丁未朔,岭北省臣实都,坐以官钱犒军免官,诏复其职。

丙辰,祔仁宗圣文钦孝皇帝、庄懿慈圣皇后于太庙。特们德尔摄太尉,奉玉册行事。

戊午,特们德尔复诬赵世延以违诏不敬,下之狱,请置极刑,并究省台诸臣,不允。帝幸凉亭,从容谓近侍曰:"顷特们德尔必欲置赵世延于死地,此殆报怨耳。朕素闻其忠良,故每奏不纳。"左右咸称万岁。

丁卯,宫人官努,坐用日者请太皇太后禜星,杖之,籍其资。

托期玛部宣慰使尹琳沁,坐违制不发兵,杖流纽尔干地。

九月,甲申,建寿安山寺,给钞千万贯。

禁五台山樵采。

庚子,常德(沣)〔澧〕州洞蛮合诸洞为寇,命土官追捕之。

甲辰,遣玛萨曼等使占城、真腊、龙牙门,索驯象。

以廪藏不充,停诸王所部岁给。

冬,十月,丁未,时飨太庙。

庚戌,将作院使伊苏坐董制珠衣怠工,杖之,籍其家。

丁巳,酉阳耸依洞蛮田谋远为寇,命守臣招捕之。

戊午,帝至自上都。

诏太常院曰:"朕将以四时躬祀太室,宜与群臣集议其礼。此追远报本之道,毋以朕劳于对越而有所损;其悉遵典礼。"

庚申,敕译佛书。

乙丑,幸大护国仁王寺。帝师请以醮八儿监藏为吐蕃宣慰使、都元帅,从之。

丁卯,为皇后作鹿顶殿于上都。

庚午,命拜珠督造寿安山寺。

十一月,丙子朔,帝御斋宫。丁丑,恭诣太庙,备法驾,服衮冕以行礼;至仁宗室,即歔欷流涕,左右莫不感动。

甲申,敕翰林国史院纂修《仁宗实录》。

丁酉,诏各郡建帝师帕克斯巴殿,其制视孔子庙有加。

甲辰,特们德尔言:"和市织币薄恶,由董事者不谨,请免右丞高昉等官,仍令郡县更造,征其元直。"不允。

十二月,乙巳朔,诏:"以明年为至治元年,减天下租赋二分,包银五分;免大都、上都、兴和三路差税二年;优复煮盐、炼铁等户二年。开燕南、山东河泊之禁,听民采取。命官家属流落边远者,有司给资遣之;其子女典鬻与人者,听还其家。监察御史、廉访司岁举可任守令者二人。七品以上官,有伟画长策可以济世安民者,实封上之。士有隐居行义,明治体,不求闻达者,有司具状以闻。"

丁未,播州蛮蛮的羊笼等内附。

庚戌,铸铜为佛像,置玉德殿。

癸丑,以天寿节,预遣使修醮于龙虎山。

乙卯,率百官奉玉册玉宝,加上太皇太后尊号曰"仪天兴圣慈仁昭懿寿元全德泰宁福庆徽文崇祐太皇太后"。

翰林学士呼图噜都勒译进《大学衍义》,帝曰:"修身治国,无逾此书。"赐钞五万贯,以印本颁赐群臣。

河南饥,帝问其故,群臣莫能对,帝曰:"良由朕治道未洽,卿等又不尽心乃职,委任失人,致阴阳不和,灾害洊至。自今各务勤恪以应天心,毋使吾民重困。"

辛酉,作延春阁后殿。

乙丑,禜星于回回司天监四十昼夜。

丙寅,修秘密佛事于延春阁。

丁卯,特们德尔、拜珠言:"比者诏内外言得失,今上封事者或直进御前。乞令臣等开视,再入奏闻。"帝曰:"言事者直至朕前可也,如细民辄诉讼者则禁之。"

给武宗皇后钞七十五万贯。

己巳,敕罢明年二月八日迎佛。

以江南、浙西道廉访使薛处敬为中书参知政事。

辛未,拜珠进《卤簿图》,帝以唐制用万二千三百人耗财,乃定大驾为三千二百人,法驾二千五百人。

上思州猺结交趾寇忠州。

癸酉,帝闻贺胜母老,悯之,以所籍京兆田砣还其家。

江浙行省平章政事巴延彻尔,江西行省平章政事白萨都,并坐贪墨免官。

是岁,决狱轻重七千六百三十事。

滹沱河决文安、大城等县,浑河溢,坏民田庐;秦州成纪县暴雨,山崩,朽壤坟起,覆没畜产;大同雨雹,大如鸡卵;益津县陨黑霜。

帝命宣徽院使特克实领中都威卫指挥使。

特克实,特们德尔党也。延祐中,近臣多托恩幸以求赏者,宣徽院使图沁布哈辄抑弗予。特克实、王廷显,皆同官也,仁宗赐特克实海舶,图沁布哈曰:"此军国之所资,上不宜赐,下不宜受。"又赐廷显玉带,廷显欲取大官羊钱一万五千缗充其价,图沁布哈复持不可,于是怨之者众。及帝即位,特们德尔擅政,特克实竟谮杀之。

【译文】

元纪十八　起己未年(公元 1319 年)正月,止庚申年(公元 1320 年)十二月,共二年。

延祐六年　(公元 1319 年)

春季,正月,丁巳朔(初一),暹罗国派人来进贡当地土产。

丁卯(十一日),皇帝发布文告:"福建、两广、云南、甘肃、四川等地的军官辞职回家,按照民官的惯例,由官府供给驿站车马。"

戊辰,(十二日),赈济晋王管辖区的贫民。

甲戌(十八日),监察御史富珠哩翀等进言说:"皇太子在东宫就位,已设立詹事院来统管其家庭事务,应挑选年老德高、道义重厚的人担任师保宾赞,让他们尽心辅导皇太子学习,以扩大皇太子的学识,使皇太子的学问日渐光明。"富珠哩翀曾以御史身份视察淮东。淮东宪司只是崇尚刑讯,置办了很多刑具。富珠哩翀说:"国家之所以制定法度纪纲,是为了使天下清明太平,当初并不是崇尚刑讯。"并把淮东宪司的刑具都取出焚毁了。

当时凡是从胥吏中提拔的官员,一概降低两个等级,不得任用他们担任从七品以上的官职。富珠哩翀说:"科举还没有设立,人才大多从胥吏中提拔,如果一概压低任用,恐怕不是持平的主张。请求从胥吏中提拔的官员,最高任职等级为五品。"皇帝降旨恢复旧制,规定其中有贪赃行为的,最高任职只能到从七品,并命令将这规定作为法令颁布。

己卯(二十三日),广东南思、新州瑶贼龙郎庚等人作乱,朝廷命令江西行省派出军队捉拿他们。

皇帝对达噜噶齐、玛噜说:"凡是牵涉人命的案件,一定要详细审阅口供,事情无论大小,一定要和同僚商议。有疑问不能决断的,与省里御史台的官员一起商议后报告给我。"又对侍臣说:"你们认为我当皇帝很安乐吧?我想着太祖创业的艰难,世祖统一国土,兢兢业业保持前人的成就和业绩,还是常常害怕不能顺应天意,继承祖业,使天下百姓乐得其所。我的思虑在这上面,你们一定不知道。"

二月,丁亥朔(初一),出现日食。把祭祀先圣先师的典礼改在中旬丁日举行,把祭祀社稷的典礼改在中旬戊日举行。

丁酉(十一日),云南阁里爱俄、永昌蒲蛮阿八刺等一起作乱,朝廷命令云南省采取适宜的办法剿捕。

乙巳(十九日),皇帝敕令:"各级官员不通过中书省上奏朝廷而擅自处理公事者将被罢免。"

三月,丁巳(初三),因为这天是皇帝寿辰,释放一名重罪囚犯。

辛酉(初六),任命御史中丞图图哈为御史大夫,皇帝告诫他说:"御史大夫的职责很重要,因为你是有功勋的旧臣的后代,所以特意授予你这个职位。你应当想到你祖父与你父亲对王室忠心尽力,还要以古代名臣为标准。否则就败坏了你家族的名声,辜负了我委任你的心意。"

己巳(十四日),皇帝下令:"诸王、驸马、皇家姻亲的各种日常事务依照旧制,由内八府统管,不要直接向中书省移送文书。"

免除大都、上都、兴和、大同今年的租税。

夏季,四月,壬辰(初七),中书省报告说:"云南土司病故,由子侄兄弟继承官位,无子侄兄弟就由妻子继承丈夫的官位。边远地区的民族,愚顽粗犷、难以控制,必须任用当地人,才能成就大事。如果有缺员,应遵从当地传统的习俗补足。"皇帝表示同意。

庚子(十五日),皇帝到上都。

任命前中书右丞相特们德尔为太子太师。内外监察御史四十多人,揭发特们德尔放纵私欲败坏朝政,认为他不能担任师保这职务,皇帝因为皇太后的缘故,最后没有采纳他们的意见。皇帝又曾拿御史台的事情询问集贤院学士杨多尔济,他回答说:"这不是我管的事,我不敢干预过问。我所思虑的是特们德尔虽然从君主身边离开,反而能做太子的老师,我担心他在太子身边施展阴谋诡计,那样造成的祸害则难以用言语来表达了。"皇帝也没有采纳他的意见。

五月,扬州发生火灾,烧毁官府和百姓的房屋二万三千三百多处。

六月,辛丑(十八日),设置河南田赋总管府,隶属内史府。

戊申(二十五日),设置勇校署,用以管理摔跤的勇士。

庚戌,(二十七日),大同县降冰雹,大的如同鸡蛋一般。

皇帝诏命,把骆驼、马匹和牛羊分发给北方守卫边境的蒙古人,使他们牧养繁衍生息以供养自己,又商议实行屯田。

癸丑(三十日),把一万名近卫军划归东宫。

丁丑(疑误),因为济宁等路发生水灾,派遣官员前往视察,对于那里贫困的百姓给予救济;并且解除不准在河流湖泊捕捞的禁令,听任百姓采捞为食。

秋季,七月,丙辰(初三),缅国派人来朝见。

来安路总管岑世兴背叛,占据了唐兴州,皇帝发布诏书招抚他。

壬戌(初九),东宫增加士兵一万人,设置右卫率府。

丁卯(十四日),皇帝下诏书命令江西官吏、富豪不要阻挠征收茶税。

甲戌(二十一日),皇姊大长公主作佛事,释放了全宁府二十七名重罪囚犯。皇帝听说这件事后很生气,下令追究审问全宁府守臣枉法纵容违法行为,并把被释放的囚犯追回,送还监狱。

八月,甲申(初二),任命河东、山东道宣慰使张思明为中书参知政事。

在这以前,左丞相哈克缴辞职,皇帝不准许,他的请求更坚决。皇帝问他说:"朕任用你不诚心实意吗?"哈克缴回答说:"不是。"又问:"近臣有扰乱政事的吗?"答:"没有。"再问:"那么你为什么要辞职呢?"回答说:"我自己揣度才疏学浅,恐怕耽误陛下国事。如果一定要任用我,愿推荐一个人做助手。"皇帝问是谁,哈克缴再拜说:"我愿得到张思明。"皇帝当天就征召任用张思明。

庚子(十八日),皇帝从上都回来,张思明在路上谒见皇帝。皇帝说:"你向来不辜负我的器重委托,所以依照哈克缴的建议又起用你。"

这个月,伏羌县发生山崩。

闰八月,甲子(十二日),疏浚会通河。

癸酉(二十一日),皇帝下令:"各部门有接受任命后不到任所以及为躲避繁重棘手的事务而寻找借口离开职位者,收回任命他的正式文书。"

九月,甲申(初三),任命奇彻尔为中书参知政事。

癸巳(十二日),因为作佛事,释放七名被判处死刑的囚犯,六名被判处流放以下刑罚的囚徒。

戊戌(十七日),从海道增加运输十万石粮食。

癸卯(二十二日)御史台报告说:"近来官职依靠侥幸可以得到,犯了罪用贿赂可以免受刑罚。请求皇帝下令凡朝廷和地方的所有官员,如果不是有功勋的旧臣和有资历声望者,不许迅速升迁;对犯贪赃罪已经认罪和经过审讯而侥幸免受刑罚者,全都交给原审问官以穷究他的罪责;那些因贪污受刑,被削职不予授官的人,攀附皇帝的亲近侍从,出入宫禁进行活动,希望靠侥幸图取名号爵位的,应当指责并驱逐他们。"皇帝全都采纳了这些建议。

皇帝下令:"四宿卫中曾受过刑罚的人,不要让他们到内庭来。"

疏浚镇江练湖,因为围湖造田的一天天增多,致使湖水泛滥。

救济济宁等路的饥民。

冬季,十月,乙卯(初四),中书省上书说:"白云宗总管沈明仁,强夺民田二万顷,欺骗诱惑普通百姓十万人。私下贿赂皇帝的亲近侍从,非分接受名号爵位,已奉旨追回并削去他的职位俸禄。请求清洗他的道徒,把他强夺的民田归还原主。对他做的各种违法的事,应下令查问。"皇帝说:"朕知道沈明仁是邪恶的人,要严厉审讯他。"

戊午(初七),把册封皇太子的正式文书授给皇太子。

辛酉(初十),任命达噜噶齐特穆尔布哈为御史大夫。

癸亥(十二日),上都百姓发生饥荒,调拨官府的谷物一万石减价出售救济。

己卯(二十八日),疏浚通惠河。

十一月,辛卯(十一日),木邦路带邦作乱,皇帝命令云南省招降收捕他。

庚子(二十日),中书省上书说:"从前赐给诸王阿济吉钞三万锭,做军营费甩以供给打猎时的膳食开支,不要另向百姓索取财物。现在他的部下阿噜呼等人出外狩猎,恣意向百姓索取,并且作非法的事。应令宗正府、刑部审讯他们,依照法律治他们的罪。"皇帝表示同意。

禁止百姓隐藏蒙古军中逃跑的奴隶。

皇帝告诫御史台的官员说:"掌管国家的人以百姓为根本。近来听说百姓疾苦含冤的事很多,要让监察御史和廉访司仔细考察以后向我报告。"

翰林学士承旨赵孟頫,请求辞职回南方。皇帝派使臣赏赐给他服装财物,催促他返回朝廷。赵孟頫因病辞谢,不肯启程回朝。

救济河间饥民。

十二月,壬戌(十二日),皇帝命令皇太子参与决策国家政事。

太子对中书省臣说:"皇帝把天下大事委托给我,我日夜恭敬戒惧,唯恐自己难以胜任。你们也应除去杂念,恭敬勤恳地履行你们的职责,不要堕落败坏,给皇帝带来忧愁。"

皇帝也告诉近臣说:"前代都有太上皇的名位。现在太子长大了,可以就任帝位了。我想做太上皇,与你们游览西山,以此来度过自己的晚年。"群臣都赞扬皇帝的想法好。右司郎中鲁特穆尔说:"我听说过去所谓的太上皇,像唐玄宗、宋徽宗,都是遇到祸乱,不得已才做出这样的决定。愿陛下就帝位,保持无穷无尽的功业。前代的虚名,哪里值得羡慕呢!"

壬申(二十二日),平章政事王毅因为父亲年老而辞职;皇帝同意了,还赐给他父亲财物。

癸酉(二十三日),夜间,风雪交加,天气寒冷;皇帝对侍臣说:"我和你们住在温暖的屋里,而皇族的宗室亲戚、兄弟在远方戍守边境,他们怎么受得了这艰苦呢! 每年赏赐他们财物,怎能不使每个人都得到呢!"

这个月,封宋儒周敦颐为道国公。

皇帝曾经对近臣说:"儒者都被任用了,只有虞伯生没有被重用。"于是任命虞集为翰林待制兼国史院编修。不久虞集因居丧而回家。伯生,是虞集的字。

延祐七年 (公元1320年)

春季,正月,辛巳朔(初一),发生日食。皇帝斋戒、减食,停止朝觐庆贺。

壬午(初二),御史台上书说:"皇帝赏赐山场给布尔罕鼎,把海船税收赐给鄂勒哲布哈,都值几十万锭;诸王军民贫穷的,赏赐的不曾像这样多;如果不节制,逐渐导致国库空虚,百姓就更加贫困了。"中书省臣上书说:"台臣所说的很对,如果不整顿朝廷的纲纪,法令制度更加变坏。请求罢免我们,另外选用贤能的人。"皇帝说:"你们不用说了,要各自在原来的职守上尽责。"

辛卯(十一日),江浙行省丞相赫噜上书说:"白云宗和尚沈明仁擅自接引四千八百多百姓出家为僧,获取钱钞四万多锭,既然已经供认,现在又派他的徒弟沈崇胜秘密到京师来行贿求援,请将沈崇胜逮捕押赴江浙行省与沈明仁一起依法惩处。"皇帝同意了。

丁亥(初七),皇帝生病。皇太子忧形于色,夜间则焚香向上天祷告说:"皇帝以仁慈治理天下,各项事业顺利,四海清平安宁,上天为什么突然降下大祸! 不如惩罚我吧,使皇帝永远为百姓做主。"辛丑(二十一日),皇帝在光天宫病逝,终年三十六岁。太子过度悲伤而毁损了身体,居丧期间越超礼法,穿着白色的孝服睡在地上,每天只喝一碗粥。癸卯(二十三日),皇帝的灵枢安葬在起辇谷。

皇帝天性恭谨节俭,通晓儒术,同时精通佛经。常常说:"明心见性,佛理深刻;修身治国,儒学博大精深。"在位七年,从不出游打猎,不喜欢出兵打仗,尊重贤士,对待皇亲国戚和有功勋的旧臣,始终有礼。有司上奏判处死刑的案件,他常常悲痛多时。他勤勉治国,一概遵从世祖制定的成规。

甲辰(二十四日),中书右丞相巴达锡被罢免。太子太师特们德尔根据皇太后的命令,重新进入中书省为右丞相。

参议中书省事韩若愚,廉洁勤勉称职。特们德尔刚做丞相时,因为韩若愚不依附自己,想罗织罪名陷害他而没能成功。到这时特们德尔官复右丞相,于是又诬陷韩若愚有罪,请求杀他,皇太子不听从。又奏请削去他的官职,取消他原有的身份,让他返回故乡。

丙午(二十六日),派使臣分别审理朝廷和地方的刑狱。

戊申(二十八日),裁汰四名知枢密院官员。

禁止巫师、祝师和以占卜为业的人与皇室宗亲国戚及大臣交往。

二月,壬子(初二),停止建造永福寺。

救济大同、丰州各驿站的饥民。

任命江浙行省左丞相赫噜为中书平章政事。

戊午(初八),祭祀社稷。

在永福寺修建御容殿。

裁汰以不正当手段列名在皇帝警卫中的有钱人,拨给蒙古各驿站役使。

辛酉(十一日),中书平章政事齐勒特穆尔和御史大夫托欢同时被免去原职,调任集贤院大学士。

甲子(十四日),特们德尔、阿克缴请求逮捕四川行省平章政事赵世延赴京。特们德尔因赵世延曾向皇帝检举他十三件犯法的事,锐意报复,吩咐他的党羽何志道诱迫赵世延的堂弟索哈尔哈呼诬告赵世延有罪,逮捕赵世延和他对质;并且派人托词婉言劝说赵世延,用位高而禄厚的官职引诱他,让他检举揭发当时与自己敌对的人,赵世延不肯顺从。赵世延被押解到夔州时,遇赦,他因病到荆门就医。特们德尔派人督促追赶到京师,一定要他的党羽用逼供等高压手段给赵世延定案。正巧赶上皇帝发布诏书,说经过赦免的事不要再追究,于是才作罢。

参议中书省事奇勒监,犯出卖官爵罪,刑部依法认为应处以杖刑,太后下令处以笞刑。太子说:"不行,法律对天下所有人都是公正的,徇私情而处罚有轻有重,不是向天下表示法律的公正。"奇勒监最终受到应得的刑罚。

丙寅(十六日),任命陕西行省平章政事赵世荣为中书平章政事,江西行省右丞穆布喇为中书右丞,参知政事张思明为中书左丞,中书左丞完珠被免去原职,改任岭北行省右丞。

白云宗统摄沈明仁因违法获罪。朝廷降旨对江南冒充白云僧的人登记为庶民。

己巳（十九日），在京城四门举行镇雷佛事。

辛未（二十一日），搜括民间属于官府的山场、河流湖泊、窑场、炼铁场、房屋。

癸酉（二十三日），查验核对崇祥院占地，其中假冒官地进献的补付那些土地的地价，假冒民田进献的归还给原主。

丙子（二十六日），制定京城四周警卫的轮换制度，准许五卫汉军年终按例发给赏钱。

丁丑（二十七日），特们德尔因李孟当初不依附自己，削去他秦国公爵位以及皇帝先后下的诏令，推倒他先祖坟茔的墓碑。

戊寅（二十八日），中书平章政事乌巴都拉被免去原职，调任甘肃行省平章政事；阿尔哈雅被免去原职，调任湖广行省平章政事。

特们德尔怨恨集贤院学士杨多尔济过去做中丞时揭发他违法贪赃、独断专行等罪行，平章政事萧拜珠在中书省约束他的所作所为，于是便假传皇太后的命令，召杨多尔济、萧拜珠到徽政院。他与徽政使实勒们、御史大夫图勒哈共同审讯他们，指责他们从前违抗太后命令的罪行。杨多尔济说：“我担任中丞职务，后悔没有立即斩了你来报答天下！如果我果真违抗了太后的命令，你难道能有今天吗？”特们德尔请求杀他，皇太子说：“人命关天，处以死刑不是一件无足轻重的事，不宜匆忙。二人罪状还不清楚，应当禀报太后，派人详细审理，然后再杀他们也不晚。”特们德尔于是诱引与杨多尔济同一时候做御史的两个人做伪证定案。杨多尔济看着那两个人唾骂他们说：“你们曾熟悉风纪法度，竟然还做出这种猪狗之事吗？”在座的人都感到惭愧，低下了头。特们德尔立即起身入朝向皇太后上奏审理结果，不久，宣称奉皇太后谕旨拘捕杨多尔济，用囚车把他拉到京都城门外，与萧拜珠一起被杀害。这一天，风沙刮得天昏地暗，都城的人纷扰惊惧，在大街上人们面面相觑。后来特们德尔又想夺取杨多尔济的妻子刘氏送给别人，刘氏剪发毁容誓死不从，才得以避免。萧拜珠死后，有一个叫吴仲的人，暗中守护他的尸体，三天不离，最后将萧拜珠的尸体殓葬。

当时特们德尔天天想着报复仇人，诛杀不止。张思明对他说：“本朝先帝的丧礼刚刚举行完毕，新君还没有即位，丞相任意进行杀戮，人们都说丞相暗中有反叛之心，万一诸王、驸马等人产生疑心而不到，怎么办？”特们德尔于是才停止杀戮。

徽政院使实勒们，以皇太后的命令请求皇太子更换朝廷的官员，皇太子说：“这难道是授官的时候吗？况且是先帝的旧臣，岂能轻易变动！等我即位以后，和宗亲、元老商议后，任用贤能的人，罢黜邪恶的人，那才可以。”司农卿鄂勒哲布哈，说先帝颁赐众臣的土地，应该全都收归官府，太子问他说：“接受赏赐的是谁？”回答说：“左丞相哈克缴得到的最多。”太子说：“我曾告诫你们，应当以公心辅佐朝政。你在先帝在位时曾请求先帝把海船的税收赏赐给你，因哈克缴上奏反对而作罢。现在你所说的，是报复私人之间的怨恨，不是秉公议论，哪里是辅助朝政的做法呢！”于是把鄂勒哲布哈调离朝廷，出任湖南宣慰使。

三月，辛巳（初二），由中书礼部管辖教坊司。

壬午（初三），赈济陈州、嘉定州的饥民。

爪哇向朝廷进贡。

戊子（初九），征召流窜的诸王、驸马，赐予侍从，把他们遣返各自的封地。

庚寅（十一日），皇太子即皇帝位。发布诏书赦免天下，尊称皇太后为太皇太后。

壬辰(十三日),太皇太后在兴圣宫接受百官朝贺。特们德尔晋升为开府仪同三司、上柱国、太师。

当初,太皇太后认为周王和实拉年少时有威武的气概,而皇帝当时则显得优柔懦弱,一班小人也认为立和实拉为太子一定对自己不利,于是谋立当今皇上为太子。皇帝已经即位,太皇太后来祝贺,皇帝脸上显出刚毅的神色,太后返回后后悔地说:"我不料抚养了这样一个儿子呀!"

皇帝下令:"群臣中超格授封的散官,朝见天子时不得超越按官品分班排列的位次。"

戊戌(十九日),裁汰上都留守司五名留守。

依照前朝制度,胥吏品级最高只能到从七品。

辛丑(二十二日),禁止擅自奏请诏敕。

壬寅(二十三日),前中书平章政事李孟被贬为集贤侍讲学士。特们德尔想趁李孟不接受任命,暗地中伤他。李孟欣然接受任命。皇帝对特们德尔之子巴尔济苏说:"你们说李孟不肯做这个官,现在怎么样?"因此,进谗陷害李孟的阴谋受挫。

御史台请求皇帝发布诏书,命令各级官吏整饬各衙门的纲纪。皇帝说:"你们只管忠于职守畅所欲言,好的我必定施行,不好的也不会归罪你们。"

甲辰(二十五日),皇帝发布诏书,告诫朝廷内外不要非议诋毁特们德尔。

皇帝下令遣散因父兄的功绩而担任医师、卜官和工匠的人,其中有技艺精绝的则选择任用。

丙午(二十七日),在南郊举行祭天大典;夏季,四月,庚戌(初一),在太庙举行祭祖大典,宣告皇帝即位。

撤销行中书省丞相职位。河南、湖广、辽阳行省丞相同时降为平章政事,只有征东行省丞相高丽王职位不降。

乙卯(初六),撤销回回国子监。

戊午(初九),祭祀社稷。

己未(初十),绍庆路峒人作乱,命令四川行省捕拿他们。

在香山祭祀遁甲神。

命令平章政事王毅等人清查审理在京各仓库的钱币米粮,亏空损耗达七十八万石,各路每年向朝廷进献的财物数量也稍有错误的,全都要求负责管理仓库的官员赔偿。因为考核督察严厉苛刻,怨恨诽谤一起发生。

任命太常礼仪院使拜珠为中书平章政事。

拜珠是安图的孙子,他心胸宏达,志趣高远。为人正大光明,有祖辈的风范,继承宿卫长职位。延祐年间,被授予太常礼仪院使的职务。每当商议国家政务时,一定问道:"合乎不合乎典章制度?"同僚中有不同见解的人说:"本朝只讲典章制度吗?"拜珠微微一笑说:"您试着说说,本朝有什么事不合乎典章制度?"同僚不能答对。太常事务简单,每当退朝进食,一定邀请儒士,询问古今礼乐刑政,治乱得失,整日不知疲倦。他曾说:"人做官,在履行职务的过程中,任何事情都可以熟悉的。要达到学问有根底,并能运用到事业上,这是儒者才擅长的事,是宰相的资质。"皇帝在东宫做太子的时候,向身边的人问起为皇帝担任警卫的官员的情况,全都称赞拜珠是个贤良的人。太子派使者召见他,想与他交谈。拜珠对使者说:"有嫌疑的交往,君子应谨慎。我主管天子的警卫,却与太子私相往来,我固然要获罪,难道对太子又有什么益处吗!"终于没有前往。等到太子即皇帝位,于是有让拜珠为中书平章政事的任命。

壬戌(十三日),特们德尔请求参与国家政务的决策,请求禁止各大臣越级擅自上奏。皇帝听从了。

乙丑(十六日),大行皇帝丧卒哭,作七天佛事。

丙寅(十七日),周王和实拉的长子托欢特穆尔出生。

戊辰,(十九日),皇帝到上都。

当初,太庙中有九个室,在同一个殿内合祭。到仁宗死后,已经无室可供奉他的牌位,于是暂且在供奉武宗牌位的室前搭建了一个彩殿,来供奉仁宗的牌位。皇帝召见礼官共同商议,太常礼仪院经历曹元用建议说:"古代帝王的宗庙有后殿和前殿,应该把现在的室作为后殿,在它前面另外建造一座大殿,设置十五个室。"皇帝赞许他的主张,授予他翰林待制的官职。

戊寅(二十九日),有人通过皇帝左右的亲近官员向皇帝进献用七种珍宝装饰的腰带,皇帝说:"我登帝位,没听到你们荐举贤能的人却送来腰带,这是诱惑我。一定要把这东西退还给他。"

五月,己卯朔(初一),禁止和尚使用驿站车马,又收回原来赐予的诏书。

庚辰(初二),杀上都留守贺胜。

贺胜与特们德尔住在同一条巷子,贺胜憎恨特们德尔奸诈邪恶,而且他家庭生活淫乱,因而绝不和他家来往。后来贺胜又与杨多尔济揭发特们德尔的贪赃罪行。特们德尔特别恨他,于是就上告他穿便服迎接皇帝的圣旨是不敬皇帝,在闹市上将贺胜处死。并陈尸街头,同时抄没了他的家产。贺胜被杀死的那天,百姓争相拿着纸钱在他的尸体旁哭泣,十分哀伤。

己丑(十一日),中书左丞相阿克缴被贬为岭北行省平章政事。任命拜珠为左丞相,鼐喇呼、达斯哈雅同为中书平章政事,济尔哈郎为参知政事。

特们德尔依仗自己的权势及皇帝对他的宠幸,利用机会任意伤害他人,睚眦之私,无不报复。皇帝察觉他用逸言诬陷的都是先帝的旧臣,对他的所为产生不满,于是任命拜珠为左丞相,把他视为心腹,委以重任,特们德尔逐渐被疏远了。

辛卯(十三日),中书参知政事奇彻被免去原职,调任集贤院学士。

派遣官员负责专卖广东洋货。

壬辰(十四日),和林平民阎海埋葬了三千多名饿死的人,朝廷赐给他家匾额,挂在他家门上以示表彰。

乙未(十七日),奉献圣文钦孝皇帝尊谥,庙号仁宗,本族语称布延图皇帝。

戊戌(二十日),有人告发岭北平章政事阿克缴、中书平章政事赫噜及御史大夫图卜台、徽政使实勒们等与已故约苏穆尔之妻伊埒萨巴谋划废旧君立新君,皇帝到穆清阁,召见拜珠商议此事。拜珠回答说:"这些人独揽大权败坏政治由来已久了,现在如果还不惩治,他们暗中联合党羽,图谋危害国家。应该尽快施展皇帝的威严,依照祖宗成法制裁他们。"皇帝表情激动地说:"这正是我的心意啊!"于是命令拜珠带领卫士把这些人捉拿斩首,查抄了他们的家产,其余的党羽也都被处死。

在这之前,皇帝的亲近侍从传达谕旨,把姓名送到中书省登记备案选授官职的有六七百人,铨选官吏的事因此而积压。拜珠奏请停止报送备选官员的名单,职官铨选时的登记、授受,一概依照量才授官的条例顺序进行,负责铨选的官吏不容许做假。刑曹出事,如果情理上有值得原谅的,可以宽恕他,贪赃暴虐不合法度,一定不容情。皇帝曾晓谕身边的人说:"你们要小心谨慎,如果触犯国法,我即使曲法赦免你们,拜珠也不会饶恕你们。"

追封陇西公汪世显为陇右王。

辛丑(二十三日),任命知枢密院事特穆尔托为中书平章政事。

壬寅(二十四日),监察御史上奏请求停止授予僧道、工匠和伶人爵位和停止拨付建寺、豢养野兽的经费。

甲辰(二十六日),把处死阿克缴、赫噜、贺胜等人的事诏告天下。贺胜被处死并不是因为谋反罪行,而皇帝的文告上却把他与阿克缴等背叛者并提,当时还是被特们德尔所蒙蔽。

丙午(二十八日),捉拿伊哷萨巴的儿子江浙平章玛噜,又查抄了他的家产。

丁未(二十九日),封汪沁为云南王,前往镇守云南地区。

用贺胜、实勒们、阿克缴的家中财产、田地和房屋赏赐给特们德尔等人。

六月,己酉(初一),把徽政院使密锡实流放到金刚山。

把托实哈、实勒们所夺取的百姓的家畜、财产归还原主。

甲寅(初六),前太子詹事绰和尔被处死。

京师发生瘟疫,在万寿山作佛事祈祷消除灾祸。

戊午(初十),撤销徽政院。

撤销广东采珠提举司,派有司管理它的事务。

庚申(十二日),赏赐一百二十名摔跤手每人钱钞各一千贯。

壬戌(十四日),皇帝下令:"众使臣进京,大事五天,小事三天,即令返回。"

这一夜,发生月全食。

乙丑(十七日),给太祖新造一个用帐篷搭起来的殿。

当时和尚特别横行霸道,有司没有敢责问为难他们的。鳌屋和尚圆明利用烧香受戒暗地里煽动蛊惑,跟随他的人一天天多起来,于是自称皇帝,众人称呼他万岁,约定在秋季第一个月初五日攻打奉元路。秋季,七月,丁丑朔(初一),陕西参政多尔济带兵捉拿他们,圆明和尚逃走。过了一个月,圆明和尚才被捉住斩首。

甲申(初七),皇帝将乘车巡幸北方边境,调遣身边的护卫军到北方边境挖水井。

任命知枢密院事玛噜、哈坦同为辽阳行省平章政事。

壬辰(十五日),命令护卫侍从各营返回大都,禁止他们在返途中践踏百姓的庄稼。

归附朝廷的安南人陈岩报告说,安南国派到朝廷进贡的使者多数是来窥探情况的,皇帝下令湖广行省清查并遣送他们。

丙申(十九日),中书平章政事鼐喇呼被罢免。

禁止献珍宝制作礼服和礼帽。

庚子(二十三日),任命江南行御史台中丞廉恂为中书平章政事。廉恂是廉希宪的儿子。

辛丑(二十四日),晋王伊苏特穆尔派人把七千顷土地送归朝廷,请有司征收那些土地的租税,每年供给粮钱;朝廷批准了。

这个月,汴梁路报告说:"荥泽县黄河冲决塔海庄处的河堤十步多宽,双层的横堤又决口好几处。另外,开封县苏村及七里寺决堤两处。"皇帝命令汴梁路及都水监官一起派出工匠修筑被冲决的河堤。

八月,丁未朔(初一),岭北省臣实都因为用官府的钱币犒劳军队被免官,皇帝降旨恢复他的职务。

丙辰(初十),将仁宗圣文钦孝皇帝、庄懿慈圣皇后合祔于太庙。特们德尔兼任太尉,奉皇帝的诏书办事。

戊午(十二日),特们德尔又用违诏不敬的罪名诬陷赵世延,把他投入监狱,请求处他死刑,并且追究省台诸臣的罪责。皇帝没有允许。皇帝到凉亭,从容地对亲近的侍从说:"近来特们德尔一定想要把赵世延置于死地,这是报复仇怨罢了。我向来听说赵世延忠诚善良,所以特们德尔每次上奏我都不采纳。"皇帝身边的人都称赞万岁。

丁卯(二十一日),宫人官努,因为任用以占候卜筮为业的人请太皇太后祭祀星辰而获罪,受杖刑,家财被抄没。

托期玛部宣慰使尹琳沁,因违背制度不肯发兵而犯罪,杖刑后被流放到纽尔干地区。

九月,甲申(初八),修建寿安山寺,给予一千万贯钱。

禁止在五台山打柴。

庚子(二十四日),常德澧州的峒人聚合各地峒人作乱,命令土司捉拿他们。

甲辰(二十八日),派遣玛萨曼等人出使占城、真腊、龙牙门,索取驯象。

因为国库所储不充足,停发诸王管辖部门的岁给。

冬季,十月,丁未(初二),在太庙举行四时的祭祀活动。

庚戌(初二),将作院使伊苏因为监督制作珠衣怠工而获罪,受杖刑,家产被查抄。

丁巳(十二日),酉阳耸依峒土著人田谋远作乱,命令当地守臣招降收捕他。

戊午(十三日),皇帝从上都回到京城。

皇帝降旨太常院说:"我将依照四季亲自到太庙祭祀,应该与群臣共同商议祭祀礼仪。这是追远报本之道,不要因为我在祭祀天地神灵时劳累而有所减少;一定全都遵照典法礼仪。"

庚申(十五日),皇帝下令翻译佛经。

乙丑(二十日),皇帝到大护国仁王寺。帝师请求任命醮八儿监藏为吐蕃宣慰使、都元帅,皇帝听从了。

丁卯(二十二日),在上都为皇后修建鹿顶殿。

庚午(二十五日),命令拜珠监督建造寿安山寺。

十一月,丙子朔(初一),皇帝临幸斋宫。丁丑(初二),皇帝恭恭敬敬前往太庙,准备好法驾,穿上礼服,戴上礼帽,向祖宗行礼;到仁宗神位的供奉室,皇帝立刻抽噎落泪,身边的人没有不感动的。

甲申(初九)，皇帝命令翰林国史院撰修《仁宗实录》。

丁酉(二十二日)，皇帝命令各郡修建帝师帕克斯巴殿，它的规格要比孔子庙超过些。

甲辰(二十九日)，特们德尔报告："官府向百姓议价购买的彩帛质量粗劣，由于监督管理的人工作不谨慎小心，请求免去右丞高昉等人的官职，仍然让各郡县重造，询问那些物品的原价。"皇帝没答应。

十二月，乙巳朔(初一)，皇帝降旨："以明年为至治元年，减征天下二成租赋，五成包银；免征大都、上都、兴和三路的差税二年；对煮盐、炼铁等户给予优待，免除二年的租赋、徭役。解除燕南、山东河流湖泊不准捕捞的禁令，听任百姓采取。朝廷官员的家属流落到边远地方的，官府给经费遣送他们返回内地；其子女被典押出卖给他人的，听凭他们返回自己的家园。监察御史、廉访司每年向朝廷举荐两名可以担任守令官职的人。七品以上的官员，有雄才伟略可以济世安民的，密封之后把它送上。凡有隐居不仕、躬行仁义，通晓治国的要旨，不求名誉声望的士人，官吏要记载他们的情状上奏。"

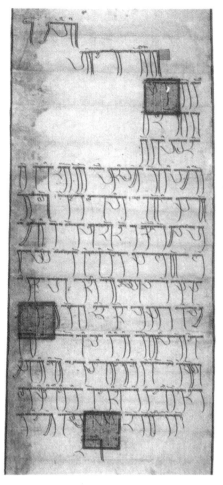

萨期边远万户长给夏鲁寺封告书

丁未(初三)，播州蛮蛮的羊笼等人归附朝廷。

庚戌(初六)，铸造铜的佛像，放置在玉德殿内。

癸丑(初九)，因为先皇帝的忌日快到，事先派遣使者到龙虎山让道士设坛作法事。

乙卯(十一日)，皇帝率领百官奉玉册玉宝，给太皇太后加上仪天兴圣慈仁昭懿寿元全德泰宁福庆徽文崇祐太皇太后的尊号。

翰林学士呼图噜都勒翻译并送上《大学衍义》一书，皇帝说："修身治国，都没有超出这本书的内容。"赏赐五万贯钱，拿这书的印刷本分赏群臣。

河南发生饥荒，皇帝询问其缘故，群臣中没有人能回答。皇帝说："确实是由于我治理国家的方法还不能使各方面协调一致，而你们对各自的职责又不尽心，任命的官吏不称职，致使阴阳不和，灾害相继而至。从今以后，你们各自必须勤勉恭谨以符合天意，不要让我的百姓再陷入艰难窘迫的境地。"

辛酉(十七日)，修建延春阁后殿。

乙丑(二十一日)，在回回司天监祭祀星辰四十个昼夜。

丙寅(二十二日),在延春阁举行秘密的诵经祈祷活动。

丁卯(二十三日),特们德尔和拜珠向皇帝呈文说:"近来皇帝下诏令朝廷内外官员谈论国事的得失利弊,现在送上密封奏章的人有的直接送到皇帝面前。乞请皇帝允许我们打开看过之后再入奏皇帝。"皇帝说:"谈论政事的人可以直接到我面前,如果是平民专为诉讼的就禁止他直接入奏。"

赐予武宗皇后七十五万贯钱。

己巳(二十五日),皇帝下令取消明年二月八日的迎佛活动。

任命江南、浙西道廉访使薛处敬为中书参知政事。

辛未(二十七日),拜珠送上《卤簿图》。皇帝认为唐代的制度规定皇帝出巡时,用一万二千三百人,这是浪费财产,他规定元朝皇帝出巡时,大驾是三千二百人,法驾二千五百人。

上思州傜人勾结交趾人掠夺忠州。

癸酉(二十九日),皇帝听说贺胜的母亲年老,怜悯她,把没收的京兆田地、石磨归还给他家。

江浙行省平章政事巴延彻尔,江西行省平章政事白萨都,全因贪图财利获罪而被免去官职。

这一年,判决大小案件七千六百三十件。

溏沱河文安、大城等地段决堤,浑河泛滥,冲毁百姓的田地房屋。泰州成纪县降暴雨,发生山崩,腐烂的土壤高起来,把百姓的家畜财产全埋没了。大同下冰雹,大如鸡蛋。益津县降黑霜。

皇帝任命宣徽院使特克实兼任中都威卫指挥使。

特克实是特们德尔的党羽。延祐年间,皇帝身边的亲近之臣中多有凭借皇帝的宠幸请求赏赐的人,宣徽院使图沁布哈往往遏制不给与。特克实、王廷显都与图沁布哈是同僚。仁宗赏赐特克实海船,图沁布哈说:"这是供军务使用的设备,皇帝不应该赏赐给臣下,臣下也不应该接受。"仁宗皇帝又赐给王廷显玉带,王廷显想要拿出大官羊钱一万五千缗抵偿那条玉带的价值,图沁布哈又认为不可以,于是怨恨图沁布哈的人很多。到英宗皇帝即位后,特们德尔专权,特克实终于杀死图沁布哈。

续资治通鉴卷第二百一

【原文】

元纪十九　起重光作噩【辛酉】正月,尽昭阳大渊献【癸亥】十二月,凡三年。

英宗睿圣文孝皇帝

讳硕迪巴拉,仁宗嫡子也,母庄懿慈圣皇后鸿吉哩氏,以大德七年二月甲子生。延祐三年十二月丁亥,立为皇太子;六年十月戊午,命参决庶务。

至治元年 【辛酉,1321】 春,正月,丁丑,修佛事于文德殿。

甲申,召高丽王王璋赴上都。

丙戌,帝服衮冕,享太庙,以左丞相拜珠亚献,知枢密院事图哲伯终献。

自世祖建太庙以来,历十四年,未行亲享之礼,拜珠乃言曰:"古云礼乐百年而后兴,此其时矣。"帝悦曰:"朕能行之。"敕有司上亲享太室仪注。至是礼毕,诏群臣曰:"一岁惟四祀,使人代之,不能致如在之诚,实所未安。岁必亲祀,以终朕身。"廷臣或言祀事毕宜赦天下,帝谕之曰:"恩可常施,赦不可屡下。使杀人获免,则死者何辜!"命中书陈便宜事,行之。

丁亥,帝欲结彩楼于禁中,元夕张灯设宴。参议中书省事张养浩上疏于左丞相拜珠,拜珠谓当进谏,即袖其疏入奏,其略曰:"世祖临御三十馀年,每值元夕,间阎之间,灯火亦禁;况阙庭之严,宫掖之邃,尤当戒慎。今灯山之构,臣以为所玩者小,所系者大;所乐者浅,所患者深。愿以崇俭虑远为法,以喜奢乐近为戒。"帝览而喜曰:"非张希孟不敢言。"遽命罢之,且曰:"有臣如此,朕复何忧!自今朕凡有过,岂特台臣当谏,人皆得言。"赐养浩帛以旌其直。

二月,戊申,改中都威卫为忠翊侍卫亲军都指挥使司。

己酉,作仁宗神御殿于普庆寺。

辛亥,调军三千五百人修上都华严寺。

大永福寺成,赐金银钞币。

丁巳,畋于柳林,敕更造行宫。

寿安山寺役甚急,监察御史索约勒、哈迪密实与同列观音保、成珪、李谦亨上章极谏,以为"东作方始而兴大役,以耗财病民,非所以祈福也。且岁在辛酉,不宜兴筑"。奏入,帝怒。初,司徒刘夔妄献浙右民田,冒出内帑钞六百万贯,丞相特们德尔分取其半;御史发其奸,由是疾忌台谏。治书侍御史索诺木,特们德尔之子也,至是密奏曰:"彼宿卫旧臣,闻事有不便,弗即入白,而讪上以扬己之直,大不敬。"帝乃杀索约勒、哈迪密实与观音保;杖(桂)〔珪〕、谦亨,黥之,窜〔于〕纽尔干地。二人始亦不测,而特们德尔方引左丞张思明为己助,思明为言于丞相曰:"言事,御史职也。祖宗以来,未尝杀谏臣。成、李既属吏,当论法。"二人由是得轻典。

丁卯,以僧法洪为释源宗主,授司徒。

罢先朝传旨滥选者。

三月,丙子,建帝师帕克斯巴寺于京师。

丁丑,发民兵疏小直沽白河。

庚辰,廷试进士,赐泰布哈、宋本等六十四人及第、出身。

辛巳,帝如上都,拜珠从至察罕诺尔。帝以行宫制度卑隘,欲广之,拜珠曰:"此地苦寒,入夏始种粟黍。陛下初登大宝,不求民瘼,而遽兴大役以妨农务,恐失民望。"帝乃止。

帝尝谓拜珠曰:"朕委卿以大任者,以乃祖穆呼哩从太祖开拓土宇,安图相世克成善治也。卿念祖宗令闻,岂有不尽心者乎!"拜珠再拜曰:"陛下委臣以大任,臣有所畏者三:畏辱祖宗;畏天下事大,识见有所未尽;畏年少不克负荷,无以上报圣恩耳。"

壬午,遣咒师多尔济往牙济、班(十)〔卜〕二国取《佛经》。

癸未,制御服珠袈裟。

甲申,敕纂修《仁宗实录》《后妃功臣传》。

乙酉,宝集寺金书西番《般若经》成,置大内香殿。

益寿安山造寺役军。

己丑,大同路麒麟生。

己亥,宦者博啰特穆尔,坐罪流纽尔干地。

辛丑,以特(克实)〔克实〕为御史大夫,佩金符,领忠翊侍卫亲军都指挥使。帝尝谓特(实克)〔克实〕曰:"徽政虽隶太皇太后,朕视之与诸司同,凡簿书宜悉令御史检核。"

夏,四月,己未,造象驾金脊殿。

戊辰,敕赐特们德尔父祖碑。

命宦者博啰台为太常署令,太常官言"刑人难与大祭",遂罢之。

五月,丙子,毁上都回回寺,以其地营帝师殿。

壬午,迁武宗子亲王图卜特穆尔于琼州。时特们德尔怀私固宠,构衅骨肉,诸王、大臣莫不自危。中政使耀珠告托欢彻尔等交通亲王,于是徙图卜特穆尔远居海南。因禁日者勿交通诸王、驸马,掌阴阳五科者毋泄占候。

辛卯,海漕粮至直沽,遣使祀海神天妃。

作行殿于缯山流杯池。

乙未,命世家子弟成童者入国学。

辛丑,太常礼仪院进太庙制图。御史、翰林、太常臣集议,以为:"前代庙室,多寡不同。晋则兄弟同为一室,正室增为十四间,东西各一间;唐九庙,后增为十一室;宋增室至十八,东西夹室各一间,以藏祧主。今太庙虽分八室,然兄弟为世,止六世而已。世祖所建,前庙后寝,往岁寝殿灾,请以今殿为寝,别作前庙十五间,中三间通为一室,以奉太祖神主,馀以次为室,庶几情文得宜。"帝称善,期以来岁营之。

六月,癸卯朔,日有食之。

作金浮屠于上都,藏佛舍利。

乙卯,以特们德尔领宣政院事。

丁巳,以前中书参知政事敬俨为陕西行台御史中丞。俨告病家居,以其乡在近圻,恐复征用,乃徙居淮南,虽亲故皆不接见。至是闻命,坚辞不赴。

辛酉,太白经天。

赵弘祚等言事,勒归田里,仍禁妄言时政。

己巳,〔霸州大水〕,浑河溢,被灾者二万三千(五)〔三〕百户。

秋,七月,戊寅,通州潞县榆堠水决。

庚辰,滹沱河及巨马河溢。

邵阳道士刘志先以妖术谋乱,命枢密院判官章台捕之。

乙酉,大雨,浑河堤决。

丙申,禁服色逾制。

庚子,修上都城。

八月,壬寅,修大都城。

戊申,上都鹿顶殿成。

庚戌,以军士贫乏,遣知枢密院事特们布哈整治;仍诏谕中外,有敢扰害者罪之。

乙卯,中书平章政事特穆尔图罢,为上都留守。

壬戌,帝驻跸兴和,左右以寒甚,请还京师,帝曰:"兵以牛马为重,民以稼〔穑〕为本。朕迟留,盖欲马得刍牧,民得刈获,一举两得,何畏乎寒!"

雷州路海康、遂溪二县海水溢,坏民田四千馀顷;免其租。

秦州成纪县山崩。

九月,壬辰,中书平章政事塔斯哈雅坐受赃,杖免。

丁酉,帝至自上都。

庚子,安陆府汉水溢,坏民田,赈之。

冬,十月,辛丑朔,修佛事于大内。

庚戌,亲享太庙;以中书左丞相拜珠亚献,御史大夫特(实克)〔克实〕终献。

壬子,拜珠献嘉禾,两茎同穗。

癸丑,敕:"翰林、集贤官年七十者,毋致仕。"

延祐间,朔漠大风,羊马驼畜尽死,蒙古人民流散,以子女鬻于回回、汉人为奴婢。拜珠以兴王根本之地,其民宜加赈恤,请立宗仁卫统之,命县官赎置卫中以遂生养。诏从之,且令给子女冬衣。

禁中书掾曹毋泄机事。

己巳,遣雅克特穆尔巡边。雅克特穆尔,绰和尔第三子也,时为左卫亲军都指挥使。

4839

十一月,乙亥,幸大护国仁王寺。

戊寅,群臣上尊号曰"继天体道敬文仁武大昭孝皇帝"。己卯,诏天下;拜珠请释囚,不允。

庚辰,益寿安山寺役卒三千人。

辛巳,命御史大夫特(实克)〔克实〕领左、右阿苏卫。

初,世祖立阿苏巴图达噜噶齐,后招集阿苏军三千七百馀人,扈从车驾,掌宿卫禁城兼营潮河、苏沽两(州)〔川〕屯田,并供给军储。本隶前后二卫,武宗至大初,始改立左、右卫阿苏亲军都指挥使司,至是以特(实克)〔克实〕领之。

丙申,敕立故丞相安图碑于保定新城。

右丞相特们德尔,广树朋党,凡不附己者,必以事去之。尤恶平章王毅,右丞高昉,因在京诸仓粮储失陷,欲奏诛之。左丞相拜珠密言于帝曰:"论道经邦,宰相事也,以金谷细务责之,可乎?"帝然之,俱得不死。

特们德尔忌拜珠方正,每与其党密谋中害之。左右得其情,乘间以告,且请备之,拜珠曰:"我祖宗为国元勋,世笃忠贞,百有馀年,我今年少,叨受宠命,盖以此耳。大臣协和,国之利也。今以右相仇我,我求报之,非特吾二人之不幸,亦国家之不幸。吾知尽吾心,上不负君父,下不负士民而已。死生祸福,天实鉴之,汝辈勿复言。"至是奉诏往新城为其祖立碑,特们德尔久称疾,闻拜珠行,将出莅省事。入朝,至内门,帝遣苏苏赐之酒,且曰:"卿年老,宜自爱,待新年入朝未晚。"遂怏怏而还。

〔十二月〕,辛丑,立伊奇哩氏为皇后,遣摄太尉、中书右丞相特们德尔持节授玉册、玉宝。

庚戌,作太庙正殿。

甲寅,幸西僧灌顶寺。

疏玉泉河。

甲子,命帝师往西番受具足戒,赐金千三百五十两,银四千五十两,币帛万匹,钞五十万贯。

以诸王锡济伯使者数入朝,发兵守北口及卢沟桥。

乙丑,置中瑞司,冶铜五十万斤作寿安山寺佛像。

特们德尔虽家居,其党布列朝中,事必禀于其家;以拜珠故,不得大肆其奸,百计倾之,终不能遂。

在京仓曹管库之职,岁终例应注代,时左丞张思明称疾不出,众皆顾望。拜珠以事不可缓,乃日坐省中,谓僚属曰:"左丞病,省事遂废乎?"郎中李处恭曰:"金谷之职,须慎选择,不得其人,未敢遽拟。"拜珠曰:"汝为卖官之计耳。"遣人善慰思明,思明乃出,共毕铨事。

是岁,集贤侍讲学士李孟卒。

孟既罢政左迁,尝语人曰:"老臣待罪中书,无补于国,圣恩宽宥,不夺其禄,今老矣,其何以报称!"帝闻而善之,恩意稍加。及卒,御史累章辨其诬,诏复元官,赠旧学同德翊戴辅治功臣,进封魏国公,谥文忠。

枢密院副使吴元珪与知枢密院事特穆尔布哈上军民之政十馀事,大抵言:"诸王、近侍不可干军政,管军官吏不可渔取军户,军官之材者当迁其职,有司赋役当务均一,而军民不可有所偏,军官袭职惟传嫡嗣,而支庶不可有所乱。"帝并嘉纳,诏施行之。

以右侍仪兼修起居注星吉为监察御史。

星吉,河西人,少给事仁宗潜邸,以精敏称,故帝擢用之。在台中,直声大著。

至治二年　【壬戌,1322】　春,正月,庚午,广太庙。

甲戌,禁汉人执兵器出猎及习武艺。

丁丑,亲祀太庙。始备法驾,设黄麾大仗。帝服通天冠、绛纱袍,出自崇天门,左丞相拜珠摄太尉以从。帝顾拜珠曰:"朕用卿言,举行大礼,亦卿所共喜也。"对曰:"陛下以帝王之道化成天下,非独臣之幸,实四海苍生所共庆也。"致斋大次,行酌献礼,升降周旋,俨若素习,中外肃然。明日还宫,拜珠率百官称贺于大明殿。执事之臣及导驾耆老赐金帛有差。拜珠又奏建太庙前殿,议行祫禘配享等礼。

戊寅,敕有司存恤孔氏子孙贫乏者。

辛巳,敕:"台宪用人,勿拘资格。"

仪封县河溢伤稼,赈之。

癸未,流徽政院使罗源于耽罗。

柳林行殿成。

癸巳,以西僧罗藏为司徒。

二月,庚子,置左右奇彻卫亲军都指挥使司,命拜珠总之。

罢上都歇山殿及帝师寺役。

辛丑,赐特(实克)〔克实〕父祖碑。

甲寅,以太庙役军造流杯池行殿。

乙卯,以西僧〔亦思剌蛮展普〕有疾,释大辟囚一人,笞罪二〔十〕人。

三月,己巳朔,左丞相拜珠以学校政化大源,似缓实急,而主者不务尽心,遂致废弛,请令中书平章政事廉恂、参议中书省事张养浩、都事富珠哩狮董之;外郡学校,仍命御史台、翰林院、国子监同议兴举,从之。

辛未,禁捕天鹅,违者籍其家。

丙子,罢京师诸营缮役卒四万馀人。

河间、河南、陕西十二郡春旱秋霖,民饥,免其租之半。

戊寅,修大都城。

庚辰,敕:"江浙僧寺田,除宋故有永业及世祖所赐者,馀悉税之。"

丙戌,复置市舶提举司于泉州、庆元、广东二路,禁(女了)〔子女〕、金银、丝绵下番。

丁亥,凤翔道士王道明,以妖言伏诛。

己丑,命有司建穆呼哩祠于东平,仍树碑。

以国用匮竭,停诸王赏赉及皇后岁赐。

庚寅,命将作院更制冕旒。

辛卯,监察御史何守谦,坐赃杖免。

4841

丁酉，幸柳林，驸马许纳之子苏拉诉曰：“臣父谋叛，臣母私从人。”帝曰：“人子事亲，有隐无犯。今有过不谏，乃复告讦！”命诛之。

帝从容谓拜珠曰：“朕思天下之大，非朕一人思虑所及。汝为朕股肱，毋忘规谏，以辅朕之不逮。”拜珠顿首谢曰：“昔尧、舜为君，每事询众，善则舍己从人，万世称圣。桀、纣为君，拒谏自贤，悦人从己，好近小人，国灭而身不保，民到于今称为无道之主。臣等仰荷洪恩，敢不竭忠以报？然凡事言之则易，行之则难，臣等不言，则臣之罪也。”又尝谓拜珠曰：“今亦有如唐魏征之敢谏者乎？”对曰：“盘圆则水圆，盂方则水方。有太宗纳谏之君，则有魏征敢谏之臣。”或言佛教可治天下者，帝问之，对曰：“清净寂灭，自治可也；若治天下，舍仁义则纲常乱矣。”帝皆嘉纳之。

夏，四月，戊戌朔，帝如上都。中书左司都事富珠哩翀从帝次龙虎台，丞相拜珠命翀传旨中书，翀行数步还，曰：“命翀传否？”拜珠叹曰：“真谨饬人也！”间谓翀曰：“尔可作宰相否？”翀对曰：“宰相固不敢当，然所学，宰相事也。夫为宰相者，必福、德、才、量四者皆备，乃足当耳。”拜珠大悦，以酒觞翀曰：“非公不闻此言。”

乙丑，中书省臣请节赏赉以纾民之力，帝曰：“朕思所出倍于所入，出纳之际，卿辈宜慎之，朕当撙节其用。”

五月，己巳，修滹沱河堤。

庚午，奉符、临邑二县民谋逆，其(守)〔首〕王驴儿伏诛，馀杖流之。

庚辰，〔置营于永平〕，收养蒙古子女，遣使谕四方，匿者罪之。

癸未，置(仁宗)〔宗仁〕蒙古侍卫亲军都指挥使司，以拜珠领其事。

甲申，帝幸五台山，拜珠曰：“自古帝王得天下以得民心为本，失其心则失天下。钱谷，民之膏血，多取则民困而国危，薄敛则民足而国安。”帝曰：“卿言甚善。朕思之，民为重，君为轻，国非民则何以为君！今理民之事，卿等当熟虑而慎行之。”

甲申，以吴全节为玄教大宗师，特进上卿。

闰月，戊戌，封诸葛忠武侯为“威烈忠武显灵仁济王”。

癸卯，禁白莲佛事。

甲辰，御史台请黜监察御史不称职者，以示惩劝；从之。

戊申，以特们德尔子、同知枢密院事拜坦知枢密院事。

壬子，作紫檀殿。

丙寅，辰州沅陵县洞蛮为寇，遣兵捕之。

敕：“已除不赴任者，夺其官。”

六月，丁卯朔，帝至五台山，禁扈从宿卫毋践民禾。

癸酉，申禁日者妄谈天象。

丙子，修浑河堤。

壬午，辰州江水溢，坏民庐舍。

是月，前翰林学士承旨赵孟頫卒，追封魏国公，谥文敏。

秋，七月，丁未，赐拜珠平江田万亩。拜珠辞曰：“陛下命臣厘正庶务，若先受赐田，人其谓我何！"帝曰："汝勋旧子孙，加以廉慎，人或援例，朕自谕之。"

帝自五台还，戊午，次应州；辛酉，次浑源州。拜珠奏召中书左丞张思明至，数其罪，杖而免之，籍其家。

八月，己巳，道州宁远县民符翼轸作乱，有司讨擒之。

甲戌，帝次奉圣州，筑宗仁卫营。

帝留意民事，戊寅，诏画《蚕麦图》于鹿顶殿壁，以时观之。

庚辰，增寿安山寺役卒七千人。

庚寅，太师、中书右丞相特们德尔卒于家，命给直市葬地。

九月，丙辰，太皇太后鸿吉哩氏崩。

庚申，敕停今冬祀南郊。

癸亥，地震。

甲子，作层楼于涿州鹿顶殿西。

冬，十月，丁卯朔，太史院请禁明年兴作土工，从之。

戊辰，享太庙。先是太常奏，国哀以日易月，旬有二日外乃举祀事，帝曰："太庙礼不可废，迎香去乐可也。"至是以庙工未毕，妨陈宫县，止用登歌。

丙子，江南行台御史大夫托克托，坐请告未得旨辄去职，杖谪云南，从御史大夫特（实克）〔克实〕奏也。

甲申，建太祖神御殿于兴教寺。

己丑，以中书左丞相拜珠为右丞相，监修国史。帝欲爵以三公，恳辞，遂不置左相，独任以政。参议中书省事王结言于拜珠曰："为相之道，当正己以正君，正君以正天下。除患不可犹豫，犹豫恐生它变；服用不可奢僭，奢僭则害及于身。"拜珠深是之。

治书侍御史索诺木罢，为翰林侍讲学士；特（实克）〔克实〕奏复其职，帝不允。

十一月，甲午朔，日有食之。

己亥，以立右丞相，诏："天下流民复业者，免差税三年；站户贫乏鬻卖妻子者，官赎还之。凡差役造作，先科商贾末技富贵之家，以优农力。免陕西明年差税十之三，各处官佃田明年租之十二，江淮创科包银全免之。"

监察御史李端，言近者京师地震，日月薄蚀，皆臣下失职所致，帝自责曰："是朕思虑不及致然。"因敕群臣亦当修饬以谨天戒。

罢世祖以后冗置官。

括江南僧有妻者为民。

癸卯，地震。

甲辰，罢徽政院。

丙午，造龙船三艘。

御史李端言："朝廷虽设起居注，所录皆臣下闻奏事目。上之言动，亦宜悉书之以付史馆。世祖以来，所定制度，宜著为令，使吏不得为奸，治狱者有所遵守。"并从之。

乙卯，宣德县地震。

4843

初，浙民吴机，以累代失业之田卖于司徒刘夔，夔赂宣政使巴喇吉斯买置诸寺，以益僧廪，矫诏出库钞六百五十万贯酬其直，田已久为它人之业，特们德尔父子及特（实克）〔克实〕等，上下蒙蔽分受之，为赃巨万。真人（谢）〔蔡〕道泰，以奸杀人，狱已成，特们德尔纳其金，令有司变其狱。拜珠举奏二事，命台（鞫察）〔察鞫〕之，尽得其情，以田归主，夔、道泰、巴喇吉斯等皆坐死，并籍其家。刑部尚书布达实哩坐受道泰金，范德郁坐诡随，并杖免。特赦特（实克）〔克实〕。

十二月，甲子朔，南康、建昌大水，山崩，死者四十七人；民饥，命赈之。

丁卯，中书平章政事玛噜罢，为大司农，廉恂罢，为集贤大学士。以集贤大学士张珪为平章政事。

珪家居已久，帝召见于易水之上，曰："四世旧臣，朕将畀卿以政。"珪辞归，遣近臣设醴。拜珠问珪曰："宰相之体何先？"珪曰："莫先于格君心，莫急于广言路。"时拜珠方欲召用致仕老臣，优其禄秩，议事中书，遂首荐珪，起为集贤大学士。至是复拜平章，侍宴万寿山，赐以玉带。

戊辰，以掌道教张嗣成、吴全节、蓝道元各三授制命、银印，敕夺其二。

癸未，以地震、日食，敕廷臣集议弭灾之道。中书平章政事张珪抗言于坐曰："弭灾当究其所以致灾者。汉杀孝妇，三年不雨。萧、杨、贺冤死，独非致沴之端乎？死者固不可复生，而情义犹可昭白，毋使朝廷终失之也。"

禁近侍奏取没入钱物。

丙戌，赐淮安忠武王巴延祠祭田二十顷。

西僧〔灌顶〕疾，请释囚，帝曰："释囚祈福，岂为师惜！朕思恶人屡赦，反害善良，何福之有！"

宣徽院言，世祖时辉吉喇岁输尚食羊二千，成宗时增为三千，今请增五千。帝不许，曰："天下之民，皆朕所有，如有不足，朕当济之。若加重赋，百姓必致困穷，国亦何益！"命遵世祖旧制。

是月，两江来安路总管岑世兴，葛蛮安抚司副使龙仁贵，皆以其地作乱，柔远州洞蛮把者为寇；并遣兵讨捕之。

是岁，山北廉访司经历许有壬，迁江南行台监察御史，行部广东，以贪墨劾罢廉访副使哈质蔡衍。至江西，会廉访使苗好谦监焚昏钞，检视钞者日至百馀人，好谦恐其有弊，痛鞭之，人畏罪，率剔真为伪以迎其意。管库吏而下，捞掠无全肤，讫莫能偿。有壬覆视，率真物也，遂释之。凡势官豪民，有壬悉擒治以法，部内肃然。

甘肃岁粜粮于兰州，多至二万石，距宁夏各千馀里至甘州，自甘州又千馀里始达伊集纳路，而宁夏距伊集纳仅千里。至是行省平章奈玛台令挽者自宁夏径趋伊集纳，岁省费六十万缗。奈玛台，穆呼哩五世孙也，性明果善断，所至有治声。

至治三年　【癸亥，1323】　春，正月，癸巳朔，以禹城县去秋霖雨，县人邢著、程进出粟以赈饥民，命旌其门。

己亥，思明州盗起，湖广行省督兵捕之。

庚子,刑部尚书乌讷尔,坐赃杖免。

壬寅,以行省平章政事复兼总军政,军官有罪,重者以闻,轻者就决。

罢上都、云州、兴和、宣德、蔚州、奉圣州及鸡鸣山、房山、黄芦、三叉诸金银冶,听民采炼,以十分之三输官。

起前枢密院副使吴元珪、王约为集贤大学士,翰林侍讲学士韩从益为昭文馆大学士,并商议中书省事。丞相拜珠又言前集贤侍讲学士赵居信,直学士吴澄,皆有德老儒,请征用之,帝喜曰:“卿言适副朕心,更当使访山林隐逸之士。”遂以居信为翰林学士承旨,澄为学士。王约年老,俾以其禄家居,每日一至中书,时政多所参酌。

帝尝谓台臣曰:“朕深居九重,臣下奸贪,民生疾苦,岂能周知! 故用卿等为耳目。曩者特们德尔贪蠹无状,汝等拱默不言。其人虽死,宜籍其家以惩后也。”辛亥,申命御史大夫特(实克)〔克实〕振举台纲,诏谕中外。

壬子,遣回回炮手万户赴汝宁、新蔡,遵世祖旧制教习炮法。

静江、邕、柳诸郡獠为寇,命湖广行省督兵捕之。

丙辰,泉州民留应总作乱,命江浙行省遣兵捕之。

辛酉,禁故杀子孙诬平民者。

初,四川行省平章政事赵世延,为其弟讼不法事,系狱待对,其弟逃去,特们德尔必欲杀之,有司承望风旨,数胁令自裁,世延终不为动。至是丞相拜珠为言其无罪,诏释之。仍著令:“原告逃百日不出,则释待对者。”

二月,癸亥朔,作上都华严寺、帝师帕克斯巴寺及丞相拜珠第,役军六千二百人。

定军官袭职,嫡长子孙幼者,令诸兄弟摄之,所受制敕书权袭,以省争讼。

丙寅,翰林国史院进《仁宗实录》。进前数日,监修拜珠诣国史院听读首卷,书大德十年事,不书左丞相哈喇哈斯定策功,惟书越王图喇勇决。拜珠从容谓史官曰:“无左丞相,虽百越王何益! 录鹰犬之劳而略发踪指示之人,可乎?”立命书之,其它笔削未尽然者,一一正之。人皆服其卓识。

己巳,修广惠河闸十有九所,治野狐、桑乾道。

癸酉,畋于柳林。帝顾谓拜珠曰:“近者地道失宁,风雨不时,岂朕篡承大宝行事有阙欤?”对曰:“地震自古有之,陛下自责固宜,亦由臣等失职,不能燮理。”帝曰:“朕在位三载,于兆姓万物,岂无乖庚之事! 卿等宜与百官议,有便民利物者,朕即行之。”

拜珠患法制不一,有司无所守,请详定旧典以为通制。于是命枢密副使完颜纳坦、集贤学士侍御史曹伯启纂集累朝格例而损益之。书成,辛巳,奏上,凡二千五百三十九条,名曰《大元通制》,颁行天下。伯启言:“五刑者,刑异五等。今黥、杖、徒役千千里之外,百无一生还者,是一人身备五刑,非五刑各底于人也,法当改易。”丞相虽是之而不果行。

丙戌,雨土。

造五辂旗。

丁亥,敕金书《藏经》二部,命拜珠等总之。

戊子,封鹰师布哈为赵国公。

辛卯,以太子宾客巴图廉贫,赐钞十万贯。

三月,壬辰朔,帝如上都。

丁酉,平江路嘉定州饥,发粟六万石赈之。

丁（酉）〔未〕,西番参卜郎诸族叛,敕镇西武靖王绰斯监等发兵讨之。

戊申,祔太皇太后于顺宗庙室,上尊谥曰昭献元圣皇后。

辛亥,以圆明、王道〔明〕之乱,禁僧、道度牒符箓。

丙辰,敕:"医、卜、匠官,居丧不得去职,七十不听致仕,子孙无荫叙,能绍其业者量材录用。"

监察御史拜珠、嘉珲坐举巴斯尔济苏失当,并黜免。

夏,四月,壬戌朔,敕天下诸司命僧诵经十万部。

丁卯,旌内黄县节妇王氏。

己巳,浚金（河水）〔水河〕。

甲戌,敕都功德（司）〔使〕库尔噜至京师。释囚大辟三十一人,杖五十七以上者六十九人。放笼禽十万,命有司偿其直。

己卯,诏行助役法。遣使考视税籍高下,出田若干亩,使应役之人更掌之,收其岁入以助役费,官不得与。

五月,庚子,大风,雨雹,柳林行宫大木尽拔。

辛丑,以特克实独署御史大夫事。

戊申,监察御史盖继元、宋翼言:"特们德尔奸贪负国,生逃显戮,死有馀辜。"乃命毁所立父祖碑,并追官爵及封赠制书,籍没其家资,告谕中外。

帝御大安阁,见太祖、世祖遗衣,皆以缣素木棉为之,重加补缀,嗟叹良久,谓（世）〔侍〕臣曰:"祖宗创业艰难,服用节俭乃如此,朕焉敢顷刻忘之!"

戊午,奉元行宫正殿灾,上都利用监库火,帝命卫士扑灭之。因语群臣曰:"世皇始建宫室,于今安焉,至朕而毁,实朕不能图治之故也。"奇彻卫兵戍边,有卒累功,请赏以官,帝曰:"名爵岂赏人之物!"赐钞三千贯。

六月,寇围宁都,州民孙王臣出粮饷军,旌其门。

丁（酉）〔卯〕,西番参卜郎诸寇未平,遣徽政使丑噜往督师。

壬申,将作院使哈撒布哈,坐冈上营利,杖流之,籍其家。

留守司以雨请修都城,诏以不宜大兴土功,其略完之。

癸酉,太常请纂修累朝仪礼,从之。

乙酉,诸王锡〔济〕伯数寇边,至是遣使来降,帝曰:"朕非欲彼土地人民,但吾民不罹边患,军士免于劳役,斯幸矣。今既来降,当厚其赐以安之。"

秋,七月,辛卯朔,宣政使奇彻台自传旨署事,中书以体制非宜,请通行禁止,从之。

癸卯,太庙成。前殿十有五间,东西二门为夹室,南向。

知枢密院事拜坦,坐赃杖免。

乙巳,招谕左右两江黄胜许、岑世兴。

己酉，丞相拜珠，以海运粮视世祖时顿增数倍，今江南民力困极而京仓充满，请岁减二十万石；帝遂并特们德尔增科江淮粮免之。

丙辰，御史台请降旨开言路，帝曰："言路何尝不开，但卿等选人未当耳。朕知向所劾者，率由宿怨罗织成狱，加之以罪，遂玷其人，终身不复伸。御史尝举巴尔济苏可任大事，未几，以贪墨伏诛。言路（迁）〔选〕人，当乎否乎？"时特们德尔两子俱获罪，毁碑籍资，明致其罚。帝方委任拜珠，以进贤退不肖为急务。特克实以奸党不自安，而帝又屡饬台臣以阿比特们德尔之事，特克实由是益惧。

是月，冀宁、兴和、大同三路陨霜。

帝在上都，夜寐不宁，命作佛事，拜珠以国用不足谏止之。既而奸党惧诛者，复阴诱群僧，言国当有厄，非作佛事而大赦，无以禳之。拜珠叱曰："尔辈不过图得金帛而已，又欲庇有罪耶？"奸党闻之，知必不免，遂萌逆图。

八月，辛酉，晋王猎于图喇之地，特克实遣乌鲁斯告曰："我与哈克缴、额森特穆尔、实达尔谋已定，事成，推立王为皇帝。"又令乌鲁斯以其事告晋王之内史都尔苏，且言："汝与巴苏呼知之，勿令舒玛尔节得闻也。"晋王命囚乌鲁斯，遣巴勒密实特等赴上都，以逆谋告。

帝南还。癸亥，驻跸南坡，晋王之使未至。是夕，特克实、额森特穆尔、实达尔与前中书平章政事齐勤特穆尔、前云南行省平章政事鄂勒哲、特们德尔之子前治书侍御史索诺木、特克实之弟宣徽使索诺木、典瑞院使托和齐、枢密院副使阿萨尔、签书枢密院章岱、卫士图们及诸王额特布哈、博啰、伊噜特穆尔、库库布哈、乌鲁斯布哈等，以特克实所领阿苏卫兵为外应，杀右丞相拜珠，而特克实直犯禁幄，手弑帝于卧所。年二十一，从葬诸帝陵。

帝性刚明，尝以地震，减膳，彻乐，避正殿，有近臣称觞以贺，问："何为贺？朕方修德不暇，汝为大臣，不能匡辅，反为谄耶？"斥出之。尝戒群臣曰："卿等居高位，食厚禄，当勉力图报。苟或贫乏，朕不惜赐汝；若为不法，则必刑无赦。"巴尔济苏下狱，谓左右曰："法者，祖宗所制，非朕所得私。巴尔济苏虽事朕日久，今有罪，当论如法。"尝御鹿顶殿，谓拜珠曰："朕以幼冲，嗣承大业，锦衣玉食，何求不得！惟我祖宗栉风沐雨，戡定万方，曾有此乐耶？卿元勋之裔，当体朕至怀，毋忝尔祖！"拜珠顿首谢曰："创业维艰，守成不易，陛下言及此，亿兆之福也。"又谓大臣曰："中书选人署事未旬日，御史台即改除之。台除亦然。今山林之士，遗逸良多，卿等不能尽心求访，惟以亲戚故旧更相引用耶？"其明断如此。然以果于刑戮，奸党惧诛，遂构大变云。

张珪在大都，闻南坡之变，密言于监省魏王库库图曰："我世为国忠臣，不敢爱死。事已如此，大统当在晋邸。我有密书陈诛逆定乱之宜，非王莫敢致。"库库图曰："公诚忠，万一事泄，得无危乎？"珪曰："事成，王之功，不成，吾家甘齑粉万死，不敢以言累王。"库库图乃遣人达珪书于晋王，且劝进。

诸王额特布哈及额森特穆尔奉皇帝玺绶北迎晋王于镇所。癸巳，晋王即皇帝位于龙居河，大赦天下。

是日，以知枢密院事额森特穆尔为中书右丞相，以内史都尔苏为中书平章政事，奈曼台为中书右丞，御史大夫特克实知枢密院事，博啰为宣徽院使，舒玛尔节为宣政院使。

乙未，以枢密副使阿萨尔为御史中丞，内史善僧为中书左丞。

丁酉，以鄂勒哲知枢密院事，图们同签枢密院事。

戊戌，以萨迪密实知枢密院事，章台同知枢密院事。

己亥，敕谕百司："凡铨授官，遵世祖旧制，惟枢密院、御史台、宣政院、宣徽院得自奏闻，馀悉由中书。"

辛丑，以玛谟锡知枢密院事，实达尔为大司农。

召诸王属流（徒）〔徙〕远地及还元籍者二十四人还京师。

冬，十月，癸亥，修佛事于大明殿。

特克实之变，诸王迈努逃赴潜邸，愿效死力，且言于帝曰："不诛元凶，则陛下善名不著，天下后世何从而知！"帝深然之。甲子，以舒玛尔节为中书右丞相，陕西行省左丞图鲁、通政院使宁珠并为御史大夫，苏苏为御史中丞。遣使至大都，以即位告天地、宗庙、社稷。命舒玛尔节、宁珠诛逆贼特克实、实达尔、齐勤特穆尔、托和齐、章岱等于大都，并戮其子孙，籍没家产；惟特们德尔子索诺木议远流，张珪曰："索诺木从逆贼，亲斫丞相拜珠，乃欲活之耶？"

初，特克实使齐勤特穆尔遽至京师，趣召两院学士北上，翰林学士曹元用独不行，曰："此非常之变，吾宁死，不可曲从也。"未几，贼伏诛，人服其先见之明。

壬申，以内史诸达库为太师、知枢密院事。

癸未，以舒玛尔节兼阿苏卫达噜噶齐。

八番、顺元及静江、大理、威楚诸路猺兵为寇，〔丙戌，敕〕湖广、云南二省招谕之。

十一月，己丑朔，帝次于中都，修佛事于昆刚殿。

辛丑，车驾至大都。丁未，御大明殿，受诸王、百官朝贺。

初，特克实遣使至大都，封府库，收百司印。监察御史许有壬知事急，即往告中丞董守庸。守庸谓："宫禁事非子所当问。"有壬即疏守庸及经历多尔济班、监察御史郭额森呼都附特克实之罪以俟，及御史大夫宁珠至，有壬即袖疏上之。辛亥，守庸坐党特克实免官。

壬子，敕营缮不急者罢之。

癸丑，遣使诣曲阜，以太牢祀孔子。

敕会福院奉北安王纳穆罕像于高（梁）〔良〕河寺。

祭遁甲五福神。

丙辰，御史中丞苏苏，坐贪淫免官。

丁巳，广州路新会县民氾长弟作乱，广东副元帅乌讷尔率兵捕之。

诏："凡有罪自首者，原其罪。"

十二月，己未，御史台经历多尔济巴勒、御史彻里达汉、乌图曼、郭额森呼图，并坐党特克实免官。

监察御史许有壬言："曩者特们德尔专政，诬杀杨多尔济、萧拜珠、贺胜、观音保、索约勒、哈迪密实，黥窜成珪、李谦亨，罢免王毅、高昉、张志弼，而赵世延受祸尤惨，天下咸知其冤。请昭雪之，存者召还录用，死者赠官有差。"

壬戌，浚镇江路漕河及练湖。江浙行省言："镇江运河，全藉练湖之水为上源，官司漕运及商贾、农民来往,其舟楫莫不由此。宋时专设人夫,以时修浚,潴蓄潦水,若运河浅阻,开放湖水一寸,则可添河水一尺。近来淤浅,舟楫不通,凡有官物,差民运递,甚为不便。委官相视,疏治运河,自镇江路至吕城坝长百三十一里,计役夫万五百十三人,六十日可毕;又用三千馀人浚涤练湖,九十日可完。人日支粮三升,中统钞一两。”诏从之,以来春兴工。

戊辰,追尊皇考晋王噶玛拉曰光圣仁孝皇帝,庙号显宗,妣晋王妃鸿吉哩氏曰宣懿淑圣皇后。

庚午,盗入太庙,窃仁宗及庄懿慈圣皇后金主。时参知政事玛喇兼领太常礼仪使,当迁左丞,集贤大学士张珪曰:“太常奉祭祀不谨,当待罪,而反迁官,何以谢在天之灵?”命遂格。

甲戌,命道士吴全节修醮事。

乙亥,太常院言:“世祖以来,太庙岁惟一享,先帝始复古制,一岁四祭,请裁择之。”帝曰:“祭祀,大事也,朕何敢简其礼!”命仍四祭。

监察御史托克托、赵成庆等言:“特们德尔在先朝,包藏祸心,离间亲藩,诛戮大臣,使先帝孤立,卒罹大祸。其子索诺木,亲与逆谋,久逃天宪,宜正其罪,以快元元之心。伊鲁托克托、呼萨敦,皆特克实之党,不宜宽宥。”遂并伏诛。

丙子,命岭北守边诸王修佛事以却寇兵。

己卯,命僧作佛事于大内以厌雷。

癸未,流诸王伊噜特穆尔于云南,额特布哈于海南,库鲁克布哈于尼噜罕,博啰及乌鲁斯布哈于海岛,并坐与特克实逆谋也。

乙酉,谕百司惜名器,各遵世祖定制。

丙戌,舒玛尔节言:“宗戚之中,能自拔逆党,尽忠朝廷者,惟有诸王迈努,请加封赏,以示激劝。”遂以泰宁县五千户封迈努为泰宁王。

丁亥,议赏讨逆功,赐舒玛尔节金银钞,都尔苏为中书左丞相,玛谟锡、宁珠、索多并加授光禄大夫。

诏改明年元曰泰定。

云南花脚蛮为寇,诏招谕之。

【译文】

元纪十九　起辛酉年(公元1321年)正月,止癸亥年(公元1323年,)十二月,共三年。

元英宗名讳硕迪巴拉,元仁宗的嫡子,母亲是庄懿慈圣皇后鸿吉哩氏,在大德七年(公元1303年)二月甲子(初六)出生。延祐三年(公元1316年)十二月丁亥(十九日)立为皇太子,六年(公元1319年)十月戊午(初七),受命参与决策国家政事。

至治元年　(公元1321年)

春季,正月,丁丑(初三),在文德殿做佛事。

甲申(初十),召高丽王王璋赴上都。

丙戌(十二日),皇帝穿礼服祭祀太庙,以左丞相拜珠为亚献,知枢密院事图哲伯为终献。

自世祖建太庙以来,已历经十四年,没有行过皇帝亲自祭祀之礼。拜珠于是说道:“古人说,礼乐百年而后兴,现在是时候了。"皇帝很高兴,说:"我能去行礼。"命有关官员安排皇帝亲自祭祀太庙的仪式。这时祭祀完毕,诏告群臣:"一年只有四次祭祀,让别人代替,不能像亲自祭祀那样心诚,心中实在有些不安。以后每年必亲自祭祀,一生如此。"朝廷大臣中有人进言,祭祀事毕,应该大赦天下。皇帝告诉他们说:"恩赐可常给,大赦不可多下。假使杀人犯获免,那么死难者有什么罪呢!"命中书省上陈一些可以酌情处理的事,令其施行。

丁亥(十三日),皇帝想在宫禁中结搭彩楼,上元夜张灯设宴。参议中书省事张养浩认为不可,便上疏给左丞相拜珠,拜珠看过后,说应当进谏,就把奏章放在袖子里,入朝启奏。奏疏的大意是:"世祖在位三十余年,每到上元夜,闾巷之间灯火也是被管制的,何况宫廷严密,宫禁深邃,更要戒备慎重。今建造灯山,臣以为玩乐的事小,所关联的事大。玩乐者想得少,忧国者考虑的多。希望以崇尚节俭,考虑长远为法度,要警惕喜欢奢侈,只顾眼前的欢乐。"皇帝看了奏章,高兴地说:"除了张希孟,别人是不敢这样说的。"便紧急下令停止元夕张灯设宴,并且说:"有这样的大臣,朕还有什么可担忧的呢!从今以后,凡是发现朕有过失,不仅台臣可以劝谏,而且人人都可以讲话。"赐张养浩布帛以表彰其正直。

二月,戊申(初四),改中都威卫为忠翊侍卫亲军都指挥使司。

己酉(初五),在普庆寺修建仁宗神御殿。

辛亥(初七)调军士三千五百人,修上都华严寺。

大永福寺建成,赐给金银钞币。

丁巳(十三日),在柳林打猎,下令改建行宫。

寿安山寺劳役十分紧急,监察御史索约勒、哈迪密实和同僚观音保、成珪、李谦亨上奏章极力劝谏。认为:"农事刚刚开始,就大兴土木,劳民伤财,这不是祈福的方法。并且今年是辛酉年,不宜大兴建筑。"呈上奏章,皇帝阅毕大怒。当初,司徒刘夔非法献出浙右民田,冒领出内府钱钞六百万贯,丞相特们德尔分得其中的一半。御史揭发他们作弊之事,因此他们忌恨御史。治书侍御史索诺木是特们德尔之子,这时向皇帝密奏道:"那些在宫禁中值宿警卫的旧臣,上奏事情有所不便,不能立即入宫相告,而用讥讽皇上的方法来显示自己的正直,这是一种大不敬。"皇帝就杀了索约勒、哈迪密实和观音保,杖打成珪、李谦亨,并刺其面,放逐到纽尔干地区去。二人起初也不能知道自己的前途,而特们德尔正想拉左丞相张思明来帮忙,张思明于是对丞相说:"进言的事,是御史的职责。祖宗以来,没有杀过谏官。成珪、李谦既属于谏官,应当按祖宗法规处理。"二人因此得到较轻的处罚。

丁卯(二十三日),任命僧法洪为释源宗主,授司徒职。

罢免先朝传旨滥选的官吏。

三月,丙子(初三),在京师修建帝师帕克斯巴(八思巴)寺。

丁丑(初四),发动乡民兵卒疏通小直沽白河。

庚辰(初七),朝廷考试进士,赐泰布哈、宋本等六十四人进士及第或进士出身。

辛巳(初八),帝到上都,拜珠随从到察罕诺尔。帝因行宫规模窄小,想扩建,拜珠说:

"此地艰苦寒冷,入夏才开始种粟黍。陛下刚登上帝位,不考虑百姓的困苦,却立刻大兴徭役,这会妨碍农务,恐怕有失百姓的期望。"皇帝于是不再提扩建行宫之事。

皇帝曾对拜珠说："朕将重任委派给你,是因为你祖父穆呼哩跟随太祖开拓疆域,安图当了世祖的丞相,帮助成就善治。你如果常常想起祖宗的好声誉,哪有不尽心职守的!"拜珠再拜说:"陛下委臣以重任,臣对三件事有所畏惧:怕辱没祖宗;怕天下的事情太大,自己的学识见地有所不足;怕自己年纪轻,不能担负重任,无法报答圣恩!"

壬午(初九),派咒师多尔济前往牙济、班卜二国取《佛经》。

癸未(初十),制作御服,袈裟缀上珍珠。

甲申(十一日),下令纂修《仁宗实录》《后妃传》《功臣传》。

乙酉(十二日),宝集寺金书西番《般若经》修成,放置在宫中香殿。

增加寿安山建寺的差役军士。

己丑(十六日),大同路有麒麟出生。

己亥(二十六日),宦官博啰特穆尔因罪流放到纽尔干地区。

辛丑(二十八日),任命特克实为御史大夫,佩带金符,统领忠翊侍卫亲军都指挥使。英宗曾经对特克实说:"行善的事虽归太皇太后经管,朕对此和其他各司一样,所有的文书应该都叫御史检查校核。"

夏季,四月,己未(十六日),修造象车于金脊殿。

戊辰(二十五日),下诏,为特门德尔父亲、祖父建碑。

任命宦官博啰台为太常署令,太常官说"宦官很难参与大祭",于是此项任命作罢。

五月,丙子(初三),拆毁上都回回寺,用这块地盘营建帝师殿。

壬午(初九),放逐武宗之子图卜特穆尔亲王到琼州。当时特们德尔包藏私心,想稳固皇上对自己的宠信,在皇上的亲骨肉之间挑拨离间,弄得诸王、大臣人人自危。中政使耀珠上告托欢彻尔等人交结亲王,于是迁徙图卜特穆尔远居海南。朝廷因此禁止占卜官交结诸王、驸马,禁止掌握阴阳五行者泄露占候的天机。

辛卯(十八日),海运粮食到直沽,派使臣祭祀海神天妃。

在缙山流杯池修建行宫。

命世家子弟年龄稍大的儿童入国学读书。

辛丑(二十八日),太常礼仪院送审太庙设计图纸。御史、翰林、太常大臣一起商议,认为:"前代庙室,多少不同。晋朝,兄弟同为一室,正室增加到十四间,东西各一间。唐朝九庙,后增为十一室。宋朝增室至十八间,东西侧室各一间,以供奉远祖神位。如今太庙虽分八室,然而兄弟相续,只有六世。世祖所建,前庙后寝。前几年寝殿遭过火灾,请以现在的殿为寝,另外修建前庙十五间,中央三间为一通室,用以供奉太祖神位。余下按次序为供奉室,这样,叮能在情和义上才相宜。"英宗说这样好,定于来年营建。

六月,癸卯朔(初一),发生日食。

在上都制作金佛塔,用以收藏佛舍利。

乙卯(十三日),让特们德尔兼管宣政院事。

丁巳(十五日),任命前中书参知政事敬俨为陕西行台御史中丞。敬俨告病在家,因其家乡在京师近郊,恐怕再被征用为官,于是迁徙到淮南居住,即便是亲朋故旧,他都不接见。直到这次听说对他的任命,也坚辞不赴任。

辛酉(十九日),太白星行经天空。

赵弘祚等入朝言事,朝廷勒令他们回归乡里,仍禁止他们妄议时政。

己巳(二十七日),霸州发大水,浑河泛滥,受灾的有二万三千三百户。

秋季,七月,戊寅(初七),通州潞县榆埭大水决口。

庚辰(初九),滹沱河及巨马河泛滥。

邰阳道士刘志先用妖术阴谋作乱,命枢密院判官章台逮捕他。

乙酉(十四日),大雨,浑河决堤。

丙申(二十五日),禁止所穿服装颜色不符合规定的等级。

庚子(二十九日),修葺上都城墙。

八月,壬寅朔(初一),修造大都城墙。

戊申(初七),上都鹿顶殿修成。

庚戌(初九),因军士生活贫困,派知枢密院事特们布哈整顿军务。并且诏告朝廷内外,有敢扰乱为害者,一定治罪。

乙卯(十四日),罢免特穆尔图中书平章政事的职务,改任上都留守。

壬戌(二十一日),英宗出行,暂住兴和。侍从和大臣,因天气太冷,请求英宗返回京师,英宗说:"军队以牛马为重,百姓以农事为本。我在此滞留,是让马得到草料喂养,百姓可以割草而有所收获。一举两得,怎么怕寒冷呢!"

雷州路海康、遂溪二县海水倒灌,毁坏民田四千余顷,朝廷免其租税。

秦州成纪县发生山崩。

九月,壬辰(二十二日),中书平章政事塔斯哈雅犯受贿罪,处以杖刑并免去官职。

丁酉(二十七日),英宗自上都返回。

庚子(三十日),安陆府汉水泛滥,毁坏民田,朝廷赈济受灾地区。

冬季,十月,辛丑朔(初一),在宫内做佛事。

庚戌(初十),英宗亲自祭祀太庙,以中书左丞相拜珠为亚献,御史大夫特克实为终献。

壬子(十二日),拜珠献上一株嘉禾,两茎同结一穗。

癸丑(十三日),敕令:"翰林、集贤官年岁七十的不要辞职。"

延祐年间,北方沙漠地区大风雪,羊、马、骆驼等牲畜都死光了,蒙古百姓流离失所,有些人竟把子女卖给回回、汉人作为奴婢。拜珠认为那里是王业兴盛的根本之地,那里的人民应加以赈济抚恤。请设立宗仁卫来统管,命县官赎人,然后送到卫中,以便好好收养。英宗下诏照办,并下令发给蒙古子女冬衣。

严禁中书掾曹不许泄露朝中机密。

己巳(二十九日),派雅克特穆尔巡视边防。雅克特穆尔是绰和尔的第三个儿子,当时是左卫亲军都指挥使。

4852

十一月,乙亥(初六),英宗去大护国仁王寺。

戊寅(初九),群臣上献英宗尊号曰:继天体道敬文仁武大昭孝皇帝。己卯(初十),诏告天下。拜珠请示释放囚犯,英宗不同意。

庚辰(十一日),增加寿安山寺役卒三千人。

辛巳(十二日),命御史大夫特克实统领左、右阿苏卫。早先,世祖立阿苏巴图为达噜噶齐,后招募阿苏军三千七百余人,护卫皇帝车驾,并掌管宫禁中值宿警卫,兼营潮河、苏沽两川的屯田事务,统一供给军粮储备。这支军队原隶属于前后二卫,武宗至大初年,才改立左、右卫阿苏亲军都指挥使司,这时命特克实统领。

丙申(二十七日),下令在保定新城为已故丞相安图立碑。

右丞相特们德尔,广树朋党,凡不依附自己的,必找事端除掉他们。他尤其不喜欢平章王毅、右丞高昉,由于在京诸仓库的储粮丢失,他想奏请皇帝诛杀他们。左丞相拜珠密奏英宗说:"根据圣贤之道,治国治民,是宰相的事。用钱粮这类的琐事去责罚他们,合适吗?"英宗认为左丞相说得对,王毅等人才免于一死。

特们德尔忌恨拜珠的正直不阿,常常与其党羽密谋中伤陷害他。拜珠左右的人得到这个情况,找时机告诉了拜珠,请他多加防备。拜珠说:"我祖宗是为国家立过大功的人,我家世代淳厚忠贞,已经有一百多年了。我现在年轻,承蒙皇上宠幸和任用,都是由于这个原因。大臣合作融洽,对国家有利。如果因右丞相仇视我,我寻求机会报复他,这不单单是我们二人的不幸,也是国家的不幸。我知道如何去尽我的心,只求上不负君王父辈,下不负士民而已。死生祸福,老天一定会看见的,你们不要再说啦。"到他奉诏前往新城为其祖宗立碑时,特们德尔长期称病在家,听说拜珠出行,就要出来,到职视事。他入朝走到宫门时,英宗派苏苏赐酒给他,并且告诉他:"卿家年纪大了,应当自爱,待明年入朝视事未晚。"特们德尔只好怏怏不乐而返。

十二月,辛丑(初二),立伊奇哩氏为皇后,派代理太尉、中书右丞相特们德尔持节,授予她玉册、玉宝。

庚戌(十一日),修太庙正殿。

甲寅(十五日),英宗去西僧灌顶寺。

疏浚玉泉河。

甲子(二十五日),命帝师前往西番接受具足戒,赐金一千三百五十两,银四千零五十两,币帛一万匹,钱钞五十万贯。

因诸王锡济伯派使者多次入朝求援,朝廷发兵镇守北口和卢沟桥。

乙丑(二十六日),设置中瑞司。炼铜五十万斤制作寿安山佛像。

特们德尔虽然不出家门,但其党羽却遍及朝中各部门,有事必往他家里禀报。因为拜珠的缘故,他的阴谋诡计总不能得逞,他们千方百计想摆倒拜珠,但始终不能如愿以偿。

在京师的仓曹、管库官吏,年终按例应更换。当时左丞张思明称病不出,大家都在观望。拜珠认为此事不可拖延,他每天到省中坐镇,对所属官吏讲:"左丞病了,省中的事就不办了吗?"郎中李处恭说:"管金钱粮谷的官吏,须慎重选择。没有找到合适的人,不敢仓促拟定。"拜珠说:"你是在设法出卖官职而已。"拜珠只好派人好言慰问张思明,张思明才出来工作,共同完成铨选仓曹管库官吏之事。

这年,集贤侍讲学士李孟去世。

李孟被免官降职,曾对人说:"老臣待罪中书,对国家无所裨益,圣上恩典宽恕,没有剥夺我的俸禄。现在我老啦,圣上的恩典,我何以报答!"英宗听说后,很赞赏他的话,想稍加恩意。等他去世后,御史屡上奏章,为其辩诬,皇帝下诏恢复他原来的官职,赠予旧学同德翊戴辅治功臣的称号,加封魏国公,谥号文忠。

枢密院副使吴元珪和知枢密院事特穆尔布哈上陈军民政事十余件,大意是:"诸王、近侍不可干预军政大事;统管军队的官吏不可鱼肉军户的东西,有军官之材的人应当升迁其官职;官吏的赋税劳役应当分派均等,而且军队和百姓不得有所偏向。军官世袭只能传给直系亲属,而旁系亲属不可乱顶替。"英宗赞许并采纳了这些意见,下诏施行之。

任命右侍仪兼修起居注星吉为监察御史。

星吉,河西人。从小就在仁宗的潜邸供事,以精明敏捷著称,因此英宗提拔他。在台中,正直的名声尽人皆知。

至治二年 （公元 1322 年）

春季,正月,庚午(初二),扩修太庙。

甲戌(初六),禁止汉人拿着兵器打猎和练习武艺。

丁丑(初九),英宗亲自祭祀太庙。开始准备皇帝车驾,设黄旗仪仗。英宗戴通天冠,穿绛纱袍,自崇天门出行,左丞相拜珠代理太尉之职,跟随其后。英宗回头对拜珠讲:"朕采用了你的建议,举行大礼,这也是你同样高兴的事。"拜珠回答道:"陛下以帝王之道教化天下,不只是臣之幸事,实在是四海百姓共同庆贺的事。"在一个大的去处吃斋祭祀,斟酒献礼,上下周旋,俨然像是训练有素的,庙堂内外,都肃然起敬。次日返回宫廷,拜珠率百官称贺于大明殿。赐给主事大臣和导驾老人多少不等的金钱布帛。拜珠又上奏修建太庙前殿,讨论实行合祭祖先的礼法等事。

戊寅(初十),命官府慰问救济孔氏子孙中的贫困者。

辛巳(十三日),皇帝下诏令:"台宪用人,不要拘泥于资格。"

仪封县河水泛滥,损坏庄稼,予以赈济。

癸未(十五日),把徽政院使罗源流放到耽罗。

柳林行宫建成。

癸巳(二十五日),任命西域僧人罗藏为司徒。

二月,庚子(初二),设置左右奇彻卫亲军都指挥使司,命拜珠统管。

取消上都歇山殿和帝师寺的差役。

辛丑(初三),赐特克实父、祖墓碑。

甲寅(十六日),派在太庙服劳役的军队去造流杯池行殿。

乙卯(十七日),因西域僧人亦思剌蛮展普生病,释放死刑犯一人,鞭打罪犯二十人以禳病。

三月,己巳朔(初一),左丞相拜珠认为学校是正统教化的根本,表面上看,是一件缓慢的事,但实际上是很紧急的,主管者却不能为事业尽心,才使学校废弛。请下令中书平章政事廉恂、参议中书省事张养浩、都事富珠哩翀监督管理,外郡学校,仍命御史台、翰林院、国子监共同商议兴办。英宗表示同意照办。

辛未(初三),禁捕天鹅,违者没收其家产。

丙子(初八),遣散京师各营修缮作业的兵卒四万余人。

河间、河南、陕西十二郡春旱秋涝,百姓遭受饥荒,免其租税一半。

戊寅(初十),修造大都城墙。

庚辰(十二日),皇帝下诏令:“江浙僧人寺庙的田地,除宋原有的永业田产和世祖所赐的田地之外,其余的都要交纳租税。”

丙戌(十八日),在泉州、庆元、广东三路,恢复设置市舶提举司,禁止把男女、金银、丝绵输往番邦。

丁亥(十九日),凤翔道士王道明因妖言惑众,被杀。

己丑(二十一日),命有关官府,在东平修建穆呼哩祠,照例树碑。

因国家费用匮乏枯竭,停止对诸王的赏赐和皇后每年的赏赐。

庚寅(二十二日),命将作院重新制作礼帽。

辛卯(二十三日),监察御史何守谦因贪赃,被处以杖刑免官。

丁酉(二十九日),英宗到柳林,驸马许讷之子苏拉上诉说:“臣的父亲谋叛,臣的母亲私奔从人。”英宗曰:“人子应侍奉亲人,有隐情,也不应干涉。现在亲人有过失,你不规劝,却来告发亲人的隐私!”下令杀了他。

英宗从容地对拜珠说:“朕想天下之大,非我一人能考虑周全的。你为朕的股肱大臣,不要忘记常常规劝我,以帮助我注意那些顾及不到之处。”拜珠叩头逊谢道:“昔日尧、舜为君主,每遇到事情都要询问众人,听到好的意见,就放弃自己的主张,而采纳别人的意见,万世都称之为圣贤。桀、纣为君主,拒绝劝谏,自以为是圣贤,喜欢别人顺从自己,喜欢接近奸邪小人,国家灭亡了,自身也难保,百姓到如今还称之为无道君主。我们仰仗圣上洪恩,哪敢不竭尽忠心报答的。然而,凡事说起来容易,做起来难。臣等不说,是臣的罪过。”英宗曾经对拜珠说过:“如今也有如唐代魏征那样敢于直谏的人吗?”拜珠回答:“盘子是圆的,盛的水,形状也圆,盂具是方的,盛的水,形状也方。有唐太宗这样能纳谏的君主,就有魏征这样敢直谏的臣子。”有人说佛教可以治理天下,英宗询问拜珠,拜珠答道:“佛教主张清净寡欲,心神安静,用来自己修身是可以的。如若用以治天下,舍弃仁义则三纲五常就乱了。”英宗嘉许并采纳了这些意见。

夏季,四月,戊戌朔(初一),英宗到上都。中书左司都事富珠哩翀,跟随英宗住在龙虎台。丞相拜珠命富珠哩翀传旨中书,富珠哩翀走了几步,又回来,说:“让我传旨吗?”拜珠叹道:“真是个谨慎的人!”过一会儿,对富珠哩翀说:“你可以做宰相吗?”富珠哩翀答道:“做宰相固然不敢当,然而我所学的,是如何做宰相的事。做宰相的人,必须有福分、有道德、有才能、有气量,四者齐备,才可以当宰相。”拜珠听了非常高兴,向富珠哩翀敬酒,说:“除了从你那儿,我不曾听到过这种话。”

乙丑(二十八日),中书省大臣请示节省赏赐以减轻百姓的负担,英宗说:“朕考虑支出

4855

大于收入一倍,出纳的时候,你们应该慎重,我也应该节省自己的费用。"

五月,己巳(初二),修筑滹沱河堤。

庚午(初三),奉符、临邑二县有人谋反,为首者王驴儿被诛杀,其余的加杖刑流放。

庚辰(十三日),在永平设置营地,收养蒙古人的子女。派人晓谕四方,藏匿蒙古人子女的要判罪。

癸未(十六日),设置宗仁蒙古侍卫亲军都指挥使司,让拜珠兼管此事。

甲申(十七日),英宗到五台山。拜珠说:"自古帝王得天下以得民心为根本,失民心则失天下。钱粮,是百姓的血汗,如果收取太多,老百姓生活就困苦,国家就危险;收得少,百姓就富足,国家就安定。"英宗说:"你讲得很好。我想过,百姓为重,君主为轻,国家没有百姓,哪里来的君主! 当今治理百姓的事情,你们应当深思熟虑而慎重行事。"

丙申(二十九日),封吴全节为玄教大宗师,特晋为上卿。

闰五月,戊戌(初二),封诸葛忠武侯为威烈忠武显灵仁济王。

癸卯(初七),禁止白莲教的佛事活动。

甲辰(初八),御史台请求罢免监察御史中不称职的人,以示惩戒,英宗同意。

戊申(十二日),任命特们德尔之子同知枢密院事拜坦为知枢密院事。

壬子(十六日),修建紫檀殿。

丙寅(三十日),辰州沅陵县峒蛮为寇作乱,派人剿捕。

皇帝下诏令:"已授官的不赴任,罢其官职。"

六月,丁卯朔(初一),英宗到五台山,禁止随从护卫践踏百姓的庄稼。

癸酉(初七),禁止占卜师妄谈天象。

丙子(初十),修浑河堤。

壬午(十六日),辰州江水泛滥,毁坏民房。

这月,前翰林学士承旨赵孟頫逝世。追封魏国公,谥号文敏。

秋季,七月,丁未(十二日),英宗赐拜珠平江田地一万亩。拜珠推辞说:"陛下命我治理整顿朝廷事务,若先接受赐田,人们为此将说我什么!"英宗说:"你是功勋旧臣的后代,我是因为你廉正谨慎而嘉奖你。有人要按此攀比,我自当告谕他们。"

英宗从五台山返回,戊午(二十三日),暂住应州。辛酉(二十六日),暂住浑源州。拜珠奏明,把中书左丞张思明召来,列举他的罪行,施以杖刑并罢免其官职,没收其家产。

八月,己巳(初四),道州宁远县人符翼轸作乱,官府讨伐并擒获他。

甲戌(初九),英宗到奉圣州。修筑宗仁卫营房。

英宗关心民间事情,戊寅(十三日),下诏叫人在鹿顶殿墙壁上画《蚕麦图》,以便不时观看。

庚辰(十五日),增加寿安山寺劳役军卒七千人。

庚寅(二十五日),太师、中书右丞相特们德尔于家中去世,英宗命给钱买葬地。

九月,丙辰(二十二日),太皇太后鸿吉哩氏驾崩。

庚申(二十五日),下令停止今冬南郊祭祀。

癸亥(二十九日),发生地震。

甲子(三十日),在涿州鹿顶殿西修建多层楼。

冬季,十月,丁卯(初三),太史院请示禁止明年兴建土木工程,英宗同意。

戊辰(初四),祭祀太庙。在这之前太常上奏,国家哀事不断,建议过十二日后再举行祭祀。英宗说:"太庙祭祀礼不可以停止,进香时不用礼乐就可以了。"这时因庙内工程未完,妨碍乐器的悬挂,只用乐师清唱颂歌。

丙子(十二日),江南行台御史大夫托克托因告假未准而擅自离职,处以杖刑,贬谪云南,这是根据御史大夫特克实的奏章办的。

甲申(二十日),在兴教寺建造太祖神御殿。

己丑(二十五日),任命中书左丞相拜珠为右丞相,监修国史。英宗想封他以三公爵位,拜珠恳求辞谢。于是不设左丞相,由他一人担起政事。参议中书省事王结对拜珠说:"做丞相之道,应当先端正自身,以便去端正君王,端正君王后,才能端正天下。去除祸患不可犹豫,犹豫恐生他变。穿用不可以奢华出格,奢华出格则祸害临身。"拜珠深以为然。

治书侍御史索诺木被罢官,改任翰林侍讲学士。特克实上奏,请求恢复其官职,英宗不同意。

十一月,甲午朔(初一),发生日食。

己亥(初六),因为立右丞相事,下诏:"天下流民复操旧业者,免差役税三年。站户因贫困卖儿卖妻的,官府赎回归还其家。凡征派劳役建造作业,先征派工商业等有钱人家,用以优待农户劳力。免去陕西明年差役税的十分之三,免去各地官租田第二年租税的十分之二。江淮地区首次该向汉民征收的包银全部免除。"

监察御史李端进言:"近日京师地震,日月相掩蚀,都是臣下失职所致。"英宗自责说:"是朕思虑不到所致。"因令群臣也要反省一下,小心上天的惩戒。

罢去世祖以后多设的官员。

所有江南有妻的僧侣还俗为民。

癸卯(初十),发生地震。

甲辰(十一日),撤销徽政院。

丙午(十三日),建造龙船三艘。

御史李端说:"朝廷虽设置了帝王的言行录,但所记录的都是臣下向皇上奏请的事项。皇上的言行也应当全都记录下来,交付给史馆。世祖以来所定的制度,应写出来作为法令。使官吏不得为非作歹,执法者也有所遵循。"英宗一并同意。

乙卯(二十二日),宣德县发生地震。

先前,浙民吴机把多年没有耕作的田地卖给司徒刘夔,刘夔贿赂宣政使巴喇吉斯,称买田给寺庙,以增加僧众的粮食储备,伪托诏命领出国库钱钞六百五十万贯以付田价。其实这些田地很久以前就成为他人之产业了,特们德尔父子及特克实等,欺上瞒下将钱私分了,得赃款数额极大。道士蔡道泰因奸情杀人,罪案已定,特们德尔接受了他的钱财,令负责官吏改变其罪案。拜珠把两件事全都奏明皇上,命台省调查审讯此事,尽得其详情。把田地归还原主,刘夔、蔡道泰、巴喇吉斯等都处以死刑,并没收他们的家产。刑部尚书布达实哩因接受蔡道泰贿赂而获罪,范德郁因放肆欺诈获罪,一同处以杖刑,罢免官职。特赦特克实。

十二月,甲子朔(初一),南康、建昌发大水,山崩,死亡四十七人。百姓遭饥荒,朝廷下令救济。

丁卯(初四),中书平章政事玛噜被贬为大司农,廉恂被贬为集贤大学士。任命集贤大学士张珪为平章政事。

张珪在家闲居已久,英宗在易水之滨召见他,说:"你是四世旧臣,我将把一些政事交给你做。"张珪辞谢而归,英宗派近臣送甜酒表示礼贤之意。拜珠问张珪说:"宰相之事何者为先?"张珪答:"没有什么事情比正君主的心更重要的,没有什么事情比广开言路更紧急的。"当时拜珠正想召用辞官的老臣,提高他们的俸禄,请他们在中书省商议事情,于是首先推荐了张珪,起用他为集贤大学士。这时又任用他为平章,在万寿山设宴招待他,赐以玉带。

戊辰(初五),因主掌道教的张嗣成、吴全节、蓝道元,各有三次被授予制命、银印,下诏收回其中两次授予的制命、银印。

癸未(二十日),因地震、日食,下旨召集朝廷大臣一起商议消除灾祸的方法。中书平章政事张珪在座位上直言不讳地说道:"要想消除灾祸,应当探究导致灾祸的原因。汉代杀了孝妇,三年不下雨。萧拜珠、杨朵尔济、贺胜三人冤屈而死,难道不是导致灾祸的原因吗?死了的人固然不可能复生,但情理道义还可以使之昭雪,不应使朝廷最终失此情理道义。"

禁止近侍奏请获取从犯人那里没收的钱物。

丙戌(二十三日),赏赐淮安忠武王巴延祠祭祀用田二十顷。

西域僧人灌顶生病,有人请求释放囚犯禳病。英宗说:"释放囚犯,祈求福祉,岂能因为僧师而舍不得!但朕考虑恶人屡次被赦免,反而害了善良百姓,还有什么福祉可言。"

宣徽院进言,世祖时辉吉喇每年送御膳房羊两千头,成宗时增为三千头,现在请增加到五千头。英宗不同意。说:"天下的百姓,都归朕所有,他们如果生活不充足,朕应当赈济他们。要是加重赋税,百姓必然会困苦贫穷,对国家又有什么益处!"下令遵循世祖时的制度办理。

这个月,两江来安路总管岑世兴、葛蛮安抚司副使龙仁贵,都因其管辖的地区作乱,柔远州峒蛮把者也为寇作乱,朝廷一并派兵讨伐捉捕。

今年,山北廉访司经历许有壬,迁任江南行台监察御史。他巡视广东时,以贪污受贿罪,弹劾并罢免廉访副使哈质蔡衍的官职,到了江西,正碰上廉访使苗好谦监督焚烧用烂的纸钞。当时检验查看钞票的每天达百余人,苗好谦恐怕其中有作弊的,就鞭打无辜,人们怕获罪,都把真钞作为伪钞剔出,以迎合他的心意。管库官吏以下的人,被打得体无完肤,最终没有人能补还。许有壬反复检查,发现剔出的都是真钞,于是将众人释放。凡仗势欺人的官吏和有钱的土豪,许有壬都抓来绳之以法。从此,他所管辖的地区内,秩序井然。

甘肃每年从兰州籴买粮食,多达两万石。兰州至宁夏和至甘州都是千余里地,自甘州又有千余里,才能到达伊集纳路,而宁夏距伊集纳仅有千里地。于是行省平章奈玛台,令拉粮的人自宁夏直走伊集纳,每年节省费用六十万贯。奈玛台是穆呼哩五世孙,禀性聪明果敢,善于做出决断,所到过的地方,都留下善于治理的好名声。

至治三年　(公元 1323 年)

春季,正月,癸巳朔(初一),因禹城县去年秋天雨下不停,县民邢著、程进施舍粮食,赈济饥民,朝廷下令在其门上挂匾以表彰他们。

己亥(初七),思明州强盗蜂起,湖广行省率兵剿捕。

庚子(初八),刑部尚书乌纳尔因贪赃罪,被处以杖刑,并罢免官职。

壬寅(初十),由行省平章政事仍兼总管军政,军官犯罪,重者上奏朝廷处理,轻者就地判决。

取消上都、云州、兴和、宣德、蔚州、奉圣州及鸡鸣山、房山、黄芦、三叉诸金银冶炼作坊,由百姓自行采矿冶炼,所得十分之三交官府。

起用前枢密院副使吴元珪、王约为集贤大学士,翰林侍讲学士韩从益为昭文馆大学士,并让他们参与商议中书省的政事。丞相拜珠又进言,前集贤侍讲学士赵居信、直学士吴澄,都是德高望重的老儒,请求朝廷征召并任用他们。英宗高兴地说:“你的话正符合朕的心思,还应当派使者寻访山林隐逸之士。”于是任命赵居信为翰林学士承旨,吴澄为学士。王约年岁已大,让他领取俸禄在家居住,每日到中书省一次,很多时政让他参与斟酌。

英宗曾对台臣说:“朕深居宫内,臣下作奸犯贪,民生的疾苦,哪能全都知晓！所以用你们做我的耳目。从前特们德尔贪赃枉法,粗暴无礼,你们拱手沉默不语。那个人虽然死了,应该没收其家产,以惩戒后来者。”辛亥(十九日),再次命御史大夫特克实整顿恢复台省法纪,诏告朝廷内外。

壬子(二十日),派回回炮手万户赴汝宁、新蔡,按世祖旧制,教习炮法。

静江、邕、柳诸郡獠人为寇作乱,命湖广行省督领军兵剿捕。

丙辰(二十四日),泉州人留应总作乱,命江浙行省派兵剿捕。

辛酉(二十九日),查禁故意杀人子孙,诬陷平民的人。

起初,四川行省平章政事赵世延,因为其弟被诉讼有犯法的事,押在监狱等待对质,其弟却逃走了,特们德尔一定要杀掉赵世延。有关官员料到,圣旨很快就会传到,多次迫令他自杀,赵世延始终不为所动。此时,丞相拜珠为他进奏,说他无罪,英宗下旨释放他,还写了一条命令:“原告逃亡百日不到庭,就释放等待对质的人。”

二月,癸亥朔(初一),修建上都华严寺、帝师帕克斯巴寺和丞相拜珠府第,役使兵卒六千二百人。

规定军官袭职办法,直系长子长孙年幼者,令诸兄弟代理其职。所授予的任命书上写明代理承袭,以减少争执诉讼。

丙寅(初四),翰林国史院奉上《仁宗实录》。进奉前数日,监修拜珠到国史院听人阅读首卷。其中有写大德十年的事,未写进左丞相哈喇哈斯决策定计的功劳,只写了越王图喇的勇敢决断。拜珠从容对史官说:“没有左丞相,即使有一百个越王又有什么用！记录执行者的功劳,而略掉了发布指示的人,可以吗？”命他们立刻写上。其他略去未详尽写出的,都一一加以改正。人们皆佩服他的卓越见识。

己巳(初七),修通惠河水闸十九座。治理野狐、桑干大道。

癸酉(十一日),英宗打猎于柳林。皇上对拜珠说:"近来大地常道失去宁静,风不调,雨不顺,难道是朕继承皇位后做事有过错吗?"拜珠答道:"地震自古就有,陛下自责固然应当,同时也是因为我们失职,不能谐调处理所致。"英宗说:"我在位三年,对于百姓万物,难道没有不合情理之事!你们应与百官商议,有便利百姓万物的事情,我立即实行。"

拜珠担心法制不统一,官吏办事无所依据,请示详细审定旧有法典,作为通用的法制。于是命枢密副使完颜纳坦、集贤学士侍御史曹伯启纂集历朝法律条例,加以增删。编撰完毕后,辛巳(十九日),上奏皇上。共二千五百三十九条,定名为《大元通制》,颁行天下。曹伯启进言:"五刑者,就是刑罚不同的五个等级。现在刺面、杖刑、流放当苦役于千里之外的,一百人中无一人生还,这就是一人身受五刑,不是五刑分别用于各类犯罪的人,法律应当修改。"丞相虽然认为是对的,但没有坚决去实行。

丙戌(二十四日),天降泥土。

造五辂旗。

丁亥(二十五日),诏命用金粉抄录《藏经》两部,由拜珠等负责。

戊子(二十六日),封鹰师布哈为赵国公。

辛卯(二十九日),因太子的宾客巴图清廉贫穷,赐钱钞十万贯。

三月,壬辰朔(初一),英宗到上都。

丁酉(初六),平江路嘉定州遭饥荒,发放粮食六万石赈济饥民。

丁未(十六日),西番参卜郎诸族造反,命镇西武靖王绰斯监等发兵征讨。

戊申(十七日),合祭太皇太后于顺宗的庙室,加尊谥号为昭献元圣皇后。

辛亥(二十日),因圆明、王道明作乱,禁止僧人、道士使用度牒和符箓。

丙辰(二十五日),下旨:"医官、占卜官、工匠官,守丧期间不得离职,到了七十岁,不能听凭辞官。子孙不能继承官职,能够继承父辈专业者,量材录用。"

监察御史拜珠、嘉珲因举荐巴斯尔济苏失当,一并被罢去官职。

夏季,四月,壬戌朔(初一),命天下诸官府叫僧人诵经十万部。

丁卯(初六),表彰内黄县节妇王氏。

己巳(初八),疏浚金水河。

甲戌(十三日),下旨召都功德使库尔噜到京师。释放死刑囚犯三十一人,杖打囚犯五十七岁以上的六十九人。放笼养禽鸟十万只,命官府偿还其价钱。

己卯(十六日),下旨实行助役法。派人考察租税的高低,拿出相应的田地若干亩,让当差役的人轮流掌握,将其每年的收入作为助役费,官吏不得参与其事。

五月,庚子(初十),刮大风,雨中夹雹子,柳林行宫大树都被大风拔出。

辛丑(十一日),让特克实独自管理御史大夫的事情。

戊申(十八日),监察御史盖继元、宋翼进言:"特们德尔奸邪贪婪,有负于国家,活着逃脱了杀头示众之罪,可死有余辜。"英宗于是命拆毁所立父祖之碑,并追还所授予的官爵及封赠的诏书,没收其家产,诏告朝廷内外。

英宗亲临大安阁，看见太祖、世祖遗衣，都是用素绢和木棉做的，真是补丁摞补丁，英宗看了感叹许久，对侍臣说："祖宗创业艰难，衣服费用如此节俭，朕哪敢有顷刻的遗忘！"

戊午（二十八日），奉元行宫正殿遭火灾。上都利用监库起火，英宗命卫士扑灭之。趁此机会，英宗告诉群臣说："世皇始建的宫室，至今安好。到朕手里被毁坏，实在是我不能谋划治理的缘故啊。"奇彻卫兵镇守边防，有些士卒屡建功绩，请求用官职封赏。英宗说："官职爵位岂是赏赐人的东西！"赐钱钞三千贯。

六月，乱寇围困宁都，州民孙王臣拿出粮食供给军队，朝廷挂匾表彰其家。

丁卯（初七），西番参卜郎等反叛贼寇尚未平定，朝廷派徽政使丑噜前往督军。

壬申（十二日），将作院使哈撒布哈，因犯了欺罔上级、营谋私利之罪，被处以杖刑、流放，并抄没其家产。

留守司因雨季来临，请求修缮都城，皇帝下诏说，不宜大兴土木，略事修缮即可。

癸酉（十三日），太常请示纂修历朝仪礼，英宗同意。

乙酉（二十五日），诸王锡济伯数次进犯边境，如今派使臣前来归降。英宗说："朕并非想要他们的土地和百姓，只求朕的百姓不要遭受边境的战患，军士免于战事劳役，这就很好了。今天他们既然来归降，应当重重赏赐并加以安抚。"

秋季，七月，辛卯朔（初一），宣政使奇彻台自行传旨代理政事，中书认为体制不适宜，请示通告禁止，英宗同意。

癸卯（十三日），太庙修成。前殿共十五间，东西二门为夹室，朝南。

知枢密院事拜坦，因犯贪赃罪，被处以杖刑并罢免官职。

乙巳（十五日），招安左右两江的黄胜许、岑世兴。

己酉（十九日），丞相拜珠因海运粮食比世祖时忽然增加数倍，现在江南民力极其困乏，而京师仓库却很充裕，请示每年减少二十万石。英宗于是将特门德尔增收的江淮地区粮食一同减免。

丙辰（二十六日），御史台请求降旨，广开言路。英宗说："言路何尝没有打开，只是你们选人不当罢了。朕了解从前所弹劾者，都出于宿怨，罗织他人罪名，使成冤狱，给人定罪，玷污他人的清白，使人终身不得申辩。御史曾举荐巴尔济苏担任大事，可是没多久，却犯了贪污罪，伏法被诛了。广开言路选拔人才，是合适还是不合适呢？"当时特们德尔的两个儿子都犯了罪，因此拆毁所立的石碑，没收家产，通报对他们的处罚。英宗正要委任拜珠，把进选贤德之人、辞退不肖之徒，当作紧急的事来办。特克实因与奸党有瓜葛，心中惴惴不安，而英宗又屡次以阿比特们德尔之事做例子，以告诫台臣，特克实因此更加恐惧。

这个月，冀宁、兴和、大同三路遭霜害。

英宗住在上都，夜晚睡觉不安宁，命做佛事消灾。拜珠因国家用费不足，劝谏停止。后来那些害怕被诛的奸党，又暗中诱骗群僧，说国家当有厄运，如果不做佛事，并大赦囚犯，就无法消灾。拜珠叱责说："你们不过是企图得些金钱玉帛而已，还想要庇护有罪的人吗？"奸党听说后，知道祸事必不可免，遂萌发叛逆的企图。

八月，辛酉（初二），晋王在图喇地方打猎。特克实派乌鲁斯告诉他说："我与哈克缴、额森特穆尔、实达尔计谋已确定,事成之后,将推立您为皇帝。"又命乌鲁斯把这事告诉晋王的内史都尔苏,并且说:"你与巴苏呼知道这事就可以了,不要叫舒玛尔节知道。"晋王下令囚禁乌鲁斯,派巴勒密实特等赶赴上都,把奸党谋反之事上告朝廷。

英宗自南方回京都。癸亥(初四),英宗在南坡暂驻,晋王的使者没赶到。当晚,特克实、额森特穆尔、实达尔与前中书平章政事齐勤特穆尔、前云南行省平章政事鄂勒哲、特们德尔之子前治书侍御史索诺木、特克实之弟宣徽使索诺木、典瑞院使托和齐、枢密院副使阿萨尔、签书枢密院事章岱、卫士图们以及诸王额特布哈、博啰、伊噜特穆尔、库库布哈、乌鲁斯布哈等,以特克实所统领的阿苏卫兵为外应,杀了右丞相拜珠。而特克实直奔英宗的帐幕,亲手把英宗杀死在卧室。英宗时年二十一岁,后葬在诸元帝陵中。

英宗性格刚正明达,曾因地震而减少膳食,撤掉宴乐,不入正殿。有一次近臣举酒向他祝颂,英宗问:"为何祝颂? 我正在修德,没有闲暇,你身为大臣,不能辅佐朕,为何反而作谄媚之举?"说完,把他斥出朝廷。英宗曾告诫群臣:"你们官居高位,有丰厚的俸禄,应当勤勉努力,以图报效。假如有人生活困难,我会不惜赏赐你们;假如做不法之事,则必加以刑罚,决不赦免。"巴尔济苏被投入牢狱,英宗对左右大臣说:"法律是祖宗制定的,不是我能私自改动的。巴尔济苏虽然侍奉朕时间很长,今天犯了罪,应当按法律论处。"英宗曾亲临鹿顶殿,对拜珠说:"我于年少时,继承大业,锦衣玉食,什么东西得不到! 只是我的祖宗栉风沐雨,平定四方,曾经有过现在这样的乐事吗? 你是元勋之后,应当体恤我这番心思,不要辱没你的祖宗!"拜珠叩头拜谢道:"创业艰难,守成不易。陛下谈起这事,真是亿万百姓之幸福啊。"英宗又对大臣讲:"中书省选人布置事务,不到十天,御史台即更改任命了,台省授官也是如此。如今隐居山林的人很多,你们不能尽心求访,只有把亲朋故旧轮流互相引荐任用吧?"他有如此英明的判断能力。然而因为他果断惩处奸人,奸党害怕被诛杀,才造成这个大变故。

张珪在大都,听说南坡发生的事变,私下对监省魏王库库图说:"我家世代为国家的忠臣,不敢贪生。事已如此,天子之位当在晋王府。我有密信陈述诛杀逆贼平定叛乱的办法,除了王爷没人敢传达。"库库图说:"你至诚忠心,万一事情泄漏,就没有危险吗?"张珪说:"如果事情成功,那是王爷的功劳。如果事情不成功,我全家甘愿粉身碎骨,虽万死也不敢连累王爷。"库库图于是派人把张珪的密信送交给晋王,并且劝晋王登皇位。

诸王额特布哈和额森特穆尔捧着皇帝的玉玺,往北到他所镇守的地方,去迎接晋王。九月,癸巳(初四),晋王在龙居河登皇帝位,大赦天下。

这天,任命知枢密院事额森特穆尔为中书右丞相,任命内史都尔苏为中书平章政事,奈曼台为中书右丞,御史大夫特克实为知枢密院事,博啰为宣徽院使,舒玛尔节为宣政院使。

乙未(初六),任命枢密副使阿萨尔为御史中丞,内史善僧为中书左丞。

丁酉(初八),任命鄂勒哲为知枢密院事,图们为同签枢密院事。

戊戌(初九),任命萨迪密实为知枢密院事,章台为同知枢密院事。

己亥(初十),下诏晓谕百官:"凡选拔授予官职,遵照世祖旧制。只有枢密院、御史台、宣政院、宣徽院要自行上奏,其余都由中书省决定。"

辛丑(十二日),任命玛谟锡为知枢密院事,实达尔为大司农。

召诸王属中被流放迁徙到边远地区及回原籍的二十四个人回京师。

冬季，十月，癸亥（初五），在大明殿做佛事。

特克实政变时，诸王迈努逃到晋王官邸。为除叛逆，愿效死力，并且对晋王说："如不诛杀元凶，则陛下的好名声不能昭著，天下后世更从何而知！"皇上深表同意。甲子（初六），任命舒玛尔节为中书右丞相，任命陕西行省左丞图鲁、通政院使宁珠同为御史大夫，任命苏苏为御史中丞。派使者去大都，以即位之事昭告天地、宗庙、社稷。命舒玛尔节、宁珠在大都诛杀逆贼特克实、实达尔、齐勤特穆尔、托和齐、章岱等人，并斩杀其子孙，抄没其家产。只有特们德尔之子索诺木被决定流放边远地区，张珪说："索诺木跟随逆贼，亲手杀死丞相拜珠，怎么可以让他活命呢？"

当初，特克实派齐勤特穆尔突然到京师，催召两院学士北上，唯有翰林学士曹元用一人不去，他说："这是一件非比寻常的事变，我宁肯死，也不可以曲意顺从。"不久，逆贼伏法被诛，人们都佩服曹元用有先见之明。

壬申（十四日），任命内史诸达库为太师、知枢密院事。

癸未（二十五日），任命舒玛尔节兼任阿苏卫达噜噶齐。

八番、顺元及静江、大理、威楚诸路猛兵为寇作乱，丙戌（二十八日），命湖广、云南二行省向他们招安。

十一月，己丑朔（初一），泰定帝暂驻中都，在昆刚殿做佛事。

辛丑（十三日），泰定帝车驾到大都。丁未（十九日），到大明殿，接受诸王、百官朝贺。

当初，特克实派使者到大都，封国库，收缴各官署印信。监察御史许有壬知道事情紧急，立即前往告诉中丞董守庸。董守庸对他说："宫廷中的事不是你应当过问的。"许有壬当时在奏疏上写下董守庸和经历多尔济班、监察御史郭额森呼都依附特克实的罪行，以待时机。到御史大夫宁珠来的时候，许有壬立刻从袖中取出奏疏，交给宁珠。辛亥（二十三日），董守庸因与特克实勾结而被罢官。

壬子（二十四日），命停止营建修缮不急用的工程。

癸丑（二十五日），派使臣到曲阜，以牛、羊、豕三牲祭祀孔子。

命会福院在高良河寺供奉北安王纳穆罕像。

祭祀遁甲五福神。

丙辰（二十八日），御史中丞苏苏，因贪淫过失，被罢免官职。

丁巳（二十九日），广州路新会县人汜长弟作乱，广东副元帅乌纳尔率兵剿捕之。

皇帝下旨："凡有罪自首者，宽恕其罪。"

十二月，己未（初二），御史台经历多尔济巴勒、御史彻里达汉、乌图曼、郭额森呼图，因与特克实勾结，一齐被罢免官职。

监察御史许有壬上言："过去特们德尔专擅朝政，诬陷杀死杨多尔济、萧拜珠、贺胜、观音保、索约勒、哈迪密实；刺面流放了成珪、李谦亨，罢免王毅、高昉、张志弼的官职；而赵世延受祸尤其惨烈，天下都知他们的冤屈。请求为他们昭雪：活着的人，召回朝廷任用；死了的人，分等追赠官职。

壬戌(初五),疏浚镇江路漕河和练湖。江浙行省上言:"镇江运河,全靠练湖的水为其上游源头。官府运粮,商人、农民往来,他们的舟船没有不经过此河的。宋朝时专设人员,定期整修疏浚,储蓄雨水。当运河水浅,船不能通行时,开放湖水一寸,可使河水增加一尺。近来淤积水浅,舟船不通,凡有官府物品,就差遣百姓从陆路运送,很不便利。派官视察,疏浚治理运河,自镇江路到吕城坝全长一百三十一里,共计需用民工一万零五百十三人,六十天可完成。另外用三千余民工疏浚清理练湖,九十天可完成。每人每日支付粮食三升,中统钱钞一两。"泰定帝下诏批准,定于明年春天动工。

戊辰(十一日),给泰定帝的父亲晋王噶玛拉追加尊号为光圣仁孝皇帝,庙号显宗,母亲晋王妃鸿吉哩氏尊称宣懿淑圣皇后。

庚午(十三日),太庙被盗,窃走仁宗及庄懿慈圣皇后金质牌位。当时参知政事玛喇兼任太常礼仪使,正要升迁左丞。集贤大学士张珪说:"太常掌管祭祀之事,却不小心谨慎,应当给以处罚,现在却反而升官,何以向在天之灵谢罪?"任命于是被取消。

甲戌(十七日),泰定帝命道士吴全节设道场禳灾除祟。

乙亥(十八日),太常院进言:"自世祖以来,太庙每年只祭祀一次。英宗先帝开始恢复古代制度,一年祭祀四次,请裁定选择一种。泰定帝说:"祭祀是一件大事,我哪敢简化其礼仪!"命仍然每年祭祀四次。

监察御史托克托、赵成庆等进言:"特们德尔在先朝,包藏祸心,离间皇室与藩属之间的关系,杀戮大臣,使先帝孤立,最后招致大祸。其子索诺木亲自参与策划谋反,长期以来,逍遥法外。应定其罪,以快万民之心。伊苏、托克托呼、萨敦皆是特克实的同党,不应宽恕。"这些人遂一同伏法被诛。

丙子(十九日),泰定帝命岭北守边诸王做佛事以退来犯之敌兵。

己卯(二十二日),泰定帝命僧人在宫内做佛事以镇雷。

癸未(二十六日),流放诸王伊噜特穆尔到云南,额特布哈到海南,库鲁克布哈到尼噜罕,博啰和乌鲁斯布哈到海岛,因为他们与特克实一起策划谋反。

乙酉(二十八日),诏谕百官珍惜车服、爵号,各自遵守世祖定下的制度。

丙戌(二十九日)舒玛尔节进言:"王室宗亲中,能够自己远离逆党,尽忠朝廷的,只有诸王迈努。请加以封赏,以激励其本人,并劝勉世人。"于是封赏迈努泰宁县五千户,并封他为泰宁王。

丁亥(三十日),评议赏赐讨伐逆贼的有功者,赐舒玛尔节金银钞,任命都尔苏为中书左丞相,玛谟锡、宁珠、索多等一同加授光禄大夫职。

下诏改第二年为泰定元年。

云南花脚蛮为寇作乱,下令招安。

续资治通鉴卷第二百二

【原文】

元纪二十　起阏逢困敦【甲子】正月，尽旃蒙赤奋若【乙丑】八月，凡一年有奇。

泰定帝

讳伊苏特穆尔，显宗噶玛拉之长子，裕宗珍戬之嫡孙也。初，北安王那木罕薨，世祖以噶玛拉封晋王，代镇北边，至元十三年十月二十九日，帝生于晋邸。大德六年，晋王薨，帝袭封，是为嗣晋王。

泰定元年　【甲子，1324】　春，正月，乙未，以柰曼岱为平章政事，善僧为右丞（相）。

帝以元夕，命有司于禁中张灯山为乐。监察御史赵师鲁上言："燕安怠惰，肇荒淫之基；奇巧珍玩，发奢侈之端。张灯虽细事，而纵耳目之欲，则上累日月之明。"帝遽命罢之，仍赐上尊酒，以嘉其忠直。

辛丑，诸王、大臣请立皇太子。

壬寅，以故丞相拜珠子达勒玛实哩为宗（人）〔仁〕卫亲军都指挥使，彻尔哈为左右卫阿苏亲军都指挥使。

自延祐末，水旱相仍，民不聊生。及拜珠入相，振立纲纪，裁不急之务，杜侥幸之门。英宗倚之，相与励精图治，故天下晏然有乐生之心。奸臣畏之，卒构祸难。特克实等既伏诛，帝乃诏有司备仪卫，百官、耆宿前导，與拜珠画像于海云寺，大作佛事，观者万数，无不叹惜泣下。中书言："拜珠尽忠效节，殒于群凶，宜赐褒崇，以光后世。"制赠清忠一德功臣、太师、上柱国，追封东平王，谥忠献。复官其二子，以长宿卫。

拜珠母齐喇氏，年二十二，寡居守节。初，拜珠为太常礼仪使，方弱冠，吏就第请署事，适在后圃阅群戏，母厉声呵之曰："官事不治，若所为，岂大臣事耶？"拜珠深自克责。一日，入内侍宴，英宗素知其不饮，是日，强以数杯。既归，母戒之曰："天子试汝量，故强汝饮。汝当日益戒惧，无酗于酒。"又尝代祀睿宗原庙，归，母问之曰："真定官府待汝若何？"对曰："所待甚重。"母曰："彼以天子威灵，汝先世勋德故耳，汝何有焉！"拜珠之贤，母之教也。后封东平王夫人。

命僧讽西番经于天光殿。

甲辰，敕译《列圣制诰》及《大元通制》，刊本赐百官。

戊申，八番生蛮来附，置长官司以抚之。

己酉，命诸王远徙者悉还其部。召亲王图卜特穆尔于琼州，阿穆尔克于大同。初，英宗在上都，谓拜珠曰："朕兄弟实相友爱，曩以小人谮诉，俾居远方，当亟召还，明正小人离间之罪。"未及召而遇弑，至是帝悉召之。

甲寅，敕高丽王王璋归国。璋尝请于仁宗，降御香，南游江、浙，至宝陀山而还。及英宗即位，复请降香于江南，许之。行至江南，遣使急召，令骑士拥逼以行，璋侍从皆奔窜。还至京师，命中书省护送本国安置。璋迟留不即发，英宗下璋于刑部。既而祝发，置之石佛寺，寻又流璋于吐蕃。帝即位，以大赦得还。至是命璋还本国，仍归其沈王印。

丙辰，赐故监察御史观音保、索约勒、哈迪密实妻子钞各千锭。

敕封解州盐池神曰灵富公。

赈广德诸州饥。

虞集赴召至京师，除国子司业，寻迁秘书少监。

翰林侍讲学士袁桷辞归，许之。桷尝请购求辽、金、宋三史遗书，为议以上，所列应采之书，最为该博，时不能用。

二月，丁巳朔，作显宗影堂。

己未，修西番佛事于寿安山，僧四十人，三年乃罢。

庚申，监察御史傅岩起、李嘉宾言："辽王托克托，乘国有隙，诛屠骨肉，其恶已彰，恐怀疑贰。如令归藩，譬之纵虎出柙。请废之，别立近族以袭其位。"不报。

甲子，作佛事，命僧八百人及倡优百戏，导帝师游京城。

先是英宗在上都，使左丞苏苏召翰林吴澄撰《金字藏经序》，澄曰："主上写经祈福，甚盛举也。若用以追荐，臣所未知。盖福田利益，虽人所乐闻，而轮回之事，彼习其学者，犹或不言。不过谓为善之人，死则上通高明，其极品与日月齐光；为恶之人，死则下沦污秽，其极下则与沙虫同类。其徒遂为荐拔之说以惑世人。今列圣之神，上同日月，何庸荐拔！且国初以来，写经追荐，不知几举，若未效，是无佛法矣；若已效，是诬其祖矣。撰为文辞，不可以示后世，请俟驾还奏之。"会南坡之变，事得寝。及帝即位，佛事益盛。

旧制，台宪岁各举守令、推官二人，有罪连坐。至是言其不便，庚午，命中书复于常选择人用之。

壬申，上大行皇帝尊谥曰睿圣文孝皇帝，庙号英宗，国语曰格根皇帝。

甲戌，浙江行省左丞赵简，请开经筵及择师傅，令太子及诸王大臣子孙学。遂命平章政事张珪、翰林学士承旨呼图噜图尔密实、学士吴澄、集贤直学士邓文原，以《帝范》《资治通鉴》《大学衍义》《贞观政要》等书进讲，复敕右丞相额森特穆尔领之。文原寻以疾致仕归。

丁丑，监察御史宋本言："逆贼特克实等虽伏诛，其党枢密副使阿萨尔，身亲弑逆，以告变得不死，窜岭南，请早正天讨。"先是太庙仁宗室主为盗窃去，久而未获，本言："在法，民间失盗，捕之违期不获犹治罪。太常失典守及在京应捕官，皆当罢去。"又言："中书宰执日趋禁中，固宠苟安，兼旬不至中堂，壅滞机务。宜戒饬臣僚，自非入宿卫日，必诣所署治事。"皆不报。

戊寅,监察御史李嘉宾劾逆党左阿苏卫指挥使图特穆尔,罢之。

赈绍兴诸路饥。

先是至治末,诏作太庙,议者习见同堂异室之制,乃作十三室,未及迁奉而国有大故。有司疑于昭穆之次,命集议之。吴澄议曰:"世祖混一天下,悉考古制而行之。古者天子七庙,庙各为宫,太祖居中,左三庙为昭,右三庙为穆,神主各以次递迁。其庙之宫,颇如今之中书六部。夫省部之设,亦仿金、宋,岂以宗庙叙次而不考古乎?"时有司以急于行事,竞如旧制云。

国学旧法,每以积分次第,贡以出官。执政用监丞张起岩议,欲废之,而以推择德行为务,中书左司员外郎许有壬折之曰:"积分虽未尽善,然可得博学能文之士。若曰惟德行之择,其名固嘉,恐皆厚貌深情,专意外饰,或懵不能识一丁矣。"

三月,丁亥朔,罢徽政院,立詹事院。

以同知宣政院事杨(廷)〔庭〕玉为中书参知政事。

以秘书少监虞集为礼部考试官。初,集与元明善剧论以相切劘,明善言集治诸经,惟程、朱诸儒传注耳,自汉以来先儒所尝尽心者,考之殊未博。集初不相下,后以明善之言为然,每见明经之士,即以其言告之。至是谓同列曰:"国家科目之法,诸经传注各有所主者,将以一道德,同风俗,非欲使学者专门擅业,如近代《五经》学究之固陋也。圣经深远,非一人之见可尽。试艺之文,惟其高者取之,不必先有主意;若先定主意,则求贤之心狭,而差自此始矣。"后两为考官,率持是说,故所取每称得人。

戊戌,廷试进士,赐巴喇、张益等八十四人及第、出身;会试下第者亦赐教官有差。

庚子,以四川行省平章政事囊嘉岱兼宣政院使,往征西番。

丙午,御大明殿,册巴拜哈斯氏为皇后,皇子喇实晋巴为皇太子。

己酉,以皇子巴的玛伊尔克布嗣封晋王。

泰宁王迈努卒,以其子策璘沁多尔济嗣。

庚戌,监察御史宋本、李嘉宾、傅岩起言:"太尉、司徒、司空,三公之职,滥假僧人,及会福、殊祥二院,并辱名爵,请罢之。"不报。

以临洮诸县旱饥,赈之。

广西横州猺寇永淳县。

夏,四月,戊午,廉恂罢,为集贤大学士,食其禄终身。

己未,以砆字诏赐帝师所居萨斯嘉部。

庚申,诏整饬御史台。

作昭圣皇后御容殿于普庆寺。

亲王图卜特穆尔还,至潭州,有诏止之。居数月,乃行。辛酉,全上都,赐车帐、驼马。

甲子,帝如上都。以讲臣多高年,命虞集与侍读学士王结执经以从,集自是岁常在行经筵之制,取经史中切于心德治道者,用国语、汉文二进读。润译之际,患夫陈圣学者未易尽其要,指时务者难于极其情,每选一时精于其学者为之,犹数日乃成一篇。集为反复古今名物之辨以通之,然后得以无(讹)〔忤〕。其辞之所达,万不及一,则未尝不退而窃叹也。

发兵民筑浑河堤。

辛未，月食既。

癸酉，以太子詹事图们特尔为中书平章政事。

甲戌，命咒师作佛事以厌雷。

庚辰，以风烈、月食、地震，手诏戒饬百官，并令大都守臣集议以闻。王结昌言于朝曰："今朝廷君子小人混淆，刑政不明，官赏太滥，故阴阳错谬，咎征荐臻，宜修政事以弭天变。"

时宿卫士自北方来者复遣归，乃百十为群，剽劫杀人桓州道中。既逮捕，舒玛尔节奏释之。蒙古千户使京师，宿邸中，适民间朱甲妻女车过邸门，千户悦之，并从者夺以入。朱泣诉于中书，舒玛尔节庇不问。于是国子监丞宋本复抗言："特克实馀党未诛，仁庙神主盗未得，桓州盗未治，朱甲冤未伸，刑政失度，民愤天怨，灾异之见，职此之由。"辞气激奋，众皆耸听。

辛巳，太庙新殿成。

五月，丁亥，监察御史董鹏南、刘潜等以灾异上言："平章奈曼台，宣政院使特穆尔布哈，詹事图们达尔，党附逆徒，身亏臣节，太常守庙不谨，辽王擅杀宗亲，布哈实里矫制乱法，皆蒙宽宥，甚为失刑，宜定其罪以销天变。"不允。

己丑，帝谕都尔苏曰："朕即位以来，无一人能执法为朕言者。知而不言则不忠，且陷人于罪。继自今，凡有所知，宜悉以闻，使朕明知法度，断不敢自纵。非独朕身，天下一切政务能守法以行，则众皆乂安，反是则天下罹于忧苦矣。"又曰："凡事防之于小则易，救之于大则难。尔其以朕言明告于众，俾知所慎。"

壬辰，御史台图呼鲁、宁珠言："御史奏灾异屡见，宰相宜避位以应天变，可否仰自圣裁。顾惟臣等为陛下耳目，有徇私违法者，不能纠察，慢官失守，宜先退避以授贤能。"帝曰："御史所言，其失在朕，卿等何必遽尔！"图呼鲁又言："臣已老病，恐误大事，乞先退。"于是中书省臣乌温都尔、张珪、杨（廷）〔庭〕玉皆抗疏乞罢。丞相舒玛尔节、都尔苏言："比者灾异，陛下以忧天下为心，反躬自责，谨遵祖宗圣训，修德慎行，敕臣等各勤乃职，手诏至大都，居守（信）〔省〕臣皆引罪自劾。臣等为左右相，才下识昏，当国大任，无所襄赞，以致灾祲，罪在臣等，所当退黜，诸臣何罪！"帝曰："卿若皆辞避而去，国家大事，朕孰与图之！宜各相谕，以勉乃职。"

癸巳，前翰林学士小云石哈雅卒，赠集贤学士，追封京兆郡公，谥文靖。初，议科举事，小云石哈雅多所建明，忽喟然叹曰："辞尊居卑，昔贤所尚也。今禁林清选，与所让军资孰高？人将议吾后矣。"乃称疾，辞还江南，卖药于钱塘市中；诡姓名，易服色，人无有识之者。

戊午，迁列圣神主于太庙新殿。

辛丑，循州猛寇长乐县。

丙午，御史高奎上书，请求直言，辨邪正，明赏罚，帝善其言，赐以银（弊）〔币〕。

己酉，宾州民方二为寇，有司捕擒之。

癸丑，詹事丞回回请如裕宗故事，择名儒辅太子，敕中书省臣访求以闻。回回，博果密之子，库库之兄也，敦默寡言，嗜学能文，历山南、淮西、河南廉访使，皆有政声。

中书平章政事张珪与枢密院、御史台、翰林、集贤两院官极论当世得失，与左右司员外郎

宋文缵诣上都奏之,其略曰:

"前宰相特们德尔,奸狡险深,阴谋丛出,专政十年,始以赃败。诏附权奸实勒们及嬖幸额勒实班之徒,苟全其生,寻任太子太师。未几,仁宗宾天,乘时幸变,再入中书。当英庙之初,与实勒们等恩义相许,表里为奸,诬杀萧、杨等以快私怨。天讨元凶,实勒们之党既诛,坐要上功,遂获信任,诸子内布宿卫,外据显要,蔽上抑下,杜绝言路,卖官鬻爵,威福己出。由是群邪并进,如逆贼特克实之徒,名为义子,实其心腹,构成弑逆;其子索诺木,亲与逆谋,虽剖棺戮尸,诛灭其家,犹不足以蔽罪;今复回给所籍家产,诸子尚在京师,夤缘再入宿卫。世祖时,阿哈玛特贪残败事,虽死犹正其罪,况如特们德尔之奸恶者哉!宜遵成宪,仍籍特们德尔家产,远窜其子孙外郡,以惩大奸。特克实之党,结谋弑逆,天下之人,痛心疾首。比奉旨:'诸王额特布哈等亦已流窜,逆党胁从者众,何可尽诛!后之言事者其勿复举。'臣等议:古法,弑逆,凡在官者杀无赦。圣朝立法,强盗劫杀庶民,其同情者,犹且首从俱罪。况弑逆之党,天地不容,宜诛额特布哈之徒以谢天下。辽王托克托,位冠宗室,居镇辽东,乘国家有变,报复仇忿,杀亲王、妃、主百馀人,分其羊马畜产,残忍骨肉,闻者切齿。今不之罪,乃复厚赐放还,臣恐国之纲纪,由此不振。且辽东地广,素号重镇,若使托克托久居,彼既纵肆,将无忌惮。况令死者含冤,感伤和气。宜削夺其爵土,置之他所,以彰天威。"

"武备卿济里,前太尉布哈,以累朝待遇之隆,俱致高列,不思补报,专务奸欺,矫制令鹰师强收郑国宝妻古哈,刑曹逮鞫服实,竟原其罪。夫匹妇含冤,三年不雨,以此论之,即非细务。宜以济里、布哈仍付刑曹,鞫正其罪。"

"贾胡中卖宝物,始自成宗,分珠寸石,售直万金。以经国有用之钞,而易此不济饥寒之物,大抵皆时贵与中贵之人妄称呈献,冒给回赐,高其价直,且至十倍,蚕蠹国财,暗行分用。宜下令禁止,其累朝未酬宝价,俟国用饶给日议之。比者建西山寺,损军害民,费以亿万计,近诏虽罢之,又闻奸人乘间奏请,复欲兴修。宜守前诏,示民有信。"

"萧拜珠、杨多尔济等,枉遭诬陷,籍其家以分赐人,比奉明诏,还给元业,子孙奉祀。家庙修葺苟完,未及宁处,复以其家财仍赐旧人,止酬以直,即与再罹断没无异。宜如前诏以元业还之,量其直以酬后所赐者,则人无冤愤矣。额森特穆尔之徒,遇朱太医妻女过省门外,强拽以入,奸宿馆所。有司以扈从上都为解,竟勿就鞫。宜遵世祖成宪,以奸人付有司鞫之。"

"广州东莞县大步海及惠州珠池,始自大德元年奸民刘进、程连言利,分蜑户七百馀家,官给之粮,三年一采,仅获小珠五两、六两,入水为虫鱼伤死者众,遂罢珠户为民。其后同知广州路事塔齐尔等又献利于实勒们,创设提举司监采;廉访司言其扰民,复罢归有司。既而内正少卿魏温都尔冒启中旨,驰驿督采,耗廪食,疲民驿,非世祖旧制,请悉罢之。"

"特克实弑逆之变,学士布哈、指挥布延呼里、院使图古思,皆以无罪死;特们德尔专权之际,御史徐元素以言事锁项死东平,及贾图沁布哈之属,皆未申理。宜追赠死者,优叙其子孙。"

"内外增置官署,员冗俸滥,白丁骤升,出身入流,壅塞日甚,军民俱蒙其害。宜悉遵世祖成宪,凡至元三十年以后,改升创设,员冗者悉减并除罢之。"

"自古圣君,惟诚于治政,可以动天地,感鬼神,未尝徼(神)〔福〕于僧道也。至元三十年,醮祠佛事之目,止百有二;大德七年,再立功德使司,积五百馀。僧徒又复营干近侍,买作佛事,岁用钞数千万锭。僧徒贪慕货利,养妻子,彼行既不修洁,适足亵慢天神,何以要福!比年佛事愈繁,累朝享国不永,致灾愈速,事无应验,断可知矣。宜罢功德使司,其在至元三十年以前及累朝忌日醮祠佛事名目,止令宣政院主领修举,馀悉罢。游惰之徒,妄投宿卫部属及宦者、女红、太医、阴阳之属,不可胜数。一人收籍,一门蠲复;一岁所请衣马刍粮,数十户所征入不足以给之,耗国损民为甚。宜如世祖时支请之数给之,馀悉简汰。"

"参卜郎盗,始者劫杀使臣,利其财物而已,至用大师,期年不戢,伤我士卒,费国赍粮。宜遣良使抵巢招谕,仍敕边吏勿生事,则远人格矣。"

"世祖时,淮北内地惟输丁税,特们德尔为相,专务聚敛,遣使括勘两淮、河南田土,重并科粮,又以两淮、荆襄沙碛作熟收征,徼名兴利,农民流徙。宜如旧制,止征丁税,其括勘之粮及沙碛之税悉除之。"

"世祖左右之臣,虽甚爱幸,未闻无功而给一赏者。比年赏赐泛滥,盖因近侍之人,窥伺天颜嘉悦之际,或称乏财无居,或称嫁女娶妇,或以技物呈献,递互奏请,要求赏赐,既伤财用,复启幸门。自今以后,非有功勋劳效著明实迹,不宜加以赏赐,请著为令。"

议凡数千言,辞甚剀切。六月,庚申,珪至上都,奏上,帝不允。珪复进曰:"臣闻日食修德,月食修刑,应天以实不以文,动民以行不以言,刑政失平,故天象应之,惟陛下矜察,允臣等议悉行之。"帝终不能用。

癸亥,作礼拜寺于上都及大同路。

丙寅,遣使招谕西番。

遣库库楚等诣高丽,取女子三十人。

广西、左、右两江黄胜许、岑世兴乞遣其子弟朝贡,许之。

丁卯,大崲殿成。

癸酉,帝受佛戒于帝师。

己卯,诏:"疏决系囚,存恤军士,免天下和买杂役三年,蜑户差税一年。远仕瘴地,身故不得归葬,妻子流落者,有司资给遣还,仍著为令。"

云南大(地)〔理〕路你囊为寇。

是月,大同浑源河、真定滹沱河、陕西渭水、黑水、渠州江水皆溢,并漂民庐舍。

秋,七月,丙戌,思州平茶杨大车、酉阳州冉世昌寇小石耶、凯江等寨,调兵捕之。

癸卯,罢广州、福建等处采珠蜑户为民,仍免差税一年。

丁未,中书省言:"东宫卫士,先朝止三千人,今增至万七千,请命詹事院汰去,仍依旧制。"从之。

戊申,以籍入特们德尔及子班坦、观音努〔赀〕产给还其家。

是月,朝邑、楚丘、濮阳黄河溢,固安州清河溢,任县沙、沣、洺水皆溢;真定、广平、庐州等十一郡雨伤稼;龙庆州雨雹,大如鸡卵,平地深三尺;定州唐河溢、山崩。免河渠营田租,馀赈恤有差。

广西庆远猺酋潘父绢等率众来降,署簿、尉等官有差。

八月,丙辰,享太庙。

丁巳,禁言赦前事。

庚申,市牝马万匹,取潭酒。

庚午,作中宫金脊殿。

辛未,绘帝师帕克斯巴像十一,颁各行省,俾塑祀之。

丁丑,帝至自上都。

罢浚玉泉山河役。

癸未,秦州成纪县大雨,山崩水溢,壅土至来谷河成丘阜。

九月,丙申,葺太祖神御殿。

乙巳,昭圣元献皇后忌日,修佛事,饭僧万人。

癸丑,奉元路长安县大雨,沣水溢;延安路洛水溢。

冬,十月,丁巳,监察御史王士元请早谕教太子,帝嘉纳之。

戊午,享太庙。

庚申,命左右相日直禁中,有事则赴中书。

己巳,云南车里蛮为寇,遣鄂尔多招谕之,其酋出降。

壬申,安南国世子陈日㷆遣使朝贡。

真州珠金沙河、吴江州诸河淤塞,诏有司佣民丁浚之。

丁丑,封亲王图卜特穆尔为怀王,赐金印。

徙封云南王旺沁为梁王,仍以其子特穆尔袭封云南王。

壬午,肇庆猺黄宝才等降。

延安路饥,发义仓赈之;广东道及武昌江夏县饥,赈粜有差。

以鲁国大长公主女适怀王。

十一月,癸巳,遣兵部员外郎宋本、吏部员外郎郑立、阿鲁辉、工部主事张成、太史院都事费著,分调闽海、两广、云南、四川选。

辛丑,造金宝盖饰,以七宝贮佛舍利。

甲辰,作歇山鹿顶楼于上都。

庚戌,招谕融州蛮。

赈河间等路饥。

十二月,癸丑,以岑世兴、黄胜许为安远大将军,遥领汉洞军民安抚使,世兴仍来安路总管。胜许致仕,其子志熟袭上思州知州。

乙卯,云南猺阿吾及歪闹为寇,行省督兵捕之。

庚申,同州地震,有声如雷。

癸亥,盐官州海水溢,屡坏堤障,浸城郭,遣使祀海神,仍与有司视形势所便。还,请垒石为塘,帝曰:"筑塘,是重劳吾民也,其增石囤捍御。"

丙寅,命翰林、国史院纂修英宗、显宗《实录》。

敕:"内外百官,凡行朝贺等礼,雨雪免朝服。"

辛未,新作棕殿成。

己亥,太白经天。

曲赦重囚三十八人,为三宫祈福。

夔路容米洞蛮田先什用等九洞为寇,四川行省遣使谕降五洞,馀发兵捕之。

太子宾客巴图,江浙行省平章鄂啰欢之次子也,以疾辞职,寓居高邮。英宗命为江南行台御史大夫,巴图固辞,诏以平章之禄归养于家,复赐钞十万缗。所服药须空青,诏遣使江南访求之,巴图辞谢曰:"臣曩膺重寄,深惧弗称,况敢叨滥厚禄以受重赐乎!"并以所给平章之禄归有司。是岁,还京师,卒。朝廷知其贫,赙钞二万五千贯。御史奏益一万贯,仍还所辞禄。妻鸿吉哩氏弗受,曰:"始巴图仕于朝,不敢虚受廪禄,今没矣,苟受是禄,非其意也。"卒辞之。

王克敬为两浙盐运使司,首减绍兴民食盐五千引。温州逮犯私盐者,以一妇人至,怒曰:"岂有逮妇人千百里外与吏卒杂处者!自今毋得逮妇人!"建议著为令。

泰定二年 【乙丑,1325】 春,正月,乙未,以畿甸不登,罢春畋。

禁后妃、诸王、驸马毋通星术之士,非司天官不得妄言祸福。

敕:"御史台选举,与中书合议以闻。"

中书省言:"江南民贫僧富,诸寺观田土,非宋旧制并累朝所赐者,仍请如旧制与民均役。"从之。

以籍入巴斯吉斯地赐故监察御史观音保、索约勒、哈迪密实妻子各十顷。

戊戌,造象辇。

西番参卜郎来降,赐其酋班(木)〔术〕儿银钞币帛。

辛丑,怀王图卜特穆尔出居于建康。

甲辰,奉安显宗像于永福寺,给祭田百顷。

广西山獠为寇,命所在有司捕之。

庚辰,诏谕宰臣曰:"向者绰尔、罕察苦鲁及山后皆地震,内郡大小民饥。朕自即位以来,惟太祖开创之艰,世祖混一之盛,与人民共享安乐,常怀祗惧,灾沴之至,莫测其由。岂朕思虑有所不及而事或僭差,故以此示徵欤?卿等其与诸司集议便民之事,其思自死罪始,议定以闻,朕将肆赦焉。"

赈肇庆等处饥。

闰月,壬子朔,诏赦天下,除江淮创科包银,免被灾地差税一年。

庚申,修野狐岭、色泽、桑乾岭道。

乙丑,命整治屯田。

河南行省左丞姚炜请禁屯田吏蚕食屯户,及勿务增羡以废裕民之意,不报。

丁卯,中书省言国用不足,请罢不急之费,从之。

己巳,修滹沱河堰。

壬申,罢永兴银场,听民采炼,以十分之二输官。

罢松江都水庸田使司,命州县正官领之,仍加兼知渠堰事。

癸酉,作棕毛殿。

丙子,浙西道廉访司言:"四方代祀之使,弃公营私,多不诚洁,以是神不歆格,请慎择之。"

山南廉访使特穆格请削降特克实所用骤升官。

己卯,阶州土番为寇,巩昌(县)〔总〕帅府调兵御之。

山东廉访使许师敬请颁族葬制,禁用阴阳、相地邪说。

雄州归信诸县大雨,河溢,被灾者万一千六百五十户,赈钞三万锭。

二月,甲申,祭先农。

丙戌,颁《道经》于天下名山宫殿。

丁亥,平伐(苗)〔酋〕率众十万来降,土官三百六十人请朝。湖广行省请汰其众还部,以四十六人入觐,从之。

辛卯,爪哇国来献方物。

广西猺潘宝陷柳城县。

己亥,命西僧作烧坛佛事于(华延)〔延华〕阁。

封阿里密实为和国公,张珪为蔡国公,仍知经筵事。以中书右丞善僧为平章政事。

庚子,姚炜以河水屡决,请立行都水监于汴梁,仿古法备捍,仍命濒河州县正官皆兼知河防事;从之。

丙午,造玉御床。

赈通、漷二州饥。大都、凤翔诸路饥,赈粜有差。

三月,癸丑,修曹州济阴县河堤,役民丁一万八千五百人。

甲寅,禁捕天鹅。

辛酉,咸平府清河、滶河合流,失故道,坏堤堰,敕蒙古军千人及民丁修之。

乙丑,帝如上都。

乙亥,安南来贡方物。

荆门州旱,肇庆诸路饥,赈之。

监察御史策丹从帝至上都,疏纠中书参知政事杨庭玉赃罪,不报。即纳印还京师,帝遣使召复任。夏,四月,策丹复上章劾庭玉,罢职鞫讯,竟如所言。又劾平章政事图们岱尔,入集赛之目,英宗遇弑,必预闻其谋。帝不省,而赐图们岱尔带,策丹遂辞职,改工部员外郎。

丁亥,作吾殿。

癸巳,和市牝马有驹者万匹,敕宿卫驼马散牧民间者,归官厩饲之。

丁酉,濮州鄄城县言城西尧冢上有佛寺,请徙之,不报。

丙午,僰夷及蒐雁遮杀云南行省所遣谕蛮使者,敕追捕之。

丁未,封后父和勒克察尔为威靖王。

戊申,以许师敬为中书左丞;中政使冯亨为中书参知政事,仍中政使。

巩昌路伏羌(路)〔县〕大雨,山崩。

五月,辛酉,高丽国王王璋卒。

璋之留京师也,构万卷堂于其邸,招致阎复、姚燧、赵孟頫、虞集等与之游处,以考究自娱。时有鲜卑僧上言,帝师帕克斯巴,制蒙古字以利国家,宜(今)〔令〕天下立祠比孔子,有诏公卿耆老会议。国公杨安普力主其说,璋谓安普曰:"师制字有功于国,祀之自应古典,何必比之孔氏!孔氏百王之师,其得通祀,以德不以功,后世恐有异论。"言虽不纳,闻者韪之。科举之设,璋尝以姚燧之言白于仁宗,及李孟执政,遂奏行焉,其端实自璋发也。右丞相图噜罢,帝欲以璋为相,璋固辞曰:"臣小国藩宣之寄,犹惧不任,乞付于子,况朝廷之上相哉!敢以死请。"帝笑曰:"固知渠善避权也。"性好贤疾恶,尤喜谈宋事。尝使僚佐读《东都事略》,至王旦、李沆、富弼、韩琦、范仲淹、欧阳修、司马光诸传,必举手加额以致景慕;至丁谓、蔡京、章惇等传,未尝不切齿愤惋。及是卒于京邸,赐谥曰忠宣。

辛未,遣察纳使于周王和实拉。

丙子,舒玛尔节等以国用不足,请裁厩马,汰卫士,及节诸王滥赐,从之。

浙西诸郡霖雨,江湖水溢,命江浙行省兴役疏泄之。

置谏议书院于昌平县,祀唐刘贲。

大都路檀州大水,平地深丈有五尺;汴梁路十五县河溢;江陵路江溢。

六月,己卯朔,皇子生,命巫被除于宫。

葺万岁山殿。

广西静江猺为寇,宣慰使发兵讨捕。既而柳州猺亦谋变,戍兵讨斩之。

癸未,浔州平南县猺为寇,达噜噶齐图坚、都监姚泰亨死之。

丙申,中书参知政事尊达布哈言:"大臣兼领军卫,前古所无。特克实以御史大夫,额森特穆尔以知枢密院事,皆领卫兵,如虎而翼,故成逆谋。今军卫之职,请勿以大臣领之,庶勋旧之家得以保全。"从之,仍赐币帛以旌其直。

丁酉,敕广西守将捕静江猺寇,旋命湖广行省督所属捕柳州猺。

息州民赵丑厮、郭菩萨,妖言弥勒佛当有天下;有司以闻,命宗正府、刑部、枢密院、御史台及河南行省官杂鞫之。

丁未,立都水庸田使司,浚吴、松二江。

通州三河县大雨,水丈馀;潼川府绵江、中江水溢入城郭;冀宁路汾水溢;秦州秦安山移。

秋,七月,庚戌,遣阿实特祀宅神于北部行幄。

甲寅,宁珠、许师敬编类《帝训》成,请于经筵进讲,仍俾皇太子观览,命译其书以进。

丙辰,享太庙。

播州蛮黎平爱等集群夷为寇,湖广行省请兵讨之,不许;诏播州宣抚使杨额勒布哈招谕之。

戊午,遣使代祀龙虎、武当二山。

己未,置车里军民总管府,以土人寒赛为总管,佩金虎符。

中书省言:"往岁征猺,廉访使劾其滥杀,今凡出师,请廉访司官一员莅军纠正。"从之。

癸亥,以许师敬及郎中迈间兼经筵官。

广西诸猺寇城邑,遣湖广行省左丞奇珠、兵部尚书李大成、中书舍人迈间将兵二万二千人讨之,仍以诸王鄂尔多罕监其军。

庚午,以国用不足,罢书金字《藏经》。

辛未,立河南行都水监。

申禁汉人藏执兵仗;有军籍者,出征则给之,还,复归于官。

壬申,御史台言:"廉访司莅军,非世祖旧制。贾胡鬻宝,西僧修佛事,所费不赀,于国无益,并宜除罢。"从之。

敕太傅图台、太保图呼噜日至禁中集议国事。

敕山东州县收养流民遗弃子女。

是月,宗仁卫屯田陨霜杀禾;睢州河决。

八月,戊子,修上都香殿。

辛卯,云南白夷寇云龙州。

辛丑,敕:"诸王私入京者,勿供其所用;诸部曲宿卫私入京者罪之。"

卫辉路汲县河溢。

【译文】

元纪二十　起甲子年(公元 1324 年)正月,止乙丑年(公元 1325 年)八月,共一年有余。

泰定帝

名讳伊苏特穆尔,元显宗噶玛拉的长子,裕宗珍戬的嫡孙。当初,北安王那木罕逝世,元世祖封噶玛拉为晋王,代表朝廷镇抚北部边境,至元十三年(公元 1276 年)十月二十九日,泰定帝生于晋王府邸。大德六年(公元 1302 年),晋王去世,泰定帝承袭晋王封号,这就是嗣晋王。

泰定元年　(公元 1324 年)

春季,正月,乙未(初八),泰定帝任命奈曼岱为平章政事,善僧为右丞相。

元宵节将至,泰定帝命有关部门在皇宫设置灯山,用来娱乐。监察御史赵师鲁上奏说:"安逸怠惰,是导致荒淫的根源;奇巧珍玩,是引发奢侈的端倪。在宫中设灯虽是小事,然而追求耳目的享受,会有损于圣上的圣明。"泰定帝立即下令取消了这次活动,还赐给赵师鲁上等醇酒,以嘉奖他的忠诚耿直。

辛丑(十四日),诸王、大臣请求泰定帝立皇太子。

壬寅(十五日),任命已故丞相拜珠之子达勒玛实哩为宗仁卫亲军都指挥使,任命彻尔哈为左右卫阿苏亲军都指挥使。

自仁宗延祐末年以来,水旱灾害接连不断,民不聊生。拜珠入宫做丞相后,整顿法纪,裁减不需急办的政务,杜绝侥幸得势的门路。元英宗十分倚重他,相与励精图治,所以天下太平,百姓安居乐业。奸臣由此惧畏拜珠,终于导致宫廷政变,忠臣遭祸难。奸臣特克实等伏罪被诛后,泰定帝于是下诏命有关部门安排仪仗卫队,由百官、元老作前导,抬着拜珠的画像到海云寺,举行大规模的佛教仪式。观看的人数以万计,无不为之叹息下泪。中书省上奏说:"拜珠为国尽忠效节,不幸为群凶所害,应该赐给他嘉奖和崇敬的称号,以光耀于后世。"于是,泰定帝追赠拜珠为清忠一德功臣、太师、上柱国,并追封为东平王,谥号忠献。又封他的二个儿子为官,担任禁宫中宿卫的长官。

拜珠的母亲齐喇氏,二十二岁就成了寡妇,守节不改嫁。当初,拜珠担任太常礼仪使,年仅二十。属吏来府请示公事,适逢他在后园观看众人嬉戏,母亲厉声训斥他道:"不认真办理公事,像你这种行为,难道是大臣该做的吗?"拜珠深感惭愧,严格自责。有一天,拜珠入皇宫内陪宴,英宗皇帝平素知道他不会饮酒,这一天却强要他喝了几杯。回家后,母亲告诫他说:"天子要试你的酒量,所以强迫你喝酒。以后你应当加倍小心,不要沉湎于酒中。"拜珠还曾代表皇帝祭祀睿宗另立的宗庙。回来后,母亲问他道:"真定官府待你怎么样?"拜珠回答说:"招待甚为隆重。"母亲说:"那是因为皇上的威灵和你祖先勋德卓著的缘故,你本人有什么呢!"拜珠的贤德,根源于母亲的教诲。其母后封为东平王夫人。

泰定帝命令僧人在光天殿背诵西番经书。

甲辰(十七日),泰定帝下令翻译《列圣制诏》和《大元通制》,印刷成书,赐给百官。

戊申(二十一日),八番地区的生番前来归附朝廷,朝廷设置长官司加以安抚。

己酉(二十二日),泰定帝下令,远徙各处的诸王都迁回本部,从琼州召回亲王图卜特穆尔,从大同召回亲王阿穆尔克。

当初,英宗皇帝在上都对拜珠说:"朕兄弟之间着实相互友爱,过去因小人进谗言,致使他们流放远方,应当马上召回他们,以纠正小人离间皇室骨肉的罪过。"但还没来得及召还诸兄弟,英宗便遭到臣下的杀害,到此时,泰定帝才将他们全部召回。

甲寅(二十七日),泰定帝诏令高丽王王璋回国。王璋曾向仁宗皇帝请求,允许他代表皇帝赐香,前往江浙地区游历,至宝陀山后返回。到英宗皇帝即位,他又提出请求,代皇上降香于江南,得到允许。王璋行至江南,英宗派遣使臣紧急召他回京,并命骑兵裹持逼迫而行,王璋的侍从都奔逃鼠窜而去。回到京师,英宗令中书省派人护送他回本国安置。但王璋迟迟不肯出发,英宗便将他投到刑部治罪。不久,剃去他的头发,安置在石佛寺。之后,又将王璋流放到吐蕃。泰定帝继位后,王璋因大赦得以回到京师。到此时命王璋回本国高丽,并归还他的沈王印信。

丙辰(二十九日),泰定帝赐给已故监察御史观音保、索约勒哈迪密实的妻子儿女钞各一千锭。

皇帝下诏封山西解州盐池神为灵富公。

广德诸州发生饥荒,下诏发粮赈济。

虞集应召到京师,拜官为国子司业,不久迁调秘书少监。

翰林侍讲学士袁桷奏请辞职还乡,得到允许。袁桷曾建议朝廷寻求购买编写辽、金、宋三史所需的前代遗书,写成奏议上奏给皇帝,其中所列应采购的书目,最为详细广博。当时没有被采纳。

二月,丁巳朔(初一),朝廷兴建供奉显宗遗像的影堂。

己未(初三),在寿安山举行西番佛教仪式,延请僧徒四十人,连续三年才结束。

庚申(初四),监察御史傅岩起、李嘉宾上奏:"辽王托克托乘国内有可乘之机,屠杀自己的亲人,其恶行已很明显,恐怕怀有叛逆之心。假使让他回到自己的封地,犹如纵虎出笼,后果不堪设想。请皇上废黜他,另外立他的近亲承袭其王位。"泰定帝没有答复。

甲子(初八),举行盛大的佛教仪式,皇帝令八百名僧人及乐舞艺人扮演百戏,引导帝师游历京城。

在此以前,英宗皇帝在上都时,曾派左丞苏苏召来翰林吴澄,令其撰写《金字藏经序》。吴澄说:"皇上写经祈福,这是极为盛大的举动。假若是用来追荐亡灵,那就不是臣所能懂得的了。保佑田产、积累功德,虽为人们喜闻乐见,但轮回转世之说,就是熟悉这种学问的人还有时不愿言讲。不过是说,在世为善的人,死后灵魂可以升天,最好的能与日、月齐光;在世为恶的人,死后灵魂就会沦入污秽之地,最坏的还会与沙虫同类。这类讲轮回的人,于是就捏造荐拔学说来迷惑世上之人。现今,列圣之神灵,上同日月争辉,何必荐拔!再说,建国以来,写经文追荐亡灵,不知已经举行过多少次了。假如没有效果,那是佛法不灵了;假若已奏效,那又是对历代祖宗的诬蔑。所以,撰写这类文章,是不能传之后世的。等圣驾回京后再奏请。"适逢发生了南坡之变,这件事才得以中止。到泰定帝即位后,佛事愈来愈多。

依旧制,监察御史每年要举荐地方守令、推官二人,被荐者如犯罪,推荐人要连坐。到现在,有人认为这种制度不妥,庚午(十四日),朝廷命中书省又从正常渠道选拔人才用之。

壬申(十六日),为大行皇帝上谥号睿圣文孝皇帝,庙号英宗,蒙古语称格根皇帝。

甲戌(十八日),江浙行省左丞赵简,请求开设经筵并选择讲经师傅,让太子与各王公大臣的子孙一起前去学习。于是泰定帝命平章政事张珪、翰林学士承旨呼图噜图尔密实、翰林学士吴澄、集贤直学士邓文原用《帝范》《资治通鉴》《大学衍义》《贞观政要》等书作为教材进讲,后又令右丞相额森特穆尔负责这项工作。不久,邓文原因病辞职归乡。

丁丑(二十一日),监察御史宋本上奏:"叛贼特克实等人虽伏罪被诛,但其同党枢密副使阿萨尔也直接参与了杀害皇帝的行动,只因告发有功,得以免死,流放岭南。请皇上将他捉拿归案,早正天讨。"原先,太庙中仁宗的牌位被贼偷走,很久没有破获。宋本说:"从法律上讲,民间失盗,如果逾期抓不到窃贼,有关人员还要治罪,主管宗庙礼仪的太常失职,主持者及京师的捕盗官都应罢免。"又说:"中书省丞相、平章政事每日前往宫中,以巩固他的受宠地位,苟且偷安,十天半月也不到中书省理事,致使政务堆积,得不到及时处理。皇上应告诫臣僚,除了在值班宿卫的日子入宫外,都必须到自己的官署处理政务。"皇帝都没有答复。

戊寅(二十二日),监察御史李嘉宾弹劾逆党左阿苏卫、指挥使图特穆尔,皇帝罢免了他们。

朝廷救济绍兴诸路的饥荒。

先前在至治末年,皇帝下诏建造太庙,商议者见惯了同堂异室之制,便作十三室,还未来得及将神主迁入奉祀,国家发生了重大变故。有关部门怀疑昭穆次序的安排有问题,皇帝命大臣集体讨论这件事情。吴澄发表议论说:"世祖统一天下,都查考古代的制度而遵照执行。古代天子建七庙,庙各为宫,太祖居中庙,左三庙为昭庙,右三庙为穆庙,历代皇帝的神主按次序左右安排。那些庙中的宫室,很像今天的中书六部建制。中书六部的设置,也都是仿效金、宋两朝,难道宗庙的次序能不考查古代的制度吗?"当时有关部门急于行事,竟照旧制办理。

国子学过去的制度是常以积分的多少排定名次,以此推举做官。丞相们采用国子监丞张起岩的建议,想废除这种办法,而以品德行为作为出贡的标准。中书左司员外郎许有壬驳斥说:"积分选择人才的办法虽未至善尽美,但能因此得到博学能文之士。如果只考虑德行,其名声固然很好,但恐怕都是些隐藏真实感情、不露声色、专门讲究外表的人,或许是糊涂无知,一字不识的人。"

三月,丁亥朔(初一),撤销徽政院,设立詹事院。

任命同知宣政院事杨庭玉为中书参知政事。

任命秘书少监虞集为礼部考试官。

当初,虞集和元明善激切地辩论,以互相切磋学问。元明善认为虞集研究经书,只以程颐、程灏、朱熹诸儒学家的传注为根据,而对于汉朝以来先儒们曾尽心研究出的心得,考证得很不全面。虞集开始不服气,后来才觉得元明善的话说得对,每遇到研究经典的人,便把这番话告诉他。至此,他对同事们说:"国家科举取士之法,规定各种经典都有专门的传注本,其目的是要统一道德观念,同化风俗习惯,并不是要让学者们坚持己见,像近代五经学究们的固执陋习那样。圣人的经书含义深远,不是某一个人能完全了解。考试的文章,惟其水平高就录取,不必先有主观意见;如果先定下主观意见,那么,求贤的心胸就会狭窄,而差错从此就开始了。"后来,虞集两次为考官,都坚持这种观点,所以他录取的都是人才。

戊戌(十二日),廷试进士,赐巴喇、张益等八十四人进士及第或进士出身;会试未录取的也任命为各级教官。

庚子(十四日),任命四川行省平章政事囊嘉岱兼宣政院使,出征西番。

丙午(二十日),泰定帝在大明殿册封巴拜哈斯氏为皇后,皇子喇实晋巴为皇太子。

己酉(二十三日),以皇子巴的玛伊尔克布继承晋王的爵位。

泰宁王迈努去世,由他的儿子策璘沁多尔济继承王位。

庚戌(二十四日),监察御史宋本、李嘉宾、傅岩奏:"太尉、司徒、司空三公之职,随便赐给僧人,以及会福、殊祥二院也用僧人,都辱没了名爵,请求撤销。"朝廷没有答复。

因临洮等县发生旱灾饥荒,发粮赈济。

广西横州傜民骚扰永淳县。

夏季,四月,戊午(初三),宰相廉恂停职,为集贤院大学士,终身享受其俸禄。

己未(初四),皇帝赐给帝师所在的萨斯嘉部砵字诏书。

庚申(初五),皇帝下诏整顿御史台官署。

在普庆寺建昭圣皇后御容殿。

亲王图卜特穆尔从琼州回京,行至潭州,皇帝下诏让他留在当地。过了几个月,才让他继续前行。辛酉(初六),到达上都,泰定帝赐给他车子、帐篷、骆驼、马匹。

甲子(初九),泰定帝前往上都,因侍讲大臣大多年迈,便命虞集和侍读学士王结二人带着经书从行。虞集从此每年常在行经筵中从事。他常选取经书、史书中与道德修养、治理国家有密切关系的篇章,用蒙古语、汉语两种语言向皇帝进读。润色翻译之中,总担心陈述圣贤经典的学者不容易充分释明其要旨,联系时务又难于尽其情致,所以,常选择一时精于其学的人翻译,即使这样还是需几天才能完成一篇。虞集反复研究古今名物的差异而通译之,然后得以无误。但文字表达他自己的思想,有万不及一,每每为之叹息。

朝廷征调兵士、民众修筑浑河河堤。

辛未(十六日),月全食。

癸酉(十八日),皇帝任命太子詹事图们特尔为中书平章政事。

甲戌(十九日),皇帝命咒师举行佛教仪式来禳雷。

庚辰(二十五日),因接连发生狂风、月食、地震,皇帝下诏训诫百官,并命大都守臣集中议论此事并把结果上报。王结在朝堂上直言:"现今朝廷中君子小人混淆不清,刑法政治是非不明,对官员的奖赏太滥,因而造成阴阳错乱,灾祸的征兆接连发生。应该治理政事以消除天象的变异。"

当时,从北方征来的禁卫兵士又被遣送回乡,他们便百十人成群结伙,在桓州道中抢劫杀人。被逮捕后,舒玛尔节奏请释放他们。有个蒙古千户出使到京师,宿在官邸中,适逢百姓朱甲的妻子女儿坐车经过官邸门前,千户看上了她们,把她们连同随从一并掳掠了去。朱甲向中书省哭诉,舒玛尔节却包庇千户,不加追究。于是,国子监丞宋本又直言道:"特克实余党未杀尽,仁宗祭庙中的神主失盗没有下落,桓州的盗贼没有治罪,朱甲的冤屈没有伸张,国家刑政失度,民愤天怨,这就是灾异接连发生的原因。"言辞激烈,听者为之惊恐。

辛巳(二十六日),太庙新殿建成。

五月,丁亥(初三),监察御史董鹏南、刘潜等人因灾异上奏说:"平章政事奈曼台,宣政院使特穆尔布哈,詹事图们达尔,结党营私,依附逆徒,有亏大臣的操守;太常官员看守太庙不小心,辽王任意杀害亲族,布哈实里假传圣旨,扰乱法纪,这些都受宽大饶恕,甚失法度,应该将他们定罪,才能消除上天的变异。"泰定帝不同意。

己丑(初五),泰定帝告谕都尔苏说:"朕即位以来,没有一个人能为朕讲解法律的要求。知道却不说,这就是不忠,并且还陷人于罪。从今以后,凡是你知道的,都应全部把它告诉我,使我明知法律制度,断然不敢自我放纵。非但我一人依法行事,天下一切政务若能依法行事,那么民众都会治理平安,否则,天下就会遭受忧患苦难了。"又说:"凡事故从萌芽状态就加以注意,容易改正,等闹大了再补救就困难了。你把我的话明白告诉大家,让大家都小心谨慎。"

壬辰(初八),御史台图呼鲁、宁珠上奏说:"御史上奏灾异现象屡次出现,宰相应辞职以应天变,可不可以都请圣上裁决。不过,臣等身为陛下的耳目,对于徇私违法的人不能纠察,慢官失守,有渎职之罪,应先行辞职,让位于贤能之人。"泰定帝说:"御史们所说的情况,其过失在朕身上,各位何必如此!"图呼鲁又说:"臣已年老多病,恐怕会耽误国家大事,请求先退职。"于是中书省大臣乌温都尔、张珪、杨廷玉都上疏请求辞职。丞相舒玛尔节、都尔苏言说:"面对接连不断的灾异,陛下心忧天下,反躬自责,决心遵守祖宗的教训,修德慎行,令臣等各自努力于自己的职守,诏书传到大都,留守的中书省臣僚都引罪自我弹劾。臣等身为左右丞相,才下识昏,担当国家大任,没有很好地辅佐皇上,以致招来灾祸,罪过在臣等身上,应该罢免,各位大臣有何罪过!"泰定帝说:"各位大臣都辞职走了,国家大事,朕和谁来商量谋划!应该互相晓谕,努力做好本职工作。"

癸巳(初九),前翰林学士小云石哈雅去世,封集贤学士,追封为京兆郡公,谥号文靖。

当初,议论科举事宜,小云石哈雅提出了很多高明的建议,忽然感叹道:"地位低但所提意见高明,是过去贤者所崇尚的。现在我身居邻近宫廷的翰林院,与所让军资哪一个更高些呢?身后我怕要遭人议论了。"于是便称病辞职回到江南,在杭州街市中卖药,隐姓埋名,改易服色,没有人能认出他来。

戊戌(十四日),将列代皇帝神主迁入太庙新殿。

辛丑(十七日),循州僮民骚扰长乐县。

丙午(二十二日),御史高奎上书,请求皇上提倡直言,分辨邪正,明确赏罚。泰定帝赞赏他的意见,赐给他银币。

己酉(二十五日),宾州百姓方二为寇,有关部门抓住了他。

癸丑(二十九日),詹事丞回回请求皇上按照裕宗时的办法,选择名儒辅佐太子,泰定帝诏令中书省访求名儒上报。

回回是博果密的儿子,库库的兄长,为人敦厚,沉默寡言,却酷爱学习,擅长文章,历任山南、淮西、河南廉访使,都有好的名声。

中书平章政事张珪与枢密院、御史台、翰林院、集贤院官员详尽讨论了当世执政的得失,与左右司员外郎宋文瓒到上都把讨论的意见奏明给圣上,大略内容是:

"前宰相特们德尔,生性奸诈狡猾,策划了许多阴谋,掌权十年,才因贪赃而去职。他谄媚攀附权奸实勒们及皇帝宠爱的额勒实班之徒,才得免死,不久出任太子太师。没几天,仁宗皇帝去世,他利用这一机会,再次进入中书省任职。英宗初年,他与实勒们等恩义相许,狼狈为奸,诬陷杀害萧拜住、杨朵儿只等忠臣以泄私愤。后来,上天惩罚为首作恶之人,实勒们一党被处死,而特门德尔却又坐邀上功,因而获得信任,其子弟内布禁宫宿卫,外居显要职务,蒙蔽圣上,压抑下僚,杜绝言路,卖官鬻狱,威福由他而出。从此,群邪都得以进用,为非作歹。如逆贼特克实之徒,名为皇上义子,实为奸党心腹,最终构成弑逆大祸。其子索诺木,亲自参与叛逆阴谋,虽已剖棺戮尸,诛灭了他全家,还不足以抵销他的罪行。现在又发还抄没的家产,他的儿子们还在京师,通过攀附权贵又进入禁卫之中。世祖皇帝时,阿哈玛特贪婪残暴,败坏政事,虽死了还治其罪,何况像特们德尔这帮奸恶之人呢!应该遵照成法,依旧没收特们德尔的家产,将他的子孙流放到边远的外郡,以此惩罚特别奸恶的人。"

"特克实一伙,互相勾结杀害皇帝,天下之人,无不痛心疾首。最近接到圣旨:'诸王额特布哈等已经流放,逆党中胁从的人很多,怎么能都处死呢!以后不要再提这件事了。'臣等商议:古代法律,犯有杀害皇帝罪行的人,凡在官位上的人都要处死,不能赦免。我朝立法,强盗劫掠杀害庶民百姓,参与其事的,为首和随从都要治罪。何况敢于杀害皇帝的一伙,天地不容,应该诛杀额特布哈等人以谢天下。"

"辽王托克托,身为宗室之首,镇守辽东,乘国家动乱之机,报私仇,杀死亲王、王妃、公主百余人,分其羊马畜产。对骨肉如此残忍,听到的人无不切齿痛恨。现在不但不加罪于他,反而还厚加赏赐,让他回封地,臣担心国家的纲常法纪从此难以振作了。而且辽东地域广阔,素来称为重镇,假若让托克托久居此地,他既然放纵肆虐,必将无所忌惮。况且这样做会让死者含冤,有伤天地之间的和气。应该削夺他的爵位和封地,将他安置在其他地方,用以显示皇帝的威严。"

"武备卿济里、前太尉布哈,因为以前几位皇帝均待他们不薄,使其身居高官显列,但他们却不想努力报答皇恩,反而专做邪恶欺骗之事,假传圣旨要鹰师强取郑国宝之妻古哈为妻,刑部逮捕审问,他们都已如实招供认罪,竟然赦免了他们的罪过。常说匹妇含冤,三年不会下雨。以此来看这件事,就不是小事了。应将济里、布哈仍旧交付刑部,审判定罪。"

"商人胡中卖宝物,始于成宗年间,分珠寸石,售价万金。拿治理国家大有用处的钞,来交换这种不济饥寒之物,大概都是当时权贵与宦官妄称向皇上呈献宝物,贸然给予回赐,高其价值,多至十倍,这样蚕食侵吞国家财富,暗中自行分用。应该下令禁止买卖宝物。那些以前各朝未支付的宝物价钱,等国家收入富裕后再商议。"

"近来在西山建筑寺院,损军害民,费用以亿万计。近日虽下诏停止了这项工程,可又听说奸人乘机奏请重修。应恪守前诏,向百姓显示朝廷言而有信。"

"萧拜珠、杨多尔济等,枉遭诬陷,家产被抄没分赐给他人。最近接到诏书,发还原来财产,由其子孙奉祀。这些家的家庙刚修好,还未安定下来,又要将他们的家产分赐给原来的受赐人,只按价补给钱钞,这和再次抄没无区别。应按前诏所说,将原来的财产发还,按价补给受赐者,那么,人们就没有冤愤了。"

"额森特穆尔一伙,在中书省门外遇到朱太医妻女,强行拉进去,奸宿于馆所。官吏以他们随从皇上到上都为理由,竟不加审讯。应按世祖皇帝成法,将奸人交付有关部门加以审讯。"

"广州东莞县大步海和惠州珠池,从大德元年开始,奸民刘进、程连说有利可图,分派蜑户七百余家,由官府供给口粮,三年采一次珠,仅获小珠五六两,蜑民入水被虫、鱼咬死咬伤者甚多,于是免珠户编制,令其为民。此后同知广州路事官员塔齐尔等又向实勒们献利行贿,获准创设提举司监督采珠。廉访司官员说提举司骚扰百姓,又撤销了提举司,将采珠户交有关部门管理。不久,内正少卿魏温都尔骗得中宫的诏旨,便乘驿马南下督采,耗损仓廪粮食,使百姓、驿站都为之疲惫。这不是世祖皇帝的旧制,请皇上全部撤销。"

"在特克实谋杀皇帝的变乱中,学士布哈、指挥布延呼里、院使图古思全都无罪屈死;特们德尔专权时,御史徐元素因提意见而被用铁链锁颈,吊死于东平,以及贾图沁布哈等人,都未经说明理由就被处死。应追封死者,从优为他们的后代封官。"

"朝廷内外增置官署,官员冗多,俸禄过度。有些人原是白丁,骤然升官,进入仕途,以致机构壅塞日益严重,军民都蒙受其害。应完全遵照世祖时的成法,凡是至元三十年以后的官员,改为以有无创设为标准提升入流,多余的人员全部裁减、合并、调官、罢免。"

"自古以来,圣贤君主,只要诚心诚意治理国家,就会感动天地鬼神,用不着依靠僧道去祈福。至元三十年,佛教祭祀活动只有一百零二起;大德七年,重立功德使司,这种活动增加到五百余起。僧徒们又谋求于皇帝的近侍,买通他们大作佛事,每年用钞数千万锭。僧徒贪慕钱财利益,养妻育子,他们的品行既然不干不净,正足以亵渎怠慢天上神灵,哪里还能祈得福荫。近年来,佛事愈演愈繁,然而几朝皇帝在位时间都不长久,灾害日益增多,佛事没有应验,断然可知了。应撤销功德使司,凡是至元三十年以前以及列朝皇帝的忌日所应举行的道、佛教仪式,只由宣政院主持举行,其余一切停办。"

"当今游手好闲、生性懒惰之徒,胡乱投奔到皇宫宿卫部属之中,以及宦官、女红、太医、阴阳先生之类人员,多得不可计数。一人收入宫籍,全家可免除赋役;一人一年所请发的衣服、马匹、粮草,用数十户百姓的赋税还不够供给,耗国损民甚为严重。应按世祖时的供应数支给,其余一概精简淘汰。"

"参卜郎地方的盗贼,起初劫杀使臣,只是为了抢掠财物而已,至用大军征讨,作战一年,还不能收服,折损兵士,耗费国家粮饷。应派遣能干的使臣前去他们的巢穴宣谕招抚,同时仍告诫边境官吏不要生事,这样远方的蛮夷就会来归附了。"

"世祖时,淮北和内地只征收丁税。特们德尔任丞相后,专门致力于聚敛财富,派遣使臣勘查核实两淮、河南田产土地,加重征收公粮,又将两淮、荆襄一带的沙碛地作为熟地来征收田赋,求名兴利,却逼使农民逃亡他乡。应按照原来的制度,只征收丁税,凡因勘查田土而多收的公粮及沙碛地以熟地标准多收的赋税,全部免除。"

"世祖身边的大臣,虽特别受到宠爱,但从未听说无功而给赏赐的。近年赏赐愈来愈滥,大概是因为皇帝左右的人,偷看皇上脸色,看到圣上高兴的时候,或者说自己缺少财物,没有住所;或者说自己要嫁女娶妇;或者以技艺宝物呈献给皇上,轮流相互上奏请求皇帝,要求赏赐。这样既伤了国家的财产费用,又开了侥幸得利得宠的门路。自今以后,不是确有功勋劳效,实绩显著之人,不应加以赏赐。请朝廷把它写成法令。"

大臣们的建议有数千言,言辞甚为切合事理。六月,庚申(初六),张珪到上都,向皇帝上奏,皇帝不允许。

张珪又进言说:"臣听说发生日食,皇帝应反省完善自己的品德,发生月食,则应检查刑罚是否得当,感动上天要用实事而不是文辞,感动百姓要用行动而不是用言谈。正因为刑罚政治失去平衡,天象才发生变异来报应。望陛下慎重考察,允许臣等的建议全部付诸实施。"泰定帝终没有采纳。

癸亥(初九),在上都和大同路建造礼拜寺。

丙寅(十二日),朝廷派遣使臣招抚西番。

派遣库库楚等前往高丽去选取女子三十八人。

广西左右两江的黄胜许、岑世兴乞请派遣他们的子弟向朝廷朝贡,泰定帝允许了他们。

丁卯(十三日),大崌殿建成。

癸酉(十九日),帝师向泰定帝传授佛教戒规。

己卯(二十五日),皇帝下诏说:"清理囚犯,抚恤军士,免除天下和买杂役三年,免蜑户的差税一年。到边远瘴疫之地做官,身死不能归家安葬和妻子儿女流落在外的,有关部门要发给钱饷遣还他们,照此写成法令。"

云南大理路你囊为寇。

这一月,大同浑源河、真定滹沱河、陕西渭水、黑水、渠州的江水都漫过河岸,并冲垮了百姓的房屋。

秋季,七月,丙戌(初二),思州平茶杨大车、酉阳州冉世昌侵扰小石耶、凯江等村寨,朝廷调兵剿捕他们。

癸卯(十九日),撤销广州、福建等处的采珠蜑户,恢复他们的民户身份,仍旧免差税一年。

"萨"字印　元

丁未(二十三日),中书省上奏说:"东宫卫士,先朝只有三千人,现在增加到一万七千人,请求命令詹事院加以精减,仍依旧制保留三千人。"皇帝听从了中书省的建议。

戊申(二十四日),将没收的特们德尔及其子班坦、观音努的财产发还给他们家。

这一月,朝邑、楚丘、濮阳一带的黄河水漫出河岸,固安州的清河水也漫出河岸,任县的沙水、沣水、洛水全都漫出河岸;真定、广平、庐州等十一郡大雨伤了庄稼;龙庆州下冰雹,大如鸡蛋,平地积三尺深;定州唐河水漫出河岸、山体崩塌。朝廷免除河渠营田租,其余救济抚恤多少不等。

广西庆远傜民首领潘父绢等人率部众前来投降,分别授予县簿、县尉等官职。

八月,丙辰(初三),在太庙祭祀先祖。

丁巳(初四),禁止说大赦以前的事。

庚申(初七),买母马一万匹,用马奶制酒。

庚午(十七日),建中宫金脊殿。

辛未(十八日),绘制帝师帕克斯巴像十一幅,颁发到各行省,使各地按像塑形祭祀他。

丁丑(二十四日),泰定帝从上都回大都。

取消疏浚玉泉山河道的劳役。

癸未(三十日),秦州成纪县下大雨,山体崩溃,水漫河道,冲下的泥土将来谷河淤塞成了土山。

九月,丙申(十三日),修理太祖神御殿。

乙巳(二十二日),是昭圣元献皇后的忌日,举行佛教仪式,供应万名僧人饭食。

癸丑(三十日),奉元路长安县下大雨,沣水漫出河岸;延安路洛水漫出河岸。

冬季,十月,丁巳(初四),监察御史王士元请求泰定帝及早对太子进行教育,泰定帝高兴地接受了他的意见。

戊午(初五),祭祀太庙。

庚申(初七),皇帝命左右丞相每日到宫中值班,有事则赴中书省办理。

己巳(十六日),云南车里蛮作乱,朝廷派遣鄂尔多招抚他们,蛮民首领出来投降。

壬申(十九日),安南国世子陈日炜派遣使臣前来朝贡。

真州珠金沙河、吴江州各条河流淤塞,皇帝下诏要有关部门雇民工疏浚河道。

丁丑(二十四日),泰定帝封亲王图卜特穆尔为怀王,赐给金印。

调封云南王旺沁为梁王,迁往其他地方,仍以其子特穆尔袭封云南王。

壬午(二十九日),肇庆傜民黄宝才等投降。

延安路发生饥荒,用义仓粮进行救济;广东道及武昌江夏县发生饥荒,分别加以赈济或粜粮供应。

皇帝将鲁国大长公主的女儿嫁给怀王。

十一月,癸巳(十一日),派遣兵部员外郎宋本,吏部员外郎郑立、阿鲁辉,工部主事张成,太史院都事费著,分别前往闽海、两广、云南、四川,迁调各处官员。

辛丑(十九日),建造金宝盖饰,用七宝贮存佛舍利。

甲辰(二十二日),在上都建歇山鹿顶楼。

庚戌(二十八日),招抚晓谕融州蛮民。

河间等路发生饥荒,发粮救济。

十二月,癸丑(初一),任命岑世兴、黄胜许为安远大将军,遥领汉洞军民安抚使。岑世兴仍兼任来安路总管。黄胜许退休,其子志熟袭任上思州知州。

乙卯(初三),云南傜民阿吾和歪闹为强盗,行省官督兵逮捕了他们。

庚申(初八),同州发生地震,声大如雷。

癸亥(十一日),盐官州海水泛滥,屡次冲坏堤防,淹没了城郭。泰定帝派遣使臣前去祭祀海神,并与有关部门察看地理形势,就其所便治理。使者回京后,建议垒石为塘,泰定帝说:"筑石塘会加重老百姓的负担,还是用增石囤海的办法来抵御海水。"

丙寅(十四日),泰定帝命翰林、国史院编纂《英宗实录》租《显宗实录》。

皇帝下诏:"内外百官行朝贺等礼时,如遇雨雪天气,可免穿朝服。"

辛未(十九日),新建的棕殿落成。

乙亥(二十三日),太白星经过天空。

特赦重罪囚犯三十八人,为天子、皇后、皇太子祈福。

夔路容米洞蛮人田先什用等九洞作乱,四川行省派遣使者前去招抚,有五洞投降,发兵讨伐其余各洞,捕获了他们。

太子宾客巴图是江浙行省平章鄂啰欢的次子,因病辞职,寓居于高邮。英宗任命他为江南行台御史大夫,巴图坚决推辞,英宗便下令发给平章政事的俸禄,让他回家休养,又赐给他钱钞十万缗。巴图所服药中须有一味空青,英宗下诏派遣使臣前往江南访求。巴图辞谢说:"臣过去受皇上重托,生怕不能胜任,怎么再敢无节制地贪受厚禄,接受重赐呢!"并把发给他的平章政事的俸禄退还给有关部门。这一年,巴图回京师,去世。朝廷知道他家贫穷,赐给钱钞二万五千贯助其办丧事。御史上奏,增加一万贯,并归还巴图所辞的俸禄。巴图的妻子鸿吉哩氏不肯接受,说:"当初巴图在朝中做官,不敢虚名接受公家的俸禄,现在已经死了,如果接受了这份俸禄,就违背了他的原意。"终于辞退了它。

王克敬做两浙盐运使司的官员,首先减免绍兴百姓五千引食盐捐税。温州逮捕私运食盐的人,把一名妇人送到两浙盐运使司来,王克敬恼怒地说道:"岂有将妇女与吏卒混杂一起押送到千百里以外的道理！从今以后不得逮捕妇女！"并建议把这一条写成法令条文。

泰定二年 （公元1325年）

春季，正月，乙未（十四日），因京畿地区年成不好，停止春天的狩猎活动。

禁止后妃、诸王、驸马与星相方术之士来往，非司天官不得妄言祸福。

下诏："御史台选举官员，与中书省一并商议以后上奏。"

中书省上奏说："江南地区百姓贫苦而僧人富足，各寺庙道观的田产土地，凡不是宋朝旧制和本朝历代皇帝所赐予的，仍请按过去的规定与百姓同样承担差役。"朝廷同意了这一建议。

把没收入官府的巴斯吉斯的土地赐给已故监察御史观音保、索约勒、哈迪密实的妻子、儿子各十顷。

戊戌（十七日），建造大象挽拉的辇车。

西番参卜郎来投降，泰定帝赏赐其首领班术儿银、钞和丝织品。

辛丑（二十日），怀王图卜特穆尔出京前往建康居住。

甲辰（二十三日），奉送显宗神像到永福寺，并拨给祭田一百顷。

广西山獠作乱，朝廷命所在地有关部门追捕他们。

庚戌（二十九日），泰定帝诏谕丞相说："以前，绰儿罕察苦鲁及山后地区都发生地震，内地百姓也发生饥荒。朕自即位以来，想到太祖皇帝开创基业的艰辛，世祖皇帝统一天下的兴盛，他们与人民共享安乐太平，而我常怀敬惧，现在天灾水祸的发生，不知原因何在。难道是朕考虑不周以致有些事情出了差错，所以上天以此显示对我的警诫？卿等可与各司官员集中商议举办有利于百姓的事情，从死罪因犯开始考虑，议定后上奏，朕将赦免他们。"

对肇庆等处饥荒进行救济。

闰一月，壬子朔（初一），泰定帝下诏大赦天下，取消江淮地区新增的包银锐，免除受灾地区一年差税。

庚申（初九），修野狐岭、色泽、桑干岭道路。

乙丑（十四日），下令整治屯田。

河南行省左丞姚炜请求朝廷禁止屯田官吏蚕食欺压屯田户，以及不要因追求增加税收而违背了使百姓富裕的原意。不予答复。

丁卯（十六日），中书省上奏说国家费用不充足，请停止不紧要的用费，泰定帝听从了这条意见。

己巳（十八日），开修滹沱河的堤堰。

壬申（二十一日），停办永兴银场，听任民众采炼白银，将所得十分之二交给官府。

撤销松江都水庸田使司机构，命州、县正官负责这项工作，仍旧加上"兼知渠堰事"。

癸酉（二十二日），建棕毛殿。

丙子（二十五日），浙西道廉访司上言："代表皇上前往四方祭祀神灵的使臣，弃公营私，大多不忠诚廉洁，因此神灵不享用祭祀，请皇上慎重选择代祀之人。"

山南廉访使特穆格奏请将特克实破格提拔的官员免职或降级。

己卯(二十八日),阶州吐蕃作乱,巩昌总帅府调兵防御。

山东廉访使许师敬奏请颁布族葬制,禁止采用阴阳占卜相地等邪说。

雄州归信等县天降大雨,河水泛滥,受灾户达一万一千六百五十户,朝廷救济钞银三万锭。

二月,甲申(初四),祭祀先农。

丙戌(初六),向天下名山道教宫殿颁发《道经》。

丁亥(初七),平伐苗族首领率部众十万人前来投降,土官三百六十人请求入京朝觐。湖广行省请求遣散其部众回到原部,仅以四十六人入朝拜见,泰定帝同意。

辛卯(十一日),爪哇国遣使来献地方物产。

广西傜民潘宝攻陷柳城县。

己亥(十九日),命西番僧人在延华阁举行佛教烧坛仪式。

泰定帝封阿里密实为和国公,封张珪为蔡国公,仍旧管理给皇帝讲解经书的事情。任命中书右丞善僧为中书省平章政事。

庚子(二十日),姚炜因黄河屡次决口,奏请在汴梁设立行都水监,仿照古法防备水患,仍旧命令靠近黄河的各州县正官都兼"知河防事"。泰定帝同意了这一建议。

丙午(二十六日),建造玉石御床。

救济通州、潮州饥荒。大都、凤翔等路饥荒,分别救济粜粮。

三月,癸丑(初三),修筑曹州济阴县黄河河堤,派民丁役夫一万八千五百人。

甲寅(初四),下令禁止捕捉天鹅。

辛酉(十一日),咸平府境内清河、滱河合流,失去原来的河道,冲坏堤堰,命蒙古军士千名和民工一起修治河堤。

乙丑(十五日),泰定帝前往上都。

乙亥(二十五日),安南派遣使臣来进贡地方物产。

荆门州干旱,肇庆等路饥荒,加以救济。

监察御史策丹跟随泰定帝到上都,上疏弹劾中书参政知事杨庭玉犯有贪赃罪,不答复。策丹就交印回到京师,泰定帝派遣使臣召他回去复职。夏季,四月,策丹又上疏弹劾杨庭玉,经撤职审讯,竟如策丹所言。策丹又弹劾平章政事图门岱尔,说他进入集赛之日,正是英宗皇帝被害之时,必然预先知道这一阴谋。泰定帝不省悟,反而赐给图们岱尔腰带。策丹于是辞职,改任工部员外郎。

丁亥(初八),修建吾殿。

癸巳(十四日),和市有带驹母马一万匹,下令宿卫的骆驼马匹凡是散牧在民间的,都收归官厩饲养。

丁酉(十八日),濮州鄄城县上奏说:域西的尧冢上建有佛寺,请求将它迁走。不予答复。

丙午(二十七日),僰夷和蔑雁阻拦、杀害云南行省派遣前去晓谕蛮人的使者,皇帝下令追捕他们。

丁未(二十八日),加封皇后父亲和勒克察尔为威靖王。

戊申(二十九日),任命许师敬为中书左丞;任命中政使冯亨为中书参知政事,仍旧任中政使。

巩昌路伏羌县大雨,山体崩塌。

五月,辛酉(十三日),高丽国王王璋去世。

王璋在京师居住时,在府中建造万卷堂,招阎复、姚燧、赵孟頫、虞集等人一起游赏,以考察研究学问自娱。当时有鲜卑僧人上书说,帝师帕克斯巴创造出蒙古文字,对国家有大功,应该命天下各地为他立祠祭祀,和孔子一样。皇帝下诏要公卿耆老集会议论此事。国公杨安普全力支持这一主张,王璋对杨安普说:"帝师制字有功于国,自应以古代典礼祭祀,何必与孔子相比! 孔子是百代帝王之师,他得到历代帝王的祭祀,是因为他的德行而不是功绩。如此相比,恐怕后代会有不同的看法。"这番言论虽然没有被采纳,听的人却都认为是对的。科举的设立,王璋曾将姚燧的话告诉仁宗皇帝,到李孟执政,便奏请实行科举,这件事情实际上是王璋首先提出来的。右丞相图噜免职后,仁宗想让王璋为丞相。王璋坚决辞谢说:"臣为小国藩邦之主尚且担心不能胜任政事,而请求将王位交付给儿子,何况朝廷中的丞相重任呢! 我敢以死请求推辞此任。"仁宗笑着说:"本来就知道你善避权势!"王璋生性好贤疾恶,特别喜欢谈论宋代历史。他曾经让属下官员帮助他读《东都事略》,读到王旦、李沆、富弼、韩琦、范仲淹、欧阳修、司马光等人的传记,一定举手放在额上以表示景慕;至于读到丁渭、蔡京、章惇等人的传记,未尝不切齿愤恨。到此时死于京师府邸,赐谥号为忠宣。

辛未(二十三日),派遣察纳前往周王和实拉那里。

丙子(二十八日),舒玛尔节等因国家财用不足,奏请裁减马圈里的马匹,淘汰卫士,以及节制对诸王的滥加赏赐。泰定帝同意。

浙西诸郡大雨久下不停,江湖水溢,朝廷下令江浙行省兴办工役疏通河湖排水。

在昌平县设谏议书院,奉祀唐代刘贲。

大都路檀州发大水,平地水深达一丈五尺;汴梁路十五县河水泛滥;江陵路长江水泛滥。

六月,己卯朔(初一),皇子出生,命令巫师在宫中被除不祥。

修葺万岁山宫殿。

广西静江徭民作乱,宣慰使发兵捕讨。不久,柳州徭民也谋划叛变,守军征讨并斩杀了他们。

癸未(初五),浔州平南县徭民作乱,达噜噶齐图坚、都监姚泰亨死难。

丙申(十八日),中书平章政事尊达布哈上奏说:"大臣兼领军卫,前代没有先例。特克实以御史大夫,额森特穆尔以知枢密院事都率领侍卫亲军,如虎添翼,所以造成叛逆之谋。现在侍卫亲军的职务,请不要由大臣来兼任,或许功臣勋戚之家才能得以保全。"泰定帝同意,还赐给他币帛以表彰他的耿直。

丁酉(十九日),朝廷命令广西守将追捕静江叛乱的徭民,随即又命令湖广行省督促部属追捕柳州叛乱的徭民。

息州百姓赵丑厮、郭菩萨妖言惑众,说弥勒佛会统治天下。有关部门将此事上报朝廷,泰定帝命宗正府、刑部、枢密院、御史台及河南行省官员一起审讯他们。

丁未(二十九日),设立都水庸田使司,疏浚吴江、松江。

通州三河县降大雨,水深丈余。潼川府绵江、中江河水泛滥成灾,漫入城郭。冀宁路汾水泛滥。秦州秦安山体移动。

秋季,七月,庚戌(初三),泰定帝派遣阿实特到北部帐殿祭祀宅神。

甲寅(初七),宁珠、许师敬分类编纂《帝训》完成,请求到经筵向皇帝进讲,并让皇太子阅读。泰定帝命其将《帝训》译成蒙文后再进献。

丙辰(初九),祭祀太庙。

播州蛮族黎平爱等纠集各边远民族作乱,湖广行省请求发兵讨伐,朝廷不同意。诏令播州宣抚使杨额勒布哈前往告示招抚。

戊午(十一日),朝廷派遣使臣代表圣上祭祀龙虎、武当二山。

己未(十二日),设立车里军民总管府,以当地人寒赛为总管,佩带金虎符。

中书省上奏:"往年征伐僚民,廉访司弹劾兵士滥杀无辜,现在出兵征讨,请廉访司派一名官员随军纠正。"泰定帝同意。

癸亥(十六日),任命许师敬和郎中迈闾兼任经筵官。

广西各处僚民侵扰城邑,朝廷派遣湖广行省左丞奇珠、兵部尚书李大成、中书舍人迈闾统兵二万二千人前去讨伐,仍旧派诸王鄂尔多罕监督这支军队。

庚午(二十三日),因为国家经费不足,停止用黄金书写《藏经》。

辛未(二十四日),设立河南行都水监。

再次禁止汉人收藏持有兵器。凡有军籍的,出征时就发给兵器,回来再交还官府保管。

壬申(二十五日),御史台上奏说:"廉访司官员随军监督,不是世祖时的制度。胡商出售珍宝,西僧修佛事,所费难以支付,对国家没有好处,都应该停止。"泰定帝同意。

泰定帝下诏命太傅图台、太保图呼鲁每日到宫中集议国家大事。

泰定帝下诏命山东州县收养流民遗弃的子女。

这一月,宗仁卫屯田降霜冻死了庄稼。睢州黄河决口。

八月,戊子(十一日),修上都香殿。

辛卯(十四日),云南白夷侵扰云龙州。

辛丑(二十四日),泰定帝下诏:"诸王私自来京师者,不要供给其所需费用;诸王的部属、宿卫私自来京师者,要判他们的罪。"

卫辉路汲县黄河泛滥。